NINETEENTH CENTURY FRENCH READINGS

BY

ALBERT SCHINZ

PROFESSOR OF FRENCH LITERATURE
UNIVERSITY OF PENNSYLVANIA

VOLUME II

REALISM   (1850–1885)
SYMBOLISM (1885–1900)

NEW YORK
HOLT, RINEHART AND WINSTON

37734-0319

PREFACE

The first volume of *Nineteenth Century French Readings* (1800–1850) was presented under the general heading of **Romanticism**; this second volume, covering the last half of the century, requires two headings, **Realism** and **Symbolism**. Part I, (1850 to 1885) embraces the age of Realism, Part II, (1885–1900) that of Symbolism. These dates are, of course, purely arbitrary, and are in no way definitive for the movements themselves or the authors chosen as representative of them. Théophile Gautier, for instance, began writing long before 1850, although his claim to fame rests upon works published after that date; Paul Bourget and Maurice Barrès did not stop literary activity in 1900, though their reputations were established during the period embraced by the Symbolist movement. Likewise it would be incorrect to assume that Realism was a thing of the past as early as 1885, and it might well be argued that Symbolism dates from the publication of Baudelaire's *Fleurs du mal*, in 1857. In this same connection, it may be well to remember that, for the sake of unity of treatment, Victor Hugo has been dealt with entirely in the first volume, although an important part of his writings belongs to the second half of the century.

In this volume the same method of presentation has been followed as that which was adopted in the earlier anthologies of this series. It has been the editor's desire to deal only with indisputably commanding names, and even among these to select what one might call the "chefs de file". No really great writer has been left out, yet a clear grasp of the evolution of thought as evidenced in literature has been made possible by careful selection and the avoidance of a dreary accumulation of names and titles.

It cannot be denied that the selection of those authors who were to be included in this volume proved a formidable task. If writers such as Bazin and Aicard could be dispensed with on the grounds that Bourget or Barrès represented their ideas, such authors as Barbey d'Aurevilly or Villiers de l'Isle-Adam were put aside with more regret. Although the second half of the nineteenth century has no names to match in individual glory those of Lamartine, Vigny, Musset, and Balzac, it has a much greater number of original writers than the first half of the century; indeed, many writers of the period, while not reaching the first rank may be classified well above the second. Paul Albert's statement concerning the seventeenth and eighteenth centuries is equally applicable to the two halves of the following century: "The first is rich in pieces of gold, the second in those of silver, but the number of silver pieces so far exceeds that of the gold that the actual wealth is approximately the same."

Further difficulty was encountered in this volume that had not been found in earlier periods: the authors studied being much nearer our own time, in many cases posterity had not passed what might be considered definite judgments. For writers like Lamartine, Hugo, Vigny, Musset, Balzac, it was easy to let oneself be guided by a pretty well standardized choice of what a student should not ignore of the writings of these great figures. This has not been the case for the period covered here, and the editor has to assume the responsibility for his decision; he can only beg for indulgence if he has committed errors of judgment.

Textual selections have been made as complete and comprehensive as possible, in order that there be left in the mind of the reader a clear vision and durable impression of the author's work. Opportunity is thus allowed to the director of the course to choose what he considers most important according to his own presentation, or according to the time at his disposal. While the selections were made as much as possible on the bases of literary significance and esthetic value, the first element has been emphasized at times perhaps at the expense of the second. In this the editor is aware that he is not in agreement with most anthologists, but he believes this to be the most effective way to hold the interest of the student.

The introductory and explanatory notes again aim to locate the selections clearly in time and thought in the history of literature, and to give circumstances and facts needed, not only to understand the general trend of thought, but also to grasp fully the meaning of every line of prose and verse. (Note, in this connection, the presentation of such poets as Mallarmé and Rimbaud.) It is hardly necessary to point out that an understanding of the authors of the second half of the century requires more explanation than that afforded for those belonging to the first half — simply because our world has grown in complexity and because literature continues to be, directly or indirectly, a mirror to the world. This is one of the reasons why the student will find this volume, even more than the preceding ones, a real course in the literature of the period.

Since a considerable portion of this volume deals specifically with "realism" in all its aspects, it is hardly necessary to apologize for the fact that there are many selections containing rather painful reading. It would have been entirely untrue to the purpose of this book to pick out, in Flaubert, or Zola, or Baudelaire, or any other writer, such passages as did not reflect the fundamental spirit of their contribution to the evolution of the literature of the century. An effort has been made, however, to meet this possible criticism by surrounding, whenever possible, such selections with others of a less gloomy nature, or even with cheerful ones: for example, the pages from Flaubert's *Madame Bovary*, and *Salammbô* are followed by the description of the famous *Salomé* dance; not many pages after the distressing story of *La petite Lalie* the student will find the cheering little poetic stunt *Les Prunes*, by Daudet; and following the tragic, moving pages relating the attempt at suicide of *Zizi*, some amusing extracts from Daudet's *Tartarin*. Of Maupassant we have picked one of his comic stories, with the same idea in mind; and a few parodies have followed the somber poems of Leconte de Lisle.

Because of the large number of authors and selections necessarily treated in this volume, we were faced with the decision either to offer a scrappy treatment of men like Sainte-Beuve, Renan, Zola, Leconte de Lisle, and many others, or to sacrifice the chapter on the theater — as we had done in our *XVIIth Century French Readings*. The second alternative was finally adopted, not without great regret, but with the conviction that professors of French literature will surely agree that the theater of the second half of the XIXth century played an unimportant part only, as compared with the novel and poetry — that is to say that it offered hardly more than an echo in the all pervading movement of Realism and Symbolism. (A great exception must be made, however, in behalf of Maeterlinck and Symbolism). This could not have been said, of course, of the theater of the 18th century with Marivaux, Diderot, Beaumarchais, for instance, or of the first half of the XIXth century with Hugo, Vigny and Musset. Again, in taking up the more original theatrical names of the later period — Hervieu, or Porto-Riche, or Brieux — it would have meant a treatment out of proportion with the general scale of appreciation; if their real significance as second class authors *per se*, was to be made clear, the choice was to give them too little space, or too much.

The publishers (Henry Holt and Company) have adopted in this volume a new method of capitalization in titles, of marking quotations within quotations to be applied to all their French publications. We have, of course, accepted that ruling.

To our friend Professor Giroud is due full acknowledgment for many valuable suggestions in the preparation of this volume, and especially for his admirable transposition of Mallarmé's *Après-midi d'un faune*.

As to Madame Dedeck-Héry, of the Spence School, in New York, there are no words to express adequately our indebtedness for her painstaking reading of the proofs and for innumerable improvements suggested for presentation of the texts and delicate handlings of the annotations accompanying the texts.

Let several other friends accept here a collective acknowledgment of indebtedness.

A. S.

FEBRUARY, 1939.

TABLE DES MATIÈRES

DEUXIÈME GROUPE

CONTENTS

PREMIÈRE PARTIE

INTRODUCTION HISTORIQUE

Tableau historique de 1848–1885 [1]

Nous rappelons qu'en 1848 une nouvelle révolution avait éclaté. Elle était due au mécontentement inspiré par la bourgeoisie qui avait confisqué à son profit les résultats de la révolution de 1830 (v. *Introduction historique* du vol. I, p. xxi). La cause la plus profonde du mécontentement était la misère du peuple; la cause la plus apparente fut une loi qui réservait le droit de vote à ceux qui possédaient une certaine fortune (200.000 électeurs). On réclama le suffrage universel; le gouvernement résista. On fit la « campagne des banquets »: partout on se réunissait pour protester en des discours retentissants. L'un des plus célèbres de ces discours fut prononcé à Mâcon par Lamartine, l'auteur de *L'Histoire des Girondins* (v. vol. I. pp. 156–8).

Révolution de février: Le 22 février, des députés demandèrent la mise en accusation de Guizot, chef du gouvernement; elle fut refusée par le vote de la Chambre. Le 23, on parcourut les rues aux cris de *Vive la réforme [électorale]*! La Garde nationale, milice composée de citoyens, se rangea aux idées du peuple; le roi dut demander la démission de Guizot; Paris illumina. Mais la même nuit, il y eut une échauffourée entre les soldats et le peuple; alors la révolution devint une réalité; le 24 Paris était couvert de barricades; le roi Louis-Philippe abdiqua.

La deuxième République: Deux possibilités se présentaient: changer de dynastie ou changer de mode de

---

[1] Pour ce résumé historique *Francia, Histoire illustrée de la France*, par Joseph Reinach (Hachette) [1921] nous a été d'un grand secours.

gouvernement, et établir une république. La république
fut proclamée. Un gouvernement provisoire, avec Lamartine, pendant quelque temps au Ministère des Affaires
étrangères, prit en main la direction du pays.

5 On élut une Assemblée nationale de 900 membres; tout
Français de 21 ans, et domicilié depuis 6 mois, était électeur; tout Français de 25 ans était éligible. On céda
d'abord à de généreuses impulsions. Par exemple, on vota
d'abolir l'esclavage dans toutes les colonies; on abolit
10 aussi la peine de mort pour crime politique, et celle du
pilori; on décréta l'entière liberté de la presse; enfin et
surtout on proclama et chercha à réaliser le droit au travail: ce fut le danger. Des « ateliers nationaux » furent
établis d'abord pour une période de trois mois; chaque
15 citoyen avait droit à gagner son pain. Au bout de trois
mois, cependant, le gouvernement n'avait plus les moyens
de continuer; mais le peuple réclamait le maintien de ces
ateliers, ce qui provoqua une nouvelle poussée révolutionnaire.

20 **Les journées de Juin:** Elles furent affreuses; 40.000
soldats se trouvaient en face de 50.000 ouvriers; il y eut
des milliers de cadavres avant que le général Cavaignac
ne rétablît l'ordre.

On revint à la politique. Deux partis étaient en pré-
25 sence dans l'Assemblée constituante; ceux qui voulaient
deux Chambres, sur le modèle des États-Unis d'Amérique,[1]
et ce seraient les Chambres qui éliraient un Président; ceux
qui voulaient une Chambre unique et un Président nommé
par le suffrage populaire. On adopta le second système.

30 **Louis Bonaparte:** Le Prince Louis Bonaparte, neveu
de Napoléon I, avait pu rentrer en France grâce au décret
d'amnistie en faveur des exilés politiques (Victor Hugo
avait contribué à ce rapatriement par un discours); et

---

[1] Système préconisé par Alexis de Tocqueville, qui revenait d'A-
mérique et publiait son célèbre ouvrage sur *La démocratie en Amérique*
(4 vols., 1835-40).

comme on demandait avant tout la restauration de l'ordre dans le pays, le nom de Napoléon servit d'enseigne à Louis Bonaparte qui fut élu Président de la République, le 10 décembre 1848: 5 millions de voix, contre deux millions données à Cavaignac. V. Hugo, le grand poète de la Légende napoléonienne, avait apporté l'appui de son prestige au Prince. Mais il eut à s'en repentir, car Louis Bonaparte viola outrageusement son serment de fidélité à la République.[1] Profitant de la lutte des partis politiques, de l'impopularité de l'Assemblée qui se montrait réactionnaire, et *surtout* du prestige de son nom, il fit le Coup d'État du 2 décembre 1851 — lequel fut ratifié par un plébiscite (7 millions de voix contre 650.000 non): il était nommé chef responsable pour dix ans; et, un an après, il posa sur sa tête la couronne impériale, prenant le titre de Napoléon III. Entre temps, il s'était assuré le bon vouloir de l'Église en remettant le pape sur le trône de Rome après avoir renversé la République proclamée en Italie. Ceci explique l'opposition que, dès ce moment, Victor Hugo fit à Rome.

Le Second Empire: La cour de Napoléon III fut très brillante. Il épousa, en 1853, une Espagnole de grande famille, Eugénie de Montijo (dont il eut un fils qui fut tué en Afrique, après la chute de l'Empire, dans une malheureuse rencontre avec une tribu noire[2]). D'ailleurs on ne

[1] On a vu, au vol. I de cet ouvrage, pp. 305 et suivantes, la résistance que V. Hugo essaya de faire au Coup d'État, et les vers vengeurs qu'il publia dans son recueil *Les châtiments*. Certes, il y avait eu une flagrante violation de serment. Voici le texte lu à la séance du 20 décembre 1848 par le président de l'Assemblée: « En présence de Dieu et devant les hommes je jure de rester fidèle à la République démocratique et de défendre la Constitution. » Louis-Napoléon, à la tribune, dit d'une voix forte: « Je le jure. » Pour justifier son action, en 1851, Louis-Napoléon invoquait les dissensions de partis; « Je compte sur vous, proclamait-il à l'armée, non pour violer la loi du pays, mais pour faire respecter la première loi du pays, la souveraineté nationale. » Il prétendait « sortir de la légalité pour rentrer dans le droit ».

[2] Celle des Zoulous que voulait châtier l'Angleterre.

peut nier que l'ère des 18 ans de l'Empire ait été une époque
de prospérité pour la France. Le prix de la vie diminua
par suite de traités de commerce favorables; le réseau des
chemins de fer qui n'était que de 4.000 kilomètres atteignit
5 le chiffre de 20.000 kilomètres; l'Empire rendit aux ouvriers le droit du syndicalisme et supprima le délit de grève.
Paris fut transformé par de vastes travaux d'utilité publique; on perça de larges avenues qui firent pénétrer l'air
et la lumière jusque dans les quartiers populeux et mal-
10 sains; le Louvre fut achevé; on construisit de nouvelles
églises et de spacieuses casernes. Les autres villes de
France profitèrent aussi de ces munificences, surtout les
villes maritimes; et les paysans virent leur sort amélioré
par la création de Chambres d'agriculture. Les grandes
15 expositions universelles de 1855 et de 1867 révélèrent la
puissance industrielle et artistique du pays; on y vint
beaucoup de l'étranger; on y vit le Tzar de Russie, le
Sultan, l'empereur d'Autriche, le roi de Prusse avec Bismarck et Moltke — qui préparaient déjà la guerre de 1870.
20   Malheureusement, Napoléon III qui avait gagné son
trône en assurant à la nation que « l'Empire, c'est la paix »,
fit la guerre presque tout le temps que dura son règne; il
espérait ainsi gagner du prestige en rappelant les gloires du
premier Napoléon. Il vécut en bons termes avec l'Angle-
25 terre, et d'abord avec l'Allemagne. C'était la puissance de
la Russie qui, à ce moment, semblait menaçante pour
l'Europe. Une insignifiante querelle de moines servit de
prétexte à la guerre de Crimée, 1854–56. Des moines de la
confession russe orthodoxe et des moines de la confession
30 romaine se disputaient la garde des lieux saints en Palestine; et le Tzar Nicolas, sous le prétexte de protéger ses
sujets voulut affirmer son autorité sur des territoires ma-
hométans. L'idée de voir la Russie s'agrandir de la Turquie était inquiétante. La France et l'Angleterre se
35 portèrent alors au secours de la Turquie menacée dans son
indépendance. La lutte se concentra sur la presqu'île de la

Crimée dont les forts, surtout celui de Sébastopol, commandaient l'entrée de la Mer Noire. La guerre dura deux ans et finit pas le Traité de Paris, 1856. Ce fut de 1857 à 1860 la guerre de Chine, faite de concert avec l Angleterre. Ce fut ensuite la guerre d'Italie; les Italiens voulaient secouer le joug de l'Autriche. Napoléon intervint et contribua ainsi à établir l'unité nationale de toute l'Italie, sous le roi Victor Emmanuel (1860) après les grandes batailles de Magenta et de Solférino (dont l'horreur frappa le Suisse Durant qui fonda la Croix Rouge). Mais certains Italiens considérèrent que Napoléon n'avait pas tenu toutes ses promesses, et cela provoqua, en 1868, l'attentat d'Orsini: une bombe fut lancée devant l'Opéra; l'Empereur et l'Impératrice furent sauvés, mais il y eut huit morts et plus de cent blessés. Cela porta un coup au prestige de l'Empereur des Français. Son prestige fut encore bien plus sérieusement atteint quand, toujours apparemment pour rappeler la gloire militaire du premier Empire, Napoléon III entreprit simultanément deux expéditions, l'une en Syrie, l'autre au Mexique. Par la première, il établit un protectorat à Beyrouth pour la protection des sujets français, ce qui devait indirectement entraîner un grand bien, c'est à dire le percement de l'isthme de Suez par Ferdinand de Lesseps. La seconde aventure — la guerre du Mexique — fut tout à fait déplorable dans ses résultats. Il s'agissait de dettes du Mexique à l'Angleterre, à l'Espagne et à la France. Ce fut la France qui prit l'initiative d'une manifestation armée; on espérait profiter du fait que les États-Unis étaient trop occupés par leur guerre civile pour faire de l'opposition. Mais quand Napoléon voulut établir un empire du Mexique, avec l'archiduc Maximilien d'Autriche comme candidat au trône, l'Angleterre et l'Espagne abandonnèrent la partie. Maximilien se maintint au pouvoir de 1864 à 1867; puis éclata une révolution au cours de laquelle il fut fait prisonnier et fusillé (15 juin, 1867).

Tout en faisant ces guerres, Napoléon III avait convoqué un Congrès de la Paix pour « réduire les armements », en 1863.

La fin approchait, et l'Empereur creusa pour ainsi dire
5 sa propre tombe. Se croyant assez puissant, il accorda depuis 1860 une part plus grande dans les affaires de la nation au Sénat et au Corps législatif. On en profita; la liberté releva la tête; et pendant que la France était absorbée par des problèmes de politique intérieure et des
10 guerres lointaines, la Prusse, sous Guillaume Ier et Bismarck jetait les fondements d'une grande fédération des États allemands sous l'hégémonie de la Prusse. Celle-ci commença par affirmer son indépendance vis-à-vis de l'Autriche (Bataille de Sadowa, 3 juillet 1866). Napoléon laissa faire,
15 ou ne s'aperçut que trop tard du danger d'une Prusse trop puissante. Lorsqu'il essaya de parer le danger, il était trop tard. Bismarck refusa toute concession et réussit, par des moyens suspects, à se faire déclarer la guerre par une France qui n'était nullement préparée: profitant d'une
20 révolution en Espagne, qui avait renversé la reine Isabelle, il proposa comme roi d'Espagne un prince de la famille allemande des Hohenzollern, Léopold, et cette candidature fut la cause de la guerre qui mit fin à l'Empire de Napoléon III.

25 La répercussion de la victoire foudroyante de la Prusse fut grande dans la littérature comme on le verra plus loin. Il faut donc rappeler ici quelques faits: l'Allemagne était admirablement préparée et avait des chefs de premier ordre; en France au contraire, la mobilisation se fit lente-
30 ment, ce qui augmenta encore les chances de l'ennemi, et l'armée était commandée par des chefs qui ne s'entendaient pas. L'un d'eux, Bazaine, fut ouvertement accusé de trahison, et semble bien avoir mérité le reproche d'incompétence. Les principales batailles furent celles de Reichs-
35 hoffen, en Alsace (16 août, 1870, où 45.000 Français se trouvèrent aux prises avec 100.000 Allemands, et où fut

faite la magnifique mais inutile charge de cavalerie sous les
ordres du général Margueritte); de Saint-Privat (17 août,
près de Metz), enfin de Sedan (2 septembre) où une immense armée fut obligée de capituler. L'Empereur était
là malade et rendit son épée à l'ennemi. La Chambre se 5
réunit à Paris dans la nuit du 3 au 4 septembre. L'Impératrice refusant d'abdiquer, on nomma un gouvernement qui
proclama la déchéance de l'Empire et l'avènement de la
IIIe République. Thiers était à la tête du gouvernement,
et Gambetta fut le grand organisateur de la défense na- 10
tionale après qu'on eut décidé de continuer la lutte. Celle-
ci dura encore cinq mois, jusqu'au 7 janvier 1871. Paris
fut investi et soutint un siège terrible. Le roi de Prusse
était à Versailles. Metz avait ouvert ses portes le 27
octobre; Paris dut capituler le 23 janvier. La province 15
essaya encore quelque temps de continuer la résistance.
L'Assemblée nationale, réunie à Bordeaux, vota le 1er mars
l'acceptation du traité imposé par Bismarck à Versailles, et
qui comprenait l'abandon de toute l'Alsace, avec Strasbourg, et de la Lorraine mosellane, avec Metz [parmi les 107 20
voix — contre 546 — qui refusèrent de le ratifier, il y avait,
avec celles des représentants de l'Alsace et de la Lorraine,
la voix de Victor Hugo. La France devait en outre payer
une indemnité de guerre de cinq milliards, le territoire demeurant occupé jusqu'au paiement intégral de cette dette. 25
Les conditions de paix furent signées en mai (Traité de
Francfort)].

*

Il fallait maintenant réorganiser le pays politiquement.
Thiers était président; mais les royalistes et les républi-
cains ne réussissaient pas à s'entendre; les communistes 30
en profitèrent. Le gouvernement siégeait alors à Versailles et la ville de Paris organisa un gouvernement communiste. Cela amena le second siège de Paris — du Paris
communiste, mais cette fois par le gouvernement de la
France (18 mars). La lutte dura deux mois entre les 35

troupes régulières et les communistes ou « Fédérés ».   La
Commune essaya de brûler Paris, et surtout ses monuments.   Les incendies éclatèrent le 23 mai; le Palais des
Tuileries, le Palais-Royal, l'Hôtel de Ville, le Palais de
5 Justice, la Préfecture de Police, et des centaines de maisons
brûlèrent.   Par miracle, le Palais du Louvre, Notre-Dame,[1]
la Sainte-Chapelle, le Panthéon, la Bibliothèque Nationale,
le Palais du Luxembourg échappèrent.   L'horreur cessa le
29 mai, après la prise du fort de Vincennes par les troupes
10 du gouvernement; et le drapeau tricolore remplaça à
Paris le drapeau rouge.

*

La France ne se remit pas sans grands efforts de ces
années de profond bouleversement politique; mais peu à
peu la 3° République consolida ses assises.   Les indications
15 se rapportant à cette période de transition, et qui sont
nécessaires pour suivre avec intelligence la production littéraire, seront mieux en place dans l'introduction historique de la seconde partie de ce volume.

[1] Grâce à l'intervention du poète Verlaine.

LA CRITIQUE PHILOSOPHIQUE, LITTÉRAIRE
ET HISTORIQUE

CHAPITRE I

AUGUSTE COMTE

1798–1857

L'établissement de l'Empire, en 1852, constitue non seulement une date politique, mais aussi une date philosophique et littéraire.

Le mouvement lancé dès le XVIIᵉ siècle par Fr. Bacon et Descartes, et qui avait pris tant d'importance au XVIIIᵉ avec Fontenelle, Buffon et les Encyclopédistes, ne s'était jamais arrêté tout à fait. Si, aux yeux du grand public, il avait été éclipsé par l'éblouissement du mouvement romantique, les grands noms de l'illustre chimiste Lavoisier, du précurseur de Darwin, Lamarck, de l'auteur de la théorie de la nébuleuse, Laplace, du fondateur de la paléontologie, Cuvier, etc., ne pouvaient être ignorés. Au milieu même de la tempête révolutionnaire avait paru un petit ouvrage dont le titre est déjà assez révélateur, l'*Esquisse d'un tableau des progrès de l'esprit humain*, par Condorcet,[1] et le Romantisme n'était pas mort que déjà l'esprit scientifique reprenait un vigoureux ascendant. L'impulsion fut donnée par Auguste Comte (1798–1857); né à Montpellier (sud de la France), il était venu à Paris, avait suivi les cours de l'École Polytechnique dont il devint ensuite l'un des professeurs. Séduit d'abord par les utopies socialistes de Saint-Simon, il les abandonna dans sa maturité; il professa et publia son grand ouvrage *Cours de philosophie positive* (6 volumes), de 1830 à 1842. Puis, sous l'influence d'une femme à qui il voua un véritable culte, Clotilde de Vaux, il entremêla sa philosophie de nouveaux rêves d'utopie sociale, instituant une « Religion de l'Humanité » (*Système de politique positive*, 4 vol. 1851–1854).

La marche en avant de la société vers la conquête de la vérité scientifique est résumée dans la célèbre page de « La Loi des trois états » page qui révèle non seulement le plan du *Cours de philosophie positive*, mais montre, en germe, l'esprit qui devait animer la pensée et la littérature du siècle après le Romantisme.

---

[1] Le marquis de Condorcet (1743–1794) mathématicien célèbre, fut une des victimes de la Révolution. C'est pendant qu'il s'était caché, aux jours de la Terreur, qu'il composa cet écrit qui indique si bien la transition entre l'esprit « philosophique » du XVIIIᵉ siècle, et l'esprit dit « positiviste » du XIXᵉ.

Le principal disciple d'Auguste Comte — et le co-fondateur de ce qu'on a pu appeler la « secte positiviste » — fut Émile Littré (1801-1881) l'auteur du fameux *Dictionnaire* de Littré, aussi important, aux yeux de beaucoup, que le *Dictionnaire* de l'Académie Française.

Parmi ceux qui, sans être ses disciples attitrés, furent peut-on dire, ses continuateurs les plus illustres, figurent Sainte-Beuve, Taine et Renan (Voir plus bas).

La loi des trois états

En étudiant ainsi le développement total de l'intelligence humaine dans ses diverses sphères d'activité, depuis son premier essor le plus simple jusqu'à nos jours, je crois avoir découvert une grande loi fondamentale, à laquelle il
5 est assujetti par une nécessité invariable, et qui me semble pouvoir être solidement établie, soit sur les preuves rationnelles fournies par la connaissance de notre organisation, soit sur les vérifications historiques résultant d'un examen attentif du passé. Cette loi consiste en ce que cha-
10 cune de nos conceptions principales, chaque branche de nos connaissances passe successivement par trois états théoriques différents: l'*état théologique*, ou fictif; l'*état métaphysique*, ou abstrait; l'*état scientifique* ou positif...
15 Dans l'*état théologique*, l'esprit humain dirigeant essentiellement ses recherches vers la nature des êtres, les causes premières et finales de tous les effets qui le frappent, en un mot, vers les connaissances absolues, se représente les phénomènes comme produits par l'action directe et con-
20 tinue *d'agents* surnaturels plus ou moins nombreux, dont l'intervention arbitraire explique toutes les anomalies de l'univers.

Dans l'*état métaphysique*, qui n'est au fond qu'une simple modification générale du premier, les *agents* sur-
25 naturels sont remplacés par des forces abstraites, véritables entités (abstractions personnifiées) inhérentes aux divers êtres du monde et conçues comme capables d'engendrer

par elles-mêmes tous les phénomènes observés dont l'explication consiste alors à assigner pour chacun l'entité correspondante.

Enfin, dans l'*état positif*, l'esprit humain, reconnaissant l'impossibilité d'obtenir des notions absolues, renonce à 5 chercher l'origine et la destination de l'univers et à connaître les causes intimes des phénomènes, pour s'attacher uniquement à découvrir, par l'usage combiné du raisonnement et de l'observation, leurs lois effectives, c'est à dire leurs relations invariables de succession et de similitude. 10 L'explication des faits, réduite alors à ses termes réels, n'est plus désormais que la liaison établie entre les divers phénomènes particuliers et quelques faits généraux, dont les progrès de la science tendent de plus en plus à diminuer le nombre. 15

(*Cours de philosophie positive.* Tome Premier,
Première Leçon)

CHAPITRE II

C.-A. SAINTE-BEUVE

1804-1869

Consulter: D'Haussonville, *Sainte-Beuve, sa vie, et ses œuvres* (1875); J. Levallois [secrétaire de Sainte-Beuve à la fin de sa vie], *Sainte-Beuve, l'œuvre du poète, la méthode du critique, l'homme privé* (1872); L. Séché, *Sainte-Beuve,* I. *Son esprit, ses idées,* II. *Ses mœurs* (1904); *Le Cénacle de Joseph Delorme* [Delorme, nom de plume de S. B.] (1912); G. Michaud, *Sainte-Beuve avant les « Lundis »* (1903); A. Bellessort, *Sainte-Beuve et le XIXe siècle* (Perrin, 1927). **En anglais:** L. F. Mott, *Saint-Beuve,* (New York, Appleton, 1925).

Pour un traitement plus rapide: l'article S.-B. dans I. Babbitt, *Masters of Modern French Criticism* (Boston, Houghton Mifflin, 1912. Chap. V et VI).

Charles-Augustin Sainte-Beuve, né à Boulogne-sur-mer, est élevé par sa mère et une tante, et vient à Paris à l'âge de 14 ans pour finir ses études; il suit les cours du Lycée Charlemagne où le philosophe Damiron l'introduit à une pensée assez libre (éclectisme); puis ses dispositions d'esprit systématique le poussent à suivre des cours aux Facultés des sciences et de médecine. Sa vraie carrière se dessine dès 1824, quand il s'associe comme critique littéraire au journal *Le Globe*, fondé par Dubois et ouvert aux idées nouvelles. En 1827, il commence avec Victor Hugo un commerce d'amitié qui fut d'abord très intime, mais qui devait être interrompu à cause de l'amour de Sainte-Beuve pour Mme Hugo (v. vol. I, pp. 248–249).

Il fut un membre influent du second « cénacle » romantique dont Victor Hugo était le prophète. Il avait écrit son *Tableau historique et critique de la poésie française et du théâtre français au XVIe siècle* (1828); on accusait le Romantisme de briser avec la tradition classique du XVIIe siècle; et Sainte-Beuve montrait qu'au contraire c'était la littérature du XVIIe siècle qui avait brisé avec la vraie tradition française et que le Romantisme y revenait — ainsi que l'avait déjà affirmé Chateaubriand dans son *Génie du christianisme* et Victor Hugo lui-même dans sa *Préface de Cromwell* contre Boileau, champion des anciens.[1]

Pendant quelques années Sainte-Beuve est tenté d'abandonner la voie de la critique et de faire œuvre originale; en poésie il publie *Vie, poésies et pensées de Joseph Delorme* (1829), *Les consolations* (1830); mais il avait comme trop redoutables rivaux Lamartine, Victor Hugo, Vigny. Il publia un seul roman, *Volupté* (1835), mélange assez romantique de sensualisme et de mysticisme, dans lequel on lit entre les lignes, l'histoire de sa malheureuse passion pour Mme. Hugo.[2]

Sa célébrité vint d'ailleurs. Il écrivit la plus grande partie de ses articles de critique dans la *Revue de Paris*, et dans la *Revue des Deux Mondes;* puis, comme journaux, dans *Le Globe, Le National, Le Constitutionnel*.

Quant à ses opinions philosophiques, il hésite toujours et évolue constamment. Il évite tout juste l'utopie du Saint-Simonisme, passe

---

[1] Le *Tableau* a été refait en 1840, et il fut dé-romantisé.

[2] Dans la Préface du roman, on lit: « Le véritable objet de ce livre est l'analyse d'un penchant, d'une passion, d'un vice même, et de tout le côté de l'âme que ce vice domine, et auquel il donne le ton, du côté languissant et oisif, attachant, secret, privé, mystérieux et furtif, rêveur jusqu'à la sublimité, tendre jusqu'à la mollesse, voluptueux enfin ». V. Maurice Allem, *Sainte-Beuve et ‹ Volupté ›*. (Coll. ‹ Grands Évén. litt. › Paris 1936).

par une période presque catholique, puis par une autre, protestante (celle-ci à Lausanne, sous l'influence de son ami, le critique et théologien Alexandre Vinet); c'est alors qu'il commença son grand ouvrage sur l'histoire de *Port-Royal*.

Dès 1840 son autorité comme critique littéraire s'était affirmée, et elle lui avait valu la place de Conservateur de la Bibliothèque Mazarine; il est le « Boileau du XIXe siècle »; en 1843, il est élu à l'Académie Française.

Le bouleversement du régime politique par la Révolution de 1848 le force à se retirer pendant quelque temps à Liège, en Belgique; c'est là qu'il prépare son ouvrage sur *Chateaubriand et son groupe littéraire sous l'Empire* (Chateaubriand était mort en 1848). Il rentre en France sous l'Empire, et non seulement il accepte le régime nouveau, mais il accepte de le servir officiellement; il est nommé sénateur, créé chevalier de la Légion d'honneur; il est aussi appelé comme professeur au Collège de France; cependant les étudiants considérant son reniement du gouvernement royaliste comme une trahison, protestèrent si vigoureusement que le cours dut être suspendu. Il se réhabilita plus tard en protestant contre des abus de pouvoir sous l'Empire, entre autres contre les restrictions de la liberté de la presse — il dit le mot célèbre: « L'Empire a une droite et une gauche; à gauche est le cœur. »

Les articles de Sainte-Beuve sont réunis en volumes sous divers titres: *Critiques et portraits littéraires, Causeries du Lundi,* et *Nouveaux Lundis*. Ces « causeries » furent publiées les « lundis » successivement dans divers journaux, surtout dans *Le Constitutionnel, Le Moniteur* et *Le Temps*. C'étaient des articles sur des sujets rendus actuels, soit par un livre nouveau d'un écrivain éminent, soit par un ouvrage relatif à quelque écrivain du passé ou du présent, ou même à quelque personnalité qui avait exercé une grande influence sur le monde des lettres. De là le fait que les volumes des *Lundis* sont, au point de vue de l'ordre un pur chaos [il y a cependant des index à la fin des volumes; et la Maison Larousse a publié il y a quelques années les principaux essais de Sainte-Beuve selon l'ordre chronologique des sujets traités]. On a remarqué que Sainte-Beuve était magnifique de pénétration et d'impartialité pour les écrivains des siècles passés XVIe, XVIIe et XVIIIe siècles, et pour les nouveaux venus (comme Renan, Taine, Berthelot) mais disposé à être parfois fort injuste pour ses grands contemporains dont il était manifestement jaloux, [Lamartine, Hugo, Vigny, Balzac, Musset, Chateaubriand, furent parmi ses victimes].[1]

---

[1] Le côté maladif de Sainte-Beuve, morbide à l'occasion, peut contenir une explication de ces faiblesses. Voir à ce sujet l'étude du Dr.

Il mourut en 1869.

C'est Sainte-Beuve qui contribua plus qu'aucun autre à introduire « l'état scientifique ou positif » dans la critique littéraire, c'est à dire l'idée de comprendre les grands écrivains et leurs œuvres avant de les juger; pour lui, le travail du critique consiste avant tout à expliquer l'œuvre par l'homme.

Sainte-Beuve a eu des précurseurs, des écrivains qui ont marqué la transition de la critique dogmatique ou classique de Malherbe ou Boileau à la critique scientifique ou historique. Parmi ces précurseurs, il faut rappeler surtout les noms de Voltaire (*Siècle de Louis XIV*, et *Siècle de Louis XV*), de Chateaubriand (*Génie du christianisme*), de Mme. de Staël (*De la littérature*); le précurseur le plus direct, le plus conscient de ce qu'il faisait, fut Abel-François Villemain (1790–1862), l'auteur du *Cours de littérature Française*, en six volumes, qui fut publié en 1828–29.

La méthode de Sainte-Beuve[1]

Il me prend, à cette occasion, l'idée d'exposer une fois pour toutes quelques-uns des principes, quelques-unes des habitudes de méthode qui me dirigent dans cette étude, déjà si ancienne, que je fais des personnages littéraires.
5 J'ai souvent entendu reprocher à la critique moderne, à la mienne en particulier, de n'avoir point de théorie, d'être tout historique, tout individuelle.[2] Ceux qui me traitent avec le plus de faveur ont bien voulu dire que j'étais un assez bon juge, mais qui n'avait pas de Code. J'ai une
10 méthode pourtant, et, quoiqu'elle n'ait point préexisté et ne se soit point produite d'abord à l'état de théorie, elle s'est formée chez moi de la pratique même, et une longue suite d'applications n'a fait que la confirmer à mes yeux.

Eh bien, c'est cette méthode ou plutôt cette pratique,

Voizard, *Sainte-Beuve, étude médico-psychologique*, Paris, 1912; et un volume posthume de notes de Sainte-Beuve publiées par V. Giraud, et intitulées *Mes poisons* (1925).

[1] Il faut se souvenir que cet essai a été composé en 1862, c'est à dire après que Sainte-Beuve avait appliqué, depuis des années, la « méthode » qu'il avait « instinctivement trouvée ». Il a été reproduit dans les *Nouveaux Lundis*, Tome III, art. « Chateaubriand ».

[2] C'est à dire sans critère fixe et dogmatique.

qui m'a été de bonne heure comme naturelle et que j'ai
instinctivement trouvée dès mes premiers essais de critique,
que je n'ai cessé de suivre et de varier selon les sujets durant des années; dont je n'ai jamais songé, d'ailleurs, à
faire un secret ni une découverte ... [1]   5

La littérature, la production littéraire, n'est point pour
moi distincte ou du moins séparable du reste de l'homme et
de l'organisation; je puis goûter une œuvre, mais il m'est
difficile de la juger indépendamment de la connaissance de
l'homme même; et je dirais volontiers: *tel arbre, tel fruit*. 10
L'étude littéraire me mène ainsi tout naturellement à
l'étude morale.

Avec les Anciens, on n'a pas les moyens suffisants d'observation. Revenir à l'homme, l'œuvre à la main, est impossible dans la plupart des cas avec les véritables Anciens, 15
avec ceux dont nous n'avons la statue qu'à demi brisée. On
est donc réduit à commenter l'œuvre, à l'admirer, à rêver
l'auteur et le poète à travers. On peut refaire ainsi des
figures de poètes ou de philosophes, des bustes de Platon,
de Sophocle ou de Virgile, avec un sentiment d'idéal élevé; 20
c'est tout ce que permet l'état des connaissances incom-
plètes, la disette des sources et le manque de moyens d'in-
formation et de retour. Un grand fleuve, et non guéable
dans la plupart des cas, nous sépare des grands hommes de
l'Antiquité. Saluons-les d'un rivage à l'autre.   25

Avec les modernes, c'est tout différent; et la critique,
qui règle sa méthode sur les moyens, a ici d'autres devoirs.
Connaître, et bien connaître, un homme de plus, surtout si
cet homme est un individu marquant et célèbre, c'est une
grande chose et qui ne saurait être à dédaigner.   30

L'observation morale des caractères [2] en est encore au
détail, aux éléments, à la description des individus et tout
au plus de quelques espèces: Théophraste et La Bruyère ne

---

[1] Ici suivent quelques allusions à d'autres critiques qui avaient
commencé à suivre la même voie, surtout à Taine (V. Chap. suivant).

[2] C'est à dire la psychologie comme science.

vont pas au delà. Un jour viendra, que je crois avoir entrevu dans le cours de mes observations, un jour où la
science sera constituée, où les grandes familles d'esprits
et leurs principales divisions seront déterminées et con-
5 nues. Alors, le principal caractère d'un esprit étant donné,
on pourra en déduire plusieurs autres.[1] Pour l'homme,
sans doute, on ne pourra jamais faire exactement comme
pour les animaux ou pour les plantes; l'homme moral est
plus complexe; il a ce qu'on nomme *liberté* et qui, dans tous
10 les cas, suppose une grande mobilité de combinaisons possibles. Quoi qu'il en soit, on arrivera avec le temps,
j'imagine, à constituer plus largement la science du moraliste; elle en est aujourd'hui au point où la botanique en
était avant Jussieu,[2] et l'anatomie comparée avant Cuvier,[3]
15 à l'état, pour ainsi dire, anecdotique. Nous faisons pour
notre compte de simples monographies, nous amassons des
observations de détail; mais j'entrevois des liens, des
rapports, et un esprit plus étendu, plus lumineux, et resté
fin dans le détail, pourra découvrir un jour les grandes

[1] Allusion à une théorie de Sainte-Beuve qu'il ne fait ici que mentionner assez brièvement. Il admet la possibilité du groupement
d'individus en familles; chacune de ces familles comportant certains
traits fixes, on pourra donc considérer ceux-ci comme existant dès
qu'on aura pu assigner un individu à cette famille. On peut voir
en ceci un écho d'une théorie de Goethe mentionnée dans les
Conversations d'Eckermann; on y voit aussi un Sainte-Beuve
fasciné par le bel ordre qui règne dans les sciences naturelles
où les genres et espèces sont systématiquement classifiés. Sainte-
Beuve déclare aussi qu'il y aura, au fond de tout être humain,
un trait fondamental qui domine tous les autres et dont l'action constitue le « jeu de la faculté première ». Cette idée avait été exprimée
pour la première fois dans *Port-Royal;* tous les Jansénistes avaient
sans doute le sceau de la famille janséniste, mais aussi le trait fondamentalement humain qui est l'amour-propre: « On a beau être un
saint, on a son petit amour-propre » (*Port-Royal*, II, p. 284). [Sainte-
Beuve invoque même ce « jeu de la faculté première » pour mettre
en doute la possibilité de la conversion.]

[2] Bernard de Jussieu, 1699–1777.

[3] Georges Cuvier, 1769–1832, créateur de l'anatomie comparée.

divisions naturelles qui répondent aux familles d'esprits.

Mais, même quand la science des esprits serait organisée comme on peut de loin le concevoir, elle serait toujours si délicate et si mobile qu'elle n'existerait que pour ceux qui 5 ont une vocation naturelle et un talent d'observer: ce serait toujours un *art* qui demanderait un artiste habile, comme la médecine exige le tact médical dans celui qui l'exerce, comme la philosophie devrait exiger le tact philosophique chez ceux qui se prétendent philosophes, comme 10 la poésie ne veut être touchée que par un poète.[1]

Je suppose donc quelqu'un qui ait ce genre de talent et de facilité pour entendre les groupes, les familles littéraires (puisqu'il s'agit dans ce moment de littérature); qui les distingue presque à première vue; qui en saisisse l'esprit et la 15 vie; dont ce soit véritablement la vocation; quelqu'un de propre à être un bon naturaliste dans ce champ si vaste des esprits.

S'agit-il d'étudier un homme supérieur ou simplement distingué par ses productions, un écrivain dont on a lu les 20 ouvrages et qui vaille la peine d'un examen approfondi? Comment s'y prendre, si l'on veut ne rien omettre d'important et d'essentiel à son sujet, si l'on veut sortir des jugements de l'ancienne rhétorique, être le moins dupe possible des phrases, des mots, des beaux sentiments convenus, et 25 atteindre au vrai comme dans une étude naturelle?[2]

Il est très utile d'abord de commencer par le commencement, et, quand on en a les moyens, de prendre l'écrivain supérieur ou distingué dans son pays natal, dans sa race.

---

[1] On voit par ce dernier alinéa que Sainte-Beuve semble admettre une *faculté critique* à côté et au-dessus même de la critique psychologique ou historique — et qui ressort du domaine de l' « art ». Peut-être est-ce la distinction que Pascal faisait entre l'*esprit géométrique* et l'*esprit de finesse*. Sainte-Beuve est-il autorisé à cette restriction de ses principes? On verra au chapitre suivant que Taine n'aura pas cette hésitation.

[2] Naturaliste, ou scientifique.

Si l'on connaissait bien la race physiologiquement, les
ascendants et ancêtres, on aurait un grand jour sur la
qualité secrète et essentielle des esprits; mais le plus souvent cette racine profonde reste obscure et se dérobe. Dans
5 les cas où elle ne se dérobe pas tout entière, on gagne beaucoup à l'observer.

On reconnaît, on retrouve à coup sûr l'homme supérieur,
au moins en partie, dans ses parents, dans sa mère surtout,
cette parente la plus directe et la plus certaine; dans ses
10 sœurs aussi, dans ses frères, dans ses enfants mêmes. Il s'y
rencontre des linéaments essentiels qui sont souvent
masqués, pour être trop condensés[1] ou trop joints ensemble, dans le grand individu; le fond se retrouve, chez
les autres de son sang, plus à nu et à l'état simple: la nature
15 toute seule a fait les frais de l'analyse ...

Quand on s'est bien édifié autant qu'on le peut sur les
origines, sur la parenté immédiate et prochaine d'un écrivain éminent, un point essentiel est à déterminer, après le
chapitre de ses études et de son éducation; c'est le premier
20 milieu, le premier groupe d'amis et de contemporains dans
lequel il s'est trouvé au moment où son talent a éclaté, a
pris corps et est devenu adulte. Le talent, en effet, en
demeure marqué, et, quoi qu'il fasse ensuite, il s'en ressent
toujours.

25 ... Les très grands individus se passent de groupe[2]:
ils font centre eux-mêmes, et l'on se rassemble autour
d'eux. Mais c'est le groupe, l'association, l'alliance et
l'échange actif des idées, une émulation perpétuelle en vue
de ses égaux et de ses pairs, qui donne à l'homme de talent
30 toute sa *mise en dehors*, tout son développement et toute
sa valeur. Il y a des talents qui participent de plusieurs

---

[1] Parce qu'ils sont trop condensés.

[2] Ici encore on observe que Sainte-Beuve abandonne le positivisme
au sens strict du mot. Il met en quelque sorte en dehors de l'humanité
commune l'homme de génie; tandis que Taine « expliquera » Shakespeare et Milton comme le plus humble gratte-papier.

groupes à la fois et qui ne cessent de voyager à travers des milieux successifs, en se perfectionnant, en se transformant ou en se déformant. Il importe alors de noter, jusque dans ces variations et ces conversions lentes ou brusques, le ressort caché et toujours le même, le mobile persistant. 5

Chaque ouvrage d'un auteur vu, examiné de la sorte, à son point, après qu'on l'a replacé dans son cadre et entouré de toutes les circonstances qui l'ont vu naître, acquiert tout son sens — son sens historique, son sens littéraire — reprend son degré juste d'originalité, de nouveauté ou d'imi- 10 tation, et l'on ne court pas risque, en le jugeant, d'inventer des beautés à faux et d'admirer à côté, comme cela est inévitable quand on s'en tient à la pure rhétorique.[1]

Sous ce nom de rhétorique, qui n'implique pas dans ma pensée une défaveur absolue, je suis bien loin de blâmer 15 d'ailleurs et d'exclure les jugements du goût, les impressions immédiates et vives; je ne renonce pas à Quintilien [2] je le circonscris. Être en histoire littéraire et en critique un disciple de Bacon,[3] me paraît le besoin du temps et une excellente condition première pour juger et goûter ensuite 20 avec plus de sûreté ○○○

On ne saurait s'y prendre de trop de façons et par trop de bouts pour connaître un homme, c'est à dire autre chose qu'un pur esprit. Tant qu'on ne s'est pas adressé sur un auteur un certain nombre de questions et qu'on n'y a 25 pas répondu, ne fût-ce que pour soi seul et tout bas, on n'est pas sûr de le tenir tout entier, quand même ces questions sembleraient le plus étrangères à la nature de ses écrits: — Que pensait-il en religion? — Comment était-il affecté du spectacle de la nature? — Comment se 30

[1] Ici, à la simple critique subjective, impressionniste en quelque sorte.

[2] Quintilien, un « rhéteur » romain, premier siècle de notre ère, auteur qui proteste contre un critère purement rationnel.

[3] C'est à dire partisan de la méthode objective, expérimentale, déjà appliquée au XVIIIe siècle par les « philosophes » dans leur domaine, et fortement recommandée dans celui de la science.

comportait-il sur l'article des femmes? sur l'article de
l'argent? — Était-il riche, était-il pauvre? — Quel était
son régime, quelle était sa manière journalière de vivre?
etc. — Enfin, quel était son vice ou son faible? Tout
5 homme en a un. Aucune des réponses à ces questions
n'est indifférente pour juger l'auteur d'un livre et le livre
lui-même, si ce livre n'est pas un traité de géométrie pure,
si c'est surtout un ouvrage littéraire, c'est à dire où il entre
de tout ...

(*Nouveaux Lundis*. Tome III. Art. « Chateaubriand ».)

Alfred de Musset

Essai tout-à-fait typique de Sainte-Beuve, inspiré par un incident dans le monde des lettres. Après sa rupture avec George Sand,
Musset avait tourné ses regards vers les secours de la religion; il avait
adressé, en 1836, une *Lettre* en vers, *à Lamartine*, le poète qui, malgré
Voltaire et les « philosophes » du XVIIIᵉ siècle, avait exalté en vers
magnifiques les vertus du christianisme — alors que, lui, Musset
avait été négateur et blasphémateur dans des poèmes comme *Rolla*
et *Namouna*. Cette *Lettre* contenait les quatre vers cités par Sainte-
Beuve au commencement de sa « causerie ». Quatre ans après, en
1840, Lamartine avait répondu, et c'est la publication de ce poème,
dans un journal de 1850, qui fut l'occasion de ces pages de Sainte-
Beuve. La réponse de Lamartine était assez hautaine, et
Sainte-Beuve (qui ne l'aimait pas beaucoup) en prit occasion pour
parler de Musset dont la sincérité ne faisait pas de doute, et dont
les *Poésies nouvelles* devaient paraître quelques mois après, et contenant le texte de la *Lettre à Lamartine*, de 1836.

On verra ici le soin qu'avait Sainte-Beuve de *peser* selon la « méthode » indiquée dans le texte précédent toutes les circonstances qui
ont donné lieu à cette conversation poétique.

Pour comprendre à peu près toutes les allusions dans la « causerie »
de Sainte-Beuve, l'étudiant pourra se reporter au chapitre sur Musset
dans le volume I. des *Nineteenth Century French Readings*, Chap. VII,
pp. 409 et suivantes. Non seulement il y est parlé abondamment
de Musset et de George Sand, mais on y trouve des extraits de *Rolla*,
de *Namouna*, (tout le passage sur Don Juan) des *Nuits* et du roman
La confession d'un enfant du siècle.

(*Causeries du Lundi*, 28 Janvier 1850.)

... Il y a dix ans environ, M. de Musset adressait à M. de Lamartine une *Lettre* en vers, dans laquelle il se tournait pour la première fois vers ce prince des poëtes du temps, et lui faisait, à son tour, cette sorte de déclaration publique et directe que le chantre d'Elvire [1] était accou- 5 tumé dès longtemps à recevoir de quiconque entrait dans la carrière, mais que M. de Musset, narguant l'étiquette, avait tardé plus qu'un autre à lui apporter. Le poëte de *Namouna* et de *Rolla* lui disait donc en fort beaux vers qu'après avoir cru douter, après avoir nié et blasphémé, 10 un éclair soudain s'était fait en lui:

Poëte, je t'écris pour te dire que j'aime,
    Qu' un rayon de soleil est tombé jusqu' à moi,
Et qu' en un jour de deuil et de douleur suprême,
    Les pleurs que je versais m'ont fait penser à toi.   15

Au milieu de sa flamme et de sa souffrance, un sentiment d'élévation céleste, une idée d'immortalité, disait-il, s'était éveillée en son âme; les *anges de douleur* lui avaient parlé, et il avait naturellement songé à celui qui, le premier, avait ouvert ces sources sacrées d'inspiration en notre poé- 20 sie. M. de Musset rappelait, à ce propos, les vers que M. de Lamartine, jeune, avait adressés à Lord Byron prêt à partir pour la Grèce [2]; et, sans aspirer à une comparaison

---

[1] Lamartine, v. vol. I, p. 132.

[2] Les vers que Lamartine jeune avait adressés à Lord Byron — vers reproduits dans les premières *Méditations poétiques* (1820), et qui commencent ainsi:

Toi dont le monde encore ignore le vrai nom,
Esprit mystérieux, mortel, ange ou démon,
Qui que tu sois, Byron, bon ou fatal génie,
J'aime de tes concerts la sauvage harmonie,
Comme j'aime le bruit de la foudre et des vents
Se mêlant dans l'orage à la voix des torrents!

(IIe Méditation: *L'Homme.* — C'est en 1819
    que Lamartine entendit pour la première
    fois le nom de Byron, et lut ses poèmes.)

ambitieuse, il lui demandait de l'accueillir aujourd'hui avec son offrande comme lui-même avait été reçu autrefois du *grand Byron*.

Un journal vient de publier la réponse en vers que fit M.
de Lamartine à M. de Musset, réponse qui date de 1840, et qui en paraissant aujourd'hui, a presque un air d'injustice; car M. de Musset n'est plus, il y a beau jour, sur ce pied de débutant en poésie où l'a voulu voir M. de Lamartine. Évidemment, ce dernier a pris M. de Musset trop au mot dans sa modestie; il avait oublié qu'à cette date de 1840, cet ‹ enfant aux blonds cheveux, › ce ‹ jeune homme au cœur de cire, › comme il l'appelle, avait écrit la *Nuit de Mai* et la *Nuit d'Octobre*, ces pièces qui resteront autant que *Le Lac*, qui sont plus ardentes, et qui sont presque aussi pures. M. de Lamartine a le premier jugement superficiel en poésie ... Dans la pièce à M. de Musset, il en est resté au Musset des chansons de la *Marquise*, et de *l'Andalouse*.[1] Il lui dit de ces choses qui sont assez peu agréables à entendre, quand c'est un autre que soi qui les dit. Dans la *Confession d'un enfant du Siècle*, et ailleurs en maint endroit, M. de Musset avait fait de ces aveux que la poésie en notre siècle autorise, et dont elle se pare. M. de Lamartine les lui tourne en leçon; il se cite lui-même pour exemple, et il finit, selon l'usage, par se proposer insensiblement pour modèle. Voilà à quoi l'on s'expose dans ces hommages adressés aux illustres dont on presse les traces. M. de Lamartine lui-même n'avait pas été si bien accueilli de Lord Byron que M. de Musset semble le croire. Byron, dans ses *Mémoires*, ne parle de cette belle épître *Sur l'Homme*, des premières *Méditations*, que très à la légère et comme de l'œuvre d'un quidam qui a jugé à propos de le comparer au démon et de l'appeler *chantre d'enfer*. En somme ce n'est point à ces illustres devanciers qu'il faut demander d'être tout à fait justes et attentifs quand on est soi-même de leur

[1] *Premières poésies* de Musset, respirant l'insouciance de la jeunesse.

race; ils sont trop pleins d'eux-mêmes. Comment Lord
Byron eût-il accueilli, je vous prie, une avance du poëte
Keats, de ce jeune aigle blessé qui tomba si tôt, et qu'il
traite partout si cavalièrement, du haut de son dédain ou
de sa pitié? Comment M. de Chateaubriand lui-même, 5
qui garda si bien les dehors, jugeait-il dans le principe M.
de Lamartine poëte, sinon comme un homme de grand
talent et de mélodie, qui avait eu un succès de femmes et
de salons?[1] Poëtes, allez donc tout droit au public pour
avoir votre brevet. Et dans ce public à ceux qui sentent, 10
dont l'esprit et le cœur sont disponibles, à la jeunesse, ou
aux hommes qui étaient jeunes hier et qui sont mûrs
aujourd'hui, à ceux qui vous lisent et qui vous chantent, à
ceux aussi qui vous relisent. C'est parmi eux qu'il s'agit
pour vous de se créer des amis fidèles, sincères, qui vous 15
aiment pour vos belles qualités, non pour vos défauts; qui
ne vous admirent point par mode, et qui sauront vous
défendre contre la mode un jour, quand elle tournera.

M. de Musset a débuté à l'âge de moins de vingt ans, et
dès le début, il a voulu marquer avec éclat sa séparation 20
d'avec les autres poëtes en renom alors.[2] Pour qu'on ne
pût s'y méprendre, il se donna du premier jour un masque,
un costume de fantaisie, une manière: il se déguisa à l'espagnole et à l'italienne sans avoir vu encore l'Espagne et
l'Italie[3]: de là les inconvénients qui se sont prolongés. Je 25
suis certain que, doué comme il l'était d'une force originale
et d'un génie propre, même en débutant plus simplement
et sans viser tant à se singulariser, il fût bientôt arrivé à
se distinguer manifestement des poëtes dont il repoussait
le voisinage, et dont le caractère sentimental et mélan- 30
colique, solennel et grave, était si différent du sien. Lui,

[1] Un de ces jugements où un grand homme sait si mal apprécier
un autre grand homme. Un exemple pareil est celui de Corneille
décourageant de tout son pouvoir le jeune Racine.

[2] V. vol. I, pp. 409–411.

[3] Musset avait publié une collection de contes en vers, *Contes
d'Espagne et d'Italie* (1829).

il avait le sentiment de la raillerie que les autres n'avaient
pas, et un besoin de vraie flamme qu'ils n'ont eu que rarement.

> Mes premiers vers sont d'un enfant,
5 > Les seconds, d'un adolescent,

a-t-il dit en se jugeant lui-même. M. de Musset fit donc ses
enfances, mais il les fit avec un éclat, ... avec une audace
plus que virile, avec une grâce et une effronterie de page:
c'était Chérubin au bal masqué jouant au Don Juan.[1]
10 Cette première manière, dans laquelle on suivrait à la
piste la veine des affectations et la trace des réminiscences,
se couronne par deux poëmes (si l'on peut appeler poëmes
ce qui n'est nullement composé), par deux divagations merveilleuses, *Namouna* et *Rolla*, dans lesquelles, sous pré-
15 texte d'avoir à conter une histoire qu'il oublie sans cesse,
le poëte exhale tous ses rêves, ses fantaisies, et se livre à
tous ses essors. De l'esprit, des nudités et des crudités,
du lyrisme, une grâce et une finesse par moments adorable,
de la plus haute poésie à propos de botte,[2] la débauche
20 étalée en face de l'idéal, tout à coup des bouffées de lilas
qui ramènent la fraîcheur, par-ci par-là un reste de *chic*
(pour parler comme dans l'atelier), tout cela se mêle et
compose en soi la plus étrange chose, et la plus inouïe assurément, qu'eût encore produite jusqu'alors la poésie
25 française, cette honnête fille qui avait jadis épousé M. de
Malherbe,[3] ... On peut dire qu'Alfred de Musset poëte
est tout entier dans *Namouna*, avec ses défauts et ses
qualités. Mais celles-ci sont grandes, et d'un tel ordre,
qu'elles rachètent tout.

---

[1] L'amoureux espiègle Chérubin (dans la pièce de Beaumarchais,
Les Noces de Figaro) jouant au Don Juan tragique (de la pièce de
Molière et du poème de Byron).

[2] Expression idiom., à propos de n'importe quoi.

[3] La poésie s'était soumise humblement aux règles dictées par le
« tyran » de la langue au XVIIe siècle, règles contre lesquelles les
Romantiques se révoltaient.

Lord Byron écrivait à son éditeur Murray: « vous dites qu'il y a une *moitié* du *Don Juan* très-belle: vous vous trompez; car, s'il était vrai, ce serait le plus beau poëme qui existât. Où est la poésie dont une moitié vaille quelque chose ? » Byron a raison de parler ainsi pour lui et les siens; mais il y a en regard et au-dessus l'école de Virgile, de celui qui voulait brûler son poëme, parce qu'il ne le trouvait pas de tout point assez parfait. C'est le même Byron qui disait: « Je suis comme le tigre (en poésie): si je manque le premier bond, je m'en retourne grommelant dans mon antre. » En général, nos poëtes français modernes, Béranger à part, n'ont visé qu'à la poésie de premier bond, et ce qu'ils n'ont pas atteint d'abord, ils l'ont manqué.

Je suis donc à l'aise pour dire qu'il y a dans les poëmes de *Rolla* et de *Namouna* une bonne moitié qui ne répond pas à l'autre. La très belle partie de *Namouna*, celle où le poëte se déclare avec une pleine puissance, est au chant deuxième. C'est là que M. de Musset déroule sa théorie du *Don Juan* et oppose les deux espèces de *roués*[1] qui se partagent, selon lui, la scène du monde; le roué sans cœur, sans idéal, tout égoïsme et vanité, cueillant le plaisir à peine, ne visant qu'à inspirer l'amour sans le ressentir, *Lovelace;* et l'autre type de roué, aimable et aimant, presque candide, passant à travers toutes les inconstances pour atteindre un idéal qui le fuit, croyant aimer, dupe de lui-même quand il séduit, et ne changeant que parce qu'il n'aime plus. C'est là, suivant M. de Musset, le *Don Juan* véritable, tout poétique,[2]

> Que personne n'a fait, que Mozart a rêvé,
> Qu' Hoffman a vu passer, au son de la musique,
> Sous un éclair divin de sa nuit fantastique,
> Admirable portrait qu'il n'a point achevé,
> Et que de notre temps Shakspere aurait trouvé.

[1] Roués = *libertines, blackguards* (‹les roués de la Régence › 18e siècle.)

[2] « *Don Juan*» *véritable, tout poétique.* V. vol. I, pp. 413–418.

Et M. de Musset va essayer de le peindre avec les couleurs
les plus fraîches, les plus enchantées, avec des couleurs qui
me rappellent (Dieu me pardonne !) celles de Milton peignant son couple heureux dans Éden. Il nous le montre
5 beau, à vingt ans, assis au bord d'une prairie, à côté de sa
maîtresse endormie, et protégeant, comme l'ange, son
sommeil:

> Le voilà, jeune et beau, sous le ciel de la France . . .
> Portant sur la nature un cœur plein d'espérance,
10 Aimant, aimé de tous, ouvert comme une fleur;
> Si candide et si frais que l'Ange d'innocence
> Baiserait sur son front la beauté de son cœur.
> Le voilà, regardez, devinez-lui sa vie.
> Quel sort peut-on prédire à cet enfant du ciel ?
15 L'amour, en l'approchant, jure d'être éternel ?
> Le hasard pense à lui. . . . . .

Et tout ce qui suit. Au point de vue poétique, rien de plus
charmant, de mieux trouvé et de mieux enlevé.[1] Pourtant
le poëte a beau faire, il a beau vouloir nous composer un
20 Don Juan unique, contradictoire et vivant, presque innocent dans ses crimes; ce « candide corrupteur » n'existe
pas. Le poëte n'est parvenu qu'à évoquer, à revêtir un
moment par sa magie une abstraction impossible. Les
mots ne se battent pas sur le papier, on l'a dit. De telles
25 vertus et de tels vices ainsi combinés et contrastés dans un
même être, c'est bon à écrire et surtout à chanter, mais ce
n'est pas vrai humainement ni naturellement . . .
Voilà bien des réserves, et cependant il y a là de suite,
dans *Namouna*, deux ou trois cents vers tout à fait hors de
30 ligne. Faites l'incrédule, retournez-les en tous sens, mettez-
y le scalpel, cherchez chicane à votre plaisir, il peut s'y rencontrer quelques taches, des tons qui crient; mais, si vous
avez le sentiment poétique vrai et si vous êtes sincère, vous

---

[1] *Better imagined and better hit off.*

reconnaîtrez que le souffle est fort et puissant; le dieu, dites si vous le voulez le démon,[1] a passé par là.

La jeunesse qui, en telle matière, ne se trompe guère, l'a senti tout d'abord. Quand ces poëmes de *Namouna* et de *Rolla* n'avaient encore paru que dans les *Revues*, et n'avaient pas été recueillis en volume, des étudiants en droit, en médecine, les savaient par cœur d'un bout à l'autre, et les récitaient à leurs amis, nouveaux arrivants. Plus d'un sait encore ce splendide début de *Rolla*, cette apostrophe au Christ, cette autre apostrophe à Voltaire [2] (car il y a beaucoup d'apostrophes), surtout ce ravissant sommeil de la fille de quinze ans:

Oh ! la fleur de l'Éden, pourquoi l'as-tu fanée,
Insouciante enfant, belle Éve aux blonds cheveux?...

Je parle de la jeunesse d'il y a plus de dix ans. Alors on récitait tout de ces jeunes poëmes, maintenant on commence peut-être déjà à faire le choix.

Après *Namouna* et *Rolla*, il restait à M. de Musset un progrès à faire. Il était allé dans l'effort et dans le pressentiment de la passion aussi loin qu'on peut aller sans avoir été touché de la passion même. Mais, à force d'en parler, de s'en donner le désir et le tourment, patience ! elle allait venir. Malgré ses outrages et ses blasphèmes, son cœur en était digne. Celui qui avait flétri dans des stances brûlantes cet odieux et personnel *Lovelace*, celui-là avait pu afficher des prétentions au roué; mais au fond il avait le cœur d'un poëte honnête homme. Car, remarquez-le bien, même chez l'auteur de *Namouna*, la fatuité (si j'ose dire) n'est qu'à la surface: il s'en débarrasse dès que sa poésie s'allume.

Un jour donc M. de Musset aima. Il l'a trop dit et redit en vers, et cette passion a trop éclaté, a trop été proclamée des deux parts, et sur tous les tons, pour qu'on n'ait pas le droit de la constater ici en simple prose. Ce n'est d'ailleurs

---

[1] Allusion au « démon » ou « génie » de Socrate.
[2] *Apostrophe à Voltaire:* v. vol. I, pp. 420–7.

jamais un déshonneur pour une femme d'avoir été aimée et
chantée par un vrai poëte, même quand elle semble ensuite
en être maudite.   Cette malédiction elle-même est un dernier hommage.   Un confident clairvoyant pourrait dire:
5 « Prenez garde, vous l'aimez encore ! »

   Cet amour fut le grand événement de la vie de M. de
Musset, je ne parle que de sa vie poétique.   Son talent tout
à coup s'y épura, s'y ennoblit; à un moment la flamme
sacrée parut rejeter tout alliage impur.   Dans les poésies
10 qu'il produisit sous cet astre puissant, presque tous ses
défauts disparaissent; ses qualités, jusque-là éparses et
comme en lambeaux, se rejoignent, s'assemblent, se groupent dans une mâle et douloureuse harmonie.   Les quatre
pièces que M. de Musset a intitulées *Nuits* sont de petits
15 poëmes composés et médités, qui marquent la plus haute
élévation de son talent lyrique.   La *Nuit de Mai* et celle
d'Octobre sont les premières pour le jet et l'intarissable veine
de la poésie, pour l'expression de la passion âpre et nue.
Mais les deux *Nuits de Décembre* et d'*Août* sont délicieuses
20 encore, cette dernière par le mouvement et le sentiment,
l'autre par la grâce et la souplesse du tour.   Toutes les
quatre, elles forment dans leur ensemble une œuvre qu'un
même sentiment anime et qui a ses harmonies, ses correspondances habilement ménagées.[1]

25   J'ai voulu relire à côté les deux célèbres pièces de la jeunesse de Milton, *l'Allegro*, et surtout le *Penseroso*.   Mais,
dans ces compositions de suprême et un peu froide beauté,
le poëte n'a pas la passion en lui; il attend le mouvement du
dehors, il reçoit successivement ses impressions de la na-
30 ture; il se contente d'y porter une disposition grave, noble,
sensible, mais calme, comme un miroir légèrement ému.   Le
Penseroso est le chef-d'œuvre du poëme méditatif et con-
templatif[2]; il ressemble à un magnifique oratorio, où la

---

[1] Une bonne partie de ces poèmes des *Nuits* est reproduite dans
vol. I, pp. 421-437.
[2] *Il Penseroso* est le chef d'œuvre du poëme méditatif:

prière par degrés monte lentement vers l'Éternel. Les
différences avec le sujet présent se marquent d'elles-mêmes.
Ce n'est point une comparaison que j'établis. Ne déplaçons point de leur sphère les noms augustes. Tout ce qui
est beau de Milton est hors de pair; on y sent l'habitude 5
tranquille des hautes régions et la continuité dans la
puissance. Pourtant, dans les *Nuits* plus terrestres, mais
aussi plus humaines, de M. de Musset, c'est du dedans que
jaillit l'inspiration, la flamme qui colore, le souffle qui
embaume la nature; ou plutôt le charme consiste dans le 10
mélange, dans l'alliance des deux sources d'impressions,
c'est-à-dire d'une douleur si profonde et d'une âme si
ouverte encore aux impressions vives. Ce poëte blessé au
cœur, et qui crie avec de si vrais sanglots, a des retours de
jeunesse et comme des ivresses de printemps. Il se re- 15
trouve plus sensible qu'auparavant aux innombrables
beautés de l'univers, à la verdure, aux fleurs, aux rayons
du matin, aux chants des oiseaux, et il porte aussi frais
qu'à quinze ans son bouquet de muguet et d'églantine.
La muse de M. de Musset aura toujours de ces retours, 20
même à ses moins bons moments, mais nulle part cette
fraîcheur naturelle ne se marie heureusement comme ici
avec la passion saignante et la douleur sincère. La poésie,
cette chaste consolatrice, y est traitée aussi presque avec
culte, avec tendresse.   25

Que restera-t-il des poëtes de ce temps-ci? Téméraire
serait celui qui prétendrait assigner les lots et faire aujourd'hui le partage ... Ce qu'on peut dire sans se hasarder,
c'est qu'il est résulté de ce concours de talents, pendant
plusieurs saisons, une très-riche poésie lyrique, plus riche 30
que la France n'en avait soupçonné jusqu'alors, mais une
poésie très inégale et très mêlée. La plupart des poëtes se

But, hail ! thou, Golden sage and holy !
Hail, divinest Melancholy !
Whose saintly visage is too bright
To hit the sense of human sight, ... o

sont livrés sans contrôle et sans frein à tous les instincts
de leur nature, et aussi à toutes les prétentions de leur orgueil, ou même aux sottises de leur vanité. Les défauts
et les qualités sont sortis en toute licence, et la postérité
5 aura à faire le départ. On sent qu'elle le fait déjà. Quelles
sont, dans les pièces de poésie composées depuis 1819
jusqu'en 1830, celles qui se peuvent relire aujourd'hui
avec émotion, avec plaisir ? Je pose la question seulement
et n'ai garde de la trancher, ni de suivre de près cette ligne
10 légère, sensible pourtant, qui, chez les illustres les plus
sûrs d'eux-mêmes, sépare déjà le mort du vif. Poëtes de
ce temps-ci, vous êtes trois ou quatre qui vous disputez
le sceptre, qui vous croyez chacun le premier ! Qui sait
celui qui aura le dernier mot auprès de vos neveux indif-
15 férents ? Certains accents de vous, à coup sûr, atteindront
jusqu'à la postérité: voilà votre honneur; elle couvrira
le reste d'un bienveillant oubli. Rien ne subsistera de complet des poëtes de ce temps. M. de Musset n'échappera
point à ce destin, dont il n'aura peut-être pas tant à se
20 plaindre; car il y a de lui des accents qui iront d'autant
plus loin, on peut le croire, et qui perceront d'autant mieux
les temps, qu'ils y arriveront sans accompagnement et
sans mélange. Ces accents sont ceux de la passion pure,
et c'est dans ses *Nuits de Mai* et *d'Octobre* qu'il les a sur-
25 tout exhalés. ...

(*Causeries du Lundi*, 28 janvier 1850)

* *
*

Sainte-Beuve poète

(*Pseudonyme — Joseph Delorme*)

Bien que son talent ne fût pas comparable à celui des Lamartine,
Hugo, Vigny ou Musset, Sainte-Beuve ne peut pas être tout à fait
ignoré comme poète; et deux au moins de ses poèmes ont laissé une
trace auprès de la postérité. Ses recueils sont: *Les poésies et pensées
de Joseph Delorme* (1829), *Les consolations* (1830) avec une teinte de

mélancolie religieuse; et un dernier recueil publié en 1837, *Les pensées d'août.*

Nous donnons ici quelques vers d'un poème des *Consolations* « À Ernest Fouinet » (un ami du Cénacle romantique) comme exemple du Sainte-Beuve romantique et sentimental, rappelant René ou Lamartine; puis une pièce demeurée fameuse, sur « À la rime »; enfin un morceau où l'on veut voir en Sainte-Beuve un précurseur de poètes beaucoup plus modernes, Baudelaire et les Symbolistes: « Les rayons jaunes. »

À Ernest Fouinet

L'épigraphe de ces vers, empruntée à Saint Augustin, indique l'idée: « *Je n'ai pas encore aimé, et je désirais aimer; je cherchais ce que je pourrais aimer dans ma soif d'aimer* ». Le poète suggère des existences diverses, à chacune desquelles a manqué la chose la plus désirable.

> *Nondum amabam, et amare*
> *amabam; quaerebam quid*
> *amarem, amans amare.*
>
> (Saint Augustin, *Confessions.*)

Naître, vivre et mourir dans la même maison;
N'avoir jamais changé de toit ni d'horizon;
S'être lié tout jeune aux vœux du sanctuaire [1];
Vierge, voiler son front comme d'un blanc suaire,
Et confiner ses jours silencieux, obscurs,   5
A l'enclos d'un jardin fermé de tristes murs [2];
Ou dans un sort plus doux, mais non moins monotone,
Vieillir sans rien trouver dont notre âme s'étonne;
Ne pas quitter sa mère et passer à l'époux
Qui vous avait tenue, enfant, sur ses genoux;   10
Aux yeux des grands-parents, élever sa famille;
Voir les fils de ses fils sous la même charmille
Où jadis on avait joué devant l'aïeul;
Homme, vivre ignoré, modeste, pauvre et seul,
Sans voyager, sentir, ni respirer à l'aise,   15
Ni donner plein essor à ce cœur qui vous pèse;

[1] Comme religieux dans un monastère.
[2] Les murs d'un couvent.

Dans son quartier natal compter bien des saisons,
Sans voir jaunir les bois ou verdir les gazons;
Avec les mêmes goûts avoir sa même chambre,
Ses livres du collège, et son poêle en décembre;
5 Sa fenêtre entr'ouverte en mai, se croire heureux
De regarder un lierre en un jardin pierreux;
Tout cela, puis mourir plus humblement encore,
Pleuré de quelques yeux, mais sans écho sonore,
Sans flambeau qui longtemps chasse l'oubli vaincu,
10 O mon cœur, toi qui sens, dis! est-ce avoir vécu? —
Pourquoi non? Et pour nous qu'est-ce donc que la
vie?...

Oh! n'enviez jamais ces inquiets rêveurs [1]
Dont la vie ennuyée avec orgueil s'étale,
15 Ou s'agite sans but, turbulente et fatale...

Oh! moi, si jusqu'ici j'ai tant gémi sur terre,
Si j'ai tant vers le Ciel lancé de plainte amère,
C'est moins de ce qu'esclave, à ma glèbe attaché,
Je n'ai pu faire place à mon destin caché;
20 C'est moins de n'avoir pas visité ces rivages
Que des noms éternels peuplent de leurs images,
Où l'orange est si mûre, où le ciel est si bleu;
— C'est plutôt jusqu'ici d'avoir aimé trop peu!

(*Les consolations*, Août 1829.)

À la rime

« C'est de la pièce suivante que date la conversion de Joseph
Delorme à une facture plus sévère. Cette pièce a déjà été publiée
ailleurs,[2] comme l'ouvrage d'un ami qui s'est prêté en cela au caprice
et à la modestie du poète, mais qui se croit aujourd'hui obligé de
faire restitution sur sa tombe. » (*Note de Sainte-Beuve.*)

---

[1] Ecrivains sentimentaux et romantiques, comme Chateaubriand,
Mme de Staël, Lamartine, Vigny, Musset, etc.

[2] En 1828, quand, dans son *Tableau historique et critique de la poésie
française et du théâtre français au XVIe siècle* Sainte-Beuve plaidait
avec ses amis pour un renouvellement de la poésie.

Rime, qui donnes leurs sons
 Aux chansons;
Rime, l'unique harmonie
Du vers, qui, sans tes accents
 Frémissants,   5
Serait muet au génie;

Rime, écho qui prends la voix
 Du hautbois
Ou l'éclat de la trompette;
Dernier adieu d'un ami   10
 Qu'à demi
L'autre ami de loin répète;

Rime, tranchant aviron,
 Éperon
Qui fends la vague écumante;   15
Frein d'or, aiguillon d'acier
 Du coursier
A la crinière fumante ...

Col étroit, par où saillit
 Et jaillit   20
La source au ciel élancée,
Qui, brisant l'éclat vermeil
 Du soleil,
Tombe en gerbe nuancée ...

Ou plutôt, fée au léger   25
 Voltiger,
Habile, agile courrière,
Qui mène le char des vers
 Dans les airs
Par deux sillons de lumière;   30

O Rime ! qui que tu sois,
 Je reçois
Ton joug; et longtemps rebelle,

Corrigé, je te promets
      Désormais
Une oreille plus fidèle.

Mais aussi devant mes pas
      Ne fuis pas;
Quand la Muse me dévore,
Donne, donne par égard
      Un regard
Au poète qui t'implore ! ...

                    (*Poésies de Joseph Delorme*, 1829.)

Les rayons jaunes

C'est pour cette pièce que Sainte-Beuve a été parfois acclamé
comme un précurseur des poètes de la fin du siècle qui chercheront
à introduire des sensations nouvelles, Baudelaire particulièrement.
On trouvera des références aux *Rayons jaunes* dans un chapitre ultérieur. En 1873 un poète, Tristan Corbière, publia *Les amours jaunes*,
recueil de pièces aussi bizarres, certes, que celle de Sainte-Beuve.

Ce n'est pas ici du jaune brillant, le jaune or que les Chinois considèrent comme un reflet de la couleur éclatante du soleil, qu'il s'agit;
c'est bien plutôt du jaune sombre, triste, lugubre, du jaune pâle et
blafard.

« Cette pièce est peut-être, de toutes celles de *Joseph Delorme*,
celle qui a essuyé dans le temps le plus de critiques et d'épigrammes.
Diderot a dit quelque part (*Lettres à Mlle Voland*): ‹ Une seule qualité
‹ physique peut conduire l'esprit qui s'en occupe à une infinité de choses
‹ diverses. Prenons une couleur, la jaune par exemple; l'or est jaune,
‹ la soie est jaune, le souci est jaune, la bile est jaune, la lumière est
‹ jaune, la paille est jaune; à combien d'autres fils ce fil ne répond-
‹ il pas ?[1] ... Le fou ne s'aperçoit pas qu'il en change; il tient un
‹ brin de paille jaune et luisante à la main, et il crie qu'il a saisi un
‹ rayon de soleil. › Le rêveur qui laisse flotter sa pensée fait quelquefois comme ce fou dont parle Diderot. Ainsi, ce jour-là, Joseph
Delorme. » (Note de Sainte-Beuve.)

                (*Lurida praeterea fiunt quaecumque* ... Lucrèce, *Liv. IV*)[2]

10 Les dimanches d'été, le soir, vers les six heures,
   Quand le peuple, empressé, déserte ses demeures

----

[1] figuré: association d'idées.

[2] *Et d'autres choses aussi prennent une teinte blafarde* ...

Et va s'ébattre aux champs,
Ma persienne fermée, assis à ma fenêtre,
Je regarde d'en haut passer et disparaître
　　Joyeux bourgeois, marchands,

Ouvriers en habit de fête, au cœur plein d'aise;   5
Un livre est entr'ouvert, près de moi, sur ma chaise:
　　Je lis ou fais semblant;
Et les jaunes rayons que le couchant ramène,
Plus jaunes ce soir-là que pendant la semaine,
　　Teignent mon rideau blanc.   10

J'aime à les voir percer vitres et jalousie [1];
Chaque oblique sillon trace à ma fantaisie
　　Un flot d'atomes d'or;
Puis, m'arrivant dans l'âme à travers la prunelle,
Ils redorent aussi mille pensers en elle,   15
　　Mille atomes encor.

Ce sont des jours confus dont reparaît la trame,
Des souvenirs d'enfance, aussi doux à notre âme
　　Qu'un rêve d'avenir:
C'était à pareille heure (oh ! je me le rappelle)   20
Qu'après vêpres, enfants, au chœur de la chapelle,
　　On nous faisait venir.

La lampe brûlait jaune, et jaune aussi les cierges;
Et la lueur glissant aux fronts voilés des vierges
　　Jaunissait leur blancheur;   25
Et le prêtre, vêtu de son étole blanche,
Courbait un front jauni, comme un épi qui penche
　　Sous la faux du faucheur.

Oh ! qui dans une église, à genoux sur la pierre,
N'a bien souvent, le soir, déposé sa prière,   30
　　Comme un grain pur de sel ?
Qui n'a du crucifix baisé le jaune ivoire ?

[1] *Shutter, Venetian blind.*

Qui n'a de l'Homme-Dieu lu la sublime histoire
    Dans un jaune missel ? ...

J'ai vu mourir, hélas ! ma bonne vieille tante,
L'an dernier ; sur son lit, sans voix et haletante,
5   Elle resta trois jours,
    Et trépassa.   J'étais près d'elle dans l'alcôve ;
J'étais près d'elle encor, quand sur sa tête chauve
    Le linceul fit trois tours.

    Le cercueil arriva, qu'on mesura de l'aune ;
10 J'étais là ... puis, autour, des cierges brûlaient jaune,
    Des prêtres priaient bas ;
Mais en vain je voulais dire l'hymne dernière ;
Mon œil était sans larme et ma voix sans prière,
    Car je ne croyais pas.

15 Elle m'aimait pourtant ; ... et ma mère aussi m'aime,
Et ma mère à son tour mourra ; bientôt moi-même
    Dans le jaune linceul
Je l'ensevelirai ; je clouerai sous la lame [1]
Ce corps flétri, mais cher, ce reste de mon âme ;
20   Alors je serai seul ;

Seul, sans mère, sans sœur, sans frère et sans épouse ;
Car qui voudrait m'aìmer, et quelle main jalouse
    S'unirait à ma main ? ...
Mais déjà le soleil recule devant l'ombre,
25 Et les rayons qu'il lance à mon rideau plus sombre
    S'éteignent en chemin o o o

Non, jamais, quand la mort m'étendra sur ma couche,
Mon front ne sentira le baiser d'une bouche,
    Ni mon œil obscurci
30 N'entreverra l'adieu d'une lèvre mi-close !
Jamais sur mon tombeau ne jaunira la rose,
    Ni le jaune souci [2] ! o o o

                (*Poésies de Joseph Delorme*, 1829.)

[1] *Lid of the coffin.*   [2] *Marigold.*

CHAPITRE III

HIPPOLYTE TAINE

1828–1893

Consulter: G. Lanson, article ‹ Taine › dans la *Grande Encyclopédie* (A. Colin 1900); V. Giraud, *Essai sur Taine, son œuvre et son influence* (Hachette, 1901); A. Chevrillon, Taine: *Formation de sa pensée.* (Plon 1932, 2 vol.). **En anglais:** I. Babbitt, *Masters of Modern French Criticism* (Boston, Houghton Mifflin, 1912, pp. 218–256).

Sainte-Beuve voulait arriver à la compréhension de l'œuvre littéraire par la connaissance de l'homme qui l'a produite. Taine fera un pas de plus; il reculera les bornes de la critique: si l'œuvre est le produit de l'homme, l'homme lui-même est le produit des circonstances; de là la théorie des « trois forces primordiales » qui contribuent à former l'artiste: *la race, le milieu, le moment.*

Hippolyte Taine est né à Vouziers (Ardennes) en 1828. Orphelin à 13 ans, il vint à Paris, fit de brillantes études au Collège Bourbon; puis à l'École Normale Supérieure depuis 1848; autant et plus que le droit, il étudie les sciences: l'anatomie, la médecine, la pathologie. Il fait quelque temps de l'enseignement en province; mais il a des ennuis constants à cause de la hardiesse de ses idées; et, finalement, il renonce. Il revient à Paris, prépare une thèse sur *Les sensations,* laquelle n'est pas acceptée — toujours à cause de ses idées trop en opposition avec celles qui prévalaient alors à l'université (1853); il refait une autre thèse *Essai sur les ‹ Fables › de La Fontaine* [qui est resté le livre par excellence sur le fabuliste, et qui est publié aujourd'hui sous le titre *La Fontaine et ses ‹ Fables ›,* 1860]; il écrit aussi un *Essai sur Tite-Live* (1856) où il ne présente ses idées qu'indirectement, mais il se venge en lançant en 1857 une attaque terrible contre les philosophies spiritualistes alors en honneur (surtout contre Cousin et Jouffroy) *Les philosophes classiques en France au XIXᵉ siècle.*

Taine a donné pendant 20 ans des cours d'histoire de l'art; il avait élaboré, au cours de nombreux voyages, toute une théorie qui fait partie de son système général (v. *Philosophie de l'art,* 1865–1867, 2 vol.)

D'un intérêt particulier ici est son *Histoire de la littérature anglaise,* en 5 volumes (v. plus bas.)

Enfin, ce fut en 1870 qu'il publia ses deux volumes *De l'intelligence,* où il ouvre la voie à la psychologie expérimentale des maîtres modernes, comme Théodule Ribot, Alfred Binet, Pierre Janet, Georges Dumas — œuvre parallèle à celle entreprise en Angleterre par Stuart Mill, Herbert Spencer, Thomas Huxley, etc. Convaincu de la vérité d'un déterminisme universel, Taine remonte de l'observation des phénomènes, particulièrement de l'observation de ce qu'il appelle « le petit fait significatif », à des lois gouvernant ces phénomènes, puis à d'autres lois plus générales, et il pense que l'homme peut enfin aspirer à trouver un jour une formule qui contienne en germe l'explication de *tous* les phénomènes « l'axiome universel ».

Les vingt dernières années de sa vie furent surtout remplies par la composition d'une grande œuvre historique, *Les origines de la France contemporaine* — qu'il laissa inachevée d'ailleurs. Une philosophie comme la sienne, aboutissant au déterminisme absolu en ce qui concerne l'homme comme en ce qui concerne tout phénomène naturel, entraînait à sa suite le pessimisme, ou tout au moins un fatalisme excluant, *a priori*, toute tentative humaine de changer les destinées historiques. Il ne saurait donc proprement condamner la Révolution Française d'où est sortie « la France contemporaine » puisque celle-ci est elle-même un résultat fatal des influences de *race* de *milieu* et de *moment*, mais il éprouve pour elle une répulsion qu'il ne cherche pas à dissimuler. Elle est, selon lui, le triomphe de la démagogie, et il peut seulement espérer, sans y compter, qu'un génie politique prendra dans l'État moderne la place du règne de la foule ou des démagogues. Il avait dit dans la Préface du volume *Révolution:* « Vous pouvez considérer l'homme comme un animal d'espèce supérieure qui produit des philosophies et des poèmes comme le ver à soie produit des cocons et les abeilles leurs cellules. » Son opinion sur la Révolution, exprimée d'une façon familière — dans une lettre à son ami A. de Boislisle (28 juillet 1874) — est la suivante: « Vous savez si j'aime la Révolution; pour qui la voit de près, c'est l'insurrection des mulets et des chevaux contre l'homme, sous la conduite des singes qui ont des larynx de perroquets. » L'ouvrage se compose de trois parties: I. *Ancien Régime*, II. *Révolution*, III. *Régime nouveau* (inachevé) *Les origines de la France contemporaine* furent entreprises à 21 ans, quand, en 1849, il devenait électeur et avait l'ambition de raisonner son vote. La publication, cependant, ne commença qu'en 1875; depuis 1870 (chute de l'Empire et établissement de la République) il voulait, comme bien des écrivains du XVIIIe siècle l'avaient fait, opposer le système politique plus stable de l'Angleterre à celui de la France, plus flexible, mais plus fragile.

Ce ne sont pas là tous les ouvrages de Taine; on peut mentionner encore ici *Notes sur Paris, vie et opinions de M. Frédéric Thomas Graindorge* [Barleycorn] *de Cincinnati, U.S.A.* qui est une satire amusante des mœurs de l'époque mise dans la bouche d'un Américain,

comme au XVIIIᵉ siècle Montesquieu avait attribué sa satire de la
France de Louis XIV à des visiteurs de Perse.

Taine passa une bonne partie des dernières années de sa vie à
Menthon-Saint-Bernard, au bord du Lac d'Annecy, en Savoie. Il y
mourut en 1893.

Les trois forces primordiales dans l'histoire: race, milieu, moment

(Extrait de *L'Introduction à L'Histoire de la
littérature anglaise*, Chap. V.)

Sainte-Beuve avait formulé sa « méthode » en 1862, dans son *Essai
sur Chateaubriand;* il était âgé de 58 ans. À quelques mois de distance, en 1863, Taine alors âgé de 35 ans, formulait à son tour la
sienne. Son *Introduction à l'histoire de la littérature anglaise* est
beaucoup plus détaillée que les quelques pages de Sainte-Beuve; elle
constitue en importance un manifeste à mettre en regard de la *Préface
de Cromwell*, de Victor Hugo qui avait été, en 1827, le manifeste des
Romantiques.

L'ouvrage fut publié d'abord en série, depuis le 17 janvier 1856
dans *L'Instruction publique*, puis dans *la Revue des Deux Mondes*.
Il formait quatre volumes en 1863, et un cinquième parut en 1886
sur les écrivains anglais contemporains.

Taine se proclame lui-même le disciple de Sainte-Beuve [1]: comme
lui, il veut faire « l'histoire naturelle des esprits »; mais tandis que
Sainte-Beuve en reste trop à la psychologie d'observation introspec-
tive, Taine veut remonter jusqu'aux causes anatomiques et physio-
logiques (« Est-ce une psychologie qu'un cahier de remarques ? »);
il s'attache à « tout ce qui sert de support physique à l'esprit ». Il
renouvelle, en somme, la science « sensualiste » du XVIIIᵉ siècle;
mais beaucoup plus sûr de lui — car la science a fait des pas de géants
— il lance sa phrase célèbre: « Le vice et la vertu sont des produits
comme le vitriol et le sucre. » En ceci il se sent encore plus porté à
se réclamer de Montesquieu, l'auteur de la théorie des climats (v.
Eighteenth Century French Readings, Holt and Co., pp. 285–291) que
de Sainte-Beuve: « Montesquieu — dit-il — l'a entrepris [d'expliquer l'homme par le milieu et l'époque]; mais de son temps l'histoire

---

[1] « Nous sommes tous ses élèves; sa méthode renouvelle aujour-
d'hui dans les livres et jusque dans les journaux, toute critique littéraire, philosophique et religieuse. C'est d'elle qu'il faut partir pour
commencer l'évolution ultérieure... A mon avis, il y a là une voie
nouvelle ouverte à l'histoire. »

était trop nouvelle pour qu'il pût réussir ». Un autre précurseur encore que reconnaît Taine, est Stendhal, qui « avec sa tournure d'esprit
et d'éducation singulière ○ ○ ○ le premier marquait les causes fondamentales, j'entends les nationalités, les climats, les tempéraments;
bref, traitait des sentiments comme on doit en traiter, c'est à dire en
naturaliste et en physicien ».

La formule qui fit scandale dans *L'Introduction à la littérature
anglaise:* « Le vice et la vertu sont des produits comme le vitriol et
le sucre », fut attaquée de tous côtés, entre autres par Monseigneur
Dupanloup, le célèbre et éloquent évêque d'Orléans, qui convainquit
l'Académie de ne pas décerner de prix à Taine pour son ouvrage.

Trois sources différentes contribuent à produire cet état
moral élémentaire, *la race, le milieu* et *le moment.* Ce qu'on
appelle *la race*, ce sont ces dispositions innées et hérédi-
taires que l'homme apporte avec lui à la lumière, et qui
5 ordinairement sont jointes à des différences marquées dans
le tempérament et dans la structure du corps. Elles varient
selon les peuples. Il y a naturellement des variétés
d'hommes, comme des variétés de taureaux et de chevaux,
les unes braves et intelligentes, les autres timides et bor-
10 nées, les unes capables de conceptions et de créations supé-
rieures, les autres réduites aux idées et aux inventions
rudimentaires, quelques-unes appropriées plus particulièrement à certaines œuvres et approvisionnées plus richement
de certains instincts, comme on voit des races de chiens
15 mieux douées, les unes pour la course, les autres pour le
combat, les autres pour la chasse, les autres enfin pour la
garde des maisons ou des troupeaux. Il y a là une force
distincte, si distincte qu'à travers les énormes déviations
que les deux autres moteurs [1] lui impriment, on la reconnaît
20 encore, et qu'une race, comme l'ancien peuple aryen, éparse
depuis le Gange jusqu'aux Hébrides, établie sous tous les
climats, échelonnée à tous les degrés de la civilisation, transformée par trente siècles de révolutions, manifeste pourtant
dans ses langues, dans ses religions, dans ses littératures
25 et dans ses philosophies, la communauté de sang et d'esprit

[1] Milieu et moment.

qui relie encore aujourd'hui tous ses rejetons. Si différents
qu'ils soient, leur parenté n'est pas détruite; la sauvagerie,
la culture et la greffe, les différences de ciel et de sol, les
accidents heureux ou malheureux ont eu beau travailler;
les grands traits de la forme originelle ont subsisté, et l'on 5
retrouve les deux ou trois linéaments principaux de l'empreinte primitive sous les empreintes secondaires que le
temps a posées par-dessus. Rien d'étonnant dans cette
ténacité extraordinaire. Quoique l'immensité de la distance ne nous laisse entrevoir qu'à demi et sous un jour 10
douteux l'origine des espèces,[1] les événements de l'histoire
éclairent assez les événements antérieurs à l'histoire, pour
expliquer la solidité presque inébranlable des caractères
primordiaux. Au moment où nous les rencontrons, quinze,
vingt, trente siècles avant notre ère, chez un Aryen, un 15
Égyptien, un Chinois, ils représentent l'œuvre d'un nombre
de siècles beaucoup plus grand, peut-être l'œuvre de plusieurs myriades de siècles ... Telle est la première et la
plus riche source de ces facultés maîtresses d'où dérivent les
événements historiques; et l'on voit d'abord que, si elle 20
est puissante, c'est qu'elle n'est pas une simple source,
mais une sorte de lac et comme un profond réservoir où
les autres sources, pendant une multitude de siècles, sont
venues entasser leurs propres eaux.

Lorsqu'on a ainsi constaté la structure intérieure d'une 25
race, il faut considérer le *milieu* dans lequel elle vit. Car
l'homme n'est pas seul dans le monde; la nature l'enveloppe et les autres hommes l'entourent; sur le pli primitif
et permanent viennent s'étaler les plis accidentels et secondaires, et les circonstances physiques ou sociales dé- 30
rangent ou complètent le naturel qui leur est livré. Tantôt
le climat a fait son effet. Quoique nous ne puissions suivre
qu'obscurément l'histoire des peuples aryens depuis leur

---

[1] Darwin, *De l'origine des espèces*, 1859; traduction française,
1862.

patrie commune jusqu'à leurs patries définitives, nous pouvons affirmer cependant que la profonde différence qui se montre entre les races germaniques d'une part, et les races helléniques et latines de l'autre, provient en grande
5 partie de la différence des contrées où elles se sont établies, les unes dans les pays froids et humides, au fond d'âpres forêts marécageuses ou sur les bords d'un océan sauvage, enfermées dans les sensations mélancoliques ou violentes, inclinées vers l'ivrognerie et la grosse nourriture, tournées
10 vers la vie militante et carnassière; les autres au contraire au milieu des plus beaux paysages, au bord d'une mer éclatante et riante, invitées à la navigation et au commerce, exemptes des besoins grossiers de l'estomac, dirigées dès l'abord vers les habitudes sociales, vers l'organisation
15 politique, vers les sentiments et les facultés qui développent l'art de parler, le talent de jouir, l'invention des sciences, des lettres et des arts. — Tantôt les circonstances politiques ont travaillé, comme dans les deux civilisations italiennes: la première tournée tout entière vers l'action,
20 la conquête, le gouvernement et la législation, par la situation primitive d'une cité de refuge, d'un *emporium*[1] de frontière, et d'une aristocratie armée qui, important et enrégimentant sous elle les étrangers et les vaincus, mettait debout deux corps hostiles l'un en face de l'autre, et ne
25 trouvait de débouché à ses embarras intérieurs et à ses instincts rapaces que dans la guerre systématique; la seconde exclue de l'unité et de la grande ambition politique par la permanence de sa forme municipale, par la situation cosmopolite de son pape et par l'intervention militaire des
30 nations voisines, reportée tout entière, sur la pente de son magnifique et harmonieux génie, vers le culte de la volupté et de la beauté. — Tantôt enfin les conditions sociales ont imprimé leur marque, comme il y a dix-huit siècles par le christianisme, et vingt-cinq siècles par le bouddhisme,
35 lorsque autour de la Méditerranée comme dans l'Hindou-

[1] Marché.

stan, les suites extrêmes de la conquête et de l'organisation
aryenne amenèrent l'oppression intolérable, l'écrasement
de l'individu, le désespoir complet, la malédiction jetée sur
le monde, avec le développement de la métaphysique et du
rêve, et que l'homme dans ce cachot de misères, sentant 5
son cœur se fondre, conçut l'abnégation, la charité, l'amour
tendre, la douceur, l'humilité, la fraternité humaine, là-bas [1]
dans l'idée du néant universel, ici [2] sous la paternité de
Dieu. — Que l'on regarde autour de soi les instincts régu-
lateurs et les facultés implantées dans une race, bref le tour 10
d'esprit d'après lequel aujourd'hui elle pense et elle agit;
on y découvrira le plus souvent l'œuvre de quelqu'une de
ces situations prolongées, de ces circonstances enveloppantes, de ces persistantes et gigantesques pressions exer-
cées sur un amas d'hommes qui, un à un, et tous ensemble, 15
de génération en génération, n'ont pas cessé d'être ployés
et façonnés par leur effort ○ ○ ○

Il y a pourtant un troisième ordre de causes; car, avec
les forces du dedans et du dehors, il y a l'œuvre qu'elles
ont déjà faite ensemble, et cette œuvre elle-même contribue 20
à produire celle qui suit; outre l'impulsion permanente et
le milieu donné, il y a la vitesse acquise. Quand le caractère national et les circonstances environnantes opèrent,
ils n'opèrent point sur une table rase, [3] mais une table où
des empreintes sont déjà marquées. Selon qu'on prend la 25
table à un *moment* ou à un autre, l'empreinte est différente;
et cela suffit pour que l'effet total soit différent. Consi-
dérez, par exemple, deux moments d'une littérature ou
d'un art, la tragédie française sous Corneille et sous Voltaire, le théâtre grec sous Eschyle et sous Euripide, la poé- 30

---

[1] L'Inde.

[2] L'Europe.

[3] *Table rase*, terme employé par Descartes qui voulait « faire
table rase » de toute philosophie reçue pour reconstruire depuis le
commencement. *Feuille blanche.*

sie latine sous Lucrèce [1] et sous Claudien,[2] la peinture
italienne sous Vinci et sous le Guide.[3]　Certainement, à
chacun de ces deux points extrêmes, la conception générale
n'a pas changé; c'est toujours le même type humain qu'il
5 s'agit de représenter ou de peindre; le moule du vers, la
structure du drame, l'espèce des corps ont persisté.　Mais,
entre autres différences, il y a celle-ci, qu'un des artistes
est le précurseur, et que l'autre est le successeur, que le
premier n'a pas de modèle, et que le second a un modèle,
10 que le premier voit les choses face à face, et que le second
voit les choses par l'intermédiaire du premier, que plusieurs grandes parties de l'art se sont perfectionnées, que
la simplicité et la grandeur de l'impression ont diminué,
que l'agrément et le raffinement de la forme se sont accrus,
15 bref que la première œuvre a déterminé la seconde.　Il en
est ici d'un peuple, comme d'une plante: la même sève
sous la même température et sur le même sol produit, aux
divers degrés de son élaboration successive, des formations
différentes, bourgeons, fleurs, fruits, semences, en telle
20 façon que la suivante a toujours pour condition la précédente, et naît de sa mort.　Que si vous regardez maintenant, non plus un court moment comme tout à l'heure,
mais quelqu'un de ces larges développements qui embras-
sent un ou plusieurs siècles, comme le moyen âge ou notre
25 dernière époque classique, la conclusion sera pareille.　Une
certaine conception dominatrice y a régné; les hommes,
pendant deux cents ans, cinq cents ans, se sont représenté
un certain modèle idéal de l'homme; au moyen âge, le
chevalier et le moine, dans notre âge classique, l'homme de
30 cour et le beau parleur; cette idée créatrice et universelle
s'est manifestée dans tout le champ de l'action et de la

---

[1] 96 av. J.C.-31 ap. J.C., auteur du poème philosophique *De
natura rerum*.

[2] Poète romain, du IVe siècle, imitateur de Virgile.

[3] Guido Reni, 1575-1643, de Bologne; fameux entre autres pour
sa *Tête du Christ* et son *Enlèvement d'Hélène*.

pensée, et, après avoir couvert le monde de ses œuvres involontairement systématiques, elle s'est alanguie, puis elle est morte, et voici qu'une nouvelle idée se lève, destinée à une domination égale et à des créations aussi multipliées. Posez ici que la seconde dépend en partie de la première, et que c'est la première qui, combinant son effet avec ceux du génie national et des circonstances enveloppantes, va imposer aux choses naissantes leur tour et leur direction. C'est d'après cette loi que se forment les grands courants historiques, j'entends par là les longs règnes d'une forme d'esprit ou d'une idée maîtresse, comme cette période de créations spontanées qu'on appelle la Renaissance, ou cette période de classifications oratoires qu'on appelle l'âge classique, ou cette série de synthèses mystiques qu'on appelle l'époque alexandrine et chrétienne, ou cette série de floraisons mythologiques qui se rencontre aux origines de la Germanie, de l'Inde et de la Grèce.

Il n'y a ici comme partout qu'un problème de mécanique: l'effet total est un composé déterminé tout entier par la grandeur et la direction des forces qui le produisent. La seule différence qui sépare ces problèmes moraux des problèmes physiques, c'est que les directions et les grandeurs ne se laissent pas évaluer ni préciser dans les premiers comme dans les seconds. Si un besoin, une faculté est une quantité capable de degrés ainsi qu'une pression ou un poids, cette quantité n'est pas mesurable comme celle d'une pression ou d'un poids. Nous ne pouvons la fixer dans une formule exacte ou approximative; nous ne pouvons avoir et donner, à propos d'elle, qu'une impression littéraire; nous sommes réduits à noter et citer les faits saillants par lesquels elle se manifeste, et qui indiquent, à peu près, grossièrement, vers quelle hauteur de l'échelle il faut la ranger. Mais, quoique les moyens de notation ne soient pas les mêmes dans les sciences morales que dans les sciences physiques, néanmoins, comme dans les deux la ma-

tière est la même et se compose également de forces, de
directions et de grandeurs, on peut dire que dans les unes
et dans les autres l'effet final se produit d'après la même
règle ○ ○ ○ C'est cette concordance secrète des forces créa-
5 trices qui a produit la politesse achevée et la noble littérature régulière sous Louis XIV et Bossuet, la métaphysique
grandiose et la large sympathie critique sous Hegel et
Goethe ○ ○ ○ Nous pouvons affirmer avec certitude que les
créations inconnues vers lesquelles le courant des siècles
10 nous entraîne, seront suscitées et réglées tout entières par
les trois forces primordiales; que, si ces forces pouvaient
être mesurées et chiffrées, on en déduirait comme d'une
formule les propriétés de la civilisation future, et que, si,
malgré la grossièreté visible de nos notations et l'inexacti-
15 tude foncière de nos mesures, nous voulons aujourd'hui
nous former quelque idée de nos destinées générales, c'est
sur l'examen de ces forces qu'il faut fonder nos prévisions.
Car nous parcourons en les énumérant le cercle complet
des puissances agissantes, et, lorsque nous avons considéré
20 *la race, le milieu, le moment,* c'est-à-dire le ressort du dedans,
la pression du dehors et l'impulsion déjà acquise, nous
avons épuisé, non-seulement toutes les causes réelles, mais
encore toutes les causes possibles du mouvement.

A cela il faut ajouter cet autre facteur important à considérer,
mais qu'il suffit en quelque sorte de nommer pour en comprendre la
portée: *la loi de dépendance mutuelle,* c'est-à-dire les actions réci-
proques des forces primordiales, *race, milieu, moment.*

Ici, comme partout, s'applique *la loi des dépendances
25 mutuelles.*[1] Une civilisation fait corps, et ses parties se
tiennent à la façon des parties d'un corps organique. De
même que dans un animal les instincts, les dents, les
membres, la charpente osseuse, l'appareil musculaire, sont
liés entre eux, de telle façon qu'une variation de l'un

[1] J'ai essayé plusieurs fois d'exprimer cette loi, notamment dans
la préface des *Essais de critique et d'histoire.* (Note de Taine.)

d'entre eux détermine dans chacun des autres une variation correspondante, et qu'un naturaliste habile peut, sur
quelques fragments, reconstruire par le raisonnement le
corps presque tout entier; de même dans une civilisation
la religion, la philosophie, la forme de famille, la littérature, 5
les arts composent un système où tout changement local
entraîne un changement général, en sorte qu'un historien
expérimenté qui en étudie quelque portion restreinte aperçoit d'avance et prédit à demi les caractères du reste. Rien
de vague dans cette dépendance ∘∘∘   10

Le docteur Samuel Johnson

(Histoire de la littérature anglaise, Vol. III.)

Taine a voulu appliquer sa doctrine des trois forces primordiales,
non pas dans une série d'études séparées et indépendantes (comme
Sainte-Beuve l'avait fait pour sa « méthode » dans les *Lundis*), mais
d'une façon beaucoup plus imposante, en prenant comme thème de
démonstration toute une histoire de la littérature, celle de l'Angleterre. La démonstration dans ses grandes lignes est convaincante et
personne ne songerait aujourd'hui à contester ces idées de rapport
étroit entre les phénomènes psychologiques et les conditions matérielles
et temporelles. C'est dans les applications de détail que Taine s'est
souvent vu pris à partie. On a eu beau jeu de contester certaines de
ses assertions; mais ce n'est peut-être pas la doctrine qui est en défaut
autant que le manque de faits à la disposition de Taine, ou le caractère erroné des données sur lesquelles il travaillait.

Sainte-Beuve trouvait dans tous les écrivains ce qu'il appelait
« le jeu de la faculté première », et c'était pour lui l'amour-propre;
Taine, lui, croyait trouver chez les écrivains une « faculté maîtresse »,
mais celle-ci serait différente selon les auteurs.

Beaucoup des traits cités par Taine pour dessiner le portrait du
Docteur Johnson sont empruntés à la fameuse *Life of Samuel Johnson,
LL. D,* par James Boswell.

Au centre de ce groupe se tient debout un personnage
étrange, le plus accrédité de son temps, sorte de dictateur
littéraire; Richardson est son ami et lui fournit des essais
pour son journal; Goldsmith, avec une vanité naïve, l'admire en souffrant d'être toujours primé par lui; Miss 15

Burney imite son style, et le révère comme un père. L'historien Gibbon, le peintre Reynolds, l'acteur Garrick, l'orateur Burke, l'indianiste Jones, viennent à son club lui donner la réplique. Lord Chesterfield, qui a perdu sa
5 faveur, essaye en vain de la regagner en proposant de lui décerner, sur tous les mots de la langue, l'autorité d'un pape.[1] Boswell le suit à la trace, note ses phrases et le soir en remplit des in-quarto.[2] Sa critique fait loi; on se presse pour entendre sa conversation; il est l'arbitre du
10 style. Transportons par l'imagination ce prince de l'esprit en France, parmi nos jolis salons de philosophie élégante et de mœurs épicuriennes; la violence du contraste marquera mieux que tout raisonnement la tournure et les prédilections de l'esprit anglais.

15   On voyait entrer un homme énorme, à carrure de taureau, grand à proportion, l'air sombre et rude, l'œil clignotant, la figure profondément cicatrisée par des scrofules,[3] avec un habit brun et une chemise sale, mélancolique de naissance et maniaque par surcroît. Au milieu d'une
20 compagnie, on l'entendait tout d'un coup marmotter un vers latin ou une prière. D'autres fois, dans l'embrasure d'une fenêtre, il remuait la tête, agitait son corps d'avant en arrière, avançait, puis retirait convulsivement la jambe. Son compagnon racontait qu'il avait voulu absolument
25 arriver du pied droit, et que, n'ayant pas réussi, il avait recommencé avec une attention profonde, comptant un à un tous ses pas. On se mettait à table. Tout d'un coup il s'oubliait, se baissait, et enlevait dans sa main le soulier

[1] On sait que Lord Chesterfield avait traité Johnson avec beaucoup de condescendance quand celui-ci n'était pas encore célèbre, mais lorsqu'il avait vu la notoriété de l'auteur du *Dictionnaire* grandir considérablement, il avait offert sa protection — que Johnson refusa dans une lettre fameuse par sa courtoise mais mordante ironie.

[2] *In-quarto*, synonyme de livre de grand format (dont les feuilles sont pliées en quatre seulement et forment huit pages).

[3] Johnson avait conservé des marques de la terrible maladie qui l'avait défiguré dans son enfance.

d'une dame. À peine servi, il se précipitait sur sa nourriture « comme un cormoran, les yeux fichés sur son assiette,
ne disant pas un mot, n'écoutant pas un mot de ce qu'on
disait autour de lui », avec une telle voracité que les veines
de son front s'enflaient et qu'on voyait la sueur en découler. 5
Si par hasard le lièvre était avancé ou le pâté fait avec du
beurre rance, il ne mangeait plus, il dévorait. Lorsqu'enfin
son appétit était gorgé et qu'il consentait à parler, il dis-
putait, vociférait, faisait de la conversation un pugilat,
arrachait n'importe comment la victoire, imposait son 10
opinion doctoralement, impétueusement, et brutalisait les
gens qu'il réfutait. « Monsieur, je m'aperçois que vous
êtes un misérable whig. » — « Ma chère dame, ne parlez
plus de ceci, la sottise ne peut être défendue que par la
sottise. » — « Monsieur, j'ai voulu être incivil avec vous, 15
pensant que vous l'étiez avec moi. » Cependant, tout en
prononçant,[1] il faisait des bruits étranges, « tantôt tournant
la bouche comme s'il ruminait, tantôt sifflant à mi-voix,
tantôt claquant de la langue comme quelqu'un qui
glousse. » A la fin de sa période, il soufflait à la façon d'une 20
baleine, son ventre ballottait, et il lançait une douzaine de
tasses de thé dans son estomac.

Alors tout bas, avec précaution, on questionnait Garrick
ou Boswell sur l'histoire et les habitudes de cet ogre grotesque. Il avait vécu en cynique et en excentrique, ayant 25
passé sa jeunesse à lire au hasard dans une boutique, surtout des in-folios latins, même les plus ignorés, par exemple
Macrobe[2]; il avait découvert les œuvres latines de Pé-
trarque en cherchant des pommes, et crut trouver des
ressources en proposant au public une édition de Politien.[3] 30
A vingt-cinq ans, il avait épousé par amour une femme de
cinquante, courte, mafflue, rouge, habillée de couleurs
voyantes, qui se mettait sur les joues un demi-pouce de

---

[1] Ici, décidant avec autorité sur toutes choses.
[2] Ecrivain latin, du Ve siècle, auteur des *Saturnales*.
[3] Humaniste italien peu connu du XVe siècle, auteur d'*Orfeo*.

lard, et qui avait des enfants du même âge que lui. Arrivé à Londres pour gagner son pain, les uns à ses grimaces
convulsives l'avaient pris pour un idiot, les autres à l'aspect
de son tronc massif lui avaient conseillé de se faire porte-
5 faix. Trente ans durant, il avait travaillé en manœuvre [1]
pour les libraires qu'il rossait lorsqu'ils devenaient imperti-
nents, toujours râpé,[2] ayant une fois jeûné deux jours,
content lorsqu'il pouvait dîner avec six *pence* de viande et
un *penny* de pain, ayant écrit un roman [3] en huit nuits pour
10 payer l'enterrement de sa mère. A présent, pensionné par
le roi, exempt de sa corvée journalière, il suit son indolence
naturelle, reste au lit souvent jusqu'à midi et au delà.
C'est à cette heure qu'on va le voir. On monte l'escalier
d'une triste maison située au nord de *Fleet-Street*, le quartier
15 affairé de Londres, dans une cour étroite et obscure, et l'on
entend en passant les gronderies de quatre femmes et d'un
vieux médecin charlatan,[4] pauvres créatures sans ressources, infirmes, et d'un mauvais caractère, qu'il a recueillies, qu'il nourrit, qui le tracassent ou qui l'insultent;
20 on demande le docteur, un nègre ouvre [5]; une assemblée

---

[1] En anglais, *like a slave* (*manœuvre*, nom donné à l'ouvrier qui fait
de gros ouvrages).

[2] En vêtements usés; (râpé, *worn*).

[3] *Rasselas, Prince of Abyssinia* (1759).

[4] Johnson lui-même appelait sa maison « un sérail ». Il y avait
d'abord une Mrs. Williams, fille du parrain de Johnson, qui était
venue à Londres pour une opération des yeux et que Johnson recueillit par charité. D'humeur acariâtre, elle demeura après la mort
de Mrs. Johnson, prit la direction du ménage, fit la pluie et le beau
temps; elle répondait d'une façon si désobligeante à son protecteur
[*so savagely*] qu'il s'enfuyait de chez lui, et qu'il disait après sa mort:
"*She saw that my tenderness put it in her power to give me pain.*"
Les trois autres femmes étaient une Mrs. Demoulins, qui finit par
s'en aller en haine de Mrs. Williams; une autre Poll [Mrs. Polly
Carmichel] et sa fille. Le Docteur (?) Levett était un médecin
manqué [charlatan = *quack doctor*] et un mal-marié, également
recueilli chez Johnson par pure charité.

[5] Francis Barber, avait été ramené de la Jamaïque par un ami
de Johnson et celui-ci avait voulu se charger de son éducation tout en

se forme autour du lit magistral; il y a toujours à son lever
quantité de gens distingués, même des dames.   Ainsi entouré, il « déclame » jusqu'à l'heure du dîner, va à la ta-
verne, puis disserte tout le soir, sort pour jouir dans les
rues de la boue et du brouillard de Londres, ramasse un   5
ami pour converser encore, et s'emploie à prononcer des
oracles et à soutenir des thèses jusqu'à quatre heures du
matin.

Là-dessus nous demandons si c'est l'audace libérale de
ses opinions qui séduit.   Ses amis répondent qu'il n'y a 10
pas de partisan plus intraitable de la règle.   On l'appelle
l'Hercule du torysme.   Dès l'enfance, il a détesté les whigs,
et jamais il n'a parlé d'eux que comme des malfaiteurs
publics.   Il les insulte jusque dans son *Dictionnaire*.   Il
exalte Jacques II [1] et Charles II [2] comme deux des meil- 15
leurs rois qui aient jamais régné.   Il justifie les taxes
arbitraires que le gouvernement prétend lever sur les
Américains.   Il déclare que « l'esprit whig est la négation de
tout principe », que « le premier whig a été le diable », que
« la couronne n'a pas assez de pouvoir », que « le genre 20
humain ne peut être heureux que dans un état d'inégalité
et de subordination ».   Pour nous, Français du temps, admirateurs du *Contrat social*, nous sentons bien vite que nous
ne sommes plus en France.   Et que sentirons-nous, bon
Dieu ! quand, un instant après, nous entendrons le doc- 25
teur continuer ainsi : « Rousseau est un des pires hommes
qu'il y ait, un coquin qui mérite d'être chassé de toute société, comme il l'a été.   C'est une honte qu'il soit protégé
dans notre pays.   Je signerais une sentence de déportation

---

le prenant à son service; mais il le servait plus qu'il n'était servi par
lui.   On l'appelait « l'Ethiopien ».

[1] Jacques II (1677-1702), roi autoritaire et violent de 1685 à
1688; s'aliéna l'affection de ses sujets par sa conversion au catholicisme, et fut détrôné par Guillaume de Nassau.

[2] Charles II (1635-85), roi depuis 1660, faible et qui dut s'appuyer
pour régner sur l'alliance et l'or de Louis XIV.

contre lui plus volontiers que contre aucun des drôles qui
sont sortis d'Old Bailey depuis bien des années. Oui, je
voudrais le voir travailler dans les plantations. » — Il
paraît qu'on ne goûte pas dans ce pays les novateurs philosophes; voyons si Voltaire sera plus épargné: « De Rousseau ou de lui, il est difficile de décider lequel est le plus
grand vaurien. » — A la bonne heure, ceci est net. Mais
quoi ! est-ce qu'on ne peut pas chercher la vérité en dehors
d'une Église établie ? Non, « aucun honnête homme ne
peut être déiste, car aucun homme ne peut l'être après
avoir examiné loyalement les preuves du christianisme ».
— Voilà un chrétien péremptoire; nous n'en avons guère
en France d'aussi décidés. Bien plus, il est anglican, passionné pour la hiérarchie, admirateur de l'ordre établi,
hostile aux dissidents. Vous le verrez saluer un archevêque
avec une vénération particulière. Vous l'entendrez blâmer
un de ses amis d'avoir oublié le nom de Jésus-Christ en
récitant les grâces. Si vous lui parlez d'une méthodiste
qui convertit les gens, il vous dira qu'une femme qui prêche
est comme un chien qui marche sur les pattes de derrière,
que cela est curieux, mais n'est point beau. Il est conservateur et ne craint point d'être suranné. Sachez qu'il est
allé à une heure du matin dans l'église de Saint-Jean de
Clerkenwell pour interroger un esprit [1] tourmenté qui revenait. Si vous aviez entre les mains son journal, vous y
trouveriez des prières ferventes, des examens de conscience

---

[1] C'est une curieuse histoire; mais le fait rappelé par Taine a été
confirmé de plusieurs côtés, — parfois pour accuser Johnson d'être
superstitieux (ainsi par Macaulay dans son célèbre *Essai* sur le
Docteur Johnson). Cependant, Boswell écrit: " He expressed great
indignation at the imposture of the Cocklane Ghost, and related
with much satisfaction how he had assisted in detecting the cheat
and had published an account of it in the newspapers." Boswell
ajoute que pourtant son grand ami n'aimait pas qu'on le pressât de
questions à ce sujet. C'était une fillette espiègle qui avait réussi à
mystifier quelque temps toute la paroisse de St. John's church,
paroisse de Clerkenwell. Johnson avait alors 69 ans.

et des résolutions de conduite.   Avec des préjugés et des
ridicules, il a la profonde conviction, la foi active, la sévère
piété morale.   Il est chrétien de cœur et de conscience, de
raisonnement et de pratique.   La pensée de Dieu, la crainte
du jugement final, le préoccupent et le réforment.   « Gar- 5
rick, dit-il un jour, je n'irai plus dans vos coulisses, car les
bas de soie et les poitrines blanches de vos actrices excitent
mes propensions amoureuses. »   Il se reproche son indolence, il implore la grâce de Dieu, il est humble et il a
des scrupules. — Tout cela est bien étrange.   Nous de- 10
mandons aux gens ce qui peut leur plaire dans cet ours
bourru, qui a des habitudes de bedeau et des inclinations
de constable.   On nous répond qu'à Londres on est moins
exigeant qu'à Paris en fait d'agrément et de politesse,
qu'on y permet à l'énergie d'être rude et à la vertu d'être 15
bizarre, qu'on y souffre une conversation militante, que
l'opinion publique est tout entière du côté de la constitution et du christianisme, et qu'elle a bien fait de prendre
pour maître l'homme qui par son style et ses préceptes
s'accommode le mieux à son penchant.   20

Sur ce mot, nous faisons apporter ses livres, et au bout
d'une heure nous remarquons que, quel que soit l'ouvrage,
tragédie ou dictionnaire, biographie ou essai, il garde toujours le même ton.   « Docteur, lui disait Goldsmith, si
vous faisiez une fable sur les petits poissons, vous les feriez 25
parler comme des baleines. »   En effet, sa phrase est toujours la période solennelle et majestueuse, où chaque substantif marche en cérémonie, accompagné de son épithète,
où les grands mots pompeux ronflent comme un orgue, où
chaque proposition s'étale équilibrée par une proposition 30
d'égale longueur, où la pensée se développe avec la régularité compassée et la splendeur officielle d'une procession.
La prose classique atteint la perfection chez lui comme la
poésie classique chez Pope.   L'art ne peut être plus con-
sommé ni la nature plus violentée.   Personne n'a enserré 35
les idées dans des compartiments plus rigides; personne

n'a donné un relief plus fort à la dissertation et à la preuve; personne n'a imposé plus despotiquement au récit et au dialogue les formes de l'argumentation et de la tirade; personne n'a mutilé plus universellement la liberté on-
5 doyante de la conversation et de la vie par des antithèses et des mots d'auteur. C'est l'achèvement et l'excès, le triomphe et la tyrannie du style oratoire. Nous comprenons maintenant qu'un âge oratoire le reconnaisse pour maître, et qu'on lui attribue dans l'éloquence la primauté qu'on
10 reconnaît à Pope dans les vers.

Reste à savoir quelles idées l'ont rendu populaire. C'est ici que l'étonnement d'un Français redouble. Nous avons beau feuilleter son dictionnaire, ses huit volumes d'essais, ses dix volumes de vies, ses innombrables articles, ses en-
15 tretiens si précieusement recueillis; nous bâillons. Ses vérités sont trop vraies; nous savions d'avance ses préceptes par cœur. Nous apprenons de lui que la vie est courte et que nous devons mettre à profit le peu de moments qui nous sont accordés, qu'une mère ne doit pas élever son
20 fils comme un petit-maître, que l'homme doit se repentir de ses fautes, et cependant éviter la superstition, qu'en toute affaire il faut être actif et non pressé. Nous le remercions de ces sages conseils, mais nous nous disons tout bas que nous nous en serions bien passés. Nous voudrions
25 savoir quels sont les amateurs d'ennui qui en ont acheté tout d'un coup treize mille exemplaires. Nous nous rappelons alors qu'en Angleterre les sermons plaisent, et ces *Essais* sont des sermons. Nous découvrons que des gens réfléchis n'ont pas besoin d'idées aventurées et piquantes,
30 mais de vérités palpables et profitables. Ils demandent qu'on leur fournisse une provision utile de documents authentiques sur l'homme et sa vie, et ne demandent rien de plus. Peu importe que l'idée soit vulgaire; la viande et le pain aussi sont vulgaires, et n'en sont pas moins bons.
35 Ils veulent être renseignés sur les espèces et les degrés du bonheur et du malheur, sur les variétés et les suites des

conditions et des caractères, sur les avantages et les inconvénients de la ville et de la campagne, de la science et
de l'ignorance, de la richesse et de la médiocrité, parce qu'ils
sont moralistes et utilitaires, parce qu'ils cherchent dans
un livre des lumières qui les détournent de la sottise et des 5
motifs qui les confirment dans l'honnêteté, parce qu'ils
cultivent en eux le *sense*, c'est-à-dire la raison pratique.
Un peu de fiction, quelques portraits, le moindre agrément
suffira pour l'orner; cette substantielle nourriture n'a
besoin que d'un assaisonnement très-simple; ce n'est 10
point la nouveauté du mets ni la cuisine friande, mais la
solidité et la salubrité qu'on y recherche. A ce titre, les
Essais sont un aliment national. C'est parce qu'ils sont
pour nous insipides et lourds que le goût d'un Anglais s'en
accommode; nous comprenons à présent pourquoi ils 15
prennent comme favori et révèrent comme philosophe le
respectable et insupportable Samuel Johnson.

Taine était presque tombé dans l'oubli à la fin du siècle, car les
générations suivantes avaient inauguré une forte réaction contre les
doctrines positivistes; le dogmatisme scientifique et le réalisme avaient
été remplacés par l'impressionnisme en critique littéraire et par le
symbolisme dans la poésie, le roman et même le théâtre (v. chapitres
suivants). Cette attitude négative vis-à-vis de Taine ne fut que tem-
poraire.

CHAPITRE IV

ERNEST RENAN

1823–1892

Consulter: M.-J. Darmesteter, *La vie d'Ernest Renan* (C. Lévy,
1898); Renan lui-même, *Souvenirs d'enfance et de jeunesse*, (1883),
Feuilles détachées, (1892), et *Ma sœur Henriette* (1895); Henriette
Psichari [sa fille], *Renan d'après lui-même* (Plon, 1937); J. Pommier,
E. Renan (Perrin, 1925). G. Séailles, *E. Renan, essai de biographie*

psychologique (Perrin, 1895); G. Monod, *Les Maîtres de l'histoire,
Renan, Taine, Michelet* (C. Lévy, 1894). **En anglais:** I. Babbitt,
Masters of Modern French Criticism (pp. 257–297).

Renan est le frère d'armes de Taine — sans qu'il y ait eu d'ailleurs
intimité personnelle entre eux.[1] Il a beaucoup moins de dogmatisme
dans l'âme; en fait, il a plutôt une réputation de sceptique; mais
son scepticisme est fondé sur la science, tout comme le dogmatisme
de Taine. C'est à dire que Renan était surtout impressionné par
l'immensité des connaissances à acquérir pour arriver à formuler des
conclusions, tandis que Taine voyait avant tout la certitude du
triomphe final, ce qui le rendait plus affirmatif.

Né et élevé dans un milieu profondément religieux (en Bretagne,
à Tréguier), il arriva à Paris à 15 ans, se destinant à l'état ecclésiastique. Il entra au petit-séminaire de St. Nicolas du Chardonnet, puis
au fameux grand-séminaire de Saint-Sulpice (aujourd'hui désaffecté).
Mais il y passa (1843–45) par une terrible crise de doute qui le força
à renoncer à la prêtrise. Combinant alors l'étude avec les humbles
fonctions de maître-répétiteur [*tutor*] dans un lycée, il voulut se
préparer au professorat. Il n'avait que 25 ans quand il écrivit un
gros livre, *L'Avenir de la science:* « J'éprouvai le besoin, dit-il, de
résumer la foi nouvelle qui avait remplacé en moi le catholicisme
ruiné. Cela me prit les deux derniers mois de 1848 et les quatre ou
cinq premiers mois de 1849. » L'historien Augustin Thierry (v. vol.
I, p. 478), qui était pour lui un vrai père spirituel, le détourna de
publier un ouvrage si audacieux pour l'époque et qui aurait pu com-
promettre sa carrière. Le fait qu'il le publia cependant, mais beaucoup plus tard, en 1890, prouve qu'il n'avait pas fondamentalement
changé ses idées; il s'était lié, depuis 1852, avec le célèbre chimiste
Marcelin Berthelot, celui qui écrivait en 1885: « Le monde est aujourd'hui sans mystères » (*Origine de la chimie*). Pourtant la Préface
de 1890 porte ces mots: « Tout en continuant de croire que la science
peut seule améliorer la malheureuse situation de l'homme ici-bas;
je ne crois plus la solution du problème aussi près de nous que je le
croyais alors » (en 1848); et encore: « La science préserve de l'erreur
plutôt qu'elle ne donne la vérité; mais c'est déjà quelque chose de
n'être pas dupe ».

Voici le principal passage où Renan exprimait son juvénile enthousiasme pour l'« avenir de la science ».

---

[1] Ils se rencontraient aux ‹ dîners Magny › organisés par Sainte-
Beuve, avec des hommes comme Gautier, Flaubert, les frères
Goncourt, etc.

Organiser scientifiquement l'humanité

(Extrait de *L'Avenir de la Science*, éd. de 1890)

ORGANISER SCIENTIFIQUEMENT L'HUMANITÉ, tel est donc le dernier mot de la science moderne, telle est son audacieuse, mais légitime prétention... C'est qu'en effet la science n'aura détruit les rêves du passé que pour mettre à leur place une réalité mille fois supérieure... 5

Si, comme Burke[1] l'a soutenu, « notre ignorance des choses de la nature était la cause principale de l'admiration qu'elles nous inspirent, si cette ignorance devenait pour nous la source du sentiment du sublime », on pourrait se demander si les sciences modernes, en déchirant le voile qui 10 nous dérobait les forces et les agents des phénomènes physiques, en nous montrant partout une régularité assujettie à des lois mathématiques, et par conséquent sans mystère, ont avancé la contemplation de l'univers, et servi l'esthétique, en même temps qu'elles ont servi la con- 15 naissance de la vérité. Sans doute les patientes investigations de l'observateur, les chiffres qu'accumule l'astronome, les longues énumérations du naturaliste ne sont guère propres à réveiller le sentiment du beau: le beau n'est pas dans l'analyse; mais le beau réel, celui qui ne 20 repose pas sur les fictions de la fantaisie humaine, est caché dans les résultats de l'analyse. Disséquer le corps humain, c'est détruire sa beauté; et pourtant, par cette dissection, la science arrive à y reconnaître une beauté d'un ordre bien supérieur et que la vue superficielle n'au- 25 rait pas soupçonnée. Sans doute ce monde enchanté, où a vécu l'humanité avant d'arriver à la vie réfléchie, ce monde conçu comme moral, passionné, plein de vie et de sentiment, avait un charme inexprimable, et il se peut qu'en face de cette nature sévère et inflexible que nous a 30 créée le rationalisme, quelques-uns se prennent à regretter

[1] Le grand orateur anglais (1730-97).

le miracle et à reprocher à l'expérience de l'avoir banni de l'univers. Mais ce ne peut être que par l'effet d'une vue incomplète des résultats de la science. Car le monde véritable que la science nous révèle est de beaucoup
5 supérieur au monde fantastique créé par l'imagination. On eût mis l'esprit humain au défi de concevoir les plus étonnantes merveilles, on l'eût affranchi des limites que la réalisation impose toujours à l'idéal, qu'il n'eût pas osé concevoir la millième partie des splendeurs que l'observa-
10 tion a démontrées. « Nous avons beau enfler nos concep- tions, nous n'enfantons que des atomes au prix de la réalité des choses. » N'est-ce pas un fait étrange que toutes les idées que la science primitive s'était formées sur le monde nous paraissent étroites, mesquines, ridicules, auprès
15 de ce qui s'est trouvé véritable ? La terre semblable à un disque, à une colonne, à un cône, le soleil gros comme le Péloponèse, ou conçu comme un simple météore s'allu- mant tous les jours, les étoiles roulant à quelques lieues sur une voûte solide, des sphères concentriques, *un univers*
20 *fermé*, étouffant, des murailles, un cintre étroit contre lequel va se briser l'instinct de l'infini, voilà les plus brillantes hypothèses auxquelles était arrivé l'esprit hu- main. Au delà, il est vrai, était le monde des anges avec ses éternelles splendeurs; mais là encore, quelles étroites
25 limites, quelles conceptions finies ! Le temple de notre Dieu n'est-il pas agrandi, depuis que la science nous a découvert l'infinité des mondes ? Et pourtant on était libre alors de créer des merveilles; on taillait en pleine étoffe, si j'ose le dire; l'observation ne venait pas gêner la
30 fantaisie; mais c'était à la méthode expérimentale, que plusieurs se plaisent à représenter comme étroite et sans idéal, qu'il était réservé de nous révéler, non pas cet infini métaphysique dont l'idée est la base même de la raison de l'homme, mais cet infini réel, que jamais il n'atteint dans
35 les plus hardies excursions de sa fantaisie. Disons donc sans crainte que, si le merveilleux de la fiction a pu jus-

qu'ici sembler nécessaire à la poésie, le merveilleux de la nature, quand il sera dévoilé dans toute sa splendeur, constituera une poésie mille fois plus sublime, une poésie qui sera la réalité même, qui sera à la fois science et philosophie. Que si la connaissance expérimentale de l'univers physique 5 a de beaucoup dépassé les rêves que l'imagination s'était formés, n'est-il pas permis de croire que l'esprit humain, en approfondissant de plus en plus la sphère métaphysique et morale, et en y appliquant la plus sévère méthode, sans égard pour les chimères et les rêves désirables, s'il y en a, 10 ne fera que briser un monde étroit et mesquin pour ouvrir un autre monde de merveilles infinies ? ○ ○ ○

La science est une religion; la science seule fera désormais les symboles; la science seule peut résoudre à l'homme [sic] les problèmes dont sa nature exige impérieusement la 15 solution. ○ ○ ○

La valeur de la science pour l'humanité a beaucoup préoccupé Renan. Il faut rappeler ici sa longue « Lettre à Marcelin Berthelot », le grand chimiste qui était devenu son ami. Elle est datée de 1863, et fut publiée dans *Fragments philosophiques* sous le titre « Les sciences de la nature et les sciences historiques. » Elle se termine par ces mots: « Ce que nous pouvons affirmer toutefois, c'est que la résurrection finale se fera par la science; par la science, dis-je, soit de l'homme, soit de tout autre être intelligent. La réforme scientifique de l'univers est l'œuvre à peine commencée qui est dévolue à la raison. Mille fois cette tentative sera traitée d'attentat, mille fois l'esprit conservateur s'écriera qu'on fait un outrage à Dieu en touchant à son œuvre; mais le progrès de la conscience est une chose fatale. Mettons que notre planète soit condamnée à n'atteindre que des résultats médiocres, que la routine sous prétexte de conserver les dogmes dont elle a besoin, étouffe l'esprit scientifique et amène l'annulation de l'humanité pour les grandes choses: que serait une telle perte dans l'ensemble de l'univers ? La même que celle d'un grain de blé qui, dans les plaines de la Beauce,[1] tombe sur un caillou, ou d'un germe de vie qui, dans la nuit mystérieuse de la génération, ne trouve pas les conditions favorables à son développement.

« Adieu, cherchons toujours. »

---

[1] Ancien pays de France, au s.o. de Paris; capitale: Chartres, riche en blé.

L'étudiant trouvera aussi dans cette lettre à Berthelot (août 1863)
des indications sur la philosophie de Renan. Il avait été — comme
Taine — très influencé par le système de Hegel [1] en Allemagne,
dont il combine ingénieusement les données avec sa foi en la science.
Le grand philosophe allemand avait formulé une doctrine philosophique du « devenir » : il ne faut pas dire que le monde existe, mais
plutôt qu'il est en voie de formation ; il passe (par un processus qu'il
appelle celui de la thèse, antithèse et synthèse) d'une potentialité à
une réalité. Cette idée, on le voit, s'accorde fort bien avec la doctrine
évolutionniste qui était en train de gagner l'assentiment du monde
scientifique (Darwin, *Origine des espèces*, 1859). Renan avait adopté
cette idée d'un monde qui était en train de se réaliser, qui est toujours
in fieri [en devenir] : « Ce qui me paraît résulter du spectacle général
du monde, c'est qu'il se bâtit une œuvre infinie, où chacun insère
son action comme un atome. Cette action une fois posée est un fait
éternel ».[2] La science, dont Hegel ne pouvait encore soupçonner les
formidables progrès, allait nous expliquer en quoi et comment cet
monde « devient ». Peu à peu, l'appareil et le langage métaphysique
de Hegel allait être abandonné non seulement par Darwin et ses
successeurs en Angleterre, mais par Taine, Berthelot, Claude Bernard,
en France. (Nous verrons dans le chapitre sur Émile Zola le rôle
que jouera l'*Introduction à l'étude de la médecine expérimentale* de ce
dernier savant.[3])

*   *   *

Renan se tourna alors vers l'histoire et la philosophie, et c'est de là
que lui vint la célébrité. Sa grande contribution à l'esprit du siècle
consista à vouloir faire usage des méthodes strictement scientifiques
dans le domaine de l'histoire des religions. Déjà sa thèse sur *Averroès
et l'Averroïsme* (1852) l'avait conduit sur le terrain des philosophies

---

[1] 1770–1831.

[2] Il emploie même le terme : Dieu devient.

[3] Dans son *Avenir de la science* (xvi, p. 301 de l'éd. Lévy), Renan
expose une théorie analogue à celle des « Trois états » de Comte :
« De même que le fait le plus simple de la connaissance humaine,
s'appliquant à un objet complexe, se compose de trois actes : 1° vue
générale et confuse du tout ; 2° Vue distincte et analytique des
parties ; 3° recomposition synthétique du tout avec la connaissance
qu'on a des parties ; de même l'esprit humain, dans sa marche, traverse trois états qu'on peut désigner sous les trois noms de syn-
crétisme, d'analyse, de synthèse, et qui correspond à ces trois phases
de la connaissance. »

orientales au milieu desquelles s'était formée la religion d'Israël et
d'où était sorti finalement le christianisme. Il commença par sa
monumentale *Histoire des origines du Christianisme* (8 vol., 1863–83)
pour continuer par l'*Histoire du peuple d'Israël* (5 vol. 1887–93).
En 1860, déjà connu par son *Histoire générale et système comparé des
langues sémitiques* (Prix Volney, en 1861)[1] il avait été chargé d'une
mission archéologique en Orient. Il s'y rendit accompagné de sa
sœur Henriette, sa fidèle collaboratrice. Il visita les lieux où le
Christ avait prêché et il en rapporta la matière du premier volume
de son histoire du Christianisme une nouvelle *Vie de Jésus*. Celle-ci —
qui constitue un des événements les plus considérables de son époque
— fut publiée en 1863. Renan, nommé professeur au Collège de
France à son retour d'Orient (la chaire de langue hébraïque) avait,
dans sa leçon d'ouverture (21 janvier, 1862), parlé en ces termes du
Christ: « Si incomparablement grand que ceux qui avaient été
frappés du caractère exceptionnel de son œuvre l'appellent Dieu. »[2]
Le scandale fut tel que le gouvernement lui retira aussitôt sa chaire.
Lorsque le livre parut (24 juin, 1863), il se terminait par ces mots:
« Cette sublime personne qui, chaque jour, préside encore au destin
du monde, il est permis de l'appeler divine, non en ce sens que Jésus
ait absorbé tout le divin, mais en ce sens que Jésus est l'individu qui a
fait faire à son espèce le plus grand pas vers le divin . . . Que nous
réserve l'avenir ? Nous l'ignorons. En tous cas, Jésus ne sera pas
surpassé. Son culte se rajeunira sans cesse; sa légende provoquera
des plus beaux yeux des larmes sans fin; ses souffrances attendriront
les meilleurs cœurs; tous les siècles proclameront qu'entre les fils des
hommes, il n'en est pas né de plus grand que Jésus. »

Ce fut une nouvelle explosion d'anathèmes. Renan fut nommé
« l'Antichrist »; on prétendit qu'il avait reçu de l'argent pour attaquer
l'Église, etc. Cependant, les colères se sont apaisées depuis.[3] Dès 1892,
(*Le Correspondant*, 25 oct. et 10 nov.) Monseigneur d'Hulst, alors un
des grands noms du catholicisme français, prononça des paroles de conciliation, et, depuis lors, bien d'autres ont remarqué que Renan, loin

---

[1] Renan est aussi l'auteur d'un volume: *De l'origine du langage*
(1858).

[2] Renan avait, dès 1845, écrit une étude sous le titre d'*Essai psychologique de Jésus-Christ*, publié en 1920, posthume.

[3] Pour l'émotion soulevée par la *Vie de Jésus*, v. beaucoup de détails dans Albalat, *Vie de Jésus*, (Coll. ‹ Grands évén. litt. › Paris
1933). Disons seulement qu'on en vendit 60.000 exemplaires en cinq
mois, et un million dans les années qui suivirent, qu'on en fit immédiatement des traductions en dix langues, qu'il y eut plus de 300
brochures pour réfuter l'ouvrage. Renan ne fit aucune réponse.

de desservir la cause de l'Église, l'avait en réalité servie. Sainte-Beuve l'avait prophétisé: « Ah ! que ceux qui combattent avec tant d'acharnement et d'injures M. Renan ont tort et se méprennent sur la qualité de l'adversaire ! Un jour viendra où eux ou leurs fils regretteront cette *Vie de Jésus* ainsi présentée » (*Nouveaux Lundis*, Tome VI). Comme on l'a dit, Renan a introduit dans ces questions un nouvel esprit, celui qui « pour toujours mettait fin aux moqueries de Voltaire ». En tous cas aujourd'hui, il n'est pas d'Université qui n'ait son cours sur l'histoire des religions et qui ne se serve, comme Renan, des « lois psychologiques » des peuples pour interpréter l'apparition de Jésus-Christ.[1]

Renan fut réinstallé dans sa chaire du Collège de France après la chute de l'Empire, et même il mourut « administrateur » de la fameuse maison.

En 1878 il avait été appelé à faire partie de l'Académie Française, en remplacement de Claude Bernard, le grand physiologiste.

Il avait épousé la fille du peintre Henry Scheffer qui fit de lui un portrait célèbre.

La vie de Jésus (1863)

Avertissement (extrait)

« J'ai pensé que le tableau de la plus étonnante révolution populaire dont on ait gardé le souvenir pouvait être utile au peuple. C'est ici vraiment la vie de son meilleur ami; toute cette époque des origines chrétiennes est l'histoire
5 des plus grands plébéiens qu'il y ait jamais eu. Jésus a aimé les pauvres, haï les prêtres, riches et mondains, reconnu le gouvernement existant comme une nécessité; il a mis hardiment les intérêts moraux au-dessus des querelles de partis; il a prêché que ce monde n'est qu'un
10 songe, que tout ici-bas est image et figure, que le vrai royaume de Dieu, c'est l'idéal, que l'idéal appartient à tous. Cette légende est une source vive d'éternelles consolations; elle inspire une suave gaîté; elle encourage à l'amélioration des mœurs sans vaine hypocrisie; elle

[1] V. J. Pommier, *La pensée religieuse d'Ernest Renan* (Paris, Rieder, 1926).

donne le goût de la liberté; elle porte enfin à réfléchir sur les problèmes sociaux qui sont les premiers de notre temps. Jésus ouvre sur ce point des vues d'une profondeur étonnante ₒₒₒ

« Je ne réfuterai pas pour la vingtième fois le reproche 5 qu'on m'adresse, de porter atteinte à la religion. Je crois la servir ₒₒₒ Le chimiste sait que le diamant n'est que du charbon; il sait les voies par lesquelles la nature opère ces profondes transformations. Est-il obligé pour cela de s'interdire de parler comme tout le monde et de ne voir dans 10 le plus beau joyau qu'un simple morceau de carbone ? » ₒₒₒ

La Galilée

Le drame s'est déroulé à Jérusalem où Jésus-Christ a trouvé les Juifs irréductibles; or Jérusalem et le pays de Judée sont tristes et revêches. Mais Jésus vient, lui, de la Galilée où les choses sont différentes: le paysage est souriant, les habitants sont aimables et gais; la religion du Christ était un évangile de vie charmante et paisible. Il faut se souvenir que Renan a visité ces contrées et s'est laissé pénétrer par cette atmosphère de la Palestine. Il écrit à un ami (12 mai, 1861): « Le pays est admirable. Le Liban a un charme grandiose, ce reste de parfum qu'il avait au temps de Jésus. Ici je suis en terre biblique ... Je saisis de plus en plus la personnalité émouvante de Jésus. Je le vois traverser la Galilée au milieu d'une fête perpétuelle ... » Lamartine, Chateaubriand n'avaient pas trouvé en Palestine une émotion aussi profonde. Ni plus tard Loti.

Une nature ravissante contribuait à former cet esprit beaucoup moins austère, moins âprement monothéiste,[1] si j'ose le dire, qui imprimait à tous les rêves de la Galilée un tour idyllique et charmant. Le plus triste pays du 15 monde est peut-être la région voisine de Jérusalem. La Galilée, au contraire, était un pays très vert, très ombragé,

---

[1] Renan veut dire que les Juifs de la Galilée, par le seul aspect aimable de leur pays, se sentaient des dispositions plus généreuses pour le reste de l'humanité que ceux de la Judée, lesquels insistaient plus « âprement » (*harshly*) pour jouir eux seuls de la faveur insigne de Jéhovah.

très souriant, le vrai pays du Cantique des cantiques et des
chansons du bien-aimé.[1] Pendant les deux mois de mars et
d'avril, la campagne est un tapis de fleurs, d'une franchise de
couleurs incomparable. Les animaux y sont petits, mais
5 d'une douceur extrême. Des tourterelles sveltes et vives, des
merles bleus si légers qu'ils posent sur une herbe sans la
faire plier, des alouettes huppées, qui viennent presque se
mettre sous les pieds du voyageur, de petites tortues de ruisseau, dont l'œil est vif et doux, des cigognes à l'air pudique
10 et grave, dépouillant toute timidité, se laissent approcher
de très près par l'homme et semblent l'appeler. En aucun
pays du monde les montagnes ne se déploient avec plus
d'harmonie et n'inspirent de plus hautes pensées. Jésus
semble les avoir particulièrement aimées. Les actes les
15 plus importants de sa carrière divine se passent sur les
montagnes; c'est là qu'il était le mieux inspiré; c'est là
qu'il avait avec les anciens prophètes de secrets entretiens,
et qu'il se montrait aux yeux de ses disciples déjà trans-
figuré.

20 Ce joli pays, devenu aujourd'hui, par suite de l'énorme
appauvrissement que l'islamisme turc a opéré dans la vie
humaine, si morne, si navrant, mais où tout ce que l'homme
n'a pu détruire respire encore l'abandon, la douceur, la tendresse, surabondait, à l'époque de Jésus, de bien-être et de
25 gaieté. Les Galiléens passaient pour énergiques, braves et
laborieux. Si l'on excepte Tibériade, bâtie par Antipas[2]
en l'honneur de Tibère[3] (vers l'an 15) dans le style romain,
la Galilée n'avait pas de grandes villes. Le pays était
néanmoins fort peuplé, couvert de petites villes et de gros
30 villages, cultivé avec art dans toutes ses parties. Aux
ruines qui restent de son ancienne splendeur, on sent un

[1] Aussi appelé le *Cantique de Salomon*, le livre de la Bible où est
chanté l'amour mystique pour le « bien-aimé » qui est le Messie.
[2] Hérode Antipas, tétrarque [gouverneur dépendant de l'empereur romain] de Judée, au temps du Christ.
[3] Empereur romain, ans 14–37.

peuple agricole, nullement doué pour l'art, peu soucieux de luxe, indifférent aux beautés de la forme, exclusivement idéaliste. La campagne abondait en eaux fraîches et en fruits; les grosses fermes étaient ombragées de vignes et de figuiers; les jardins étaient des massifs de pommiers, de 5 noyers, de grenadiers. Le vin était excellent, s'il en faut juger par celui que les Juifs recueillent encore à Safed, et on en buvait beaucoup. Cette vie contente et facilement satisfaite n'aboutissait pas à l'épais matérialisme de notre paysan, à la grosse joie d'une Normandie plantureuse, à la 10 pesante gaieté des Flamands. Elle se spiritualisait en rêves éthérés, en une sorte de mysticisme poétique confondant le ciel et la terre. Laissez l'austère Jean-Baptiste dans son désert de Judée prêcher la pénitence, tonner sans cesse, vivre de sauterelles en compagnie de chacals. Pour- 15 quoi les compagnons de l'époux jeûneraient-ils pendant que l'époux est avec eux? La joie fera partie du royaume de Dieu. N'est-elle pas la fille des humbles de cœur, des hommes de bonne volonté?

Toute l'histoire du christianisme naissant est devenue de 20 la sorte une délicieuse pastorale. Un Messie aux repas de noces,[1] la courtisane [2] et le bon Zachée [3] appelés à ses festins, les fondateurs du royaume du ciel comme un cortège de paranymphes [4]: voilà ce que la Galilée a osé, ce qu'elle a fait accepter. La Grèce a tracé de la vie 25 humaine, par la sculpture et la poésie, des tableaux admirables, mais toujours sans fonds fuyants [5] ni horizons lointains. Ici manquent le marbre, les ouvriers excellents,

[1] Les fameuses Noces de Cana, en Galilée, où Jésus changea l'eau en vin (*St. Jean*, Chap. II).

[2] La pécheresse (Marie-Madeleine) chez le riche Simon (*St. Luc*, Chap. VII).

[3] Le chef des publicains [perceveur d'impôts] de Jéricho au temps du Christ, et qui donna la moitié de ses biens aux pauvres et évangélisa (*St. Luc*, Chap. XIX).

[4] Amis de noce [*best men*].

[5] Ouvrant des horizons sur la vie, sur l'humanité, sur le rêve.

la langue exquise et raffinée. Mais la Galilée a créé, à
l'état d'imagination populaire, le plus sublime idéal; car
derrière son idylle s'agite le sort de l'humanité, et la lumière qui éclaire son tableau est le soleil du royaume de
5 Dieu.

Jésus vivait et grandissait dans ce milieu enivrant. ○ ○ ○

Prédications du lac [1]

Tel était le groupe qui, sur les bords du lac de Tibériade,
se pressait autour de Jésus. L'aristocratie y était représentée par un douanier [2] et par la femme d'un régisseur.[3]
10 Le reste se composait de pêcheurs [4] et de simples gens.
Leur ignorance était extrême; ils avaient l'esprit faible,
ils croyaient aux spectres et aux esprits. Pas un élément de
culture hellénique n'avait pénétré dans ce premier cénacle;
l'instruction juive y était aussi fort incomplète; mais le
15 cœur et la bonne volonté y débordaient. Le beau climat
de la Galilée faisait de l'existence de ces honnêtes pêcheurs
un perpétuel enchantement. Ils préludaient vraiment au
royaume de Dieu, simples, bons, heureux, bercés doucement sur leur délicieuse petite mer, ou dormant le soir sur
20 ses bords. On ne se figure pas l'enivrement d'une vie qui
s'écoule ainsi à la face du ciel, la flamme douce et forte que
donne ce perpétuel contact avec la nature, les songes de ces
nuits passées à la clarté des étoiles, sous un dôme d'azur
d'une profondeur sans fin. Ce fut durant une telle nuit que
25 Jacob,[5] la tête appuyée sur une pierre, vit dans les astres

---

[1] Le lac de Tibériade (*St. Mathieu*, Chap. V).

[2] « Et Jésus ... vit un homme, nommé Mathieu, assis au bureau
des impôts. Et lui dit: ‹ Suis-moi. › Et, lui, se levant, le suivit. »
(*Mathieu* IX, 9) Ailleurs la même scène se reproduit avec Lévy (Cf.
Marc, II, 14, et *Luc*, V, 27, 28).

[3] « Jeanne, femme de Chuza, intendant d'Hérode » (*Luc*, VIII, 3).

[4] Les frères Simon Pierre et André, et les deux fils de Zébédée,
Jacques et Jean (*St. Mathieu*, IV, 12–22).

[5] Jacob, fils d'Isaac, partit pour aller chercher une femme qui sera
Rachel, fille de Laban: « Or, un soir, il arriva dans un lieu où il passa

la promesse d'une postérité innombrable, et l'échelle
mystérieuse par laquelle les Élohim [1] allaient et venaient
du ciel à la terre. A l'époque de Jésus, le ciel n'était pas
fermé, ni la terre refroidie. La nue s'ouvrait encore sur le
fils de l'homme; les anges montaient et descendaient sur 5
sa tête; les visions du royaume de Dieu étaient partout;
car l'homme les portait en son cœur. L'œil clair et doux de
ces âmes simples contemplait l'univers en sa source idéale;
le monde dévoilait peut-être son secret à la conscience
divinement lucide de ces enfants heureux, à qui la pureté 10
de leur cœur mérita un jour de voir Dieu.

Jésus vivait avec ses disciples presque toujours en plein
air. Tantôt, il montait dans une barque, et enseignait ses
auditeurs pressés sur le rivage. Tantôt, il s'asseyait
sur les montagnes qui bordent le lac, où l'air est si pur et 15
l'horizon si lumineux. La troupe fidèle allait ainsi, gaie et
vagabonde, recueillant les inspirations du maître dans leur
première fleur. Un doute naïf s'élevait parfois, une question doucement sceptique: Jésus, d'un sourire ou d'un
regard, faisait taire l'objection. A chaque pas, dans le 20
nuage qui passait, le grain qui germait, l'épi qui jaunissait,
on voyait le signe du royaume près de venir; on se croyait
à la veille de voir Dieu, d'être les maîtres du monde; les
pleurs se tournaient en joie; c'était l'avènement sur terre
de l'universelle consolation. 25

— Heureux, disait le maître, les pauvres en esprit, car
c'est à eux qu'appartient le royaume des cieux !

----

la nuit, car le soleil était couché. Il y prit une pierre dont il fit son
chevet, et il se coucha dans ce lieu-là. Et il eut un songe. Et voici
qu'une échelle était appuyée sur la terre, et son sommet touchait au
ciel. Et voici les anges de Dieu montaient et descendaient par cette
échelle. Et voici, l'Éternel se tenait au-dessus d'elle; et il dit: (Je
(suis l'Éternel, le Dieu d'Abraham et le Dieu d'Isaac. La pierre sur
(laquelle tu es couché, je la donnerai à toi et à ta postérité ... Ta
(postérité sera comme la poussière de la terre.) » (Genèse, XXVIII,
versets 11 et suivants.)

[1] Anges du ciel.

« Heureux ceux qui pleurent; car ils seront consolés !

« Heureux les débonnaires [1]; car ils posséderont la terre !

« Heureux ceux qui ont faim et soif de justice, car ils seront rassasiés !

5 « Heureux les miséricordieux; car ils obtiendront miséricorde !

« Heureux ceux qui ont le cœur pur; car ils verront Dieu !

« Heureux les pacifiques; car ils seront appelés enfants
10 de Dieu !

« Heureux ceux qui sont persécutés pour la justice; car le royaume des cieux est à eux ! »

Sa prédication était suave et douce, toute pleine de la nature et du parfum des champs.   Il aimait les fleurs et en
15 prenait ses leçons les plus charmantes.   Les oiseaux du ciel, la mer, les montagnes, les jeux des enfants, passaient tour à tour dans ses enseignements. ○ ○ ○

La Samaritaine [2]

Il en usait de même avec les Samaritains.   Serrée comme un îlot entre les deux grandes provinces du judaïsme (la
20 Judée et la Galilée), la Samarie formait en Palestine une espèce d'enclave, où se conservait le vieux culte du Garizim,[3] frère et rival de celui de Jérusalem.   Cette pauvre secte, qui n'avait ni le génie ni la savante organisation du judaïsme proprement dit, était traitée par les Hiérosoly-
25 mites [4] avec une extrême dureté.   On la mettait sur la même ligne que les païens, avec un degré de haine de plus. Jésus, par une sorte d'opposition, était bien disposé pour elle.   Souvent il préfère les Samaritains aux Juifs ortho-

[1] *Débonnaires, meek.*

[2] L'histoire de la Samaritaine qui rencontre Jésus au bord du puits est racontée: *St. Jean*, IV.

[3] Secte monothéiste en honneur près du mont Garizim, en Samarie.

[4] Habitants de Jérusalem, en Judée.

doxes. Si, dans d'autres cas, il semble défendre à ses disciples d'aller les prêcher, réservant son Évangile pour les Israélites purs, c'est là encore, sans doute, un précepte de circonstance⸴⸴⸴ Quelquefois, en effet, les Samaritains le recevaient mal, parce qu'ils le supposaient imbu des préjugés de ses coreligionnaires; de la même façon que, de nos jours, l'Européen libre-penseur est envisagé comme un ennemi par le musulman, qui le croit toujours un chrétien fanatique. Jésus savait se mettre au-dessus de ces malentendus. Il eut plusieurs disciples à Sichem,[1] et il y passa au moins deux jours. Dans une circonstance, il ne rencontre de gratitude et de vraie piété que chez un Samaritain. Une de ses plus belles paraboles est celle de l'homme blessé sur la route de Jéricho.[2] Un prêtre passe, le voit et continue son chemin. Un lévite passe et ne s'arrête pas. Un Samaritain a pitié de lui, s'approche, verse de l'huile dans ses plaies et les bande. Jésus conclut de là que la vraie fraternité s'établit entre les hommes par la charité, non par la foi religieuse. Le « prochain », qui dans le judaïsme était surtout le coreligionnaire, est pour lui l'homme qui a pitié de son semblable sans distinction de secte. La fraternité humaine dans le sens le plus large sortait à pleins bords de tous ses enseignements.

Ces pensées, qui assiégeaient Jésus à sa sortie de Jérusalem, trouvèrent leur vive expression dans une anecdote qui a été conservée sur son retour. La route de Jérusalem en Galilée passe à une demi-heure de Sichem, devant l'ouverture de la vallée dominée par les monts Ebal et Garizim. Cette route était en général évitée par les pèlerins juifs, qui aimaient mieux, dans leurs voyages, faire le long détour de la Pérée que de s'exposer aux avanies des Samaritains ou de leur demander quelque chose. Il était défendu de manger et de boire avec eux; c'était un axiome

[1] Ville de Samarie, aujourd'hui Naplouse.
[2] Sur un affluent du Jourdain. La parabole du bon Samaritain est racontée *St. Luc*, X.

de certains casuistes [1] qu' « un morceau de pain des Samaritains est de la chair de porc. »[2] Quand on suivait cette route, on faisait donc ses provisions d'avance; encore évitait-on rarement les rixes et les mauvais traitements.
5 Jésus ne partageait ni ces scrupules ni ces craintes. Arrivé, dans la route, au point où s'ouvre sur la gauche la vallée de Sichem, il se trouva fatigué, et s'arrêta près d'un puits. Les Samaritains avaient, alors comme aujourd'hui, l'habitude de donner à tous les endroits de leur vallée des
10 noms tirés des souvenirs patriarcaux; ils appelaient ce puits « le puits de Jacob »; c'était probablement celui-là même qui s'appelle encore maintenant *Bir-Iakoub*.[3] Les disciples entrèrent dans la vallée et allèrent à la ville acheter des provisions; Jésus s'assit sur le bord du puits, ayant
15 en face de lui le Garizim.

Il était environ midi. Une femme de Sichem vint puiser de l'eau. Jésus lui demanda à boire, ce qui excita chez cette femme un grand étonnement, les Juifs s'interdisant d'ordinaire tout commerce avec les Samaritains. Gagnée
20 par l'entretien de Jésus, la femme reconnut en lui un prophète, et, s'attendant à des reproches sur son culte, elle prit les devants [4]: « Seigneur, dit-elle, nos pères ont adoré sur cette montagne, tandis que, vous autres, vous dites que c'est à Jérusalem qu'il faut adorer. » — « Femme, crois-
25 moi, lui répondit Jésus, l'heure est venue où l'on n'adorera plus ni sur cette montagne ni à Jérusalem, mais où les vrais adorateurs adoreront le Père en esprit et en vérité. »

Le jour où il prononça cette parole il fut vraiment fils de Dieu. Il dit pour la première fois le mot sur lequel re-

[1] Moralistes subtils jusqu'à l'immoralité. Ici, les Pharisiens et les Sadducéens du Nouveau Testament.

[2] *Pork-meat.*

[3] V. *Genèse*, XXIX. Le puits de Jacob, où Jacob rencontra Rachel. « Il roula la pierre qui couvrait le puits pour qu'elle pût faire boire ses troupeaux, puis il l'accompagna chez son père qu'il servit pendant quatorze ans, puis il épousa Rachel ». *Bir-Iakoub*, puits de Jacob.

[4] *Forestalled.*

posera l'édifice de la religion éternelle. Il fonda le culte pur, sans date, sans patrie, celui que pratiqueront toutes les âmes élevées jusqu'à la fin des temps. Non seulement sa religion, ce jour-là, fut la bonne religion de l'humanité, ce fut la religion absolue; et, si d'autres planètes ont des 5 habitants doués de raison et de moralité, leur religion ne peut être différente de celle que Jésus a proclamée près du puits de Jacob. L'homme n'a pu s'y tenir; car on n'atteint l'idéal qu'un moment. Le mot de Jésus a été un éclair dans une nuit obscure; il a fallu dix-huit cents ans pour 10 que les yeux de l'humanité (que dis-je! d'une portion infiniment petite de l'humanité) s'y soient habitués. Mais l'éclair deviendra le plein jour, et, après avoir parcouru tous les cercles d'erreurs, l'humanité reviendra à ce mot-là, comme à l'expression immortelle de sa foi et de ses es- 15 pérances.

Ma sœur Henriette

C'est en Orient que Renan perdit sa sœur Henriette (1861). Lui aussi avait été atteint de la fièvre en Palestine, mais il s'était remis. Il devait consacrer un petit volume exquis à la mémoire de celle qui avait été si longtemps et si intimement associée à sa vie et à ses travaux. Ecrit en 1895, le livre ne fut rendu public qu'en 1902 — après la mort de Renan. Il est comme un appendice aux charmants *Souvenirs d'enfance et de jeunesse* de l'auteur, (1883).[1]

Ces quelques pages, dont voici un court extrait, sont considérées comme un des joyaux de la littérature de l'époque.

En 1845, je quittai le séminaire Saint-Sulpice.[2] o o o J'entrais dans la vie à près de vingt-trois ans, vieux de pensée, mais aussi novice, aussi ignorant du monde qu'il est possible de l'être. A la lettre, je ne connaissais personne; 20 l'avance la plus simple que possède un jeune homme de

---

[1] Henriette Renan servit de modèle, dit-on parfois, à l'Antoinette du *Jean-Christophe* de Romain Rolland: même dévouement de la sœur pour le frère (Olivier), même mort prématurée par suite de privations

[2] V. plus haut, p. 58.

quinze ans me manquait. Je n'étais même pas bachelier ès
lettres.[1] Il fut convenu que je chercherais dans les pensions
de Paris une occupation qui me *mît au pair*, comme l'on
dit, c'est-à-dire me donnât la table et le logement en me
laissant beaucoup de temps pour le travail. Douze cents
francs qu'elle [2] me remit devaient me permettre d'attendre
et suppléer à ce qu'une telle position pouvait d'abord avoir
d'insuffisant. Ces douze cents francs ont été la pierre
angulaire de ma vie. Je ne les ai jamais épuisés; mais ils
me donnèrent la tranquillité d'esprit nécessaire pour penser à mon aise, et me dispensèrent de me surcharger d'une
besogne qui m'eût étouffé. Ses lettres exquises furent, à ce
moment décisif de ma vie, ma consolation et mon soutien.

Pendant que je luttais contre des difficultés aggravées
par ma totale inexpérience du monde, sa santé souffrait de
rudes atteintes par suite de la rigueur des hivers en Pologne. Une affection chronique du larynx se développa et
prit, en 1850, assez de gravité pour que son retour fût jugé
nécessaire. Sa tâche, d'ailleurs, était accomplie; les dettes
de notre père étaient complètement éteintes, les petites
propriétés qu'il nous avait laissées se trouvaient dégagées
de toute charge, entre les mains de notre mère; mon frère
avait conquis par son travail une position qui promettait
de devenir la richesse. La pensée nous vint de nous réunir.
En septembre 1850, j'allai la rejoindre à Berlin. Ces dix
années d'exil l'avaient toute transformée. Les rides de la
vieillesse s'étaient prématurément imprimées sur son front;
du charme qu'elle avait encore quand elle me dit adieu
dans le parloir du séminaire Saint-Nicolas,[3] il ne lui restait
que l'expression délicieuse de son ineffable bonté.

[1] Le baccalauréat français est conféré à la sortie du lycée et ouvre
accès à l'université.

[2] Henriette qui était, depuis la mort du père, le soutien de la
famille, occupait à ce moment une humble position d'institutrice en
Pologne.

[3] Le séminaire où Renan préparait son entrée au séminaire de
Saint-Sulpice, à Paris.

Alors commencèrent pour nous ces douces années dont le souvenir m'arrache des larmes. Nous prîmes un petit appartement au fond d'un jardin, près du Val-de-Grâce.[1] Notre solitude y fut absolue. Elle n'avait pas de relations et ne chercha guère à en former. Nos fenêtres donnaient sur le jardin des Carmélites de la rue d'Enfer.[2] La vie de ces recluses, pendant les longues heures que je passais à la Bibliothèque, réglait en quelque sorte la sienne et faisait son unique distraction. Son respect pour mon travail était extrême. Je l'ai vue, le soir, durant des heures à côté de moi, respirant à peine pour ne pas m'interrompre; elle voulait cependant me voir, et toujours la porte qui séparait nos deux chambres était ouverte. Son amour était arrivé à quelque chose de si discret et de si mûr que la communion secrète de nos pensées lui suffisait. Elle, si exigeante de cœur, si jalouse, se contentait de quelques minutes par jour pourvu qu'elle fût assurée d'être seule aimée. Grâce à sa rigoureuse économie, elle me fit, avec des ressources singulièrement limitées, une maison où rien ne manqua jamais, et qui même avait son charme austère. Nos pensées étaient si parfaitement à l'unisson que nous avions à peine besoin de nous les communiquer. ○○○

Un sentiment exquis de la nature était la source de ses plus fines jouissances. Une belle journée, un rayon de soleil, une fleur suffisaient pour l'enchanter. Elle comprenait très bien l'art délicat des grandes écoles idéalistes de l'Italie; mais elle ne pouvait se plaire à l'art brutal et violent qui se propose autre chose que la beauté. ○○○ Son idéal était une vie laborieuse, obscure, entourée d'affections. Elle répétait souvent le mot de Thomas-a-Kempis[3]:

[1] Ancienne église transformée en hôpital, sur la rive gauche de la Seine, et dont le dôme domine le quartier latin (Victor Hugo et d'autres écrivains font souvent allusion à ce dôme du Val-de-Grâce).

[2] La rue s'appelle aujourd'hui Rue Denfert-Rochereau, du nom du colonel qui défendit Belfort pendant la guerre de 1870.

[3] Thomas-a-Kempis (XVe siècle) passe aux yeux de beaucoup pour être l'auteur de la célèbre *Imitation de Jésus-Christ*.

in angello, cum libello.[1] Elle coula dans ces tranquilles occupations de bien douces heures. Sa pensée alors était pleinement rassérénée, et son cœur, d'ordinaire inquiet, entrait dans un plein repos. ○ ○ ○

5   Elle n'avait pas ce qu'on appelle de l'esprit, si l'on comprend par ce mot quelque chose de narquois et de léger, à la manière française. Jamais elle ne s'est moquée de personne. La malignité lui était odieuse; elle y voyait quelque chose de cruel. Je me rappelle qu'à un *pardon*[2]
10 de Basse-Bretagne, où l'on allait en bateau, notre barque était précédée d'une autre où se trouvaient des dames pauvres qui, ayant voulu se faire belles pour la fête, étaient tombées dans des arrangements de toilette chétifs et de mauvais goût. Les personnes avec qui nous étions en
15 riaient, et les pauvres dames s'en apercevaient. Je la vis fondre en larmes: accueillir par le persiflage de bonnes personnes qui oubliaient un instant leurs malheurs pour s'épanouir et qui, peut-être, se mettaient dans la gêne par déférence pour le public, lui sembla une barbarie. A
20 ses yeux, l'être ridicule était à plaindre; dès lors elle l'aimait et elle était pour lui contre le railleur.

   De là sa froideur pour le monde et sa pauvreté dans les conversations ordinaires, presque toutes tissues de malices et de frivolités. Elle avait vieilli avant le temps, et elle
25 avait l'habitude d'exagérer encore son âge par son costume et ses manières. Il y avait chez elle une sorte de religion du malheur; elle accueillait, cultivait presque chaque motif de pleurer. La tristesse devenait pour elle un sentiment long et facilement doux. En général, les personnes bour-
30 geoises ne la comprenaient pas et lui trouvaient quelque chose de raide et d'embarrassé. Rien de ce qui n'était pas complètement bon ne pouvait lui plaire. Tout était chez elle vrai et profond; elle ne savait pas se profaner. Les

---

[1] *Dans un petit coin, avec un petit livre.*
[2] Ici, pèlerinage religieux. Les « pardons » de Bretagne sont célèbres dans le monde entier.

gens du peuple, les paysans au contraire, la trouvaient d'une exquise bonté, et les personnes qui savaient la toucher par ses grands côtés arrivaient bien vite à voir la profondeur de sa nature et sa haute distinction. ○ ○ ○

* * *

Tout en étant fasciné lui-même par les magnifiques perspectives qu'ouvraient à l'humanité les découvertes de la science moderne, Renan en avait compris tous les dangers (comme Jean-Jacques Rousseau au XVIIIe siècle, comme Georges Duhamel au XXe). Les hommes, séduits par les mirages des avantages surtout matériels du progrès, allaient oublier les possibilités pour la vie de l'esprit, ou — chose plus grave encore — ne sauraient les comprendre. L'âge d'or de l'humanité n'était donc pas devant nous, mais derrière nous; l'âge d'or, selon Renan, était celui de la Grèce antique; l'esprit humain avait pris son élan, mais n'avait pas encore les moyens, ni donc les tentations, de satisfaire toutes ses aspirations matérielles.

C'est le souci qui anime les *Drames philosophiques*, le premier surtout, en 1878, intitulé *Caliban, suite de ⟨ La Tempête ⟩ :* « Prospero, duc de Milan, inconnu à tous les historiens; — Caliban, être informe, en voie de devenir homme; — Ariel, fils de l'air, symbole de l'idéalisme, sont les trois créations les plus profondes de Shakespeare. J'ai voulu montrer ces trois types agissant dans quelques combinaisons adaptées aux idées de notre temps. » Prospero est revenu de son île, et « vainqueur par son art magique de tous ses ennemis, est rétabli sur son trône de Milan ». Il a ramené Caliban, qui profite honteusement des occasions que lui offre la civilisation pour satisfaire ses sens; toujours ivre et grossier, tandis qu'Ariel tente, sans aucun succès, de verser un peu d'âme dans cette nature sordide. Il est difficile de choisir un extrait; il faut lire le ⟨ Drame ⟩ en entier.

Prière sur l'Acropole

Un rêve de perfection, d'idéal s'était présenté à l'esprit de Renan quelques années auparavant déjà, lors de son voyage en Orient (1860) en compagnie de sa sœur Henriette, quand il avait visité le Parthénon d'Athènes. Ce rêve, il l'avait jeté sur le papier en notes rapides. En 1883, quand il publia ses *Souvenirs d'enfance et de jeunesse*, il y incorpora le morceau célèbre, composé d'après ces notes, sous le titre « Prière sur l'Acropole ». Après la disparition du monde antique, l'Europe avait dû s'adapter, par suite de l'invasion des Barbares, aux natures rudes des peuples de l'Occident. Le Christianisme lui-même s'était vulgarisé à ce contact. Lui, Celte, c'est à dire appartenant à une race plus fine, avait senti cette vulgarité et aspirait ardemment à ce culte de la « beauté éternelle » que les Grecs avaient adorée sous le nom de Pallas-Athéné (Minerve).

La prière sur l'Acropole rappelle un ouvrage qui fit grand bruit à la fin du XVIIIe siècle, *Méditations sur les ruines des empires*, par Volney (1791). Les *Méditations* commencent aussi par une « prière »; cependant Volney attribue les ruines, non à la perte de la sagesse antique, mais à l'abandon de la religion naturelle pour des cultes d'esprit dogmatique.

Au XIXe siècle, le retour au culte de la « beauté athénienne » se préparait depuis quelque temps sous l'inspiration de Théophile Gautier et des poètes qui avaient adopté ce qu'on appelle la doctrine de « l'art pour l'art ».[1] En 1854 l'Académie Française avait proposé un concours pour le prix de poésie sur « l'Acropole d'Athènes ». Ce mouvement prit définitivement corps avec les poètes parnassiens (voir plus bas) et aboutit, peut-on dire, au livre de Louis Ménard, *Rêveries d'un Païen mystique* publié en 1886.[2]

L'Acropole est la colline qui domine, comme une citadelle, la ville d'Athènes, et qui était couverte de temples; le principal était le Parthénon, dédié à Pallas Athéné (Minerve chez les Romains), la déesse de la sagesse, protectrice d'Athènes. On prête à Pallas Athéné encore bien d'autres attributs que Renan rappelle au cours de sa « Prière ».

。。。 L'impression que me fit Athènes est de beaucoup la plus forte que j'aie jamais ressentie. Il y a un lieu où la perfection existe; il n'y en a pas deux: c'est celui-là. Je n'avais jamais rien imaginé de pareil. C'était l'idéal cris-
5 tallisé en marbre pentélique [3] qui se montrait à moi. Jus-

---

[1] Gautier, l'auteur du recueil *Émaux et camées* contenant un fameux poème *L'Art*, un autre *Madrigal panthéiste* qu'on trouvera dans un chapitre ultérieur.

[2] Voir A. Laumonier, *L'Acropole d'Athènes dans la littérature française*, N° 31 dans les *Mélanges Paul Laumonier* (1935.) La *Prière sur l'Acropole* de Renan parut d'abord dans la *Revue des Deux Mondes* 1er déc. 1876. Elle a fait l'objet de fréquentes études, p. ex. Jean Pommier « Comment fut composée la Prière sur l'Acropole », *Revue de Paris*, 15 sept. 1923. Une édition spéciale a été faite par Vinaver et Webster, Manchester Press, 1934, 44 pages.

Pour des renseignements plus détaillés encore sur tout ce mouvement, consulter H. Peyre, *Bibliographie critique de l'Hellénisme en France de 1843 à 1870;* Yale University Press, et Paris, Droz, 1932.

[3] Marbre tiré du mont Pentélique, en Grèce.

que-là, j'avais cru que la perfection n'est pas de ce monde;
une seule révélation me paraissait se rapprocher de l'absolu. Depuis longtemps, je ne croyais plus au miracle, dans
le sens propre du mot; cependant la destinée unique du
peuple juif, aboutissant à Jésus et au christianisme, m'ap- 5
paraissait comme quelque chose de tout à fait à part. Or
voici qu'à côté du miracle juif venait se placer pour moi le
miracle grec, une chose qui n'a existé qu'une fois, qui ne
s'était jamais vue, qui ne se reverra plus, mais dont l'effet
durera éternellement, je veux dire un type de beauté éter- 10
nelle, sans nulle tache locale ou nationale. Je savais bien,
avant mon voyage, que la Grèce avait créé la science, l'art,
la philosophie, la civilisation; mais l'échelle [1] me manquait.
Quand je vis l'Acropole, j'eus la révélation du divin, comme
je l'avais eue la première fois que je sentis vivre l'Évangile, 15
en apercevant la vallée du Jourdain des hauteurs de Cas-
youn. Le monde entier alors me parut barbare. L'Orient
me choqua par sa pompe, son ostentation, ses impostures.
Les Romains ne furent que de grossiers soldats; la majesté
du plus beau Romain, d'un Auguste, d'un Trajan,[2] ne me 20
sembla que pose auprès de l'aisance, de la noblesse simple
de ces citoyens fiers et tranquilles. Celtes, Germains,
Slaves m'apparurent comme des espèces de Scythes [3]
consciencieux, mais péniblement civilisés. Je trouvai notre
moyen âge sans élégance ni tournure,[4] entaché de fierté 25
déplacée et de pédantisme. Charlemagne m'apparut
comme un gros palefrenier allemand; nos chevaliers me
semblèrent des lourdauds, dont Thémistocle et Alcibiade [5]
eussent souri. Il y a eu un peuple d'aristocrates, un public

---

[1] *Standard to measure by, criterium.*

[2] *Auguste* (63 av. J. C.–14 ap. J. C.); *Trajan* (52–119 ap. J. C.);
deux empereurs romains célèbres pour leurs vertus et leur sagesse.

[3] Les Scythes habitaient le sud de la Russie actuelle et passaient
auprès des Grecs pour un peuple éminemment barbare.

[4] *Style.*

[5] *Thémistocle* (525–460 av. J. C.); *Alcibiade* (450–404 av. J. C.);
les deux fameux généraux et hommes d'Etat athéniens.

tout entier composé de connaisseurs, une démocratie qui a
saisi des nuances d'art tellement fines que nos raffinés les
aperçoivent à peine. Il y a eu un public pour comprendre
ce qui fait la beauté des Propylées [1] et la supériorité des
5 sculptures du Parthénon. Cette révélation de la grandeur
vraie et simple m'atteignit jusqu'au fond de l'être. Tout
ce que j'avais connu jusque-là me sembla l'effort maladroit
d'un art jésuitique, un rococo [2] composé de pompe niaise,
de charlatanisme et de caricature.

10   C'est principalement sur l'Acropole que ces sentiments
m'assiégeaient. Un excellent architecte avec qui j'avais
voyagé avait coutume de me dire que, pour lui, la vérité
des dieux était en proportion de la beauté solide des temples
qu'on leur a élevés. Jugée sur ce pied-là, Athéné serait
15 au-dessus de toute rivalité. Ce qu'il y a de surprenant, en
effet, c'est que le beau n'est ici que l'honnêteté absolue, la
raison, le respect même envers la divinité. Les parties
cachées de l'édifice sont aussi soignées que celles qui sont
vues. Aucun de ces trompe-l'œil [3] qui, dans nos églises en
20 particulier, sont comme une tentative perpétuelle pour
induire la divinité en erreur sur la valeur de la chose offerte.
Ce sérieux, cette droiture, me faisaient rougir d'avoir plus
d'une fois sacrifié à un idéal moins pur. Les heures que je
passais sur la colline sacrée étaient des heures de prière.
25 Toute ma vie repassait, comme une confession générale,

---

[1] Deux magnifiques colonnades conduisant à l'Acropole, érigées sur
l'ordre de Périclès.

[2] *Art jésuitique, . . . rococo:* style de haute fantaisie qui régna surtout sous Louis XV quand les Jésuites étaient en grande faveur.
Leurs églises sont souvent en style rococo: *Shams.*

[3] Cette idée de Renan est jusqu'à un certain point contestable,
car les études modernes des architectes ont établi que les lignes
droites du Parthénon étaient une illusion d'optique créée artificiellement; pour que l'œil perçoive les lignes droites, les lignes réelles
doivent être incurvées. V. la discussion dans l'édition de Vinaver
et Webster citée plus haut. V. aussi Robert W. Gardner, *The
Parthenon, its Science of Forms,* N. Y. Univ. Press, 1925.

devant mes yeux. ∘ ∘ ∘ Un vieux papier que je retrouve
parmi mes notes de voyage contient ceci:

PRIÈRE QUE JE FIS SUR L'ACROPOLE QUAND JE FUS
ARRIVÉ À EN COMPRENDRE LA PARFAITE BEAUTÉ

« O noblesse ! ô beauté simple et vraie ! déesse dont le
culte signifie raison et sagesse, toi dont le temple est une
leçon éternelle de conscience et de sincérité, j'arrive tard au 5
seuil de tes mystères; j'apporte à ton autel beaucoup de
remords. Pour te trouver, il m'a fallu des recherches
infinies. L'initiation que tu conférais à l'Athénien naissant par un sourire, je l'ai conquise à force de réflexions,
au prix de longs efforts. 10

« Je suis né, déesse aux yeux bleus,[1] de parents barbares,
chez les Cimmériens [2] bons et vertueux qui habitent au
bord d'une mer sombre, hérissée de rochers, toujours battue
par les orages.[3] On y connaît à peine le soleil; les fleurs
sont les mousses marines, les algues et les coquillages 15
coloriés qu'on trouve au fond des baies solitaires. Les
nuages y paraissent sans couleur, et la joie même y est un
peu triste; mais des fontaines d'eau froide y sortent du
rocher, et les yeux des jeunes filles y sont comme ces vertes
fontaines où, sur des fonds d'herbes ondulées, se mire le 20
ciel.

« Mes pères, aussi loin que nous pouvons remonter,
étaient voués aux navigations lointaines, dans des mers
que tes Argonautes [4] ne connurent pas. J'entendis, quand
j'étais jeune, les chansons des voyages polaires; je fus 25

[1] *Aux yeux bleus*, en grec: *Glaukôpis Athéné.*
[2] Peuple de l'Asie Mineure lointaine et, aux yeux des Athéniens,
de barbares. Homère en parle au chant xi de *l'Odyssée.* On les
identifie parfois avec les Kymris, une branche des Celtes.
[3] La côte de Bretagne, est en effet telle que la décrit ici Renan.
[4] Les héros grecs (Jason, Hercule, Castor et Pollux, etc.) qui firent
une expédition lointaine en Colchide (est de la Mer Noire), pour
conquérir la toison d'or fabuleuse.

bercé au souvenir des glaces flottantes, des mers brumeuses
semblables à du lait, des îles peuplées d'oiseaux qui chantent à leurs heures et qui, prenant leur volée tous ensemble,
obscurcissent le ciel.

5   « Des prêtres d'un culte étranger, venu des Syriens de
Palestine, prirent soin de m'élever. Ces prêtres étaient
sages et saints. Ils m'apprirent les longues histoires de
Cronos,[1] qui a créé le monde, et de son fils, qui a, dit-on,
accompli un voyage sur la terre. Leurs temples sont trois
10 fois hauts comme le tien, ô Eurhythmie,[2] et semblables à
des forêts[3]; seulement ils ne sont pas solides; ils tombent
en ruine au bout de cinq ou six cents ans; ce sont des
fantaisies de barbares, qui s'imaginent qu'on peut faire
quelque chose de bien en dehors des règles que tu as tracées
15 à tes inspirés, ô Raison. Mais ces temples me plaisaient;
je n'avais pas étudié ton art divin; j'y trouvais Dieu. On y
chantait des cantiques dont je me souviens encore: ‹ Salut,
‹ étoile de la mer,[4]... reine de ceux qui gémissent en
‹ cette vallée de larmes › ou bien: ‹ Rose mystique, Tour
20 ‹ d'ivoire, Maison d'or, Étoile du matin... › Tiens,
déesse, quand je me rappelle ces chants, mon cœur se fond,
je deviens presque apostat. Pardonne-moi ce ridicule;
tu ne peux te figurer le charme que les magiciens barbares
ont mis dans ces vers, et combien il m'en coûte de suivre
25 la raison toute nue.

« Et puis si tu savais combien il est devenu difficile de te
servir ! Toute noblesse a disparu. Les Scythes ont conquis le monde. Il n'y a plus de république d'hommes

---

[1] En latin, *Saturne*, père des dieux des mythologies antiques; entendre ici, Dieu le Père, des chrétiens.

[2] Déesse de l'harmonie et de la proportion, épithète qu'on ap-
pliquait à Pallas-Athéné.

[3] Les colonnes des cathédrales chrétiennes sont parfois interprétées comme étant des arbres qui supportent la voûte céleste.

[4] *Stella Maris*, un des noms sous lesquels les Bretons particulièrement invoquent la Vierge Marie. De même pour les épithètes suivantes: Rose mystique, etc.

libres; il n'y a plus que des rois issus d'un sang lourd, des majestés dont tu sourirais. De pesants Hyperboréens[1] appellent légers ceux qui te servent ₒₒₒ Une *pambéotie*[2] redoutable, une ligue de toutes les sottises, étend sur le monde un couvercle de plomb, sous lequel on étouffe. Même ceux qui t'honorent, qu'ils doivent te faire pitié! Te souviens-tu de ce Calédonien[3] qui, il y a cinquante ans, brisa ton temple à coups de marteau pour l'emporter à Thulé?[4] Ainsi font-ils tous...

« Te rappelles-tu ce jour, sous l'archontat de Dionyso-dore,[5] où un laid petit Juif,[6] parlant le grec des Syriens, vint ici, parcourut tes parvis sans te comprendre, lut tes inscriptions tout de travers et crut trouver dans ton enceinte un autel dédié à un dieu qui serait *le Dieu inconnu*.[7] Eh bien, ce petit Juif l'a emporté; pendant mille ans, on t'a traitée d'idole, ô Vérité; pendant mille ans, le monde a

---

[1] Nom poétique pour les peuples du nord de l'Europe. Les chrétiens appellent les Athéniens « légers » [frivoles] parce que ceux-ci négligent l'adoration des mystères de la religion pour le culte de la raison.

[2] *Pambéotie:* Les Béotiens, peuple de la Grèce, étaient l'objet du mépris de leurs voisins à cause de la lourdeur de leur esprit: « esprit philistin », dirait-on aussi aujourd'hui.

[3] L'Écossais Lord Elgin (1766–1841) qui, au commencement du XIXe siècle, s'empara, pour le transporter au British Museum de Londres, de ce qui restait des fameuses frises du Parthénon, ce qui lui valut déjà la réprobation violente de Byron dans *Childe Harold*, Chant II et dans un poème spécial *The Curse of Minerva*.

[4] Nom donné par les Romains à une île des mers de l'Europe septentrionale, peut-être l'Angleterre.

[5] Archonte [premier magistrat] d'Athènes en 53 ap. J. C.

[6] Saint Paul.

[7] *Livre des actes des Apôtres*, XVIII, 23: « Alors Paul se tenant au milieu de l'Aréopage, dit: (Hommes Athéniens, je remarque (qu'entre toutes choses vous êtes, pour ainsi dire dévots jusqu'à (l'excès; car en passant, et en regardant vos divinités, j'ai trouvé (un autel sur lequel il y a cette inscription: AU DIEU INCONNU. (Celui donc que vous honorez sans le connaître, c'est celui que je (vous annonce) ... »

été un désert où ne germait aucune fleur. Durant ce temps, tu te taisais, ô Salpinx,[1] clairon de la pensée. Déesse de l'ordre, image de la stabilité céleste, on était coupable pour t'aimer, et, aujourd'hui qu'à force de consciencieux 5 travail nous avons réussi à nous rapprocher de toi, on nous accuse d'avoir commis un crime contre l'esprit humain en rompant des chaînes dont se passait Platon.

« Toi seule es jeune, ô Cora[2]; toi seule es pure, ô Vierge; toi seule es saine, ô Hygie[3]; toi seule es forte, ô 10 Victoire. ○ ○ ○

« Le monde ne sera sauvé qu'en revenant à toi, en répudiant ses attaches barbares. Courons, venons en troupe. Quel beau jour que celui où toutes les villes qui ont pris des débris de ton temple, Venise, Paris, Londres, Copenhague, 15 répareront leurs larcins, formeront des théories[4] sacrées pour rapporter les débris qu'elles possèdent, en disant: « Pardonne-nous, déesse ! c'était pour les sauver des mauvais génies de la nuit, » et rebâtiront tes murs au son de la flûte, pour expier le crime de l'infâme Lysandre ![5] Puis ils 20 iront à Sparte[6] maudire le sol où fut cette maîtresse d'erreurs sombres, et l'insulter parce qu'elle n'est plus.

Ferme en toi, je résisterai à mes fatales conseillères; à mon scepticisme, qui me fait douter du peuple; à mon inquiétude d'esprit, qui, quand le vrai est trouvé, me le fait 25 chercher encore; à ma fantaisie, qui après que la raison a prononcé, m'empêche de me tenir en repos. O Archégète,[7]

---

[1] En grec, *trompette*. À Athéné était attribuée l'invention de la trompette.

[2] En grec, *jeune fille*.

[3] En grec, *santé;* c'est-à-dire, Déesse de la santé.

[4] *Théories:* mot grec, poétique, en français: *processions*.

[5] Le magistrat athénien, qui, après les guerres du Péloponèse, en 404 av. J. C., fit renverser les murailles d'Athènes au son de la musique.

[6] Rivale d'Athènes, qui ne connaissait que la force pour régner sur les hommes.

[7] *Archégète*, grec, en français: *chef suprême*.

idéal que l'homme de génie incarne en ses chefs-d'œuvre,
j'aime mieux être le dernier dans ta maison que le premier
ailleurs. Oui, je m'attacherai au stylobate [1] de ton temple;
j'oublierai toute discipline hormis la tienne, je me ferai
stylite [2] sur tes colonnes, ma cellule sera sur ton archi-   5
trave.[3] Chose plus difficile! pour toi, je me ferai, si je
peux, intolérant, partial. Je n'aimerai que toi. Je vais
apprendre ta langue, désapprendre le reste. Je serai injuste
pour ce qui ne te touche pas; je me ferai le serviteur du
dernier de tes fils. Les habitants actuels de la terre que   10
tu donnas à Erechthée,[4] je les exalterai, je les flatterai.
J'essayerai d'aimer jusqu'à leurs défauts; je me persua-
derai, ô Hippia, qu'ils descendent des cavaliers qui célèbrent là-haut, sur le marbre de ta frise, leur fête éternelle.
J'arracherai de mon cœur toute fibre qui n'est pas raison   15
et art pur. Je cesserai d'aimer mes maladies, de me com-
plaire en ma fièvre. Soutiens mon ferme propos, ô Salutaire; aide-moi, ô toi qui sauves! ₒₒₒ

En 1903, on inaugura une statue de Renan, à Tréguier, sa ville
natale. Anatole France y représenta l'Académie Française et prononça un discours où il imagina la réponse qu'Athéné aurait faite à
la *Prière sur l'Acropole*. On ne trouvera pas ce discours dans les
Œuvres complètes (Calman-Lévy).

Il convient de rappeler ici un autre morceau célèbre de la littérature française, dû à la plume d'un autre adorateur de la sagesse
antique, Charles Maurras. C'est l'*Invocation à Minerve* qui parut
dans le premier numéro d'une revue *Minerve*, (fondée le Ier mars
1902 et décédée un an après). Cette *Invocation* est reproduite dans
le volume de Maurras, L'*Avenir de l'intelligence*, pp. 267–272.

Gustave Flaubert, renommé lui-même pour la correction de son

[1] Terme d'architecture, la base sur laquelle reposaient les colonnes
du temple.

[2] *Stylite* [de *stylos*, colonne]: allusion à ces mystiques des premiers
siècles qui passaient leur vie dans l'adoration sur une colonne (Siméon, le stylite).

[3] Partie du toit qui repose sur les chapiteaux des colonnes.

[4] Roi légendaire d'Athènes placé sur le trône par Athéné elle-
même.

style, a fait ce bel éloge de la *Prière sur l'Acropole:* « Je ne sais s'il
existe en français une plus belle page de prose. Je me la déclame à
moi-même tout haut sans m'en lasser. Les périodes se déroulent
comme une procession de Parthénées [vierges consacrées au culte
d'Athéné] et vibrent comme de grandes cithares. C'est splendide !
Et je suis sûr que le bourgeois n'y comprend goutte. Tant mieux ! »
(Cette dernière phrase s'explique quand on connaît la haine du bourgeois que professait Flaubert — avec beaucoup des esprits de son
temps; v. plus bas, au chapitre (Flaubert)).

Le génie des races celtiques

Le génie poétique de la race celtique a été depuis longtemps reconnu. Les légendes du roi Arthur et de la Table ronde, sans doute,
ont été parfois considérées comme ayant revêtu leur caractère profond et gracieux grâce surtout à l'intervention des trouvères français,
comme Chrétien de Troyes (l'auteur d'*Érec et Énide*, de *Tristan et
Iseut*, d'*Ivain, le chevalier au lion*, de *Lancelot ou Le conte de la char-
rette*, de *Perceval ou Le conte du graal*), ou comme Marie de France
(l'auteur des lais, *Les amants du Mont Saint-Michel, Le chèvrefeuille*
[Tristan et Iseut], *Le rossignol, Lanval, Yonec ou L'Oiseau bleu,
Eliduc*, etc.) Cependant l'œuvre de Macpherson, au XVIIIᵉ siècle,
avec ses poèmes d'Ossian, n'était pas une simple falsification de la
vérité, et personne n'avait plus d'autorité pour discuter le problème
que Renan, né en Bretagne, dans cette Petite Bretagne où vint mourir
d'amour Iseut la Blonde. On verra, d'après les pages qui suivent,
si Renan avait le droit de dire que « la littérature celtique avait changé
le tour de l'imagination européenne »; c'est un des plus beaux morceaux sortis de sa plume.[1] Il est publié dans les *Essais de morale et
de critique* (1859).

« Pour éviter tout malentendu, écrit l'auteur, je dois avertir que
par le mot *celtique*, je désigne ici non l'ensemble de la race qui a formé,
à une époque reculée, la population de presque tout l'Occident, mais
uniquement les quatre groupes qui, de nos jours, méritent encore de
porter ce nom, par opposition aux Germains et aux peuples néo-
latins. Ces quatre groupes sont: 1° les habitants du pays de Galles ou
Cambrie et de la presqu'île de Cornwall portant encore de nos jours le

---

[1] Aujourd'hui la poésie de la race celtique nous a aussi été rendue
familière par les romans de Pierre Loti, comme *Pêcheur d'Islande* (v.
un prochain chapitre); par l'œuvre d'Anatole Le Braz, (1859–1926)
surtout au *Pays des (Pardons)*, (1894, 1901) et celle de Ch. Le Gof-
fic, (1863–1938), *Morgane*, (1898), *Le (Pardon) de la Reine Anne*
(1902), etc.

nom de *Kymris;* 2° les *Bretons bretonnants*, ou habitants de la
Bretagne française parlant bas-breton, qui sont une émigration des
Kymris, du pays de Galles; 3° les Gaëls du nord de l'Écosse, parlant
gaëlic; 4° les *Irlandais*, bien qu'une ligne très profonde de démarca-
tion sépare l'Irlande du reste de la famille celtique ».

Lorsqu'en voyageant dans la presqu'île armoricaine on
dépasse la région, plus rapprochée du continent, où se
prolonge la physionomie gaie, mais commune, de la Normandie et du Maine, et qu'on entre dans la véritable Bretagne, dans celle qui mérite ce nom par la langue et la 5
race, le plus brusque changement se fait sentir tout à coup.
Un vent froid, plein de vague et de tristesse, s'élève et
transporte l'âme vers d'autres pensées; le sommet des
arbres se dépouille et se tord; la bruyère étend au loin sa
teinte uniforme; le granit perce à chaque pas un sol trop 10
maigre pour le revêtir; une mer presque toujours sombre
forme à l'horizon un cercle d'éternels gémissements.
Même contraste dans les hommes: à la vulgarité normande,
à une population grasse et plantureuse, contente de vivre,
pleine de ses intérêts, égoïste comme tous ceux dont l'habi- 15
tude est de jouir, succède une race timide, réservée, vivant
toute au-dedans, pesante en apparence, mais sentant profondément et portant dans ses instincts religieux une
adorable délicatesse. Le même contraste frappe, dit-on,
quand on passe de l'Angleterre au pays de Galles, de la 20
basse Écosse, anglaise de langage et de mœurs, au pays des
Gaëls du nord, et aussi, mais avec une nuance sensiblement
différente, quand on s'enfonce dans les parties de l'Irlande
où la race est restée pure de tout mélange avec l'étranger.
Il semble que l'on entre dans les couches souterraines d'un 25
autre âge, et l'on ressent quelque chose des impressions que
Dante nous fait éprouver quand il nous conduit d'un cercle
à un autre de son enfer.

On ne réfléchit pas assez à ce qu'a d'étrange ce fait d'une
antique race continuant jusqu'à nos jours et presque sous 30
nos yeux sa vie propre dans quelques îles et presqu'îles

perdues de l'Occident, de plus en plus distraite, il est vrai,
par les bruits du dehors, mais fidèle encore à sa langue, à
ses souvenirs, à ses mœurs et à son esprit. On oublie surtout que ce petit peuple, resserré maintenant aux confins
5 du monde, au milieu des rochers et des montagnes où ses
ennemis n'ont pu le forcer, est en possession d'une littérature qui a exercé au moyen âge une immense influence,
changé le tour de l'imagination européenne et imposé ses
motifs poétiques à presque toute la chrétienté. Il ne fau-
10 drait pourtant qu'ouvrir les monuments authentiques du
génie gallois pour se convaincre que la race qui les a créés
a eu sa manière originale de sentir et de penser, que nulle
part l'éternelle illusion ne se para de plus séduisantes couleurs, et que, dans le grand concert de l'espèce humaine,
15 aucune famille n'égala celle-ci pour les sons pénétrants qui
vont au cœur. Hélas ! elle est aussi condamnée à disparaître, cette émeraude des mers du couchant ! Arthur ne
reviendra pas de son île enchantée, et saint Patrice avait
raison de dire à Ossian: « Les héros que tu pleures sont
20 morts; peuvent-ils renaître ? » Il est temps de noter,
avant qu'ils passent, les tons divins expirant ainsi à l'horizon devant le tumulte croissant de l'uniforme civilisation.
Quand la critique ne servirait qu'à recueillir ces échos
lointains et à rendre une voix aux races qui ne sont plus,
25 ne serait-ce pas assez pour l'absoudre du reproche qu'on
lui adresse trop souvent et sans raison de n'être que négative ? ₒ ₒ ₒ

Ici M. Renan indique quelques-uns des ouvrages qui peuvent
faciliter l'étude de ces curieuses littératures, entre autres les *Chants
populaires de la Bretagne*, par M. de la Villemarqué; puis il ajoute:

Si l'excellence des races devait être appréciée par la
pureté de leur sang et l'inviolabilité de leur caractère,
30 aucune, il faut l'avouer, ne pourrait le disputer en noblesse
aux restes encore subsistants de la race celtique.[1]　Jamais

[1] V. ci-dessus, fin de la note d'introduction à ce morceau.

famille humaine n'a vécu plus isolée du monde et plus pure
de tout mélange étranger. Resserrée par la conquête dans
des îles et des presqu'îles oubliées, elle a opposé une barrière infranchissable aux influences du dehors: elle a tout
tiré d'elle-même, et n'a vécu que de son propre fonds. De 5
là cette puissante individualité, cette haine de l'étranger
qui, jusqu'à nos jours, a formé le trait essentiel des peuples
celtiques. La civilisation de Rome les atteignit à peine et
ne laissa parmi eux que peu de traces. L'invasion germanique les refoula, mais ne les pénétra point. A l'heure 10
qu'il est, ils résistent encore à une invasion bien autrement
dangereuse, celle de la civilisation moderne, si destructive
des variétés locales et des types nationaux. L'Irlande en
particulier (et là peut-être est le secret de son irrémédiable
faiblesse) est la seule terre de l'Europe où l'indigène puisse 15
produire les titres de sa descendance, et désigner avec certitude, jusqu'aux ténèbres antéhistoriques, la race d'où
il est sorti.

C'est dans cette vie retirée, dans cette défiance contre
tout ce qui vient du dehors, qu'il faut chercher l'explication 20
des traits principaux du caractère de la race celtique. Elle
a tous les défauts et toutes les qualités de l'homme solitaire: à la fois fière et timide, puissante par le sentiment et
faible dans l'action; chez elle, libre et épanouie; à l'extérieur, gauche et embarrassée. Elle se défie de l'étranger, 25
parce qu'elle y voit un être plus raffiné qu'elle, et qui abu-
serait de sa simplicité. Indifférente à l'admiration d'autrui,
elle ne demande qu'une chose, qu'on la laisse chez elle.
C'est par excellence une race domestique, formée pour la
famille et les joies du foyer. Chez aucune race, le lien du 30
sang n'a été plus fort, n'a créé plus de devoirs, n'a rattaché
l'homme à son semblable avec autant d'étendue et de profondeur. Toute l'institution sociale des peuples celtiques
n'était à l'origine qu'une extension de la famille. Une expression vulgaire atteste encore aujourd'hui que nulle part 35
la trace de cette grande organisation de la parenté ne s'est

mieux conservée qu'en Bretagne. C'est en effet une opinion
répandue en ce pays que le sang parle, et que deux parents
inconnus l'un à l'autre, se rencontrant sur quelque point
du monde que ce soit, se reconnaissent à la secrète et
5 mystérieuse émotion qu'ils éprouvent l'un devant l'autre.
Le respect des morts tient au même principe. Nulle part
la condition des morts n'a été meilleure que chez les peuples
bretons; nulle part le tombeau ne recueille autant de souvenirs et de prières. C'est que la vie n'est pas pour ces
10 peuples une aventure personnelle que chacun court pour
son propre compte et à ses risques et périls: c'est un anneau
dans une longue tradition, un don reçu et transmis, une
dette payée et un devoir accompli.

On aperçoit sans peine combien des natures aussi forte-
15 ment concentrées étaient peu propres à fournir un de ces
brillants développements qui imposent au monde l'ascendant momentané d'un peuple, et voilà sans doute pourquoi
le rôle extérieur de la race kymrique [1] a toujours été secondaire. Dénuée d'expansion, étrangère à toute idée d'agres-
20 sion et de conquête, peu soucieuse de faire prévaloir sa
pensée au dehors, elle n'a su que reculer tant que l'espace
lui a suffi, puis, acculée dans sa dernière retraite, opposer à
ses ennemis une résistance invincible.[2] Sa fidélité même
n'a été qu'un dévouement inutile. Dure à soumettre et
25 toujours en arrière du temps, elle est fidèle à ses vainqueurs
quand ceux-ci ne le sont plus à eux-mêmes. La dernière,
elle a défendu son indépendance religieuse contre Rome, et
elle est devenue le plus ferme appui du catholicisme; la
dernière en France, elle a défendu son indépendance poli-
30 tique contre le roi, et elle a donné au monde les derniers
royalistes.

[1] Ici pris pour la race celtique dans son ensemble.
[2] Expliqué dans les lignes suivantes. Renan fait allusion ici aux
guerres de Vendée, quand, à l'époque de la Révolution, les Chouans
défendirent avec acharnement la cause du trône et de l'autel. (Cf.
le roman de Balzac, *Les Chouans*).

Ainsi la race celtique s'est usée à résister au temps et à défendre les causes désespérées. Il ne semble pas qu'à aucune époque elle ait eu d'aptitude pour la vie politique: l'esprit de la famille a étouffé chez elle toute tentative d'organisation plus étendue. Il ne semble pas aussi que 5 les peuples qui la composent soient par eux-mêmes susceptibles de progrès. La vie leur apparaît comme une condition fixe qu'il n'est pas au pouvoir de l'homme de changer. Doués de peu d'initiative, trop portés à s'envisager comme mineurs et en tutelle, ils croient vite à la fatalité et s'y ré- 10 signent. ○○○

De là vient sa tristesse. Prenez les chants de ses bardes du sixième siècle; ils pleurent plus de défaites qu'ils ne chantent de victoires. Son histoire n'est elle-même qu'une longue complainte; elle se rappelle encore ses exils, ses 15 fuites à travers les mers. Si parfois elle semble s'égayer, une larme ne tarde pas à briller derrière son sourire; elle ne connaît pas ce singulier oubli de la condition humaine et de ses destinées qu'on appelle la gaieté. Ses chants de joie finissent en élégies; rien n'égale la délicieuse tristesse de 20 ses mélodies nationales; on dirait des émanations d'en haut, qui, tombant goutte à goutte sur l'âme, la traversent comme des souvenirs d'un autre monde. Jamais on n'a savouré aussi longuement ces voluptés solitaires de la conscience, ces réminiscences poétiques où se croisent à la 25 fois toutes les sensations de la vie, si vagues, si profondes, si pénétrantes, que, pour peu qu'elles vinssent à se prolonger, on en mourrait, sans qu'on pût dire si c'est d'amertume ou de douceur.

L'infinie délicatesse de sentiment qui caractérise la race 30 celtique est étroitement liée à son besoin de concentration. Les natures peu expansives sont presque toujours celles qui sentent avec le plus de profondeur; car plus le sentiment est profond, moins il tend à s'exprimer ○○○

S'il était permis d'assigner un sexe aux nations comme 35 aux individus, il faudrait dire sans hésiter que la race cel-

tique, surtout envisagée dans sa branche kymrique ou
bretonne, est une race essentiellement féminine. Aucune
famille humaine, je crois, n'a porté dans l'amour autant
de mystère. Nulle autre n'a conçu avec plus de délica-
5 tesse l'idéal de la femme et n'en a été plus dominée. C'est
une sorte d'enivrement, une folie, un vertige. Lisez l'é-
trange *mabinogi* [1] de *Pérédur* ou son imitation française,

---

[1] « Le mot *mabinogi* (au pluriel *mabinogion*) désigne une forme de
récit romanesque particulière au pays de Galles. L'origine et la signification primitive de ce mot sont fort incertaines. » (*Note de Renan*).
Ajoutons une autre note de Renan se rapportant au même sujet et
qui intéresse tous les étudiants de littérature française: « A notre
avis, c'est dans les *Mabinogion* qu'il faut chercher la véritable expression du génie celtique, et il est surprenant qu'une aussi curieuse littérature, source de presque toutes les créations romanesques de
l'Europe soit demeurée inconnue jusqu'à nos jours. [C'est-à-dire
jusqu'en 1837–49 en Angleterre (publications de Lady Gest), et 1842
en France (publication par M. de la Villemarqué des *Contes populaires
des anciens Bretons*). Le *Livre rouge*, édité par Lady Gest (1838–49) a
été traduit en français par M. Lotte, en 1889.] La cause doit en être
attribuée sans doute à l'état de dispersion où étaient les manuscrits
gallois poursuivis jusqu'au siècle dernier par les Anglais comme des
livres séditieux, compromettant ceux qui les possédaient, et trop
souvent égarés entre les mains de propriétaires ignorants, dont le
caprice ou la mauvaise volonté suffisaient pour les soustraire aux recherches de la critique.

« Les *Mabinogion* nous ont été conservés dans deux manuscrits,
l'un du XIIe siècle, de la bibliothèque d'Hengurt, appartenant à la
famille Vaughan; l'autre du XIVe siècle, connu sous le nom de *Livre
rouge d'Hergest*, et maintenant au Collège de Jésus à Oxford ০ ০ ০

« Le ton général des *Mabinogion* est plutôt romanesque qu'épique.
La vie y est prise naïvement et sans emphase ০ ০ ০ Le charme des
Mabinogion réside principalement dans cette aimable sérénité de
la conscience celtique, ni triste, ni gaie, toujours suspendue entre un
sourire et une larme ০ ০ ০ L'habile Chrétien de Troyes lui-même, en
cela, me semble fort au-dessous des conteurs gallois, et quant à
Wolfram d'Eschenbach, il faut avouer que la joie de la première
découverte a porté les critiques allemands à surfaire ses mérites; il
se perd en d'interminables descriptions et ignore presque complètement l'art du récit. Ce qui frappe au premier coup d'œil dans les
compositions idéales des races celtiques, surtout quand on les compare
à celles des races germaniques, c'est l'extrême douceur de mœurs qui

Perceval le Gallois; ces pages sont humides, pour ainsi dire, du sentiment féminin. La femme y apparaît comme une sorte de vision vague, intermédiaire entre l'homme et le monde surnaturel. ○ ○ ○

La puissance de l'imagination est presque toujours pro- 5 portionnée à la concentration du sentiment et au peu de développement extérieur de la vie. Le caractère si limité de l'imagination de la Grèce et de l'Italie tient à cette facile expansion des peuples du midi, chez lesquels l'âme, toute répandue au dehors, se réfléchit peu elle-même. Comparée 10 à l'imagination classique, l'imagination celtique est vraiment l'infini comparé au fini. Dans le beau *mabinogi* du *Songe de Maxen Wledig*, l'empereur Maxime voit en rêve une jeune fille si belle qu'à son réveil il déclare ne pouvoir vivre sans elle. Pendant plusieurs années, ses envoyés 15 courent le monde pour la lui trouver: on la rencontre enfin en Bretagne. Ainsi fit la race celtique: elle s'est fatiguée à prendre ses songes pour des réalités et à courir après ses splendides visions. L'élément essentiel de la vie poétique du Celte, c'est l'*aventure*, c'est-à dire la poursuite de l'in- 20 connu, une course sans fin après l'objet toujours fuyant du désir. Voilà ce que saint Brandan rêvait au delà des mers,[1] voilà ce que Peredur cherchait dans sa chevalerie mystique,[2] voilà ce que le chevalier Owenn demandait à ses

---

y respire. Point de ces vengeances effroyables qui remplissent l'*Edda* et les *Niebelungen*. Comparez le héros celtique et le héros germanique, Beowulf et Peredur [Parsival], par exemple. Quelle différence ! Là toute l'horreur de la barbarie dégouttante de sang, l'enivrement du carnage, le goût désintéressé, si j'ose le dire, de la destruction et de la mort; — ici au contraire, un profond sentiment de la justice, une grande exaltation de la fierté individuelle, il est vrai, mais aussi une exquise loyauté » ○ ○ ○

[1] Saint Brandan, prêtre irlandais (IIIᵉ siècle), fondateur d'un monastère, qui se retira quelque temps dans une des îles Canaries et, à son retour, raconta de merveilleuses aventures. La légende latine de Saint Brandan (ou Brandaines) a été publiée à Paris par Jubinal (1836).

[2] Peredur, ou Perceval ou Parsival, est le chevalier celtique qui —

pérégrinations souterraines.[1]　Cette race veut l'infini; elle
en a soif, elle le poursuit à tout prix, au delà de la tombe,
au delà de l'enfer.　Le défaut essentiel des peuples bretons,
le penchant à l'ivresse, défaut qui, selon toutes les tradi-
5 tions du sixième siècle, fut la cause de leurs désastres, tient
à cet invincible besoin d'illusion . . .

De là ce profond sentiment de l'avenir et des destinées
éternelles de sa race qui a toujours soutenu le Kymri, et le
fait apparaître jeune encore a côté de ses conquérants
10 vieillis.　De là ce dogme de la résurrection des héros,[2] qui
paraît avoir été un de ceux que le christianisme eut le plus
de peine à déraciner.　De là ce *messianisme celtique*, cette
croyance à un vengeur futur qui restaurera la Cambrie et
la délivrera de ses oppresseurs. ○○○ Les petits peuples
15 doués d'imagination prennent d'ordinaire ainsi leur revanche de ceux qui les ont vaincus.　Se sentant forts au
dedans et faibles au dehors, ils protestent, s'exaltent, et
une telle lutte décuplant leurs forces les rend capables de
miracles.　Presque tous les grands appels au surnaturel
20 sont dus à des peuples espérant contre toute espérance.
Qui pourra dire ce qui a fermenté de nos jours dans le sein
de la nationalité la plus obstinée et la plus impuissante, la

---

selon Chrétien de Troyes — était destiné à retrouver le trésor du saint
Graal.

[1] Oween, en anglais *Owayn the Knight* (*Owayn Miles*), un de ceux
qui tentèrent avec succès la périlleuse descente au Purgatoire de
Saint Patrick, dont l'entrée est comme on le sait dans une grotte en
Irlande.　Oween était un chevalier qui s'était repenti de sa vie de
rapine et de violence et avait voulu tenter la grande aventure pour se
racheter.　On trouvera le récit de ses terrifiantes expériences et de
son retour sain et sauf à la lumière du jour dans Thomas Wright,
*St. Patrick's Purgatory; an Essay on the Legends of Purgatory and Hell
current during the Middle Ages*, (London, J. R. Smith, 1844, Ch. III,
p. 60–78.)

[2] Ainsi la croyance que le roi Arthur n'était pas mort dans la bataille contre Mordred le traître, mais allait revenir un jour de l'île
d'Avalon.

Pologne ? [1] Israël humilié rêva la conquête spirituelle du monde, et y réussit. ○ ○ ○

L'étudiant lira avec intérêt les deux extraits suivants, encore de l'étude sur *Le génie des races celtiques*. On est aujourd'hui saturé de recherches purement érudites sur les légendes bretonnes, et qui souvent empêchent d'en goûter la valeur poétique. Elles n'ont pas ajouté grand'chose à ce que connaissait l'admirable savant qu'était Renan — lequel ne s'est pas laissé submerger par sa propre érudition.

Le premier passage révèle la douceur du tempérament celtique:

○ ○ ○ Aucune race ne conversa aussi intimement que la race celtique avec les êtres inférieurs, et ne leur accorda une aussi large part de vie morale. L'association intime 5 de l'homme et de l'animal, les fictions si chères à la poésie du moyen-âge, du *chevalier au lion*, du *chevalier au faucon*, du *chevalier au cygne*, les vœux consacrés par la présence d'oiseaux réputés nobles, tels que le faisan, le héron, sont autant d'imaginations bretonnes. La littérature ecclé- 10 siastique elle-même présente des traits analogues: la mansuétude pour les animaux éclate dans toutes les légendes des saints de Bretagne et d'Irlande. Un jour saint Kelvin s'endormit en priant à sa fenêtre, les bras étendus; une hirondelle, apercevant la main ouverte du vieux moine, 15 trouva la place excellente pour y faire son nid; le saint à son réveil, voyant la mère qui couvait ses œufs, ne voulut pas la déranger, et attendit pour se relever que les petits fussent éclos. ○ ○ ○

Le second passage est une page bien curieuse sur Jeanne d'Arc:

On a souvent observé que la plupart des croyances popu- 20 laires qui vivent encore dans nos différentes provinces sont d'origine celtique. Un fait non moins remarquable, c'est la forte teinte de naturalisme qui domine ces croyances. Aussi, chaque fois que ce vieil esprit celtique apparaît dans notre histoire, on voit renaître avec lui la foi à la nature et 25

[1] Ceci est écrit à l'époque où la Pologne cherchait à reconquérir son indépendance.

à ses magiques influences. Une des manifestations les plus
caractéristiques me semble être celle de Jeanne d'Arc.
Cette espérance indomptable, cette fermeté dans l'affirmation de l'avenir, cette croyance que le salut du royaume
5 viendra d'une femme, tous ces traits si éloignés du goût
ancien et du goût germanique, sont à beaucoup d'égards
celtiques. Le souvenir du vieux culte s'était perpétué à
Domrémy, comme dans tant d'autres endroits, sous forme
de superstition populaire. La chaumière de la famille
10 d'Arc était ombragée d'un hêtre fameux dans le pays, et
dont on faisait le séjour des fées. Dans son enfance, Jeanne
allait suspendre à ses branches des guirlandes de feuillage
et de fleurs, qui disparaissaient disait-on, pendant la nuit.
Les actes de son procès parlent avec épouvante de cette
15 innocente pratique comme d'un crime contre la foi; et
pourtant ils ne se trompaient pas complètement, les im-
pitoyables théologiens qui jugèrent la sainte fille ! Sans
qu'elle le sût, elle était plus celtique que chrétienne. Elle
a été annoncée par Merlin; elle ne connaît pas le pape et
20 l'Église; elle ne croit que la voix de son cœur. Cette voix,
elle l'entend dans la campagne, au bruit du vent dans les
arbres, quand son ouïe est frappée de sons mesurés et
lointains. Durant son procès, fatiguée de questions et de
subtilités scolastiques, on lui demande si elle entend ses
25 voix: « Menez-moi dans un bois, dit-elle, et je les entendrai
bien » (*Dixit quod si esset in uno nemore, bene audiret voces
venientes ad eam*). Sa légende se teignit des mêmes couleurs: « La nature l'aimait; les loups ne touchaient jamais
les brebis de son troupeau; quand elle était petite, les
30 oiseaux venaient manger son pain dans son giron, comme
privés.[1] »

---

[1] apprivoisés.

LE ROMAN RÉALISTE ET NATURALISTE

A. LE RÉALISME — B. LE NATURALISME

Consulter: David-Sauvageot *Le réalisme et le naturalisme dans la littérature et l'art.* (Calmann-Lévy, 1890, 407 pages, in 12.) Le même a écrit l'article pour la grande *Histoire de la littérature*, sous la direction de Petit de Julleville (A. Colin, 1900, vol. VIII.). G. Meunier, *Le bilan littéraire du XIX⁰ siècle* (Charpentier 1899, 360 pages in 8°.); P. Martino, *Le roman réaliste sous le second Empire* (Hachette, 1913, 311 pages in 12.) et *Le naturalisme français 1870–1895.* A. Colin, 1923, 220 pages in 12.); René Dumesnil, *Le réalisme,* (J. de Gigord, 1937, 650 pages in 8°: Cet ouvrage forme le Tome IX de *L'Histoire de la littérature française* publiée sous la direction de l'abbé Calvet: on y trouve les antécédents du mouvement; des études sur Barbey d'Aurevilly, Flaubert, E. Feydau, Fromentin, les Goncourt; le réalisme dans l'histoire, Renan; dans la poésie, Baudelaire; puis, la seconde génération réaliste et le naturalisme: Huysmans, Zola, Maupassant, et le groupe de Médan; enfin deux chapitres sur le théâtre de cette époque); Deffoux et Zavie, Le groupe de Médan (Crès, 1920). Il faut citer parmi les attaques contre le naturalisme: Brunetière, *Le roman naturaliste* (C. Lévy, 1891, 393 pp.); R. Doumic, *Études sur la littérature française* (Perrin, 1910), Chap. ‹ Une apothéose du naturalisme ›. B. Weinberg. *French Realism. The critical Reaction, 1830–1870.* (N. Y. Mod. Lang. Assoc., 1937, 259 pp.) On a publié plusieurs anthologies par exemple: L. Deffoux, *Le naturalisme, œuvres représentatives* (Paris, 1929), et Jean-Albert Bédé, *Quelques textes naturalistes,* (N. Y., Holt and Co., 1937).

A. LE RÉALISME

Le roman réaliste, pas plus que la critique positiviste et l'esprit positiviste en histoire, n'a été une apparition subite dans l'horizon littéraire. Même pendant l'époque romantique, la tradition des romanciers du XVIII⁰ siècle — de Lesage, l'auteur de *Gil Blas*, de Marivaux, l'auteur de *Marianne* et du *Paysan parvenu* — ne s'était pas entièrement perdue. Il suffit de rappeler *Le dernier jour d'un condamné, Claude Gueux, Les Misérables* (ce dernier écrit presque tout entier avant 1848) de Victor Hugo, et surtout les noms de Stendhal, de Balzac et de Mérimée. On considère Flaubert comme un continuateur de Balzac; Taine voit dans *La Comédie humaine* « le plus grand magasin de documents que nous ayons sur la nature humaine », et Balzac parlait déjà d'« espèces sociales ».

CHAPITRE V

GUSTAVE FLAUBERT

1821–1880

Consulter: E. Faguet, *Flaubert* (Coll. ‹ Grand Ecriv, fr. ›, (Hachette, 1906, 191 pages); R. Dumesnil, *G. Flaubert, l'homme et l'œuvre* (Desclée, de Brouwer, 1933). Moins documentaire: A. Thibaudet, *G. Flaubert, vie, romans, style,* (1922, IIe ed. 1935, Nouv. Revue fr.).

Comme l'a dit le critique E. Faguet: « Balzac, Stendhal et Mérimée [et il faut ajouter ici Champfleury] avaient donné le goût du réalisme sans le satisfaire pleinement. » On attendait Flaubert.

Si Flaubert est le très grand nom du réalisme, il faut mentionner comme l'ayant précédé dans la renommée littéraire, quoique doué de beaucoup moins de talent, son contemporain, Champfleury (1829–1889) qui est l'auteur de certains romans, par exemple, *Chien-Caillou, fantaisie d'hiver* (1847), *Les bourgeois de Molinchart* (1855), *Ma tante Péronne* (1866); de *Recherches sur les origines et les variations de la légende du Bonhomme Misère* (1861); et même d'un livre intitulé *Le réalisme* (1857). Il peignait les petites gens, comme Henri Murger (1822–1861), l'auteur des *Scènes de la vie de Bohême* (souvent classées parmi les œuvres romantiques),[1] comme le peintre Courbet dans ses toiles.[2] Sa reproduction de la réalité était si exacte qu'on a prononcé le nom d'« école du daguerréotype ».[3] V. E. Bouvier, *La bataille réaliste* 1844–1857, Chapitre Champfleury (Paris, Fontemoing, 1913).

Gustave Flaubert naquit en 1821, petit-fils d'un vétérinaire de Nogent-sur-Seine, et fils d'un médecin très connu à Rouen, chirurgien en chef de l'Hôtel-Dieu [C'est le nom souvent donné dans les villes de France au principal hôpital] et y résidant. On attribue à cette ascendance et à cette enfance passée dans cette atmosphère dépri-

---

[1] Les *Contes* de Champfleury sont moins réalistes; on peut même dire qu'ils sont romantiques comparés aux romans.

[2] *Gustave Courbet*, 1819–1877. De même qu'ailleurs, dans le romantisme par exemple, la peinture a triomphé en art avant la littérature. C'est en 1855 que Courbet fut exclu du Salon national à cause du réalisme de ses tableaux (« scandale Courbet ») et qu'il organisa, non sans succès auprès du public, une exposition réaliste. Champfleury écrivit l'Avant-propos du *Catalogue* de cette exposition.

[3] Terme employé à plusieurs reprises dans la *Revue des Deux Mondes* par A. Lataye; p.ex. ‹ Revue littéraire › 1 mars, 1885.

mante une bonne partie des dispositions pessimistes du grand romancier.   En 1840, on l'envoya à Paris pour ses études; il s'y ennuya
extrêmement, eut en horreur la vie d'étudiant.   Son père mourut en
1845; comme Renan, Flaubert avait une sœur qu'il adorait; il la perdit en 1846; il revint alors vivre auprès de sa mère, dans une propriété
de famille tout près de Rouen, à Croisset; on y voit encore un pittoresque pavillon, au bord de la Seine; c'est là que Flaubert écrivit ses
livres, et c'est aujourd'hui un lieu de pèlerinage littéraire.   Flaubert fit
des voyages (souvent accompagné par son ami Maxime Du Camp,
1822–1894, l'auteur de fort importants *Souvenirs littéraires*, 2 vol.): l'un
en Bretagne, en 1846, et un autre en Orient, en 1849.   De temps en
temps il se rendait à Paris pour de brefs séjours; il y voyait volontiers d'abord Sainte-Beuve et Théophile Gautier, et plus tard les
continuateurs du mouvement réaliste, les Goncourt, Émile Zola, Alphonse Daudet.   Il eut une grande amitié pour George Sand, et une
liaison de plusieurs années avec une femme de lettres alors célèbre,
Louise Colet.   Il mourut à Croisset, d'une attaque, d'apoplexie
(1880).   Le succès de Guy de Maupassant (voir plus bas) qui se reconnaissait son disciple, lui avait donné beaucoup de joie et de fierté.

Il commença à écrire dès le jour de sa retraite à Croisset.   Il travaillait avec grande conscience, et produisit relativement peu; en
cela il diffère profondément d'écrivains tels que George Sand ou
Alexandre Dumas, l'auteur des *Trois mousquetaires*.

Sa première tentative fut une reconstitution de la légende de Saint-
Antoine, qu'il abandonna d'ailleurs pour la reprendre plusieurs années
après.   De 1850 à 56 (après son retour d'Orient) il composa son plus
célèbre roman *Madame Bovary*, mais avec une peine infinie.   De 1857
à 1862 il écrivit *Salammbô*, d'un caractère aussi romanesque que
Madame Bovary l'était peu; il y fait revivre la vieille cité barbare
de Carthage; de 1862 à 1869 il revient à une œuvre toute réaliste
L'Éducation sentimentale; cette histoire, à son tour, est suivie par une
reprise du sujet où l'imagination doit jouer un rôle prépondérant, cette
Tentation de Saint-Antoine [1] qu'il avait abandonnée et qu'il publia en
1874.   Une comédie, *Le candidat*, n'est qu'une parenthèse dans son
œuvre; mais dans le volume *Trois Contes*, il s'abandonne simultanément au réalisme (*Un cœur simple*) et à son attirance pour les sujets
où l'imagination doit suppléer souvent aux lacunes de l'histoire (*La
légende de Saint Julien l'hospitalier*, et *Hérodias*, où il raconte la
« Légende de Salomé »).

Bien que la manière objective ou réaliste domine chez Flaubert, il
est loin de s'être affranchi de l'influence du grand mouvement roman-

---

[1] On trouvera l'histoire de cette œuvre dans A. Lombard, *Flaubert
et Saint Antoine* (Ed. Attinger, 1934, 108 pages in 8°).

tique à son déclin. On trouve plutôt en lui une espèce de lutte constante entre deux pôles d'attraction, l'esprit romantique et l'esprit
d'observation scientifique. Il se révèle à nous dans sa fort importante
Correspondance; on y lit: « Il y a en moi deux bonshommes distincts: un qui est épris de gueulades [*squallings*], de lyrisme, de
grands vols d'aigle, de toutes les sonorités de la phrase et des sommets
de l'idée; un autre qui creuse et qui fouille le vrai tant qu'il peut,
qui aime à accuser le petit fait aussi puissamment que le grand, qui
voudrait vous faire sentir presque matériellement les choses qu'il reproduit ». Comme homme de pensée, Flaubert préférait le réalisme;
mais il semble que le romantisme seul lui fût naturel.[1] Bien plus, il
voit dans le romantisme une exaltation qui paraît absurde chez un
homme sensé, et il le hait probablement d'autant plus qu'il se sent
plus attiré vers lui; il le regarde bien en face pour essayer de s'en
dégoûter mieux et de s'en affranchir.

Ainsi on est prêt à comprendre le rôle de Flaubert, son importance
historique dans l'évolution de la littérature: il vit entre 40 ans de
romantisme et 40 ans de réalisme; avant lui, il y avait eu déjà un
commencement de lutte entre les deux tendances; avec Flaubert,
le réalisme prend conscience de lui-même et de sa force. Un romantique, pour Flaubert, c'est un philistin qui aspire à être, ou plutôt qui
croit être un homme d'esprit.

Le style de Flaubert est célèbre; il y a deux raisons pour lesquelles
il le soignait extrêmement: il relevait par cette forme impeccable et
artistique le fond fréquemment si prosaïque de ses romans; et comme,
de par sa nature, il écrivait mal, il était forcé de se surveiller beaucoup.[2]
Il voulait non seulement une phrase bien écrite, mais une phrase bien
sonnante. Voici un passage souvent cité de son élève Maupassant:
« Il [Flaubert] prenait sa feuille de papier, l'élevait à la hauteur
du regard et, s'appuyant sur un coude, déclamait d'une voix mordante
et haute. Il écoutait le rythme de sa prose, s'arrêtait comme pour
saisir une sonorité fuyante, combinait les tons, éloignait les assonances, disposait les virgules avec conscience le long du chemin . . .
Il disait lui-même: Une phrase est viable quand elle correspond à
toutes les nécessités de la respiration. Je sais qu'elle est bonne lorsqu'elle peut être lue tout haut . . . Les phrases mal écrites ne résistent
pas à cette épreuve; elles oppressent la poitrine, gênent les battements
du cœur et se trouvent ainsi en dehors des conditions de la vie ».

---

[1] Il écrit à propos de *Madame Bovary*, le roman réaliste par excellence: « Bovary aura été un tour de force inouï dont moi seul jamais
aurai conscience: sujet, personnages, effet, etc., tout est hors de
moi » . . .

[2] V. à ce sujet les remarques d'Émile Faguet, *livre cité*, pp. 147–148.

Il mettait souvent huit jours pour écrire une page: « J'aime les phrases mâles et non les phrases femelles, comme celles de Lamartine fort souvent » disait-il; et on lui prête ce mot: « Une belle phrase qui n'a pas de sens est supérieure à une phrase qui signifie quelque chose mais qui n'est pas belle. » Il se défendait la répétition d'un même substantif ou d'un même verbe dans une page; la répétition des *de* devant deux substantifs consécutifs (la lueur *de* la pointe *de* sa lance), etc.

Madame Bovary [1] (1857)

C'est ici que Flaubert fait pour le romantisme du XIXe siècle ce que Cervantès a fait dans *Don Quichotte* pour le romanesque chevaleresque des récits d'aventure du moyen-âge — il en donne la mordante satire.

Emma Bovary, fille d'un paysan normand, épouse un médecin de campagne; elle avait reçu au couvent une éducation de demoiselle et elle avait lu des romans qui lui ont fait rêver la vie du grand monde et des grandes passions; elle se croit née pour cette vie, essaie d'en goûter et après deux tentatives lamentables finit par le suicide. Le drame est rendu plus frappant, parce qu'elle a épousé un homme aussi prosaïque qu'elle est elle-même romanesque; cet homme, elle ne peut s'empêcher de le mépriser, et cela d'autant plus qu'il l'assassine de ses protestations d'admiration et d'amour; il la pousse en quelque sorte dans les bras de ses amants.

On trouve dans cette aventure du pays normand toute une galerie de personnages secondaires dont les noms sont demeurés pour désigner les types qu'ils représentent. Outre Charles Bovary et sa femme, Emma, il y a les deux amants successifs: d'abord le bellâtre Rodolphe Boulanger, propriétaire du domaine voisin de la Huchette; puis Léon, le clerc de notaire qui joue les grands sentiments; il y a surtout le pharmacien Homais, voltairien rempli de l'importance de sa demi-science, qui éblouit toute la localité par sa faconde, qui dit très gravement des choses évidentes ou absurdes; en face de lui on voit le curé Bournisien, aussi pompeux et ridicule dans son rôle que Homais dans le sien; et c'est Tuvache, le maire; puis Lheureux, le marchand retors qui fait tous les métiers, entre autres celui d'usurier: c'est lui qui prendra dans ses filets Emma Bovary et l'acculera [*inevitably drive*] au suicide; il y a encore Lebidois, le bedeau, Hippolyte, le garçon d'auberge au pied bot [*club foot*], victime de la sottise de Homais qui lui a persuadé de se soumettre à une opération qui le laisse plus invalide qu'avant, après des souffrances atroces; il y a Justin,

---

[1] V. l'éd. du roman par Ed. Gauss (Students Library, Scribner, 1930).

le jeune commis du pharmacien, qui, ébloui par les élégances de Madame Bovary s'éprendra d'elle follement et respectueusement, qui fera aveuglément tout ce qu'elle demandera, et qui l'aidera à se procurer le poison dont elle voudra mourir.

On voit déjà la différence du réalisme de Flaubert comparé à celui de Balzac; celui-ci aimait à dessiner les « figures saillantes » (le père Goriot, Grandet, Rastignac, Gobseck, Balthasar Claës . . . ; V. notre vol. I, pp. 585–6), tandis que Flaubert choisit toujours des personnages très vivants mais sans relief, des représentants de la médiocrité sous toutes ses formes dont est faite surtout la vie. É. Faguet écrit: « Notez que toujours les personnages antipathiques de Flaubert sont beaucoup plus des imbéciles que des coquins, et c'est cela qui est la vérité profonde de Flaubert »; et à propos de *Madame Bovary* elle-même: « les bourgeois sont des sots, mais la femme qui a des aspirations à la vie artiste et qui veut échapper au bourgeoisisme est la plus sotte de tous. »

Flaubert est l'observateur le plus minutieux; il a pris une peine infinie pour donner à son récit un fondement absolument véridique; les lieux décrits ont tous été identifiés par les chercheurs, de même que tous ses personnages; les noms ont été changés, cela va de soi, mais on connaît les vrais noms.[1] Beaucoup d'admirateurs du roman allaient visiter, dans un vieux cimetière de Ry, près de Rouen, la tombe marquée: « Ici repose le corps de Delphine Couturier [Emma Bovary] épouse de M. Delamarre, Médecin, décédée le 6 mars 1848. Priez Dieu pour elle ». Mais le monument a été volé nuitamment en 1887.

Le roman de Flaubert a donné un nouveau terme à la langue française, « le bovarysme ». On appelle ainsi la disposition fréquente chez les gens à se persuader qu'ils sont ce qu'ils ne sont pas (v. le livre de J. de Gaultier, *Le bovarysme*, Paris, Mercure de France, 1902, 316 pages in 12).

Les scènes les plus célèbres du roman sont: la description de la noce des Bovary; celle du bal dans un château du voisinage où le Dr. Bovary et sa femme sont invités et qui sème au cœur d'Emma le désir de sortir de son humble milieu; les ‹ comices locaux › (la foire au bétail où se rencontrent tous les gens du voisinage); l'histoire du pied bot du malheureux Hippolyte, du Lion d'Or, dont la jambe fut

---

[1] On trouvera les résultats de ces recherches consignés dans le volume *Madame Bovary*, (Coll. ‹ Grands Evén. litt. › Paris, Malfère, 1928) par R. Dumesnil. Plus récemment encore, *Nouvelles littéraires*, 5 oct. 1929, et *L'Illustration*, 9 août 1930. A recommander aussi: G. Leblanc-Maeterlinck, *Au pays de Madame Bovary*, 1913.

finalement amputée; enfin et surtout l'empoisonnement d'Emma Bovary.

Charles Bovary

Ce sera le mari d'Emma. Élevé à la paysanne, il n'est pas mauvais; il n'a non plus aucune qualité positive. Il est vigoureux, conscien- cieux, opiniâtre comme les paysans de France; d'une médiocre in- telligence, il arrivera à faire sa médecine par un travail acharné, mais toujours sans inspiration. Il sera très amoureux de sa femme. Le garçon révèle déjà l'homme. La scène suivante ouvre le livre.

Nous étions à l'étude,[1] quand le proviseur [2] entra, suivi d'un *nouveau* habillé en bourgeois [3] et d'un garçon de classe qui portait un grand pupitre. Ceux qui dormaient se réveillèrent, et chacun se leva, comme surpris dans son travail.   5

Le proviseur nous fit signe de nous rasseoir,[4] puis, se tournant vers le maître d'études:

— Monsieur Roger, lui dit-il à demi-voix, voici un élève que je vous recommande, il entre en cinquième.[5] Si son travail et sa conduite sont méritoires, il passera *dans les* 10 *grands*, où l'appelle son âge.

Resté dans l'angle, derrière la porte, si bien qu'on l'aper- cevait à peine, le *nouveau* était un gars de la campagne, d'une quinzaine d'années environ, et plus haut de taille qu'aucun de nous tous. Il avait les cheveux coupés droit 15 sur le front,[6] ...l'air raisonnable et fort embarrassé. Quoiqu'il ne fût pas large des épaules, son habit-veste [7] de drap vert à boutons noirs devait le gêner aux entournures,[8]

[1] Salle d'étude.

[2] Nom donné au principal d'un lycée (école secondaire), institu- tion d'État.

[3] C'est-à-dire ne portant pas encore l'uniforme des lycéens.

[4] Les élèves se sont levés pour saluer le proviseur.

[5] Il y a généralement huit classes dans ces institutions, la huitième est la plus basse et la première la plus élevée.

[6] Cheveux en brosse.

[7] *Half coat, half jacket.*

[8] C.-à.-d. aux aisselles (cavités au-dessous de la jonction du bras et de l'épaule).

et laissait voir, par la fente des parements, des poignets rouges habitués à être nus. Ses jambes en bas bleus sortaient d'un pantalon jaunâtre, très tiré par les bretelles. Il était chaussé de souliers forts, mal cirés, garnis de clous.

5   On commença la récitation des leçons. Il les écouta de toutes ses oreilles, attentif comme au sermon, n'osant même croiser les cuisses, ni s'appuyer sur le coude, et, à deux heures, quand la cloche sonna, le maître d'études fut obligé de l'avertir, pour qu'il se mît avec nous dans les
10 rangs.[1]

Nous avions l'habitude, en entrant en classe, de jeter nos casquettes par terre, afin d'avoir ensuite nos mains plus libres; il fallait, dès le seuil de la porte, les lancer sous le banc, de façon à frapper contre la muraille, en faisant
15 beaucoup de poussière; c'était là *le genre*.[2]

Mais, soit qu'il n'eût pas remarqué cette manœuvre ou qu'il n'eût osé s'y soumettre, la prière était finie[3] que le *nouveau* tenait encore sa casquette sur ses deux genoux. C'était une de ces coiffures d'ordre composite, où l'on re-
20 trouve les éléments du bonnet à poil,[4] du chapska, du chapeau rond, de la casquette de loutre et du bonnet de coton, une de ces pauvres choses, enfin, dont la laideur muette a des profondeurs d'expression comme le visage d'un imbécile. ∘∘∘ Elle était neuve; la visière brillait.

25 — Levez-vous, dit le professeur.

Il se leva; sa casquette tomba. Toute la classe se mit à rire.

Il se baissa pour la reprendre. Un voisin la fit tomber d'un coup de coude. Il la ramassa encore une fois.

30 — Débarrassez-vous donc de votre casque, dit le professeur, qui était un homme d'esprit.

---

[1] Les élèves, pour les minutes de récréation, sortent « en rang » deux à deux.

[2] Expression idiom., *the fashion.*

[3] Prière avant le commencement de la nouvelle classe.

[4] *Bearskin.*

Il y eut un rire éclatant des écoliers qui décontenança le pauvre garçon, si bien qu'il ne savait s'il fallait garder sa casquette à la main, la laisser par terre ou la mettre sur sa tête. Il se rassit et la posa sur ses genoux.

—Levez-vous, reprit le professeur, et dites-moi votre 5 nom.

Le *nouveau* articula, d'une voix bredouillante, un nom inintelligible.

—Répétez !

Le même bredouillement de syllabes se fit entendre, 10 couvert par les huées de la classe.

—Plus haut ! cria le maître, plus haut !

Le *nouveau*, prenant alors une résolution extrême, ouvrit une bouche démesurée et lança à pleins poumons, comme pour appeler quelqu'un, ce mot: *Charbovari.* 15

Ce fut un vacarme qui s'élança d'un bond, monta en *crescendo*, avec des éclats de voix aigus (on hurlait, on aboyait, on trépignait, on répétait: *Charbovari ! Charbovari !*), puis qui roula en notes isolées, se calmant à grand'peine, et parfois qui reprenait tout à coup, sur la ligne d'un banc où 20 saillissait [1] encore çà et là, comme un pétard mal éteint, quelque rire étouffé.

Cependant, sous la pluie des pensums,[2] l'ordre peu à peu se rétablit dans la classe, et le professeur, parvenu à saisir le nom de Charles Bovary, se l'étant fait dicter, épeler et re- 25 lire, commanda tout de suite au pauvre diable d'aller s'asseoir sur le banc de paresse, au pied de la chaire. Il se mit en mouvement, avant de partir, hésita.

—Que cherchez-vous ? demanda le professeur.

—Ma cas..., fit timidement le *nouveau*, promenant 30 autour de lui des regards inquiets.

—Cinq cents vers à toute la classe ! [3] exclamé d'une voix furieuse, arrêta une bourrasque nouvelle. — Res-

---

[1] Traduisez, *Broke out.*

[2] (Pron. *pinsomme*), devoir écrit infligé comme punition.

[3] Un « pensum »: cinq cents vers latins à copier.

tez donc tranquilles! continuait le professeur indigné,
et s'essuyant le front avec son mouchoir qu'il venait de
prendre dans sa toque.[1] Quant à vous, le *nouveau*, vous
me copierez vingt fois le verbe *ridiculus sum*.[2] — Puis,
5 d'une voix plus douce: Eh! vous la retrouverez, votre
casquette; on ne vous l'a pas volée!

Tout reprit son calme. Les têtes se courbèrent sur les
cartons,[3] et le *nouveau* resta pendant deux heures dans
une tenue exemplaire, quoiqu'il y eût bien, de temps à
10 autre, quelque boulette de papier lancée d'un bec de plume
qui vînt s'éclabousser sur sa figure. Mais il s'essuyait avec
la main et demeurait immobile, les yeux baissés.

Le soir, à l'étude, il tira ses bouts de manches[4] de son
pupitre, mit en ordre ses petites affaires, régla soigneuse-
15 ment son papier. Nous le vîmes qui travaillait en conscience, cherchant tous les mots dans le dictionnaire et se
donnant beaucoup de mal.[5] Grâce, sans doute, à cette
bonne volonté dont il fit preuve, il dut de ne pas descendre
dans la classe inférieure; car, s'il savait passablement ses
20 règles, il n'avait guère d'élégance dans les tournures.[6]
C'était le curé de son village qui lui avait commencé le
latin,[7] ses parents, par économie, ne l'ayant envoyé au
collège que le plus tard possible.

Emma Bovary

Elle avait été élevée au couvent. Rentrée à la ferme de son père
(Les Bertaux) elle s'ennuiera bientôt et épousera Bovary. Dès le
couvent elle avait rêvé une vie exaltée, passant du romantisme mys-

---

[1] Aujourd'hui la coutume des maîtres de porter toque et toge
pour enseigner est à peu près abandonnée; la toque était posée sur le
pupitre pendant la classe.

[2] « *Je suis ridicule* ».

[3] *Writing pads.*

[4] *Sleeve protectors.*

[5] Expression idiom., *Taking great pains.*

[6] *Style.*

[7] *Started him in Latin.*

tique au romantisme en amour. Elle retrouvera, sur son lit de mort, ces deux aspirations qui la poussent en sens contraire.

Avant qu'elle se mariât, elle avait cru avoir de l'amour; mais le bonheur qui aurait dû résulter de cet amour n'étant pas venu, il fallait qu'elle se fût trompée, songeait-elle. Et Emma cherchait à savoir ce que l'on entendait au juste dans la vie par les mots de *félicité*, de *passion*, et d'*ivresse*,[1] 5 qui lui avaient paru si beaux dans les livres.

* * *

Elle avait lu *Paul et Virginie*[2] et elle avait rêvé la maisonnette de bambous, le nègre Domingo, le chien Fidèle, mais surtout l'amitié douce de quelque bon petit frère, qui va chercher pour vous des fruits rouges dans des grands 10 arbres plus hauts que des clochers, ou qui court pieds nus sur le sable, vous apportant un nid d'oiseau.

Lorsqu'elle eut treize ans, son père l'amena lui-même à la ville,[3] pour la mettre au couvent. Ils descendirent dans une auberge du quartier Saint-Gervais, où ils eurent à leur 15 souper des assiettes peintes qui représentaient l'histoire de Mlle de la Vallière.[4] Les explications légendaires, coupées çà et là par l'égratignure[5] des couteaux, glorifiaient toutes la religion, les délicatesses du cœur et les pompes de la cour. 20

Loin de s'ennuyer au couvent les premiers temps, elle se plut dans la société des bonnes sœurs, qui, pour l'amuser, la conduisaient dans la chapelle, où l'on pénétrait du réfectoire par un long corridor. Elle jouait fort peu durant

---

[1] *Rapture.*

[2] Le roman idyllique de Bernardin de Saint-Pierre (v. *Eighteenth Century French Readings*, Holt and Company, pp. 222–230) récit situé dans les tropiques, à l'Ile de France, près de Madagascar.

[3] Rouen.

[4] Femme célèbre par sa beauté qui vécut longtemps à la cour de Louis XIV dont elle devint la favorite; puis, elle finit ses jours dans un couvent de Carmélites.

[5] *Scratchings.*

les récréations, comprenait bien le catéchisme, et c'était
elle qui répondait toujours à M. le vicaire, dans les questions difficiles.   Vivant donc sans jamais sortir de la tiède
atmosphère des classes et parmi ces femmes au teint blanc,
5 portant des chapelets [1] à croix de cuivre, elle s'assoupit
doucement à la langueur mystique qui s'exhale des parfums
de l'autel, de la fraîcheur des bénitiers [2] et du rayonnement
des cierges.   Au lieu de suivre la messe, elle regardait dans
son livre les vignettes pieuses bordées d'azur; et elle aimait
10 la brebis malade,[3] le sacré-cœur percé de flèches aiguës, ou
le pauvre Jésus, qui tombe en marchant sous sa croix.   Elle
essaya, par mortification, de rester tout un jour sans manger.   Elle cherchait dans sa tête quelque vœu à accomplir.
Quand elle allait à confesse, elle inventait de petits péchés,
15 afin de rester là plus longtemps, à genoux dans l'ombre, les
mains jointes, le visage à la grille sous le chuchotement du
prêtre.   Les comparaisons de fiancé, d'époux, d'amant
céleste et de mariage éternel qui reviennent dans les sermons lui soulevaient au fond de l'âme, des douceurs in-
20 attendues.

Le soir, avant la prière, on faisait dans l'étude une lecture religieuse.   C'était, pendant la semaine, quelque
résumé d'histoire sainte ou les *Conférences* de l'abbé Frays-
sinous,[4] et, le dimanche, des passages du *Génie du christia-
25 nisme*,[5] par récréation.   Comme elle écouta, les premières
fois, la lamentation sonore des mélancolies romantiques se
répétant à tous les échos de la terre et de l'éternité !₀₀₀

Il y avait au couvent une vieille fille qui venait tous les
mois, pendant huit jours, travailler à la lingerie.   Protégée
30 par l'archevêché, comme appartenant à une ancienne famille de gentilshommes ruinée sous la Révolution, elle

---

[1] *Rosaries.*
[2] *Holy water vessels.*
[3] L'image du Christ portant une brebis malade.
[4] Fameux prédicateur (1765–1841).
[5] L'ouvrage célèbre de Chateaubriand (v. vol. I, pp. 38–71).

mangeait au réfectoire à la table des bonnes sœurs, et
faisait avec elles, après le repas, un petit bout de causette [1]
avant de remonter à son ouvrage. Souvent les pension-
naires s'échappaient de l'étude pour l'aller voir. Elle
savait par cœur des chansons galantes du siècle passé, 5
qu'elle chantait à demi-voix, tout en poussant son aiguille.
Elle contait des histoires, vous apprenait des nouvelles,
faisait en ville vos commissions, et prêtait aux grandes, en
cachette, quelque roman qu'elle avait toujours dans les
poches de son tablier, et dont la bonne demoiselle elle- 10
même avalait de longs chapitres, dans les intervalles de sa
besogne. Ce n'étaient qu'amours, amants, amantes, dames
persécutées s'évanouissant dans les pavillons solitaires,
postillons qu'on tue à tous les relais, chevaux qu'on crève [2]
à toutes les pages, forêts sombres, troubles du cœur, ser- 15
ments, sanglots, larmes et baisers, nacelles au clair de lune,
rossignols dans les bosquets, *messieurs* braves comme des
lions, doux comme des agneaux, vertueux comme on ne
l'est pas, toujours bien mis et qui pleurent comme des
urnes. Pendant six mois, à quinze ans, Emma se graissa [3] 20
donc les mains à cette poussière des vieux cabinets de lecture.[4] Avec Walter Scott, plus tard, elle s'éprit de choses
historiques, rêva bahuts,[5] salle des gardes et ménestrels.
Elle aurait voulu vivre dans quelque vieux manoir, comme
des châtelaines au long corsage, qui, sous le trèfle des ogives, 25
passaient leurs jours, le coude sur la pierre et le menton
dans la main, à regarder venir, du fond de la campagne, un
cavalier à plume blanche qui galope sur un cheval noir.
Elle eut, dans ce temps-là, le culte de Marie Stuart, et des
vénérations enthousiastes à l'endroit des femmes illustres 30
ou infortunées. Jeanne d'Arc, Héloïse,[6] Agnès Sorel,[7] la

---

[1] *Chit-chat.*
[2] *Tuer d'épuisement.*
[3] *Soiled.*
[4] *Circulating libraries.*
[5] *Dreamed of old chests.*
[6] L'amante du moine Abélard (XIIIᵉ siècle), une des plus fameuses histoires d'amour du monde.
[7] Favorite du roi Charles VII (1422–1450).

belle Ferronnière[1] et Clémence Isaure,[2] pour elle, se détachaient comme des comètes sur l'immensité ténébreuse de l'histoire, où saillissaient encore çà et là, mais plus perdus dans l'ombre et sans aucun rapport entre eux, saint
5 Louis avec son chêne,[3] Bayard mourant,[4] quelques férocités de Louis XI,[5] un peu de Saint-Barthélemy,[6] le panache du Béarnais,[7] et toujours le souvenir des assiettes peintes où Louis XIV était vanté.

A la classe de musique, dans les romances qu'elle chan-
10 tait, il n'était question que de petits anges aux ailes d'or, de madones, de lagunes, de gondoliers, pacifiques compositions qui lui laissaient entrevoir, à travers la niaiserie[8] du style et les imprudences de la note, l'attirante fantasmagorie des réalités sentimentales. Quelques-unes de ses ca-
15 marades apportaient au couvent les keepsakes[9] qu'elles avaient reçus en étrennes.[10] Il les fallait cacher; c'était une affaire; on les lisait au dortoir. Maniant délicatement

---

[1] Une bourgeoise de Paris, qui fut aimée par le roi François Ier.

[2] Fondatrice, selon la légende, des Jeux Floraux de Toulouse (XVe siècle), concours de poésie annuels entre les troubadours de la Provence.

[3] Saint Louis rendant, sous un chêne, la justice à ses sujets est demeuré légendaire.

[4] Bayard, surnommé « le chevalier sans peur et sans reproche » mourut sur le champ de Biagrasso (1524) en défendant son roi François Ier. Pour le fameux épisode de sa mort voir *Seventeenth Century French Readings*, (Henry Holt and Company), pp. 323–327.

[5] Louis XI (1423–1483) accusé de grande cruauté envers certains de ses sujets.

[6] Le fameux massacre des protestants la nuit de la Saint-Barthélemy, sous le roi Charles IX, 23–24 août, 1572.

[7] La grande plume blanche que portait Henri IV (le Béarnais) au milieu des batailles et qui est demeurée comme un symbole de courage.

[8] Ici sentimentalité du style.

[9] Ces livres-albums illustrés de vignettes et contenant de petits vers de circonstance, souvent de nature sentimentale, étaient fort en vogue à l'époque romantique.

[10] Présents de fêtes de fin d'année ou d'anniversaires.

leurs belles reliures de satin, Emma fixait ses regards
éblouis sur le nom des auteurs inconnus qui avaient signé,
le plus souvent, comtes ou vicomtes, au bas de leurs pièces.

Elle frémissait, en soulevant de son haleine le papier de
soie des gravures, qui se levait à demi plié et retombait 5
doucement contre la page. C'était, derrière la balustrade
d'un balcon, un jeune homme en court manteau qui serrait
dans ses bras une jeune fille en robe blanche, portant une
aumônière [1] à sa ceinture, ou bien les portraits anonymes
des ladies anglaises à boucles blondes, qui, sous leurs cha- 10
peaux de paille ronds, vous regardent avec leurs grands
yeux clairs. On en voyait d'étalées dans des voitures,
glissant au milieu des parcs, où un lévrier [2] sautait devant
l'attelage, que conduisaient au trot deux petits postillons
en culotte blanche. D'autres, rêvant sur des sofas, près 15
d'un billet décacheté, contemplaient la lune, par la fenêtre
entr'ouverte, à demi drapée d'un rideau noir. Les naïves,
une larme sur la joue, becquetaient une tourterelle à travers
les barreaux d'une cage gothique, ou souriant, la tête sur
l'épaule, effeuillaient une marguerite de leurs doigts poin- 20
tus... Et vous y étiez aussi, sultans à longues pipes,
pâmés sous des tonnelles, aux bras des bayadères,[3]
djiaours,[4] sabres turcs, bonnets grecs, et vous surtout, paysages blafards des contrées dithyrambiques, qui souvent
nous montrez à la fois des palmiers, des sapins, des tigres à 25
droite, un lion à gauche, des minarets tartares à l'horizon,
au premier plan des ruines romaines, puis des chameaux
accroupis; — le tout encadré d'une forêt vierge bien net-
toyée, et avec un grand rayon de soleil perpendiculaire
tremblotant dans l'eau, où se détachent en écorchures 30
blanches, sur un fond d'acier gris, de loin en loin, des cygnes
qui nagent.

[1] *Alms purse.*   [2] *Gray-hound.*
[3] *Dancing girls.*
[4] Gens de basses classes en Orient, paysans ou soldats pittoresques.

Et l'abat-jour du quinquet,[1] accroché dans la muraille
au-dessus de la tête d'Emma, éclairait tous ces tableaux
du monde, qui passaient devant elle l'un après l'autre,
dans le silence du dortoir et au bruit lointain de quelque
5 fiacre attardé qui roulait encore sur les boulevards.

Quand sa mère mourut, elle pleura beaucoup, les premiers jours. Elle se fit faire un tableau funèbre avec les
cheveux de la défunte, et, dans une lettre qu'elle envoyait
aux Bertaux,[2] toute pleine de réflexions tristes sur la vie,
10 elle demandait qu'on l'ensevelît plus tard dans le même
tombeau. Le bonhomme la crut malade et vint la voir.
Emma fut intérieurement satisfaite de se sentir, du premier coup, arrivée à ce rare idéal des existences pâles, où
ne parviennent jamais les cœurs médiocres. Elle se laissa
15 donc glisser dans les méandres lamartiniens,[3] écouta les
harpes sur les lacs, tous les chants de cygnes mourants,
toutes les chutes de feuilles, les vierges pures qui montent
au ciel, et la voix de l'Éternel discourant dans les vallons.
Elle s'en ennuya, n'en voulut point convenir, continua par
20 habitude, ensuite par vanité, et fut enfin surprise de se sentir
apaisée, et sans plus de tristesse au cœur que de rides sur
son front.

Puis, Emma quitte le couvent. « Rentrée chez son père, elle se
plut d'abord au commandement des domestiques, prit ensuite la
campagne en dégoût et regretta son couvent ». Elle se maria avec
Bovary plutôt de lassitude que pour toute autre raison. Bientôt
l'ennui s'empare d'elle de nouveau. « La conversation de Charles
était plate comme un trottoir de rue, et les idées de tout le monde y
défilaient, dans leur costume ordinaire, sans exciter d'émotion, de
rire, ou de rêverie. » Parfois pour essayer de se distraire, elle dessinait, ou elle jouait du piano. « Elle frappait sur les touches avec
aplomb et parcourait de haut en bas le clavier sans s'interrompre. »

[1] *Oil lamp.*
[2] La ferme du père d'Emma.
[3] C'est-à-dire les poèmes sentimentaux du genre du romantique
Lamartine, l'auteur du *Lac*, de L'*Isolement*, du *Crucifix*, du *Vallon*,
etc.

Souvent elle songeait que Paris pourrait satisfaire peut-être aux besoins de son âme.

Elle s'acheta un plan de Paris, et, du bout de son doigt, sur la carte, elle faisait des courses dans la capitale. Elle remontait les boulevards, s'arrêtant à chaque angle, entre les lignes des rues, devant les carrés blancs qui figurent les maisons. Les yeux fatigués à la fin, elle fermait ses paupières, et elle voyait dans les ténèbres se tordre au vent des becs de gaz, avec des marchepieds de calèches [1] qui se déployaient à grand fracas devant le péristyle des théâtres. 5

Elle s'abonna à la Corbeille,[2] journal des femmes, et au Sylphe des salons. Elle dévorait, sans en rien passer, tous 10 les comptes-rendus de premières représentations, de courses et de soirées, s'intéressait aux débuts d'une chanteuse, à l'ouverture d'un magasin. Elle savait les modes nouvelles, l'adresse des bons tailleurs, les jours de Bois [3] ou d'Opéra. Elle étudia dans Eugène Sue [4] les descriptions d'ameuble- 15 ments; elle lut Balzac et George Sand, y cherchant des assouvissements imaginaires pour ses convoitises personnelles. A table même, elle apportait son livre, et elle tournait les feuillets, pendant que Charles mangeait en lui parlant. Le souvenir du Vicomte [5] revenait toujours dans 20 ses lectures. Entre lui et les personnages inventés, elle établissait des rapprochements. Mais le cercle dont il était le centre peu à peu s'élargit autour de lui, et cette auréole qu'il avait, s'écartant de sa figure, s'étala plus au loin, pour illuminer d'autres rêves. 25

[1] Marchepieds [*steps*] des voitures élégantes de l'époque.

[2] *Corbeille, Sylphe des salons:* titres imaginaires de journaux de dames.

[3] Les jours où les gens de la société allaient au Bois (de Boulogne, la promenade « fashionable » de Paris).

[4] (1804–1857) Romancier alors en vogue à Paris, auteur des *Mystères de Paris*, des *Sept péchés capitaux*, du *Juif errant*, etc.

[5] Chez qui elle avait été invitée comme femme du docteur Bovary et qui en flirtant légèrement avec elle lui avait fait vivre un peu de cette vie dont elle rêvait sans cesse.

Paris, plus vague que l'Océan, miroitait donc aux yeux d'Emma dans une atmosphère vermeille. . . .

Le pharmacien Homais et le prêtre Bournisien

Homais est resté un des plus fameux types créés par Flaubert: l'homme important du village, absolument sûr de lui-même, qui sait tout, se mêle de tout, arrange — et le plus souvent gâte — tout; toujours vantard, mais d'ailleurs peureux comme un lièvre, et qui s'enfuit dès qu'il voit un peu de sang, disant en langage solennel les choses les plus banales; niant avec assurance le surnaturel, se réclamant de Voltaire et de Rousseau.

En face de lui l'abbé Bournisien, aussi superficiel dans son domaine que Homais dans le sien, faisant intervenir indiscrètement la religion à toute occasion; se querellant avec Homais et lui opposant pour défendre l'Église les lieux communs qui ne persuadent personne.

On se rencontre à l'auberge du Lion d'or; c'est le soir où le Docteur Bovary et sa femme viennent s'établir à Yonville. On attend la diligence [*stage-coach*] « L'Hirondelle » qui doit amener les Bovary. Emma s'était ennuyée à mort à Tostes et espérait trouver des distractions dans une localité un peu plus importante.

Cependant, madame Lefrançois [1] alla, sur le seuil, regarder si l'*Hirondelle* n'arrivait pas. Elle tressaillit. Un
5 homme vêtu de noir entra tout à coup dans la cuisine. On distinguait aux dernières lueurs du crépuscule qu'il avait la figure rubiconde et le corps athlétique.

— Qu'y a-t-il pour votre service, monsieur le curé demanda la maîtresse d'auberge, tout en atteignant sur la
10 cheminée un des flambeaux de cuivre qui s'y trouvaient rangés en colonnade avec leurs chandelles; voulez-vous prendre quelque chose? un doigt de cassis,[2] un verre de vin?

L'ecclésiastique refusa fort civilement. Il venait chercher son parapluie qu'il avait oublié l'autre jour au couvent
15 d'Ernemont; et après avoir prié Mme Lefrançois de le lui faire remettre au presbytère dans la soirée, il sortit pour se rendre à l'église, où l'on sonnait l'*Angelus*.

---

[1] L'hôtesse du Lion d'Or, l'auberge d'Yonville.
[2] *A toothful of black currant liquor.*

Quand le pharmacien n'entendit plus sur la place le bruit de ses souliers,[1] il trouva fort inconvenante sa conduite de tout à l'heure. Ce refus d'accepter un rafraîchissement lui semblait une hypocrisie des plus odieuses; les prêtres godaillaient [2] tous sans qu'on les vît, et cherchaient à ramener le temps de la dîme.[3]

L'hôtesse prit la défense de son curé:

— D'ailleurs, il en plierait quatre comme vous sur son genou. Il a, l'année dernière, aidé nos gens à rentrer la paille; il en portait jusqu'à six bottes [4] à la fois, tant il est fort !

— Bravo ! dit le pharmacien. Envoyez donc vos filles à confesse à des gaillards d'un tempérament pareil ! Moi, si j'étais le gouvernement, je voudrais qu'on saignât les prêtres une fois par mois. Oui, madame Lefrançois, tous les mois, une large phlébotomie,[5] dans l'intérêt de la police et des mœurs !

— Taisez-vous donc, monsieur Homais, vous êtes un impie ! vous n'avez pas de religion !

Le pharmacien répondit:

— J'ai une religion, ma religion, et même j'en ai plus qu'eux tous, avec leurs mômeries et leurs jongleries ! [6] J'adore Dieu, au contraire ! Je crois en l'Être suprême, à un créateur, quel qu'il soit, peu m'importe, qui nous a placés ici-bas pour y remplir nos devoirs de citoyens et de pères de famille; mais je n'ai pas besoin d'aller dans une église baiser des plats d'argent, et engraisser [7] de ma poche un tas de farceurs, qui se nourrissent mieux que nous. Car on peut l'honorer aussi bien dans un bois, dans un champ,

---

[1] Le bruit des souliers du prêtre.
[2] Populaire, *tippled*.
[3] (*Tithe*) qu'on payait à l'Église avant la Révolution.
[4] Ici, *bundles*.
[5] (*Blood-letting*) grand mot pour faire admirer son savoir.
[6] *Mummeries and tricks*.
[7] *Fatten*.

ou même en contemplant la voûte éthérée, comme les anciens.   Mon Dieu, à moi, c'est le Dieu de Socrate, de Franklin, de Voltaire et de Béranger ! [1]   Je suis pour la *Profession de foi du vicaire savoyard* [2] et les immortels prin-
5 cipes de 89 ! [3]   Aussi, je n'admets pas un bonhomme de bon Dieu [4] qui se promène dans son parterre la canne à la main, loge ses amis dans le ventre des baleines,[5] meurt en poussant un cri, et ressuscite au bout de trois jours; — choses absurdes en elles-mêmes et complètement opposées,
10 d'ailleurs, à toutes les lois de la physique; ce qui nous démontre, en passant, que les prêtres ont toujours croupi dans une ignorance turpide, où ils s'efforcent d'engloutir avec eux les populations.

Il se tut, cherchant des yeux un public autour de lui,
15 car, dans son effervescence, le pharmacien un moment s'était cru en plein conseil municipal.   Mais la maîtresse d'auberge ne l'écoutait plus.   Elle tendait son oreille à un roulement éloigné.   On distingua le bruit d'une voiture mêlé à un claquement de fers lâches [6] qui battaient la
20 terre, et l'*Hirondelle* enfin s'arrêta devant la porte.

Charles et Emma Bovary sont à peine descendus de la diligence et ont à peine pris place à l'auberge pour dîner, que M. Homais s'assied auprès d'eux. Il va tout de suite se charger de les mettre au courant des affaires d'Yonville, et il fait en sorte que le pharmacien soit l'homme important tandis que le docteur deviendrait si possible son satellite.

Emma Bovary n'a pas tardé à faire jouer ses charmes et à attirer des hommes qui lui feront la cour. Aux premiers temps, elle éprouve bien quelques remords — résultat de son éducation dans un couvent.

---

[1] (V. vol. I de cet ouvrage, p. 535, la chanson de Béranger, *Le Dieu des bonnes Gens*.

[2] Le célèbre morceau où Rousseau proclame les droits de la *religion naturelle* alors que l'Église ne reconnaissait comme valable que la *religion révélée*.   Sur ce point Rousseau s'accordait avec Voltaire.

[3] Les principes des « Droits de l'Homme » proclamés par la Révolution après 1789.

[4] Allusion au Jardin d'Éden.

[5] L'histoire du Prophète Jonas.

[6] *Clapping of loose horseshoes.*

Mais elle se laissera glisser d'un flirt avec le clerc de notaire, Léon, à l'amour romanesque avec le bellâtre [1] Rodolphe, dont le domaine n'est qu'à quelque distance d'Yonville; puis, quand elle se voit abandonnée par Rodolphe qui ne se soucie pas de fuir avec elle, elle finit par s'abandonner à un amour vulgaire avec l'ancien flirt Léon qui est maintenant à Rouen où elle se rend sous prétexte de leçons de musique. Elle s'enfonce dans les dettes, encouragée par l'usurier Lheureux.

Un jour tout croule; l'huissier est arrivé à la maison; elle ne pourra plus cacher ses dettes à son mari. Avant le retour de Bovary, elle veut tout essayer; affolée, elle court chez Lheureux, chez le notaire, même chez son ancien amoureux Rodolphe qui la reçoit froidement. Alors éperdue, elle rentre à Yonville; la nuit tombait; elle veut mourir. Elle sait où le pharmacien garde son bocal [2] d'arsenic; elle se fait ouvrir la porte par le garçon Justin qui a pour la grande dame du village une adoration muette, et celle-ci sait en profiter; il ne peut rien lui refuser:

La Mort d'Emma Bovary

Ces pages sont parmi les plus célèbres de Flaubert. Il raconte lui-même dans une lettre à son amie George Sand, qu'en composant ces scènes il avait dans la gorge comme la sensation du goût affreux de l'arsenic avec lequel Emma Bovary s'était empoisonnée, tant il vivait la vie de ses personnages.

Alors sa situation, telle qu'un abîme, se représenta. Elle haletait [3] à se rompre la poitrine. Puis, dans un transport d'héroïsme qui la rendait presque joyeuse, elle descendit la côte en courant, traversa la planche aux vaches, le sentier, l'allée, les halles, et arriva devant la boutique du 5 pharmacien.

Il n'y avait personne. Elle allait entrer; mais, au bruit de la sonnette on pouvait venir; et, se glissant par la barrière, retenant son haleine, tâtant les murs, elle s'avança jusqu'au seuil de la cuisine, où brûlait une chandelle posée 10 sur le fourneau. Justin, en manches de chemise, emportait un plat.

---

[1] Type sans caractère, qui a des prétentions à la beauté, peut-être à l'esprit.

[2] *Jar.*   [3] *Was gasping for breath.*

—Ah ! ils dînent. Attendons.

Il revint. Elle frappa contre la vitre. Il sortit.

—La clef ! celle d'en haut, où sont les . . .

—Comment !

5   Et il la regardait, tout étonné par la pâleur de son visage, qui tranchait en blanc sur le fond noir de la nuit. Elle lui apparut extraordinairement belle et majestueuse comme un fantôme; sans comprendre ce qu'elle voulait, il pressentait quelque chose de terrible.

10   Mais elle reprit vivement, à voix basse, d'une voix douce, dissolvante [1]:

—Je la veux ! donne-la-moi.

Comme la cloison était mince, on entendait le cliquetis des fourchettes sur les assiettes dans la salle à manger.

15   Elle prétendit avoir besoin de tuer des rats qui l'empêchaient de dormir.

—Il faudrait que j'avertisse Monsieur.

—Non ! reste ! Puis, d'un air indifférent: —Eh ! ce n'est pas la peine, je lui dirai tantôt. Allons, éclaire-moi !

20   Elle entra dans le corridor où s'ouvrait la porte du laboratoire. Il y avait contre la muraille une clef étiquetée *Capharnaüm*.[2]

—Justin ! cria l'apothicaire, qui s'impatientait.

—Montons !

25   Et il la suivit.

La clef tourna dans la serrure, et elle alla droit vers la troisième tablette, tant son souvenir la guidait bien, saisit le bocal bleu, en arracha le bouchon, y fourra sa main, et, la retirant pleine d'une poudre blanche, elle se mit à manger
30 à même.

—Arrêtez ! s'écria-t-il en se jetant sur elle.

—Tais-toi ! on viendrait.

---

[1] Faisant fondre (dissoudre) toute objection possible.

[2] *Labelled Capharnaüm.* On appelle ainsi un lieu renfermant des objets rassemblés confusément, une sorte de grenier ou une boutique de brocanteur. (C'est originairement le nom d'une ville de Galilée.)

Il se désespérait, voulait appeler.

— N'en dis rien; tout retomberait sur ton maître !

Puis elle s'en retourna subitement apaisée, et presque dans la sérénité d'un devoir accompli.

Quand Charles, bouleversé par la nouvelle de la saisie, 5
était rentré à la maison, Emma venait d'en sortir. Il cria, pleura, s'évanouit, mais elle ne revint pas. Où pouvait-elle être ? Il envoya Félicité [1] chez Homais, chez monsieur Tuvache,[2] chez Lheureux,[3] au *Lion d'or*, partout; et, dans les intermittences de son angoisse, il voyait sa considéra- 10
tion anéantie, leur fortune perdue, l'avenir de Berthe [4] brisé ! Par quelle cause ?... Pas un mot ! Il attendit jusqu'à six heures du soir. Enfin, n'y pouvant plus tenir, et imaginant qu'elle était partie pour Rouen, il alla sur la grande route, fit une demi-lieue, ne rencontra personne, 15
attendit encore et s'en revint.

Elle était rentrée.

— Qu'y avait-il ?... Pourquoi ?... Explique-moi ?...

Elle s'assit à son secrétaire, et écrivit une lettre qu'elle cacheta lentement, ajoutant la date du jour et de l'heure. 20
Puis elle dit d'un ton solennel:

— Tu la liras demain; d'ici là, je t'en prie, ne m'adresse pas une seule question !... Non ! pas une !

— Mais...

— Oh ! laisse-moi !   25

Et elle se coucha tout du long, sur son lit.

Une saveur âcre qu'elle sentait dans sa bouche la réveilla. Elle entrevit Charles et referma les yeux.

Elle s'épiait curieusement, pour discerner si elle ne souffrait pas. Mais non ! rien encore. Elle entendait le batte- 30
ment de la pendule, le bruit du feu, et Charles, debout près de sa couche, qui respirait.

— Ah ! c'est bien peu de chose, la mort ! pensait-elle. Je vais m'endormir, et tout sera fini !

[1] La servante.   [2] Le maire.
[3] L'usurier.   [4] Leur enfant.

Elle but une gorgée d'eau et se tourna vers la muraille. Cet affreux goût d'encre continuait.

— J'ai soif ! oh ! j'ai bien soif ! soupira-t-elle.

— Qu'as-tu donc ? dit Charles, qui lui tendait un verre.

5 — Ce n'est rien ! ... ouvre la fenêtre ... j'étouffe !

Et elle fut prise d'une nausée si soudaine qu'elle eut à peine le temps de saisir son mouchoir sous l'oreiller.

— Enlève-le ! dit-elle vivement; jette-le !

Il la questionna. Elle ne répondit pas. Elle se tenait
10 immobile, de peur que la moindre agitation ne la fît vomir. Cependant, elle sentait un froid de glace qui lui montait des pieds jusqu'au cœur.

— Ah voilà que ça commence ! murmura-t-elle.

— Que dis-tu ?

15 Elle roulait sa tête avec un geste doux, plein d'angoisses et tout en ouvrant continuellement les mâchoires, comme si elle eût porté sur sa langue quelque chose de très lourd. A huit heures, les vomissements reparurent.

Charles observa qu'il y avait au fond de la cuvette une
20 sorte de gravier blanc, attaché aux parois de la porcelaine.

— C'est extraordinaire ! c'est singulier ! répéta-t-il.

Mais elle dit d'une voix forte:

— Non, tu te trompes !

Alors, délicatement et presque en la caressant, il lui passa
25 la main sur l'estomac. Elle jeta un cri aigu. Il se recula tout effrayé.

Puis elle se mit à geindre, faiblement d'abord. Un grand frisson lui secouait les épaules, et elle devenait plus pâle que le drap où s'enfonçaient ses doigts crispés. Son pouls
30 inégal était presque insensible maintenant.

Des gouttes suintaient sur sa figure bleuâtre, qui semblait comme figée dans l'exhalaison d'une vapeur métallique. Ses dents claquaient, ses yeux agrandis regardaient vaguement autour d'elle, et à toutes les questions elle ne
35 répondait qu'en hochant la tête; même elle sourit deux ou trois fois. Peu à peu ses gémissements furent plus forts.

Un hurlement sourd lui échappa; elle prétendit qu'elle allait mieux et qu'elle se lèverait tout à l'heure. Mais les convulsions la saisirent; elle s'écria:

— Ah! c'est atroce, mon Dieu!

Il se jeta à genoux contre son lit.

— Parle! qu'as-tu mangé? Réponds, au nom du ciel!

Et il la regardait avec des yeux d'une tendresse comme elle n'en avait jamais vu.

— Eh bien, là ..., là!... dit-elle d'une voix défaillante.

Il bondit au secrétaire, brisa le cachet et lut tout haut: *Qu'on n'accuse personne*... Il s'arrêta, se passa la main sur les yeux, relut encore.

— Comment! Au secours! à moi!

Et il ne pouvait que répéter ce mot: « Empoisonnée; empoisonnée »! Félicité courut chez Homais, qui s'exclama sur la place; Mme Lefrançois l'entendit au *Lion d'or*, quelques-uns se levèrent pour l'apprendre à leurs voisins, et toute la nuit le village fut en éveil.

Pâle, éperdu, balbutiant, près de tomber, Charles tournait dans la chambre. Il se heurtait aux meubles, s'arrachait les cheveux, et jamais le pharmacien n'avait cru qu'il pût y avoir de si épouvantable spectacle.

Il revint chez lui pour écrire à M. Canivet et au docteur Larivière. Il perdait la tête; il fit plus de quinze brouillons. Hippolyte partit à Neufchâtel, et Justin talonna si fort le cheval de Bovary, qu'il le laissa dans la côte du Bois-Guillaume, fourbu et aux trois quarts crevé.

Charles voulut feuilleter son dictionnaire de médecine; il n'y voyait pas; les lignes dansaient.

— Du calme! dit l'apothicaire. Il s'agit seulement d'administrer quelque puissant antidote. Quel est le poison?

Charles montra la lettre. C'était de l'arsenic.

— Eh bien! reprit Homais, il faudrait en faire l'analyse.

Car il savait qu'il faut, dans tous les empoisonnements, faire une analyse; et l'autre, qui ne comprenait pas, répondit:

— Ah ! faites ! faites ! sauvez-la.

Puis, revenu près d'elle, il s'affaissa par terre sur le tapis, et il restait la tête appuyée contre le bord de sa couche, à sangloter.

5 — Ne pleure pas ! lui dit-elle. Bientôt je ne te tourmenterai plus !

— Pourquoi ? Qui t'a forcée ?

Elle répliqua:

— Il le fallait, mon ami.

10 — N'étais-tu pas heureuse ? Est-ce ma faute ? J'ai fait tout ce que j'ai pu pourtant !

— Oui . . . c'est vrai . . . tu es bon, toi !

Et elle lui passait la main dans les cheveux, lentement; mais la douceur de cette sensation surchargeait sa tristesse;
15 il sentait tout son être s'écrouler de désespoir à l'idée qu'il fallait la perdre, quand au contraire elle avouait pour lui plus d'amour que jamais; et il ne trouvait rien; il ne savait pas, il n'osait, l'urgence d'une résolution immédiate achevant de le bouleverser.

20 Elle en avait fini, songeait-elle, avec toutes les trahisons, les bassesses et les innombrables convoitises qui la torturaient. Elle ne haïssait personne maintenant; une confusion de crépuscule s'abattait en sa pensée, et de tous les bruits de la terre Emma n'entendait plus que l'intermit-
25 tente lamentation de ce pauvre cœur, douce et indistincte comme le dernier écho d'une symphonie qui s'éloigne. ○ ○ ○

Puis les symptômes s'arrêtèrent un moment; elle paraissait moins agitée; et à chaque parole insignifiante, à chaque souffle de sa poitrine un peu plus calme il reprenait
30 espoir. Enfin, lorsque Canivet [1] entra, il se jeta dans ses bras en pleurant.

— Ah ! c'est vous ! merci ! vous êtes bon ! Mais tout va mieux. Tenez, regardez-la !

Le confrère ne fut nullement de cette opinion, et n'y
35 allant pas, comme il le disait lui-même, *par quatre chemins,* [2]

---

[1] Le docteur du voisinage. [2] *Beating around the bush.*

il prescrivit de l'émétique, afin de dégager complètement l'estomac.

Elle ne tarda pas à vomir du sang. Ses lèvres se serrèrent davantage. Elle avait les membres crispés, le corps couvert de taches brunes, et son pouls glissait sous les doigts 5 comme un fil tendu, comme une corde de harpe près de se rompre.

Puis elle se mettait à crier horriblement. Elle maudissait le poison, l'invectivait, le suppliait de se hâter, et repoussait de ses bras raidis tout ce que Charles, plus agonisant qu'elle, 10 s'efforçait de lui faire boire. Il était debout, son mouchoir sur les lèvres, râlant, pleurant, et suffoqué par des sanglots qui le secouaient jusqu'aux talons; Félicité courait çà et là dans la chambre; Homais, immobile, poussait de gros soupirs, et M. Canivet, gardant toujours son aplomb, com- 15 mençait néanmoins à se sentir troublé.

— Diable!... cependant... elle est purgée, et du moment que la cause cesse...

— L'effet doit cesser, reprit Homais; c'est évident.

— Mais sauvez-la! exclamait Bovary. 20

Aussi, sans écouter le pharmacien qui hasardait encore cette hypothèse: « C'est peut-être un paroxysme salutaire,» Canivet allait administrer de la thériaque,[1] lorsqu'on entendit le claquement d'un fouet; toutes les vitres frémirent, et une berline[2] de poste qu'enlevaient à plein 25 poitrail[3] trois chevaux crottés jusqu'aux oreilles, débusqua d'un bond au coin des halles. C'était le docteur Larivière.

L'apparition d'un dieu n'eût pas causé plus d'émoi. Bovary leva les mains, Canivet s'arrêta court, et Homais retira son bonnet grec[4] bien avant qu'il fût entré. ⚬⚬⚬ 30

---

[1] Une médecine à base d'opiat.

[2] Grande voiture à quatre roues, haut suspendue sur des ressorts et recouverte d'une capote.

[3] *With all their strength.*

[4] Ou bonnet Phrygien, emblème de la coiffure révolutionnaire; en le portant Homais voulait affirmer ses idées avancées.

Mais le grand spécialiste de Rouen comprit que tout était fini, demeura indifférent aux empressements de M. Homais qui espérait le traiter en collègue, et voyant son intervention inutile s'en alla.

Quelques moments après arrivait l'abbé Bournisien apportant les saintes huiles pour l'extrême onction, l'un des sept sacrements de l'Église (rattaché au texte de l'*Epître de saint Jacques* V. 14 et 15) et qui se confère en appliquant les saintes huiles sur un malade en danger de mort (la cérémonie va être décrite par Flaubert):

La chambre, quand ils [le prêtre et Canivet] y entrèrent, était toute pleine d'une solennité lugubre. Il y avait sur la table à ouvrage, recouverte d'une serviette blanche, cinq ou six petites boules de coton dans un plat d'argent, près
5 d'un gros crucifix, entre deux chandeliers qui brûlaient. Emma, le menton contre sa poitrine, ouvrait démesurément les paupières: et ses pauvres mains se traînaient sur les draps, avec ce geste hideux et doux des agonisants qui semblent vouloir déjà se recouvrir du suaire. Pâle comme
10 une statue, et les yeux rouges comme des charbons, Charles, sans pleurer, se tenait en face d'elle, au pied du lit, tandis que le prêtre, appuyé sur un genou, marmottait des paroles basses.

Elle tourna sa figure lentement, et parut saisie de joie à
15 voir tout à coup l'étole [1] violette, sans doute retrouvant au milieu d'un apaisement extraordinaire la volupté perdue de ses premiers élancements mystiques,[2] avec des visions de béatitude éternelle qui commençaient.

Le prêtre se releva pour prendre le crucifix; alors elle
20 allongea le cou comme quelqu'un qui a soif, et collant ses lèvres sur le corps de l'Homme-Dieu, elle y déposa de toute sa force expirante le plus grand baiser d'amour qu'elle eût jamais donné. Ensuite il récita le *Misereatur* [3]

[1] Ornement sacerdotal formé d'une large bande élargie en palette à chaque extrémité et qui retombe sur le devant et sur le dos de l'officiant.

[2] Allusion aux jours de couvent d'Emma Bovary qui ont été décrits quelques pages plus haut dans ce livre.

[3] Le *Misereatur*, partie du service de la sainte messe: « Que le Dieu

et l'*Indulgentiam*,[1] trempa son pouce droit dans l'huile et
commença les onctions: d'abord sur les yeux, qui avaient
tant convoité toutes les somptuosités terrestres; puis sur
les narines, friandes de brises tièdes et de senteurs amoureuses; puis sur la bouche, qui s'était ouverte pour le 5
mensonge, qui avait gémi d'orgueil et crié dans la luxure[2];
puis sur les mains, qui se délectaient aux contacts suaves, et
enfin sur la plante des pieds, si rapides autrefois quand elle
courait à l'assouvissement [3] de ses désirs et qui maintenant
ne marcheraient plus. 10

Le curé s'essuya les doigts, jeta dans le feu les brins de
coton trempés d'huile, et revint s'asseoir près de la mori-
bonde pour lui dire qu'elle devait à présent joindre ses
souffrances à celles de Jésus-Christ et s'abandonner à la
miséricorde divine. 15

En finissant ses exhortations, il essaya de lui mettre dans
la main un cierge bénit, symbole des gloires célestes dont
elle allait tout à l'heure être environnée. Mais Emma, trop
faible, ne put fermer les doigts, et le cierge, sans M.
Bournisien, serait tombé à terre. 20

Cependant elle n'était plus aussi pâle, et son visage avait
une expression de sérénité, comme si le sacrement l'eût
guérie.

。。。Elle regarda tout autour d'elle, lentement, comme
quelqu'un qui se réveille d'un songe; puis, d'une voix dis- 25
tincte, elle demanda son miroir, et elle resta penchée dessus
quelque temps, jusqu'au moment où de grosses larmes lui
découlèrent des yeux. Alors elle se renversa la tête en
poussant un soupir et retomba sur l'oreiller.

---

tout-puissant vous fasse miséricorde (*misereatur*), et qu'après vous
avoir pardonné vos péchés, il vous conduise à la vie éternelle! »
Les fidèles répondent: « Amen! »

[1] L'*Indulgentiam* suit le *Misereatur*: « Que le Seigneur tout-
puissant et miséricordieux nous accorde le pardon (*indulgentiam*),
l'absolution et la rémission de nos péchés! » Les fidèles répondent:
« Amen! »

[2] *Lust.*   [3] *Satiating.*

Sa poitrine aussitôt se mit à haleter rapidement. La langue tout entière lui sortit hors de la bouche; ses yeux, en roulant, pâlissaient comme deux globes de lampes qui s'éteignent, à la croire déjà morte, sans l'effrayante accélé-
5 ration de ses côtes secouées par un souffle furieux, comme si l'âme eût fait des bonds pour se détacher. ... Bournisien s'était remis en prière, la figure inclinée contre le bord de la couche, avec sa longue soutane noire qui traînait derrière lui dans l'appartement. Charles était de l'autre côté, à
10 genoux, les bras étendus vers elle [Emma]. Il avait pris ses mains et il les serrait, tressaillant à chaque battement de son cœur, comme au contre-coup d'une ruine qui tombe. A mesure que le râle devenait plus fort, l'ecclé-siastique précipitait ses oraisons: elles se mêlaient aux
15 sanglots étouffés de Bovary, et quelquefois tout semblait disparaître dans le sourd murmure des syllabes latines, qui tintaient comme un glas de cloche. ...

Un instant après, elle eut une dernière convulsion: « Tous s'ap-prochèrent. Elle n'existait plus. »

Un empoisonnement et un suicide étaient un scandale pour le pays. Homais écrivit un article dans la feuille du district pour sauver la réputation de son village; il affirmait qu'Emma Bovary, en faisant de la crème à la vanille, avait pris de l'arsenic pensant que c'était du sucre.
Charles Bovary est exploité honteusement par des créanciers d'Emma, qui profitent de son découragement et de son incapacité à se défendre. Il fait faire une belle pierre tombale ... Un jour, il découvre les lettres d'amour ... Un autre jour, il aperçoit Rodolphe, et il lui pardonne. Mais c'est un homme fini, et quelque temps après il s'affaisse, mort, dans son jardin.

Parler aussi ouvertement d'adultère que le fit Flaubert dans ce roman, fut considéré comme une grande hardiesse. Aussi, Flaubert fut-il poursuivi devant les tribunaux comme ayant écrit un livre immoral. Il fut acquitté après un procès qui fit grand bruit. Il faut rappeler à ce propos un autre roman, *Fanny* par Ernest Feydau (1821-1873) qui parut peu après et créa une sensation presque aussi grande que celui de Flaubert parce que, là aussi, le récit reposait sur un cas d'adultère. Comme chez Flaubert, le sujet est traité

avec une discrétion de langage qu'on a cessé d'observer depuis dans
beaucoup de romans rangés sous le nom de littérature (v. la principale
scène incriminée, sur un balcon). Néanmoins, on a parfois affirmé
que Feydau avait publié son roman avec l'idée de profiter du succès
de scandale obtenu par Madame Bovary.

Salammbô (1862)

C'est dans le grand roman de *Salammbô* que Flaubert combine le
plus décidément les éléments romantiques et les éléments réalistes.
Le sujet est romantique, très romantique — quand du moins le
réalisme se définit comme la reproduction d'événements de la vie de
tous les jours. Les scènes se succèdent émouvantes, sinistres, terribles, et Flaubert doit les composer par imagination; dans *Madame
Bovary* la fiction du roman était limitée par son observation personnelle du milieu de ses personnages; ici elle est dépendante de la
documentation livresque. Il a lu, en effet, toute une bibliothèque
avant de tenter cette reconstitution de la Carthage antique, scène de
son récit. C'est une étude d'archéologie presque autant qu'un roman
dans le sens ordinaire du terme. Il a été tantôt hautement loué pour
la réussite de sa tentative, tantôt critiqué sévèrement pour avoir
présenté une Carthage de fantaisie.[1]

L'action se passe au IIIe siècle avant J.-C. entre la première et la
seconde guerre punique, alors que Rome et Carthage se disputent la
Sicile.

Carthage n'a pas payé ses mercenaires qui réclament leur solde
sous la conduite d'un puissant Africain, Mathô. Le conflit se ter-
minera par l'écrasement des mercenaires, grâce à l'intervention d'Hamilcar, père d'Hannibal.

Le récit romanesque, qui est d'ailleurs souvent sacrifié délibérément
à la grande lutte entre mercenaires et Carthaginois, est celui de la
passion de Mathô, le chef lybien, pour Salammbô, fille d'Hamilcar, et
donc sœur d'Hannibal, alors tout jeune. Salammbô adore la
déesse Tanit qui est la protectrice de Carthage. Hamilcar a dû quitter
la ville à la suite d'intrigues politiques; il cache avec soin son fils
Hannibal pour lequel il éprouve un amour paternel sauvage.

Le livre s'ouvre par une scène d'orgie des mercenaires, célébrant
l'anniversaire d'une victoire; la fête a lieu dans les jardins d'Hamilcar
exilé, qui se trouvent dans un faubourg de Carthage. Il y avait là

---

[1] On trouvera une critique autorisée de la reconstitution historique
de Carthage par Flaubert, dans l'article de M. Pézard, « Salammbô et
l'archéologie punique » (*Mercure de France*, 16 févr. 1908).

des hommes de toutes les nations, des Ligures, des Lusitaniens, des Baléares, des Nègres et des fugitifs de Rome. Ce fut au milieu des cris, du tumulte, des disputes, de l'ivresse générale que parut tout à coup, sortant du palais d'Hamilcar, la surprenante vision de Salammbô entourée des prêtres de Tanit, déesse de la Lune, protectrice de Carthage:

Salammbô

La houle des soldats se poussait. Ils n'avaient plus peur. Ils recommençaient à boire. Les parfums qui leur coulaient du front mouillaient de gouttes larges leurs tuniques en lambeaux, et, s'appuyant des deux poings sur
5 les tables qui leur semblaient osciller comme des navires, ils promenaient à l'entour leurs gros yeux ivres, pour dévorer par la vue ce qu'ils ne pouvaient prendre. D'autres, marchant tout au milieu des plats sur les nappes de pourpre, cassaient à coups de pied les escabeaux d'ivoire et les
10 fioles tyriennes en verre.[1] Les chansons se mêlaient au râle des esclaves agonisant parmi les coupes brisées. Ils demandaient du vin, des viandes, de l'or. Ils criaient pour avoir des femmes. Ils déliraient en cent langages. Quelques-uns se croyaient aux étuves, à cause de la buée qui
15 flottait autour d'eux, ou bien, apercevant des feuillages, ils s'imaginaient être à la chasse et couraient sur leurs compagnons comme sur des bêtes sauvages. L'incendie[2] de l'un à l'autre gagnait tous les arbres, et les hautes masses de verdure, d'où s'échappaient de longues spirales blanches,
20 semblaient des volcans qui commencent à fumer. La clameur redoublait; les lions blessés rugissaient dans l'ombre.

Le palais s'éclaira d'un seul coup à sa plus haute terrasse, la porte du milieu s'ouvrit, et une femme, la fille d'Hamilcar

---

[1] Fines bouteilles fabriquées à Tyr, capitale de l'ancienne Phénicie, patrie des ancêtres d'Hamilcar.

[2] L'incendie allumé par les soldats ivres et qui dévorait les alentours du palais; entre autres il menaçait une enceinte où étaient gardés des lions en captivité.

elle-même, couverte de vêtements noirs, apparut sur le
seuil. Elle descendit le premier escalier qui longeait obliquement le premier étage, puis le second, le troisième, et
elle s'arrêta sur la dernière terrasse, au haut de l'escalier
des galères. Immobile et la tête basse, elle regardait les 5
soldats.

Derrière elle, de chaque côté, se tenaient deux longues
théories[1] d'hommes pâles, vêtus de robes blanches à
franges rouges qui tombaient droit sur leurs pieds. Ils
n'avaient pas de barbe, pas de cheveux, pas de sourcils. 10
Dans leurs mains étincelantes d'anneaux ils portaient
d'énormes lyres et chantaient tous, d'une voix aiguë, un
hymne à la divinité de Carthage. C'étaient les prêtres
eunuques du temple de Tanit, que Salammbô appelait
souvent dans sa maison. 15

Enfin elle descendit l'escalier des galères. Les prêtres
la suivirent. Elle s'avança dans l'avenue des cyprès, et
elle marchait lentement entre les tables des capitaines, qui
se reculaient un peu en la regardant passer.

Sa chevelure, poudrée d'un sable[2] violet, et réunie en 20
forme de tour selon la mode des vierges chananéennes,[3] la
faisait paraître plus grande. Des tresses de perles attachées à ses tempes descendaient jusqu'aux coins de sa
bouche, rose comme une grenade entr'ouverte. Il y avait
sur sa poitrine un assemblage de pierres lumineuses, imi- 25
tant par leur bigarrure les écailles d'une murène.[4] Ses
bras garnis de diamants, sortaient nus de sa tunique sans
manches, étoilée de fleurs rouges sur un fond tout noir.
Elle portait entre les chevilles une chaînette d'or pour
régler sa marche, et son grand manteau de pourpre sombre, 30

[1] Terme antique, processions sacrées.

[2] Ici, poudre.

[3] Les Carthaginois étaient d'origine phénicienne, de Tyr et Sidon;
et la Phénicie est la langue de terre sur la mer, à l'occident de la
Syrie qui, elle-même, fait partie de la région chananéenne.

[4] *Muræna*, poisson de mer de forme allongée, comme les anguilles
(*eels*), et aux écailles brillantes.

taillé dans une étoffe inconnue, traînait derrière elle, faisant à chacun de ses pas comme une large vague qui la suivait.

Les prêtres, de temps à autre, pinçaient sur leurs lyres
5 des accords presque étouffés et dans les intervalles de la musique, on entendait le petit bruit de la chaînette d'or avec le claquement régulier de ses sandales en papyrus.

Personne encore ne la connaissait. On savait seulement qu'elle vivait retirée dans des pratiques pieuses. Des sol-
10 dats l'avaient aperçue la nuit, sur le haut de son palais, à genoux devant les étoiles, entre les tourbillons des cassolettes [1] allumées. C'était la lune qui l'avait rendue si pâle, et quelque chose des Dieux l'enveloppait comme une vapeur subtile. Ses prunelles semblaient regarder tout au
15 loin au delà des espaces terrestres. Elle marchait en inclinant la tête et tenait à sa main droite une petite lyre d'ébène.

Ils l'entendaient murmurer:

— Morts ! Tous morts ! [2] Vous ne viendrez plus
20 obéissant à ma voix, quand, assise sur le bord du lac, je vous jetais dans la gueule des pépins de pastèques ! Le mystère de Tanit roulait au fond de vos yeux, plus limpides que les globules des fleuves. — Et elle les appelait par leurs noms, qui étaient les noms des mois. — Siv, Sivan, Tam-
25 mouz, Eloul, Tischri, Schebav ! Ah ! pitié pour moi, Déesse.

Les soldats, sans comprendre ce qu'elle disait, se tassaient autour d'elle. Ils s'ébahissaient de sa parure. Elle promena sur eux un long regard épouvanté; puis,
30 s'enfonçant la tête dans les épaules en écartant les bras, elle répéta plusieurs fois:

— Qu'avez-vous fait ! Qu'avez-vous fait !

— Vous aviez cependant, pour vous réjouir, du pain, des

---

[1] *Scent-pans*.
[2] *Morts*, les poissons sacrés qu'elle associait au culte de Tanit, et que les mercenaires avaient fait cuire.

viandes, de l'huile, tout le molobathre [1] des greniers !
J'avais fait venir des bœufs d'Hécatompyle, j'avais envoyé
des chasseurs dans le désert ! Sa voix s'enflait, ses joues
s'empourpraient. Elle ajouta: Où êtes-vous donc, ici ?
Est-ce dans une ville conquise, ou dans le palais d'un   5
maître ? Et quel maître ? le suffète [2] Hamilcar mon père,
serviteur des Baals [3] ! En connaissez-vous un dans vos patries qui sache mieux conduire les batailles? Regardez
donc ! les marches de notre palais sont encombrées par nos
victoires ! Continuez ! brûlez-le ! J'emporterai avec moi le 10
Génie de ma maison, mon serpent noir qui dort là-haut sur
des feuilles de lotus ! Je sifflerai, il me suivra; et, si je
monte en galère, il courra dans le sillage de mon navire sur
l'écume des flots.

Ses narines minces palpitaient. Elle écrasait ses ongles 15
contre les pierreries de sa poitrine. Ses yeux s'alanguirent;
elle reprit:

— Ah ! pauvre Carthage ! lamentable ville ! Tu n'as
plus pour te défendre les hommes forts d'autrefois, qui
allaient au delà des océans bâtir des temples sur les ri- 20
vages. Tous les pays travaillaient autour de toi, et les
plaines de la mer, labourées par tes rames, balançaient
tes moissons.

Alors elle se mit à chanter les aventures de Melkarth, [4]
dieu des Sidoniens et père de sa famille. 25

Elle disait l'ascension des montagnes d'Ersiphonie, le
voyage à Tartessus, et la guerre contre Masisabal pour
venger la reine des serpents:

— Il poursuivait dans la forêt le monstre femelle dont la
queue ondulait sur les feuilles mortes comme un ruisseau 30
d'argent; et il arriva dans une prairie où des femmes, à

---

[1] Qu'est cet aliment? Au chapitre *Hamilcar-Barca*, on lit: «Le
Chef-des-Odeurs-Suaves offrit au Sudète [Hamilcar] sur une cuiller
un peu de molobathre à goûter.»

[2] Magistrat suprême de Carthage.

[3] Divinités chananéennes, souvent mentionnés dans la Bible.

[4] Dieu des Sidoniens (v. Note 3, p. 131).

croupe de dragon, se tenaient autour d'un grand feu,
dressées sur la pointe de leur queue. La lune, couleur de
sang, resplendissait dans un cercle pâle, et leurs langues
écarlates, fendues comme des harpons de pêcheurs, s'allon-
5 geaient en se recourbant jusqu'au bord de la flamme.

Puis Salammbô, sans s'arrêter, raconta comment Melkarth, après avoir vaincu Masisabal, mit à la proue du
navire sa tête coupée. — A chaque battement des flots,
elle s'enfonçait sous l'écume; mais le soleil l'embaumait;
10 elle se fit plus dure que l'or; les yeux ne cessaient point de
pleurer, et les larmes, continuellement, tombaient dans
l'eau.

Elle chantait tout cela dans un vieil idiome chananéen
que n'entendaient pas les Barbares. Ils se demandaient ce
15 qu'elle pouvait leur dire avec les gestes effrayants dont
elle accompagnait son discours; — et montés autour
d'elle sur les tables, sur les lits, dans les rameaux des
sycomores, la bouche ouverte et allongeant la tête, ils
tâchaient de saisir ces vagues histoires qui se balançaient
20 devant leur imagination, à travers l'obscurité des théo-
gonies,[1] comme des fantômes dans les nuages.

Seuls, les prêtres sans barbe comprenaient Salammbô.
Leurs mains ridées, pendant sur les cordes des lyres,
frémissaient, et de temps à autre en tiraient un accord
25 lugubre: car, plus faibles que des vieilles femmes, ils
tremblaient à la fois d'émotion mystique, et de la peur
que leur faisaient les hommes. Les Barbares ne s'en
souciaient; ils écoutaient toujours la vierge chanter.

Aucun ne la regardait comme un jeune chef numide
30 placé aux tables des capitaines, parmi des soldats de sa
nation. Sa ceinture était si hérissée de dards, qu'elle
faisait une bosse dans son large manteau, noué à ses tempes
par un lacet de cuir. L'étoffe, bâillant sur ses épaules,
enveloppait d'ombre son visage, et l'on n'apercevait que
35 les flammes de ses deux yeux. C'était par hasard qu'il se

---

[1] Filiations, systèmes de divinités nationales.

trouvait au festin, — son père le faisant vivre chez les
Barca, selon la coutume des rois qui envoyaient leurs
enfants dans les grandes familles pour préparer des al-
liances.   Depuis six mois que Narr'Havas y logeait, il
n'avait point encore aperçu Salammbô; et, assis sur les 5
talons, la barbe baissée vers les hampes de ses javelots, il la
considérait en écartant les narines, comme un léopard qui
est accroupi dans les bambous.

Salammbô adorant Tanit

La lune se levait à ras des flots, et, sur la ville encore
couverte de ténèbres, des points lumineux, des blancheurs 10
brillaient:

Salammbô monta sur la terrasse de son palais, soutenue
par une esclave qui portait dans un plat de fer des charbons enflammés.

Il y avait au milieu de la terrasse un petit lit d'ivoire, 15
couvert de peaux de lynx avec des coussins en plume de
perroquet, animal fatidique consacré aux Dieux, et dans
les quatre coins s'élevaient quatre longues cassolettes remplies de nard, d'encens, de cinnamome et de myrrhe.
L'esclave alluma les parfums.   Salammbô regarda l'étoile 20
polaire; elle salua lentement les quatre points du ciel
et s'agenouilla sur le sol parmi la poudre d'azur qui était
semée d'étoiles d'or à l'imitation du firmament.   Puis
les deux coudes contre les flancs, les avant-bras tout droits
et les mains ouvertes, en se renversant la tête sous les rayons 25
de la lune, elle dit:

— O Rabbetna!... Baalet!... Tanit! et sa voix se
traînait d'une façon plaintive, comme pour appeler quelqu'un. — Anaïtis! Astarté! Derceto! Astoreth! My-
litta! Athara! Elissa! Tiratha!... Par les symboles 30
cachés, — par les cistres résonnants, — par les sillons de
la terre, — par l'éternel silence et par l'éternelle fécondité,

— dominatrice de la mer ténébreuse et des plages azurées, ô Reine des choses humides, salut !

Elle se balança tout le corps deux ou trois fois, puis se jeta le front dans la poussière, les bras allongés.

5 Son esclave la releva lestement, car il fallait, d'après les rites, que quelqu'un vînt arracher le suppliant à sa prosternation; c'était lui dire que les Dieux l'agréaient, et la nourrice de Salammbô ne manquait jamais à ce devoir de piété.

10 Des marchands de la Gétulie Darytienne [1] l'avaient toute petite apportée à Carthage, et après son affranchissement elle n'avait pas voulu abandonner ses maîtres, comme le prouvait son oreille droite, percée d'un large trou. Un jupon à raies multicolores, en lui serrant les hanches, 15 descendait sur ses chevilles, où s'entre-choquaient deux cercles d'étain. Sa figure, un peu plate, était jaune comme sa tunique. Des aiguilles d'argent très longues faisaient un soleil derrière sa tête. Elle portait sur la narine un bouton de corail, et elle se tenait auprès du lit, 20 plus droite qu'un hermès [2] et les paupières baissées.

Salammbô s'avança jusqu'au bord de la terrasse. Ses yeux, un instant, parcoururent l'horizon; puis ils s'abaissèrent sur la ville endormie, et le soupir qu'elle poussa, en lui soulevant les seins, fit onduler d'un bout à l'autre la 25 longue simarre [3] blanche qui pendait autour d'elle, sans agrafe ni ceinture. Ses sandales à pointes recourbées disparaissaient sous un amas d'émeraudes, ses cheveux à l'abandon emplissaient un réseau en fils de pourpre.

Mais elle releva la tête pour contempler la lune, et, 30 mêlant à ses paroles des fragments d'hymne, elle murmura:

— Que tu tournes légèrement, soutenue par l'éther impal-

---

[1] Aujourd'hui la contrée répondant au nom d'Algérie.

[2] Statue de Mercure (en grec Hermès) servant de pierre milliaire (*milestone*).

[3] Robe traînante.

pable ! Il se polit autour de toi, et c'est le mouvement de
ton agitation qui distribue les vents et les rosées fécondes.
Selon que tu croîs et décroîs, s'allongent ou se rapetissent
les yeux des chats et les taches des panthères. Les épouses
hurlent ton nom dans la douleur des enfantements ! Tu 5
gonfles les coquillages ! Tu fais bouillonner les vins !
Tu putréfies les cadavres ! Tu formes les perles au fond
de la mer.

« Et tous les germes, ô Déesse ! fermentent dans les ob-
scures profondeurs de ton humidité. 10

« Quand tu parais, il s'épand une quiétude sur la terre;
les fleurs se ferment, les flots s'apaisent, les hommes fatigués
s'étendent la poitrine vers toi, et le monde avec ses océans
et ses montagnes, comme en un miroir, se regarde dans ta
figure. Tu es blanche, douce, lumineuse, immaculée, 15
auxiliatrice, purifiante, sereine ! »

Le croissant de la lune était alors sur la montagne des
Eaux-Chaudes dans l'échancrure de ses deux sommets, de
l'autre côté du golfe. Il y avait en dessous une petite
étoile et tout autour un cercle pâle. Salammbô reprit: 20

— Mais tu es terrible maîtresse ! . . . C'est par toi que se
produisent les monstres, les fantômes effrayants, les songes
menteurs; tes yeux dévorent les pierres des édifices, et les
singes sont malades toutes les fois que tu rajeunis.

« Où donc vas-tu ? Pourquoi changer tes formes per- 25
pétuellement ? Tantôt mince et recourbée, tu glisses dans
les espaces comme une galère sans mâture, ou bien au
milieu des étoiles tu ressembles à un pasteur qui garde son
troupeau. Luisante et ronde, tu frôles la cime des monts
comme la roue d'un char. 30

« O Tanit ! tu m'aimes, n'est-ce pas ? Je t'ai tant re-
gardée ! Mais non ! tu cours dans ton azur, et moi je reste
sur la terre immobile.

« Taanach, prends ton nebal[1] et joue tout bas sur la
corde d'argent, car mon cœur est triste ! » 35

[1] L'instrument est décrit dans les lignes suivantes.

L'esclave souleva une sorte de harpe en bois d'ébène plus haute qu'elle, et triangulaire comme un delta; elle en fixa la pointe dans un globe de cristal, et des deux bras se mit à jouer.

5   Les sons se succédaient, sourds et précipités comme un bourdonnement d'abeilles, et, de plus en plus sonores, ils s'envolaient dans la nuit avec la plainte des flots et le frémissement des grands arbres au sommet de l'Acropole.[1] ₒ ₒ ₒ

Mathô et Narr'Havas seront les deux rivaux pour l'amour de Salammbô. Au cours de cette révolte des mercenaires contre Carthage, Narr'Havas sera d'abord avec les mercenaires; puis, transfuge, il mettra ses Numides au service d'Hamilcar dont on a sollicité le retour dans la ville pour annihiler ces bandes menaçantes; Hamilcar alors offrira sa fille à Narr'Havas. Mais le roman décrit surtout cette lutte formidable entre les mercenaires barbares, et les Carthaginois, autres barbares: affreux massacres, supplices atroces, descriptions d'horreurs inouïes.

Mathô, depuis le soir de l'orgie ne pense qu'à revoir Salammbô. Les mercenaires sont campés devant la ville et l'assiègent, car on les trompe toujours et on ne leur paye pas leur solde. Il réussit à entrer dans la ville par un aqueduc; il est conduit par un soldat grec, Spendius, qui veut profiter de la force herculéenne du puissant chef et du désir de celui-ci de parler à Salammbô, pour enlever le Zaïmph, voile sacré que les Carthaginois considèrent comme l'emblème protecteur de la ville; le Zaïmph enlevé, les Carthaginois seront démoralisés; les barbares pourront entrer dans la ville et la piller. Les deux hommes pénètrent en effet dans le temple, volent le voile sacré, puis Mathô paraît tout à coup devant Salammbô; elle avait eu depuis longtemps un désir intense de voir l'emblème sacré; elle est épouvantée, mais ravie (Chap. v. p. 89–90). Tout à coup, saisie de frayeur, elle pousse un grand cri. Mathô est obligé de fuir; il met le Zaïmph sur ses épaules, ce que voyant, les Carthaginois accourus sont saisis de terreur et n'osent se jeter sur les fugitifs. Dans une longue succession de malheurs et de revers, les Carthaginois voient l'effet de la perte de l'emblème sacré.

Alors Shahabarim, le prêtre qui a élevé Salammbô vient un jour la trouver, et lui fait un devoir solennel et sacré d'aller reprendre le Zaïmph aux ravisseurs. (Chap. X.) Elle y voit, sans se l'avouer à elle-même, un moyen de rejoindre Mathô.

---

[1] La Citadelle.

Entre temps, la guerre ouverte est déclarée entre les mercenaires et les Cathaginois. Salammbô réussit à pénétrer dans le camp ennemi et dans la tente de Mathô qui est subjugué. Au cours de leur entretien, une alerte (le camp qui brûle, incendié par Hamilcar) force le chef lybien à sortir. Quand il revient, Salammbô a disparu emportant le Zaimph. Carthage reprend confiance; Tanit paraît apaisée. Pourtant les Carthaginois souffrent de la soif et la peste a éclaté. Alors on propose un sacrifice grandiose à une autre divinité, le cruel Moloch; les enfants des grandes familles devront être brûlés dans la grande statue en bronze du dieu transformée en brasier. Le fils d'Hamilcar, Hannibal, devait être immolé comme d'autres et le père devient presque fou d'épouvante à cette pensée. Le jeune garçon était caché dans les appartements de Salammbô.

Hannibal sauvé par son père Hamilcar

Des hommes en robes noires se présentèrent dans les maisons. Beaucoup d'avance les désertaient sous le prétexte d'une affaire ou d'une friandise qu'ils allaient acheter; les serviteurs de Moloch survenaient et prenaient les enfants. D'autres les livraient eux-mêmes, stupidement. 5 Puis on les emmenait dans le temple de Tanit, où les prêtresses étaient chargées jusqu'au jour solennel de les amuser et de les nourrir.

Ils arrivèrent chez Hamilcar tout à coup, et le trouvant dans ses jardins: 10

— Barca![1] nous venons pour la chose que tu sais... ton fils! Ils ajoutèrent que des gens l'avaient rencontré un soir de l'autre lune, au milieu des Mappales, conduit par un vieillard.

Il fut, d'abord, comme suffoqué. Mais bien vite com- 15 prenant que toute dénégation serait vaine, Hamilcar s'inclina; et il les introduisit dans la maison... Des esclaves accourus d'un signe en surveillaient les alentours.

Il entra dans la chambre de Salammbô tout éperdu. Il saisit d'une main Hannibal, arracha de l'autre la ganse 20 d'un vêtement qui traînait, attacha ses pieds, ses mains,

---

[1] *Hamilcar Barca*, le nom complet du père d'Hannibal.

en passa l'extrémité dans sa bouche pour lui faire un bâillon et il le cacha sous le lit de peaux de bœuf, en laissant retomber jusqu'à terre une large draperie.

Ensuite il se promena de droite et de gauche; il levait les bras, il tournait sur lui-même, il se mordait les lèvres. Puis il resta les prunelles fixes, et haletant comme s'il allait mourir.

Mais il frappa trois fois dans ses mains. Giddenem[1] parut.

— Écoute ! dit-il, tu vas prendre parmi les esclaves un enfant mâle de huit à neuf ans avec les cheveux noirs et le front bombé ! Amène-le ! hâte-toi !

Bientôt Giddenem rentra, en présentant un jeune garçon.

C'était un pauvre enfant, à la fois maigre et bouffi; sa peau semblait grisâtre comme l'infect haillon suspendu à ses flancs; il baissait la tête dans ses épaules, et du revers de sa main frottait ses yeux, tout remplis de mouches.

Comment pourrait-on jamais le confondre avec Hannibal ! et le temps manquait pour en choisir un autre ! Hamilcar regardait Giddenem; il avait envie de l'étrangler.

— Va-t'en ! cria-t-il; le maître-des-esclaves s'enfuit.

Donc le malheur qu'il redoutait depuis si longtemps était venu, et il cherchait avec des efforts démesurés s'il n'y avait pas une manière d'y échapper.

Abdalonim, tout à coup, parla derrière la porte. On demandait le suffète. Les serviteurs de Moloch s'impatientaient.

Hamilcar retint un cri, comme à la brûlure d'un fer rouge; et il recommença de nouveau à parcourir la chambre, tel qu'un insensé. Puis il s'affaissa au bord de la balustrade, et, les coudes sur ses genoux, il serrait son front dans ses deux poings fermés.

La vasque de porphyre contenait encore un peu d'eau claire pour les ablutions de Salammbô. Malgré sa répu-

---

[1] Le nom du maître des esclaves.

gnance et tout son orgueil, le suffète y plongea l'enfant, et,
comme un marchand d'esclaves, il se mit à le laver et à le
frotter avec les strigiles et la terre rouge. Il prit ensuite
dans les casiers autour de la muraille deux carrés de
pourpre, lui en posa un sur la poitrine, l'autre sur le dos, ╌
et il les réunit contre ses clavicules par deux agrafes de
diamants. Il versa un parfum sur sa tête; il passa autour
de son cou un collier d'électrum, et il le chaussa de sandales à talons de perles, — les propres sandales de sa fille !
Mais il trépignait de honte et d'irritation; Salammbô, qui 10
s'empressait à le servir, était aussi pâle que lui. L'enfant
souriait, ébloui par ces splendeurs, et même, s'enhardissant,
il commençait à battre des mains et à sauter quand
Hamilcar l'entraîna.

Il le tenait par le bras, fortement, comme s'il avait eu 15
peur de le perdre; l'enfant, auquel il faisait mal, pleurait
un peu, tout en courant près de lui.

A la hauteur de l'ergastule,[1] sous un palmier, une voix
s'éleva, une voix lamentable et suppliante. Elle murmurait: « — Maître ! oh ! Maître ! » 20

Hamilcar se retourna, et il aperçut à ses côtés un homme
d'apparence abjecte, un de ces misérables vivant au
hasard dans la maison.

— Que veux-tu ? dit le suffète.

L'esclave, qui tremblait horriblement, balbutia: 25

— Je suis son père !

Hamilcar marchait toujours; l'autre le suivait, les reins
courbés, les jarrets fléchis, la tête en avant. Son visage
était convulsé par une angoisse indicible, et les sanglots
qu'il retenait l'étouffaient, tant il avait envie tout à la fois 30
de le questionner et de lui crier: — « Grâce ! »

Enfin il osa le toucher d'un doigt, sur le coude, légèrement.

— Est-ce que tu vas le ... ? » Il n'eut pas la force
d'achever, et Hamilcar s'arrêta, ébahi de cette douleur. 35

[1] Partie du palais réservée aux esclaves.

Il n'avait jamais pensé, — tant l'abîme les séparant l'un de l'autre se trouvait immense, — qu'il pût y avoir entre eux rien de commun. Cela même lui parut une sorte d'outrage et comme un empiètement sur ses privilèges.
5 Il répondit par un regard plus froid et plus lourd que la hache d'un bourreau; l'esclave s'évanouissant tomba dans la poussière, à ses pieds. Hamilcar enjamba par-dessus.

Les trois hommes en robes noires l'attendaient dans la grande salle, debout contre le disque de pierre. Tout de
10 suite il déchira ses vêtements et il se roulait sur les dalles en poussant des cris aigus:

— Ah! pauvre petit Hannibal! oh! mon fils! ma consolation! mon espoir! ma vie! Tuez-moi aussi! emportez-moi! Malheur! malheur! Il se labourait la face avec ses
15 ongles, s'arrachait les cheveux et hurlait comme les pleureuses des funérailles. Emmenez-le donc! je souffre trop! allez-vous-en! tuez-moi comme lui. Les serviteurs de Moloch s'étonnaient que le grand Hamilcar eût le cœur si faible. Ils en étaient presque attendris.

20 On entendit un bruit de pieds nus avec un râle saccadé, pareil à la respiration d'une bête féroce qui accourt; et sur le seuil de la troisième galerie, entre les montants d'ivoire, un homme apparut, blême, terrible, les bras écartés; il s'écria.

25 — Mon enfant!

Hamilcar, d'un bond, s'était jeté sur l'esclave; et en lui couvrant la bouche de ses mains, il criait encore plus haut:

— C'est le vieillard qui l'a élevé! il l'appelle mon enfant! il en deviendra fou! assez! assez! Et, chassant par les
30 épaules les trois prêtres et leur victime, il sortit avec eux, et d'un grand coup de pied referma la porte derrière lui.

Hamilcar tendit l'oreille pendant quelques minutes, craignant toujours de les voir revenir. Il songea ensuite à se défaire de l'esclave pour être bien sûr qu'il ne parlerait
35 pas; mais le péril n'était point complètement disparu, et cette mort, si les Dieux s'en irritaient, pouvait se retourner

contre son fils. Alors, changeant d'idée, il lui envoya
par Taanach les meilleures choses des cuisines: un quartier
de bouc, des fèves et des conserves de grenades. L'esclave,
qui n'avait pas mangé depuis longtemps, se rua dessus;
ses larmes tombaient dans les plats.   5

Le sacrifice à Moloch

Enfin le Baal[1] arriva juste au milieu de la place. Ses
pontifes, avec des treillages, disposèrent une enceinte pour
écarter la multitude, et ils restèrent à ses pieds, autour de
lui. o o o
Cependant un feu d'aloès, de cèdre et de laurier brûlait 10
entre les jambes du colosse. Ses longues ailes enfonçaient
leur pointe dans la flamme; les onguents dont il était
frotté coulaient comme de la sueur sur les membres d'airain. Autour de la dalle ronde où il appuyait ses pieds, les
enfants enveloppés de voiles noirs, formaient un cercle 15
immobile; et ses bras, démesurément longs, abaissaient
leurs paumes jusqu'à eux, comme pour saisir cette couronne et l'emporter dans le ciel.
Les riches, les anciens, les femmes, toute la multitude
se tassait derrière les prêtres et sur les terrasses des mai- 20
sons. o o o Les fumées des encensoirs montaient perpendicu-
lairement, telles que des arbres gigantesques étalant au
milieu de l'azur leurs rameaux bleuâtres.
Plusieurs s'évanouirent; d'autres devenaient inertes et
pétrifiés dans leur extase. Une angoisse infinie pesait sur 25
les poitrines. Les dernières clameurs une à une s'étei-
gnaient, — et le peuple de Carthage haletait, absorbé dans
le désir de sa terreur.
Enfin, le grand-prêtre de Moloch passa la main gauche
sous les voiles des enfants, et il leur arracha du front une 30
mèche de cheveux qu'il jeta sur les flammes. Alors les
hommes en manteaux rouges entonnèrent l'hymne sacré.

[1] C. à d. la statue énorme du Baal, ou Moloch.

— Hommage à toi, Soleil ! roi des deux zones, créateur qui s'engendre, Père et Mère, Père et Fils, Dieu et Déesse, Déesse et Dieu ! Et leur voix se perdit dans l'explosion des instruments sonnant tous à la fois, pour étouffer les cris des victimes. Les scheminith à huit cordes, les kinnor, qui en avaient dix, et les nebal, qui en avait douze, grinçaient, sifflaient, tonnaient. ₒ ₒ ₒ

Les hiérodules,[1] avec un long crochet, ouvrirent les sept compartiments étagés sur le corps du Baal. Dans le plus haut, on introduisit de la farine; dans le second, deux tourterelles; dans le troisième, un singe; dans le quatrième, un bélier; dans le cinquième, une brebis; et, comme on n'avait pas de bœuf pour le sixième, on y jeta une peau tannée prise au sanctuaire. La septième case restait béante.

Avant de rien entreprendre, il était bon d'essayer les bras du Dieu. De minces chaînettes partant de ses doigts gagnaient ses épaules et redescendaient par derrière, où des hommes, tirant dessus, faisaient monter, jusqu'à la hauteur de ses coudes, ses deux mains ouvertes qui, en se rapprochant, arrivaient contre son ventre; elles remuèrent plusieurs fois de suite, à petits coups saccadés. Puis les instruments se turent. Le feu ronflait.

Les pontifes de Moloch se promenaient sur la grande dalle, en examinant la multitude.

Il fallait un sacrifice individuel, une oblation toute volontaire et qui était considérée comme entraînant les autres. Personne, jusqu'à présent, ne se montrait; et les sept allées conduisant des barrières au colosse étaient complètement vides. ₒ ₒ ₒ Enfin un homme qui chancelait, un homme pâle et hideux de terreur, poussa un enfant; puis on aperçut entre les mains du colosse une petite masse noire; elle s'enfonça dans l'ouverture ténébreuse. Les prêtres se penchèrent au bord de la grande dalle, — et un chant nouveau éclata, célébrant les joies de la mort et les renaissances de l'éternité.

[1] Les assistants des prêtres.

Ils montaient lentement, et, comme la fumée en s'envolant faisait de hauts tourbillons, ils semblaient de loin disparaître dans un nuage. Pas un ne bougeait. Ils étaient liés aux poignets et aux chevilles; et la sombre draperie les empêchait de rien voir et d'être reconnus. ₀₀₀ 5

Les bras d'airain allaient plus vite. Ils ne s'arrêtaient plus. Chaque fois que l'on y posait un enfant, les prêtres de Moloch étendaient la main sur lui, pour le charger des crimes du peuple en vociférant: « Ce ne sont pas des hommes, mais des bœufs! » et la multitude à l'entour 10 répétait: « Des bœufs! des bœufs! » Les dévots criaient: « Seigneur! mange! » ₀₀₀

Les victimes à peine au bord de l'ouverture disparaissaient comme une goutte d'eau sur une plaque rougie; et une fumée blanche montait dans la grande couleur écar- 15 late.

Cependant l'appétit du Dieu ne s'apaisait pas. Il en voulait toujours. Afin de lui en fournir davantage, on les empila sur ses mains avec une grosse chaîne par-dessus, qui les retenait. ₀₀₀ Cela dura longtemps, indéfiniment, jus- 20 qu'au soir. Puis les parois intérieures prirent un éclat plus sombre. Alors on aperçut des chairs qui brûlaient. Quelques-uns même croyaient reconnaître des cheveux, des membres, des corps entiers.

Le jour tomba; des nuages s'amoncelèrent au-dessus du 25 Baal. Le bûcher, sans flammes à présent, faisait une pyramide de charbons jusqu'à ses genoux; complètement rouge comme un géant tout couvert de sang, il semblait, avec sa tête qui se renversait, chanceler sous le poids de son ivresse. 30

À mesure que les prêtres se hâtaient, la frénésie du peuple augmentait; le nombre des victimes diminuant, les uns criaient de les épargner, les autres qu'il en fallait encore. On aurait dit que les murs chargés de monde s'écroulaient sous les hurlements d'épouvante et de volupté mystique. 35 Puis des fidèles arrivèrent dans les allées, traînant leurs en-

fants qui s'accrochaient à eux; et ils les battaient pour leur faire lâcher prise et les remettre aux hommes rouges. Les joueurs d'instruments quelquefois s'arrêtaient épuisés; alors on entendait les cris des mères et le grésillement de la
5 graisse qui tombait sur les charbons. Les buveurs de jus-quiame,[1] marchant à quatre pattes, tournaient autour du colosse et rugissaient comme des tigres, les Yidonim va-ticinaient, les Dévoués chantaient avec leurs lèvres fen-dues; on avait rompu les grillages, tous voulaient leur part
10 du sacrifice; — et les pères dont les enfants étaient morts autrefois, jetaient dans le feu leurs effigies, leurs jouets, leurs ossements conservés. Quelques-uns qui avaient des couteaux se précipitèrent sur les autres. On s'entr'égorgea. Avec des vans de bronze, les hiérodules prirent au bord de
15 la dalle les cendres tombées; et ils les lançaient dans l'air, afin que le sacrifice s'éparpillât sur la ville et jusqu'à la ré-gion des étoiles. Ce grand bruit et cette grande lumière avaient attiré les Barbares au pied des murs; se crampon-nant pour mieux voir sur les débris de l'hélépole,[2] ils re-
20 gardaient béants d'horreur.

*

Voici deux scènes particulièrement frappantes du roman. L'une est un épisode d'une marche des mercenaires dans le désert.

L'Avenue des Lions

Les mercenaires quittent Carthage après avoir reçu une solde déri-soire et provisoire à condition qu'ils s'éloignent. Du reste ils revien-dront.

La route s'allongeait sans jamais finir ₒₒₒ Puis les cul-tures se firent rares.

Ils marchaient dans une sorte de grand couloir[3] bordé

---

[1] [*Henbane*] liqueur faite de cette plante narcotique et vénéneuse.
[2] Une tour qu'on avançait du dehors vers les remparts d'une ville assiégée.
[3] Ici, passage.

par deux chaînes de monticules rougeâtres, quand une
odeur nauséabonde vint les frapper aux narines, et ils
crurent voir au haut d'un caroubier [1] quelque chose d'extraordinaire: une tête de lion se dressait au-dessus des feuilles.

Ils y coururent. C'était un lion, attaché à une croix par 5
les quatre membres, comme un criminel. Son mufle énorme
lui retombait sur la poitrine et ses deux pattes antérieures,
disparaissant à demi sous l'abondance de sa crinière, étaient
largement écartées comme les deux ailes d'un oiseau. Ses
côtes, une à une, saillissaient sous sa peau tendue; ses 10
jambes de derrière, clouées l'une contre l'autre, remontaient un peu et du sang noir, coulant parmi ses poils, avait
amassé des stalactites au bas de sa queue qui pendait toute
droite le long de la croix. Les soldats se divertirent autour;
ils l'appelaient consul et citoyen de Rome et lui jetèrent des 15
cailloux dans les yeux, pour faire envoler les moucherons.

Cent pas plus loin ils en virent deux autres, puis, tout à
coup, parut une longue file de croix supportant des lions.
Les uns étaient morts depuis si longtemps qu'il ne restait
plus contre le bois que les débris de leurs squelettes; d'au- 20
tres à moitié rongés tordaient la gueule en faisant une horrible grimace; il y en avait d'énormes, l'arbre de la croix
pliait sous eux et ils se balançaient au vent, tandis que sur
leur tête des bandes de corbeaux tournoyaient dans l'air,
sans jamais s'arrêter. Ainsi se vengeaient les paysans 25
carthaginois quand ils avaient pris quelque bête féroce;
ils espéraient par cet exemple terrifier les autres. Les
Barbares, cessant de rire, tombèrent dans un long étonnement. « Quel est ce peuple, — pensaient-ils, — qui s'a-
muse à crucifier des lions ! »
30

Le supplice de Giscon

La seconde scène est un exemple des horreurs de ces guerres d'ex-
termination dont le roman abonde. Giscon est un ancien chef de

---

[1] *Carob tree*, the African *Locust;* bois rouge et très dur.

l'armée de Carthage, et, en ce moment captif des mercenaires, il est accusé d'avoir organisé un complot d'évasion pour lui et ses camarades. Il avait été jeté dans une fosse près de la tente du chef Mathô.

₀ ₀ ₀ Le supplice des captifs était un jeu d'enfants. Pourquoi donc les épargner et traîner toujours derrière soi ce bétail inutile ! « Non ! Il faut en finir ! leurs projets sont connus ! un seul peut nous perdre ! pas de pitié ! On re-
5 connaîtra les bons à la vitesse des jambes et à la force du coup. »

Alors ils se retournèrent sur les captifs. Plusieurs râlaient encore; on les acheva en leur enfonçant le talon dans la bouche, ou on les poignardait avec la pointe d'un javelot.
10 Ensuite ils songèrent à Giscon. Nulle part on ne l'apercevait; une inquiétude les troubla. Ils voulaient tout à la fois se convaincre de sa mort et y participer. Trois pasteurs samnites [1] le découvrirent à quinze pas de l'endroit où s'élevait naguère la tente de Mâtho. Ils le reconnurent
15 à sa longue barbe, et ils appelèrent les autres.

Étendu sur le dos, les bras contre les hanches et les genoux serrés, il avait l'air d'un mort disposé pour le sépulcre. Cependant ses côtes maigres s'abaissaient et remontaient et ses yeux, largement ouverts au milieu de sa figure toute
20 pâle, regardaient d'une façon continue et intolérable.

Les Barbares le considérèrent, d'abord, avec un grand étonnement. Depuis le temps qu'il vivait dans la fosse, on l'avait presque oublié; gênés par de vieux souvenirs,[2] ils se tenaient à distance et n'osaient porter la main sur lui.
25 Mais ceux qui étaient par derrière murmuraient et se poussaient, quand un Germain traversa la foule; il brandissait une faucille; tous comprirent sa pensée; leurs visages s'empourprèrent, et, saisis de honte, ils hurlaient; « Oui ! oui ! »
30 L'homme au fer recourbé s'approcha de Giscon. Il lui

[1] Appartenant à la tribu guerrière du Samnium [Italie] qui avait fourni un contingent de mercenaires.

[2] Un jour, il avait été leur chef.

prit la tête, et, l'appuyant sur son genou, il la sciait à coups rapides; elle tomba; deux gros jets de sang firent un trou dans la poussière. Zarxas [1] avait sauté dessus, et, plus léger qu'un léopard, il courait vers les Carthaginois.

Quand il fut aux deux tiers de la montagne, il retira de sa poitrine la tête de Giscon en la tenant par la barbe, il tourna son bras rapidement plusieurs fois, — et la masse, enfin lancée, décrivit une longue parabole et disparut derrière le retranchement punique.

*

Finalement, les mercenaires sont écrasés, et le massacre impitoyable fait l'objet d'un chapitre formidable *Le défilé de la hache* (Chap. XIV).

Quant à Mathô, pris vivant, il est amené dans la ville et livré à la populace qui s'enivre à son supplice. Salammbô assiste à l'écœurante humiliation et aux traitements d'une barbarie inouïe infligés à celui qu'elle aimait en secret. Il doit passer entre les rangs serrés des Carthaginois qui crachent sur lui toutes les insultes, le blessent de leurs armes, le déchirent de leurs ongles, jettent sur lui de l'huile brûlante. Arrivé à la fin de ce long chemin du supplice:

Mathô regarda autour de lui, et ses yeux rencontrèrent Salammbô.

Dès le premier pas qu'il avait fait, elle s'était levée; puis, involontairement, à mesure qu'il se rapprochait, elle s'était avancée peu à peu jusqu'au bord de la terrasse; et bientôt, toutes les choses extérieures s'effaçant, elle n'avait aperçu que Mathô. Un silence s'était fait dans son âme — un de ces abîmes où le monde entier disparaît sous la pression d'une pensée unique, d'un souvenir, d'un regard. Cet homme qui marchait vers elle l'attirait.

Il n'avait plus, sauf les yeux, d'apparence humaine; c'était une longue forme complètement rouge; ses liens rompus pendaient le long de ses cuisses, mais on ne les distinguait pas des tendons de ses poignets tout dénudés; sa bouche restait grande ouverte; de ses orbites sortaient deux flammes qui avaient l'air de monter jusqu'à ses cheveux; — et le misérable marchait toujours!

[1] Un des chefs des mercenaires.

Il arriva jusqu'au pied de la terrasse. Salammbô était
penchée sur la balustrade; ces effroyables prunelles la contemplaient, et la conscience lui surgit de tout ce qu'il avait
souffert pour elle. Bien qu'il agonisât, elle le revoyait dans
5 sa tente, à genoux, lui entourant la taille de ses bras, balbutiant des paroles douces: elle avait soif de les sentir encore, de les entendre; elle ne voulait pas qu'il mourût!
À ce moment-là, Mathô eut un grand tressaillement; elle
allait crier. Il s'abattit à la renverse et ne bougea plus.

10 Salammbô, presque évanouie, fut rapportée sur son
trône par les prêtres s'empressant autour d'elle �.

Un homme s'élança sur le cadavre. Bien qu'il fût sans
barbe, il avait à l'épaule le manteau des prêtres de Moloch,
et à la ceinture l'espèce de couteau leur servant à dépecer
15 les viandes sacrées et que terminait, au bout du manche,
une spatule d'or. D'un seul coup il fendit la poitrine de
Mathô, puis en arracha le cœur, le posa sur la cuillère et
Schahabarim, levant son bras, l'offrit au soleil.

Le soleil s'abaissait derrière les flots; ses rayons arri-
20 vaient comme de longues flèches sur le cœur tout rouge.
L'astre s'enfonçait dans la mer à mesure que les battements diminuaient: à la dernière palpitation, il disparut ⁛.

Salammbô retomba, la tête en arrière, par-dessus le
25 dossier du trône, blême, raidie, les lèvres ouvertes, — et
ses cheveux dénoués pendaient jusqu'à terre.

Ainsi mourut la fille d'Hamilcar pour avoir touché au
manteau de Tanit.

*

Flaubert a laissé deux autres romans:

L'Éducation sentimentale, dont le héros est une sorte de
Madame Bovary homme. Frédéric Moreau a un peu d'argent et une
tendance à la rêverie, et il demande à la vie de satisfaire ses vagues
aspirations au bonheur. Il est, dit E. Faguet, « le type du petit
bourgeois assez bien doué, assez intelligent, de quelque distinction
naturelle, de bonne éducation, et absolument dénué de toute force de
caractère ». Il est aimé d'une bourgeoise, d'une femme de haute

finance, d'une femme galante et d'une fillette fantasque et précoce. Il les aime toutes, « la première avec respect, la deuxième par vanité, la troisième par avidité sensuelle, la quatrième par curiosité, toutes avec timidité qui est ce qui les ravit et les attache ».[1]

Bouvart et Pécuchet, qui occupe les cinq dernières années de la vie de Flaubert; on peut dire que l'effort ne contribua pas peu à hâter sa mort. Il voulait en faire un récit en deux volumes; les fragments qu'il en a laissés et les notes composent un volume. C'est l'histoire de deux hommes, commis dans des maisons de commerce, honnêtes, tranquilles, non-mariés, et qui décident de se retirer des affaires pour vivre des épargnes qu'ils ont accumulées. Ils s'imaginent avoir du goût et du talent successivement pour toutes les sciences — c'est le moment où tout le monde s'enthousiasme pour les nouvelles théories et les nouvelles découvertes — et ils ne révèlent partout que leur naïve incompétence. Flaubert a travaillé comme un malheureux sur cette donnée bizarre; il a, comme pour *Salammbô*, absorbé une véritable bibliothèque d'ouvrages scientifiques: chimie, astronomie, physiologie, histoire, etc., etc. et tout cela dit E. Faguet, « pour nous peindre l'état d'esprit de deux imbéciles ».

On voit que cette haine farouche du philistinisme, si marquée dans *Madame Bovary*, a dominé Flaubert jusqu'à la fin.

Il faut mentionner enfin le dernier volume achevé par Flaubert, *Trois contes* (1877). Ces contes sont *Un cœur simple*, histoire d'une pauvre et humble servante, exemple encore, mais exemple touchant, cette fois, de la nature des simples d'esprit [2]; *La légende de Saint Julien l'hospitalier*, reconstituée d'après de nombreux documents; enfin *Hérodias*, où il introduit dans la littérature moderne une vieille légende qui s'était à peu près perdue depuis le Moyen-âge, mais qui depuis Flaubert — et grâce à cette remarquable présentation — a été exploitée de tous côtés dans le roman et la nouvelle, dans le drame, à l'opéra, au cinématographe, la « légende de Salomé ».

Hérodias

Dans les premiers temps du christianisme on l'appelait la légende de Jean-Baptiste, car le « précurseur » décapité à la demande de la danseuse orientale était alors de beaucoup le personnage le plus intéressant du récit pour les fidèles. Au Moyen-âge, le Baptiste con-

---

[1] V. R. Dumesnil, *L'Éducation sentimentale de G. Flaubert* (« Coll. Grands Évén. litt.) Paris, 1936, 211 pp. in 12).

[2] Flaubert a protesté contre ceux qui (comme Brunetière) ont vu dans cette histoire de l'ironie. (V. un article d'E. Henriot, *Le Temps*, 8 Déc. 1936, « Flaubert et les *Trois Contes* ».)

tinua à être la figure principale dans le drame, mais l'Église elle-même
attacha une certaine importance à Salomé comme à l'instrument de
la mort de Jean.   C'est qu'à un certain moment l'Église avait cru
devoir sévir contre la classe des jongleurs et des trouvères dont les
mœurs étaient souvent très libres; Salomé est alors désignée comme le
type de la jongleresse qui, par ses acrobaties et ses danses provocantes,
détournait les hommes de la voie du salut.   Elle est représentée dans
une sculpture d'un des portails de la cathédrale de Rouen dansant sur
les mains au festin du roi Hérode; et un récit du temps nous montre
Salomé condamnée, à cause de sa part dans la mort du Baptiste, à
quitter son palais et à errer par tout le monde sans jamais pouvoir
cesser de danser; un jour elle arrive sur les bords du Rhône en
France, et comme elle essaie de traverser le fleuve couvert de glace,
la glace se rompt sous elle; elle tombe à l'eau, sa tête est séparée du
tronc, coupée par la rencontre de deux gros morceaux de glace, et on
voit cette tête qui continue à danser sur le fleuve jusqu'au moment où
elle aussi est engloutie dans les flots.   La Renaissance fit oublier pour
longtemps Jean-Baptiste et Salomé; mais l'époque romantique
ramena Salomé dans quelques romans; sa légende fut associée avec
celle du Juif errant dans un récit de ce nom par Eugène Sue (1804–
1857).

Lorsqu'enfin Flaubert reprit cette histoire, ce fut pour la présenter
sous la forme d'un problème historique, comme il l'avait fait pour
Salammbô.   Il reprend l'interprétation que Renan déjà avait suggérée
dans sa *Vie de Jésus* (ch. V et surtout ch. ix): Salomé, ici n'est
qu'indirectement responsable de la mort du Baptiste; elle est
l'instrument tout passif de sa mère, Hérodias — le titre que Flaubert
choisit dès lors pour son histoire.   Hérodias avait épousé le roi Hérode
après avoir poussé celui-ci à se débarrasser de sa première femme
par le divorce; Jean-Baptiste ne cessait de jeter l'anathème sur ce
mariage; et comme Hérodias commençait à vieillir et à perdre son
ascendant sur Hérode, elle avait lieu de craindre que celui-ci, pour
plaire aux Juifs, ne finît par la répudier; alors elle se sert des charmes
de sa fille, Salomé, pour se débarrasser de Jean-Baptiste; elle fait
exécuter à celle-ci une danse voluptueuse à l'occasion d'une fête, et le
roi offrant de récompenser la danseuse par un magnifique présent
« jusqu'à la moitié de son royaume », Salomé pour plaire à sa mère,[1]
demande la tête du prophète qui lui est, à elle, parfaitement indifférent.

---

[1] Depuis Flaubert, le vent a changé de nouveau, et beaucoup de ses
successeurs, en littérature et en art, se sont désintéressés du drame
historique pour imaginer une Salomé perverse et amoureuse de l'ascète Jean: Oscar Wilde surtout, dans son drame en un acte, mis en
musique par Strauss.   Un des traitements les plus bizarres de la lé-

Voici la description de cette fameuse danse qui est devenue la danse aux sept voiles, description qui coûta à Flaubert de longues recherches.

La danse de Salomé

Les panneaux de la tribune d'or se déployèrent tout à coup; et à la splendeur des cierges, entre ses esclaves et des festons d'anémone, Hérodias apparut, coiffée d'une mitre assyrienne qu'une mentonnière attachait à son front; ses cheveux en spirales s'épandaient sur un péplos d'écarlate 5 fendu dans la longueur des manches. Deux monstres en pierre, pareils à ceux du trésor des Atrides,[1] se dressant contre la porte, elle ressemblait à Cybèle[2] accotée de ses lions; et du haut de la balustrade qui dominait Antipas, avec une patère[3] à la main, elle cria: 10

— Longue vie à César !

Cet hommage fut répété par Vitellius,[4] Antipas[5] et les prêtres.

Mais il arriva du fond de la salle un bourdonnement de surprise et d'admiration. Une jeune fille venait d'entrer. 15

Sous un voile bleuâtre lui cachant la poitrine et la tête, on distinguait les arcs de ses yeux, les calcédoines[6] de ses oreilles, la blancheur de sa peau. Un carré de soie gorge

gende de Salomé est celui du poète de l'époque symboliste de la fin du XIXe siècle, Jules Laforgue, dans ses *Moralités légendaires*. (V. à la fin du chapitre « *Symbolisme* ».)

[1] Les fils d'Atrée, Agamemnon et Ménélas. La ville de Mycènes avait un « trésor d'Atrée » ou « tombe d'Agamemnon » monument dont l'entrée était gardée par deux lions.

[2] Épouse de Chronos ou Saturne, et mère des dieux de l'Olympe. On la représente assise sur un trône entre deux lions, avec un diadème sur la tête.

[3] Plat d'argent (sur lequel Salomé fera apporter la tête de Jean-Baptiste).

[4] Proconsul romain et gouverneur de la Syrie dont dépendait la tétrarchie d'Hérode, et en l'honneur de qui ce dernier donna un grand festin.

[5] Ou Hérode-Antipas.

[6] Cristal de quartz, brun-rouge.

de pigeon, en couvrant les épaules, tenait aux reins par une
ceinture d'orfèvrerie. Ses caleçons noirs étaient semés de
mandragores, et d'une manière indolente elle faisait claquer
de petites pantoufles en duvet de colibri.

5   Sur le haut de l'estrade, elle retira son voile. C'était
Hérodias, comme autrefois dans sa jeunesse. Puis, elle se
mit à danser.

Ses pieds passaient l'un devant l'autre, au rythme de la
flûte et d'une paire de crotales. Ses bras arrondis appe-
10 laient quelqu'un, qui s'enfuyait toujours. Elle le poursuivait, plus légère qu'un papillon, comme une Psyché [1]
curieuse, comme une âme vagabonde, et semblait prête à
s'envoler.

Les sons funèbres de la gingras [2] remplacèrent les cro-
15 tales. L'accablement avait suivi l'espoir. Ses attitudes
exprimaient des soupirs, et toute sa personne une telle
langueur qu'on ne savait pas si elle pleurait un dieu, ou se
mourait dans sa caresse. Les paupières entre-closes, elle
se tordait la taille, et son visage demeurait immobile, et
20 ses pieds n'arrêtaient pas.

○○○ Le Tétrarque se perdait dans un rêve, et ne songeait
plus à Hérodias. ○○○ La vision s'éloigna.

Ce n'était pas une vision. Elle [Hérodias] avait fait
instruire, loin de Machaërous, [3] Salomé sa fille, que le Té-
25 trarque aimerait; et l'idée était bonne. Elle en était sûre,
maintenant !

Puis, ce fut l'emportement de l'amour qui veut être
assouvi. ○○○ Elle se renversait de tous les côtés, pareille
à une fleur que la tempête agite. Les brillants de ses oreilles

[1] *Psyché*, aimée par Cupidon qui venait la voir de nuit pour ne pas
être reconnu. Psyché était curieuse de savoir qui était son amant —
mais sa curiosité la perd; Cupidon l'abandonna. Un papillon est
son symbole, symbole de l'inconstance et de la légèreté.

[2] Petite flûte phénicienne.

[3] Citadelle bâtie par Alexandre Jannaeus, de la famille royale des
Macchabée (104–78 avant J.-C.), à l'Est de la Mer Morte, à la frontière de l'Arabie.

sautaient, l'étoffe de son dos chatoyait; de ses bras, de ses pieds, de ses vêtements jaillissaient d'invisibles étincelles qui enflammaient les hommes. Une harpe chanta; la multitude y répondit par des acclamations. Sans fléchir ses genoux en écartant les jambes, elle se courba si bien que 5 son menton frôlait le plancher. ○ ○ ○

Ensuite elle tourna autour de la table d'Antipas, frénétiquement, comme le rhombe [1] des sorcières; et d'une voix que des sanglots de volupté entrecoupaient, il lui disait: « Viens ! Viens ! » Elle tournait toujours; les tym- 10 panons [2] sonnaient à éclater, la foule hurlait. Mais le Tétrarque criait plus fort: « Viens ! viens ! Tu auras Capharnaüm ! la plaine de Tibérias ! mes citadelles ! la moitié de mon royaume ! »

Elle se jeta sur les mains, les talons en l'air, parcourut 15 ainsi l'estrade comme un grand scarabée; et s'arrêta, brusquement.

Sa nuque et ses vertèbres faisaient un angle droit. Les fourreaux de couleur qui enveloppaient ses jambes, lui passant par-dessus l'épaule, comme des arcs-en-ciel, ac- 20 compagnaient sa figure, à une coudée du sol. Ses lèvres étaient peintes, ses sourcils très noirs, ses yeux presque terribles et des gouttelettes à son front semblaient une vapeur sur du marbre blanc.

Elle ne parlait pas. Ils se regardaient. 25

Un claquement de doigts se fit dans la tribune. Elle y monta, reparut; et, en zézayant [3] un peu, prononça ces mots, d'un air enfantin:

— Je veux que tu me donnes dans un plat, la tête . . . » Elle avait oublié le nom, mais reprit en souriant: — La 30 tête de Iaokanann ! Le Tétrarque s'affaissa sur lui-même, écrasé.

---

[1] Cercle magique.
[2] Instruments de musique avec cordes métalliques qu'on frappe avec un martelet.
[3] *Lisping.*

On pourra comparer la description de la danse de Salomé chez Flaubert avec celle tout aussi curieuse de Paul Valéry dans son « Essai sur la Danse » (volume *Variétés*) où il n'est du reste pas question de Salomé mais plutôt d'une sorte de symbolisme de la danse en général. Quant au symbolisme de la danse religieuse qui existait dans l'antiquité (cf. *La danse de David devant l'Arche*) — et existe encore chez certains peuples surtout de l'Orient — on trouvera le sujet traité dans *La cathédrale*, par Huysmans (1898) son dernier chapitre (Voir plus bas pour Huysmans.)

L'essai de Paul Valéry est sous forme de dialogue:

PHÈDRE: Elle semble d'abord, de ses pas pleins d'esprit, effacer de la terre toute fatigue et toute sottise... Et voici qu'elle se fait une demeure au-dessus des choses, et l'on dirait qu'elle s'arrange un nid dans ses bras blancs... Mais à présent, ne croirait-on pas qu'elle tisse de ses pieds un tapis indéfinissable de sensations?... Elle croise, elle décroise, elle trame la terre avec la durée... O le charmant ouvrage, le travail très précieux de ses orteils intelligents qui attaquent, qui esquivent, qui nouent et qui dénouent, qui se pourchassent, qui s'envolent!... Qu'ils sont habiles, qu'ils sont vifs, ces purs ouvriers des délices du temps perdu!... Ces deux pieds babillent entre eux, et se querellent comme des colombes!... Le même point du sol les fait se disputer comme pour un grain!... Ils s'emportent ensemble, et se choquent dans l'air, encore!... Par les Muses, jamais pieds n'ont fait à mes lèvres plus d'envie! SOCRATE: Voici donc que tes lèvres sont envieuses de la volubilité de ces pieds prodigieux! Tu aimerais de sentir leurs ailes à tes paroles et d'orner ce que tu dirais de figures aussi vives que leurs bonds! PHÈDRE: Moi?... SOCRATE: Cher Phèdre, en vérité, tu ne fus pas ému sans quelque raison! Plus je regarde, moi aussi cette danseuse inexprimable, et plus je m'entretiens de merveilles avec moi-même. Je m'inquiète comment la nature a su enfermer dans cette fille si frêle et si fine, un tel monstre de force et de promptitude? Hercule chargé en hirondelle, ce mythe existe-t-il? Et comment cette tête si petite, et serrée comme une jeune pomme de pin, peut-elle engendrer infailliblement ces myriades de questions et de réponses entre ses membres, et ces tâtonnements étourdissants qu'elle produit et reproduit, les répudiant incessamment, les recevant de la musique et les rendant tout aussitôt à la lumière?

B. LE NATURALISME[1]

Le roman réaliste ou d'observation ne va jamais faire disparaître l'art du récit, car l'art reste toujours la condition essentielle de la

---

[1] Même bibliographie que pour Réalisme; v. p. 99.

littérature, et Flaubert a bien distingué entre *réalité* et *vérité artistique:* celle-ci met celle-là en œuvre. On peut dire que, pour lui, l'observation fidèle n'est encore qu'un moyen. Mais ses successeurs — sous la pression de l'esprit de l'époque et par suite du prestige toujours plus grand de la science — donnèrent, sinon moins d'importance à l'art, en tous cas beaucoup plus d'importance à la reproduction exacte du monde réel. Le terme « naturalistes » qui est souvent employé pour les désigner, sans cependant se substituer jamais tout à fait à celui de « réalistes », indique bien certains changements.

Il suggère, essentiellement d'abord, une idée de rapport plus étroit avec les sciences naturelles: comme le grand naturaliste Buffon a voulu faire *L'Histoire naturelle* des minéraux, des plantes et des animaux, ainsi on veut faire une *histoire naturelle* de l'espèce humaine; dans ce sens Balzac déjà réclamait le nom de « naturaliste ». Une autre idée suggérée souvent par le terme « naturaliste » différent de celui de « réaliste » c'est que les romanciers vont étendre leurs observations aux classes les plus humbles de la société; Flaubert étudiait plutôt les bourgeois; ils vont étudier jusqu'au peuple, le bas peuple, le peuple dans les aspects qui le rapprochent souvent de la bête, de la nature physique. Et à ceci se rattache une troisième connotation du terme « naturalisme »: on ne reculera plus devant le sordide — puisqu'il appartient à la réalité, tandis que Flaubert, lui, n'avait eu recours aux descriptions d'un réalisme extrême (p. ex. dans *Salammbô*) que pour provoquer la sensation d'horreur ou de terreur que l'antiquité déjà reconnaissait comme comportant des éléments d'art (Légendes d'Œdipe, de Philoctète, de Médée, etc.)

CHAPITRE VI

LES GONCOURT

Consulter: A. Delzant, *Les Goncourt* (Charpentier, 1889); P. Bourget, « Les Goncourt » dans *Essais de psychologie contemporaine* (Tome II, pp. 135-193); L. Deffoux, *Chronologie de l'Académie Goncourt* (Didot, 1929); A. Schinz, « The Goncourt Academy », (*Books Abroad* 1936, pp. 398-401).

Ils ont fondé « l'école du document ». Ils distinguent ainsi le roman de l'histoire: « L'histoire est un roman qui a été; le roman est de l'histoire qui aurait pu être ». Ou encore: « Le roman se fait avec des documents racontés ou relevés d'après nature, comme l'histoire se fait avec des documents écrits. » [1] Ce sont eux aussi qui, les premiers, ont voulu pousser à l'extrême le refus de s'arrêter devant l'introduction de n'importe quelles laideurs morales ou physiques dans leurs récits, inaugurant ce qu'on a appelé la « littérature putride ». Enfin, il y a un style Goncourt, parfois appelé « style impressionniste » : un style sec et heurté, impersonnel comme la science, sans souci apparent de forme artistique. (V. Max Fuchs, *Lexique du Journal des Goncourt, contribution à l'histoire de la Langue française pendant la seconde moitié du XIXe siècle*. Moulins, 1912, 151 pp. Il y a 1200 mots indiqués dont la moitié à peu près de néologismes).

Ils étaient deux frères, Edmond de Goncourt (1822–1896) et Jules (1830–1870). Hommes de loisir, ils ont collaboré avec une touchante communion d'idées jusqu'à la mort du plus jeune. Ils avaient étudié « documentairement » les différentes classes sociales : les hommes de lettres (*Charles Demailly*, 1860), le monde des hôpitaux (*Sœur Philomène*, 1861), la riche bourgeoisie du Second Empire (*Renée Mauperin*, 1864 — « la jeune fille telle que l'éducation artistique et garçonnière des trente dernières années l'ont faite ») le monde populacier des faubourgs [*slums*] (*Germinie Lacerteux*, 1865), le monde dévot (*Madame Gervaisais*, 1869 — « la psychologie de la religiosité chez la femme »), etc. Leurs personnages, comme ceux de Flaubert dans *Madame Bovary*, sont empruntés à la vie réelle : Renée Mauperin est une amie d'enfance, Germinie Lacerteux une vieille servante de la famille, Madame Gervaisais, une de leurs tantes, . . .

Le roman à lire, qui réunirait à peu près tous les traits caractéristiques des Goncourt, serait *Germinie Lacerteux*, l'histoire d'une malheureuse servante, dans un ménage de vieille fille (Mlle de Varandeuil).

La « Préface » à ce roman est considérée comme un véritable manifeste.

Préface à ‹ Germinie Lacerteux ›

Il nous faut demander pardon au public de lui donner ce livre, et l'avertir de ce qu'il y trouvera.

Le public aime les romans faux : ce roman est un roman vrai.

[1] « Cette expression [école du document] très blaguée dans le moment, j'en réclame la paternité, la regardant, cette expression, comme la formule définissant le mieux et le plus significativement le mode nouveau de travail de l'école qui a succédé au romantisme, l'école du *document humain*. » (Préface à *La Faustin*, 1882).

Il aime les livres qui font semblant d'aller dans le monde: ce livre vient de la rue.

Il aime les petites œuvres polissonnes,[1] les mémoires de filles,[2] les confessions d'alcôves, les saletés érotiques, ... : ce qu'il va lire est sévère et pur. Qu'il ne s'attende point à la photographie décolletée du Plaisir: l'étude qui suit est la *clinique de l'Amour*.

Le public aime encore les lectures anodines et consolantes, les aventures qui finissent bien, les imaginations qui ne dérangent ni sa digestion ni sa sérénité: ce livre, avec sa triste et violente distraction, est fait pour contrarier ses habitudes et nuire à son hygiène.

Pourquoi donc l'avons-nous écrit? Est-ce simplement pour choquer le public et scandaliser ses goûts?

Non.

Vivant au XIXe siècle, dans un temps de suffrage universel, de démocratie, de libéralisme, nous nous sommes demandé si ce qu'on appelle « les basses classes » n'avaient pas droit au Roman; si ce monde sous un monde, le peuple, devait rester sous le coup de l'interdit littéraire et des dédains d'auteurs, qui ont fait jusqu'ici le silence sur l'âme et le cœur qu'il peut avoir. Nous nous sommes demandé s'il y avait encore pour l'écrivain et pour le lecteur, en ces années d'égalité où nous sommes, des classes indignes, des malheurs trop bas, des drames trop mal embouchés, des catastrophes d'une terreur trop peu noble. Il nous est venu la curiosité de savoir si cette forme conventionnelle d'une littérature oubliée et d'une société disparue, la Tragédie, était définitivement morte; si dans un pays sans caste et sans aristocratie légale, les misères des petits et des pauvres parleraient à l'intérêt, à l'émotion, à la pitié, aussi haut que les misères des grands et des riches; si, en un mot, les larmes qu'on pleure en bas, pourraient faire pleurer comme celles qu'on pleure en haut.

---

[1] *Wicked*.
[2] Femmes de mauvaise vie.

Ces pensées nous avaient fait oser l'humble roman de
SŒUR PHILOMÈNE, en 1861; elles nous font publier aujourd'hui GERMINIE LACERTEUX.

Maintenant, que ce livre soit calomnié: peu lui importe.
5 Aujourd'hui que le Roman s'élargit et grandit, qu'il commence à être la forme sérieuse, passionnée, vivante, de
l'étude littéraire et de l'enquête sociale, qu'il devient, par
l'analyse et par la recherche psychologique, l'Histoire
morale contemporaine; aujourd'hui que le Roman s'est
10 imposé les études et les devoirs de la science, il peut en
revendiquer les libertés et les franchises. Et qu'il cherche
l'Art et la Vérité; qu'il montre des misères bonnes à ne
pas laisser oublier aux heureux de Paris; qu'il fasse voir
aux gens du monde ce que les dames de charité ont le cou-
15 rage de voir, ce que les Reines autrefois faisaient toucher de
l'œil à leurs enfants dans les hospices: la souffrance humaine, présente et toute vive, qui apprend la charité; que
le Roman ait cette religion que le siècle passé appelait de ce
vaste et large nom: *Humanité;* — il lui suffit de cette con-
20 science: son droit est là.[1]

                              (*Paris, Octobre 1864*)

Germinie Lacerteux « semble née sous une mauvaise étoile »:

Quand, à ses heures découragées, elle retrouvait par le
souvenir les amertumes de son passé, quand elle suivait
depuis son enfance l'enchaînement de sa lamentable existence, cette fille de douleurs qui avait suivi ses années et
25 avait grandi avec elles, tout ce qui s'était succédé dans son
existence comme une rencontre et un arrangement de misère, sans que jamais elle y eût vu apparaître la main de
cette Providence dont on lui avait tant parlé, elle se disait
qu'elle était de ces malheureuses vouées en naissant à une
30 éternité de misère, de celles pour lesquelles le bonheur n'est

---

[1] On retrouvera chez Zola cette même contradiction du romancier
qui prétend demeurer tout à fait impersonnel, et cependant, prétend
faire œuvre sociale.

pas fait et qui ne le connaissent qu'en l'enviant aux autres.
Elle se repaissait et se nourrissait de cette idée, et à force
d'en creuser le désespoir, à force de ressasser en elle-même
la continuité de son infortune et la succession de ses chagrins, elle arrivait à voir une persécution de sa malchance 5
dans les plus petits malheurs de la vie, de son service. Un
peu d'argent qu'elle prêtait et qu'on ne lui rendait pas, une
pièce fausse qu'on lui faisait passer dans une boutique, une
commission qu'elle faisait mal, un achat où on l'attrapait,
tout cela pour elle ne venait pas de sa faute, ni d'un hasard, 10
c'était la suite du reste. La vie était conjurée contre elle
et la persécutait en tout, partout, du petit au grand, de sa
fille qui était morte, à l'épicerie qui était mauvaise. Il y
avait des jours où elle cassait tout ce qu'elle touchait: elle
s'imaginait alors être maudite jusqu'au bout des doigts. 15
Maudite ! presque damnée . . .

« Germinie Lacerteux, c'est, dit fort bien M. Martino, l'étude d'un
cas d'authentique hystérie; les auteurs y ont suivi, dans ses phases
successives, la dégradation physique d'une pauvre servante: ivresse,
mensonge, vol, abrutissement, saleté, crapuleuse débauche, consomp-
tion et mort; cela a la brutalité d'un diagramme; c'est la *clinique de
l'amour.* »

On verra ce sujet repris, à peu près semblable, dans le roman encore
plus célèbre d'Émile Zola, *L'Assommoir* (v. plus bas). Il semblait
aux Goncourt que Zola usurpait un peu leur gloire. Ils écriront plus
tard: « On nous niera tant qu'on voudra . . . Il faudra bien reconnaître que nous avons fait Germinie Lacerteux, et que Germinie
Lacerteux est le livre-type qui a servi de modèle à tout ce qui a été
fabriqué depuis nous sous le nom de réalisme, de naturalisme. »

Les Frères Goncourt furent aussi les premiers à tenter de porter au
théâtre le réalisme; leur pièce *Henriette Maréchal* (1865) fut l'occasion
de tumultueuses manifestations contre la nouvelle école; le public
n'était nullement préparé (v. l'histoire de cet échec dans le livre des
Goncourt, *Préfaces et manifestes littéraires*, 1888, pp. 83–151).

Ils s'occupèrent également d'art, d'histoire, d'histoire littéraire
(entre autres dans *La femme au XVIIIe siècle*, 1862); et après 1890
Edmond de Goncourt introduisit en Europe le goût pour l'art japonais (v. *L'art japonais au XVIIIe siècle*, 1891–1896).

Il ne faut pas omettre de mentionner ici ce qui est connu comme

« *Le Journal des Goncourt* », et qui est un des documents les plus précieux pour l'histoire littéraire de l'époque. Ce sont des notes prises au jour le jour, dès 1851, où sont consignés des mots d'esprit, des anecdotes, des cancans de toutes sortes, et, le plus souvent, sans aménité. Des fragments ont été publiés en 1896 par Edmond de Goncourt lui-même; mais de nombreuses pages ont été retenues à cause des médisances trop abondantes qui touchent des personnes vivantes ou leurs descendants. Le manuscrit est déposé à la Bibliothèque nationale, et l'Académie Goncourt (v. ci-dessous) a réussi jusqu'ici à empêcher la publication intégrale et même l'accès du public à ces feuilles. En 1935 une nouvelle édition du *Journal* a été publiée, mais sans additions à la première édition, par l'éditeur Flammarion. (En anglais: *Goncourt Journals 1851–1870* ed. and transl. [in part], with an introd. by Lewis Galantière, N. Y., Doubleday, 1937.)

Edmond de Goncourt survécut 26 ans à son frère; il continua seul l'œuvre d'abord commune; *La fille Elisa*, récit pathétique de la vie d'une prostituée et description des maisons où elles sont surveillées et emprisonnées, comme une suite à Germinie Lacerteux, fut publié en 1877; *Les frères Zemganno* (1879) constituent une étude de la vie des clowns dans les cirques; *La Faustin* (1882) nous initie à la vie d'une actrice, etc. Depuis 1885, il recevait ses amis c.à.d. la plupart des hommes appartenant à l'école réaliste alors devenue très puissante, dans sa demeure du Boulevard Montmartre. C'étaient les réunions demeurées fameuses du « Grenier des Goncourt ». Elles furent le berceau de l'*Académie des Goncourt* pour la fondation de laquelle Edmond de Goncourt avait laissé une assez grosse fortune; un des buts devait être d'opposer aux tendances de l'Académie française, alors fort conservatrice dans ses idées, une institution favorisant les audaces de nouveaux-venus dans la république des lettres. Un « Prix du roman » devait être attribué chaque année, dont le lauréat serait désigné par les dix membres de l'Académie et proclamé à un dîner annuel dans un restaurant fameux de Paris. L'Académie commença à fonctionner en 1903. Le Prix est décerné en décembre et constitue chaque année un événement littéraire important. (Le « Grand Prix du roman » de l'Académie Française est décerné en juin.) Le prix Goncourt (de 5 000 francs) doit aller de préférence à un jeune inconnu; le premier lauréat fut John-Antoine Nau, pour *Forces ennemies;* le second, Léon Frapié, pour un ouvrage qui est demeuré beaucoup plus célèbre, *La Maternelle.*

Calinot [1]

(Extrait du volume *Quelques créatures de ce temps*, 1852)

Exemple intéressant du genre « document »:

Pauvre innocente vie que cette vie de Calinot, qui semble écrite tout entière pour une parade des Funambules [2]; écoulée doucement sans peur, sans reproche, sans haine, sans remords, sans regrets; innocente comme une parade où Pierrot,[3] — Pierrot le mime, Pierrot le muet, — 5 où Pierrot parlerait !

C'est une parade, si bien une parade, que, lorsque Camille,[4] le metteur en scène, le souffleur de toutes ces naïvetés, n'est plus là pour lui donner la réplique, l'histoire et la légende prêtent toujours à Calinot pour partners de ses 10 janotades [5] d'autres personnages drôlatiques ○○○

Parades ! — races perdues ! ô vieux pitres ! [6] tout ce cortège de Momus [7] populaire, les rires larges et les grosses bêtises, les paternelles niaiseries ! Pantalons et Cassandres,[8] vieux faiseurs de gaieté qu'on ressuscitait tout à 15

---

[1] Type de la « bêtise humaine ». Ici, *silliness*, mais dans un sens particulier que le texte fera comprendre.

[2] Théâtre des danseurs de cordes — avec leur accompagnement obligé de clowns.

[3] Personnage classique de pantomime.

[4] L'ami qui donnait la réplique à Calinot, et souvent le faisait ‹ marcher › [*started him*]. *Souffler, to prompt.*

[5] *Janot*, « Type comique personnifiant la bêtise piteuse et grotesque, et qui est resté populaire. Sa façon de parler elle-même est comique . . . » *janotade* ou *janotisme*. (*Dict. Larousse.*)

[6] *Clowns.*

[7] Le dieu de la raillerie.

[8] Personnages légendaires de la Comédie italienne.

l'heure, — ô Lapalisse ![1] aïeul des naïvetés, — je vous le dis: Bobêche[2] revivait en cet homme.

Et l'atelier,[3] qui s'ennuyait de Jocrisse,[4] s'est mis à compiler l'*enchiridion*[5] de Calinot, avec un culte de philo-5 logue, et l'a augmenté, et l'a enrichi, et l'a pourléché,[6] et s'est mis à déclamer ainsi ornée, cette rapsodie du théâtre de la Foire, en sorte que les écouteurs ont fini par être aussi incrédules à l'endroit de l'existence de Calinot qu'à l'endroit de l'archevêque Turpin.[7]

[1] *La Palisse*, ou *La Palice*, personnage historique, seigneur de Chabannes qui mourut à la bataille de Pavie (1525). Sa réputation de bravoure inspira à ses soldats une chanson dans laquelle se trouvaient ces mots: Un quart d'heure avant sa mort,
    Il était encore en vie...

c.à.d. se battait encore vaillamment; mais la phrase était amusante et on ajouta en plaisantant nombres de strophes avec des naïvetés réelles, ainsi:

Bien instruit dès le berceau,
Ce chevalier tant honnête
N'ôtait jamais son chapeau
Sans se découvrir la tête. o o o

Il fut par un triste sort
Blessé d'une main cruelle;
On croit puisqu'il en est mort
Que la blessure était mortelle.

Regretté de ses soldats
Il mourut digne d'envie,
Et le jour de son trépas
Fut le dernier de sa vie. o o o

Et aujourd'hui l'expression une « vérité de La Palisse » signifie: une vérité qui ne fait aucun doute pour personne.

[2] Fameux bouffon ou pitre de la première moitié du XIXe siècle.

[3] Ici, les artistes des ateliers de peinture ou les poètes.

[4] Stupide et crédule, personnage de la farce.

[5] *Enchiridion* (grec) = Manuel — titre du manuel de sagesse du moraliste Epictète (Ier siècle avant J.-C., à Rome).

[6] Ici, *pampered*, *polished*.

[7] Un héros légendaire, l'archevêque dans la Chanson de Roland (XIe siècle).

Et pourtant il a si bien vécu, ce mortel désopilant,[1] — qu'un jour il est mort — du choléra.

L'existence de Calinot a toutes sortes de tableaux: Calinot restaurateur, — Calinot logeur, — Calinot commis, — Calinot garde national.[2] S'il fut tout cela, nul ne 5 l'a jamais bien su. Le savait-il lui même? Il était de si bonne composition et faisait si peu de résistance à laisser mettre la main à ses souvenirs, à y laisser ajouter! — Un beau jour, Camille lui persuada qu'il avait été marin; et, depuis ce jour-là, Calinot se rappelait tout au moins une 10 fois par mois ses impressions de la *Tremblante*.[3]

Un grand corps monté sur des jambes d'échassier[4]; là-dessus, une tête blonde, chauve, inculte; de la barbe; les yeux bonasses[5]; la tête ballant en avant; dans la pose, quelque chose comme le profil d'une canne à bec- 15 de-corbin[6]; une voix pleine d'embarras, obstruée de bredouillements,[7] notée tout au long de notes innotables; — c'est ainsi fait qu'il a traversé la vie avec des vêtements trop larges sur son corps maigre, faisant rire tout le monde, et s'amusant de voir rire tout le monde. 20

Les tréteaux du Pont-Neuf[8] ont eu leurs sténographes; pourquoi laisserait-on perdre ce monument de la *bêtise* française? ⸰⸰⸰

Enfant, Calinot, en revenant de l'école, se bat avec un camarade, et attrape une grande écorchure au front. Au 25 dîner, son père lui dit: « Qu'est-ce que tu as là? » — « Papa, j'ai rien. » — « Mais si, tu as quelque chose. »

---

[1] *Irresistibly funny.*

[2] La garde nationale est une troupe spécialement organisée en temps de crises nationales pour empêcher les désordres (ainsi lors des révolutions de 1830, 1848, 1871).

[3] Nom d'un vaisseau imaginaire.

[4] *Long-legged, wading bird.*   [5] D'une bonté un peu sotte.

[6] *Curved head handle* (corbin = *crow*).   [7] *Stutterings.*

[8] Tréteaux [*stages*] où des bouffons [*mountebanks*], comme le célèbre Tabarin au XVIIᵉ siècle, jouaient leurs farces et faisaient leurs tours (*tricks*).

— « Je me suis mordu au front ! » — « Imbécile ! est-ce qu'on se mord au front ? » — « Tiens ! je suis monté sur une chaise. »

* * *

Moi, j'aime bien mieux la lune que le soleil. Le soleil, à quoi ça sert ? Il vient quand il fait jour, ce feignant-là ! [1] Au lieu que la lune, ça sert à quelque chose: ça éclaire.

* * *

CAMILLE. — Veux-tu me mesurer ce tableau ?
CALINOT. — Avec quoi ?
CAMILLE. — Prends le mètre, il est sur la table.
CALINOT, *mesurant:* — Un mètre ... heu ... heu ...
CAMILLE. — Eh bien ! combien a-t-il ?
CALINOT. — J'sais pas: le mètre n'est pas assez long.

* * *

« Monsieur,
« Envoyez-moi les deux Boissieu que je vous ai demandés » ... Ici le marchand de tableaux meurt. Calinot finit la lettre: « Je vous écris le reste par la main de Calinot, mon premier commis,[2] vu que je viens de mourir d'une attaque d'apoplexie. »

* * *

Calinot voit un moineau dans le jardin de Camille; il l'ajuste. Il n'était pas bien pour le tirer; il remonte l'escalier à pas de loup; il ouvre bien doucement la porte de Camille, bien doucement la fenêtre de Camille qui dormait. — Pan !
CAMILLE, *se réveillant en sursaut.* — Hé ? ... hein ? quoi ?
CALINOT. — Tiens ! j'avais tiré tout doucement.

* * *

[1] *Lazy-bones.*   [2] *Clerk in a store.*

Moi, d'abord, je n'aime pas les lâchetés. Quand j'écris une lettre anonyme, je la signe toujours.

*   *   *

A M. le maître d'hôtel du Cheval blanc, à Rouen

« Monsieur,

« Je vous prie de me renvoyer mon couteau-poignard [1] que j'ai oublié sous mon traversin dans la chambre n° 23.   5

« Votre   dévoué,

« CALINOT. »

En cachetant la lettre, Calinot retrouve son couteau-poignard.

« *Post-scriptum.* — Ne vous donnez pas la peine de chercher mon couteau-poignard; je l'ai retrouvé. »

CAMILLE. — Tu es bête!... puisque tu l'as retrouvé.   10

CALINOT. — C'est trop fort! Tu veux donc que cet homme s'échine [2] à chercher mon couteau-poignard.

*   *   *

Sont-ils bêtes ces gens qui donnent une lettre à un commissionnaire! Ils se figurent qu'il la porte; il ne la porte jamais. Moi, quand je veux être sûr, je vais tou-   15 jours avec le commissionnaire.

*   *   *

Dans son jardin de Romainville, Calinot avait un tas de gravois.

CAMILLE. — Fais un trou, tu mettras ça dedans.

Calinot n'avait plus de gravois, mais il avait un tas de   20 terre. « C'est que je ne l'ai pas fait assez grand! »

*   *   *

----

[1] *Dagger-knife.*
[2] *Takes lots of trouble.*

Calinot, capitaine instructeur: « Eh ! là-bas, qui est-ce qui lève les deux jambes ? »

* * *

CALINOT. — Je viens de rendre service à un vieux cama-rade de la *Tremblante*. Ce pauvre diable ! il n'avait pas
5 mangé depuis deux jours. Je l'ai fait entrer dans une allée, je lui ai donné mes bottes.

CAMILLE. — Et toi, comment t'es-tu en allé ?

CALINOT. —Ah ! tu demandes toujours des explications.

* * *

CALINOT *au Salon.* — Ducornet . . . né sans bras . . .
10 Qu'que ça fait,[1] s'il a des mains ?

* * *

CAMILLE. — Eh bien ! tu ne viens pas à l'enterrement de mademoiselle Mars[2]? tous les artistes y seront.

CALINOT. — Je ne vais à l'enterrement des gens que quand ils viennent au mien.

* * *

15 Camille donne à Calinot une canne avec une très-belle pomme de Saxe.[3] La canne est trop grande pour Calinot. — Calinot la rogne de la pomme.

CAMILLE. — Pourquoi ne l'as-tu pas rognée du bas ?

CALINOT. — C'était en haut qu'elle me gênait.

* * *

20 CALINOT, *mourant du choléra.* — Je meurs comme le Christ, à quarante-trois ans.

CAMILLE. — Tu te trompes, mon ami, il est mort à trente-trois ans.

CALINOT. — Eh bien ! il est mort dix ans trop tôt.

---

[1] Populaire pour: *qu'est-ce que* . . .
[2] La grande actrice, morte en 1847.
[3] *China-head.*

Les Goncourt remarquèrent plus tard: « Calinot à l'heure présente, est une figure très populaire. Théodore Barrière en a fait une pièce [un vaudeville, *Monsieur Naïf*], et chaque petit journal augmente d'une naïveté nouvelle la chapitre des naïvetés de ce petit-fils de La Palisse. Mais en 1852, lorsque nous avons pour la première fois biographé Calinot, ce n'était encore qu'une légende flottante dans la blague [*nonsense talk*] des ateliers. »

Calinot appartient à la famille d'esprit d'un autre héros bizarre du théâtre et du roman, Joseph Prudhomme, type créé par Henri Monnier dans les *Mémoires de Joseph Prudhomme* (1852): « Type moderne de la nullité satisfaite et de la banalité magistrale. »

CHAPITRE VII

ÉMILE ZOLA

1840–1902

Consulter: *Œuvres complètes*, Ed. F. Bernouard, (73 Rue des Sts. Pères 73. 50 vol.); E. Lepelletier, *Émile Zola, sa vie, son œuvre*, (1909), (492 pp. in 12); B. Bouvier, *L'Œuvre de Zola* (Genève, 1903); A. Bruneau, *À l'ombre d'un grand cœur, souvenirs d'une collaboration*, (Charpentier-Fasquelle, 1932). **En anglais:** H. Vizetelly, *E.Z. Novelist and Reformer*, (New York, Lane, 1904, 560 pp.). Il y a un *Bulletin de la Société des Amis d'E. Z.* (Paris, Rue Stanislas).

Quoique plus jeune et arrivé plus tard dans le monde des lettres, Émile Zola dépassa par sa renommée ceux qui avaient jeté les fondements de l'école réaliste, particulièrement les frères Goncourt. C'est avec son nom qu'on associe surtout les deux particularités du « naturalisme », la tentative de placer de plus en plus la littérature sous le patronage de la science, et de souligner plutôt qu'ignorer les manifestations les plus repoussantes de la vie. Avec cela on est forcé de reconnaître un élément de vrai lyrisme dans certains de ses livres où il décrit les beautés et les mystères de la nature.

D'ailleurs, il commença par écrire des vers. Élevé à Aix-en-Provence, par un père italien d'origine et une mère française, il se fixa à Paris à l'âge de 18 ans. Ayant échoué à son examen d'entrée à l'Université, il vécut assez péniblement pendant quelques années, mais finit par entrer comme commis à la fameuse librairie Hachette (1860-5). À cette époque il composait des contes fantaisistes (*Contes à Ninon*, 1864); puis se mit à écrire pour les journaux (surtout l'*Événement*); et parfois des romans. En 1865, il salua par un article enthousiaste la *Germinie Lacerteux* des Goncourt, et en 1868 il publia le premier livre qui trahissait son grand talent, *Thérèse Raquin*, résumé par Zola lui-même en ces termes: « Camille et Thérèse, deux jeunes époux, introduisent Laurent dans leur ménage. Laurent devient l'amant de Thérèse, et tous deux poussés par la passion, noient Camille pour se marier et goûter les joies d'une union légitime. Le roman est l'étude de cette union accomplie dans le meurtre; les deux amants en arrivent à l'épouvante, à la haine, à la folie, et ils rêvent l'un et l'autre se débarrasser d'un complice. Au dénouement, ils se suicident. » Une polémique de presse suivit au sujet de ce « succès d'horreur » qui mit Zola en vue dans le monde des lettres. On parla de poursuivre son prochain roman *Madeleine Férat* (1868).

Cette même année Zola conçoit l'idée d'une série de romans groupés sous un même titre, à la façon de la *Comédie humaine* de Balzac. Et, tout de suite, il se met à l'œuvre. Il y aura 20 volumes, qui paraîtront de 1871 à 1893. Le titre général est *Les Rougon-Macquart, histoire naturelle et sociale d'une famille sous le Second Empire*. Zola prétend faire quelque chose de différent du réalisme de Flaubert et procéder même plus systématiquement que les Goncourt. Ses prédécesseurs se bornaient au roman d'observation pure et simple tandis que lui, Zola, tentera de calquer son œuvre de romancier sur celle des hommes de science, et il fera ce qu'il appelle du « roman expérimental », c.à.d. du roman d'observation *provoquée;* ici l'écrivain posera et disposera lui-même les données de son récit — données empruntées d'ailleurs au réel — au lieu d'attendre que la nature — par hasard — offre cette combinaison de circonstances dont il veut étudier les effets. En 1880, lorsque la « bataille réaliste » aura été engagée, il publiera un livre, intitulé *Le roman expérimental*, qui est destiné à expliquer et à justifier son œuvre. Il veut que son titre même rappelle un ouvrage célèbre de Claude Bernard, paru en 1865: « Je n'aurai à faire ici, dit-il, qu'un travail d'adaptation, car la méthode expérimentale a été établie avec une force merveilleuse par Claude Bernard dans son *Introduction à la médecine expérimentale*. ◦◦◦ Je compte sur tous les points me retrancher derrière lui. Le plus souvent, il me suffira de remplacer le mot *médecin* par le mot *romancier*, pour rendre ma pensée plus valide et lui apporter la rigueur d'une vérité scientifique. »

Le vrai précurseur de ce réalisme littéraire, selon Zola, fut Balzac: « Je prendrai comme exemple la figure du baron Hulot dans la *Cousine Bette* de Balzac. Le fait général observé par Balzac est le ravage que le tempérament amoureux d'un homme amène chez lui, dans sa famille, et dans la société. Dès qu'il a eu choisi son sujet, il est parti des faits observés, puis il a institué son expérience en soumettant Hulot à une série d'épreuves, en le faisant passer par certains

milieux pour montrer le fonctionnement du mécanisme de sa passion.
Il est donc évident qu'il n'y a pas seulement là observation, mais qu'il
y a aussi expérimentation puisque Balzac ne s'en tient pas seulement
en photographe aux faits recueillis par lui, puisqu'il intervient d'une
façon directe pour placer son personnage dans des conditions dont il
reste le maître. »

Sans doute, en théorie, cette croyance absolue aux lois dans le
domaine moral comme dans le domaine physique conduit au déterminisme ou au fatalisme. Cependant, Zola n'a jamais adhéré, en pratique, à un fatalisme et à un pessimisme absolu. Au contraire, il ne
cesse de prétendre qu'il fait œuvre de régénération morale de la
société:

« Quand les temps auront marché, quand on possèdera les lois,
il n'y aura plus qu'à agir sur les individus et les milieux si l'on veut
arriver au meilleur état social. C'est ainsi que nous faisons de la
sociologie pratique et que notre besogne aide aux sciences politiques
et économiques. Je ne sais pas de travail plus noble, ni d'une application plus large. Être maître du bien et du mal, régler la vie, régler
la société, résoudre à la longue tous les problèmes du socialisme en
résolvant par l'expérience les questions de criminalité, n'est-ce pas
être les ouvriers les plus utiles et les plus moraux du travail humain? »[1]

Les six premiers romans de la série n'avaient pas causé grande
sensation, tandis que le septième, *L'Assommoir*, paru en 1877, devait
être un grand événement littéraire — signifiant à la fois le succès
assuré et la fortune. *Nana*, en 1880, où Zola racontait, avec une
franchise jusqu'alors inconnue dans les romans qui ne voulaient pas
fonder leur succès sur l'appel à la sensualité du lecteur, la vie de la
courtisane, dépassait le chiffre de vente de *L'Assommoir;* (il fut tiré
d'emblée à 55.000 exemplaires, ce qui pour l'époque était extraordinaire). La grande campagne de presse contre le réalisme dura de
1877 à 1882 environ. Ce fut alors que Zola vit venir à lui ses disciples les plus dévoués, comme Paul Alexis, Hennique, Céard, Huysmans, Maupassant, etc.

LES ROUGON-MACQUART

Zola veut étudier, à la fois documentairement et expérimentale-
ment, la société du Second Empire, comme Balzac avait étudié celle
qui était sortie de la Révolution du 1789. Il adopte également l'idée
des mêmes personnages qui apparaissent dans les romans successifs;
mais, en plus, ces personnages sont ceux d'une famille unique. On
verra défiler environ 1200 personnes, appartenant à cinq générations.

---

[1] Taine et Claude Bernard sont les grands maîtres de Zola. Ce-

Le facteur de l'hérédité sera accusé plus qu'aucun de ceux déjà pris
en considération par Taine et Flaubert. Zola part de cette affirmation: « L'hérédité a ses lois, comme la pesanteur ○ ○ ○ Les Rougon-
Macquart, le groupe, la famille que je me propose d'étudier, a pour
caractéristique le débordement des appétits, le large soulèvement de
notre âge qui se rue aux jouissances. *Physiologiquement*, ils sont la
lente succession des accidents nerveux et sanguins qui se déclarent
dans une race à la suite d'une première lésion organique. *Historique-
ment*, ils partent du peuple, ils s'irradient dans toute la société contemporaine, ils montent à toutes les situations, et ils racontent ainsi le
Second Empire à l'aide de leurs drames individuels. »

Le premier roman nous montre à Plassans (Aix) en Provence, un
paysan Rougon, qui épouse une fille de 18 ans, Adélaïde Fouqué,
laquelle est hystérique. Ils ont un fils Pierre Rougon, qui entrera par
son mariage dans la petite bourgeoisie; le coup d'État de Louis
Bonaparte, en 1851, lui avait permis de s'enrichir rapidement.
Le père Rougon meurt, et Adélaïdé Fouqué se donne à un Macquart,
un ivrogne, et cette double hérédité, d'une hystérique et d'un ivrogne,
va produire une famille particulièrement disposée à la dégénérescence.
Il y aura quelques ouvriers, ou quelques bourgeois chez qui la tare ne
sera pas apparente, mais la plupart tombent victimes des vices de
leurs ascendants. Il y aura des hommes et des femmes de toutes
les classes dans cette abondante progéniture: des fonctionnaires, des
députés, des rentiers, des journalistes, des paysans, des prêtres, des
soldats, des prostituées...

Comme dans les « Scènes » de la *Comédie humaine* de Balzac,
nous avons ici des romans correspondant à peu près aux différents
mondes sociaux. Ainsi, le monde de la finance est décrit dans *La
Curée* (1871) et de nouveau dans *L'Argent* (1891); celui des commerçants dans *Le ventre de Paris* (1873); le monde ecclésiastique dans *La
faute de l'Abbé Mouret* (1875); le monde politique dans *Son Excel-*

---

pendant, il reconnaît devoir beaucoup aussi à des auteurs demeurés
moins illustres, le Dr. Letourneau qui, dans son ouvrage *Physiologie
des passions* (1868), étudiait d'une façon très suggestive les lois de
l'hérédité (autant qu'on les connaissait alors), et le Dr. Prosper Lucas
dont le *Traité philosophique et physiologique de l'hérédité naturelle*,
paru 1847–50, mais lu par Zola dix ans plus tard en vue de ses romans,
fourmillait de cas concrets d'hérédité. Ce Dr. Lucas servit enfin de
modèle, dans le dernier roman des Rougon-Macquart, pour le *Docteur
Pascal* qui explique à un autre personnage du roman (Clotilde) l'idée
de l'œuvre tout entière.

V. C. T. Ramond, *Les personnages des (Rougon-Macquart): pour
servir à l'étude de l'œuvre d'Émile Zola*. (Paris, Fasquelle 1901).

lence Eugène Rougon (1876); celui des ouvriers dans *L'Assommoir*
(1877); celui du demi-monde dans *Nana* (1880) [1]; celui des ouvriers
des mines dans *Germinal* (1883); le monde des artistes dans *L'Œuvre*
(1886); le monde des paysans dans *La terre* (1888) le monde militaire dans *La débâcle* (1892).

L'Assommoir [2] (1877)

Dans la série des Rougon-Macquart, le roman le plus frappant
c'est *L'Assommoir*. C'est aussi le réquisitoire le plus puissant contre
les méfaits de l'alcoolisme dans la société moderne, non seulement en
France mais dans le monde entier. *Assommer*, c'est *abattre* [*knock
down*]; « assommoir » est le nom que le peuple a donné à ces établissements où l'homme s'abrutit par les boissons les plus fortes et les plus
nocives, des boissons qui sont frelatées [3] pour être vendues meilleur
marché à l'ouvrier, qui l'empoisonnent, et le transforment en une
véritable brute; cela correspond à peu près au *bar* anglais et américain,
sauf que, dans l'assommoir, les consommateurs s'asseyent à des tables
et y font ainsi des séances prolongées.

Zola dans une Préface éloquente, écrit ces mots: « J'ai voulu
peindre la déchéance fatale d'une famille ouvrière, dans le milieu
empesté de nos faubourgs.[4] Au bout de l'ivrognerie et de la fai-
nèantise, il y a le relâchement des liens de la famille, les ordures de la
promiscuité, l'oubli progressif des sentiments honnêtes, puis comme
dénouement, la honte et la mort. »

Et au sujet du langage populaire dont il s'est servi pour faire parler
ses personnages, Zola dit ceci — et aujourd'hui, il n'aurait plus à se
justifier puisque ce procédé littéraire est devenu très commun:

« On s'est fâché contre les mots. [Il faut dire que le roman avait
paru en feuilleton [5] avant de paraître en volume et avait été violemment attaqué déjà]. Mon crime est d'avoir eu la curiosité littéraire

---

[1] Faire de la vie de la courtisane le sujet d'un roman tout entier fut,
à plusieurs reprises, une manière pour les réalistes de montrer qu'ils
ne reculaient pas devant des tableaux de choses réprouvées par la
morale conventionnelle. E. de Goncourt avait publié en 1877 *La
fille Elisa;* en 1880 ce fut Zola avec *Nana;* en 1884 ce sera Alphonse
Daudet, avec *Sapho*.

[2] V. L. Deffoux. *La publication de* ‹ *L'Assommoir.* › (Coll.
‹ Grands évén. litt. › Malfère 1932, 152 pp. in 12).

[3] *Adulterated.*

[4] *Stinking atmosphere of our slums.*

[5] *Serially in a newspaper.*

de ramasser et de couler dans un moule très travaillé la langue du peuple. Ah ! la forme, là est le grand crime ! Des dictionnaires de cette langue existent pourtant, des lettrés l'étudient et jouissent de sa verdeur,[1] de l'imprévu et de la force de ses images. Elle est un régal pour les grammairiens fureteurs.[2] N'importe, personne n'a entrevu que ma volonté était de faire un travail purement philologique, que je crois d'un vif intérêt historique et social. »

Résumé de L'Assommoir

(D'Après L. Deffoux dans *La publication de « L'Assommoir »*, Coll. « Grands évén. litt. », 1931, pp. 13-14.)

« Une femme du peuple, une blanchisseuse, Gervaise Macquart qui vient de Plassans (un mélange d'Aix-en-Provence et de Lorgues, près Draguignan) avec son amant Auguste Lantier, est abandonnée par celui-ci dans
5 une chambre de l'*Hôtel Boncœur*, à la barrière [3] des Poissonniers. La voilà seule à Paris, sans argent et avec deux de ses enfants, Claude et Étienne. Elle est, à ce moment, aussi courageuse que son amant est méprisable et réussit à refaire sa vie. Un ouvrier zingueur,[4] Coupeau, l'épouse.
10 C'est pendant quelque temps, une idylle faubourienne.[5] Ils ont une fille, Anna, *Nana*. Le ménage vit heureux jusqu'au jour où un accident survient à Coupeau. Il tombe d'un toit, se casse une jambe et après sa convalescence prend peu à peu l'habitude de boire ; il se remet au travail
15 avec d'autant moins d'entrain que sa femme, établie à son compte, gagne assez pour deux.

« Leur bonheur se détraque et leur tranquillité s'écroule. Ils acceptent le retour de Lantier, son installation chez

---

[1] Énergie.

[2] *Searchers.*

[3] *Barrière*, ici: porte de la ville (du quartier des Poissonniers). On trouve près de ces « barrières », en dehors de l'enceinte urbaine, des auberges qui veulent éviter de payer les droits d'octroi (impôt sur les victuailles à l'entrée de Paris).

[4] *Zinc-worker, tinsmith.*

[5] Adj. de faubourg, [*slum*].

eux: c'est le ménage à trois, la déchéance qui s'accélère avec l'alcoolisme du mari et la passivité de la femme.

« Une crise de *delirium* emporte à quarante-quatre ans Coupeau, et Gervaise meurt de misère à quarante-et-un ans. 5

« Autour de ces protagonistes du roman, Zola a tracé une vingtaine de figures bien représentatives des milieux faubouriens de ces années-là ... : Goujet, le forgeron, d'une force herculéenne et qui aime platoniquement Gervaise; Nana qui, devenue garce [1] dès sa quinzième année, ne tarde 10 pas à s'enfuir devant la débâcle de la famille; les Lorilleux, petits façonniers en chambre,[2] sœur et beau-frère de Coupeau, deux êtres d'une jalousie aigre qu'enchantent les malheurs du zingueur; Virginie Poisson, l'ennemie de Gervaise; Mes Bottes, ouvrier fainéant, soiffard et boute- 15 en-train [3]; Poisson, le silencieux sergent de ville; les Boche, concierges à l'affût [4] dans l'énorme bâtisse qu'habitent, rue de la Goutte d'Or, les Lorilleux et les Coupeau; Bazouge, le croque-mort [5] sentimental, etc. ...

« Non moins vivant que les personnages principaux, le 20 débit d'alcool [6] du père Colombe, l'*Assommoir*, semble se dresser au centre de la composition avec son comptoir énorme, son odeur entêtante,[7] ses files de verres, ses mesures d'étain,[8] le reflet de son alambic [9] à distiller qui fonctionne dans un murmure de ruisseau souterrain. » 25

On a conservé les notes et documents dont se servit Zola, tant pour

---

[1] *Strumpet.*

[2] *Workers at home, piece-workers.* Ils 'façonnaient' des chaînes de montre les couvrant d'une mince "plaque" d'or.

[3] *Always thirsty and merry-maker.*

[4] *On the watch (for gossip).*

[5] *Undertaker's man.*

[6] *Bar.*

[7] Qui donnent des maux de tête. (En Normandie on dit que les fleurs « entêtent ».)

[8] *Pewters.*

[9] *Still.*

les différents épisodes du roman (particulièrement ceux relatifs au délire alcoolique) que pour le vocabulaire (v. Deffoux, *livre cité*, Chap. III).

Les principales scènes, celles qui ont provoqué à l'époque le plus de protestations sont: la scène du lavoir [1] (deux femmes qui se disputent au sujet d'un homme, qui se lancent au visage les injures les plus ordurières, et se livrent enfin à une bataille formidable en présence des autres femmes venues comme elles au lavoir municipal); la noce de Coupeau et Gervaise; la première communion de Nana; et, à l'occasion de la fête de Gervaise, un repas pantagruélique [2] organisé encore à la veille de la débâcle financière; les scènes d'hôpital après que Coupeau est tombé victime de l'alcool et succombe après une crise de *delirium tremens*. On trouvera aussi dans *L'Assommoir* les premiers épisodes de la vie de Nana qui fera l'objet d'un roman tout entier; on la voit dégoûtée du taudis [3] du ménage Coupeau et des brutalités de son père; elle finira par sortir dans la rue et bientôt s'abandonnera à la prostitution.

La petite Lalie

(« Martyre séraphique d'un ivrogne démoniaque » Huysmans.)

L'histoire de la petite Lalie est en somme un petit roman dans le grand roman de *L'Assommoir*. Elle raconte un cas au moins aussi effrayant de l'usage immodéré de l'alcool que celui des personnages principaux, Coupeau et Gervaise; elle offre un exemple excellent de la manière de Zola. Elle fut inspirée par un fait-divers [4] que publia Louis Ratisbonne (écrivain connu de l'époque) dans le journal *L'Evénement*, sur la mort affreuse d'une enfant martyre. C'est à cet épisode autant qu'à aucun autre de son roman que Zola devait penser quand il écrivait pour répondre aux attaques dirigées contre son roman: « J'affirme que la leçon sera terrible, vengeresse et que jamais roman n'a eu des intentions plus strictement honnêtes. » (*Figaro*, 7 sept. 1876) Citons aussi ces lignes d'un disciple d'alors de Zola, Huysmans; elles parurent dans un journal de Belgique, *L'Actualité:* « Se peut-il donc que des gens osent nier l'inestimable talent de cet homme, sa personnalité puissante, son ampleur, sa force, uniques

---

[1] *Public washing place.*

[2] Formidable. Repas à la manière de Pantagruel, le géant, héros du roman de Rabelais, (XVIe siècle).

[3] *Hovel.*

[4] *Newspaper article, news of the day* (accidents, meurtres, divorces, etc.)

dans cette époque de rachitisme et de langueur ? ... Où trouver, dans les romans d'aujourd'hui, ou, dans ceux d'autrefois, une page aussi émue, aussi poignante que celle où cette brute de Bijard va frapper Lalie qui se meurt ?   Allez, adressez-vous aux écrivains qui ont pour spécialité d'attendrir les femmes, et vous verrez si tout l'arsenal de leurs émotions ne s'effondre [1] point à côté de la simplicité douloureuse de Zola ? »   (Cité par Deffoux, p. 93).

L'ivrogne Bijard: — Gervaise vient de passer devant l'« Assommoir » du Père Colombe où Coupeau, depuis quelque temps, va s'enivrer; il s'y trouvait encore; elle rentre à sa boutique de blanchisseuse avec un pressentiment de malheur.   Et la scène qui suit est bien faite pour l'épouvanter encore.   La blanchisserie de Gervaise est au rez-de-chaussée [2] de l'immeuble où les Bijart ont une chambre.

En arrivant rue de la Goutte-d'Or, elle trouva toute la maison bouleversée.   Ses ouvrières avaient quitté l'établi,[3] et étaient dans la cour, à regarder en l'air.   Elle interrogea Clémence.[4]

— C'est le père Bijard qui flanque une roulée [5] à sa   5 femme, répondit la repasseuse.   Il était sous la porte, gris comme un Polonais,[6] à la guetter revenir du lavoir ... Il lui a fait grimper l'escalier à coups de poing, et maintenant il l'assomme là-haut, dans leur chambre ... Tenez, entendez-vous les cris ?   10

Gervaise monta rapidement.   Elle avait de l'amitié pour madame Bijard, sa laveuse, qui était une femme d'un grand courage.   Elle espérait mettre le holà.   En haut, au sixième, la porte de la chambre était restée ouverte, quelques locataires s'exclamaient sur le carré, tandis que 15 Mme Boche,[7] devant la porte, criait:

— Voulez-vous bien finir ! ...   On va aller chercher les sergents de ville, entendez-vous !

   [1] *Tumbles down* (s'effondrer, *collapse*).
   [2] *Ground floor of the building.*
   [3] *Work bench.*
   [4] Une des ouvrières de Gervaise.
   [5] *Thrashing.*
   [6] *Drunk* ... (les Polonais jouissent de la réputation d'être des buveurs formidables).
   [7] La concierge de l'immeuble.

Personne n'osait se risquer dans la chambre, parce qu'on connaissait Bijard, une bête brute quand il était soûl.[1] Il ne dessoûlait jamais, d'ailleurs. Les rares jours où il travaillait, il posait un litre d'eau-de-vie[2] près de son étau[3]

5 de serrurier, buvant au goulot toutes les demi-heures. Il ne se soutenait plus autrement, il aurait pris feu comme une torche, si l'on avait approché une allumette de sa bouche.

— Mais on ne peut pas la laisser massacrer ! dit Ger-

10 vaise toute tremblante.

Et elle entra. La chambre, mansardée, très-propre, était nue et froide, vidée par l'ivrognerie de l'homme, qui enlevait les draps du lit pour les boire. Dans la lutte, la table avait roulé jusqu'à la fenêtre, les deux chaises cul-

15 butées étaient tombées, les pieds en l'air. Sur le carreau, au milieu, Mme Bijard, les jupes encore trempées par l'eau du lavoir et collées à ses cuisses, les cheveux arrachés, saignante, râlait d'un souffle fort, avec des oh ! oh ! prolongés, à chaque coup de talon de Bijard. Il l'avait d'abord

20 abattue de ses deux poings; maintenant, il la piétinait.

— Ah ! garce ! . . .[4] ah ! garce ! . . . ah ! garce ! . . . grognait-il d'une voix étouffée, accompagnant de ce mot chaque coup, s'affolant à le répéter, frappant plus fort à mesure qu'il s'étranglait davantage.

25 Puis, la voix lui manqua, il continua de taper sourdement, follement, raidi dans sa cotte et son bourgeron[5] déguenillés, la face bleuie sous sa barbe sale, avec son front chauve taché de grandes plaques rouges. Sur le carré, les voisins disaient qu'il la battait parce qu'elle lui avait refusé

30 vingt sous, le matin. On entendit la voix de Boche, au bas de l'escalier. Il appelait Mme Boche, il lui criait:

---

[1] *Drunk.*
[2] *Brandy.*
[3] *Locksmith's vise.*
[4] *Strumpet!*
[5] *Blouse.*

— Descends, laisse-les se tuer, ça fera de la canaille [1] de
moins !

Cependant, le père Bru [un voisin] avait suivi Gervaise
dans la chambre. A eux deux, ils tâchaient de raisonner le
serrurier, de le pousser vers la porte. Mais il se retournait,   5
muet, une écume aux lèvres; et, dans ses yeux pâles, l'alcool flambait, allumait une flamme de meurtre. La blanchisseuse eut le poignet meurtri; le vieil ouvrier alla
tomber sur la table. Par terre, Mme Bijard soufflait plus
fort, la bouche grande ouverte, les paupières closes. A pré-   10
sent, Bijard la manquait; il revenait, s'acharnait, frappait à
côté, enragé, aveuglé, s'attrapant lui-même avec les claques [2]
qu'il envoyait dans le vide. Et, pendant toute cette tuerie,
Gervaise voyait, dans un coin de la chambre, la petite
Lalie, alors âgée de quatre ans, qui regardait son père as-   15
sommer sa mère. L'enfant tenait entre ses bras, comme
pour la protéger, sa sœur Henriette, sevrée de la veille.
Elle était debout, la tête serrée dans une coiffe d'indienne,
très pâle, l'air sérieux. Elle avait un large regard noir,
d'une fixité pleine de pensées, sans une larme.   20

Quand Bijard eut rencontré une chaise et se fut étalé sur
le carreau, où on le laissa ronfler, le père Bru aida Gervaise
à relever Mme Bijard. Maintenant, celle-ci pleurait à
gros sanglots; et Lalie, qui s'était approchée, la regardait
pleurer, habituée à ces choses, résignée déjà. La blanchis-   25
seuse, en redescendant, au milieu de la maison calmée,
voyait toujours devant elle ce regard d'enfant de quatre
ans, grave et courageux comme un regard de femme.

— Monsieur Coupeau est sur le trottoir d'en face, lui
cria Clémence, dès qu'elle l'aperçut. Il a l'air joliment   30
poivré ! [3]

Coupeau traversait justement la rue. Il faillit enfoncer

---

[1] Cela nous débarrassera de quelques gens indésirables [Canailles,
rascals, rabble].

[2] *Smacks.*

[3] Populaire, *peppered, drunk.*

un carreau d'un coup d'épaule, en manquant la porte. Il
avait une ivresse blanche,[1] les dents serrées, le nez pincé.
Et Gervaise reconnut tout de suite le vitriol de l'Assommoir, dans le sang empoisonné qui lui blêmissait la peau.
5 Elle voulut rire, le coucher, comme elle faisait les jours où
il avait le vin bon enfant.[2] Mais il la bouscula, sans des-
serrer les lèvres; et, en passant, en gagnant de lui-même
son lit, il leva le poing sur elle. Il ressemblait à l'autre,
au soûlard qui ronflait là-haut, las d'avoir tapé. Alors,
10 elle resta toute froide, elle pensait aux hommes, à son mari,
à Goujet,[3] à Lantier,[4] le cœur coupé, désespérant d'être
jamais heureuse.

La petite Bijard: — Quatre ans après la scène ci-dessus. Un jour
Bijard avait tué sa femme d'un coup de pied dans le ventre. Et,
entre temps, Coupeau avait continué à boire, tandis que Gervaise,
découragée, avait cessé de lutter et avait glissé elle-même à l'ivrognerie;
on avait dû quitter un assez gentil appartement pour aller se loger
dans le même immeuble que les Bijard, grouillant [5] de monde pauvre
et sale. La chambre des Coupeau était assez voisine de celle des
Bijard.

Dans son coin de misère, au milieu de ses soucis et de
ceux des autres, Gervaise trouvait pourtant un bel exemple
15 de courage chez les Bijard. La petite Lalie, cette gamine
de huit ans, grosse comme deux sous de beurre, soignait le
ménage avec une propreté de grande personne; et la besogne était rude, elle avait la charge de deux mioches,[6] son
frère Jules et sa sœur Henriette, des mômes [7] de trois ans
20 et de cinq ans, sur lesquels elle devait veiller toute la journée, même en balayant et en lavant la vaisselle. Depuis

---

[1] Ivresse totale, mais sans manifestations de violence.
[2] *Wine made him simply good-natured.*
[3] Le brave ouvrier qui courtisait respectueusement Gervaise.
[4] L'ancien amant de Gervaise.
[5] *Swarming.*
[6] Populaire, *kids.*
[7] Populaire, *brats.*

que le père Bijard avait tué sa bourgeoise [1] d'un coup de
pied dans le ventre, Lalie s'était faite la petite mère de tout
ce monde. Sans rien dire, d'elle-même, elle tenait la place
de la morte, cela au point que sa bête brute de père, pour
compléter sans doute la ressemblance, assommait aujour-
d'hui la fille comme il avait assommé la maman autrefois.
Quand il revenait soûl, il lui fallait des femmes à massacrer.
Il ne s'apercevait seulement pas que Lalie était toute petite; il n'aurait pas tapé plus fort sur une vieille peau.
D'une claque, il lui couvrait la figure entière, et la chair
avait encore tant de délicatesse que les cinq doigts restaient
marqués pendant deux jours. C'étaient des tripotées [2] indignes, des trépignées pour un oui, pour un non, un loup
enragé tombant sur un pauvre petit chat, craintif et câlin,[3]
maigre à faire pleurer, et qui recevait cela avec ses beaux
yeux résignés, sans se plaindre. Non, jamais Lalie ne se
révoltait. Elle pliait un peu le cou, pour protéger son
visage; elle se retenait de crier, afin de ne pas révolutionner
la maison. Puis, quand le père était las de l'envoyer promener à coups de soulier aux quatre coins de la pièce, elle
attendait d'avoir la force de se ramasser; et elle se remettait au travail, débarbouillait [4] ses enfants, faisait la soupe,
ne laissait pas un grain de poussière sur les meubles. Ça
rentrait dans sa tâche de tous les jours d'être battue.

Gervaise s'était prise d'une grande amitié pour sa voisine. Elle la traitait en égale, en femme d'âge, qui connaît
l'existence. Il faut dire que Lalie avait une mine pâle et
sérieuse, avec une expression de vieille fille. On lui aurait
donné trente ans, quand on l'entendait causer. Elle savait
très bien acheter, raccommoder, tenir son chez elle, et elle
parlait des enfants comme si elle avait eu déjà deux ou
trois couches [5] dans sa vie. A huit ans, cela faisait sourire
les gens de l'entendre; puis, on avait la gorge serrée, on

---

[1] En langage populaire, sa femme.

[2] *Beatings.*   [3] Caressant.

[4] Populaire, laver.   [5] *Birth deliveries.*

s'en allait pour ne pas pleurer. Gervaise l'attirait le plus
possible, lui donnait tout ce qu'elle pouvait, du manger, des
vieilles robes. Un jour, comme elle lui essayait un ancien
caraco à Nana,[1] elle était restée suffoquée, en lui voyant
5 l'échine bleue, le coude écorché et saignant encore, toute
sa chair d'innocente martyrisée et collée aux os. Eh bien !
le père Bazouge pouvait apprêter sa boîte,[2] elle n'irait pas
loin de ce train-là. Mais la petite avait prié la blanchisseuse de ne rien dire. Elle ne voulait pas qu'on embêtât [3]
10 son père à cause d'elle. Elle le défendait, assurait qu'il
n'aurait pas été méchant, s'il n'avait pas bu. Il était fou,
il ne savait plus. Oh ! elle lui pardonnait, parce qu'on doit
tout pardonner aux fous.

Depuis lors, Gervaise veillait, tâchait d'intervenir, dès
15 qu'elle entendait le père Bijard monter l'escalier. Mais, la
plupart du temps, elle attrapait simplement quelque tor-
gnole [4] pour sa part. Dans la journée, quand elle entrait,
elle trouvait souvent Lalie attachée au pied du lit de fer;
une idée du serrurier, qui, avant de sortir, lui ficelait les
20 jambes et le ventre avec de la grosse corde, sans qu'on pût
savoir pourquoi; une toquade [5] de cerveau dérangé par la
boisson, histoire sans doute de tyranniser la petite, même
lorsqu'il n'était plus là. Lalie, raide comme un pieu,
avec des fourmis [6] dans les jambes, restait au poteau pen-
25 dant des journées entières; même elle y resta une nuit,
Bijard ayant oublié de rentrer. ○○○

Non, jamais on ne se douterait des idées de férocité qui
peuvent pousser au fond d'une cervelle de pochard.[7] Une
après-midi, par exemple, Lalie, après avoir tout rangé,
30 jouait avec ses enfants. La fenêtre était ouverte, il y avait

[1] *Nana's* [la fille de Gervaise] *jacket.*
[2] Populaire, pour cercueil des pauvres.
[3] Populaire, pour ennuyât.
[4] Populaire, coup.
[5] Populaire, fantaisie.
[6] Ici, *itchings* (fourmis, *ants*).
[7] Populaire, ivrogne.

un courant d'air, et le vent engouffré dans le corridor poussait la porte par légères secousses.

— C'est monsieur Hardi, disait la petite. Entrez donc, monsieur Hardi. Donnez-vous donc la peine d'entrer.

Et elle faisait des révérences devant la porte, elle saluait 5 le vent. Henriette et Jules, derrière elle, saluaient aussi, ravis de ce jeu-là, se tordant de rire comme si on les avait chatouillés. Elle était toute rose de les voir s'amuser de si bon cœur, elle y prenait même du plaisir pour son compte, ce qui lui arrivait le trente-six de chaque mois. 10

— Bonjour, monsieur Hardi. Comment vous portez-vous, monsieur Hardi ?

Mais une main brutale poussa la porte, le père Bijard entra. Alors, la scène changea, Henriette et Jules tombèrent sur leur derrière, contre le mur ; tandis que Lalie, 15 terrifiée, restait au beau milieu d'une révérence. Le serrurier tenait un grand fouet de charretier tout neuf, à long manche de bois blanc, à lanière de cuir terminée par un bout de ficelle mince. Il posa ce fouet dans le coin du lit, il n'allongea pas son coup de soulier habituel à la petite, 20 qui se garait déjà en présentant les reins. Un ricanement montrait ses dents noires, et il était très gai, très soûl, la trogne [1] allumée d'une idée de rigolade.[2]

— Hein ? dit-il, tu fais la traînée,[3] bougre de trognon ![4] Je t'ai entendue danser d'en bas ... Allons, avance ! Plus 25 près, nom de Dieu ! et en face ; ००० Est-ce que je te touche, pour trembler comme un quiqui ? [5] ... Ote-moi mes souliers.

Lalie, épouvantée de ne pas recevoir sa tatouille,[6] redevenue toute pâle, lui ôta ses souliers. Il s'était assis au 30

---

[1] Populaire, visage rouge d'ivrogne.
[2] Populaire, plaisanterie.
[3] Populaire, prostituée de la pire sorte [*trollop*].
[4] Populaire, *Blasted stump*.
[5] Surnom de la petite Lalie dans la famille et chez les voisins.
[6] Populaire, volée de coups.

bord du lit, il se coucha habillé, resta les yeux ouverts, à suivre les mouvements de la petite dans la pièce. Elle tournait, abêtie sous ce regard, les membres travaillés peu à peu d'une telle peur, qu'elle finit par casser une tasse. 5 Alors, sans se déranger, il prit le fouet, il le lui montra.

— Dis donc, le petit veau, regarde ça; c'est un cadeau pour toi. Oui, c'est encore cinquante sous que tu me coûtes... Avec ce joujou-là, je ne serai plus obligé de courir, et tu auras beau te fourrer dans les coins. Veux-tu 10 essayer?... Ah! tu casses les tasses!... Allons, houp! danse donc, fais donc des révérences à M. Hardi.

Il ne se souleva seulement pas, vautré [1] sur le dos, la tête enfoncée dans l'oreiller, faisant claquer le grand fouet par la chambre, avec un vacarme de postillon qui lance ses 15 chevaux. Puis, abattant le bras, il cingla [2] Lalie au milieu du corps, l'enroula, la déroula comme une toupie. Elle tomba, voulut se sauver à quatre pattes; mais il la cingla de nouveau et la remit debout.

— Hop! Hop! gueulait-il,[3] c'est la course des bour- 20 riques![4]... Hein? très chouette[5], ... Dans ce coin-là, touchée, Margot![6] Et dans cet autre coin, touchée aussi! Et dans cet autre, touchée encore! Ah! si tu te fourres sous le lit, je cogne avec le manche... Hop! hop! à dada! à dada!

25 Une légère écume lui venait aux lèvres, ses yeux jaunes sortaient de leurs trous noirs. Lalie, affolée, hurlante, sautait aux quatre angles de la pièce, se pelotonnait [7] par terre, se collait contre les murs; mais la mèche mince du grand fouet l'atteignait partout, claquant à ses oreilles avec

[1] *Sprawling.*

[2] *Lashed.*

[3] *Howled.*

[4] *Donkeys.*

[5] Exclamation populaire, *Capital! Excellent!*

[6] *Hit!* Margot (petit nom donné à des femmes [Marguerite] ou à des animaux domestiques).

[7] *Huddled herself.*

des bruits de pétard, lui pinçant la chair de longues brû-
lures. Une vraie danse de bête à qui on apprend des tours.
₀₀₀ Elle ne pouvait plus souffler, rebondissant d'elle-même
ainsi qu'une balle élastique, se laissant taper, aveuglée,
lasse d'avoir cherché un trou. Et son loup de père triom- 5
phait, l'appelait vadrouille,[1] lui demandait si elle en avait
assez et si elle comprenait suffisamment qu'elle devait
lâcher l'espoir de lui échapper, à cette heure.

Mais Gervaise, tout d'un coup, entra, attirée par les
hurlements de la petite. Devant un pareil tableau, elle fut 10
prise d'une indignation furieuse.

— Ah ! la saleté d'homme ! cria-t-elle. Voulez-vous bien
la laisser, brigand ! Je vais vous dénoncer à la police, moi !

Bijard eut un grognement d'animal qu'on dérange. Il
bégaya :   15

— Dites donc, vous, la Tortillard ![2] mêlez-vous un peu
de vos affaires. Il faut peut-être que je mette des gants
pour la trifouiller ... C'est à la seule fin de l'avertir, vous
voyez bien, histoire simplement de lui montrer que j'ai le
bras long.   20

Et il lança un dernier coup de fouet qui atteignit Lalie
au visage. La lèvre supérieure fut fendue, le sang coula.
Gervaise avait pris une chaise, voulait tomber sur le serrurier. Mais la petite tendait vers elle des mains sup-
pliantes, disait que ce n'était rien, que c'était fini. Elle 25
épongeait le sang avec le coin de son tablier, et faisait taire
ses enfants qui pleuraient à gros sanglots, comme s'ils
avaient reçu la dégelée [3] de coups de fouet.

La mort de l'enfant martyre — quelque temps après.

₀₀₀ Puis, comme elle [Gervaise] arrivait devant les Bijard, elle entendit des plaintes, elle entra, la clef étant tou- 30
jours sur la serrure.

---

[1] Populaire, *strumpet.*
[2] Surnom méchant donné à Gervaise qui boitait et se tordait un
peu en marchant.   [3] Populaire, *Shower.*

— Qu'est-ce qu'il y a donc ? demanda-t-elle.

La chambre était très propre. On voyait bien que Lalie
avait, le matin encore, balayé et rangé les affaires. La
misère avait beau souffler là-dedans, et étaler sa ribam-
5 belle d'ordures,[1] Lalie venait derrière, et récurait tout, et
donnait aux choses un air gentil. Si ce n'était pas riche,
ça sentait bon la ménagère, chez elle. Ce jour-là, ses deux
enfants, Henriette et Jules, avaient trouvé de vieilles
images, qu'ils découpaient tranquillement dans un coin.
10 Mais Gervaise fut toute surprise de trouver Lalie couchée,
sur son étroit lit de sangle,[2] le drap au menton, très pâle.
Elle couchée, par exemple ! elle était donc bien malade.

— Qu'est-ce que vous avez ? répéta Gervaise, inquiète.

Lalie ne se plaignit plus. Elle souleva lentement ses
15 paupières blanches, et voulut sourire de ses lèvres qu'un
frisson convulsait.

— Je n'ai rien, souffla-t-elle très bas, oh ! bien vrai, rien
du tout.

Puis, les yeux refermés, avec un effort :

20 — J'étais trop fatiguée tous ces jours-ci, alors je fiche la
paresse,[3] je me dorlote, vous voyez.

Mais son visage de gamine, marbré de taches livides,
prenait une telle expression de douleur suprême, que Gervaise, oubliant sa propre agonie, joignit les mains et tomba
25 à genoux près d'elle. Depuis un mois, elle la voyait se tenir
aux murs pour marcher, pliée en deux par une toux qui
sonnait joliment le sapin.[4] La petite ne pouvait même
plus tousser. Elle eut un hoquet, des filets de sang cou-
lèrent aux coins de sa bouche.

30 Ce n'est pas ma faute, je ne me sens guère forte, murmura-t-elle comme soulagée. Je me suis traînée, j'ai mis
un peu d'ordre ... C'est assez propre, n'est-ce pas ? Et

---

[1] Lot of garbage.
[2] Springless cot (Sangle).
[3] Populaire, Je m'abandonne à la paresse [I take it lazily].
[4] V. note 2, p. 182. Rang of the church-yard [cercueil de sapin].

je voulais nettoyer les vitres, mais les jambes m'ont manqué. Est-ce bête! Enfin, quand on a fini, on se couche.

Elle s'interrompit, pour dire:

— Voyez donc si mes enfants ne se coupent pas avec
leurs ciseaux.   5

Et elle se tut, tremblante, écoutant un pas lourd qui
montait l'escalier. Brutalement, le père Bijard poussa la
porte. Il avait son coup de bouteille comme à l'ordinaire,
les yeux flambants de la folie furieuse du vitriol. Quand
il aperçut Lalie couchée, il tapa sur ses cuisses avec un ri- 10
canement, il décrocha le grand fouet, en grognant:

— Ah! nom de Dieu, c'est trop fort! nous allons rire!
... Les vaches se mettent à la paille en plein midi, maintenant!... Est-ce que tu te moques des paroissiens, sacrée
faignante?[1]... Allons, houp! décanillons![2]   15

Il faisait déjà claquer le fouet au-dessus du lit. Mais
l'enfant, suppliante, répétait:

— Non, papa, je t'en prie, ne frappe pas... Je te jure
que tu aurais du chagrin... Ne frappe pas.

— Veux-tu sauter, gueula-t-il plus fort, ou je te chatouille 20
les côtes!... Veux-tu sauter, bougre de rosse![3]

Alors, elle dit doucement:

— Je ne puis pas, comprends-tu?... Je vais mourir.

Gervaise s'était jetée sur Bijard et lui arrachait le fouet.
Lui, hébété,[4] restait devant le lit de sangle. Qu'est-ce 25
qu'elle chantait là, cette morveuse?[5] Est-ce qu'on meurt
si jeune, quand on n'a pas été malade! Quelque frime[6]
pour se faire donner du sucre! Ah! il allait se renseigner,
et si elle mentait!

— Tu verras, c'est la vérité, continuait-elle. Tant que 30

---

[1] Populaire pour, fainéante (ne faisant rien).
[2] Populaire, *Out of your bed!*
[3] *Blasted jade!*
[4] (De *bête*) Rendu stupide.
[5] Populaire, *Little scamp.*
[6] *Fib, trick.*

j'ai pu, je vous ai évité de la peine... Sois gentil, à cette
heure, et dis-moi adieu, papa.

Bijard tortillait son nez, de peur d'être mis dedans.[1]
C'était pourtant vrai qu'elle avait une drôle de figure, une
5 figure allongée et sérieuse de grande personne. Le souffle
de la mort, qui passait dans la chambre, le dessoûlait. Il
promena un regard autour de lui, de l'air d'un homme tiré
d'un long sommeil, vit le ménage en ordre, les deux enfants
débarbouillés, en train de jouer et de rire. Et il tomba sur
10 une chaise, balbutiant:

— Notre petite mère, notre petite mère...

Il ne trouvait que ça, et c'était déjà bien tendre pour
Lalie, qui n'avait jamais été tant gâtée. Elle consola son
père. Elle était surtout ennuyée de s'en aller ainsi, avant
15 d'avoir élevé tout à fait ses enfants. Il en prendrait soin,
n'est-ce pas? Elle lui donna de sa voix mourante des détails sur la façon de les arranger, de les tenir propres. Lui,
abruti, repris par les fumées de l'ivresse, roulait la tête en
la regardant passer[2] de ses yeux ronds. Ça remuait en lui
20 toutes sortes de choses; mais il ne trouvait plus rien, et
avait la couenne[3] trop brûlée pour pleurer.

— Écoute encore, reprit Lalie après un silence. Nous
devons quatre francs sept sous au boulanger; il faudra
payer ça... Madame Gaudron a un fer à nous que tu lui
25 réclameras... Ce soir, je n'ai pas pu faire de la soupe,
mais il reste du pain, et tu mettras chauffer les pommes de
terre...

Jusqu'à son dernier râle, ce pauvre chat restait la petite
mère de tout son monde. En voilà une qu'on ne remplace-
30 rait pas, bien sûr! Elle mourait d'avoir eu à son âge la
raison d'une vraie mère, la poitrine encore trop tendre et
trop étroite pour contenir une aussi large maternité. Et, s'il
perdait ce trésor, c'était bien la faute de sa bête féroce de

[1] Populaire, pour être dupe.
[2] Passer de vie à trépas.
[3] *Rough skin*, [Couenne, de *cutina*, peau.]

père. Après avoir tué la maman d'un coup de pied, est-ce qu'il ne venait pas de massacrer la fille ! Les deux bons anges seraient dans la fosse, et lui n'aurait plus qu'à crever [1] comme un chien au coin d'une borne.

Gervaise, cependant, se retenait pour ne pas éclater en sanglots. Elle tendait les mains, avec le désir de soulager l'enfant; et, comme le lambeau de drap glissait, elle voulut le rabattre et arranger le lit. Alors, le pauvre petit corps de la mourante apparut. Ah ! Seigneur ! quelle misère et quelle pitié ! Les pierres auraient pleuré. Lalie était toute nue, un reste de camisole aux épaules en guise de chemise; oui, toute nue, et d'une nudité saignante et douloureuse de martyre. Elle n'avait plus de chair, les os trouaient la peau. Sur les côtes, de minces zébrures [2] violettes descendaient jusqu'aux cuisses, les cinglements du fouet imprimés là tout vifs. Une tache livide cerclait le bras gauche, comme si la mâchoire d'un étau avait broyé ce membre si tendre, pas plus gros qu'une allumette. La jambe droite montrait une déchirure mal fermée, quelque mauvais coup rouvert chaque matin en trottant pour faire le ménage. Des pieds à la tête, elle n'était qu'un noir. Oh ! ce massacre de l'enfance, ces lourdes pattes d'homme écrasant cet amour de quiqui, cette abomination de tant de faiblesse râlant sous une pareille croix. On adore dans les églises des saintes fouettées dont la nudité est moins pure. Gervaise, de nouveau, s'était accroupie, ne songeant plus à tirer le drap, renversée par la vue de ce rien du tout pitoyable, aplati au fond du lit: et ses lèvres tremblantes cherchaient des prières.

— Madame Coupeau, murmura la petite, je vous en prie . . .

De ses bras trop courts, elle cherchait à rabattre le drap, toute pudique, prise de honte pour son père. Bijard, stupide, les yeux sur ce cadavre qu'il avait fait, roulait tou-

---

[1] Populaire, pour mourir [*burst*].
[2] *Stripes* (like those of a zebra).

jours la tête, du mouvement ralenti d'un animal qui a de l'embêtement.[1]

Et quand elle eut recouvert Lalie, Gervaise ne put rester là davantage. La mourante s'affaiblissait, ne parlant plus,
5 n'ayant plus que son regard, son ancien regard noir de petite fille résignée et songeuse, qu'elle fixait sur ses deux enfants, en train de découper leurs images. La chambre s'emplissait d'ombre, Bijard cuvait sa bordée[2] dans l'hébétement de cette agonie. Non, non, la vie était trop
10 abominable ! Ah ! quelle sale chose ! ah ! quelle sale chose ! Et Gervaise partit, descendit l'escalier, sans savoir, la tête perdue, si gonflée d'emmerdement[3] qu'elle se serait volontiers allongée sous les roues d'un omnibus, pour en finir.

*

Comme on peut dater le triomphe du « réalisme » de *Madame Bovary* en 1857, on peut dater celui du « naturalisme » de *L'Assommoir* en 1877. La vente énorme du livre prouve, en tous cas, le succès auprès du grand public et auprès de certains écrivains: « Le 16 avril 1877, chez le restaurateur Trapp, Passage du Hâvre (avait lieu) un dîner où prit corps l'idée de constituer une école littéraire placée sous le vocable de Naturalisme. » (L. Deffoux, *Chronologie de l'Académie Goncourt*, F. Didot, 1929, p. 54.) La critique attitrée cependant, fut plutôt hostile; et d'ailleurs, le gouvernement de la IIIᵉ République ne se montrait pas favorable aux audaces de ce genre; encore peu solide, il voulait éviter de paraître encourager les idées dites avancées. On trouvera dans le livre de M. Deffoux *La Publication de « L'Assommoir »* (Coll. (Grand Évén. litt.)) toute une série de jugements d'hommes éminents de l'époque. Par exemple:

Zola lui-même dans son « Avant-Propos » au roman: « C'est une œuvre de vérité; le premier roman sur le peuple qui ne mente pas et qui ait l'odeur du peuple. »

Henri Houssaye, dans le *Journal des Débats*, 14 mars, 1877: « La critique littéraire ne devrait point avoir à s'occuper d'un tel livre, pas plus que la critique d'art n'a à parler d'un musée d'anatomie. »

Victor Hugo, l'auteur des *Misérables* (dans les « Entretiens » avec

---

[1] Populaire, pour *ennui*.

[2] Dormir après s'être enivré: *Slept himself sober*. *Bordée* — terme employé par les marins pour leurs escapades à terre.

[3] Populaire et extrêmement vulgaire pour, *ennui* [*loathing*].

Barbou): « Je trouve les œuvres réalistes malsaines et mauvaises. ○ ○ ○
Il est des tableaux qu'on ne doit pas faire.   Que l'on ne m'objecte pas
que tout cela est vrai, que cela se passe ainsi.   Je le sais, je suis descendu dans toutes ces misères, mais je ne veux pas qu'on les donne en
spectacle.   Vous n'en avez pas le droit, vous n'avez pas le droit de
nudité sur la misère et sur le malheur. »

Flaubert (dans sa *Correspondance*): « Le système l'égare [Zola].
○ ○ ○ Je crois qu'il se coule [perd] dans *L'Assommoir*. »   Cependant,
après la publication du livre en volume, Flaubert prononce le jugement qui sera peut-être celui de la postérité: « C'est trop long dans la
même gamme.   Mais Zola est un gaillard d'une jolie force et vous
verrez le succès qu'il aura. »

Aujourd'hui l'importance de *L'Assommoir* n'est plus contestée:
En 1927, le 6 oct., une grande fête commémora le cinquantième anniversaire de sa publication et le vingt-cinquième anniversaire de la
mort de Zola.   En présence du Premier Ministre, du Recteur de
l'Université de Paris, et d'une nombreuse assemblée d'hommes de
lettres, M. Edouard Herriot, alors Ministre de l'Instruction publique,
après des déclamations et des chants, prononça le discours d'occasion:
« Qui donc aujourd'hui — disait-il — oserait dire que Gervaise
Macquart n'est pas un être vivant ...? »

L'Assommoir fut mis à la scène — avec certaines modifications
dans l'intrigue — par W. Busnach et O. Gastineau, et la première eut
lieu au théâtre de L'Ambigu, le 18 janvier 1879.   Ce fut l'occasion
d'un renouvellement de polémiques formidables.   Il y eut 300 représentations; on s'évanouissait à la scène du *delirium tremens* (jouée
par l'acteur Gil Naza); on fit des parodies, des chansons, des carica-
tures; un débit d'alcool s'ouvrit avec l'enseigne (*À L'Assommoir
Coupeau*) ...

Faut-il en attribuer la cause, au moins partielle, à l'œuvre de Zola ?
le fait est que l'on a pu écrire avec vérité: « *L'assommoir*, le lieu où se
débite l'alcool, s'est singulièrement modifié depuis que l'écrivain l'a
dépeint.   Qui le reconnaîtrait dans cet établissement presque luxueux,
tout vibrant de musique et de lumière, où l'ivresse extérieure devient
rare ?   Sa transformation s'est associée à un véritable bouleversement
social.   L'alcoolisme dans le peuple a beaucoup diminué avec l'institution de la journée de huit heures, la semaine anglaise et le goût du
sport.   Les traditions de beuverie (*excess drinking*) à tout propos sont
en partie perdues dans les ateliers.   Les samedis, jours de paie dans les
quartiers périphériques [les quartiers ouvriers, éloignés du centre
de la ville] ne rappellent plus du tout ce qu'ils étaient autrefois avec
leur odeur d'absinthe et leurs poivrots [*drunkards*] titubants.   Les
temps heureusement sont changés. »   (L. Deffoux, *Livre cité*, 1932.
p. 136).

Germinal (1883)

Ce roman décrit la vie lamentable des ouvriers mineurs dans une des localités des régions au nord de la France, et rappelle bien *L'Assommoir* par ses descriptions si franches et parfois si sordides. On a accusé l'auteur d'avoir peint « un ramassis d'ivrognes et de débauchés ». On lit *Germinal* en particulier parce qu'on y voit Zola « romancier de la foule », c'est à dire que dans les endroits les plus importants du roman, lorsque la grève a éclaté contre les propriétaires des mines qui exploitent leurs ouvriers d'une façon ignoble, les personnages perdent en quelque sorte leur individualité propre pour se fondre dans celle de la foule, et celle-ci devient elle-même un personnage collectif et impersonnel.

Le titre du roman doit rappeler le 12 Germinal, an II de la République Française (1 avril, 1795),[1] quand les ouvriers de Paris s'étaient révoltés contre le gouvernement de la Convention qui ne leur accordait pas le droit au travail équitablement rétribué. Le gouvernement de la Restauration avait annulé presque complètement l'œuvre de la Révolution; et maintenant les ouvriers de la IIIe République demandaient un nouveau soulèvement comme celui du 12 Germinal.

La grève [2]

Etienne Lantier en est le meneur. C'est le fils de Lantier et de Gervaise, de *L'Assommoir;* il a d'abord travaillé chez un forgeron à Paris, puis dans un chantier de chemin-de-fer à Lille, d'où il est chassé. Il a la haine de la boisson qui a fait tant de mal à sa famille; mais parfois il ne peut résister et alors il a des accès de vraie furie. Sans travail et sans pain depuis plusieurs jours, il arrive par un froid jour de mars à Montsou, dans la région de Lille. Là, il est embauché à la fosse [*mine*] de Voreux, par le contremaître Maheu; dégoûté du salaire

---

[1] En 1793, on avait substitué au vieux calendrier chrétien le calendrier républicain qui adoptait pour les noms des mois des appellations se rapportant à l'état des saisons et divisait les mois en décades de dix jours au lieu des semaines de sept. Germinal est le premier mois du printemps, lorsque les plantes commencent à « germer ».

[2] Le sujet des grèves a été plus souvent traité avec succès au théâtre que dans le roman: *Les mauvais bergers,* d'Octave Mirbeau (1897); *Les ventres dorés,* d'Émile Fabre (1905); *Les tisserands* de l'écrivain allemand, G. Hauptmann, représentés au Théâtre de l'Œuvre, à Paris en 1892, etc.

dérisoire et du sale travail, il partirait s'il ne se sentait fortement
attiré par la fille de Maheu, Catherine, une « hercheuse » de 18 ans [1];
mais de plus en plus il se révolte en pensant au triste sort que les
propriétaires font aux ouvriers; et le jour où la grève éclatera il en
sera le chef.   Il a un rival pour l'affection de Catherine, Chaval —
cette rivalité fournira l'intrigue amoureuse du roman.   Chaval prend
brutalement Catherine; alors celle-ci quoique odieusement maltraitée,
pensera que Chaval est « son homme » et elle le défendra comme on va
le voir.   L'hostilité des deux hommes deviendra furieuse pendant la
grève.   Chaval, jaloux de l'autorité de Lantier pense gagner de la
popularité en poussant aux extrêmes et il demande la destruction du
matériel, tandis que Lantier voudrait conserver les mines intactes
mais les faire saisir par les ouvriers et les exploiter à leur profit.
Dès que Chaval sent que les affaires vont mal pour les ouvriers, il est
prêt à les trahir; il veut essayer de s'en aller; mais alors Lantier,
pour se venger, le force à marcher avec les grévistes.   C'est Catherine
qui sauve « son homme » quand les autres veulent lui faire un mauvais parti.   Les esprits s'excitent de plus en plus, et finalement
Lantier lui-même (qui a bu de l'eau de vie pour lutter contre l'affreuse faim) ne se connaît plus et, avec les violents, pousse à la destruction des fosses et des machines.

Les autres personnages mentionnés ici sont: Maheu, le « porion »
[contremaître] et sa femme « la Maheude », tous deux gagnés aux
idées de la révolte par Lantier; Jeanlin Maheu, leur fils, un gamin de
11 ans, vicieux par hérédité et par le milieu, maladif et se plaisant à
ces scènes de violence; il est « galibot » c'est à dire un enfant attaché
en qualité d'aide au service des voies dans les houillères; Lavaque,
un voisin des Maheu, un violent encore, qui bat sa femme et qui est
un des plus exaltés.

La grève sera étouffée dans le sang.   Chaval est tué par Lantier,
et celui-ci va quitter le pays des mines; il continuera son apostolat
révolutionnaire aux jours de la Commune, à Paris (v. *Introduction
historique*).

Mais, tout de suite, un nouveau cri s'éleva.

— Du pain ! du pain ! du pain !

Il était midi.   La faim de six semaines de grève s'éveillait
dans les ventres vides, fouettée par cette course en pleins
champs.   Les croûtes rares du matin, les quelques châ-   5

---

[1] *Hercheur* et *hercheuse*, les ouvriers qui poussent les petits chariots
de houille de la mine au wagon de chemin-de-fer; les femmes qui
font ce travail portent un costume d'homme au lieu de jupes.

taignes de la Mouquette, étaient loin déjà; et les estomacs criaient, et cette souffrance s'ajoutait à la rage contre les traîtres.[1]

— Aux fosses! plus de travail! du pain!

5 Étienne, qui avait refusé de manger sa part au coron,[2] éprouvait dans la poitrine une sensation insupportable d'arrachement. Il ne se plaignait pas; mais, d'un geste machinal, il prenait sa gourde de temps à autre, il avalait une gorgée de genièvre,[3] si frissonnant qu'il croyait avoir 10 besoin de ça pour aller jusqu'au bout. Ses joues s'échauffaient, une flamme allumait ses yeux. Cependant, il gardait sa tête, il voulait encore éviter les dégâts inutiles. ₀ ₀ ₀

— À Mirou! il y a des traîtres au fond de la mine!... 15 À Mirou! À Mirou!

Et les quatre kilomètres qui les séparaient de Mirou furent franchis en une demi-heure, presque au pas de course, à travers la plaine interminable. Le canal, de ce côté, la coupait d'un long ruban de glace. ₀ ₀ ₀

20 Ils arrivaient à la fosse, lorsqu'ils virent un porion se planter sur une passerelle du criblage [4] pour les recevoir. Tous connaissaient bien le père Quandieu, le doyen des porions de Montsou, un vieux tout blanc de peau et de poils, qui allait sur ses soixante-dix ans, un vrai miracle de 25 belle santé dans les mines.

— Qu'est-ce que vous venez fiche [5] par ici, tas de galvaudeux? [6] cria-t-il.

---

[1] Ceux qui voulaient demeurer au travail.

[2] Groupe de maisons que les compagnies houillères construisent pour les ouvriers dans le voisinage des mines.

[3] *Mouthful of gin.*

[4] Le petit pont du haut duquel le charbon est « criblé » ou tamisé [*sorted on a sieve*].

[5] Argot, faire.

[6] Populaire, *Tas de bons-à-rien!* [*You botchers!*]

La bande s'arrêta.   Ce n'était plus un patron, c'était un camarade; et un respect les retenait devant ce vieil ouvrier.

— Il y a des hommes au fond, dit Étienne.   Fais-les sortir.   5

— Oui, il y a des hommes, reprit le père Quandieu, il y en a bien six douzaines, les autres ont eu peur de vous, méchants bougres![1]...   Mais je vous préviens qu'il n'en sortira pas un, ou que vous aurez affaire à moi!

Des exclamations coururent, les hommes poussaient, les 10 femmes avancèrent.   Vivement descendu de la passerelle, le porion barrait la porte maintenant.

Alors Maheu voulut intervenir.

— Vieux, c'est notre droit, comment arriverons-nous à ce que la grève soit générale, si nous ne forçons pas les ca- 15 marades à être avec nous?

Le vieux demeura un moment muet.   Évidemment, son ignorance en matière de coalition égalait celle du haveur.[2] Enfin, il répondit:

— C'est votre droit, je ne dis pas.   Mais, moi, je ne con- 20 nais que la consigne[3]...   Je suis seul, ici.   Les hommes sont au fond pour jusqu'à trois heures, et ils y resteront jusqu'à trois heures.

Les derniers mots se perdirent dans les huées.   On le menaçait du poing, déjà les femmes l'assourdissaient, lui 25 soufflaient leur haleine chaude à la face.   Mais il tenait bon, la tête haute, avec sa barbiche et ses cheveux d'un blanc de neige; et le courage enflait tellement sa voix, qu'on l'entendait distinctement, par-dessus le vacarme.

— Nom de Dieu! vous ne passerez pas!...   Aussi vrai 30 que le soleil nous éclaire, j'aime mieux crever[4] que de

---

[1] Populaire, *Mauvais garnements!* [*You scamps!*]
[2] Ouvrier qui abat les roches de houille par le « havage », c'est-à-dire en creusant des entailles parallèles aux couches de stratifications.
[3] L'ordre des supérieurs hiérarchiques.
[4] Populaire, pour mourir [*burst*].

laisser toucher aux câbles [1]... Ne poussez donc plus, je
me fous [2] dans le puits devant vous !

Il y eut un frémissement, la foule recula, saisie. Lui,
continuait:

5   — Quel est le cochon qui ne comprend pas ça ?... Moi,
je ne suis qu'un ouvrier comme vous autres. On m'a dit
de garder, je garde.

Et son intelligence n'allait pas plus loin, au père Quandieu, raidi dans son entêtement du devoir militaire, le
10 crâne étroit, l'œil éteint par la tristesse noire d'un demi-
siècle de fond.[3] Les camarades le regardaient, remués,
ayant quelque part en eux l'écho de ce qu'il leur disait,
cette obéissance du soldat, la fraternité et la résignation
dans le danger. Il crut qu'ils hésitaient encore. Il répéta:

15   — Je me fous dans le puits devant vous !

Une grande secousse remporta la bande. Tous avaient
tourné le dos, la galopade reprenait sur la route droite,
filant à l'infini, au milieu des terres. De nouveau, les cris
s'élevaient:

20   — A Madeleine ! à Crèvecœur ! plus de travail ! du pain,
du pain !

Mais, au centre, dans l'élan de la marche, une bousculade
avait lieu. C'était Chaval, disait-on, qui avait voulu profiter de l'histoire pour s'échapper. Étienne venait de l'em-
25 poigner par un bras, en menaçant de lui casser les reins, s'il
méditait quelque traîtrise. Et l'autre se débattait, pro-
testait rageusement:

        — Pourquoi tout ça ? est-ce qu'on n'est plus libre ?...
Moi, je gèle depuis une heure, j'ai besoin de me débar-
30 bouiller.[4] Lâche-moi !

Il souffrait en effet du charbon collé à sa peau par la
sueur, et son tricot ne le protégeait guère.

---

[1] Qui font marcher les ascenseurs ou monte-charge.
[2] Argot, je me précipite.
[3] C'est-à-dire, de vie au fond des mines.
[4] Populaire, laver.

— File,[1] ou c'est nous qui te débarbouillerons, répondait Étienne. Fallait pas renchérir[2] en demandant du sang.

On galopait toujours, il finit par se tourner vers Catherine, qui tenait bon. Cela le désespérait de la sentir près de lui, si misérable, grelottante sous sa vieille veste d'homme, avec sa culotte boueuse.[3] Elle devait être morte de fatigue, elle courait tout de même partout.

— Tu peux t'en aller, toi, dit-il enfin.

Catherine parut ne pas entendre. Ses yeux, en rencontrant ceux d'Étienne, avaient eu seulement une courte flamme de reproche. Et elle ne s'arrêtait point. Pourquoi voulait-il qu'elle abandonnât son homme ? Chaval n'était guère gentil, bien sûr ; même il la battait des fois. Mais c'était son homme。。。 ; et cela l'enrageait qu'on se jetât à plus de mille contre lui. Elle l'aurait défendu, sans tendresse, pour l'orgueil.

— Va-t'en ! répéta violemment Maheu.

Cet ordre de son père ralentit un instant sa course. Elle tremblait, des larmes gonflaient ses paupières. Puis, malgré sa peur, elle revint, elle reprit sa place, toujours courant. Alors on la laissa.

La bande traversa la route de Joiselle, suivit un instant celle de Cron, remonta ensuite vers Cougny. De ce côté, des cheminées d'usine rayaient l'horizon plat, des hangars de bois, des ateliers de briques, aux larges baies poussiéreuses, défilaient le long du pavé. On passa coup sur coup près des maisons basses de deux corons, celui des Cent-Quatre-Vingts, puis celui des Soixante-Seize[4] ; et, de chacun, à l'appel de la corne, à la clameur jetée par toutes les bouches, des familles sortirent, des hommes, des femmes,

---

[1] Populaire, Marche !

[2] *Outdo us.*

[3] Les femmes qui faisaient le métier de ‹ hercheuses › portaient des culottes. V. note 1, page 193.

[4] C'est-à-dire des corons logeant 180 … 76 ouvriers et leurs familles.

des enfants, galopant eux aussi, se joignant à la queue des
camarades.	Quand on arriva devant Madeleine, on était
bien quinze cents.	La route dévalait en pente douce, le
flot grondant des grévistes dut tourner le terri,[1] avant de
5 se répandre sur le carreau [2] de la mine.

A ce moment, il n'était guère plus de deux heures.	Mais
les porions, avertis, venaient de hâter la remonte [3]; et,
comme la bande arrivait, la sortie s'achevait, il restait au
fond une vingtaine d'hommes, qui débarquèrent de la cage.
10 Ils s'enfuirent, on les poursuivit à coups de pierre.	Deux
furent battus, un autre y laissa une manche de sa veste.
Cette chasse à l'homme sauva le matériel, on ne toucha ni
aux câbles ni aux chaudières.	Déjà le flot s'éloignait, rou-
lait sur la fosse voisine.

15	Celle-ci, Crèvecœur, ne se trouvait qu'à cinq cents mètres
de Madeleine.	Là, également, la bande tomba au milieu
de la sortie.	Une hercheuse y fut prise et fouettée par les
femmes, la culotte fendue, les fesses à l'air, devant les
hommes qui riaient.	Les galibots [4] recevaient des gifles,
20 des haveurs se sauvèrent, les côtes bleues de coups, le nez
en sang.	Et, dans cette férocité croissante, dans cet ancien
besoin de revanche dont la folie détraquait toutes les têtes,
les cris continuaient, s'étranglaient, la mort des traîtres,
la haine du travail mal payé, le rugissement du ventre
25 voulant du pain.	On se mit à couper les câbles, mais la
lime ne mordait pas, c'était trop long, maintenant qu'on
avait la fièvre d'aller en avant, toujours en avant.	Aux
chaudières, un robinet fut cassé; tandis que l'eau, jetée à
pleins seaux dans les foyers, faisait éclater les grilles de
30 fonte.

Dehors, on parla de marcher sur Saint-Thomas.	Cette

---

[1] Amas de débris de houille.

[2] Espèce de cour à l'entrée de la mine.

[3] L'opération de faire remonter les ouvriers qui sont au fond
de la mine.

[4] V. note d'introduction à ce morceau.

fosse était la mieux disciplinée, la grève ne l'avait pas atteinte, près de sept cents hommes devaient y être descendus; et cela exaspérait, on les attendrait à coups de trique,[1] en bataille rangée, pour voir un peu qui resterait par terre. Mais la rumeur courut qu'il y avait des gendarmes à Saint- 5 Thomas, les gendarmes du matin, dont on s'était moqué. Comment le savait-on ? personne ne pouvait le dire. N'importe ! la peur les prenait, ils se décidèrent pour Feutry-Cantel. Et le vertige les remporta, tous se retrouvèrent sur la route, claquant des sabots, se ruant: à Feutry-Can- 10 tel ! à Feutry-Cantel ! les lâches y étaient bien encore quatre cents, on allait rire ! Située à trois kilomètres, la fosse se cachait dans un pli de terrain, près de la Scarpe. Déjà, l'on montait la pente des Plâtrières, au delà du chemin de Beaugnies, lorsqu'une voix, demeurée inconnue, 15 lança l'idée que les dragons étaient peut-être là-bas, à Feutry-Cantel. Alors, d'un bout à l'autre de la colonne, on répéta que les dragons y étaient. Une hésitation ralentit la marche. ⸳ ⸳

Sans qu'on sût d'où il partait, un nouveau mot d'ordre 20 les lança sur une autre fosse.

— A La Victoire ! à La Victoire ![2]

Il n'y avait donc ni dragons ni gendarmes, à La Victoire ? On l'ignorait. Tous semblaient rassurés. Et, faisant volte-face, ils descendirent du côté de Beaumont, ils cou- 25 pèrent à travers champs, pour rattraper la route de Joiselle. La voie du chemin de fer leur barrait le passage, ils la traversèrent en renversant les clôtures. Maintenant ils se rapprochaient de Montsou, l'ondulation lente des terrains s'abaissait, élargissait la mer des pièces de betteraves, très 30 loin, jusqu'aux maisons noires de Marchiennes.

C'était, cette fois, une course de cinq grands kilomètres. Un élan tel les charriait, qu'ils ne sentaient pas la fatigue atroce, leurs pieds brisés et meurtris. Toujours la queue

---

[1] *Club.*

[2] C'est ici le nom d'une des mines.

s'allongeait, s'augmentait des camarades racolés [1] en
chemin, dans les corons. Quand ils eurent passé le canal
au pont Magache, et qu'ils se présentèrent devant La Victoire, ils étaient deux mille. Mais trois heures avaient
5 sonné, la sortie était faite, plus un homme ne restait au
fond. Leur déception s'exhala en menaces vaines, ils ne
purent que recevoir à coups de briques cassées les ouvriers
de la coupe à terre,[2] qui arrivaient prendre leur service. Il
y eut une débandade, la fosse déserte leur appartint. Et,
10 dans leur rage de n'avoir pas une face de traître à gifler, ils
s'attaquèrent aux choses. Une poche de rancune crevait
en eux, une poche empoisonnée, grossie lentement. Des
années et des années de faim les torturaient d'une fringale [3]
de massacre et de destruction.

15 Derrière un hangar, Étienne aperçut des chargeurs qui
remplissaient un tombereau de charbon.

— Voulez-vous foutre le camp ! [4] cria-t-il. Pas un morceau ne sortira !

Sous ses ordres, une centaine de grévistes accouraient ;
20 et les chargeurs n'eurent que le temps de s'éloigner. Des
hommes dételèrent les chevaux qui s'effarèrent et partirent,
piqués aux cuisses ; tandis que d'autres, en renversant le
tombereau, cassaient les brancards.

Levaque, à violents coups de hache, s'était jeté sur les
25 tréteaux pour abattre les passerelles. Ils résistaient, et il
eut l'idée d'arracher les rails, de couper la voie, d'un bout
à l'autre du carreau. Bientôt, la bande entière se mit à
cette besogne. Maheu fit sauter des coussinets de fonte,[5]
armé de sa barre de fer, dont il se servait comme d'un levier.
30 Pendant ce temps, la Brûlée, entraînant les femmes, en-

---

[1] Populaire, recrutés.

[2] Ceux qui travaillaient à établir les galeries pour les ouvriers
mineurs proprement dits.

[3] Désir fou [*pang of hunger*].

[4] Populaire et très grossier, *decamp !*

[5] Pièces de fonte qui soutiennent les voies ferrées.

vahissait la lampisterie, où les bâtons, à la volée, couvrirent
le sol d'un carnage de lampes. La Maheude, hors d'elle, tapait aussi fort que la Levaque. Toutes se trempèrent
d'huile, la Mouquette s'essuyait les mains à son jupon, en
riant d'être si sale. Pour rigoler, Jeanlin lui avait vidé une 5
lampe dans le cou.

Mais ces vengeances ne donnaient pas à manger. Les
ventres criaient plus haut. Et la grande lamentation do-
mina encore:

— Du pain! du pain! du pain! 10

Justement, à La Victoire, un ancien porion tenait une
cantine. Sans doute il avait pris peur, sa baraque[1] était
abandonnée. Quand les femmes revinrent et que les
hommes eurent achevé de défoncer la voie, ils assiégèrent
la cantine, dont les volets cédèrent tout de suite. On n'y 15
trouva pas de pain, il n'y avait là que deux morceaux de
viande crue et un sac de pommes de terre. Seulement,
dans le pillage, on découvrit une cinquantaine de bouteilles
de genièvre, qui disparurent comme une goutte d'eau bue
par du sable. 20

Étienne, ayant vidé sa gourde, put la remplir. Peu à
peu, une ivresse mauvaise, l'ivresse des affamés, ensanglan-
tait ses yeux, faisait saillir des dents de loup, entre ses
lèvres pâlies. Et, brusquement, il s'aperçut que Chaval
avait filé, au milieu du tumulte. Il jura, des hommes 25
coururent, on empoigna le fugitif, qui se cachait avec
Catherine, derrière la provision de bois.

— Ah! bougre de salaud,[2] tu as peur de te compro-
mettre! hurlait Étienne. C'est toi qui demandais la
grève des machineurs, pour arrêter les pompes, et tu 30
cherches maintenant à nous chier du poivre![3]... Eh
bien! nom de Dieu! nous allons retourner à Gaston-Marie,

[1] Masure, construction tombant en ruine [*shanty*].

[2] Argot très vulgaire, *dirty fellow!*

[3] Argot des plus vulgaires, jeter du poivre dans les yeux pour vous
aveugler [*impose on us*].

je veux que tu casses la pompe. Oui, nom de Dieu! tu la
casseras!

Il était ivre, il lançait lui-même ses hommes contre cette
pompe qu'il avait sauvée quelques heures plus tôt.

5 — À Gaston-Marie! à Gaston-Marie!...

La bande, de nouveau, sillonna la plaine rase. Elle
revenait sur ses pas, par les longues routes droites, par les
terres sans cesse élargies. Il était quatre heures, le soleil,
qui baissait à l'horizon, allongeait sur le sol glacé les ombres
10 de cette horde, aux grands gestes furieux.

On évita Montsou, on retomba plus haut dans la route
de Joiselle; et, pour s'épargner le détour de la Fourche-
aux-Bœufs, on passa sous les murs de la Piolaine.[1]... La
propriété semblait dormir, avec son avenue de tilleuls dé-
15 serte, son potager et son verger dénudés par l'hiver. Rien
ne bougeait dans la maison dont les fenêtres closes se
ternissaient de la chaude buée intérieure; et, du profond
silence, sortait une impression de bonhomie et de bien-être,
la sensation patriarcale des bons lits et de la bonne table,
20 du bonheur sage, où coulait l'existence des propriétaires.

Sans s'arrêter, la bande jetait des regards sombres à
travers les grilles, le long des murs protecteurs, hérissés de
culs de bouteille.[2] Le cri recommença:

— Du pain! du pain! du pain!

25 Seuls, les chiens répondirent par des abois féroces, une
paire de grands danois au poil fauve, qui se dressaient
debout, la gueule ouverte. Et, derrière une persienne
fermée, il n'y avait que les deux bonnes, Mélanie, la cuisi-
nière, et Honorine, la femme de chambre, attirées par ce cri,
30 suant la peur, toutes pâles de voir défiler ces sauvages.
Elles tombèrent à genoux, elles se crurent mortes, en entendant une pierre, une seule, qui cassait un carreau d'une

---

[1] Habitation des propriétaires de la mine, les Grégoire.

[2] *Bristling with broken glass* (On répand des morceaux de bouteilles
cassées sur les murs pour empêcher les maraudeurs [*loafers, tramps*]
de passer par-dessus).

fenêtre voisine. C'était une farce de Jeanlin: il avait fabriqué une fronde avec un bout de corde, il laissait en passant un petit bonjour aux Grégoire. Déjà, il s'était remis à souffler dans sa corne, la bande se perdait au loin, avec le cri affaibli:

— Du pain! du pain! du pain!

On arrive à Gaston-Marie, en une masse grossie encore, plus de deux mille cinq cents forcenés, brisant tout, balayant tout, avec la force accrue du torrent qui roule. Des gendarmes y avaient passé une heure plus tôt, et s'en étaient allés du côté de Saint-Thomas, égarés par des paysans, sans même avoir la précaution, dans leur hâte, de laisser un poste de quelques hommes pour garder la fosse. En moins d'un quart d'heure, les feux furent renversés, les chaudières vidées, les bâtiments envahis et dévastés. Mais c'était surtout la pompe qu'on menaçait. Il ne suffisait pas qu'elle s'arrêtât au dernier souffle expirant de la vapeur, on se jetait sur elle comme sur une personne vivante, dont on voulait la vie.

— A toi le premier coup! répétait Étienne, en mettant un marteau au poing de Chaval. Allons! tu as juré avec les autres.

Chaval tremblait, se reculait; et, dans la bousculade, le marteau tomba, pendant que les camarades, sans attendre, massacraient la pompe à coups de barre de fer, à coups de brique, à coups de tout ce qu'ils rencontraient sous leurs mains. Quelques-uns même brisaient sur elle des bâtons. Les écrous sautaient, les pièces d'acier et de cuivre se disloquaient, ainsi que des membres arrachés. Un coup de pioche à toute volée[1] fracassa le corps de fonte, et l'eau s'échappa, se vida, et il y eut un gargouillement suprême, pareil à un hoquet d'agonie. ∘∘∘

Mais la bande s'était remise en marche. Cinq heures allaient sonner, le soleil d'une rougeur de braise, au bord de l'horizon, incendiait la plaine immense. Un colporteur

---

[1] *Swinging at full strength.*

qui passait, leur apprit que les dragons descendaient du
côté de Crèvecœur.   Alors, ils se replièrent [1]; un ordre
courut.

— A Montsou! à la Direction!... Du pain! du pain!
5 du pain!

*

En 1887 parut *La terre* qui marque le point extrême où est allé
Zola dans ce qu'on peut appeler le courage de son naturalisme.
Dans ce roman, il peint le paysan comme à peine différent, dans sa
mentalité, des animaux au milieu desquels il passe son existence,
cédant presque sans résistance aux instincts de sa nature bestiale.
On a voulu voir dans *La terre* une peinture intentionnellement opposée
à celle qu'avait faite George Sand des paysans français idéalisés
(V. *Nineteenth Century French Readings*, vol. I, chap. VIII, p. 465 ss.)
    Le roman provoqua un mouvement de réprobation violent dans le
public, et même parmi des écrivains qui jusqu'alors avaient adopté le
drapeau du naturalisme.   Cinq de ces derniers envoyèrent au journal *Le Figaro* une protestation qui parut le 18 août 1887, et qui est
restée célèbre; on y lit: « *La terre* a paru.   La déception a été profonde
et douloureuse.   Non seulement l'observation est superficielle, les trucs
démodés, la narration commune et dépourvue de caractéristique,
mais la note ordurière [*sordid*] est exacerbée [*carried to an extreme*],
descendue à des saletés si basses que par instant on se croirait devant
un recueil de scatologie [*dictionary of excrements*]: le maître est
descendu au fond de l'immondice.
    « Eh bien! cela termine l'aventure.   Nous répudions énergique-
ment cette imposture de la littérature véridique, cet effort vers la
gauloiserie [*free and coarse speech*] mixte d'un cerveau en mal [*in
labor*] de succès.   Nous répudions ces bonshommes de rhétorique zo-
liste, ces silhouettes énormes, surhumaines et biscornues [*outlandish*],
dénuées de complications, jetées brutalement en masses lourdes dans
des milieux aperçus au hasard des portières d'express.   De cette
dernière œuvre du grand cerveau qui lança *L'Assommoir* sur le
monde, de cette *Terre* bâtarde, nous nous éloignons résolument mais
non sans tristesse.   Il nous poigne [*stings*] de repousser l'homme que
nous avons fervemment aimé ○ ○ ○ Il est des compromissions impossibles! »

Les signataires étaient: Paul Bonnetain, J.-H. Rosny, Lucien Descaves, Paul Margueritte et Gustave Guiches.[2]

---

[1] *Fell back.*
[2] On a dit que ces cinq étaient les porte-parole de personnalités

Plus importante que tout cela est l'attitude de Zola lui-même. D'une part il décide de montrer que s'il cultivait les principes du naturalisme, ce n'était pas qu'il fût incapable d'écrire en poète comme tant d'autres. Et il composa et publia la même année encore que *La terre*, un roman tout empreint de mysticisme, *Le rêve*. D'autre part, on remarque que Zola lui-même abandonna graduellement son attitude agressive, comme pour montrer, qu'une fois la bataille gagnée, il admettait que le naturalisme n'était pas la seule manière. L'avant-dernier roman de la série des Rougon-Macquart, *La débâcle*, est intéressant de ce point de vue. S'il n'y abandonne pas la franchise réaliste, il abandonne le sombre pessimisme qui avait coloré ses récits précédents. C'est l'histoire de la désastreuse guerre franco-prussienne, de 1870 à 1871. Zola y dénonce l'inaptitude des chefs de l'armée française, mais il exalte le courage des soldats victimes de cette incapacité. Ces braves, ce sont les enfants du peuple de France, et en eux on peut placer son espérance.

La débâcle

Voici la dernière page de *La débâcle*. Jean Macquart a trouvé sa ferme brûlée, ses champs dévastés par la guerre. À ce moment il est encore avec l'armée, à Paris où a éclaté la terrible guerre civile de la Commune. Dans une rencontre fatale, il blesse à mort Maurice, son camarade d'armes et le frère d'Henriette, sa fiancée — les deux hommes s'étaient séparés, l'un ayant pris parti pour la Commune, l'autre étant demeuré avec l'armée du gouvernement. Paris brûle; la mort de Maurice causée, d'ailleurs bien involontairement, par Jean sépare à jamais les deux amoureux. Après tout cet effondrement, Jean va s'éloigner de la grande ville, de ce Paris qui « achevait de se consumer en braise . . . au milieu d'un flamboyant coucher de soleil ».

---

littéraires plus célèbres: des frères Goncourt, irrités de voir la renommée de Zola éclipser la leur et accusant ce dernier d'avoir dans *L'Assommoir* emprunté le sujet de leur *Germinie Lacerteux*, et dans *Nana* celui de leur *Fille Élisa;* ou d'Alphonse Daudet, indisposé par le succès de librairie de Zola; le manifeste publié dans *Le Figaro* aurait même été composé dans la maison de Daudet. V. aussi le fameux article de F. Brunetière écrit pendant que le roman paraissait en feuilleton: « . . . et le volume n'a point paru encore, le journal de M. Zola n'a pas seulement terminé la publication du roman, que déjà *La terre*, en achevant de déclasser le romancier, semble avoir achevé du même coup, de disqualifier le naturalisme. » (*Revue des Deux Mondes*, 1 sept. 1887)

Alors Jean eut une sensation extraordinaire. Il lui sembla, dans cette lente tombée du jour, au-dessus de cette cité en flamme, qu'une aurore déjà se levait. C'était bien pourtant la fin de tout, un acharnement du destin, un amas
5 de désastres tels, que jamais nation n'en avait subi d'aussi grands: les continuelles défaites, les provinces perdues, les milliards à payer, la plus effroyable des guerres civiles noyée sous le sang des décombres et des morts, plus d'argent, plus d'hommes, tout un monde à reconstruire ! Lui-
10 même y laissait son cœur déchiré, Maurice, Henriette, son heureuse vie de demain emportée dans l'orage. Et pourtant, par delà la fournaise, hurlante encore, la vivace espérance renaissait au fond du grand ciel calme, d'une limpidité souveraine... C'était le rajeunissement certain
15 de l'éternelle nature, de l'éternelle humanité, le renouveau promis à qui espère et travaille, l'arbre qui jette une nouvelle tige puissante quand on en a coupé la branche pourrie, dont la sève empoisonnée jaunissait les feuilles.[1]

Dans un sanglot, Jean répéta: « Adieu ! »
20 Henriette ne releva pas la tête, la face cachée entre ses deux mains jointes. — « Adieu ! »

Le champ ravagé était en friche, la maison brûlée était par terre; et Jean, le plus humble et le plus douloureux, s'en alla, marchant à l'avenir, à la grande et rude besogne
25 de toute une France à refaire.

*

La renommée de Zola devant la postérité repose avant tout sur la série des *Rougon-Macquart*, mais son activité littéraire ne s'arrêta pas là. Il publia une nouvelle série de romans, *Les trois villes*, *Lourdes* (1894), *Rome* (1896) et *Paris* (1897). Pierre Froment, un prêtre, en est la figure centrale.

Zola s'y montre toujours préoccupé de *constater* les misères sociales, mais avec un grand désir maintenant d'y *trouver des remèdes*. Dans la première des trois villes, *Lourdes* — la ville aux guérisons miracu-

---

[1] Zola, comme on le voit, était politiquement hostile au Second Empire.

leuses, — il a accumulé une documentation abondante. Il n'a pu demeurer indifférent au spectacle saisissant des foules exaltées par un profond sentiment collectif qui attribue les guérisons à l'intervention de la Vierge Marie — c'est encore le poète des foules, comme dans *Germinal* ou *La débâcle* —, et il est porté à croire que l'homme a besoin d'une religion.[1] Sera-ce la religion de l'Église ? C'est ce qu'il veut examiner dans son second roman, *Rome*. Il trouve dans la ville des papes trop de considérations étrangères à la foi; il voit dans le monde clérical trop de tentatives d'exploiter la crédulité, comme il l'avait du reste déjà observé dans *Lourdes*. Pierre Froment essaie en vain de faire accepter une religion plus spirituelle; et, en vérité, les représentants de la science lui paraissent plus désintéressés. Dans le troisième roman de la série des villes, *Paris*, Zola semble proposer la religion de la science prenant la place de celle de Rome (c'est le rêve de Renan dans *L'Avenir de la science*). Un anarchiste, qui a consacré sa vie à des recherches désintéressées, invente un explosif avec lequel il décide de faire sauter la nouvelle église qui domine Paris, l'église du Sacré-Cœur. Au dernier moment, cependant, il arrache la mèche qui devait réaliser le grand crime, et il emploiera sa découverte à un but dont bénéficiera la société.

*

Quant à l'abbé Pierre Froment, après avoir brisé avec Rome, il s'était marié et avait eu quatre fils. C'est là ce qui sert de transition à une nouvelle série de romans, qui marquera une nouvelle étape dans la pensée de Zola; le titre caractéristique en est: *Les quatre Évangiles*. Ces quatre fils de Pierre Froment, qui seront tour à tour les héros des quatre romans destinés à prêcher quatre grandes idées de régénération sociale, portent les noms des quatre évangélistes de la Bible: Mathieu, Luc, Marc et Jean. Le premier évangile est *Fécondité* (1899), l'exaltation de l'amour et de la vie de famille. Zola avait écrit le grand roman de la ‹ Prohibition › dans *L'Assommoir*;

---

[1] Ce roman ne devait pas passer sans susciter des discussions, surtout à cause de la suggestion que certaines guérisons s'expliquaient peut-être par la seule science médicale. Citons seulement une réponse immédiate de E. Duplessis, *Zola et Lourdes* Bureaux de la Correspondance catholique, s.d., 28 pages): « Nous sommes en droit de récuser son enquête [de Zola], et c'est précisément ce que nous voudrions établir ». Plusieurs écrivains de grand renom ont voulu traiter le sujet après Zola, tels Huysmans, *Les foules de Lourdes* (1906), Henri Ghéon, *Les jeux de l'enfer et du ciel* (1924, 3 vol.), François Mauriac, *Les pèlerins de Lourdes* (1933), René Schwob. *Lourdes, capitale de la Prière* (1934). — tous du point de vue de la foi.

ici, il écrit le grand roman sur la question du malthusianisme,
[*birth-control*]. Zola dépeint les bénédictions, au milieu d'épreuves,
cela va sans dire, de la grande famille; à la fin du roman, Mathieu
Froment et sa femme, âgés respectivement de 90 et 87 ans, réunissent
autour d'eux une famille d'enfants et petits-enfants de trois cents
membres.

Le second évangile, *Travail* est celui où Luc Froment exalte la
vertu du labeur des hommes, d'où naît l'harmonie; c'est en même
temps un hymne aux progrès de l'industrie et de l'usine moderne —
un hymne qui faisait écho à celui du poète Verhaeren (v. plus bas)
et de Whitman en Amérique.

Le troisième évangile inscrit sous le nom de Marc Froment — est
intitulé *Vérité* (1902). Zola avait pris une part intense à « l'affaire
Dreyfus », qui venait de causer une émotion considérable dans le
pays (v. *L'introduction historique*, pp. 508-10). Zola reprend dans son
roman cet épisode de la vie nationale et oppose l'évangile de la
vérité à la notion d'un gouvernement qui fonde son pouvoir sur
l'ignorance du public.

Le quatrième évangile devait porter le titre *Justice*, la vertu sociale
suprême qui devait être établie en profitant des expériences douloureuses faites au cours de la célèbre « affaire ». Zola ne l'écrivit
pas, étant mort subitement, une nuit, asphyxié par les gaz nocifs qui
s'échappaient d'une cheminée de sa maison.

La vérité en marche: J'Accuse

On ne peut ignorer le rôle de Zola dans « l'Affaire Dreyfus », le sujet
qu'il traita en roman dans son troisième (Évangile). Quand il fut
convaincu de l'innocence de l'homme détenu à l'Ile du Diable, et qu'en
1897 il se sentit possesseur des preuves nécessaires, il commença sa
grande campagne. Il publia d'abord trois articles dans le journal
Le Figaro. Le premier est consacré à Scheurer-Kestner, député
d'Alsace, vice-président du Sénat, qui avait le premier osé émettre
publiquement des doutes sur la justice de la condamnation. Cet
article se terminait par ces mots historiques: « La vérité est en marche,
rien ne l'arrêtera. » Après le troisième article, *Le Figaro* dut arrêter
la campagne sous peine de perdre beaucoup d'abonnés . . . mais il la
reprit avec force plus tard. Alors Zola publia une brochure *À la
jeunesse*, où il suppliait celle-ci de ne pas acclamer le mensonge,
et une *Lettre à la France*. Enfin, le 13 janvier 1898, dans le journal
L'Aurore, parut la fameuse *Lettre à M. Félix Faure, Président de la
République*, sous ce titre: *J'Accuse* (titre trouvé par Clémenceau).

Lettre à M. Félix Faure, Président de la République
(13 janvier, 1898)

« Monsieur le Président : — Me permettez-vous, dans ma gratitude pour le bienveillant accueil que vous m'avez fait un jour, d'avoir le souci de votre gloire et vous dire que votre étoile si heureuse jusqu'ici, est menacée de la plus honteuse, de la plus ineffaçable des taches.[1]   5

« Vous êtes sorti sain et sauf des basses calomnies, vous avez conquis les cœurs. Vous apparaissez rayonnant dans l'apothéose de cette fête patriotique que l'Alliance russe a été pour la France, et vous vous préparez à présider au solennel triomphe de notre Exposition universelle qui con-   10
sommera notre grand siècle de travail, de vérité et de liberté. Mais quelle tache de boue sur votre nom — j'allais dire sur votre règne — que cette abominable affaire Dreyfus ! Un conseil de guerre vient, par ordre, d'oser acquitter un Esterhazy, soufflet suprême à toute vérité, toute justice.   15
Et c'est fini. La France a sur la joue cette souillure, l'histoire écrira que c'est sous votre présidence qu'un tel crime a pu être commis.

« Puisqu'ils ont osé, j'oserai aussi, moi. La vérité, je la dirai, car j'ai promis de la dire si la justice, régulièrement   20
saisie,[2] ne la faisait pas, pleine et entière. Mon devoir est de parler, je ne veux pas être complice. Mes nuits seraient hantées par le spectre de l'innocent qui expie là-bas, dans la plus affreuse de toutes les tortures, un crime qu'il n'a pas commis.   25

« Et c'est à vous, Monsieur le Président, que je la crierai, cette vérité, dans toute la force de ma révolte d'honnête homme. Pour votre honneur je vous convaincrai que vous l'ignorez. Et à qui donc dénoncerai-je la tourbe mal-

---

[1] *Blemishes.*

[2] *Saisir la justice*, terme de jurisprudence : remettre à la décision d'un tribunal.

faisante des vrais coupables si ce n'est à vous, le premier magistrat du pays?

[Suivent dix pages qui font l'historique de « l'Affaire Dreyfus » jusqu'au jour de cette lettre, puis, ces mots:]

« Mais cette lettre est longue, Monsieur le Président, il est temps de conclure.

5 « J'accuse le lieutenant-colonel Du Paty de Clam [1] d'avoir été l'ouvrier diabolique de l'erreur judiciaire, en inconscient, je veux le croire, et d'avoir ensuite défendu son œuvre néfaste, depuis trois ans, par les machinations les plus saugrenues et les plus coupables.

10 « J'accuse le général Mercier [2] de s'être rendu complice, tout au moins par faiblesse d'esprit, d'une des plus grandes iniquités du siècle.

« J'accuse le général Billot [3] d'avoir eu entre les mains les preuves certaines de l'innocence de Dreyfus et de les 15 avoir étouffées, de s'être rendu coupable de ce crime de lèse-majesté [4] et de lèse-justice, dans un but politique et pour sauver l'état-major compromis.

[1] Il avait imaginé une mise en scène mélodramatique, tout au début de l'affaire, appuyé par le ministre de la guerre, le général Mercier; on fit écrire à Dreyfus, sous dictée, le texte du document d'espionnage; on lui déclara qu'il avait tremblé, et on l'arrêta (15 oct. 1894). Le commandant Du Paty de Clam offrit alors un revolver au capitaine Dreyfus, mais celui-ci, fort de son innocence, refusa catégoriquement de se tuer. Ce fut le même Du Paty de Clam qui perquisitionna, sans rien trouver, dans la maison de Dreyfus. Plus tard, ce fut lui qui dictait les réponses que devait faire Esterhazy, le vrai coupable, quand on fit l'enquête sous la direction du général Pellieux.

[2] Ministre de la guerre au début de l'affaire, qui hésita d'abord à poursuivre l'accusation contre Dreyfus; puis, accusé par la presse hostile d'être favorable aux Juifs, il soutint l'accusation d'autant plus fortement qu'il avait plus longtemps hésité.

[3] Il succéda, deux ans plus tard, au général Mercier comme Ministre de la Guerre, et déclara « sur son honneur » que « Dreyfus avait été justement et *légalement* condamné ».

[4] *Lèse-majesté:* du mot latin *lædere*, blesser: qui porte atteinte au pouvoir souverain . . . à la justice.

« J'accuse le général de Boisdeffre et le général Gonse [1]
de s'être rendus complices du même crime, l'un sans doute
par passion cléricale, l'autre peut-être par cet esprit de
corps qui fait des bureaux de la guerre l'arche sainte, in-
attaquable.

« J'accuse le général de Pellieux[2] et le commandant Ravary, d'avoir fait une enquête scélérate, j'entends par là
une enquête de la plus monstrueuse partialité, dont nous
avons, dans le rapport du second, un impérissable monument de naïve audace.

« J'accuse les trois experts en écritures,[3] les sieurs Bel-
homme, Varinard et Couard, d'avoir fait des rapports men-
songers et frauduleux, à moins qu'un examen médical ne
les déclare atteints d'une maladie de la vue et du jugement.

« J'accuse les bureaux de la guerre d'avoir mené dans la
presse, particulièrement dans *L'Éclair* et dans *L'Écho de
Paris*, une campagne abominable, pour égarer l'opinion et
couvrir leur faute.

« J'accuse enfin le premier conseil de guerre d'avoir violé
le droit en condamnant un accusé sur une pièce restée secrète,[4] et j'accuse le second conseil de guerre d'avoir cou-

---

[1] *Boisdeffre et Gonse:* Les deux généraux auxquels Picquart, chef
du bureau des renseignements — celui qui avait le premier remarqué
la ressemblance frappante de l'écriture d'Esterhazy avec celle de
la pièce d'espionnage — avait fait son rapport. Ils avaient chargé
Picquart de surveiller Esterhazy quand on avait lancé des accusations; mais, quand ils virent que l'enquête produisait des résultats
qui pourraient arriver à innocenter Dreyfus, ils essayèrent de suspendre les recherches, et Picquart fut envoyé en mission en Tunisie.

[2] Il avait été chargé avec le commandant Ravary, par le Ministre
de la Guerre Billot, d'une enquête au cours de laquelle tous les renseignements sur Esterhazy étaient déclarés sans importance pour
l'affaire, tandis que les renseignements sur Dreyfus étaient travestis
de sorte à jeter les soupçons sur l'innocent.

[3] Il y avait en tout cinq experts dans cette commission.

[4] *Premier conseil de guerre:* 22 décembre 1894. Le prétexte offert
pour ne pas donner connaissance de la « pièce secrète » était qu'on ne
pouvait le faire sans que cela amenât une guerre avec l'Allemagne.

vert cette illégalité par ordre, en commettant à son tour le crime juridique d'acquitter sciemment un coupable.[1]

« En portant ces accusations, je n'ignore pas que je me mets sous le coup des articles 30 et 31 de la loi de la presse du 29 juillet 1881, qui punit les délits de diffamation. Et c'est volontairement que je m'expose.

« Quant aux gens que j'accuse, je ne les connais pas, je ne les ai jamais vus, je n'ai contre eux ni rancune ni haine. Ils ne sont pour moi que des entités, des esprits de malfaisance sociale. Et l'acte que j'accomplis ici n'est qu'un moyen révolutionnaire pour hâter l'explosion de la vérité et de la justice.

« Je n'ai qu'une passion, celle de la lumière, au nom de l'humanité qui a tant souffert et qui a droit au bonheur. Ma protestation enflammée n'est que le cri de mon âme. Qu'on ose me traduire en cour d'assises et que l'enquête ait lieu au grand jour !

« J'attends.

« Veuillez agréer, monsieur le Président, l'assurance de mon profond respect,

« *Émile Zola.* »

Le numéro du journal *L'Aurore* où parut cette lettre se vendit à 300 000 exemplaires.

Zola fut en effet arrêté, condamné à un an de prison et 3000 francs d'amende pour « outrage à l'armée »; le jugement fut cassé, mais Zola fut condamné une seconde fois; il partit pour l'exil en Angleterre, pour continuer de là son activité dreyfusiste. En France, les révélations succèdent aux révélations. Enfin vint l'aveu du Commandant Henry (complice dans la fabrication de la fausse lettre qui avait décidé de la condamnation de Dreyfus), son incarcération dans la forteresse du Mont Valérien où il se coupa la gorge avec un rasoir. Dreyfus fut jugé une seconde fois (à Rennes) en 1899 au milieu de scènes de violence, et condamné, mais avec adoucissement de la peine; il fut ensuite grâcié; enfin, en 1905, il fut réhabilité et solennellement réintégré dans l'armée. Mais Zola qui mourut en 1902 n'eut pas la joie de voir

---

[1] Le 12 janvier 1898, Esterhazy avait été acquitté.

ce triomphe final.   En 1906, quand les passions se furent calmées, les restes de Zola furent transférés au Panthéon.

A sa mort, le peuple de Paris lui fit des funérailles grandioses; le défilé du cortège funèbre dura jusqu'au soir.   Anatole France prononça sur sa tombe un discours où il dit entre autres choses:

« L'œuvre littéraire de Zola est immense . . . Messieurs, lorsqu'on la voyait s'élever pierre par pierre, cette œuvre, on en mesurait la grandeur avec surprise.   On admirait, on s'étonnait, on louait, on blâmait.   Louanges et blâmes étaient poussés avec une égale véhémence.   On fit parfois au puissant écrivain (je le sais par moi-même) des reproches sincères et pourtant injustes.   Les invectives et les apologies s'entremêlaient, et l'œuvre allait grandissant.

« Aujourd'hui qu'on en découvre dans son entier la forme colossale, on reconnaît aussi l'esprit dont elle est pleine.   C'est un esprit de bonté.   Zola était bon.   Il avait la candeur et la simplicité des grandes âmes.   Il était profondément moral.   Il peint le vice d'une main rude et vertueuse.   Son pessimisme apparent, une sombre humeur répandue sur plus d'une de ses pages, cachait mal un optimisme réel, une foi obstinée au progrès de l'intelligence et de la justice. »

Zola ne réussit pas à forcer les portes de l'Académie; on ne lui pardonna pas son naturalisme.

CHAPITRE VIII

GUY DE MAUPASSANT

1840–1893

Consulter: On a beaucoup écrit sur Maupassant.   Pour une étude rapide, v. P. Martino, un chapitre du livre cité.   Pour une étude complète: E. Maynial, *La vie et l'œuvre de Maupassant*, (Mercure de France, 1906 — plusieurs fois réimprimé); R. Dumesnil, *Guy de Maupassant*, (Coll. ‹ Âmes et Visages ›, A. Colin, 1933).

Son talent de conteur fut acclamé par tous, naturalistes ou non. Il fut d'abord disciple et élève de Flaubert (un ami de sa mère) qui le guida dans ses premiers essais; et puis il devint une des plus intéressantes figures du *groupe de Médan*.

On appelle ainsi un petit cercle d'écrivains amis et admirateurs de Zola, tous d'environ dix ans plus jeunes que le maître — on les nomme aussi quelquefois, en plaisantant « la queue de Zola ». Depuis 1868, Zola recevait ces jeunes gens les jeudis, dans son appartement Rue Saint Georges. En 1871 il acheta à Médan, près de Paris, une petite propriété qui est aujourd'hui un « musée Zola ». C'est là que le groupe se rencontra dorénavant et que naquit l'idée d'un livre collectif *Les soirées de Médan*. C'était après la guerre désastreuse de 1870-71; un mouvement très fort se manifestait, hostile à l'armée accusée d'avoir mal défendu le pays; il fut décidé qu'on réunirait dans ce volume des récits selon la formule naturaliste; on ne verrait de la guerre que son côté sombre et même sordide, de la vie militaire que l'odieux et le ridicule. *Les soirées de Médan* parurent en 1880; deux des histoires sont restées célèbres: *L'Attaque du moulin*, par Zola, et *Boule de suif*, par Maupassant.[1]

Guy de Maupassant est né en Normandie, au château de Miromesnil que sa mère habitait temporairement. Il passa son enfance en Normandie où il apprit à connaître à la fois les pêcheurs et les paysans de la région dont il raconta tant de savoureuses histoires. En 1870, il était engagé volontaire et il trouva plus tard dans ses souvenirs les sujets de plusieurs récits se rapportant à cette époque. Dans sa jeunesse, Maupassant fut un grand sportif; une source encore assez fréquente d'inspiration pour le conteur. Pendant plusieurs années il vécut à Paris, employé d'abord au Ministère de la Marine et puis au Ministère de l'Instruction publique. Il quitta cet emploi le jour où il vit qu'il pouvait vivre de sa plume. De ce moment il apprit à connaître la vie des salons; il y trouva une nouvelle mine de sujets pour ses récits. Cette vie, cependant, ne lui convenait pas, et un mal héréditaire se développa rapidement. Son œuvre considérable fut écrite tout entière en l'espace de dix ans à peu près depuis le succès de *Boule de suif*. Puis il succomba à la maladie; il mourut dans une maison de santé. Mais ce ne fut pas avant d'avoir pu tirer parti de certaines expériences personnelles dans des histoires d'hallucinations qui rappellent assez celles d'Edgar Allan Poe. La plus connue est *Le Horla* (dans une collection de ce nom).

Il a laissé un petit volume de poésie, *Des vers*, six romans, et environ 20 volumes de nouvelles et contes (cependant, parfois les mêmes récits se trouvent dans deux ou même trois collections différentes).

Ses romans principaux sont *Une vie* (1883); *Bel ami* (1885) histoire

---

[1] Maupassant raconta, d'une manière assez fantaisiste l'origine des *Soirées de Médan* dans un article du journal *Le Gaulois*, 17 avril, 1880. On trouvera l'histoire vraie dans R. Dumesnil, *La publication des « Soirées de Médan »*, (Coll. (Grands évèn. litt.) Paris, 1934), et des indications sur les membres du groupe, dans Martino, *Livre cité*, II, Chap VII, et dans Deffoux et Zavie, *Le groupe de Médan*, 1920.

d'un journaliste intrigant et arriviste; *Fort comme la mort* (1889), thème de la mère supplantée dans le cœur de son amant par sa propre fille; et *Pierre et Jean* (1888) dont la « Préface » contient ce qu'on considère comme la meilleure définition du roman réaliste, celui qui, tout en restant attaché à la formule réaliste fait une part fort grande à l'artiste:

Préface à ‹ Pierre et Jean ›

Après les écoles littéraires « qui ont voulu nous donner une vision déformée, surhumaine, attendrissante ou charmante de la vie, est venue une école réaliste ou naturaliste qui a prétendu nous montrer la vérité, rien que la vérité et toute la vérité ».

Le but du romancier d'aujourd'hui, l'effet cherché, c'est « l'émotion de la simple réalité ».

Pour l'atteindre: « Le romancier qui prétend nous donner une image exacte de la vie, doit d'abord éviter avec soin tout enchaînement d'événements qui paraîtrait exceptionnel ».

Aussi, le romancier doit, dans sa présentation, altérer délibérément la réalité: Il « devra savoir éliminer parmi les menus événements innombrables et quotidiens, tous ceux qui lui sont inutiles, et mettre en lumière d'une façon spéciale tous ceux qui seraient demeurés inaperçus pour des observateurs peu clairvoyants et qui donnent au livre sa portée, sa valeur d'ensemble. »

Et encore: « Leur intention [des romanciers] étant de dégager la philosophie de certains faits constants et courants, ils devront corriger les événements au profit de la vraisemblance et au détriment de la vérité, car le vrai peut quelquefois n'être pas vraisemblable. »

« Le réaliste, s'il est artiste, cherchera non pas à nous montrer la photographie banale de la vie, mais à nous donner la vision plus complète, plus saisissante, plus probante que la réalité même. » Il le fera en écartant les contingences; par exemple un homme écrasé par une voiture, ou tué par une tuile qui tombe par accident d'un toit. Ces choses peuvent être vraies, mais dérangent le flux de la vie normale, celle à laquelle s'intéresse l'artiste réaliste. En résumé:

« Faire vrai consiste donc à donner l'illusion complète du vrai suivant la logique ordinaire des faits, et non à les transcrire seulement dans le pêle-mêle de leur succession. . . . J'en conclus que les Réalistes de talent devraient s'appeler plutôt des Illusionnistes. »

Au point de vue de la forme, Maupassant déclare vouloir simplement transcrire ce que lui a enseigné son grand maître Flaubert:

« Le talent est une longue patience. Il s'agit de regarder tout ce qu'on veut exprimer assez longtemps et avec assez d'attention pour en découvrir un aspect qui n'ait été vu par personne. La moindre

chose contient un peu d'inconnu. Trouvons-le. Pour décrire un
feu qui flambe et un arbre dans la plaine, demeurons en face de ce
feu et de cet arbre jusqu'à ce qu'ils ne ressemblent plus, pour nous, à
aucun autre arbre et à aucun autre feu. C'est de cette façon qu'on
devient original . . . » Et voici pour le style: « Quelle que soit
la chose qu'on veut dire, il n'y a qu'un mot pour l'exprimer,
qu'un verbe pour l'animer, et qu'un adjectif pour la qualifier.
Il faut donc chercher jusqu'à ce qu'on les ait découverts, ce mot,
ce verbe et cet adjectif et ne jamais se contenter de l'à peu
près, ne jamais avoir recours à des supercheries, même heureuses, à
des clowneries de langage pour éviter la difficulté . . . Il n'est pas
besoin du vocabulaire bizarre, compliqué et chinois qu'on nous impose aujourd'hui sous le nom d'écriture d'artiste pour fixer toutes les
nuances de la pensée [Maupassant pense ici tout à la fois au ‹ style
impressionniste › des Goncourt qui avait encore des partisans, et au
style symboliste et cryptique qui commençait à s'affirmer]; mais il
faut discerner, avec une extrême lucidité, toutes les modifications
de la valeur d'un mot suivant la place qu'il occupe. Ayons moins
de noms, de verbes et d'adjectifs aux sens presque insaisissables,
mais plus de phrases différentes, diversement construites, ingénieusement coupées, pleines de sonorités et de rythmes savants. Efforçons-
nous d'être des stylistes excellents, plutôt que des collectionneurs de
termes rares. »

Le vocabulaire de Maupassant est, en effet, d'une simplicité admirable.[1]

*

Il laissa un roman inachevé où il se montre préoccupé des problèmes
de la vie non seulement en simple observateur réaliste, mais en moraliste compatissant aux misères de ses frères (trahissant donc une
évolution dans ce sens comme Zola). Signalons aussi son récit *Beauté
inutile* où on trouve le plus saisissant plaidoyer en faveur des droits
de la femme à être autre chose qu'une productrice d'enfants.

Maupassant est surtout célèbre pour ses nouvelles. Nous en
choisissons une: *Le petit fût*, récit dans lequel paraît le Maupassant
ayant un sens profond du comique. C'est une histoire de paysan
normand, rapace et rusé. (Volume *Les sœurs Rondoli*.)

Trente-six des meilleurs récits de Maupassant ont été recueillis
dans un volume préparé par M. Marcel Prévost, de l'Académie
française, sous le titre *Contes choisis*.

---

[1] V. A. Schinz, « Notes sur le vocabulaire de Maupassant et de
Mérimée », *Revue des Langues Romanes*, Mai–Déc. 1909.

Le petit fût

Un *fût* est un baril de bois dur et épais, cerclé de fer en sorte de bien conserver le vin ou l'alcool.

Maître Chicot, l'aubergiste d'Epreville, arrêta son tilbury[1] devant la ferme de la mère Magloire. C'était un grand gaillard de quarante ans, rouge et ventru, et qui passait pour malicieux.[2]

Il attacha son cheval au poteau de la barrière, puis il pénétra dans la cour. Il possédait un bien attenant aux terres de la vieille, qu'il convoitait depuis longtemps. Vingt fois il avait essayé de les acheter, mais la mère Magloire s'y refusait avec obstination.

— J'y sieus [suis] née, j'y mourrai, disait-elle.

Il la trouva épluchant des pommes de terre devant sa porte. Agée de soixante-douze ans, elle était sèche, ridée, courbée, mais infatigable comme une jeune fille. Chicot lui tapa dans le dos avec amitié, puis s'assit près d'elle sur un escabeau.

— Eh bien! la mère, et c'te [cette] santé, toujours bonne?

— Pas trop mal, et vous, maît' [maître] Prosper?

— Eh! eh! quéques [quelques] douleurs; sans ça, ce s'rait à satisfaction.

— Allons, tant mieux!

Et elle ne dit plus rien. Chicot la regardait accomplir sa besogne. Ses doigts crochus, noués, durs comme des pattes de crabe, saisissaient à la façon de pinces les tubercules grisâtres dans une manne,[3] et vivement elle les faisait tourner, enlevant de longues bandes de peau sous la lame d'un vieux couteau qu'elle tenait de l'autre main. Et, quand la pomme de terre était devenue toute jaune, elle

[1] Sorte de calèche légère, sur deux grandes roues, sans capote [*Tilbury*, nom de l'inventeur].

[2] Rusé, pas nécessairement méchant; ici dans le sens d'habile.

[3] Panier d'osier, profond et rond.

la jetait dans un seau d'eau. Trois poules hardies s'en
venaient l'une après l'autre jusque dans ses jupes ramasser
les épluchures, puis se sauvaient à toutes pattes, portant
au bec leur butin.

5   Chicot semblait gêné, hésitant, anxieux, avec quelque
chose sur la langue qui ne voulait pas sortir. A la fin, il
se décida:

— Dites donc, mère Magloire...

— Qué qu'i a [Qu'est-ce qu'il y a] pour votre service?

10   — C'te ferme, vous n' voulez toujours point m' la
vendre?

— Pour ça, non. N'y comptez point. C'est dit, c'est
dit, n'y r'venez pas.

— C'est qu' j'ai trouvé un arrangement qui f'rait notre
15 affaire à tous les deux.

— Qué qu' c'est?

— Le v'la [voilà]. Vous m' la vendez, et pi [puis] vous
la gardez tout d' même. Vous n'y êtes point? Suivez ma
raison.

20   La vieille cessa d'éplucher ses légumes et fixa sur l'aubergiste ses yeux vifs sous leurs paupières fripées.

Il reprit:

— Je m'explique. J' vous donne, chaque mois cent
cinquante francs. Vous entendez bien: chaque mois j'
25 vous apporte ici, avec mon tilbury, trente écus de cent sous.
Et pi n'y a rien de changé, plus rien de rien; vous restez
chez vous, vous n' vous occupez point de mé [moi], vous
n' me d'vez rien. Vous n' faites que prendre mon argent.
Ça vous va-t-il?

30   Il la regardait d'un air joyeux, d'un air de bonne humeur.

La vieille le considérait avec méfiance, cherchant le
piège. Elle demanda:

— Ça, c'est pour mé; mais pour vous, c'te ferme, ça
n' vous la donne point?

35   Il reprit:

— N' vous tracassez point de ça. Vous restez tant que

l' bon Dieu vous laissera vivre. Vous êtes chez vous.
Seulement vous m' ferez un p'tit papier chez l' notaire
pour qu'après vous ça me revienne. Vous n'avez point
d'éfants [enfants], rien qu' des neveux que vous n'y tenez
guère.[1] Ça vous va-t-il? Vous gardez votre bien votre 5
vie durant, et j'vous donne trente écus de cent sous par
mois. C'est tout gain pour vous.

La vieille demeurait surprise, inquiète, mais tentée.
Elle répliqua:

— Je n' dis point non. Seulement, j' veux m' faire une 10
raison là-dessus. Rev'nez causer d' ça dans l' courant d'
l'autre semaine. J' vous f'rai une réponse d' mon idée.

Et maître Chicot s'en alla, content comme un roi qui
vient de conquérir un empire.

La mère Magloire demeura songeuse. Elle ne dormit 15
pas la nuit suivante. Pendant quatre jours, elle eut une
fièvre d'hésitation. Elle flairait bien quelque chose de
mauvais pour elle là-dedans, mais la pensée des trente écus
par mois, de ce bel argent sonnant qui s'en viendrait couler
dans son tablier, qui lui tomberait comme ça du ciel, sans 20
rien faire, la ravageait de désir.

Alors elle alla trouver le notaire et lui conta son cas. Il
lui conseilla d'accepter la proposition de Chicot, mais en
demandant cinquante écus de cent sous, au lieu de trente,
sa ferme valant, au bas mot, soixante mille francs. 25

— Si vous vivez quinze ans, disait le notaire, il ne la
payera encore, de cette façon, que quarante-cinq mille
francs.

La vieille frémit à cette perspective de cinquante écus de
cent sous par mois; mais elle se méfiait toujours, craignant 30
mille choses imprévues, des ruses cachées, et elle demeura
jusqu'au soir à poser des questions, ne pouvant se décider
à partir. Enfin elle ordonna de préparer l'acte, et elle rentra
troublée comme si elle eût bu quatre pots de cidre nouveau.

---

[1] Populaire: que vous n'aimez guère.

Quand Chicot vint pour savoir la réponse, elle se fit long-temps prier, déclarant qu'elle ne voulait pas, mais rongée par la peur qu'il ne consentît point à donner les cinquante pièces de cent sous. Enfin, comme il insistait, elle énonça
5 ses prétentions.

Il eut un sursaut de désappointement et refusa.

Alors, pour le convaincre, elle se mit à raisonner sur la durée probable de sa vie.

— Je n'en ai pas pour pu [plus] de cinq à six ans pour
10 sûr. Me v'là sur mes soixante-treize, et pas vaillante avec ça. L'aut'e soir, je crûmes [crus] que j'allais passer. Il me semblait qu'on m'en vidait l' corps, qu'il a fallu me porter à mon lit.

Mais Chicot ne se laissait pas prendre.

15 — Allons, allons, vieille pratique,[1] vous êtes solide comme l' clocher d' l'église. Vous vivrez pour le moins cent dix ans. C'est vous qui m'enterrerez, pour sûr.

Tout le jour fut encore perdu en discussions. Mais, comme la vieille ne céda pas, l'aubergiste, à la fin, consentit
20 à donner les cinquante écus.

Ils signèrent l'acte le lendemain. Et la mère Magloire exigea dix écus de pots de vin.[2]

Trois ans s'écoulèrent. La bonne femme se portait comme un charme.[3] Elle paraissait n'avoir pas vieilli d'un
25 jour, et Chicot se désespérait. Il lui semblait, à lui, qu'il payait cette rente depuis un demi-siècle, qu'il était trompé, floué,[4] ruiné. Il allait de temps en temps rendre visite à la fermière, comme on va voir, en juillet, dans les champs, si les blés sont mûrs pour la faux. Elle le recevait avec une
30 malice dans le regard. On eût dit qu'elle se félicitait du

---

[1] Proprement, *old customer;* ici apparemment, vieille rusée.
[2] Pourboire; argent donné en cadeau pour acheter une complai-sance dans une affaire à conclure.
[3] *Was in perfect health* (charme, *yoke elm*).
[4] *Cheated.*

bon tour qu'elle lui avait joué; et il remontait bien vite
dans son tilbury en murmurant:

— Tu ne crèveras donc point, carcasse ![1]

Il ne savait que faire. Il eût voulu l'étrangler en la
voyant. Il la haïssait d'une haine féroce, sournoise, d'une
haine de paysan volé.

Alors il chercha des moyens.

Un jour enfin, il s'en revint la voir en se frottant les
mains, comme il faisait la première fois lorsqu'il lui avait
proposé le marché.

Et, après avoir causé quelques minutes:

— Dites donc, la mère, pourquoi que vous ne v'nez point
dîner à la maison, quand vous passez à Epreville ? On en
jase[2]; on dit comme ça que j' sommes pu amis, et ça me
fait deuil.[3] Vous savez, chez mé, vous ne payerez point.
J' suis pas regardant à un dîner. Tant que le cœur vous
en dira, v'nez sans retenue, ça m'fera plaisir.

La mère Magloire ne se le fit point répéter; et le surlendemain, comme elle allait au marché dans sa carriole
conduite par son valet Célestin, elle mit sans gêne son
cheval à l'écurie chez maître Chicot, et réclama le dîner
promis.

L'aubergiste, radieux, la traita comme une dame, lui
servit du poulet, du boudin, de l'andouille, du gigot et du
lard aux choux. Mais elle ne mangea presque rien, sobre
depuis son enfance, ayant toujours vécu d'un peu de soupe
et d'une croûte de pain beurrée.

Chicot insistait, désappointé. Elle ne buvait pas non
plus. Elle refusa de prendre du café.

Il demanda:

— Vous accepterez toujours bien un p'tit verre.

— Ah ! pour ça, oui. Je ne dis pas non.

---

[1] Crever, pour mourir, se dit vulgairement des animaux; (*carcasse*,
carrion).

[2] *People gossip.*

[3] Que nous ne sommes plus amis et cela me fait de la peine.

Et il cria de tous ses poumons, à travers l'auberge:

— Rosalie, apporte la fine, la surfine, le fil-en-dix.[1]

Et la servante apparut, tenant une longue bouteille ornée d'une feuille de vigne en papier.

5   Il emplit deux petits verres.

— Goûtez ça, la mère, c'est de la fameuse.

Et la bonne femme se mit à boire tout doucement, à petites gorgées, faisant durer le plaisir.   Quand elle eut vidé son verre, elle l'égoutta,[2] puis déclara:

10   — Ça, oui, c'est de la fine.

Elle n'avait point fini de parler que Chicot lui en versait un second coup.   Elle voulut refuser, mais il était trop tard, et elle le dégusta longuement, comme le premier.

Il voulut alors lui faire accepter une troisième tournée,[3]

15 mais elle résista.   Il insistait:

— Ça, c'est du lait, voyez-vous; mé [moi] j'en bois dix, douze, sans embarras.   Ça passe comme du sucre.   Rien au ventre, rien à la tête; on dirait que ça s'évapore sur la langue.   Y a rien de meilleur pour la santé !

20   Comme elle en avait bien envie, elle céda, mais elle n'en prit que la moitié du verre.

Alors Chicot, dans un élan de générosité, s'écria:

— T'nez, puisqu'elle vous plaît, j' vas vous en donner un p'tit fût, histoire de vous montrer que j' sommes tou-

25 jours une paire d'amis.

La bonne femme ne dit pas non, et s'en alla, un peu grise.[4]

---

[1] *Fine, superfine:* Fine champagne; eau de vie [*brandy*] de qualité supérieure, fabriquée dans la région des Charentes (S. O. de la France) surtout à Cognac.   *La fine, la surfine, le fil-en-dix:* The brandy, the " extra-fine " brandy, the " super-fine " brandy.   On peut distiller l'alcool plus d'une fois, et à chaque nouvelle opération il devient plus raffiné: du fil-en-dix signifierait donc probablement: une liqueur qui aurait subi dix distillations successives.

[2] *Vida jusqu'à la dernière goutte.*

[3] *Round.*

[4] *Drunk.*

Le lendemain, l'aubergiste entra dans la cour de la mère Magloire, puis tira du fond de sa voiture une petite barrique cerclée de fer. Puis il voulut lui faire goûter le contenu, pour prouver que c'était bien la même fine; et, quand ils en eurent encore bu chacun trois verres, il déclara, en s'en allant: 5

— Et puis, vous savez, quand n'y en aura pu, y en a encore; n' vous gênez point. Je n' suis pas regardant.[1] Pu [Plus] tôt que ce sera fini, pu que je serai content.

Et il remonta dans son tilbury. 10

Il revint quatre jours plus tard. La vieille était devant sa porte, occupée à couper le pain de la soupe.

Il s'approcha, lui dit bonjour, lui parla dans le nez, histoire de sentir son haleine. Et il reconnut un souffle d'alcool. Alors son visage s'éclaira. 15

— Vous m'offrirez bien un verre de fil? dit-il.

Et ils trinquèrent deux ou trois fois.

Mais bientôt le bruit courut dans la contrée que la mère Magloire s'ivrognait toute seule. On la ramassait tantôt dans sa cuisine, tantôt dans sa cour, tantôt dans les chemins des environs, et il fallait la rapporter chez elle, inerte comme un cadavre. 20

Chicot n'allait plus chez elle, et, quand on lui parlait de la paysanne, il murmurait avec un visage triste:

— C'est-il pas malheureux, à son âge, d'avoir pris c't' habitude-là? Voyez-vous, quand on est vieux, y a pas de ressource. Ça finira bien par lui jouer un mauvais tour! 25

Ça lui joua un mauvais tour, en effet. Elle mourut l'hiver suivant, vers la Noël, étant tombée, soûle, dans la neige. 30

Et maître Chicot hérita de la ferme, en déclarant:

— C'te manante,[2] si alle s'était point boissonnée, alle en avait bien pour dix ans de plus.

---

[1] Populaire: ladre, avare (*niggardly*).

[2] Paysanne; aussi, en Normandie, populaire pour: vieille bête.

CHAPITRE IX

ALPHONSE DAUDET

1840–1897

Consulter: Chose curieuse, pour un écrivain aussi connu, il n'existe pas encore de livre donnant une étude objective de la vie et de l'œuvre de Daudet. La meilleure à indiquer ici c'est, dans la Coll. (*Grands Évén. litt.*): G. Beaume, *Lettres de mon moulin*, (Paris, Malfère, s. d.). À indiquer encore: « Essai de biographie », par H. Céard au Vol. I des *Œuvres complètes* (publ. par Houssiaux, 1889). De Daudet lui-même, *Trente ans de Paris*, (Flammarion, 1888). *Mon frère et moi*, par Ernest Daudet (Plon, 1882); et *Alphonse Daudet*, par Léon Daudet [son fils] (Fasquelle, 1898).

Avec Daudet nous avons un réalisme ou naturalisme tout imprégné d'humanité. On l'a appelé le Dickens de la France. Lui-même a reconnu la parenté spirituelle, et un de ses romans les plus touchants *Jack* (1876) est comme une transposition française de *David Copperfield:* triste destinée d'un enfant d'un tempérament très sensible, victime d'un parâtre borné et dur qui domine une mère tendre mais faible et frivole.

Daudet venait du sud, de la Provence ensoleillée et n'accepta jamais les duretés du pessimisme naturaliste, bien qu'il crût aussi fermement que les Goncourt et Zola à la formule du roman minutieusement documenté. Il était arrivé à la célébrité avant Zola, n'ayant pas été exposé, grâce à cette note humanitaire, à la résistance que rencontra son dogmatique confrère. Daudet ne fit aucun effort pour se désintéresser de ses personnages. Avant de formuler sa doctrine du roman expérimental, Zola avait défini le roman: « la nature vue à travers un tempérament »; cette définition n'a jamais cessé de s'appliquer à Daudet.

Il avait quitté Nîmes, sa ville natale, de bonne heure, son père ayant fait de mauvaises affaires; il avait dû, très jeune, enseigner quelque temps au Collège d'Alais; mais il vint dès 1857 rejoindre son frère à Paris, où il trouva sa voie sans trop de peine. Il fut quelque temps attaché au service du Duc de Morny (qui joua un rôle politique important sous le Second Empire, étant, dit-on, le demi-frère de Napoléon III); il vit alors le grand monde et y trouva le succès. Il commença par des vers légers et charmants, publiés en un petit volume *Les amoureuses* (1858). Puis ce fut la série de romans où il évoquait tantôt la vie de la Provence (où il retournait parfois), tantôt celle des salons de Paris, tantôt encore celle du Paris ouvrier. La plupart de ses romans se passent à Paris.

Quand Zola atteignit la grande renommée avec *L'Assommoir*, en 1877, Daudet avait déjà publié *Le Petit Chose* (1868), roman plus ou moins autobiographique (le « Petit Chose » était le surnom que ses élèves turbulents lui avaient donné au collège d'Alais; Daudet était court de taille et myope), *Fromont jeune et Risler aîné* (1874), le roman le plus caractéristique de sa manière (v. plus bas), et *Jack* (1876); et même la première partie de son roman humoristique *Aventures véritables de Tartarin de Tarascon* (1872) qui devait avoir comme suites, *Tartarin sur les Alpes* (1885) et *Port Tarascon* (1890).

Quand le naturalisme fut constitué en école, Daudet fut réclamé comme faisant partie du groupe et Daudet ne se récusa point; son souci du récit bien fondé sur l'observation et le document justifiait cette association. En 1877 — année de *L'Assommoir* — il publiait *Le nabab*, roman du nouveau riche (et Daudet déclarait avoir eu un modèle dans la réalité). Suivent: *Les rois en exil* (1879), où il peint la vie des souverains détrônés au cours du siècle et qui cherchent une existence à Paris et en France; *Numa Roumestan* (1881) scènes de la vie politique, dont la figure centrale rappelait Gambetta; *L'Évangéliste* (1883) satire du protestantisme puritain; *Sapho*, (1884), où il raconte à sa manière la vie de la grande courtisane (sujet traité par les Goncourt dans *La fille Élisa*, et par Zola dans *Nana*); *L'Immortel* (1888), la mésaventure d'un académicien victime d'un habile imposteur vendant des documents contrefaits... Toujours on trouve chez l'auteur, même quand il s'y mêle une fine ironie, cet élément de sympathie foncière pour les souffrances des pauvres humains. On le retrouve encore, avec peut-être un peu plus de sourire aimable, dans les deux volumes de courts récits qui semblent avoir vieilli moins que n'importe quelle partie de l'œuvre de Daudet, les *Lettres de mon moulin* (1869) et les *Contes du Lundi* (1873).

D'un de ses contes Daudet fit un mélodrame en 3 actes et 5 tableaux, *L'Arlésienne*, pour lequel G. Bizet écrivit une remarquable musique de scène (1872).

Daudet repoussa toutes les invitations à présenter sa candidature à l'Académie française. Il mourut en 1897, assez subitement, après de longues années de souffrances courageusement supportées. Il eut en sa femme une collaboratrice dévouée.

Les prunes

(Extrait du volume de poésie *Les amoureuses*, 1858.)

On connaît l'expression populaire: *faire quelque chose « pour des prunes »* [*plums*], c'est-à-dire: pour rien, sans récompense; et aussi:

à propos de rien. C'est plutôt du second sens qu'il s'agit ici: l'histoire d'une amourette à propos de « prunes ».

Les strophes du poème sont des triolets, dont les rimes suivent donc l'ordre suivant: A B a A a b A B — majuscules pour mêmes vers, minuscules pour mêmes rimes.

I

A Si vous voulez savoir comment
B Nous nous aimâmes pour des prunes,
a Je vous le dirai doucement,
A Si vous voulez savoir comment.
5   a L'amour vient toujours en dormant,
b Chez les bruns comme chez les brunes;
A En quelques mots voici comment
B Nous nous aimâmes pour des prunes.

II

Mon oncle avait un grand verger
10 Et moi j'avais une cousine;
Nous nous aimâmes sans y songer,
Mon oncle avait un grand verger.
Les oiseaux venaient y manger,
Le printemps faisait leur cuisine:
15 Mon oncle avait un grand verger
Et moi j'avais une cousine.

III

Un matin nous nous promenions
Dans le verger, avec Mariette:
Tout gentils, tout frais, tout mignons,
20 Un matin nous nous promenions.
Les cigales et les grillons
Nous fredonnaient une ariette [1]:
Un matin nous nous promenions
Dans le verger avec Mariette.

---

[1] Petit air.

IV

De tous côtés, d'ici, de là,
Les oiseaux chantaient dans les branches,
En si bémol, en ut, en la,[1]
De tous côtés, d'ici, de là.
Les prés en habit de gala   5
Étaient pleins de fleurettes blanches.
De tous côtés, d'ici, de là,
Les oiseaux chantaient dans les branches.

V

Fraîche sous son petit bonnet,
Belle à ravir, et point coquette,   10
Ma cousine se démenait,
Fraîche sous son petit bonnet.
Elle sautait, allait, venait,
Comme un volant [2] sur la raquette:
Fraîche sous son petit bonnet,   15
Belle à ravir, et point coquette.

VI

Arrivée au fond du verger,
Ma cousine lorgne [3] les prunes;
Et la gourmande en veut manger,
Arrivée au fond du verger.   20
L'arbre est bas; sans se déranger
Elle en fait tomber quelques-unes:
Arrivée au fond du verger,
Ma cousine lorgne les prunes.

[1] *B flat, C, A.*
[2] *Shuttlecock.*
[3] *Ogles.*

VII

Elle en prend une, elle la mord,
Et, me l'offrant: « Tiens !...» me dit-elle.
Mon pauvre cœur battait si fort !
Elle en prend une, elle la mord.
5   Ses petites dents sur le bord
Avaient fait des points de dentelle.[1]
Elle en prend une, elle la mord,
Et, me l'offrant: « Tiens !...» me dit-elle.

VIII

Ce fut tout, mais ce fut assez;
10   Ce seul fruit disait bien des choses
(Si j'avais su ce que je sais !...).
Ce fut tout, mais ce fut assez.
Je mordis, comme vous pensez,
Sur la trace des lèvres roses:
15   Ce fut tout, mais ce fut assez;
Ce seul fruit disait bien des choses.

IX

A MES LECTRICES

Oui, mesdames, voilà comment
Nous nous aimâmes pour des prunes:
N'allez pas l'entendre autrement;
20   Oui, mesdames, voilà comment.
Si parmi vous pourtant, d'aucunes
Le comprenaient différemment,
Ma foi, tant pis ! voilà comment
Nous nous aimâmes pour des prunes.

[1] *Lace stitches.*

Fromont jeune et Risler aîné (1874)

Ce roman fut le premier grand succès de librairie de Daudet; il demeure, d'ailleurs, celui où l'on trouve le mieux réunis les traits les plus caractéristiques de son talent de conteur: documentation précise, sympathie profonde pour les souffrances humaines, note poétique et délicate. Tous les personnages ont vécu; Daudet habitait alors lui-même le Quartier du Marais à Paris, où est situé le récit. [Consulter le chapitre « Fromont jeune et Risler aîné » dans *Trente ans de la vie de Paris*, livre de Daudet cité déjà;] On y voit, à côté d'hommes et de femmes misérables, mauvais ou méprisables, quelques très honnêtes gens; et on n'est pas seulement attristé, on est attendri. Le milieu est celui de l'usine du XIXe siècle, avec quelques échappées sur le monde de la bourgeoisie enrichie.

Fromont, de descendance paysanne, est un commerçant qui a su profiter de l'ère de prospérité industrielle du Second Empire. Il a établi à Paris une fabrique de papiers peints. Georges Fromont, orphelin, est adopté par son oncle dont il héritera le commerce; élevé en nouveau riche, il se montrera faible de caractère. Il doit épouser sa cousine Claire, femme délicieuse de tact, d'intelligence et de bonté. À la mort du vieux Fromont, « Fromont jeune » (Georges) s'associe avec Guillaume Risler — « Risler aîné » — un Suisse foncièrement honnête,[1] l'homme de confiance de la maison et qui avait commencé comme simple dessinateur dans la fabrique Fromont. Son frère Frantz, de 15 ans plus jeune que lui, ne fait pas preuve de beaucoup de personnalité; Frantz a été gâté par son frère; il fait des études d'ingénieur.

Avant que Risler aîné fût associé dans la maison, les deux frères vivaient dans un grand immeuble [*apartment house*] du quartier; ils y voisinaient avec la famille Chèbe, qui vivait on ne sait trop de quoi et dont la fille de 13 ans, Sidonie, coquette et ambitieuse [une Becky Sharp] était en apprentissage à la fabrique. Dans le même immeuble habitait aussi la famille Delobelle dont le père était un ancien acteur depuis longtemps sans emploi mais qui rêvait toujours de grands succès de scène; en attendant, il vivait égoïstement du travail acharné de sa femme et de sa fille qui confectionnaient en chambre des « oiseaux et mouches pour modes »; la petite Désirée — Zizi dans le roman — est boiteuse; c'est une âme ardente et noble souffrant de son infirmité et qui aime en silence Frantz, le frère de Risler aîné.

Sidonie Chèbe est le mauvais génie de l'histoire. Grâce à la pro-

---

[1] Suisse dans le roman; Alsacien en réalité.

tection de Risler aîné, elle est, un jour, invitée à un bal d'enfants
chez les Fromont; elle y fait la connaissance de Claire qui, gentiment,
en fait son amie. Fascinée par la vie des riches, sa convoitise est
allumée et elle ne songera plus qu'au moyen de quitter l'atelier. Elle
prend le jeune Frantz dans ses filets, mais elle ne l'aime pas; elle
vise plus haut; elle ambitionne de devenir la femme de Georges
Fromont qui n'est pas insensible à ses manœuvres de femme. Pourtant le mariage de Georges et Claire a lieu. Alors la jalousie aveugle
Sidonie qui, pour s'élever au rang de Claire, se fait épouser par Risler
aîné. Frantz, dédaigné de Sidonie, part pour l'Égypte après avoir
reçu son diplôme d'ingénieur. Continuant sa vie d'intrigue, Sidonie
devient la maîtresse de Georges Fromont. Claire trop occupée de
son enfant, et Risler aîné trop accaparé par l'invention d'une nouvelle
presse pour la fabrique de papiers, ne se doutent de rien. C'est le
caissier de la maison, l'honnête Planus, vieil ami de Risler, effrayé des
dépenses de Georges pour Sidonie, qui révèle la situation à Frantz;
celui-ci revient d'Égypte pour accuser Sidonie; mais elle fait jouer
encore ses séductions féminines; Frantz succombe une seconde fois
et même lui laisse entre les mains une lettre d'amour dont elle se sert
pour empêcher de faire connaître la vérité à Risler aîné. Cependant,
la Maison Fromont jeune et Risler aîné ne peut faire face à ses engagements financiers; quand enfin Risler voit clair, il est saisi d'une
grande indignation d'honnête homme, fait venir sa femme Sidonie, la
force à demander pardon à genoux à Claire, vend bijoux, voiture et
maison, présents de Georges; les dettes sont payées; les affaires
reprennent; Claire se rapproche de Georges. Quant à Sidonie, elle
s'est enfuie. Mais ses fourberies n'ont pas encore produit tous leurs
funestes effets; la lettre d'amour de Frantz tombe sous les yeux de
Risler aîné; le coup de la trahison de son frère adoré est plus qu'il ne
peut supporter; il se tue.

Pour le texte complet du roman, voir l'édition de Th. M. Bussom,
dans la Collection ‹ Modern Student's Library ›, Scribner, New-
York.

Comme dans L'Assommoir, il y a, à côté de l'histoire principale,
des épisodes secondaires frappants, celui particulièrement de cette
Désirée Delobelle, la petite ouvrière boiteuse. Quand ce Frantz,
qu'elle aime en secret, est revenu d'Égypte, à l'appel du caissier
Planus, elle se reprend à espérer qu'il comprendra et qu'il l'aimera;
en effet, ils se fiancent, — quand la funeste Sidonie intervient encore
et le lui arrache. C'est alors que, victime de la faiblesse de Frantz,
elle ne peut plus supporter la vie et qu'elle essaie de se noyer dans la
Seine. Ce récit du suicide manqué de Désirée est à comparer avec
celui que fait Zola de la mort de la petite Lalie, dans L'Assommoir.
On verra à quelle compassion Daudet se laisse glisser jusque dans son

style au lieu de rester purement objectif comme Zola. Daudet ne veut pas d'ailleurs que la tragédie ait seule le dernier mot: Désirée mourra après avoir reçu une lettre de repentir sincère de Frantz qui a enfin reconnu toute la perversité de Sidonie.

La petite Zizi

[Désirée, l'habile ouvrière]

C'était alors la mode d'orner les chapeaux, les robes de bal avec ces jolies bestioles de l'Amérique du Sud, aux couleurs de bijoux, aux reflets de pierres précieuses. Les dames Delobelle avaient cette spécialité.

Une maison de gros,[1] à qui les envois arrivaient directe- 5 ment des Antilles, leur adressait, sans les ouvrir, de longues caisses légères, dont le couvercle en s'arrachant laissait monter une odeur fade, une poussière d'arsenic, où luisaient les mouches empilées, ₒ ₒ ₒ les oiseaux serrés les uns contre les autres, les ailes retenues par une bande de papier fin. 10 Il fallait monter tout cela, faire trembler les mouches sur des fils de laiton, ébouriffer [2] les plumes des colibris, les lustrer, réparer d'un fil de soie la brisure d'une patte de corail, mettre à la place des yeux éteints deux perles bril- lantes, rendre à l'insecte ou à l'oiseau son attitude de 15 grâce et de vie.

La mère préparait l'ouvrage sous la direction de sa fille; car Désirée, toute jeune encore, avait un goût exquis, des inventions de fée, et personne ne savait comme elle ap- pliquer deux yeux de perles sur ces petites têtes d'oiseaux, 20 déployer leurs ailes engourdies.

Boiteuse depuis l'enfance, par suite d'un accident qui n'avait nui en rien à la grâce de son visage régulier et fin, Désirée Delobelle devait à son immobilité presque forcée, à sa paresse continuelle de sortir, une certaine aristocratie 25 de teint, des mains plus blanches. Toujours coquettement coiffée, elle passait ses journées au fond d'un grand fauteuil,

---

[1] *Wholesale firm.*   [2] *Ruffle.*

devant sa table encombrée de gravures de modes, d'oiseaux
de toutes les couleurs, trouvant dans l'élégance capricieuse
et mondaine de son métier l'oubli de sa propre détresse et
comme une revanche de sa vie disgrâciée.

5　　Elle songeait que toutes ces petites ailes allaient s'envoler de sa table immobile pour entreprendre de vrais
voyages autour du monde parisien, étinceler dans les fêtes,
sous les lustres; et rien qu'à la façon dont elle plantait ses
mouches et ses oiseaux, on aurait pu deviner la tournure
10 de ses pensées. Dans les jours d'abattement, de tristesse,
les becs effilés [1] se tendaient en avant, les ailes s'ouvraient
toutes grandes, comme pour prendre un élan furieux loin,
bien loin des logements au cinquième, des poëles de fonte,[2]
des privations, de la misère. D'autres fois, quand elle était
15 contente, ses bestioles vous avaient un air enchanté de
vivre, bien l'air crâne et mutin d'un petit caprice de
mode . . .

Heureuse ou malheureuse, Désirée travaillait toujours
avec la même ardeur. Depuis l'aube jusque bien avant
20 dans la nuit, la table était chargée d'ouvrage. Au dernier
rayon du jour, quand la cloche des fabriques sonnait tout
autour dans les cours voisines, Mme Delobelle allumait la
lampe, et après un repas plus que léger on se remettait au
travail.

25　　Ces deux femmes infatigables avaient un but, une idée
fixe qui les empêchait de sentir le poids des veilles forcées.
C'était la gloire dramatique de l'illustre Delobelle.

Delobelle est un double de Micawber, du *David Copperfield* de
Dickens, vivant entièrement en marge de la vie réelle. Il avait eu
jadis quelques maigres succès d'acteur, et il rêvait toujours une destinée d'artiste célèbre, toujours certain que le lendemain cette grande
destinée allait se réaliser; en attendant, il absorbe sans aucune arrière-
pensée et sans aucun scrupule le produit des petits gains péniblement
accumulés par les deux femmes de son foyer. Delobelle est un des

---

[1] Allongés [*Tapering bills*].
[2] *Cast-iron stoves.*

portraits les plus réussis de Daudet qui dit dans *Trente ans de Paris*
(p. 304) « Delobelle a vécu près de moi, et dix fois il m'a répété:
« *Je n'ai pas le droit de renoncer au théâtre* » ».

L'Amour secret de Désirée

Frantz vient de réussir ses examens d'ingénieur. Alors on pense
qu'il ne lui manque plus que de trouver « une bonne petite femme ».

C'était aussi l'avis de Désirée. Il ne manquait plus que
cela au bonheur de Frantz, une bonne petite femme active,
courageuse, habituée au travail et qui s'oublierait toute
pour lui. Et si Désirée en parlait avec cette assurance,
c'est qu'elle la connaissait très intimement, cette femme qui   5
convenait si bien à Frantz Risler... Elle n'avait qu'un
an de moins que lui, juste ce qu'il faut pour être plus jeune
que son mari et pouvoir lui servir de mère en même temps.
... Jolie ?
Non, pas précisément, mais plutôt gentille que laide,   10
malgré son infirmité, car elle boitait, la pauvre petite !...
Et puis, fine, éveillée et si aimante ! Personne autre que
Désirée ne savait à quel point cette petite femme-là aimait
Frantz et comme elle pensait à lui nuit et jour depuis des
années. Lui-même ne s'en était pas aperçu, et semblait   15
n'avoir des yeux que pour Sidonie, une gamine. Mais c'est
égal ! L'amour silencieux est si éloquent, une si grande
force se cache dans les sentiments contenus... Qui sait ?
Peut-être un jour ou l'autre...
Et la petite boiteuse, penchée sur son ouvrage, partait   20
pour un de ces grands voyages au pays des chimères,
comme elle en faisait tant dans son fauteuil d'impotente,
les pieds appuyés au tabouret immobile: un de ces merveilleux voyages d'où elle revenait toujours, heureuse et souriante, s'appuyant au bras de Frantz de toute sa confiance   25
d'épouse aimée. Ses doigts suivant le rêve de son cœur, le
petit oiseau qu'elle tenait en ce moment et dont elle re-
dressait les ailes froissées avait bien l'air d'être du voyage,

lui aussi, de s'envoler là-bas, bien loin, joyeux et léger
comme elle.

La porte s'ouvrit tout à coup.

— Je ne vous dérange pas ? dit une voix triomphante.

5   La mère, un peu assoupie, releva la tête brusquement:

— Eh ! c'est monsieur Frantz... Entrez donc, monsieur Frantz... Vous voyez; nous attendons le père...
Ces brigands d'artistes, ça rentre toujours si tard... Asseyez-vous là... vous souperez avec lui...

10   — Oh ! non, merci, répondit Frantz dont les lèvres
étaient encore pâles de l'émotion qu'il venait d'avoir;
merci, je ne m'arrête pas... J'ai vu de la lumière à la
porte et je suis entré seulement pour vous dire... pour
vous apprendre une grande nouvelle qui vous fera bien
15 plaisir, parce que je sais que vous m'aimez...

— Et quoi donc, grand Dieu ?

— Il y a promesse de mariage entre M. Frantz Risler
et Mlle Sidonie !...

Là ! quand je vous disais qu'il ne lui manquait plus
20 qu'une bonne petite femme, fit la maman Delobelle en
se levant pour lui sauter au cou.

Désirée n'eut pas la force de prononcer une parole. Elle
se pencha encore plus sur son ouvrage, et comme Frantz
avait les yeux exclusivement fixés sur son bonheur, que la
25 maman Delobelle ne regardait que la pendule pour voir si
son grand homme rentrerait bientôt, personne ne s'aperçut
de l'émotion de la boiteuse, de sa pâleur, ni du tremblement
convulsif du petit oiseau immobile entre ses mains, la tête
renversée, comme un oiseau blessé à mort.

Le pire, c'est quand Frantz, se voyant délaissé par Sidonie — qu'il
croit aimer et qui, elle, ne pense qu'à épouser un homme riche —
venait toujours « désespéré, faire ses confidences aux dames Delobelle. »

« Il partit (pour l'Égypte) sans avoir rien vu ou rien voulu savoir
de l'amour de Désirée; et pourtant quand il vint lui faire ses adieux,
la chère petite infirme leva sur lui de jolis yeux timides où il y avait
écrit tellement lisiblement: *Moi, je vous aime*, si elle ne vous aime

pas ... Mais Frantz Risler ne savait pas lire l'écriture de ces yeux-là. »

Un jour Frantz revient. Désirée n'en connaît pas la raison [il est appelé pour mettre un terme aux méfaits de Sidonie]; mais elle sait qu'il ne pense plus avec amour à Sidonie et qu'il est, au contraire, très gentil pour elle. Elle se reprend à espérer, surtout un jour après qu'il les a tous emmenés — père, mère et Zizi — à la campagne un beau dimanche matin. Car elle sentit bien que « Frantz, lui aussi, commençait à être sous le charme. Peu à peu mam'selle Zizi s'emparait de son cœur et en chassait jusqu'au souvenir de Sidonie. »

Mais, on l'a vu, la terrible Sidonie devait ressaisir le naïf Frantz, lui arracher une lettre d'amour compromettante et puis le laisser seul retourner en Égypte en se moquant de lui et de ses menaces de la dénoncer à Risler aîné. Et c'est ici que Daudet écrit un des chapitres les plus émouvants qui soient sortis de sa plume et qu'il intitule tristement *Un fait divers*.[1]

La mort de Zizi

C'est le père Delobelle qui apporte la nouvelle du départ précipité de Frantz. Il le fait avec des effets de théâtre qui les empêchent, lui-même et sa femme, de remarquer quel affreux coup il a porté à Désirée.

Frantz était parti, parti sans un regard pour elle, sans un adieu ... C'était horrible ... Aux premiers mots de son père, elle se sentit précipitée dans un abîme profond, glacé, rempli d'ombre, dans lequel elle descendait rapidement, inconsciemment, sachant bien que c'était sans retour 5 vers la lumière. Elle étouffait. Elle aurait voulu résister, se débattre, appeler au secours о о о

Le terrible, c'est qu'elle comprit tout de suite que, cette fois, le travail même ne la sauverait pas. Il avait perdu sa qualité bienfaisante. Les bras inertes n'avaient plus de 10 force; les mains lasses, désunies, s'écartaient dans l'oisiveté du grand découragement.

Qu'est-ce qui aurait donc pu la soutenir au milieu de ce grand désastre ?

[1] Nom donné à un petit article de journal relatant les accidents, menus scandales; en anglais, *item*.

Dieu? Ce qu'on appelle le Ciel?

Elle n'y songea même pas. A Paris, surtout dans les quartiers ouvriers, les maisons sont trop hautes, les rues trop étroites, l'air trop troublé pour qu'on aperçoive le ciel. Il se perd dans la fumée des fabriques et le brouillard qui monte des toits humides; et puis la vie est tellement dure pour la plupart de ces gens-là, que si l'idée d'une Providence se mêlait à leurs misères, ce serait pour lui montrer le poing et la maudire. Voilà pourquoi il y a tant de suicides à Paris. Ce peuple, qui ne sait pas prier, est prêt à mourir à toute heure. La mort se montre à lui au fond de toutes ses souffrances, la mort qui délivre et qui console.

C'était elle que la petite boiteuse regardait si fixement. Son parti avait été pris tout de suite: il fallait mourir. Mais comment?

Immobile sur son fauteuil, pendant que la vie bête continuait autour d'elle, que sa mère préparait le dîner, que le grand homme débitait un long monologue contre l'ingratitude humaine, elle discutait le genre de mort qu'elle allait choisir. N'étant presque jamais seule, elle ne pouvait pas songer au réchaud de charbon [1] qu'on allume après avoir bouché les portes et les fenêtres. Ne sortant jamais, elle ne pouvait pas songer non plus au poison qu'on achète chez l'herboriste, un petit paquet de poudre blanche qu'on fourre dans sa poche tout au fond avec l'étui et le dé. Il y avait bien aussi, certes, la fenêtre grande ouverte sur le pavé de la rue; mais la pensée qu'elle donnerait à ses parents le spectacle horrible d'une agonie volontaire, que ce qui resterait d'elle, ramassé au milieu d'un attroupement de peuple, leur serait si affreux à voir, lui fit repousser ce moyen-là.

Elle avait encore la rivière.

Au moins l'eau vous emporte quelquefois si loin, que personne ne vous retrouve et que la mort est entourée de mystère ...

[1] *Charcoal burner*, qui émet des gaz empoisonnés.

La rivière !

Elle frissonnait tout en y songeant. Et ce n'était pas la vision de l'eau noire et profonde qui l'effrayait. Les filles de Paris se moquent bien de cela. On jette son tablier sur sa tête pour ne pas voir, et pouf ! Mais il faudrait des- 5 cendre, s'en aller dans la rue toute seule, et la rue l'intimi- dait. ○○○

... Oui, c'était cela le terrible, s'en aller seule dans la rue. Il faudrait attendre que le gaz fût éteint, descendre l'escalier tout doucement quand sa mère serait couchée, 10 demander le cordon,[1] et prendre sa course à travers ce Paris où on rencontre des hommes qui vous regardent ef- frontément dans les yeux, et des cafés tout brillants de lumière. Cette terreur de la rue, Désirée l'avait depuis l'enfance. Toute petite, quand elle descendait pour une 15 commission, les gamins la suivaient en riant et elle ne savait pas ce qu'elle trouvait de plus cruel, ou cette parodie de sa marche irrégulière ○○○, ou la pitié des gens qui pas- saient et dont le regard se détournait charitablement. Ensuite elle avait peur des voitures, des omnibus. La ri- 20 vière était loin. Elle serait bien lasse. Pourtant, il n'y avait pas d'autre moyen que celui-là ...

— Je vais me coucher, fillette, et toi, est-ce que tu veilles encore ?

Les yeux sur son ouvrage, Fillette a répondu qu'elle 25 veillerait. Elle veut finir sa douzaine.[2]

— Bonsoir alors, dit la maman Delobelle dont la vue af- faiblie ne peut plus supporter longtemps la lumière. J'ai mis le souper du père près du feu. Tu y regarderas avant de te coucher. 30

---

[1] Demander au concierge qui est dans sa loge de tirer le cordon ouvrant le porte de la rue; sans ce « cordon » on ne peut ni entrer ni sortir; mais ainsi le concierge remarquera la sortie de la craintive Zizi.
[2] Les oiseaux et les mouches se livraient par douzaines que le père allait porter chaque matin à la maison de gros.

Désirée n'a pas menti. Elle veut terminer sa douzaine,
pour que le père puisse l'emporter demain matin; et vraiment, à voir cette petite tête calme penchée sous la lumière
blanche de la lampe, on ne se figurerait jamais tout ce
5 qu'elle roule de pensées sinistres.

Enfin voici le dernier oiseau de la douzaine, un merveilleux petit oiseau dont les ailes semblent trempées d'eau de
mer, toutes vertes avec un reflet de saphir.

Soigneusement, coquettement, Désirée le pique sur un fil
10 de laiton, dans sa jolie attitude de bête effarouchée [1] qui
s'envole.

Oh! comme il s'envole bien, le petit oiseau bleu! Quel
coup d'aile éperdu [2] dans l'espace! Comme on sent que
cette fois c'est le grand voyage, le voyage éternel et sans
15 retour . . .

Maintenant l'ouvrage est fini, la table rangée, les dernières aiguillées de soie minutieusement ramassées, les
épingles sur la pelote.

Le père, en rentrant, trouvera sous la lampe à demi bais-
20 sée le souper devant la cendre chaude; et ce soir effrayant
et sinistre lui apparaîtra calme comme tous les autres, dans
l'ordre du logis et la stricte observance de ses manies ha-
bituelles. Bien doucement Désirée ouvre l'armoire, en tire
un petit châle dont elle s'enveloppe; puis elle part . . .
25 Quand on meurt jeune, même volontairement, ce n'est
jamais sans révolte, et la pauvre Désirée sort de la vie, indignée contre son destin.

La voilà dans la rue. Où va-t-elle? Tout est déjà désert. Ces quartiers, si animés le jour, s'apaisent le soir de
30 bonne heure. On y travaille trop pour ne pas y dormir
vite. Pendant que le Paris des boulevards, encore plein de
vie, fait planer sur la ville entière le reflet rose d'un lointain
incendie, ici toutes les grandes portes sont fermées, les

---

[1] *Scared.*
[2] Trahissant une émotion violente.

volets mis aux boutiques et aux fenêtres. De temps en
temps... la promenade d'un sergent de ville qu'on entend sans le voir, le monologue d'un ivrogne coupé par les
écarts de sa marche, troublent le silence, ou bien un coup
de vent subit, venu des quais voisins, fait claquer la vitre 5
d'un réverbère, s'abat au détour d'une rue, s'éteint avec
un sifflement sous un seuil mal joint.

Désirée marche vite, serrée dans son petit châle, la tête
levée, les yeux secs. Sans savoir sa route, elle va droit,
tout droit devant elle. 10

Les rues du Marais,[1] noires, étroites, où clignote un bec
de gaz de loin en loin, se croisent, se contournent, et, à
chaque instant dans cette recherche fiévreuse, elle revient
sur ses pas.... Vraiment on dirait que l'eau recule, s'entoure de barrières, que des murs épais, des maisons hautes 15
se mettent exprès devant la mort; mais la petite boiteuse
a bon courage, et sur le pavé inégal des vieilles rues, elle
marche, elle marche.

Avez-vous vu quelquefois, le soir d'un jour de chasse, un
perdreau blessé s'enfuir au creux d'un sillon ? il s'affaisse, 20
il rase le sol, traînant son aile sanglante vers quelque abri où
il pourra mourir en repos. La démarche hésitante de cette
petite ombre suivant les trottoirs, frôlant les murs, donne
tout à fait cette impression-là. Et songer qu'à cette même
heure, presque dans le même quartier, quelqu'un erre aussi 25
par les rues, attendant, guettant, désespéré.[2] Ah ! s'ils
pouvaient se rencontrer. Si elle l'abordait, ce passant
fiévreux, si elle lui demandait sa route:

— S'il vous plaît, monsieur. Pour aller à la Seine ? ...
Il la reconnaîtrait tout de suite: 30

— Comment ! c'est vous, mam'zelle Zizi ? Que faites-
vous dehors à pareille heure ?

---

[1] Le quartier du Marais, est un des plus vieux de Paris, aux rues
très étroites, aujourd'hui tout à fait un quartier ouvrier.

[2] C'est de Frantz qu'il s'agit; il attendait Sidonie qui le trompait
et le laissa partir seul pour l'Égypte.

— Je vais mourir, Frantz. C'est vous qui m'avez ôté le goût de vivre.

Alors, lui, tout ému, la prendrait, la serrerait, l'emporterait dans ses bras, disant:

5 — Oh! non, ne meurs pas. J'ai besoin de toi pour me consoler, pour me guérir de tout le mal que l'autre m'a fait.

Mais c'est là un rêve de poète, une de ces rencontres comme la vie n'en sait pas inventer. Elle est bien trop cruelle, la dure vie! et quand pour sauver une existence il 10 faudrait quelquefois si peu de chose, elle se garde bien de fournir ce peu de chose-là. Voilà pourquoi les romans vrais sont toujours si tristes . . .

Des rues, encore des rues, puis une place, et un pont dont les réverbères tracent dans l'eau noire un autre pont lu-15 mineux. Enfin voici la rivière. ₀ ₀ ₀ C'est bien ici qu'il faut mourir.

Elle se sent si petite, si isolée, si perdue dans l'immensité de cette grande ville allumée et déserte. Il lui semble déjà qu'elle est morte. Elle s'approche du quai; et tout à coup, 20 un parfum de fleurs, de feuillages, de terre remuée l'arrête une minute au passage. A ses pieds, sur le trottoir qui borde l'eau, des masses d'arbustes entourés de paille, des pots de fleurs dans leurs cornets de papier blanc sont déjà rangés pour le marché [1] du lendemain. Enveloppées de 25 leurs châles, les pieds sur leurs chaufferettes,[2] les marchandes s'appuient à leurs chaises, engourdies par le sommeil et par la fraîcheur de la nuit. ₀ ₀ ₀

Pauvre petite Désirée! On dirait que toute sa jeunesse, ses rares journées de joie et son amour déçu lui montent au 30 cœur dans les parfums de ce jardin ambulant. Elle marche doucement au milieu des fleurs. ₀ ₀ ₀

Elle se rappelle la partie de campagne que Frantz lui a fait faire. Ce souffle de nature qu'elle a respiré ce jour-là

---

[1] Le marché aux fleurs.
[2] *Foot-warmers;* qui contenaient du charbon.

pour la première fois, elle le retrouve au moment de mourir.
— « Souviens-toi, » semble-t-il lui dire, et elle répond en
elle-même: « Oh ! oui, je me souviens. »

Elle ne se souvient que trop. Arrivée au bout de ce quai
paré comme pour une fête, la petite ombre furtive s'arrête 5
à l'escalier qui descend sur la berge . . .

Presque aussitôt ce sont des cris, une rumeur tout le long
du quai. « Vite une barque, des crocs. » Des mariniers,
des sergents de ville accourent de tous les côtés. Un
bateau se détache du bord, une lanterne à l'avant.   10

Les marchandes de fleurs se réveillent, et comme une
d'elles demande en bâillant ce qui se passe, la marchande
de café accroupie à l'angle du pont lui répond tranquillement:

— C'est une femme qui vient de se *fiche*[1] à l'eau.   15

Eh bien, non. La rivière n'a pas voulu de cette enfant.
Elle a eu pitié de tant de douceur et de grâce. Voici que
dans la lumière des lanternes qui s'agitent en bas sur la
berge un groupe noir se forme, se met en marche. Elle est
sauvée ! . . . C'est un tireur de sable[2] qui l'a repêchée. 20
Des sergents de ville la portent, entourés de mariniers, de
débardeurs,[3] et dans la nuit on entend une grosse voix en-
rouée qui ricane: « En voilà une poule d'eau qui m'a donné
du mal. C'est qu'elle me glissait dans les doigts, fallait
voir ! . . . Je crois bien qu'elle aurait voulu me faire perdre 25
ma prime[4]. . . » Peu à peu le tumulte se calme, les curieux se dispersent, et pendant que le groupe noir s'éloigne vers un poste de police,[5] les marchandes de fleurs
reprennent leur somme, et sur le quai désert les reines-mar-
guerites frémissent au vent de nuit.   30

---

[1] Populaire pour se jeter.
[2] Dont l'occupation consiste à tirer du sable du fleuve et à l'entasser sur la grève.
[3] *Dockers.*
[4] Récompense de sauvetage.
[5] *Police station.*

Ah ! pauvre fille, tu croyais que c'était facile de s'en aller de la vie, de disparaître tout à coup. Tu ne savais pas qu'au lieu de t'emporter vite au néant que tu cherchais, la rivière te rejetterait à toutes les hontes, à toutes les souil-
5 lures des suicides manqués. D'abord le poste, le poste hideux avec ses bancs salis, son plancher où la poussière mouillée semble de la boue des rues. On l'avait couchée sur un lit de camp devant le poële, charitablement bourré à son intention, et dont la chaleur malsaine faisait fumer ses
10 vêtements lourds et ruisselants d'eau. Où était-elle ? Elle ne s'en rendait pas bien compte. Ces hommes couchés tout autour dans des lits pareils au sien, la tristesse vide de cette grande pièce, les hurlements de deux ivrognes enfermés qui tapaient à la porte du fond avec des jurons épou-
15 vantables, la petite boiteuse écoutait et regardait tout cela, vaguement, sans comprendre.

Près d'elle, une femme en haillons, les cheveux sur les épaules, se tenait accroupie devant la bouche du poële, dont le reflet rouge ne parvenait pas à colorer un visage
20 hagard et blême. C'était une folle recueillie dans la nuit, une pauvre créature qui remuait machinalement la tête et ne cessait de répéter d'une voix sans conscience, presque indépendante du mouvement des lèvres: « Oh ! oui, de la misère, on peut le dire ... Oh ! oui, de la misère, on peut
25 le dire ... » Et cette plainte sinistre au milieu des ronflements des dormeurs faisait à Désirée un mal horrible. Elle fermait les yeux pour ne plus voir ce visage égaré qui l'épouvantait comme la personnification de son propre désespoir. De temps en temps, la porte de la rue s'en-
30 tr'ouvrait, la voix d'un chef appelait des noms, et deux sergents de ville sortaient, pendant que deux autres rentraient, se jetaient en travers des lits, éreintés comme des matelots de quart qui viennent de passer la nuit sur le pont.

35 Enfin le jour parut dans ce grand frisson blanc si cruel aux malades. Réveillée subitement de sa torpeur, Désirée

se dressa sur son lit, rejeta le caban dont on l'avait enveloppée, et, malgré la fatigue et la fièvre, essaya de se mettre
debout pour reprendre possession d'elle-même et de sa
volonté. Elle n'avait plus qu'une idée, échapper à tous ces
yeux qui s'ouvraient autour d'elle, sortir de cet endroit af- 5
freux où le sommeil avait le souffle si lourd et des poses si
tourmentées.

— Messieurs, je vous en prie, dit-elle toute tremblante,
laissez-moi retourner chez maman.

Si endurcis qu'ils fussent aux drames parisiens, ces braves 10
gens comprenaient bien qu'ils étaient en face de quelque
chose de plus distingué, de plus émouvant que d'ordinaire.
Seulement ils ne pouvaient pas la reconduire encore chez
sa mère. Il fallait aller chez le commissaire auparavant.
C'était indispensable. On fit approcher un fiacre par pitié 15
pour elle; mais il fallut sortir du poste, et il y en avait du
monde à la porte pour regarder passer la petite boiteuse
avec ses cheveux mouillés, collés aux tempes et son caban
de *sergo* [1] qui ne l'empêchait pas de grelotter.

Suit la scène chez le commissaire où elle est confrontée avec
l'homme qui l'a retirée de l'eau et qui veut avoir sa prime. Puis
l'interrogatoire du magistrat qui ne peut rien tirer d'elle: « Je ne
sais pas ... Je ne sais pas ... disait-elle tout bas en frissonnant.
Dépité, impatienté, M. le commissaire déclara qu'on allait la ramener
chez ses parents, mais à une condition, c'est qu'elle promettrait de ne
plus jamais recommencer: « Voyons, me le promettez-vous ? ... » —
« Oh ! oui, monsieur ... » — « Vous ne recommencerez plus jamais ? ... » — « Non ! bien sûr, plus jamais ... plus jamais ! »
Malgré ses protestations, M. le commissaire de police hochait la tête,
comme s'il ne croyait pas à ce serment. La voilà dehors, en route
pour la maison, pour le refuge.

Depuis le matin tout le quartier du Marais était informé de la
disparition de Désirée; le bruit courait qu'elle était partie avec
Frantz Risler. Mais tout à coup une voiture s'arrêta devant la porte
de l'immeuble où demeuraient les Delobelle. Des voix, des pas
résonnèrent dans la maison: — « Maman Delobelle, la voilà ! ...
Votre fille est retrouvée ... »

[1] *Policeman's cloak*

Du fond de son lit, Désirée, les yeux fermés, revoyait tous les détails de son suicide, toutes les choses hideuses par lesquelles elle avait passé en sortant de la mort. Dans la fièvre qui redoublait, dans le lourd sommeil qui commen-
5 çait à la prendre, sa course folle à travers Paris l'agitait, la tourmentait encore. Des milliers de ces rues noires s'en-fonçaient devant elle, avec la Seine au bout de chacune.

Cette horrible rivière, qu'elle ne pouvait pas trouver pendant la nuit, la poursuivait maintenant.

10 Elle se sentait tout éclaboussée de son limon, de sa boue; et dans le cauchemar qui l'oppressait, la pauvre enfant, ne sachant plus comment échapper à l'obsession de ses souve-nirs, disait tout bas à sa mère: « Cache-moi ... cache-moi ... j'ai honte » !

15 Une nuit, Désirée se réveilla en sursaut dans un état bien singulier. Il faut dire que la veille le médecin, en venant la voir, avait été très-surpris de la trouver subitement ra-nimée et plus calme avec toute sa fièvre tombée. Sans s'expliquer le pourquoi de cette résurrection inespérée, il
20 était parti en disant: « attendons, » se fiant à ces prompts ressauts [1] de la jeunesse, à cette force de sève qui greffe souvent une nouvelle vie sur les symptômes mêmes de la mort. S'il avait regardé sous l'oreiller de Désirée, il y aurait trouvé une lettre timbrée du Caire, qui était le secret
25 de ce changement bien heureux. Quatre pages signées de Frantz, toute sa conduite expliquée et confessée à sa chère petite Zizi.

C'était bien la lettre rêvée par la malade. Elle l'aurait dictée elle-même que tous les mots qui devaient toucher
30 son cœur, toutes les excuses délicates qui devaient panser ses blessures, n'auraient pas été si complètement exprimés. Frantz se repentait, demandait pardon, et, sans rien lui promettre, sans rien lui demander surtout, racontait à sa fidèle amie ses luttes, ses remords, ses souffrances ° ° °

[1] *Rebounds.*

Quel malheur que cette lettre ne fût pas arrivée quelques jours plus tôt !

Et puis, c'est l'agonie lente de Désirée et l'enterrement dont le père Delobelle sait faire encore un « spectacle »:

Chère petite Zizi, si bonne et si simple ! Toutes ces douleurs poseuses, ce cortège de pleureurs solennels d'étaient guère faits pour elle.   5

Heureusement que là-haut, à la fenêtre de l'atelier, la maman Delobelle, qu'on n'avait pas pu empêcher de regarder partir sa petite, se tenait debout derrière les persiennes fermées.[1]

— Adieu ... adieu ... disait la mère tout bas, presque 10 à elle-même, en agitant la main avec un geste inconscient de vieillard ou de folle.

Si doucement que cet adieu fût dit, Désirée Delobelle dut l'entendre.

Aventures prodigieuses de Tartarin de Tarascon (1872)

Daudet raconte l'origine et la destinée de ce roman — peut-être son plus fameux, — dans le charmant livre de souvenirs, *Trente ans de Paris*. L'idée lui en vint au cours d'un voyage de vacances en Algérie, avec un ami (1861-2). Il partit du midi, d'un endroit où il était allé se reposer, près de Tarascon, [sur le Rhône, entre Avignon et Marseille; environ 10,000 habitants] et où il trouva ce qu'il appelle « le pays des chasseurs de casquettes » (v. l'explication dans le texte qui suit). C'est alors qu'il vit cette mer bleue dont il se souviendra quand il écrira son roman, puis Alger, la ville de paisibles Africains; c'est alors qu'il entendit, la nuit, dans le désert, le glapissement des chacals, qu'il prit part même à une chasse aux lions — où il n'y eut point de lions — qu'il visita ce tombeau d'un saint mahométan, avec sa coupole blanche, près duquel il placera Tartarin tuant le lion — mais un lion apprivoisé — dont il enverra la peau aux « chasseurs de casquettes » à Tarascon.

Le livre parut d'abord en 1869, dans un journal (*Le Petit Moniteur Universel*), puis dans *Le Figaro*, mais sans aucun succès.

---

[1] La vieille maman, invalide, ne descendit pas dans la rue pour suivre le corbillard [*coffin*] jusqu'au cimetière.

Daudet ne donne pas l'origine du mot Tartarin — qui a été problement choisi comme celui de Tarascon parce qu'il sonne bien: « Tarascon n'a été pour moi qu'un pseudonyme ramassé sur la voie de Paris à Marseille, parce qu'il ronflait bien dans l'accent du midi et triomphait à l'appel des stations comme un cri de guerrier Apache ».[1]

Pour l'esprit du livre, voici comment Daudet l'explique admirablement dans ses souvenirs de Paris — et ceci donnera l'occasion de citer cette page de Daudet, le spirituel chroniqueur:

Daudet explique l'esprit du livre

Il y a dans la langue de Mistral[2] un mot qui résume et définit bien tout un instinct de la race: *galéja*, railler, plaisanter. Et l'on voit l'éclair d'ironie, la pointe malici-euse[3] qui luit au fond des yeux provençaux. *Galéja* revient
5 à tout propos dans la conversation, sous forme de verbe, de substantif. « *Vesèspàs ? . . . Es uno galéja . . .* Tu ne vois donc pas ? . . . C'est une plaisanterie . . . *Taistoté, galéjaïré . . .* Taisez-vous, vilain moqueur. » Mais d'être *galéjaïré*, cela n'exclut ni la bonté ni la tendresse. On s'amuse, *té!*[4]
10 on veut rire; et là-bas le rire va avec tous les sentiments, les plus passionnés, les plus tendres. Dans une vieille, vieille chanson de chez nous,[5] l'histoire de la petite Fleu-rance, ce goût des Provençaux pour le rire apparaît d'une exquise façon. Fleurance s'est mariée presque enfant à un
15 chevalier qui l'a prise si jeunette, *la prên tan jouveneto ne saup pas courdela*, qu'elle ne sait pas agrafer ses cordons. Mais, sitôt le mariage, voilà le seigneur de Fleurance obligé de partir en Palestine et de laisser sa petite femme toute seule. Sept ans se sont passés, sans que le chevalier ait

[1] Apaches ou Peaux-rouges de l'ouest des États-Unis, hardis, rusés et souvent cruels, tels qu'on se les représentait en France d'après les romans de Gustave Aymard.

[2] Le célèbre poète provençal (1830–1914) auteur du poème rustique, *Mireille*.

[3] *Cunning*.

[4] (Dialecte provençal) Tiens !

[5] Daudet est originaire du Midi de la France.

donné signe de vie, quand un pèlerin à coquilles [1] et longue
barbe se présente au pont du château. Il revient de chez
les *Teurs*,[2] il apporte des nouvelles du mari de Fleurance;
et, tout de suite, la jeune dame le fait entrer, le met à
table en face d'elle.   5

Ce qu'il advint entre eux alors, je puis vous le dire de
deux façons; car l'histoire de Fleurance, comme toutes les
chansons populaires, a fait son tour de France dans la balle
des colporteurs,[3] et je l'ai retrouvée en Picardie avec une
variante significative. Dans la chanson picarde, au milieu 10
du repas, la dame se met à pleurer.

— Vous pleurez, belle Fleurance demande le pèlerin tout
tremblant.

— Je pleure parce que je vous reconnais et que vous êtes
mon cher mari . . .   15

Au contraire, la petite Fleurance provençale, à peine est-
elle assise en face du pèlerin à grande barbe que gentiment,
elle *se n'en rit*. « Hé ! de quoi vous riez, Fleurance ? »
— « *Té !* je ris, parce que vous êtes mon mari. »

Et elle saute sur ses genoux en riant, et le pèlerin rit aussi 20
dans sa barbe d'étoupe, car c'est comme elle un *galéjaïré*,
ce qui ne les empêche pas de s'aimer tendrement à pleins
bras, à pleines lèvres, de toute l'émotion de leurs cœurs fidèles.

Et moi aussi, je suis un *galéjaïré*. Dans les brumes de 25
Paris, dans l'éclaboussement de sa boue, de ses tristesses,
j'ai peut-être perdu le goût et la faculté de rire; mais à
lire *Tartarin*, on s'aperçoit qu'il restait en moi un fond de
gaieté brusquement épanoui à la belle lumière de là-bas.

---

[1] (*Hat decorated with shells*) Ces coquilles attestaient un grand
voyage par mer à Jérusalem; la longue barbe également.

[2] Prononciation provençale: *Turc*, c.-à.-d. revenant du pays des
Turcs ou Musulmans.

[3] *Peddler's pack.*

Le jardin du baobab [1]

Ma première visite à Tartarin de Tarascon est restée
dans ma vie comme une date inoubliable; il y a douze ou
quinze ans de cela, mais je m'en souviens mieux que d'hier.
L'intrépide Tartarin habitait alors, à l'entrée de la ville, la
5 troisième maison à main gauche sur le chemin d'Avignon.[2]
Jolie petite villa tarasconnaise avec jardin devant, balcon
derrière, des murs très blancs, des persiennes vertes, et
sur le pas de la porte une nichée de petits Savoyards [3]
jouant à la marelle [4] ou dormant au bon soleil, la tête sur
10 leurs boîtes à cirage.

Du dehors, la maison n'avait l'air de rien.

Jamais on ne se serait cru devant la demeure d'un héros.
Mais quand on entrait, coquin de sort ! [5]. . .

De la cave au grenier, tout le bâtiment avait l'air hé-
15 roïque, même le jardin ! . . .

Oh! le jardin de Tartarin, il n'y en avait pas deux comme
celui-là en Europe. Pas un arbre du pays, pas une fleur
de France; rien que des plantes exotiques, des gommiers,
des calebassiers,[6] des cotonniers, des cocotiers, des man-
20 guiers,[7] des bananiers, des palmiers, un baobab, des nopals,[8]
des cactus, des figuiers de Barbarie,[9] à se croire en pleine
Afrique centrale, à dix mille lieues de Tarascon. Tout cela,

[1] Arbre d'Afrique, au tronc énorme.
[2] Sur la rive gauche du Rhône en amont [*up the river*] de Tarascon,
ville fameuse par le séjour des Papes (1309–1377) qui y construisirent
un immense palais.
[3] Jeunes garçons venant de la Savoie et gagnant leur vie comme
ramoneurs [*chimney sweeps*] ou cireurs de bottes.
[4] *Hopscotch.*
[5] Expression méridionale fréquente pour exprimer l'étonnement
(*Knavish fate;* à traduire: *Great Heavens!*).
[6] *Calabash tree;* qui porte de gros fruits arrondis comme une
gourde.
[7] *Mango tree;* arbre à fruits des tropiques.
[8] Espèce de cactus.
[9] Nom donné à tout le nord de l'Afrique jusqu'en Égypte.

bien entendu, n'était pas de grandeur naturelle; ainsi les cocotiers n'étaient guère plus gros que des betteraves, et le baobab (*arbre géant, arbos gigantea*) tenait à l'aise dans un pot de réséda; mais c'est égal! pour Tarascon, c'était déjà bien joli, et les personnes de la ville, admises le dimanche à l'honneur de contempler le baobab de Tartarin, s'en retournaient pleines d'admiration.

Pensez quelle émotion je dus éprouver ce jour-là en traversant ce jardin mirifique![1]... Ce fut bien autre chose quand on m'introduisit dans le cabinet du héros.

Ce cabinet, une des curiosités de la ville, était au fond du jardin, ouvrant de plain-pied[2] sur le baobab par une porte vitrée.

Imaginez-vous une grande salle tapissée de fusils et de sabres, depuis en haut jusqu'en bas; toutes les armes de tous les pays du monde: carabines, rifles, tromblons, couteaux corses, couteaux catalans, ... couteaux-poignards, krish[3] malais, flèches caraïbes, flèches de silex, coups-de-poing,[4] casse-tête, massues hottentotes, lassos mexicains, est-ce que je sais!

Par là-dessus, un grand soleil féroce qui faisait luire l'acier des glaives et les crosses des armes à feu, comme pour vous donner encore plus la chair de poule[5]... Ce qui rassurait un peu pourtant, c'était le bon air d'ordre et de propreté qui régnait sur toute cette yataganerie.[6] Tout y était rangé, soigné, brossé, étiqueté comme dans une pharmacie; de loin en loin, un petit écriteau bonhomme[7] sur lequel on lisait:

[1] Plus que magnifique: surprenant, merveilleux.
[2] *On the same level; right on ...*
[3] *Criss* ou *crid*, en anglais *creese* ou *kris*, poignard des Malais, à lame zigzaguée.
[4] *Knockers.*
[5] En anglais on dit: *goose flesh.*
[6] Mot fabriqué par Daudet [de *Yatagan*, arme de combat en usage chez les Turcs]: tout cet arsenal turc.
[7] *Innocent looking sign board.*

> *Flèches empoisonnées, n'y touchez pas !*

Ou:

> *Armes chargées, méfiez-vous !*

Sans ces écriteaux, jamais je n'aurais osé entrer.

Au milieu du cabinet, il y avait un guéridon. Sur le guéridon, un flacon de rhum, une blague turque, les Voyages du capitaine Cook,[1] les romans de Cooper, de Gustave
5 Aimard,[2] des récits de chasse, chasse à l'ours, chasse au faucon, chasse à l'éléphant, etc.... Enfin, devant le guéridon, un homme était assis, de quarante à quarante-cinq ans, petit, gros, trapu, rougeaud, en bras de chemise,[3] avec une forte barbe courte et des yeux flamboyants; d'une
10 main il tenait un livre, de l'autre il brandissait une énorme pipe à couvercle de fer, et, tout en lisant je ne sais quel formidable récit de chasseurs de chevelures,[4] il faisait, en avançant sa lèvre inférieure, une moue terrible, qui donnait à sa brave figure de petit rentier tarasconnais ce même
15 caractère de férocité bonasse[5] qui régnait dans toute la maison.

Cet homme, c'était Tartarin, Tartarin de Tarascon, l'intrépide, le grand, l'incomparable Tartarin de Tarascon.

Coup d'œil général jeté sur la bonne ville de Tarascon; les chasseurs de casquettes

Au temps dont je vous parle, Tartarin de Tarascon
20 n'était pas encore le Tartarin qu'il est aujourd'hui, le

[1] Célèbre explorateur anglais (1728–1779) qui a raconté ses aventures extraordinaires dans ses volumes de *Voyages.*

[2] (1818–1883) Le Fenimore Cooper de la France, auteur des *Trappeurs de l'Arkansas,* de *La loi de Lynch,* etc.

[3] *In shirt sleeves.*

[4] *Scalps.*

[5] *Good-natured.*

grand Tartarin de Tarascon, si populaire dans tout le midi
de la France.   Pourtant — même à cette époque — c'était
déjà le roi de Tarascon.

Disons d'où lui venait cette royauté.

Vous saurez d'abord que là-bas tout le monde est chas-   5
seur, depuis le plus grand jusqu'au plus petit.   La chasse
est la passion des Tarasconnais, et cela depuis les temps
mythologiques où la Tarasque faisait les cent coups [1] dans
les marais de la ville et où les Tarasconnais d'alors organi-
saient des battues contre elle.   Il y a beau jour,[2] comme 10
vous voyez.

Donc, tous les dimanches matin, Tarascon prend les
armes et sort de ses murs, le sac au dos, le fusil sur l'épaule,
avec un tremblement [3] de chiens, de furets, de trompes,
de cors de chasse.   C'est superbe à voir ... Par malheur, 15
le gibier manque, il manque absolument.

Si bêtes que soient les bêtes, vous pensez bien qu'à la
longue elles ont fini par se méfier.

A cinq lieues autour de Tarascon, les terriers sont vides,
les nids abandonnés.   Pas un merle, pas une caille, pas le 20
moindre lapereau.

Elles sont cependant bien tentantes, ces jolies collinettes
tarasconnaises, toutes parfumées de myrte, de lavande, de
romarin; et ces beaux raisins muscats gonflés de sucre,
qui s'échelonnent [4] au bord du Rhône, sont diablement 25
appétissants aussi ... Oui, mais il y a Tarascon derrière,
et dans le petit monde du poil et de la plume, Tarascon est
très mal noté.   Les oiseaux de passage eux-mêmes l'ont
marqué d'une grande croix sur leurs feuilles de route, et

[1] La Tarasque, monstre fabuleux qui terrifiait les habitants de la
région en faisant les cent coups [*playing all sorts of pranks*].   Le
monstre fut dompté par la douceur de sainte Marthe qui l'emmena
captif attaché seulement par un ruban de soie.

[2] Populaire pour: *il y a longtemps*.

[3] Populaire pour: *une formidable escorte*.

[4] Croissent en terrasses qui, d'en bas, produisent l'effet d'une
grande échelle.

quand les canards sauvages, descendant vers la Camargue [1]
en longs triangles, aperçoivent de loin les clochers de la
ville, celui qui est en tête se met à crier bien fort: « Voilà
Tarascon !... voilà Tarascon ! » et toute la bande fait un
5 crochet.

Bref, en fait de gibier, il ne reste plus dans le pays qu'un
vieux coquin de lièvre, échappé comme par miracle aux
septembrisades [2] tarasconnaises et qui s'entête à vivre là !
A Tarascon, ce lièvre est très connu.   On lui a donné un
10 nom.   Il s'appelle *le Rapide*.   On sait qu'il a son gîte dans
la terre de M. Bompard, — ce qui, par parenthèse, a doublé et même triplé le prix de cette terre, — mais on n'a pas
encore pu l'atteindre.

A l'heure qu'il est même, il n'y a plus que deux ou trois
15 enragés qui s'acharnent après lui.

Les autres en ont fait leur deuil, et *le Rapide* est passé
depuis longtemps à l'état de superstition locale, bien que
le Tarasconnais soit très peu superstitieux de sa nature ...
— Ah çà ! [3] me direz-vous, puisque le gibier est si rare
20 à Tarascon, qu'est-ce que les chasseurs tarasconnais font
donc tous les dimanches ?

Ce qu'ils font ?

Eh mon Dieu ! ils s'en vont en pleine campagne, à deux
ou trois lieues de la ville.   Ils se réunissent par petits
25 groupes de cinq ou six, s'allongent tranquillement à l'ombre
d'un puits, d'un vieux mur, d'un olivier, tirent de leurs
carniers un bon morceau de bœuf en daube, [4] des oignons
crus, un *saucissot*, [5] quelques anchois, et commencent un
déjeuner interminable, arrosé d'un de ces jolis vins du
30 Rhône qui font rire et qui font chanter.

---

[1] Nom de l'île formée par le fleuve à son embouchure.
[2] Mot par lequel on désigne parfois les terribles **massacres de**
septembre, lors de la Révolution, en 1792, à Paris.
[3] *But then !*
[4] *Braised.*
[5] Prononciation méridionale pour saucisson.

Après quoi, quand on est bien lesté,[1] on se lève, on siffle les chiens, on arme les fusils, et on se met en chasse. C'est-à-dire que chacun de ces messieurs prend sa casquette, la jette en l'air de toutes ses forces, et la tire au vol avec du 5, du 6, ou du 2,[2] — selon les conventions.

Celui qui met le plus souvent [3] dans sa casquette est proclamé roi de la chasse, et rentre le soir en triomphateur à Tarascon, la casquette criblée au bout du fusil, au milieu des aboiements et des fanfares.

Inutile de vous dire qu'il se fait dans la ville un grand commerce de casquettes de chasse. Il y a même des chapeliers qui vendent des casquettes trouées et déchirées d'avance à l'usage des maladroits; mais on ne connaît guère que Bézuquet, le pharmacien, qui leur en achète. C'est déshonorant !

Comme chasseur de casquettes, Tartarin de Tarascon n'avait pas son pareil. Tous les dimanches matin, il partait avec une casquette neuve: tous les dimanches soir, il revenait avec une loque.[4] Dans la petite maison du baobab, les greniers étaient pleins de ces glorieux trophées. Aussi tous les Tarasconnais le reconnaissaient-ils pour leur maître, et comme Tartarin savait à fond le code du chasseur, qu'il avait lu tous les traités, tous les manuels de toutes les chasses possibles, depuis la chasse à la casquette jusqu'à la chasse au tigre birman,[5] ces messieurs en avaient fait leur grand justicier cynégétique [6] et le prenaient pour arbitre dans toutes leurs discussions.

Tous les jours, de trois à quatre, chez l'armurier Costecalde, on voyait un gros homme, grave et la pipe aux dents, assis sur un fauteuil de cuir vert, au milieu de la boutique pleine de chasseurs de casquettes, tous debout et se cha-

---

[1] Rassasié (*ballasted*).
[2] Balles de différent calibre.
[3] C'est à dire: met *une balle*.   [4] *Rag.*
[5] De la Birmanie, contrée au sud-est de l'Asie.
[6] Qui concerne la chasse.

maillant.   C'était Tartarin de Tarascon qui rendait la justice, Nemrod doublé de Salomon.[1] 。。。

*   *   *

La ménagerie Mitaine et le grand lion de l'Atlas [2]

Un jour arrive à Tarascon, une ménagerie, la « ménagerie Mitaine », avec un vivant « lion de l'Atlas ».   Cet événement met aux champs l'imagination des chasseurs de casquettes, et, naturellement celle de Tartarin en particulier . . . qui brûle de recueillir des lauriers et de la gloire.   Mais en même temps il a une horreur instinctive de quitter son cher Tarascon, sa gentille maisonnette, et de renoncer à ses petites habitudes de confort.   Alors s'engagera une fois de plus en lui un grand dialogue entre Tartarin-Quichotte et Tartarin-Sancho:

。。。 Tartarin-Quichotte s'exaltant aux récits de Gustave Aimard [3] et criant: « Je pars ! »

5   Tartarin-Sancho ne pensant qu'aux rhumatismes et disant: « Je reste. »

TARTARIN-QUICHOTTE, très exalté:

Couvre-toi de gloire, Tartarin.

TARTARIN-SANCHO, très calme:

Tartarin, couvre-toi de flanelle.

TARTARIN-QUICHOTTE, de plus en plus exalté:

O les bons rifles à deux coups ! ô les dagues, les lassos, les
10 mocassins !

[1] *Nemrod*, le grand chasseur de la Bible; *Salomon*, l'auteur du *Livre de la Sagesse*.

[2] Peut-être Daudet pensait-il en écrivant Tartarin à un poème de Th. Gautier, *Le lion de l'Atlas* (Poésies nouv. 1848) où il est question d'un lion en quelque sorte postiche, un lion qui n'est pas un lion. Il y a des lions ailleurs que dans l'Atlas, mais ceux de ces régions sont particulièrement grands et impressionnants.

[3] Le Fenimore Cooper de la France, auteur de beaucoup de romans d'aventures dans les grandes forêts vierges et les jungles; v. note 2, p. 250.

TARTARIN-SANCHO, de plus en plus calme:

O les bons gilets tricotés ! les bonnes genouillères [1] bien chaudes ! ô les braves casquettes à oreillettes ! [2]

TARTARIN-QUICHOTTE, hors de lui:

Une hache ! qu'on me donne une hache !

TARTARIN-SANCHO, sonnant la bonne:

Jeannette, mon chocolat.

Là-dessus Jeannette apparaît avec un excellent chocolat, 5 chaud, parfumé, et de succulentes grillades à l'anis, qui font rire Tartarin-Sancho en étouffant les cris de Tartarin-Quichotte.

Et voilà comme il se trouvait que Tartarin de Tarascon n'eût jamais quitté Tarascon. ... 10

L'arrivée du « lion de l'Atlas », cependant, force Tartarin à sortir de l'incertitude; il se doit à sa gloire; son devoir est de partir pour une chasse au lion. Des préparatifs formidables commencent dont tout Tarascon parle. Enfin le jour du départ arrive. Toute la ville est sur pied dès le matin, encombrant les abords de la petite maison au baobab.

... Des hommes apportaient des malles, des caisses, des sacs de nuit, qu'ils empilaient sur les brouettes.

A chaque nouveau colis, la foule frémissait. On se nom-mait les objets à haute voix. « Ça, c'est la tente-abri ... Ça, ce sont les conserves ... la pharmacie ... les caisses 15 d'armes ... » Et les chasseurs de casquettes donnaient des explications.

Tout à coup, vers dix heures, il se fit un grand mouve-ment dans la foule. La porte du jardin tourna sur ses gonds violemment. 20

— C'est lui ! ... c'est lui ! criait-on.

C'était lui ...

Quand il parut sur le seuil, deux cris de stupeur partirent de la foule:

---

[1] *Knee-caps*, pour les rhumatisants. [2] *Ear-laps.*

— C'est un *Teur !* . . .[1]

— Il a des lunettes !

Tartarin de Tarascon, en effet, avait cru de son devoir, allant en Algérie, de prendre le costume algérien. Large
5 pantalon bouffant en toile blanche, petite veste collante à boutons de métal, deux pieds de ceinture rouge autour de l'estomac, le cou nu, le front rasé, sur sa tête une gigantesque *chechia* (bonnet rouge) et un flot bleu d'une longueur ! . . . Avec cela, deux lourds fusils, un sur chaque
10 épaule, un grand couteau de chasse à la ceinture; sur le ventre une cartouchière, sur la hanche un revolver se balançant dans sa poche de cuir. C'est tout . . .

Ah ! pardon, j'oubliais les lunettes, une énorme paire de lunettes bleues qui venaient là bien à propos pour corriger
15 ce qu'il y avait d'un peu trop farouche dans la tournure de notre héros !

— Vive Tartarin ! . . . Vive Tartarin ! hurla le peuple. ₀ ₀ ₀

La mort du lion

A Marseille, Tartarin s'embarque pour l'Afrique et connaît les affres du mal de mer. A Alger il est un peu déçu de trouver une ville toute moderne, qui ne rappelle pas du tout la jungle et dont les habitants sont si paisibles; mais il n'en a pas moins plusieurs aventures « africaines ». L'une avec une soi-disant petite Turque — en réalité une sémillante petite Tarasconnaise qui a adopté le costume du pays et le nom de Sidi Tart'ri ben Tart'ri; ses charmes manquent de faire oublier quelque temps à Tartarin qu'il est venu en Afrique pour la chasse au lion. Une autre, un soir qu'il part tout de même en chasse dans les environs d'Alger, passe une nuit à l'affût [watch], et finit par tuer un pauvre bourriquot [un petit âne] que, dans l'obscurité et dans l'émotion du moment, il a pris pour le lion. Après quelque temps, il s'est décidé à s'éloigner d'Alger pour aller dans le désert se mesurer avec les lions. Il a acheté un chameau pour transporter son bagage et tout son appareil de chasse. Il finit par rencontrer en effet un lion; seulement c'est un lion aveugle et apprivoisé que deux indigènes promènent en faisant la quête. Toutefois cela suffit à Tartarin à qui on avait voulu faire croire qu'il n'y avait plus de lions en Afrique;

---

[1] Turc !

il continuera sa poursuite. Il avait fait la connaissance, à Alger, du Prince Grégory de Monténégro — aussi « prince » que la petite tarasconnaise était turque — et qui vient le rejoindre.

Voici comment se termina la grande aventure, comment Tartarin tua le lion:

Cependant le Tarasconnais ne se décourageait pas. S'enfonçant bravement dans le Sud, il passait ses journées à battre le maquis, fouillant les palmiers nains du bout de sa carabine, et faisant « frrt ! frrt ! » à chaque buisson. Puis, tous les soirs avant de se coucher, un petit affût de 5 deux ou trois heures ... Peine perdue ! le lion ne se montrait pas.

Un soir pourtant, vers les six heures, comme la caravane traversait un bois de lentisques [1] tout violet où de grosses cailles alourdies par la chaleur sautaient çà et là dans 10 l'herbe, Tartarin de Tarascon crut entendre — mais si loin, mais si vague, mais si émietté par la brise — ce merveilleux rugissement qu'il avait entendu tant de fois là-bas à Tarascon, derrière la baraque Mitaine.

D'abord le héros croyait rêver ... Mais au bout d'un 15 instant, lointains toujours, quoique plus distincts, les rugissements recommencèrent; et cette fois, tandis qu'à tous les coins de l'horizon on entendait hurler les chiens des douars,[2] — secouée par la terreur et faisant retentir les conserves et les caisses d'armes, la bosse du chameau fris- 20 sonna.

Plus de doute. C'était le lion ... Vite, vite, à l'affût. Pas une minute à perdre.

Il y avait tout juste près de là un vieux *marabout* (tombeau de saint) à coupole blanche, avec les grandes pan- 25 toufles jaunes du défunt déposées dans une niche au-dessus de la porte, et un fouillis d'ex-voto bizarres, pans de burnous, fils d'or, cheveux roux, qui pendaient le long des murailles ... Tartarin de Tarascon y remisa son prince et

[1] *Mastic tree.*
[2] Villages.

son chameau et se mit en quête d'un affût. Le prince
Grégory voulait le suivre, mais le Tarasconnais s'y refusa;
il tenait à affronter le lion seul à seul. Toutefois il re-
commanda à Son Altesse de ne pas s'éloigner, et, par mesure
5 de précaution, il lui confia son portefeuille, un gros portefeuille plein de papiers précieux et de billets de banque,
qu'il craignait de faire écornifler[1] par la griffe du lion.
Ceci fait, le héros chercha son poste.

Cent pas en avant du marabout, un petit bois de lauriers-
10 roses tremblait dans la gaze du crépuscule, au bord d'une
rivière presque à sec. C'est là que Tartarin vint s'em-
busquer, le genou en terre, selon la formule, la carabine au
poing et son grand couteau de chasse planté fièrement devant lui dans le sable de la berge.

15 La nuit arriva. Le rose de la nature passa au violet,
puis au bleu sombre... En bas, dans les cailloux de la
rivière, luisait comme un miroir à main une petite flaque
d'eau claire. C'était l'abreuvoir des fauves. Sur la pente
de l'autre berge, on voyait vaguement le sentier blanc que
20 leurs grosses pattes avaient tracé dans les lentisques. Cette
pente mystérieuse donnait le frisson. Joignez à cela le
fourmillement vague des nuits africaines, branches frôlées,
pas de velours d'animaux rôdeurs, aboiements grêles des
chacals, et là-haut, dans le ciel, à cent, deux cents mètres,
25 de grands troupeaux de grues qui passent avec des cris
stridents; vous avouerez qu'il y avait de quoi être ému.

Tartarin l'était. Il l'était même beaucoup. Les dents
lui claquaient, le pauvre homme! Et sur la garde de son
couteau de chasse planté en terre le canon de son fusil
30 rayé[2] sonnait comme une paire de castagnettes... Qu'est-
ce que vous voulez! Il y a des soirs où l'on n'est pas en
train, et puis où serait le mérite, si les héros n'avaient
jamais peur?...

[1] *Tear to pieces.*
[2] *Rifled.* Un fusil rayé tire avec plus de précision.

Eh bien ! oui, Tartarin eut peur, et tout le temps encore. Néanmoins, il tint bon une heure, deux heures, mais l'héroïsme a ses limites ... Près de lui, dans le lit desséché de la rivière, le Tarasconnais entend tout à coup un bruit de pas, des cailloux qui roulent. Cette fois la terreur l'enlève 5 de terre. Il tire ses deux coups au hasard dans la nuit, et se replie [1] à toutes jambes sur le marabout, laissant son coutelas debout dans le sable comme une croix commémorative de la plus formidable panique qui ait jamais assailli l'âme d'un dompteur d'hydres. 10

« A moi, préïnce [2]... le lion !... »

Un silence.

« Préïnce, préïnce, êtes-vous là ? »

Le prince n'était pas là. Sur le mur blanc du marabout, le bon chameau projetait seul au clair de lune l'ombre 15 bizarre de sa bosse ... Le prince Grégory venait de filer en emportant portefeuille et billets de banque ... Il y avait un mois que Son Altesse attendait cette occasion ...

Enfin! ...

Le lendemain de cette aventureuse et tragique soirée, lorsqu'au petit jour notre héros se réveilla, et qu'il eut 20 acquis la certitude que le prince et le magot [3] étaient réellement partis, partis sans retour; lorsqu'il se vit seul dans cette petite tombe blanche, trahi, volé, abandonné en pleine Algérie sauvage avec un chameau ∘ ∘ ∘ et quelque monnaie de poche pour toute ressource, alors, pour la première fois, 25 le Tarasconnais douta. Il douta du Monténégro, il douta de l'amitié, il douta de la gloire, il douta même des lions; et le grand homme se prit à pleurer amèrement.

Or, tandis qu'il était là pensivement assis sur la porte du marabout, sa tête dans ses deux mains, sa carabine 30

---

[1] Bat en retraite.

[2] Prononciation méridionale, prince.

[3] Populaire pour: l'argent, la bourse.

entre ses jambes, et le chameau qui le regardait, soudain
le maquis d'en face s'écarte et Tartarin stupéfait voit
paraître, à dix pas devant lui, un lion gigantesque s'avançant la tête haute et poussant des rugissements formidables
5 qui font trembler les murs du marabout tout chargés d'ori-
peaux [1] et jusqu'aux pantoufles du saint dans leur niche.

Seul, le Tarasconnais ne trembla pas.

« Enfin ! » cria-t-il en bondissant, la crosse à l'épaule . . .
Pan ! . . . pan ! pfft ! pfft !   C'était fait . . . Le lion avait
10 deux balles explosibles [2] dans la tête . . . Pendant une
minute, sur le fond embrasé du ciel africain, ce fut un feu
d'artifice épouvantable de cervelle en éclats, de sang fumant et de toison rousse éparpillée.   Puis tout retomba et
Tartarin aperçut . . . deux grands nègres furieux qui cou-
15 raient sur lui, la matraque [3] en l'air.   Les deux nègres de
Milianah !

O misère ! c'était le lion apprivoisé, le pauvre aveugle
du couvent de Mahommed que les balles tarasconnaises
venaient d'abattre.

20 Cette fois, par Mahomet !   Tartarin l'échappa belle.[4]
Ivres de fureur fanatique, les deux nègres quêteurs l'auraient sûrement mis en pièces, si le Dieu des chrétiens
n'avait envoyé à son aide un ange libérateur, le garde
champêtre de la commune [5] d'Orléansville arrivant, son
25 sabre sous le bras, par un petit sentier.

La vue du képi municipal calma subitement la colère
des nègres.   Paisible et majestueux, l'homme à la plaque [6]
dressa procès-verbal de l'affaire, fit charger sur le chameau
ce qui restait du lion, ordonna aux plaignants comme au
30 délinquant de le suivre, et se dirigea sur Orléansville, où
le tout fut déposé au greffe. ○ ○ ○

---

[1] Pauvres ornements [*tawdry objects*].
[2] Des balles dites « dum-dum », qui font explosion après avoir
touché le but.
[3] *Cudgel.*   [4] *Had a close, narrow, escape.*
[5] *Township.*   [6] *Badge.*

Pour payer les frais du procès, et l'indemnité aux deux nègres propriétaires du lion massacré, Tartarin doit vendre ses armes et tout son équipement de chasseur, et il décide de rentrer à Tarascon. Il ne lui reste plus que son chameau dont il cherche en vain à se débarrasser; mais l'animal s'est attaché à lui et toujours il réussit à le rejoindre; il avait même été recueilli sur le bateau qui ramenait Tartarin en France; puis, une fois débarqué à Marseille il avait pris bravement sa course à côté du train et arrivait à Tarascon en même temps que son maître (les trains n'étaient pas extrêmement rapides à cette époque).

Le retour triomphal de Tartarin à Tarascon

Après cette expédition désastreuse, il avait compté rentrer chez lui incognito. Mais la présence de ce quadrupède encombrant rendait la chose impossible. Quelle rentrée il allait faire, bon Dieu! Pas le sou, pas de lions, rien ... Un chameau! ...   5

— Tarascon! ... Tarascon! ...

Il fallut descendre ...

O stupeur! à peine la chéchia du héros apparut-elle dans l'ouverture de la portière, un grand cri: « Vive Tartarin! » fit trembler les voûtes vitrées de la gare. — « Vive   10 Tartarin! vive le tueur de lions! » Et des fanfares, des chœurs d'orphéons[1] éclatèrent ... Tartarin se sentit mourir; il croyait à une mystification. Mais non! tout Tarascon était là, chapeaux en l'air, et sympathique. Voilà le brave commandant Bravida, l'armurier Costecalde, le   15 président, le pharmacien, et tout le noble corps des chasseurs de casquettes qui se presse autour de son chef, et le porte en triomphe ₒₒₒ

Singuliers effets du mirage! la peau du lion aveugle, envoyée à Bravida, était cause de tout ce bruit. Avec cette   20 modeste fourrure, exposée au cercle, les Tarasconnais, et derrière eux tout le Midi, s'étaient monté la tête.[2] Le

[1] Nom donné aux sociétés chorales composées d'hommes.
[2] *Got excited.*

Sémaphore[1] avait parlé. On avait inventé un drame. Ce
n'était plus un lion que Tartarin avait tué, c'étaient dix
lions, vingt lions, une marmelade de lions ! Aussi Tartarin,
débarquant à Marseille, y était déjà illustre sans le savoir,
5 et un télégramme enthousiaste l'avait devancé de deux
heures dans sa ville natale.

Mais ce qui mit le comble à la joie populaire, ce fut quand
on vit un animal fantastique, couvert de poussière et de
sueur, apparaître derrière le héros, et descendre à cloche-
10 pied[2] l'escalier de la gare. Tarascon crut un instant sa
Tarasque revenue.

Tartarin rassura ses compatriotes.

— C'est mon chameau, dit-il.

Et déjà sous l'influence du soleil tarasconnais, ce beau
15 soleil, qui fait mentir ingénument, il ajouta, en caressant
la bosse du dromadaire :

— C'est une noble bête ! . . . Elle m'a vu tuer tous mes
lions.

Là-dessus, il prit familièrement le bras du commandant,
20 rouge de bonheur ; et, suivi de son chameau, entouré des
chasseurs de casquettes, acclamé par tout le peuple, il se
dirigea paisiblement vers la maison du baobab, et, tout en
marchant, il commença le récit de ses grandes chasses !

— Figurez-vous, disait-il, qu'un certain soir, en plein
25 Sahara . . .

La mule du Pape

(Des *Lettres de mon moulin*, 1869)

Quand il était fatigué de la vie de Paris, Daudet allait volontiers
se reposer dans le midi ensoleillé. Il y était souvent l'hôte d'une
ancienne famille provençale (une vénérable mère avec ses quatre
grands fils) qui habitait le domaine de Montauban, originale et
vieille demeure sur la route d'Arles, aux carrières de Fontvielle;
« Braves gens, maison bénie ! . . . Que de fois l'hiver, je suis venu là

---

[1] Journal de Marseille.
[2] *Hopping.*

me reprendre à la nature, me guérir de Paris et de ses fièvres, aux saines émanations de nos petites collines provençales ». Le manoir était au pied d'une colline; au sommet de cette même colline se dressait le moulin rendu si célèbre par Daudet: « Une ruine, ce moulin; un débris croulant de pierre, de fer, et de vieilles planches, qu'on n'avait pas mis au vent depuis des années et qui gisait, les membres rompus, inutile comme un poète, tandis que tout autour sur la côte, la meunerie [flour-mill work] prospérait et virait à toute aile ». C'est là qu'il allait s'établir, rêver, et composer au moins une partie des contes charmants qui forment le volume les *Lettres de mon moulin.*[1]

Les plus connus de ces contes sont: *Les vieux, La mule du Pape, L'Elixir du Révérend Père Gaucher, La chèvre de Monsieur Seguin.*

De tous les jolis dictons, proverbes ou adages, dont nos paysans de Provence passementent leurs discours, je n'en sais pas un plus pittoresque ni plus singulier que celui-ci. A quinze lieues autour de mon moulin, quand on parle d'un homme rancunier, vindicatif, on dit: « Cet homme-là ! méfiez-vous ! . . . il est comme la mule du Pape, qui garde sept ans son coup de pied. »

J'ai cherché bien longtemps d'où ce proverbe pouvait venir, ce que c'était que cette mule papale et ce coup de pied gardé pendant sept ans. Personne ici n'a pu me renseigner à ce sujet, pas même Francet Mamaï, mon joueur de fifre, qui connaît pourtant son légendaire provençal sur le bout du doigt. Francet pense comme moi qu'il y a là-dessous quelque ancienne chronique du pays d'Avignon; mais il n'en a jamais entendu parler autrement que par le proverbe. . . .

— Vous ne trouverez cela qu'à la bibliothèque des Cigales, m'a dit le vieux fifre en riant.

L'idée m'a paru bonne, et comme la bibliothèque des Cigales[2] est à ma porte, je suis allé m'y enfermer pendant huit jours.

C'est une bibliothèque merveilleuse, admirablement

---

[1] Le moulin de Daudet fut érigé en musée et inauguré par de grandes fêtes au cours de l'été 1935.

[2] La nature où chantent les cigales [cigale, *locust*].

montée, ouverte aux poètes jour et nuit, et desservie par
de petits bibliothécaires à cymbales [1] qui vous font de la
musique tout le temps.   J'ai passé là quelques journées délicieuses, et, après une semaine de recherches, — sur le dos,
5 — j'ai fini par découvrir ce que je voulais, c'est-à-dire l'histoire de ma mule et de ce fameux coup de pied gardé pendant sept ans.   Le conte en est joli quoique un peu naïf, et
je vais essayer de vous le dire tel que je l'ai lu hier matin
dans un manuscrit couleur du temps, qui sentait bon la
10 lavande sèche et avait de grands fils de la Vierge [2] pour
signets.

   Qui n'a pas vu Avignon du temps des Papes,[3] n'a rien
vu.   Pour la gaieté, la vie, l'animation, le train des fêtes,
jamais une ville pareille.   C'étaient, du matin au soir, des
15 processions, des pèlerinages, les rues jonchées de fleurs, ○ ○ ○
des arrivages de cardinaux par le Rhône, bannières au vent,
galères pavoisées, les soldats du Pape qui chantaient du
latin sur les places, les crécelles des frères quêteurs [4]; puis,
du haut en bas des maisons qui se pressaient en bourdon-
20 nant autour du grand palais papal comme des abeilles autour de leur ruche, c'était encore le tic tac des métiers à
dentelles, le va-et-vient des navettes tissant l'or des chasubles, les petits marteaux des ciseleurs de burettes, les
tables d'harmonie qu'on ajustait chez les luthiers, ○ ○ ○
25 par là-dessus le bruit des cloches, et toujours quelques tambourins qu'on entendait ronfler, là-bas, du côté du pont.

   [1] Les cigales ne produisent pas leur « chant », leur « cri-cri » par
la bouche, mais en frottant leurs pattes contre leur poitrine; c'est
donc, en quelque sorte, une musique de tambour ou de cymbale
plutôt qu'un chant.
   [2] Des toiles d'araignée [*spider webs*] — dont les fils sont si délicats
que l'on pourrait croire qu'ils sont tissés par la Vierge elle-même
[*gossamer*].   Signets = *book marks.*
   [3] Avignon, sur le Rhône, a été pendant de longues années, lors
d'un schisme au sein de l'Église, la ville de résidence des papes (1309–
1377); et la tradition veut que ce temps d'exil de la ville éternelle ait
été marqué par beaucoup de gaîté.
   [4] *Rattlers of the Mendicant Monks.*   (cf. Salvation Army bells).

Car chez nous, quand le peuple est content, il faut qu'il
danse, il faut qu'il danse; et comme en ce temps-là les rues
de la ville étaient trop étroites pour la farandole,[1] fifres et
tambourins se postaient sur le pont d'Avignon, au vent
frais du Rhône, et jour et nuit l'on y dansait, l'on y dan- 5
sait.... Ah! l'heureux temps! l'heureuse ville! Des
hallebardes qui ne coupaient pas; des prisons d'État où
l'on mettait le vin à rafraîchir. Jamais de disette; jamais
de guerre.... Voilà comment les Papes du Comtat[2] savaient gouverner leur peuple; voilà pourquoi leur peuple 10
les a tant regrettés!...

Il y en a un surtout, un bon vieux, qu'on appelait Boniface.[3]... Oh! celui-là, que de larmes on a versées en Avignon quand il est mort! C'était un prince si aimable, si
avenant! Il vous riait si bien du haut de sa mule! Et 15
quand vous passiez près de lui, — fussiez-vous un pauvre
petit tireur de garance[4] ou le grand viguier[5] de la ville, —
il vous donnait sa bénédiction si poliment! Un vrai pape
d'Yvetot,[6] mais d'un Yvetot de Provence, avec quelque
chose de fin dans le rire,... La seule passion qu'on 20
lui ait jamais connue, à ce bon père, c'était sa vigne, —
une petite vigne qu'il avait plantée lui-même, à trois lieues
d'Avignon, dans les myrtes de Château-Neuf.

Tous les dimanches, en sortant de vêpres, le digne
homme allait lui faire sa cour; et quand il était là-haut, 25
assis au bon soleil, sa mule près de lui, ses cardinaux tout

---

[1] La fameuse danse provençale exécutée par des danseurs en
longue file et se tenant par la main.

[2] Nom de la région dont Avignon était la capitale.

[3] Il y a eu deux papes du nom de Boniface, l'un peu avant le séjour
des papes à Avignon, l'autre peu après. Daudet, dans un « conte »
veut éviter de se servir d'un nom répondant à l'histoire.

[4] *Madder-picker.* (Plante dont on tire la teinture couleur de
garance.)

[5] Ou, prévôt.

[6] Allusion au « Bon petit Roi d'Yvetot » de la Chanson de Béranger. V. vol. I des *19th Cent. French Readings*, pp. 521–524.

autour étendus aux pieds des souches, alors il faisait dé-
boucher un flacon de vin du crû,[1] — ce beau vin, couleur
de rubis qui s'est appelé depuis le Château-Neuf des Papes,
— et il le dégustait par petits coups, en regardant sa vigne
5 d'un air attendri. Puis, le flacon vidé, le jour tombant, il
rentrait joyeusement à la ville, suivi de tout son chapitre [2];
et, lorsqu'il passait sur le pont d'Avignon, au milieu des
tambours et des farandoles, sa mule, mise en train par la
musique, prenait un petit amble sautillant,[3] tandis que
10 lui-même il marquait le pas de la danse avec sa barrette, ce
qui scandalisait fort ses cardinaux, mais faisait dire à tout
le peuple:

— Ah! le bon prince! Ah! le brave pape!

Après sa vigne de Château-Neuf, ce que le pape aimait
15 le plus au monde, c'était sa mule. Le bonhomme en raffo-
lait de cette bête-là. Tous les soirs avant de se coucher il
allait voir si son écurie était bien fermée, si rien ne manquait dans sa mangeoire, et jamais il ne se serait levé de
table sans faire préparer sous ses yeux un grand bol de vin
20 à la française, avec beaucoup de sucre et d'aromates, qu'il
allait lui porter lui-même, malgré les observations de ses
cardinaux.... Il faut dire aussi que la bête en valait la
peine. C'était une belle mule noire mouchetée [4] de rouge,
le pied sûr, le poil luisant, la croupe large et pleine, portant
25 fièrement sa petite tête sèche toute harnachée de pompons,
de nœuds, de grelots d'argent, de bouffettes [5]; avec cela
douce comme un ange, l'œil naïf, et deux longues oreilles,
toujours en branle, qui lui donnaient l'air bon enfant....
Tout Avignon la respectait, et, quand elle allait dans les
30 rues, il n'y avait pas de bonnes manières qu'on ne lui fît;
car chacun savait que c'était le meilleur moyen d'être bien

---

[1] C'est à dire qui a « crû » sur ses propres terres [*wine of his own growth*].

[2] Sa suite [retinue].

[3] Allure, marche rythmique.

[4] *Spotted.*   [5] *Ear-knots.*

en cour, et qu'avec son air innocent, la mule du Pape en avait mené plus d'un à la fortune, à preuve Tistet Védène et sa prodigieuse aventure.

Ce Tistet Védène était, dans le principe, un effronté ga-lopin, que son père, Guy Védène, le sculpteur d'or, avait été obligé de chasser de chez lui, parce qu'il ne voulait rien faire et débauchait les apprentis. Pendant six mois, on le vit traîner sa jaquette dans tous les ruisseaux d'Avignon,[1] mais principalement du côté de la maison papale; car le drôle[2] avait depuis longtemps son idée sur la mule du Pape, et vous allez voir que c'était quelque chose de malin.... Un jour que Sa Sainteté se promenait toute seule sous les remparts avec sa bête, voilà mon Tistet qui l'aborde, et lui dit en joignant les mains d'un air d'admiration:

— Ah! mon Dieu! grand Saint-Père, quelle brave mule vous avez là!... Laissez un peu que je la regarde.... Ah! mon Pape, la belle mule!... L'empereur d'Alle-magne n'en a pas une pareille.

Et il la caressait, et il lui parlait doucement comme à une demoiselle:

— Venez çà, mon bijou, mon trésor, ma perle fine....

Et le bon Pape, tout ému, se disait dans lui-même:

— Quel bon petit garçonnet!... Comme il est gentil avec ma mule!

Et puis le lendemain savez-vous ce qui arriva? Tistet Védène troqua sa vieille jaquette jaune contre une belle aube en dentelles, un camail de soie violette, des souliers à boucles, et il entra dans la maîtrise[3] du Pape, où jamais avant lui on n'avait reçu que des fils de nobles et des ne-veux de cardinaux.... Voilà ce que c'est que l'intrigue!... Mais Tistet ne s'en tint pas là.

Une fois au service du Pape, le drôle continua le jeu

[1] Ici *gutter;* enfant du ruisseau = *street urchin.*
[2] *Rascal.*
[3] École de musique attachée aux cathédrales; les enfants de ces écoles formaient le chœur de l'église.

qui lui avait si bien réussi. Insolent avec tout le monde, il
n'avait d'attentions ni de prévenances que pour la mule,
et toujours on le rencontrait par les cours du palais avec
une poignée d'avoine ou une bottelée de sainfoin, dont il
5 secouait gentiment les grappes roses en regardant le balcon
du Saint-Père, d'un air de dire: « Hein !... pour qui
ça ?... » Tant et tant qu'à la fin le bon Pape, qui se
sentait devenir vieux, en arriva à lui laisser le soin de veiller
sur l'écurie et de porter à la mule son bol de vin à la fran-
10 çaise; ce qui ne faisait pas rire les cardinaux.

Ni la mule non plus, cela ne la faisait pas rire.... Maintenant, à l'heure de son vin, elle voyait toujours arriver
chez elle cinq ou six petits clercs de maîtrise qui se four-
raient vite dans la paille avec leur camail et leurs dentelles;
15 puis, au bout d'un moment, une bonne odeur chaude de
caramel et d'aromates emplissait l'écurie, et Tistet Védène
apparaissait portant avec précaution le bol de vin à la
française. Alors le martyre de la pauvre bête commençait.

Ce vin parfumé qu'elle aimait tant, qui lui tenait chaud,
20 qui lui mettait des ailes, on avait la cruauté de le lui apporter, là, dans sa mangeoire, de le lui faire respirer; puis,
quand elle en avait les narines pleines, passe, je t'ai vu !¹
La belle liqueur de flamme rose s'en allait toute dans le
gosier de ces garnements.... Et encore, s'ils n'avaient
25 fait que lui voler son vin; mais c'étaient comme des diables,
tous ces petits clercs, quand ils avaient bu !... L'un lui
tirait les oreilles, l'autre la queue; Quiquet lui montait sur
le dos, Béluguet lui essayait sa barrette, et pas un de ces
galopins ne songeait que d'un coup de reins ou d'une ruade
30 la brave bête aurait pu les envoyer tous dans l'étoile polaire, et même plus loin.... Mais non ! On n'est pas pour
rien la mule du Pape, la mule des bénédictions et des indulgences.... Les enfants avaient beau faire, elle ne se
fâchait pas; et ce n'était qu'à Tistet Védène qu'elle en

¹ Exclamation: *Passe, je t'ai vu ! Mais c'est tout ce que j'aurai de toi !*

voulait. . . . Celui-là, par exemple, quand elle le sentait derrière elle, son sabot lui démangeait, et vraiment il y avait bien de quoi. Ce vaurien de Tistet lui jouait de si vilains tours ! Il avait de si cruelles inventions après boire ! . . .

Est-ce qu'un jour il ne s'avisa pas de la faire monter avec lui au clocheton de la maîtrise, là-haut, tout là-haut, à la pointe du palais ! . . . Et ce que je vous dis là n'est pas un conte, deux cent mille Provençaux l'ont vu. Vous figurez-vous la terreur de cette malheureuse mule, lorsque, après avoir tourné pendant une heure à l'aveuglette dans un escalier en colimaçon et grimpé je ne sais combien de marches, elle se trouva tout à coup sur une plate-forme éblouissante de lumière, et qu'à mille pieds au-dessous d'elle elle aperçut tout un Avignon fantastique, les baraques du marché pas plus grosses que des noisettes, les soldats du Pape devant leur caserne comme des fourmis rouges, et là-bas, sur un fil d'argent, un petit pont microscopique où l'on dansait, où l'on dansait ? . . . Ah ! pauvre bête ! quelle panique ! Du cri qu'elle en poussa, toutes les vitres du palais tremblèrent.

— Qu'est-ce qu'il y a ? qu'est-ce qu'on lui fait ? s'écria le bon Pape en se précipitant sur son balcon.

Tistet Védène était déjà dans la cour, faisant mine de pleurer et de s'arracher les cheveux:

— Ah ! grand Saint-père, ce qu'il y a ! Il y a que votre mule. . . . Mon Dieu ! qu'allons-nous devenir ? Il y a que votre mule est montée dans le clocheton. . . .

— Toute seule ?

— Oui, grand Saint-Père, toute seule. . . . Tenez ! regardez-la, là-haut. . . . Voyez-vous le bout de ses oreilles qui passe ? . . . On dirait deux hirondelles. . . .

— Miséricorde ! fit le pauvre Pape en levant les yeux. . . . Mais elle est donc devenue folle ! Mais elle va se tuer. . . . Veux-tu bien descendre, malheureuse ! . . .

Pécaïre ! [1] elle n'aurait pas mieux demandé, elle, que de

[1] Exclamation favorite des Provençaux: *Peste ! Certes ! Ah bien !*

descendre ... ; mais par où? L'escalier, il n'y fallait pas
songer: ça se monte encore, ces choses-là; mais, à la descente, il y aurait de quoi se rompre cent fois les jambes. ...
Et la pauvre mule se désolait, et, tout en rôdant sur la
5 plate-forme avec ses gros yeux pleins de vertige, elle pensait
à Tistet Védène:

— Ah! bandit, si j'en réchappe ... quel coup de sabot [1]
demain matin!

Cette idée de coup de sabot lui redonnait un peu de cœur
10 au ventre [2]; sans cela elle n'aurait pas pu se tenir. ...
Enfin on parvint à la tirer de là-haut; mais ce fut toute
une affaire. Il fallut la descendre avec un cric, des cordes,
une civière. Et vous pensez quelle humiliation pour la
mule d'un pape de se voir pendue à cette hauteur, nageant
15 des pattes dans le vide comme un hanneton au bout d'un
fil. Et tout Avignon qui la regardait.

La malheureuse bête n'en dormit pas de la nuit. Il lui
semblait toujours qu'elle tournait sur cette maudite plate-
forme, avec les rires de la ville au-dessous, puis elle pensait
20 à cet infâme Tistet Védène et au joli coup de sabot qu'elle
allait lui détacher le lendemain matin. Ah! mes amis, quel
coup de sabot! De Pampelune [3] on en verrait la fumée. ...
Or, pendant qu'on lui préparait cette belle réception à
l'écurie, savez-vous ce que faisait Tistet Védène? Il des-
25 cendait le Rhône en chantant sur une galère papale et s'en
allait à la cour de Naples avec la troupe de jeunes nobles
que la ville envoyait tous les ans près de la reine Jeanne [4]
pour s'exercer à la diplomatie et aux belles manières. Tistet n'était pas noble; mais le Pape tenait à le récompenser
30 des soins qu'il avait donnés à sa bête, et principalement de
l'activité qu'il venait de déployer pendant la journée du
sauvetage.

---

[1] *Hoof-kick*.   [2] Expression familière: courage.
[3] De l'autre côté des Pyrénées, (On dit p. ex: il est de Pampelune, pour dire: il n'est certes pas d'ici; il est de bien loin d'ici.)
[4] Reine de Naples de 1343 à 1382.

C'est la mule qui fut désappointée le lendemain !

— Ah ! le bandit ! il s'est douté de quelque chose !...
pensait-elle en secouant ses grelots avec fureur...; mais
c'est égal, va, mauvais ! tu le retrouveras au retour, ton
coup de sabot,... je te le garde ! 5

Et elle le lui garda.

Après le départ de Tistet, la mule du Pape retrouva son
train de vie tranquille et ses allures d'autrefois. Plus de
Quiquet, plus de Béluguet à l'écurie. Les beaux jours du
vin à la française étaient revenus, et avec eux la bonne 10
humeur, les longues siestes, et le petit pas de gavotte quand
elle passait sur le pont d'Avignon. Pourtant, depuis son
aventure, on lui marquait toujours un peu de froideur dans
la ville. Il y avait des chuchotements sur sa route; les
vieilles gens hochaient la tête, les enfants riaient en se 15
montrant le clocheton. Le bon Pape lui-même n'avait plus
autant de confiance en son amie, et, lorsqu'il se laissait aller
à faire un petit somme sur son dos, le dimanche, en revenant de la vigne, il gardait toujours cette arrière-pensée:
« Si j'allais me réveiller là-haut, sur la plate-forme ! » La 20
mule voyait cela et elle en souffrait, sans rien dire; seulement, quand on prononçait le nom de Tistet Védène devant
elle, ses longues oreilles frémissaient, et elle aiguisait avec
un petit rire le fer de ses sabots sur le pavé. ...

Sept ans se passèrent ainsi; puis, au bout de ces sept 25
années, Tistet Védène revint de la cour de Naples. Son
temps n'était pas encore fini là-bas; mais il avait appris
que le premier moutardier du Pape[1] venait de mourir
subitement en Avignon, et, comme la place lui semblait
bonne, il était arrivé en grande hâte pour se mettre sur les 30
rangs.

Quand cet intrigant de Védène entra dans la salle du

---

[1] Le pape avignonnais Jean XXII était très amateur de moutarde,
et créa, *dit-on*, pour offrir une sinécure bien rétribuée à un de ses
neveux, la charge de Premier moutardier du Pape. Le terme a fait
fortune pour désigner un grand personnage inutile.

palais, le Saint-Père eut peine à le reconnaître, tant il avait grandi et pris du corps. Il faut dire aussi que le bon Pape s'était fait vieux de son côté, et qu'il n'y voyait pas bien sans besicles.

5　　Tistet ne s'intimida pas:

— Comment ! grand Saint-Père, vous ne me reconnaissez plus ? C'est moi, Tistet Védène !

— Védène ? . . .

— Mais oui, vous savez bien . . . celui qui portait le vin
10 français à votre mule.

— Ah ! oui . . . oui . . . je me rappelle. . . . Un bon petit garçonnet, ce Tistet Védène ! . . . Et maintenant, qu'est-ce qu'il veut de nous ?

— Oh ! peu de chose, grand Saint-Père. . . . Je venais
15 vous demander. . . . A propos, est-ce que vous l'avez toujours, votre mule ? Et elle va bien ? . . . Ah ! tant mieux ! . . . Je venais vous demander la place du premier moutardier qui vient de mourir.

— Premier moutardier, toi ! . . . Mais tu es trop jeune.
20 Quel âge as-tu donc ?

— Vingt ans deux mois, illustre pontife, juste cinq ans de plus que votre mule. . . . Ah ! palme de Dieu, la brave bête ! . . . Si vous saviez comme je l'aimais cette mule-là ! . . . comme je me suis langui d'elle en Italie ! . . . Est-ce
25 que vous ne me la laisserez pas voir ?

— Si, mon enfant, tu la verras, fit le bon Pape tout ému. . . . Et puisque tu l'aimes tant, cette brave bête, je ne veux plus que tu vives loin d'elle. Dès ce jour, je t'attache à ma personne en qualité de premier moutardier. . . .
30 Mes cardinaux crieront,[1] mais tant pis ! j'y suis habitué. . . . Viens nous trouver demain, à la sortie de vêpres, nous te remettrons les insignes de ton grade en présence de notre chapitre, et puis . . . je te mènerai voir la mule, et tu viendras à la vigne avec nous deux . . . hé ! hé ! Allons ! va. . . .

35　　Si Tistet Védène était content en sortant de la grande

_____
[1] Protesteront.

salle, avec quelle impatience il attendit la cérémonie du
lendemain, je n'ai pas besoin de vous le dire. Pourtant il
y avait dans le palais quelqu'un de plus heureux encore et
de plus impatient que lui: c'était la mule. Depuis le retour de Védène jusqu'aux vêpres du jour suivant, la terrible 5
bête ne cessa de se bourrer d'avoine et de tirer au mur [1] avec
ses sabots de derrière. Elle aussi se préparait pour la cérémonie. . . .

Et donc, le lendemain, lorsque vêpres furent dites, Tistet
Védène fit son entrée dans la cour du palais papal. Tout 10
le haut clergé était là, les cardinaux en robes rouges, l'avocat du diable [2] en velours noir, les abbés de couvent avec
leurs petites mitres, les camails violets de la maîtrise, le
bas clergé aussi, les soldats du Pape en grand uniforme,
les trois confréries de pénitents, les ermites du mont Ven- 15
toux avec leurs mines farouches et le petit clerc qui va
derrière en portant la clochette, les sacristains fleuris
en robes de juges, tous, tous, jusqu'aux donneurs d'eau
bénite, et celui qui allume, et celui qui éteint . . . il n'y en
avait pas un qui manquât. . . . Ah! c'était une belle or- 20
dination! Des cloches, des pétards, du soleil, de la musique, et toujours ces enragés de tambourins qui menaient
la danse, là-bas, sur le pont d'Avignon. . . .

Quand Védène parut au milieu de l'assemblée, sa pres-
tance et sa belle mine y firent courir un murmure d'ad- 25
miration. C'était un magnifique Provençal, mais des
blonds, avec de grands cheveux frisés au bout et une petite
barbe follette ○○○ Ce jour-là, pour faire honneur à sa
nation, il avait remplacé ses vêtements napolitains par une
jaquette bordée de rose à la provençale, et sur son chaperon 30
tremblait une grande plume d'ibis de Camargue.[3]

[1] S'exercer à frapper au but contre le mur de l'écurie. Tirer; *shoot*.

[2] On désignait ainsi un grand personnage de la cour papale qui
devait examiner avec soin les arguments présentés dans les enquêtes
en vue de la béatification ou de la sanctification.

[3] Camargue, île formée à l'embouchure du Rhône.

Sitôt entré, le premier moutardier salua d'un air galant, et se dirigea vers le haut perron, où le Pape l'attendait pour lui remettre les insignes de son grade: la cuiller de buis jaune et l'habit de safran. La mule était au bas de l'esca-
5 lier, toute harnachée et prête à partir pour la vigne.... Quand il passa près d'elle, Tistet Védène eut un bon sourire et s'arrêta pour lui donner deux ou trois petites tapes ami-cales sur le dos, en regardant du coin de l'œil si le Pape le voyait. La position était bonne.... La mule prit son élan:
10 — Tiens! attrape, bandit! Voilà sept ans que je te le garde!

Et elle vous lui détacha un coup de sabot si terrible, si terrible, que de Pampelune même on en vit la fumée, un tourbillon de fumée blonde où voltigeait une plume d'ibis;
15 tout ce qui restait de l'infortuné Tistet Védène!...

Les coups de pied de mule ne sont pas aussi foudroyants d'ordinaire; mais celle-ci était une mule papale; et puis, pensez donc! elle le lui gardait depuis sept ans.... Il n'y a pas de plus bel exemple de rancune ecclésiastique.

* * *

Autres écrivains réalistes et naturalistes

Le mouvement réaliste produisit un grand nombre d'écrivains contemporains de Zola et d'Alphonse Daudet. Nous ne pouvons les nommer tous; pas plus que ceux qui ont continué après eux à écrire selon la formule. Un mouvement de cette importance ne pouvait d'ailleurs mourir brusquement; il y a des écrivains réalistes jusqu'à ce jour, et il y en aura probablement toujours.

Citons seulement quelques noms et les titres des romans qui ont marqué.

Les membres de l'Académie Goncourt, ceux qui furent du premier groupe, c'est à dire les dix qui firent partie du groupe au moment où l'Académie put commencer à fonctionner, et dont plusieurs ont été depuis remplacés sont:

Léon Hennique (1852–1936): *Elizabeth Couronneau* (1879).

J. H. Rosny, aîné (Joseph-Henri Boex, 1856–   ).

J. H. Rosny, jeune (Justin Boex, 1859–   ).

Ces deux Belges publièrent ensemble, en 1886, *Nell Horn* (récit mettant en scène l'Armée du Salut). Puis ils se séparèrent de Zola. Principaux romans où ils agitent la question sociale: *Le bilatéral, Impérieuse bonté.* Ils écrivirent des romans où ils cherchaient à reconstituer des scènes de la vie de l'homme préhistorique; et ces romans sont fort originaux: lire entre autres: *Les Xipéhuz,* et *Vamireh.* Depuis 1909 les deux frères écrivirent chacun pour soi. Rosny aîné fut surtout remarqué. Romans sociaux: *La rafale, La vague rouge.* Roman préhistorique: *La Guerre du feu.*

Gustave Geffroy (1856–   ): *L'Apprentie* (1904).

Elémir Bourges (1852–1925): *Sous la hache* (1885) et surtout une grande fresque orientale, *La nef* (1904), une sorte de reconstitution historique du vieux Constantinople, à la manière du vieux Carthage, de Flaubert.

Octave Mirbeau (1848–1917) *Le Calvaire* (1888). *L'Abbé Jules* (1889). *Sébastien Roch* (1890) (un des écrivains les plus puissants de ce temps, auteur, au théâtre, de *Les affaires sont les affaires*).

Paul Margueritte (1860–1918) qui, avec son frère Victor, (1867–   ) a raconté magnifiquement la guerre de 1870–1, et les superbes héroïsmes rendus inutiles par l'incapacité des chefs (Ils sont fils du Général Margueritte qui mourut bravement en conduisant une charge de cavalerie à la bataille de Reichshofen, en 1870). Le titre général est *Une époque.* Lire surtout vol. I, *Le désastre,* (1898) et III, *Les braves gens* (1901).

Lucien Descaves (1861–   ) qui, lui, attaque dans un roman demeuré très célèbre, *Sous-offs* (1889) le système de discipline brutale et humiliante auquel le sous-officier soumettait le soldat à la caserne.

Léon Daudet (1886–   ) — fils d'Alphonse Daudet qui avait été désigné par J. de Goncourt pour être membre mais qui mourut avant que l'Académie fût constituée en fait — *Les morticoles* (1894) une virulente attaque contre les médecins.

Joris-Karl Huysmans (1848–1907) plus naturaliste dans ses premiers romans que Zola lui-même: *Les sœurs Vatard* (1879), *À vau-l'eau* (1882), mais qui changea complètement de disposition. (Voir plus loin dans ce livre.)

Les trois noms suivants sont ceux de réalistes qui ont suivi la voie ouverte par Daudet, c'est-à-dire ont laissé percer des sentiments très humains sous un traitement absolument objectif du récit; on pourrait les appeler les « épigones du Réalisme »:

Jules Renard (1864–1910): *Poil de Carotte* (1894), roman d'un enfant malheureux; *Nos frères farouches* (les paysans); *Ragotte* (1908).

Léon Frapié (1863–   ): *La maternelle* (1904) — les écoles pour les tout petits dans les quartiers pauvres de Paris.

Charles-Louis Philippe (1847–1909) *Quatre histoires de pauvre amour* (1897); *Bubu de Montparnasse* (1901).

Le genre réaliste a, du reste, rayonné un peu dans toutes les directions.   Voici quelques noms et titres qui surnagent sur le grand fleuve des romans réalistes:

Eugène Fromentin, le peintre (1820–76) a fait du réalisme dans les descriptions de son célèbre roman *Dominique* (1863) — qui rappelle *Adolphe* par Benjamin Constant, ou *Oberman,* par Sénancour.   (V. vol. I, pp. 110, 111.)

Ferdinand Fabre (1830–92) originaire du midi de la France, et qui compose de très puissants romans réalistes de la vie des paysans *Les Courbezon* (1862), et de la vie des prêtres, *L'Abbé Tigrane, candidat à la papauté,* (1873).

Iules Vallès (1833–85) un révolté violent, raconte sa vie d'enfant dans *Jacques Vingtras* en trois parties (*L'Enfant, Le bachelier, L'Insurgé*) (1879–86).   *Les réfractaires* (1865).

Jules Barbey d'Aurevilly (1808–89) un catholique militant et violent qui montre en réaliste farouche l'œuvre du diable en l'homme.   *Le prêtre marié* (1865) et surtout ses terribles contes *Les diaboliques* (1874).

*   *   *

Une dizaine d'années après que le Naturalisme fut battu en brèche, se produisit un nouveau mouvement réaliste: **le Naturisme** sera une réaction contre le Symbolisme qui avait été lui-même un mouvement de réaction contre le Naturalisme.   Le Naturisme attaque le Symbolisme comme une « littérature pour les littérateurs »; sans vouloir revenir au Naturalisme qui désire se rattacher étroitement au positivisme philosophique et à la science, les Naturistes demandent un roman préoccupé du bonheur social: « Ce qu'on appelle le Naturisme est bien plus une morale qu'une doctrine d'art, » (Saint-Georges de Bouhélier). On peut considérer comme le manifeste de la nouvelle école le petit volume de Maurice Leblond, *Essai sur le Naturisme* (Mercure de France, 1896), surtout les pages 113–117 « Naturalisme et Naturisme ». Les représentants les plus connus du Naturisme sont: Eugène Montfort (mort 1936), Saint-Georges de Bouhélier et Maurice Leblond.

Un prolongement du Naturisme fut **le Populisme.** Comme ce terme l'indique les milieux populaires sont de préférence étudiés. Les deux coryphées du Populisme sont André Thérive, auteur de plusieurs romans, et Léon Lemonnier. Le court volume de ce dernier, *Manifeste du Populisme* (1929) peut être indiqué comme contenant l'idée du groupe. On a établi un prix annuel du Populisme; les deux lauréats les plus intéressants sont Cécile Loth, *La petite fille aux mains sales* (1930), et Tristan Rémy, *Faubourg Saint-Antoine* (1936).

LES   POÈTES DE 1850 À 1885

LE PARNASSE

Introduction

Consulter: F. Brunetière, *L'Évolution de la poésie lyrique en France au XIXe siècle* (Hachette, 1894); P. Martino, *Parnasse et Symbolisme* (Coll. Armand Colin, 1925, dernière éd. 1935); Maurice Souriau, *Histoire du Parnasse* (Éd. Spes, 1929, 466 pages in 8°, avec bibliographie) l'ouvrage le plus considérable. Pour des études avec indications d'un caractère plus spécialement documentaire: Th. Gautier, *Les progrès de la poésie française depuis 1830* [jusqu'en 1867], [*rapport* au Ministre de l'instruction publique] réimprimé dans son volume *Histoire du romantisme* (1884). Catulle Mendès, *Rapport ○ ○ ○ sur le Mouvement poétique français de 1867 à 1900* (Imprimerie Nationale, 1902). Ce rapport est suivi d'un *Dictionnaire bibliographique et critique* des principaux poètes français du XIXe siècle. En Amérique, le *Parnassus in France* (University of Texas Press, 1929) par Aaron Schaffer est excellent, d'une documentation abondante et sûre; il est complété par un second volume sur les « Petits Parnassiens. » Citons encore A. Cassagne, *La théorie de l'art pour l'art chez les derniers Romantiques et chez les premiers Parnassiens* (Paris, 1906).

La répercussion de l'esprit scientifique ou positiviste fut générale. Et c'est ainsi que même le mouvement poétique du second tiers du XIXe siècle s'apparente au mouvement réaliste du roman et du théâtre. Il s'y apparente essentiellement par une réaction décisive contre l'exaltation et la fantaisie romantiques auxquelles il oppose l'attitude objective de la science; c'est-à-dire que les poètes voudraient que toute impression lyrique dérivât d'une description simplement exacte des phénomènes impressionnants de la nature, ou d'une exposition purement objective de la vie réelle sans expression des réactions du poète: les grands cris de désespoir (d'un Musset) ou de révolte (d'un Vigny) seraient condamnés.

On a traité ces poètes d'*impassibles*.[1] Or, quoiqu'ils aient eux-

---

[1] D'ailleurs, cette accusation d'*impassibilité* des poètes parnassiens, dans le sens d'indifférence à la souffrance humaine, est aujourd'hui presque complètement abandonnée par les historiens de la littérature: ainsi Brunetière dans son *Évolution de la poésie lyrique*, Souriau dan▪

mêmes parfois fait usage de ce terme, il est mal choisi; tout au moins faut-il expliquer: l'attitude scientifique ou positiviste en présence de la vie repose sur l'idée d'un déterminisme rigoureux, sur l'idée de la fatalité à laquelle l'homme ne peut que se soumettre; et, comme, d'ailleurs, la réalité est fort triste le plus souvent, la poésie de même que la philosophie de l'époque réfléchit cette sévérité de la destinée humaine; la poésie sera logiquement et forcément pessimiste; elle n'essaiera pas de décevoir les hommes en leur proposant des espoirs qu'elle croit illusoires. *Mais les poètes n'en souffriront pas moins pour cela*, et c'est pour cette raison que le terme d'*impassibilité* induit en erreur; au contraire, le manque de sensibilité est le dernier reproche à leur adresser; ils souffrent d'autant plus qu'ils sont plus persuadés de l'inutilité de chercher une philosophie consolatrice; le mot *résignation* serait seul juste ici.

Il faut mentionner encore un autre trait — quoique secondaire — de la poésie de cette période: le mépris d'une littérature utilitaire. Le romantisme n'avait pas encore triomphé que déjà certains esprits s'étaient alarmés du danger de ces rêveries qui aboutissaient au désespoir; ils avaient réagi en déclarant que l'art et la littérature devaient au contraire pousser à l'action. Dès 1826, un journal, *Le Producteur*, était fondé sur cette idée de « la fonction sociale de l'art », et, ces nouveaux-venus ne craignaient pas d'exalter la valeur utilitaire de la science et de l'industrie. Les Parnassiens ne répudièrent pas moins cette conception de l'art que l'idéalisme utopique du Romantisme. En 1836, Théophile Gautier, le père spirituel des Parnassiens, proclamait ceci: « En général, dès qu'une chose devient utile, elle cesse d'être belle » (Préface du roman *Mademoiselle de Maupin*).

Comme donc les poètes récusaient à la fois cet idéalisme utopique

----

son *Histoire du Parnasse*, Vianey dans son livre sur Leconte de Lisle, et en Amérique Aaron Shaffer dans ses différentes publications, tous en ont fait voir la fausseté et ont indiqué la différence entre *impassibilité* et *impersonnalité*. (V. aussi un article d'Émile Henriot dans *Le Temps*, 23 janvier, 1934, sur « L'Impossible impassibilité » de Leconte le Lisle.)

Le plus sévèrement accusé dans le débat, Leconte de Lisle récuse lui-même vivement cette critique: « En aura-t-on bientôt fini avec cette baliverne ? Poète impassible ! Alors quand on ne raconte pas de quelle manière on boutonne son pantalon et les péripéties de ses amourettes, on est un poète impassible ? C'est stupide. » Cité dans Huret, *Enquête sur l'évolution littéraire* (1901). Dans la même publication, on trouvera des protestations d'autres poètes parnassiens interrogés: Mendès, Sully-Prudhomme, Coppée, etc.

des Romantiques et l'idéal utilitaire (matérialiste, social, moral, religieux, etc.) de leurs adversaires, on pouvait se demander quel pouvait être alors selon eux, le but que l'artiste devait poursuivre ? A quoi les Parnassiens répondaient: la beauté; l'art n'a de but qu'en lui-même. De là la fameuse théorie de *l'art pour l'art* — qu'il n'est pas facile de comprendre: Voici la définition de Théophile Gautier, en 1856, quand il fut devenu le directeur du journal *L'Artiste:*

« Quant à nos principes, ils sont suffisamment connus: nous croyons à l'autonomie de l'art; l'art pour nous n'est pas le moyen, mais le but; — tout artiste qui se propose autre chose que le beau n'est pas un artiste à nos yeux; nous n'avons jamais pu comprendre la séparation de l'idée et de la forme, pas plus que nous ne comprenons le corps sans l'âme, ou l'âme sans le corps, du moins dans notre sphère de manifestation: — une belle forme est une belle idée, car que serait-ce qu'une forme qui n'exprimerait rien ? » (Cité, Martino, *Parnasse et Symbolisme,* p. 19) [1]

On peut demander: Mais, qu'est-ce qu'une forme qui n'exprime rien ?

En tous cas, puisque l'art ne devait s'attacher à aucun contenu concret, il en résulta que ces poètes parnassiens allaient donner une importance exceptionnelle à la forme, porter leur attention sur une facture particulièrement soignée du vers, et s'en tenir à la description minutieuse et exacte — ce qui crée un rapport de plus avec la doctrine positiviste d'observation attentive des objets et des événements, à l'exclusion de tout dogmatisme philosophique ou autre.

Origine du terme « Parnassiens » [2]: — En 1866 parut à Paris un recueil de poésie: *Le Parnasse contemporain,* en 18 livraisons, et contenant des vers de 37 poètes, tous jeunes, 17 à 28 ans, sauf « le maître » Leconte de Lisle qui en avait 48. Il y avait là beaucoup de talent; on les appela les « poètes parnassiens ». Ils s'étaient groupés pour renouveler la poésie dans le sens indiqué plus haut; réaction contre le sentimentalisme romantique, et travail scrupuleux de la forme. En 1869 parut un second *Parnasse,* avec une vingtaine de noms nouveaux; en 1876 un troisième. En tout 99 poètes; les noms de 14 d'entre eux se retrouvent dans les trois « Parnasse »; ils peuvent être considérés, selon l'expression de M. Souriau, comme « le bataillon sacré ». Ce sont: **Banville,** Cazalis, **Coppée, Dierx,** des Essarts, **Heredia, Leconte de Lisle,** Lemoyne, **Mendès,** Mérat,

---

[1] A. Thérive considère que c'est par son esthétique de *l'art pour l'art* que le Parnasse a fait œuvre durable. (*Le Parnasse,* 1929 p. 84.)

[2] Pour les premiers emplois du mot, (toute une affaire), v. M. Souriau, *Histoire du Parnasse,* pp. xlvii–viii.

Xavier de Ricard, **Sully-Prudhomme,** Valade. On remarquera l'absence de Théophile Gautier (mort en 1872 avant la publication du 3º *Parnasse* en 1876) et de Glatigny qui ne parut qu'à partir du second *Parnasse.*

Les Parnassiens eurent un cénacle comme les Romantiques, et même deux; le premier dans le salon de la Marquise de Ricard, mère d'un de ces poètes et qui jouait un peu le rôle de Mécène [1]; le second, — une fois que le mouvement du Parnasse se fut bien constitué, — chez le chef reconnu, Leconte de Lisle, 8 Boulevard des Invalides. Et, comme les Romantiques encore, qui avaient eu leur libraire éditeur attitré, Renduel, les Parnassiens eurent, eux, la chance de trouver sur leur chemin un éditeur intelligent et entreprenant, Lemerre.

* * *

Selon la nuance de leur résignation à la philosophie du fatalisme positiviste, les poètes parnassiens se répartissent en **quatre groupes:**

Le **premier** est formé par des poètes qui ont été romantiques dans leur jeunesse, mais, arrivés à l'âge mûr, ont changé de drapeau. Ils n'ont, cependant, pas abandonné tout-à-fait le rêve romantique, car, au lieu de se jeter dans le désespoir (comme Vigny et Musset) ils ont dit: Bravons la réalité laide et triste et résignons-nous à *rêver* le bonheur; d'ailleurs, plus le rêve est fantaisiste, plus il est bon, et rien ne peut nous le ravir.

Les deux principaux poètes de ce groupe sont *Théophile Gautier* et *Théodore de Banville.*

* * *

Le **second groupe** est formé par ceux dont la résignation est amère. Ils sont les descendants de Vigny, avec cette différence que Vigny avait connu à quelque moment de sa vie l'exaltation romantique, avait au moins espéré que le rêve pouvait devenir réalité, puis, s'était senti trompé et s'était abîmé dans le désespoir. Les Parnassiens de ce groupe n'ont, à aucun moment rêvé une réalisation du bonheur sur la terre; l'âge positiviste les avait désabusés avant qu'ils eussent en

---

[1] *Louis-Xavier de Ricard, Poet of Progress,* by Aaron Shaffer, Publ. Mod. Lang. Ass. Dec. 1935, pp. 1191–1199. Il était fils du général-marquis de Ricard, ancien gouverneur de la Martinique.

le temps de se jeter dans le monde des chimères. Il faut au moins nommer ici *Madame Ackerman* qui fut une grande exaltée; elle a fait un beau vers qui résume toute son œuvre:

> *Celui qui pouvait tout a voulu la douleur.*[1]

C'est dans ce groupe que se trouve le chef reconnu des Parnassiens, *Leconte de Lisle*, sombre mais fier dans sa résignation; et cet autre, qui réalisa complètement aussi l'idéal parnassien mais qui fut plus olympien dans son art, *José-Mariã de Heredia*.

* * *

Le **troisième groupe** est formé par les poètes qui donnèrent expression à une résignation douce, sans révolte, et qui trouvèrent dans la compassion pour la misère humaine un sentiment à cultiver si noble qu'il rachète à leurs yeux leurs propres souffrances. Les deux poètes les plus connus de ce groupe sont *Sully-Prudhomme* et *François Coppée*.

* * *

Le **quatrième groupe** enfin est celui de la révolte la plus intense, du refus à toute résignation; il est représenté surtout par un homme d'une pensée souvent cynique et qui eut une longue descendance spirituelle — celui qui forme la transition entre la poésie parnassienne et celle des générations suivantes, *Charles Baudelaire*.

---

[1] Madame Ackerman (1813–1890), née Victorine Choquet, élevée à la campagne, dans une famille très religieuse. A la mort de son père, elle va en Allemagne, elle s'y marie, et, sous l'influence des philosophes allemands fatalistes, son exaltation religieuse se transforme en exaltation anti-religieuse; cette disposition fut encore accentuée par la mort prématurée d'un époux adoré. Elle ne fut pas athée, mais plutôt anti-chrétienne; elle a besoin de maudire Dieu, et pour cela se garde bien d'en nier l'existence. Elle marque bien la transition entre Vigny dont elle continue les anathèmes, et certains Parnassiens dont elle annonce l'esprit de révolte fataliste. Ses premiers essais poétiques datent de 1831, mais son volume de *Poèmes philosophiques* ne fut publié qu'en 1872.

PREMIER GROUPE

Des poètes qui abandonnent l'illusion romantique d'un
bonheur réel sur la terre mais se résignent en se
réfugiant par l'imagination, dans le monde du
rêve poétique.

CHAPITRE X

THÉOPHILE GAUTIER

1811–1872

Consulter: M. Du Camp, *Théophile Gautier* (Coll. ‹ Grands écr.
fr. › Hachette, 1890 souvent réimprimé). Aussi: E. Bergerat [gendre
de Gautier], *Théophile Gautier, entretiens, souvenirs et correspondance*
(Paris, Charpentier, 1880); R. Jasinski, *Les années romantiques de
Théophile Gautier* (Paris, Vuibert 1929); Ad. Boschot, *Théophile
Gautier*. (Coll. « Temps et Visages », 1930.)

Né dans le midi, à Tarbes, il vint à Paris à l'âge de trois ans, y fit
ses études, mais ne put jamais supporter le régime d'un internat
scolaire. Il voulait d'abord se consacrer à la peinture (atelier Rioult)
qu'à cause d'une vue défectueuse il abandonna, cependant, assez
tôt, pour la littérature. Doué d'une imagination abondante et d'une
brillante fantaisie, il s'enthousiasma pour Victor Hugo, l'auteur des
Orientales, et il prit une part active à la fameuse « bataille d'Hernani »
(v. notre vol. I, pp. 236–7), arborant un gilet rouge pour choquer les
partisans des classiques conventionnels. C'était l'année même
(1830) où il publiait son premier recueil de poésies.

On se souvient que Victor Hugo, attaquant les classiques dans sa
Préface de Cromwell, avait insisté sur la place qui devait revenir dans
l'art au comique et même au grotesque. Or, en 1833, Gautier réunissait en volume une série d'essais dans lesquels il voulait réhabiliter
devant l'opinion certains écrivains qu'il appelait *Les grotesques* (par
exemple Villon, Scarron, Th. de Viaud, Cyrano de Bergerac). Il
avait un grand talent pour la critique, et, comme il fallait gagner sa
vie, il accepta de collaborer à des journaux (à *La Presse*, puis au *Moniteur* et au *Journal officiel*). Il ne put depuis lors donner à la littérature créatrice que ses heures de loisir. La princesse Mathilde, cousine
de Napoléon III, fit de Gautier son bibliothécaire, une façon de lui
venir en aide financièrement; elle ne réussit pas cependant, à le
faire entrer à l'Académie. A la fin de sa vie Gautier se vantait d'avoir

publié environ 300 volumes. Grâce à un vocabulaire d'une richesse remarquable et à un style vif et coloré, il demeure un des écrivains les plus admirables du siècle.

Esprit extrêmement ouvert, il rapporta de ses quelques voyages des livres attachants sur l'Espagne, l'Italie, la Turquie et l'Égypte, la Russie : « Je voyage pour changer de peau, écrivait-il à un ami : Je suis allé à Constantinople pour être musulman à mon aise, en Grèce pour le Parthénon et Phidias, en Russie pour la neige, le caviar et l'art byzantin, en Égypte pour le Nil et Cléopâtre. Si je suis à Rome, je suis apostolique et romain, et si, pour voir les Raphaël, il fallait être cardinal, je me ferais cardinal. Pourquoi pas ? . . . » À son retour d'Algérie, il circulait sur le Boulevard en burnous et en fez.[1]

Ses principaux romans sont: *Mademoiselle de Maupin* (1835-36), histoire romanesque d'une sorte de chevalier d'Éon, d'une femme habillée en homme, qui devient fameuse par ses exploits d'armes, et dont le véritable sexe ne fut découvert qu'après sa mort (la ‹ Préface › contient une audacieuse attaque contre la pudibonderie [pudeur poussée à l'excès]) [2]; *Le roman de la momie* (1858) où il reconstitue, au moyen de documents archéologiques, l'Égypte antique, comme Flaubert reconstitua l'Afrique dans Salammbô en 1862; *Le capitaine Fracasse*, roman que Gautier aimait à composer car il le tirait par l'imagination de l'existence sédentaire qu'il était obligé de mener pour vivre; quoiqu'il ait été commencé bien des années avant, *Le capitaine Fracasse* ne fut publié qu'en 1863: C'est l'histoire d'une troupe de comédiens ambulants, pareille à celle avec laquelle Molière parcourut la France avant de s'établir à Paris, et pareille à celle décrite par Scarron dans son *Roman comique* (XVIIe siècle). L'intrigue est fournie par un jeune noble, Sigognac, qui quitte son château pour suivre une charmante Isabelle, l'ingénue d'une de ces troupes de comédiens ambulants; ses nouveaux compagnons, dont il partage la bonne et la mauvaise fortune et les nombreuses aventures, représentent les types traditionnels des farces de l'époque: Léandre, l'amoureux d'Isabelle, la jeune première; Scapin, le valet rusé et entreprenant, etc. Il y a surtout un *miles gloriosus*,[3] qui donne son

---

[1] Il est un des poètes qui maudissaient les chemins de fer.

[2] Les éléments principaux de l'histoire ont été suggérés à Gautier par le souvenir d'une fameuse duelliste du XVIIIe siècle; mais il s'est souvenu aussi de deux de ses amies célèbres à l'époque: George Sand, qui courait les rues de Paris, vêtue en homme, avec l'actrice Marie Dorval, son inséparable (Voir R. Jasinski, Volume cité).

[3] Titre d'une comédie de Plaute: *Le soldat vantard*.

titre au roman *Le capitaine Fracasse;* c'est le Capitano Spevanto della Valle Inferna [*Épouvante du Val d'Enfer*]. Voici un exemple du style si amusant de Gautier:

« — C'est à peine si mon ombre ose me suivre, — tonne le Capitano Spevanto della Valle Inferna, — tellement je la mène en des endroits périlleux ! Si j'entre, c'est par la brèche; si je sors, c'est par un arc de triomphe; si j'avance, c'est pour me fendre; si je couche, c'est mon ennemi que j'étends sur le pré; si je traverse une rivière, elle est de sang ».

Le roman, cependant, où Gautier raconte le plus directement son rêve romantique personnel, c'est *Fortunio* (1837), où il imagine un homme fabuleusement riche qui, à la manière d'un nabab oriental, peut se passer absolument toutes ses fantaisies et qui ébauche la plus ensorcelante aventure avec la plus captivante et la plus belle des femmes.

Les contes et les nouvelles de Gautier sont dans le même esprit: des récits placés dans un monde de fantaisie et racontés dans le style le plus imagé et le plus pur: *Spirite, La toison d'or, Une nuit de Cléopâtre, Jettatura*, etc.

Albertus, ou L'Âme et le péché; légende théologique (1832)

Devant la postérité, c'est surtout le poète Gautier qui compte; c'est avec son nom qu'on associe le plus souvent l'idée de « l'art pour l'art » en France. Mais il y a chez lui une certaine évolution. Si on peut dire avec vérité qu'il ne renonça jamais tout à fait à son enthousiasme juvénile pour le Romantisme, il faut reconnaître aussi qu'il avait eu en lui dès ses vingt ans une disposition gentiment frondeuse vis-à-vis des grands auteurs du XIXe siècle — disposition qui s'accentua de plus en plus. Il rappelle un peu Musset, « l'enfant terrible du Romantisme »; mais le ton léger et volontiers sarcastique, passager chez le Musset de la *Ballade à la lune* et de *Namouna* (v. notre vol. I, pp. 410-413) est persistant chez Gautier.

Son long poème *Albertus* (122 strophes de 12 vers chacune), écrit à 20 ans, consacra la réputation du Gautier poète.

On y trouve l'histoire d'une sorcière, Véronique, qui, par ses philtres et ses artifices diaboliques, se métamorphose en une femme jeune et admirablement belle; elle se rend dans la société de Leyde (en Hollande), y est admirée de tout le monde, jalousée par toutes les femmes, courtisée par tous les hommes. Elle tombe amoureuse d'Albertus, le seul qui parût demeurer indifférent à ses charmes; elle l'entraîne chez elle et s'en fait aimer éperdûment si bien qu'il finit

par engager son âme au Diable en échange de l'amour de la belle.
Alors suit une scène audacieuse de débauche. Mais au coup de
minuit la Véronique redevient affreuse sorcière, et elle entraîne
son amant au sabbat. Le lendemain, à l'aube, celui-ci est trouvé
mort sur la Via Appia, de Rome.[1]

La description du sabbat montre mieux que toute autre partie du
poème le premier Gautier, le romantique qui, avec Hugo, prétend que
le grotesque et l'affreux doivent avoir une place dans l'art.[2]

CVIII

—La vieille fit: — « Hop ! hop ! » et par la cheminée
De reflets flamboyants soudain illuminée,
Deux manches à balai, tout bridés, tout sellés,
Entrèrent dans la salle avec force ruades,
Caracoles et sauts, voltes et pétarades,   5
Ainsi que des chevaux par leur maître appelés.
— « C'est ma jument anglaise et mon coureur arabe »,
Dit la sorcière ouvrant ses griffes comme un crabe
Et flattant de la main ses balais sur le col.
— Un crapaud hydropique, aux longues pattes grêles,   10
Tint l'étrier. — « Housch ! housch ! » — comme des saute-
    relles
    Les deux balais prirent leur vol.

CIX

« Trap ! trap ! » — ils vont, ils vont comme le vent de bise;
— La terre sous leurs pieds file rayée et grise,   15
Le ciel nuageux court sur leur tête au galop;
A l'horizon blafard d'étranges silhouettes
Passent. — Le moulin tourne et fait des pirouettes,

---

[1] La Voie appienne, fameuse route construite au IVᵉ siècle av.
J. C. par l'empereur Claudius Appius, et menant de Rome à Brindisi.

[2] « Son *Albertus*, jovial, fracasseur et démoniaque, demeure la
plus amusante diablerie que nous ait laissée le Romantisme, avec
cet avantage d'être une diablerie qui ne se prend pas au sérieux »
(Em. Henriot, *Le Temps*, 15 oct. 1935, à propos du livre de Cl.
Grillet, *Le Diable dans la littérature française au XIXᵉ Siècle*, 1935).

La lune en son plein luit rouge comme un falot,
Le donjon curieux de tous ses yeux regarde,
L'arbre étend ses bras noirs, — la potence hagarde
Montre le poing et fuit emportant son pendu;
5 Le corbeau qui croasse et flaire la charogne,[1]
Fouette l'air lourdement, et de son aile cogne
     Le front du jeune homme éperdu.

CX

Chauves-souris, hiboux, chouettes, vautours chauves,
Grand-ducs, oiseaux de nuit aux yeux flambants et fauves,
10 Monstres de toute espèce et qu'on ne connaît pas.
Stryges au bec crochu, Goules, Larves, Harpies,
Vampires, Loup-garous, Brucolaques impies,
Mammouths, Léviathans, Crocodiles, Boas,
Cela grogne, glapit, siffle, rit et babille,
15 Cela grouille, reluit, vole, rampe et sautille;
Le sol en est couvert, l'air en est obscurci.
— Des balais haletants la course est moins rapide,
Et de ses doigts noueux tirant à soi la bride,
     La vieille cria: — « C'est ici. » ₒ ₒ ₒ

CXIII

20 Le président, assis dans une chaire noire,
Avec ses doigts crochus feuilletant le grimoire,
Épelait à rebours les noms sacrés de Dieu.
— Un rayon échappé de sa prunelle verte
Éclairait le bouquin, et sur la page ouverte
25 Faisait étinceler les mots en traits de feu.
— Pour commencer la fête on attendait le maître,
On s'impatientait; il tardait à paraître
Et faisait sourde oreille à l'évocation.

---

[1] Carcasse de mort. Le sabbat consistait en grande partie en une danse effrénée de démons et de morts.

— Albertus croyait voir une queue et des cornes,
Des pieds de bouc, des yeux tout ronds aux regards mornes,
   Une horrible apparition !

CXIV

Enfin il arriva. — Ce n'était pas un diable
Empoisonnant [1] le soufre et d'aspect effroyable,   5
Un diable rococo.[2] — C'était un élégant
Portant l'impériale [3] et la fine moustache,
Faisant sonner sa botte et siffler sa cravache
Ainsi qu'un merveilleux du boulevard de Gand.[4]
— On eut dit qu'il sortait de voir *Robert le Diable*,[5]   10
Ou *la Tentation*,[6] ou d'un raout fashionable,
— Boiteux comme Byron, mais pas plus; — il eût fait
Avec son ton tranchant, son air aristocrate,
Et son talent exquis pour mettre sa cravate,
   Dans les salons un grand effet.   15

CXV

Le Belzébuth dandy fit un signe, et la troupe,
Pour ouïr le concert se réunit en groupe.

[1] *Stinking like.*
[2] Fantaisiste: (style rococo), au XVIIIe siècle, souvent employé par les Jésuites pour leurs églises.
[3] *Goatee.* On considère généralement ce nom comme dû au fait que l'empereur Napoléon III portait cette petite barbe en pointe. Or, Napoléon III ne devint empereur qu'en 1852, et le poème de Gautier date de 1831: c'est peut être que le poème a été revu par l'auteur après 1852. (Selon le dictionnaire de Bescherelle, « On a dit aussi une royale ».
[4] Aujourd'hui appelé Boulevard des Italiens. C'était, à l'époque de Louis-Philippe, le lieu de rendez-vous des élégants, comme des « merveilleux » de l'époque du Directoire — le gouvernement renversé le 18 Brumaire (9 nov. 1799) par le général Bonaparte.
[5] L'opéra de Meyerbeer, qui date de 1831.
[6] *La tentation (de Saint Antoine)* = opéra-ballet de Cavé, donné pour la première fois le 20 juin 1832, et où il y avait une scène de Ronde des démons qui avait fait sensation.

— Ni Ludwig Beethoven, ni Glück, ni Meyerbeer,
Ni Théodore Hoffmann, Hoffmann le fantastique ![1]
Ni le gros Rossini, ce roi de la musique,
Ni le chevalier Karl Maria de Weber,
5 A coup sûr n'auraient pu, malgré tout leur génie,
Inventer et noter la grande symphonie
Que jouèrent d'abord les noirs dilettanti;
— Boucher et Beriot, Paganini lui-même,[2]
N'eussent pas su broder un plus étrange thème
10 De plus brillants pizzicati. ...

C'est un charivari d'enfer ! ...

CXX

Le diable éternua. — Pour un nez fashionable
L'odeur de l'assemblée était insoutenable.
— « Dieu vous bénisse,[3] » dit Albertus poliment.
15 — A peine eut-il lâché le saint nom, que fantômes,
Sorcières et sorciers, monstres, follets et gnomes,
Tout disparut en l'air comme un enchantement.
— Il sentit plein d'effroi des griffes acérées,
Des dents qui se plongeaient dans ses chairs lacérées,
20 Il cria; mais son cri ne fut point entendu ...
Et des contadini [4] le matin, près de Rome,
Sur la voie Appia trouvèrent un corps d'homme,
Les reins cassés, le col tordu. ...

* * *

C'est en 1838 que vient le désenchantement, dans un autre long
poème, *La comédie de la mort*, décrit par le critique Brunetière: « Une

---

[1] E. Th. A. Hoffmann, (1776–1822) auteur des *Contes fantastiques*, écrivain allemand très admiré des Romantiques français.
[2] *Boucher, Bériot, Paganini*, trois virtuoses, surtout Paganini (1784–1840), le célèbre violoniste.
[3] « *Dieu vous bénisse!* » formule de politesse adressée à une personne qui a éternué.
[4] Italien, paysan, homme de la campagne de Rome.

fugue en trois points sur le néant de l'amour, de la gloire et de la science ». L'amour est représenté par Don Juan, la gloire par Napoléon, et la science par le Docteur Faust. « La Mort » guette tout le monde et anéantit tous nos espoirs:

* * *

> ... Mais quelle est cette femme
> Si pâle sous son voile ? Ah ! C'est toi, vieille infâme !
> Je vois ton crâne ras;
> Je vois tes grands yeux, prostituée immonde,
> Courtisane éternelle environnant le monde
> Avec tes maigres bras !

* * *

Gautier devait se consoler mieux que Musset puisqu'il allait trouver dans l'art lui-même, « l'art pour l'art », un but à ses efforts. Et en vérité, ce culte du beau même, cette adoration de la forme, il les avait mis à contribution dès ses premiers essais poétiques. Les exemples abondent en effet dans les deux recueils qui contiennent *Albertus* et *La comédie de la mort*, et ils deviennent de plus en plus abondants, jusqu'à faire oublier le Gautier romantique pour le parnassien.

Voici deux petits poèmes tirés d'un recueil intitulé *Tra los montes* (1843) et inspirés par son voyage en Espagne.[1]

Séguidille

Le mot espagnol *Seguidilla* désigne une chansonnette avec ou sans danse qu'on exécutait autrefois à la suite d'une petite scène (*seguir*, suivre) — comme dans le « vaudeville » français. Dans la *Séguidille* suivante, le poète indique par une sorte d'harmonie imitative, la vivacité et la légèreté du pas de danse d'une gitane [*gypsy*] ou de toute autre femme espagnole. Une *manola* est une jeune ouvrière insouciante [*carefree*], amoureuse seulement de la vie.

> Un jupon serré sur les hanches,
> Un peigne énorme à son chignon,
> Jambe nerveuse [2] et pied mignon,

[1] Cf. R. Jasinski, *L'España de Théophile Gautier*, (Vuibert, 1929).
[2] *Strong and slim leg.*

Œil de feu, teint pâle et dents blanches ;
Alza ![1] olà ![2]
Voilà
La véritable Manola.

5 Gestes hardis, libre parole,
Sel et piment à pleine main,
Oubli parfait du lendemain,
Amour fantasque et grâce folle,[3]
Alza ! olà !
10 Voilà
La véritable Manola.

Chanter, danser aux castagnettes,
Et, dans les courses de taureaux,
Juger les coups des toreros,
15 Tout en fumant des cigarettes ;
Alza ! olà !
Voilà
La véritable Manola.

La Vierge de Tolède

Une statue dans la célèbre cathédrale de Tolède, ville d'Espagne, au sud de Madrid.

On vénère à Tolède une image de Vierge,
20 Devant qui toujours tremble une lueur de cierge ;
Poupée étincelante en robe de brocart,
Comme si l'or était plus précieux que l'art !
Et sur cette statue on raconte une histoire
Qu'un enfant de six mois refuserait de croire,
25 Mais que doit accepter comme une vérité
Tout poète amoureux de la sainte beauté.

[1] Espagnol, Lève-toi ! Allons !
[2] Holà ! (*Hurrah!*)
[3] *Frolicsome gracefulness.*

Quand la Reine des cieux, au grand saint Ildefonse,[1]
Pour le récompenser de la grande réponse,
Quittant sa tour d'ivoire au paradis vermeil,
Apporta la chasuble [2] en toile de soleil,
Par curiosité, par caprice de femme   5
Elle alla regarder la belle Notre-Dame,
Ouvrage merveilleux dans l'Espagne cité,
Rêve d'ange amoureux, à deux genoux sculpté,
Et devant ce portrait resta toute pensive
Dans un ravissement de surprise naïve.   10
Elle examina tout: — le marbre précieux;
Le travail patient, chaste et minutieux;
La jupe roide d'or comme une dalmatique [3];
Le corps mince et fluet dans sa grâce gothique,
Le regard virginal tout baigné de langueur,   15
Et le petit Jésus endormi sur son cœur.
Elle se reconnut et se trouva si belle
Qu'entourant de ses bras la sculpture fidèle,
Elle mit, au moment de remonter aux cieux,
Au front de son image un baiser radieux.   20
Ah ! que de tels récits, dont la raison s'étonne
Dans ce siècle trop clair pour que rien y rayonne,
Au temps de poésie où chacun y croyait,
Devait calmer le cœur de l'artiste inquiet !
Faire admirer au ciel l'ouvrage de la terre,   25
Cet espoir étoilait l'atelier solitaire,
Et le ciseau pieux longtemps avec amour
Pour le baiser divin caressait le contour.[4]

---

[1] Hildefonse, moine bénédictin du VIIᵉ siècle, archevêque de Tolède. Une triple attaque avait été dirigée contre la doctrine de la virginité de la mère du Christ par des infidèles, Jovanianus, Helvidius et un Juif. Hildefonse écrivit alors un grand traité *De Virginitate perpetua Sanctae Mariae adversus tres Infideles*. La Vierge le récompensa de son zèle en lui apportant une « chasuble en toile de soleil ».

[2] Vêtement sacerdotal pour la messe.

[3] Espèce de tunique rituelle des diacres [*deacons*].

[4] Traçait avec tendresse les lignes du visage.

Si la Vierge, à Paris, avec son auréole,
Sur les autels païens de notre âge frivole
Descendait et venait visiter son portrait,
Croyez-vous, ô sculpteurs, qu'elle s'embrasserait?

Gautier révèle toute la plénitude de son art dans le recueil *Émaux et Camées* dont chaque poème est une perle. Le titre à lui seul proclame l'intention du poète: travailler, ciseler, jusqu'à ce qu'on ait atteint la perfection, la pureté absolue. Émaux, c'est-à-dire miniatures qui réclament de la part de l'auteur l'art le plus délicat; Camées, pierres fines sculptées en reliefs, aux contours fortement accusés. Le petit volume parut en 1852. C'est ici surtout que Gautier est l'inspirateur des Parnassiens. Le dernier poème de la collection, introduit dans la 3ᵉ édition et qui définit son art, est comme un prestigieux manifeste de la nouvelle école.

L'Art

Le petit poème a été écrit en réponse à un salut en vers: *À Théophile Gautier*, de son ami le poète Banville (v. plus bas) et qui contenait ces strophes:

Pas de travail commode!
Tu prétends comme moi,
　Que l'Ode
Garde sa vieille loi,

Et que, brillant et ferme,
Le beau rythme d'airain
　Enferme
L'idée au front serein ∘ ∘ ∘

Et toi, qui nous enseignes
L'amour du pur laurier,
　Tu daignes
Être un bon ouvrier.

(*Odelettes*, 1856)

Théophile Gautier imprima d'abord ces vers dans la revue *L'Artiste* (Sept. 1857); on voit qu'il a adopté pour répondre, le même rythme que son ami.

A Théodore de Banville
(Réponse à son *Odelette*)

Oui, l'œuvre sort plus belle
D'une forme au travail
    Rebelle,
Vers, marbre, onyx, émail.

Point de contraintes fausses ! 5
Mais que pour marcher droit
    Tu chausses,
Muse, un cothurne [1] étroit.

Fi du rythme commode,
Comme un soulier trop grand, 10
    Du mode
Que tout pied quitte et prend !

Statuaire, repousse
L'argile que pétrit
    Le pouce 15
Quand flotte ailleurs l'esprit ;

Lutte avec le carrare,[2]
Avec le paros [3] dur
    Et rare,
Gardiens du contour pur ; 20

Emprunte à Syracuse [4]
Son bronze où fermement
    S'accuse
Le trait fier et charmant ;

[1] Chaussure des acteurs dans la tragédie antique, à hautes semelles, pour grandir l'acteur dans les vastes arènes.

[2] Marbre blanc, célèbre pour sa dureté, qu'on tirait des mines de Carrare, ville de la Toscane.

[3] *Paros*, en Grèce, une des îles des Cyclades, qui donna son nom au marbre qu'on trouvait dans ses carrières.

[4] *Syracuse*, la grande ville du nord de la Sicile, capitale de la Grande Grèce, fameuse pour ses savants, ses artistes ; ses médailles aux profils fermement marqués dans le bronze étaient renommées.

D'une main délicate
Poursuis dans un filon
    D'agate
Le profil d'Apollon.[1]

5   Peintre, fuis l'aquarelle,
Et fixe la couleur
    Trop frêle
Au four de l'émailleur. ₒ ₒ ₒ

Tout passe. — L'art robuste
10   Seul a l'éternité,
    Le buste
Survit à la cité.

Et la médaille austère
Que trouve un laboureur
15   Sous terre
Révèle un empereur.

Les dieux eux-mêmes meurent,
Mais les vers souverains
    Demeurent
20   Plus forts que les airains.[2]

Sculpte, lime, cisèle;
Que ton rêve flottant
    Se scelle
Dans le bloc résistant ! [3]

[1] *Apollon* était le dieu des beaux-arts; il habitait le Parnasse avec les neuf Muses.

[2] Les statues de bronze.

[3] Voici la traduction anglaise excellente que Curtis H. Page a donnée de trois des dernières strophes de ce poème (*Songs and Sonnets of Ronsard*, p. xvi, Houghton Mifflin, 1924 — épigraphe du volume):

> *All passes, Art alone*
> *Out-lasteth all.*
> *The carven stone*
> *Survives the city's fall.*

*   *   *

Quelques années avant Renan, en 1852, Gautier était allé en Orient; il avait vu le Parthénon d'Athènes et il avait été ému par cette beauté qui répondait si bien à son rêve. Dans un Feuilleton [*serial*] qu'il envoya à un journal de Paris, il écrivit d'avance comme un résumé de la *Prière sur l'Acropole* de Renan (citée plus haut, p. 77 ss.):

« C'est là que rayonne, immortellement, la beauté vraie, absolue, parfaite. Ensuite, il n'y a que des variétés de décadence, et la Grèce garde toujours, accoudée à ses blocs de ruines, le haut droit aristocratique de flétrir le reste du monde du nom de barbare. En face du Parthénon, œuvre si pure, si noble, si harmonieusement balancée sur un rythme divin, on tombe dans une humble et profonde rêverie; et l'on se dit que, malgré les religions nouvelles et les inventions de toutes sortes, l'idée du Beau a disparu de la terre. »

Affinités secrètes

Madrigal panthéiste

Pas de meilleur exemple de l'art de Théophile Gautier que ce poème sous forme de madrigal [pièce de vers adressés à une dame dont on désire les faveurs. V. nos *Seventeenth Century French Readings*, (Holt and Co.) pp. 37, 62 ss]. La clef du poème est dans la dernière strophe: Si le poète brûle pour cette dame, c'est qu'il est prédestiné à l'aimer. Et pourquoi prédestiné ? Parce qu'ils ont dû se rencontrer dans quelques existences antérieures, et qu'aujourd'hui, arrivés au sommet de l'échelle des êtres, ils se retrouvent encore, et, naturellement, s'aiment. Leur première rencontre fut, sans doute, sous le ciel éclatant de la Grèce: ils étaient deux blocs de marbre blanc voisinant sur le fronton d'un temple grec; le temple tomba en ruines, le marbre se désagrégea, s'absorba dans la matière universelle; ils se rencontrèrent de nouveau, cette fois, au fond des mers, deux perles; puis comme deux roses aux jardins merveilleux de l'Alhambra; puis ce fut sous forme de

---

> The hard wrought coin or bust
>   That ploughmen find
>   May call to mind
> Old Empires turned to dust.
>
> The Gods themselves must die.
>   But sovereign Rhyme
>   Shall still defy
> The ravening of Time.

deux colombes roucoulant sur la fameuse Place Saint-Marc, à
Venise . . .: « *marbre, perle, rose, colombe,* », puis enfin « *amants* » !

Gautier appelle son madrigal « panthéiste » parce que l'idée de
transmigration des âmes ou de réincarnation qui en fait le sujet est
souvent associée avec la doctrine philosophique du panthéisme.

Dans le fronton d'un temple antique,
Deux blocs de marbre ont, trois mille ans,
Sur le fond bleu du ciel attique,
Juxtaposé leurs rêves blancs;

5   Dans la même nacre figées,[1]
Larmes des flots pleurant Vénus,
Deux perles au gouffre plongées
Se sont dit des mots inconnus;

Au frais Généralife [2] écloses,
10   Sous le jet d'eau toujours en pleurs,
Du temps de Boabdil,[3] deux roses
Ensemble ont fait jaser [4] leurs fleurs;

Sur les coupoles de Venise [5]
Deux ramiers blancs aux pieds rosés,
15   Au nid où l'amour s'éternise,
Un soir de mai se sont posés.

Marbre, perle, rose, colombe,
Tout se dissout, tout se détruit;
La perle fond, le marbre tombe,
20   La fleur se fane et l'oiseau fuit.

[1] *Coagulated.*

[2] Palais d'été des rois Maures (sur le côté est de l'Alhambra),
renommé pour ses beaux jardins aux fontaines fraîches et aux fleurs
éclatantes.

[3] *Boabdil* (Abou-abd-Allah), le dernier roi maure à Grenade, qui
s'était reconnu vassal de Ferdinand et Isabelle (XVe siècle).

[4] *Chat.*

[5] Les fameuses coupoles dorées, et le dôme de l'église de Saint-
Marc.   La tradition fait de Venise le « nid » par excellence des amoureux.

En se quittant, chaque parcelle
S'en va dans le creuset profond
Grossir la pâte universelle
Faite des formes que Dieu fond.

Par de lentes métamorphoses,   5
Les marbres blancs en blanches chairs,
Les fleurs roses en lèvres roses
Se refont dans les corps divers.

Les ramiers de nouveau roucoulent
Au cœur de deux jeunes amants,   10
Et les perles en dents se moulent
Pour l'écrin des rires charmants.

De là naissent ces sympathies
Aux impérieuses douceurs,
Par qui les âmes averties   15
Partout se reconnaissent sœurs.

Docile à l'appel d'un arome,
D'un rayon ou d'une couleur,
L'atome vole vers l'atome
Comme l'abeille vers la fleur.   20

L'on se souvient des rêveries
Sur le fronton ou dans la mer,
Des conversations fleuries
Près de la fontaine au flot clair,

Des baisers et des frissons d'ailes   25
Sur les dômes aux boules d'or,
Et les molécules fidèles
Se cherchent et s'aiment encor.

L'amour oublié se réveille,
Le passé vaguement renaît,   30
La fleur sur la bouche vermeille
Se respire et se reconnaît.

Dans la nacre où le rire brille,
La perle revoit sa blancheur;
Sur une peau de jeune fille,
Le marbre ému sent sa fraîcheur.

5 Le ramier trouve une voix douce,
Écho de son gémissement,
Toute résistance s'émousse,
Et l'inconnu devient l'amant.

Vous [1] devant qui je brûle et tremble,
10 Quel flot, quel fronton, quel rosier,
Quel dôme nous connut ensemble,
Perle ou marbre, fleur ou ramier ?

Symphonie en blanc majeur

Le poème dont Gautier était particulièrement fier. Il y évoque les femmes-cygnes de la mythologie nordique et germanique (les Romantiques aimaient les motifs poétiques qu'on rattachait aux vieux « bourgs » ou châteaux du Rhin qui formait la frontière naturelle entre la France et l'Allemagne). La chair de ces femmes, si blanche qu'elle semblait surnaturelle et rappelait la blancheur des cygnes, comment la caractériser ? Le poète cherche donc toutes les comparaisons blanches qui se présentent à son esprit — des « débauches de blancheur ». Cette blancheur, si exquise d'une part, évoque d'ailleurs, d'autre part, quelque chose de froid, d'impassible comme la destinée; le cœur de l'homme voudrait y mêler au moins un peu de rose, qui rappellerait le rouge, la couleur associée aux idées de chaleur, sang, soleil, vie.

De leur col blanc courbant les lignes,
On voit dans les contes du Nord,
15 Sur le vieux Rhin, des femmes-cygnes
Nager en chantant près du bord;

[1] *Vous* = la dame à qui est adressé le madrigal. Cette dernière strophe est comme l'*envoi* d'une ballade. On pourra rapprocher ce madrigal qui chante le triomphe de la vie éternelle, de la *Ballade des dames du temps jadis* où Villon chantait le triomphe de la mort.

Ou, suspendant à quelque branche
Le plumage qui les revêt,
Faire luire leur peau plus blanche
Que la neige de leur duvet.

De ces femmes il en est une,   5
Qui chez nous descend quelquefois,
Blanche comme le clair de lune
Sur les glaciers dans les cieux froids;

Conviant la vue enivrée
De la boréale fraîcheur   10
À des régals de chair nacrée,
À des débauches de blancheur !

Son sein, neige moulée en globe,
Contre les camélias blancs
Et le blanc satin de sa robe   15
Soutient des combats insolents.

Dans ces grandes batailles blanches,
Satins et fleurs ont le dessous,
Et, sans demander leurs revanches,
Jaunissent comme des jaloux.   20

Sur les blancheurs de son épaule,
Paros [1] au grain éblouissant,
Comme dans une nuit du pôle,
Un givre invisible descend.

De quel mica de neige vierge,   25
De quelle moelle de roseau,
De quelle hostie et de quel cierge
A-t-on fait le blanc de sa peau ?

[1] Le marbre de Paros (en Grèce) était renommé pour sa blancheur
éclatante.

A-t-on pris la goutte lactée [1]
Tachant l'azur du ciel d'hiver,
Le lis à la pulpe argentée,
La blanche écume de la mer,

5   Le marbre blanc, chair froide et pâle,
Où vivent les divinités;
L'argent mat, la laiteuse opale
Qu'irisent de vagues clartés;

L'ivoire, où ses mains ont des ailes,
10   Et, comme des papillons blancs,
Sur la pointe des notes frêles
Suspendent leurs baisers tremblants;

L'hermine vierge de souillure,
Qui, pour abriter leurs frissons,
15   Ouate de sa blanche fourrure
Les épaules et les blasons [2]; ○ ○ ○

L'aubépine de mai qui plie
Sous les blancs frimas de ses fleurs;
L'albâtre où la mélancolie
20   Aime à retrouver ses pâleurs;

Le duvet blanc de la colombe,
Neigeant sur les toits du manoir,
Et la stalactite qui tombe,
Larme blanche de l'antre noir?

25   Des Groenlands et des Norvèges
Vient-elle avec Séraphita? [3]
Est-ce la Madone des neiges,
Un sphinx blanc que l'hiver sculpta,

[1] Cf. la voie lactée [*the Milky way*].

[2] En termes de blason (*armorial bearings*) on désignait la couleur blanche par le mot « hermine », comme la couleur jaune par « or », ou bleue par « azur », ou rouge par « gueule ».

[3] Du conte ainsi nommé dans les *Études philosophiques* de Balzac où celui-ci s'abandonne à des spéculations métaphysiques et mystiques sur la réincarnation.

Sphinx enterré par l'avalanche,
Gardien des glaciers étoilés,
Et qui, sous sa poitrine blanche,
Cache de blancs secrets gelés?

Sous la glace où calme il repose,   5
Oh! qui pourra fondre ce cœur?
Oh! qui pourra mettre un ton rose
Dans cette implacable blancheur!

Rondalla

Voici une réminiscence de l'époque romantique. Gautier imagine
une sérénade (espagnol *rondalla*, cf. en français *rondel*), sérénade
furieuse d'un torero à sa belle qui refuse de répondre à son amour.
Rondalla avait été composée originairement pour une nouvelle, *Militona*, nom de l'héroïne. Le torero s'appelle Juancho; c'est une sorte
de Cyrano de Bergerac, aussi éloquent que brave et désespéré; il
veut, pour gagner l'amour de sa belle, pourfendre [*cut to pieces*] le
monde entier, et, si cela n'est pas assez, mourir. (Cf. *Un trio de
romans;* « Militona » est le IIIᵉ récit.)

Enfant aux airs d'impératrice,
Colombe aux regards de faucon,   10
Tu me hais, mais c'est mon caprice,
De me planter sous ton balcon.

Là, je veux, le pied sur la borne,
Pinçant les nerfs,[1] tapant le bois,
Faire luire à ton carreau morne   15
Ta lampe et ton front à la fois.

Je défends à toute guitare
De bourdonner aux alentours.
Ta rue est à moi: — je la barre
Pour y chanter seul mes amours.   20

[1] Nerfs (cordes) et bois de la guitare.

Et je coupe les deux oreilles
Au premier racleur de jambon [1]
Qui devant la chambre où tu veilles
Braille un couplet mauvais ou bon.

5   Dans sa gaîne mon couteau bouge;
Allons, qui veut de l'incarnat? [2]
A son jabot qui veut du rouge
Pour faire un bouton de grenat?

Le sang dans les veines s'ennuie,
10   Car il est fait pour se montrer;
Le temps est noir, gare la pluie !
Poltrons, hâtez-vous de rentrer.

Sortez, vaillants ! sortez, bravaches ! [3]
L'avant-bras couvert du manteau,
15   Que sur vos faces de gavaches [4]
J'écrive des croix au couteau !

Qu'ils s'avancent ! seuls ou par bande,
De pied ferme je les attends.
A ta gloire il faut que je fende
20   Les naseaux de ces capitans. [5]

Au ruisseau qui gêne ta marche
Et pourrait salir tes pieds blancs,
Corps du Christ ! je veux faire une arche
Avec les côtes des galants.

[1] Ici, *violon*.
[2] Sang couleur incarnat.
[3] Faux brave (italien *bravaccio*).
[4] Terme rare qu'on trouve au 16ᵉ siècle, chez Rabelais, dans le sens de lâche, sans honneur. Du gascon, *gavacho*, injure réservée aux Espagnols — comme *félon* désignait au moyen-âge les Sarrasins de l'Espagne.
[5] Ici, *ferrailleurs*.

Pour te prouver combien je t'aime,
Dis, je tuerai qui tu voudras:
J'attaquerai Satan lui-même,
Si pour linceul j'ai tes deux draps.

Porte sourde ! — Fenêtre aveugle !   5
Tu dois pourtant ouïr ma voix;
Comme un taureau blessé je beugle,
Des chiens excitant les abois !

Au moins plante un clou dans ta porte,
Un clou pour accrocher mon cœur.   10
A quoi sert que je le remporte
Fou de rage, mort de langueur ?

Les vieux de la vieille[1]

(15 décembre)

Napoléon était mort en 1821, et ses restes furent ramenés de l'île de Sainte-Hélène en France le 15 décembre, 1840. Chaque année les soldats de la « grande armée » se rendaient au pied de la Colonne Vendôme (érigée au milieu de Paris, avec le bronze des canons pris à l'ennemi par l'Empereur). Il n'en restait plus guère de ces vieux « grognards » [grumblers], en 1850 (date du poème), mais ils ne manquaient pas l'anniversaire du 15 décembre; et ces derniers demeurants de la grande épopée étaient émouvants à voir dans leurs uniformes en guenilles, éclopés, ressemblant à des spectres plus qu'à des hommes. Avant Gautier, d'autres avaient célébré ces héros du passé; il y avait entre autres la Chanson des deux grenadiers d'Henri Heine; et surtout une Revue nocturne (Die Nächtliche Heerschau) du poète autrichien Zedlitz (1790–1872) qui imaginait Napoléon revenant de l'autre monde, la nuit, pour faire la revue de ses troupes, — une revue de spectres, mais combien glorieux; ce poème avait fait le tour de l'Europe; il faut mentionner encore le grand peintre Raffet (1804–1860), l'interprète de la légende napoléonienne dans le domaine de l'art [comme Victor Hugo dans celui de la littérature; (v. notre vol.

---

[1] The Old Guard. [Les vieux (soldats) de la vieille (garde de Napoléon).]

I, pp. 297 ss.] qui avait exposé au « Salon » de 1836 une *Revue des Morts* représentant également le spectre Napoléon passant en revue sa « grande armée » de spectres.   Gautier fait allusion à ces précurseurs dans ses vers qui parurent pour la première fois dans la *Revue des Deux Mondes* du Ier janvier 1850.

Par l'ennui chassé de ma chambre,
J'errais le long du boulevard:
Il faisait un temps de décembre,
Vent froid, fine pluie et brouillard;

5   Et là je vis, spectacle étrange,
Échappés du sombre séjour,
Sous la bruine et dans la fange,
Passer des spectres en plein jour.

Pourtant c'est la nuit que les ombres,
10   Par un clair de lune allemand,[1]
Dans les vieilles tours en décombres,
Reviennent ordinairement;

C'est la nuit que les Elfes sortent
Avec leur robe humide au bord,
15   Et sous les nénuphars emportent
Leur valseur de fatigue mort[2];

C'est la nuit qu'a lieu la revue
Dans la ballade de Zedlitz,[3]
Où l'Empereur, ombre entrevue,
20   Compte les ombres d'Austerlitz.[4]

[1] Ombres ou spectres, revenants [*ghosts*] apparaissant la nuit dans les vieux châteaux en ruine: le Romantisme allemand (lune allemande) était plus sentimental et romanesque encore que le Romantisme français.

[2] Génies des éléments de la terre, feu, air, eau ... Mythologie nordique; réminiscences romantiques de Gautier.

[3] V. note d'introduction au poème.

[4] Localité en Moravie.   Grande victoire de Napoléon sur les Autrichiens et les Russes, en 1805.

Mais des spectres près du Gymnase,[1]
A deux pas des Variétés,[1]
Sans brume ou linceul qui les gaze,[2]
Des spectres mouillés et crottés !

Avec ses dents jaunes de tartre,   5
Son crâne de mousse verdi,
A Paris, boulevard Montmartre,
Mob[3] se montrant en plein midi !

La chose vaut qu'on la regarde:
Trois fantômes de vieux grognards,[4]   10
En l'uniforme de l'ex-garde,
Avec deux ombres de hussards !

On eût dit la lithographie
Où, dessinés par un rayon,
Les morts, que Raffet[5] déifie,   15
Passent, criant: « Napoléon ! »

Ce n'était pas les morts qu'éveille
Le son du nocturne tambour,
Mais bien quelques *vieux de la vieille*
Qui célébraient le grand retour.   20

Depuis la suprême bataille,[6]
L'un a maigri, l'autre a grossi;
L'habit jadis fait à leur taille
Est trop grand ou trop rétréci.

[1] *Gymnase, Variétés*, deux théâtres de Paris, sur les Grands Boulevards.
[2] Rendre les contours incertains, les faire paraître transparents [*tone down*].
[3] Nom donné au spectre de la mort aux temps romantiques.
[4] Nom sous lequel on a coutume de désigner les vieux soldats de Napoléon, aussi « grognards » [*grumblers*] que splendidement braves.
[5] V. note d'introduction au poème.
[6] Waterloo. 1815.

Nobles lambeaux, défroque épique,
Saints haillons, qu'étoile une croix,
Dans leur ridicule héroïque
Plus beaux que des manteaux de rois !

5   Un plumet énervé palpite
Sur leur kolbach [1] fauve et pelé;
Près des trous de balle, la mite
A rongé leur dolman [2] criblé;

Leur culotte de peau trop large
10   Fait mille plis sur leur fémur;
Leur sabre rouillé, lourde charge,
Creuse le sol et bat le mur;

Ou bien un embonpoint grotesque,
Avec grand'peine boutonné,
15   Fait un poussah,[3] dont on rit presque,
Du vieux héros tout chevronné.

Ne les raillez pas, camarade;
Saluez plutôt chapeau bas
Ces Achilles d'une Iliade
20   Qu'Homère n'inventerait pas,

Respectez leur tête chenue !
Sur leur front par vingt cieux bronzé,
La cicatrice continue
Le sillon que l'âge a creusé.

25   Leur peau, bizarrement noircie,
Dit l'Égypte [4] aux soleils brûlants;

[1] Ou *colbacks*, mot turc: haute coiffure en forme de cône tronqué portés par certains corps militaires de l'époque, et surmontés d'un plumet.

[2] Uniforme militaire orné de brandebourgs [*braided*].

[3] Magot de carton ou de bois surmontant une grosse boule lestée en sorte que le jouet revient toujours à la position verticale.

[4] *Égypte, Russie, Bérésina, Wilna,* tous endroits rendus fameux par les guerres napoléoniennes.

Et les neiges de la Russie
Poudrent encor leurs cheveux blancs.

Si leurs mains tremblent, c'est sans doute
Du froid de la Bérésina;
Et s'ils boitent, c'est que la route   5
Est longue du Caire à Wilna.

S'ils sont perclus, c'est qu'à la guerre
Les drapeaux étaient leurs seuls draps;
Et si leur manche ne va guère,
C'est qu'un boulet a pris leur bras.   10

Ne nous moquons pas de ces hommes
Qu'en riant le gamin poursuit;
Ils furent le jour dont nous sommes
Le soir et peut-être la nuit.

Quand on oublie, ils se souviennent!   15
Lancier rouge et grenadier bleu,
Au pied de la colonne, ils viennent
Comme à l'autel de leur seul dieu.

Là, fiers de leur longue souffrance,
Reconnaissants des maux subis,   20
Ils sentent le cœur de la France
Battre sous leurs pauvres habits.

Aussi les pleurs trempent le rire
En voyant ce saint carnaval,
Cette mascarade d'empire,   25
Passer comme un matin de bal;

Et l'aigle de la grande armée
Dans le ciel qu'emplit son essor,
Du fond d'une gloire enflammée,
Étend sur eux ses ailes d'or!   30

*   *   *

En terminant cette esquisse de Gautier, le poète, on peut ajouter
trois courtes pièces révélant le fait qu'il n'est pas seulement un

écrivain spirituel et de première force au point de vue de la forme, mais qu'il est capable des sentiments les plus délicats, les plus tendres, les plus profonds. Le dernier de ces poèmes est tout personnel, car Gautier a eu ses heures de découragement.

Coquetterie posthume

Quand je mourrai, que l'on me mette,
Avant de clouer mon cercueil,
Un peu de rouge à la pommette,
Un peu de noir au bord de l'œil.

5   Car je veux, dans ma bière close,
Comme le soir de son aveu,
Rester éternellement rose
Avec du khôl[1] sous mon œil bleu.

Pas de suaire en toile fine,
10   Mais drapez-moi dans les plis blancs
De ma robe de mousseline,
De ma robe à treize volants.[2]

C'est ma parure préférée;
Je la portais quand je lui plus.
15   Son premier regard l'a sacrée,
Et depuis je ne la mis plus.

Posez-moi, sans jaune immortelle,[3]
Sans coussin de larmes brodé,
Sur mon oreiller de dentelle
20   De ma chevelure inondé.

Cet oreiller, dans les nuits folles,
A vu dormir nos fronts unis,
Et sous le drap noir des gondoles
Compté nos baisers infinis.

[1] Pâte de toilette orientale d'un noir bleuâtre ou brunâtre.
[2] Garnitures attachées à la jupe.
[3] Petit chrysanthème employé surtout pour les funérailles, dans les cimetières.

Entre mes mains de cire pâle,
Que la prière réunit,
Tournez ce chapelet [1] d'opale,
Par le pape à Rome bénit:

Je l'égrénerai dans la couche   5
D'où nul encor ne s'est levé;
Sa bouche en a dit sur ma bouche
Chaque *Pater* [2] et chaque *Ave*. [3]

Le monde est méchant

Le monde est méchant, ma petite:
Avec son sourire moqueur   10
Il dit qu'à ton côté palpite
Une montre en place du cœur.

— Pourtant ton sein ému s'élève
Et s'abaisse comme la mer,
Aux bouillonnements de la sève,   15
Circulant sous ta jeune chair.

Le monde est méchant, ma petite:
Il dit que tes yeux vifs sont morts
Et se meuvent dans leur orbite
A temps égaux et par ressorts.   20

— Pourtant une larme irisée
Tremble à tes cils, mouvant rideau,
Comme une perle de rosée
Qui n'est pas prise au verre d'eau.

---

[1] Petit rosaire composé de cinq dizaines de grains [*beads*] séparées par des grains plus gros.

[2] Prière dominicale (*Notre Père qui êtes aux cieux...*) récitée pour chaque gros grain d'un chapelet.

[3] Prière à la Vierge (*Ave Maria*, je vous salue Marie !) récitée pour chaque petit grain d'un chapelet.

Le monde est méchant, ma petite:
Il dit que tu n'as pas d'esprit,
Et que les vers qu'on te récite
Sont pour toi comme du sanscrit.

5 — Pourtant, sur ta bouche vermeille,
Fleur s'ouvrant et se refermant,
Le rire, intelligente abeille,
Se pose à chaque trait charmant.

C'est que tu m'aimes, ma petite,
10 Et que tu hais tous ces gens-là.
Quitte-moi; — comme ils diront vite:
Quel cœur et quel esprit elle a !

Le trou du serpent

Au long des murs, quand le soleil y donne,
Pour réchauffer mon vieux sang engourdi,
15 Avec les chiens, auprès du lazzarone,[1]
Je vais m'étendre à l'heure de midi.

Je reste là sans rêve et sans pensée,
Comme un prodigue à son dernier écu,
Devant ma vie, aux trois quarts dépensée,
20 Déjà vieillard et n'ayant pas vécu.

Je n'aime rien, parce que rien ne m'aime,
Mon âme usée abandonne mon corps;
Je porte en moi le tombeau de moi-même,
Et suis plus mort que ne sont bien des morts.

---

[1] Le mendiant de Naples — et par extension tout mendiant — qui passe ses journées étendu nonchalamment au grand soleil en attendant les aumônes (*Lazzarone*, en français *ladre*, étymologiquement: atteint de la lèpre — et, donc, dépendant pour sa subsistance de la charité publique).

Quand le soleil s'est caché sous la nue,
Devers mon trou je me traîne en rampant,
Et jusqu'au fond de ma peine inconnue
Je me retire aussi froid qu'un serpent.

*   *   *

Le récit suivant — tiré du recueil *Nouvelles* (1845) — est donné à
titre d'échantillon du style de Gautier prosateur.

Le nid de rossignols

Autour du château il y avait un beau parc.   5

Dans le parc il y avait des oiseaux de toutes sortes:
rossignols, merles, fauvettes; tous les oiseaux de la terre
s'étaient donné rendez-vous dans le parc.

Au printemps, c'était un ramage à ne pas s'entendre;
chaque feuille cachait un nid, chaque arbre était un or- 10
chestre.   Tous les petits musiciens emplumés faisaient
assaut à qui mieux mieux.   Les uns pépiaient, les autres
roucoulaient; ceux-ci faisaient des trilles et des cadences
perlées, ceux-là découpaient des fioritures ou brodaient
des points d'orgue: de véritables musiciens n'auraient pas 15
si bien fait.

Mais dans le château il y avait deux belles cousines qui
chantaient mieux à elles deux que tous les oiseaux du parc;
l'une s'appelait Fleurette et l'autre Isabeau.   Toutes deux
étaient belles, désirables et bien en point, et les dimanches, 20
quand elles avaient leurs belles robes, si leurs blanches
épaules n'eussent pas montré qu'elles étaient de véritables
filles, on les aurait prises pour des anges; il n'y manquait
que les plumes.   Quand elles chantaient, le vieux sire de
Maulevrier, leur oncle, les tenait quelquefois par la main, 25
de peur qu'il ne leur prît la fantaisie de s'envoler.

Je vous laisse à penser les beaux coups de lance qui se
faisaient aux carrousels et aux tournois en l'honneur de
Fleurette et d'Isabeau.   Leur réputation de beauté et de

talent avait fait le tour de l'Europe, et cependant elles n'en
étaient pas fières; elles vivaient dans la retraite, ne voyant
guère d'autres personnes que le petit page Valentin, bel
enfant aux cheveux blonds, et le sire de Maulevrier, vieil-
5 lard tout chenu, tout hâlé et tout cassé d'avoir porté
soixante ans son harnais de guerre.

Elles passaient leur temps à jeter de la graine aux petits
oiseaux, à dire leurs prières, et principalement à étudier
les œuvres des maîtres, et à répéter ensemble quelque mo-
10 tet, madrigal, villanelle,[1] ou telle autre musique; elles
avaient aussi des fleurs qu'elles arrosaient et soignaient
elles-mêmes. Leur vie s'écoulait dans ces douces et poétiques occupations de jeune fille; elles se tenaient dans
l'ombre et loin des regards du monde, et cependant le
15 monde s'occupait d'elles. Ni le rossignol, ni la rose ne se
peuvent cacher; leur chant et leur odeur les trahissent
toujours. Nos deux cousines étaient à la fois deux rossignols et deux roses.

Il vint des ducs, des princes, pour les demander en ma-
20 riage; l'empereur de Trébizonde et le soudan d'Égypte
envoyèrent des ambassadeurs pour proposer leur alliance
au sire de Maulevrier; les deux cousines ne se lassaient pas
d'être filles [2] et ne voulurent pas en entendre parler. Peut-
être avaient-elles senti, par un secret instinct, que leur mis-
25 sion ici-bas était d'être filles et de chanter, et qu'elles y
dérogeaient en faisant autre chose.

Elles étaient venues toutes petites dans ce manoir. La
fenêtre de leur chambre donnait sur le parc, et elles avaient
été bercées par le chant des oiseaux. À peine se tenaient-
30 elles debout que le vieux Blondiau, ménétrier du sire, avait
posé leurs petites mains sur les touches d'ivoire du vir-

---

[1] *Motet*, morceau de musique religieuse composé sur des paroles
liturgiques latines. *Madrigal*, en musique: composition vocale à
plusieurs voix. *Villanelle* en musique: chant accompagnant une
poésie du genre pastoral.
[2] Ici, *spinster*.

ginal [1]; elles n'avaient pas eu d'autre hochet et avaient su
chanter avant de parler; elles chantaient comme les autres
respirent: cela leur était naturel.

Cette éducation avait singulièrement influé sur leur
caractère. Leur enfance harmonieuse les avait séparées de
l'enfance turbulente et bavarde. Elles n'avaient jamais
poussé un cri aigu ni une plainte discordante: elles pleuraient en mesure et gémissaient d'accord. Le sens musical,
développé chez elles aux dépens des autres, les rendait peu
sensibles à ce qui n'était pas musique. Elles flottaient dans
un vague mélodieux, et ne percevaient presque le monde
réel que par les sons. Elles comprenaient admirablement
bien le bruissement du feuillage, le murmure des eaux, le
tintement de l'horloge, le soupir du vent dans la cheminée,
le bourdonnement du rouet, la goutte de pluie tombant
sur la vitre frémissante, toutes les harmonies extérieures
ou intérieures; mais elles n'éprouvaient pas, je dois le dire,
un grand enthousiasme à la vue d'un soleil couchant, et
elles étaient aussi peu en état d'apprécier une peinture que
si leurs beaux yeux bruns et noirs eussent été couverts
d'une taie épaisse. Elles avaient la maladie de la musique;
elles en rêvaient, elles en perdaient le boire et le manger;
elles n'aimaient rien autre chose au monde. Si fait, elles
aimaient encore autre chose, c'était Valentin et leurs fleurs:
Valentin parce qu'il ressemblait aux roses; les roses parce
qu'elles ressemblaient à Valentin. Mais cet amour était
tout à fait sur le second plan. Il est vrai que Valentin
n'avait que treize ans. Leur plus grand plaisir était de
chanter le soir à leur fenêtre la musique qu'elles avaient
composée dans la journée.

Les maîtres les plus célèbres venaient de très loin pour
les entendre et lutter avec elles. Ils n'avaient pas plutôt
écouté une mesure qu'ils brisaient leurs instruments et dé-
chiraient leurs partitions en s'avouant vaincus. En effet,

---

[1] *Virginal:* instrument de musique: « épinette à timbre doux »
(Hatzfeld, Darmesteter et Thomas).

c'était une musique si agréable et si mélodieuse, que les
chérubins du ciel venaient à la croisée avec les autres musiciens et l'apprenaient par cœur pour la chanter au bon
Dieu.

5   Un soir de mai, les deux cousines chantaient un motet à
deux voix; jamais motif plus heureux n'avait été plus
heureusement travaillé et rendu. Un rossignol du parc,
tapi sur un rosier, les avait écoutées attentivement. Quand
elles eurent fini, il s'approcha de la fenêtre et leur dit en
10 son langage de rossignol: « Je voudrais faire un combat de
chant avec vous. »

Les deux cousines répondirent qu'elles le voulaient bien,
et qu'il eût à commencer.

Le rossignol commença. C'était un maître rossignol.
15 Sa petite gorge s'enflait, ses ailes battaient, tout son corps
frémissait; c'étaient des roulades à n'en plus finir, des
fusées, des arpèges, des gammes chromatiques; il montait
et descendait, il filait les sons, il perlait les cadences avec
une pureté désespérante: on eût dit que sa voix avait des
20 ailes comme son corps. Il s'arrêta, certain d'avoir remporté
la victoire.

Les deux cousines se firent entendre à leur tour; elles se
surpassèrent. Le chant du rossignol semblait, auprès du
leur, le gazouillement d'un passereau.

25   Le virtuose ailé tenta un dernier effort; il chanta une
romance d'amour, puis il exécuta une fanfare brillante qu'il
couronna par une aigrette de notes hautes, vibrantes et
aiguës hors de la portée de toute voix humaine.

Les deux cousines, sans se laisser effrayer par ce tour de
30 force, tournèrent le feuillet de leur livre de musique, et
répliquèrent au rossignol de telle sorte que Sainte Cécile [1]
qui les écoutait du haut du ciel, en devint pâle de jalousie
et laissa tomber sa contre-basse sur la terre.

Le rossignol essaya bien encore de chanter, mais cette
35 lutte l'avait totalement épuisé: l'haleine lui manquait,

[1] Vierge et martyre romaine, patronne des musiciens.

ses plumes étaient hérissées, ses yeux se fermaient malgré lui; il allait mourir.

« Vous chantez mieux que moi, dit-il aux deux cousines, et l'orgueil de vouloir vous surpasser me coûte la vie. Je vous demande une chose: j'ai un nid; dans ce nid il y a 5 trois petits; c'est le troisième églantier dans la grande allée du côté de la pièce d'eau; envoyez-les prendre, élevez-les et apprenez-leur à chanter comme vous, puisque je vais mourir. »

Ayant dit cela, le rossignol mourut. Les deux cousines 10 le pleurèrent fort, car il avait bien chanté. Elles appelèrent Valentin, le petit page aux cheveux blonds, et lui dirent où était le nid. Valentin, qui était un malin petit drôle, trouva facilement la place; il mit le nid dans sa poitrine et l'apporta sans encombre. Fleurette et Isabeau, accou- 15 dées au balcon, l'attendaient avec impatience. Valentin arriva bientôt, tenant le nid dans ses mains. Les trois petits passaient la tête, ouvraient le bec tout grand. Les jeunes filles s'apitoyèrent sur ces petits orphelins, et leur donnèrent la becquée chacune à son tour. Quand ils furent 20 un peu plus grands, elles commencèrent leur éducation musicale, comme elles l'avaient promis au rossignol vaincu.

C'était merveille de voir comme ils étaient privés,[1] comme ils chantaient bien. Ils s'en allaient voletant par la chambre, et se perchaient tantôt sur la tête d'Isabeau, 25 tantôt sur l'épaule de Fleurette. Ils se posaient devant le livre de musique, et l'on eût dit, en vérité, qu'ils savaient déchiffrer les notes, tant ils regardaient les blanches et les noires [2] d'un air d'intelligence. Ils avaient appris tous les airs de Fleurette et d'Isabeau, et ils commençaient à en 30 improviser eux-mêmes de fort jolis.

Les deux cousines vivaient de plus en plus dans la solitude, et le soir on entendait s'échapper de leur chambre des sons d'une mélodie surnaturelle. Les rossignols, par-

[1] Ici, *tame.*

[2] Blanches = *half notes;* noires = *quarter notes*

faitement instruits, faisaient leur partie dans le concert, et
ils chantaient presque aussi bien que leurs maîtresses, qui,
elles-mêmes, avaient fait de grands progrès.

Leurs voix prenaient chaque jour un éclat extraordi-
5 naire, et vibraient d'une façon métallique et cristalline au-
dessus des registres de la voix naturelle. Les jeunes filles
maigrissaient à vue d'œil; leurs belles couleurs se fanaient;
elles étaient devenues pâles comme des agates et presque
aussi transparentes. Le sire de Maulevrier voulait les em-
10 pêcher de chanter, mais il ne put gagner cela sur elles.

Aussitôt qu'elles avaient prononcé quelques mesures,
une petite tache rouge se dessinait sur leurs pommettes, et
s'élargissait jusqu'à ce qu'elles eussent fini; alors la
tache disparaissait, mais une sueur froide coulait de leur
15 peau, leurs lèvres tremblaient comme si elles eussent eu la
fièvre.

Au reste, leur chant était plus beau que jamais; il avait
quelque chose qui n'était pas de ce monde, et, à entendre
cette voix sonore et puissante sortir de ces deux frêles
20 jeunes filles, il n'était pas difficile de prévoir ce qui arriverait, que la musique briserait l'instrument.

Elles le comprirent elles-mêmes, et se mirent à toucher
leur virginal, qu'elles avaient abandonné pour la vocali-
sation. Mais, une nuit, la fenêtre était ouverte, les oiseaux
25 gazouillaient dans le parc, la brise soupirait harmonieusement; il y avait tant de musique dans l'air, qu'elles ne
purent résister à la tentation d'exécuter un duo qu'elles
avaient composé la veille.

Ce fut le chant du cygne, un chant merveilleux tout
30 trempé de pleurs, montant jusqu'aux sommités les plus
inaccessibles de la gamme, et redescendant l'échelle des
notes jusqu'au dernier degré; quelque chose d'étincelant
et d'inouï, un déluge de trilles, une pluie embrasée de
traits chromatiques, un feu d'artifice musical impossible à
35 décrire; mais cependant la petite tache rouge s'agrandis-
sait singulièrement et leur couvrait presque toutes les joues.

Les trois rossignols les regardaient et les écoutaient avec
une singulière anxiété; ils palpitaient des ailes, ils allaient
et venaient, et ne se pouvaient tenir en place. Enfin elles
arrivèrent à la dernière phrase du morceau; leur voix prit
un caractère de sonorité si étrange, qu'il était facile de com- 5
prendre que ce n'étaient plus des créatures vivantes qui
chantaient. Les rossignols avaient pris la volée. Les deux
cousines étaient mortes; leurs âmes étaient parties avec
la dernière note. Les rossignols montèrent droit au ciel
pour porter ce chant suprême au bon Dieu, qui les garda 10
tous dans son paradis pour lui exécuter la musique des
deux cousines.

Le bon Dieu fit plus tard, avec ces trois rossignols, les
âmes de Palestrina,[1] de Cimarosa [2] et du chevalier Glück.[3]

CHAPITRE XI

THÉODORE DE BANVILLE

1823–1891

Consulter: M. Fuchs, *Théodore de Banville, contribution à l'histoire
de la poésie française pendant la 2de moitié du XIXe siècle.* (Paris, éd.
Scientifica, 1918); J. Charpentier, *Théodore de Banville, l'homme et
son œuvre* (Perrin 1925).

De douze ans plus jeune que Gautier, il est par conséquent plus
loin du Romantisme, et plus attaché que Gautier à la théorie de
l'art pour l'art, plus directement précurseur des Parnassiens.

[1] *Giovanni Palestrina*, Italien, réformateur de la musique religieuse au XVIe siècle, auteur d'un *Stabat mater* très connu; surnommé « Prince de la musique ».
[2] *Domenico Cimarosa*, compositeur italien du XVIIIe siècle, un
des précurseurs du Romantisme en musique.
[3] *Christophe Glück*, musicien allemand, réformateur de l'opéra au
XVIIIe siècle; il accentua le côté émotionnel. Les deux compositeurs
précédents surtout furent très goûtés par les écrivains romantiques
en France.

Sa vie n'offre rien de saillant extérieurement. Il naquit en 1823, à Moulins (Département de l'Allier, au centre de la France). Son père qui était commandant de vaisseau mourut assez jeune. Il vint de bonne heure à Paris où il vécut de longues années entre sa mère et une sœur, et se voua à la littérature, sans tarder. Un de ses meilleurs recueils, *Les Cariatides*, fut composé entre 16 et 18 ans.

Il écrivit surtout de la poésie. Après *Les cariatides* (1842), il publia entre autres *Les stalactites* (1846), *Odelettes* (1856), *Odes funambulesques* (1857), *Les exilés* (1867), *Idylles prussiennes* (après la guerre de 1870-1).

Deux pièces de théâtre charmantes méritent d'être mentionnées: *Gringoire* (1866), et *Socrate et sa femme* (1885).

Ce fut Banville qui se chargea d'écrire en prose le manifeste de l'École parnassienne, au moins en ce qui concerne la versification (Comme Du Bellay l'avait fait pour la Pléiade du XVIe siècle dans *Défense et illustration de la langue française*, Boileau pour le XVIIe siècle, dans *L'Art poétique*, Victor Hugo pour le Romantisme dans la *Préface de Cromwell*.) Le titre en est *Petit traité de poésie française* (1871).

Selon lui, ce sont les anciens poètes de la France qui avaient vraiment le sens du rythme, lequel a été perdu à l'époque classique; si Corneille, Racine, Molière, LaFontaine ont fait de beaux vers, c'est non pas *à cause* des règles de Malherbe et de Boileau, mais *malgré* ces règles; au XIXe siècle le sens du lyrisme est revenu, et surtout par Victor Hugo qui demeure le maître incomparable de la versification française.

Tout le *Petit traité* est écrit en un style extrêmement alerte, souvent paradoxal.[1] En voici les premières lignes:

Importance de la rime

(Extrait du *Petit traité de poésie*)

Presque tous les traités de poésie ont été écrits au XVIIe et au XVIIIe siècle, c'est-à-dire aux époques où l'on a le plus mal connu et le plus mal su l'art de la poésie. Aussi pour étudier, même superficiellement, cet art qui est le

---

[1] Il parut d'abord dans *L'Écho de la Sorbonne* (1870). V. Edmondo Rivaroli, *La poétique parnassienne d'après Théodore de Banville* (Paris, Maloine 1915); Italo Siciliano, *Dal romantismo al simbolismo, Théodore de Banville* (Torino, Bocca 1907).

premier et le plus difficile de tous, faut-il commencer par faire table rase de tout ce qu'on a appris, et se présenter avec l'esprit semblable à une page blanche.

J'entends d'ici l'objection. — Quoi ! dira-t-on, vous prétendez qu'on n'a pas su la poésie au siècle qui a enfanté 5 ou possédé Corneille, Racine, Molière, La Fontaine ! — La réponse est bien simple et bien facile. Ces quatre hommes étaient quatre géants, quatre créatures surhumaines qui, à force de génie, ont fait des chefs-d'œuvre immortels, bien qu'ils n'eussent qu'un mauvais outil à leur 10 disposition. Leur outil (par là j'entends la versification comme ils la savaient) était si mauvais qu'après les avoir gênés et torturés tout le temps de leur vie, il n'a pu, après eux, servir utilement à personne. Et l'outil que nous avons à notre disposition est si bon qu'un imbécile même à qui 15 on a appris à s'en servir, peut, en s'appliquant, faire de bons vers. Notre outil, c'est la versification du XVIe siècle, perfectionnée par les grands poètes du XIXe, versification dont toute la science se trouve réunie en un seul livre, *La légende des siècles* de Victor Hugo, qui doit être 20 la Bible et l'Évangile de tout versificateur français.

En somme, c'est la même idée qu'exprime Sainte-Beuve dans son *Tableau de la poésie ... au XVIe siècle* (v. notre vol. I. p. 186). Banville emprunte à celui-ci sa théorie de la rime (v. le poème de Sainte-Beuve *À la rime*, p. 34 ci-dessus):

> Rime, qui donne leurs sons
>   Aux chansons,
> Rime, l'unique harmonie
> Du vers, qui, sans tes accents
>   Frémissants,
> Serait muet au génie.[1] ○ ○ ○

« Ceci va vous paraître étrange, écrit Banville, et n'est pourtant que strictement vrai: *on n'entend dans un vers que le mot qui est à la rime*, et ce mot est le seul qui travaille à produire l'effet voulu par le poète »; et, c'est pourquoi « l'imagination de la rime est, entre toutes, la qualité qui constitue le poète ».

---

[1] Banville dédie à Sainte-Beuve son recueil *Odelettes*.

Il continue: si une fois vous avez la rime, le reste suivra infailliblement, car: « si vous êtes poète, le mot type se présentera à votre esprit tout armé, c'est-à-dire accompagné de sa rime ! ... La rime jumelle s'imposera à vous, vous prendra au collet, et vous n'aurez nullement besoin de la chercher ○ ○ ○ . »

Ce n'est pas tout encore: « Le poète entend à la fois, vite, de façon à le briser non pas seulement *une* rime jumelle, mais *toutes les rimes* d'une strophe ou d'un morceau, et après les rimes *tous les mots caractéristiques et saillants* qui feront image, et après ces mots, *tous ceux qui leur sont corrélatifs*, longs si les premiers sont courts, sourds, brillants, muets, colorés de telle ou telle façon, tels enfin qu'ils doivent être pour compléter le sens et l'harmonie des premiers et pour former avec eux un tout énergique, gracieux, vivant et solide. »

Villon, Ronsard, Victor Hugo, voilà les grands poètes inspirés. On comprend que Banville dénonce comme « absurde » le fameux vers de Boileau:

> *Vingt fois sur le métier remettez votre ouvrage*

Pour Banville « le poète pense en vers et n'a qu'à *transcrire* ce qui lui est dicté: l'homme qui n'est pas poète pense en prose et ne peut que *traduire en vers* ce qu'il a pensé en prose. »

Un jour, il se souvient du fameux passage de *L'Art poétique* de Boileau:

> Enfin Malherbe vint et le premier en France
> Fit sentir dans les vers une juste cadence;
> D'un mot mis en sa place enseigna le pouvoir,
> Et réduisit la muse aux règles du devoir . . .

> (V. *Seventeenth Century French Readings*, p. 107.)

Et il écrit ce dizain ‹ à la manière de Ronsard ›:

Enfin Malherbe vint . . .

C'était l'orgie au Parnasse, la Muse
Qui par raison se plaît à courir vers
Tout ce qui brille et tout ce qui l'amuse,
Éparpillait les rubis dans ses vers.
Elle mettait son laurier de travers.
Les bons rythmeurs, pris d'une frénésie,
Comme des Dieux gaspillaient l'ambroisie;

Tant qu'à la fin, pour mettre le holà
Malherbe vint, et que la Poésie
En le voyant arriver, s'en alla.

(Les cariatides)

Aussi, son chapitre *Licences poétiques* tient-il en un mot: « Il n'y en a pas ! » ... Il ne peut y en avoir, puisqu'il n'y a pas de règles à violer.

C'est Banville, cependant, qui a inspiré à Gautier son ode *L'Art* ... « Lime, sculpte, cisèle » ... Mais il n'y a pas contradiction. Le poète né poète, celui qui a la rime, celui qui a, par le même fait, l'autre rime, puis la strophe, celui qui a, encore toujours par inspiration, « tous les mots caractéristiques et saillants qui feront image », ce poète doit (étant un être humain et faillible quand même) veiller à ce que dans son vers aucun élément étranger ne vienne nuire à l'effet des éléments essentiels, — et cela constitue souvent le travail ardu, le travail du ciseau et de la lime.

[Par son insistance sur l'harmonie du vers, Banville annonce d'ailleurs déjà l'école symboliste qui suivra celle du Parnasse, et qui dira: « De la musique avant toute chose », mais ce qu'il voudra, lui, atteindre par l'art du travail délicat du ciseau et de la lime, ces futurs poètes chercheront à le réaliser par des moyens différents, l'assonance et l'allitération].

*

Le saut du tremplin

Banville est ivre de beauté et de poésie. On lui reproche mais à faux — comme à Gautier — de ne penser qu'à la forme: comme si une belle forme excluait l'émotion (voir *Le lac* de Lamartine, *Moïse* de Vigny, *Pauca meae* de Victor Hugo).[1] Mais il accepte le défi dans un de ses plus fameux poèmes *Le saut du tremplin* [*The Jump from the Leaping board*]. Il avait eu une vie assez dure; et comme cela est arrivé parfois (voir l'exemple de Molière), il a pourtant vaillamment essayé de susciter le courage et la joie par son œuvre. Vivre dans le monde, jouer son rôle, et, si c'est nécessaire, même se faire pitre [*clown*] pour amuser le peuple, soit !

---

[1] Banville a publié un recueil *Roses de Noël*, composé tout entier de poèmes adressés à sa mère, deux fois l'an (jour de l'anniversaire de naissance et jour de fête de la sainte dont elle portait le nom).

mais l'âme peut être ailleurs, hantée par le rêve d'une beauté qui n'est pas de ce monde.

Ce morceau, sous sa forme spéciale, exprime la même idée que Leconte de Lisle dans le sonnet qu'on considère comme le manifeste en vers de l'école parnassienne: résignation, sans se plaindre, aux vulgarités de la vie, *Les montreurs.*   V. plus bas.

Clown admirable, en vérité !
Je crois que la postérité,
Dont sans cesse l'horizon bouge,
Le reverra, sa plaie au flanc.
5   Il était barbouillé de blanc,
De jaune, de vert et de rouge.

Même jusqu'à Madagascar
Son nom était parvenu, car
C'était selon tous les principes [1]
10   Qu'après les cercles de papier,
Sans jamais les estropier
Il traversait le rond des pipes.

De la pesanteur affranchi,
Sans y voir clair il eût franchi
15   Les escaliers de Piranèse. [2]
La lumière qui le frappait
Faisait resplendir son toupet [3]
Comme un brasier dans la fournaise.

Il s'élevait à des hauteurs
20   Telles, que les autres sauteurs
Se consumaient en luttes vaines.
Ils le trouvaient décourageant,
Et murmuraient: « Quel vif-argent
Ce démon a-t-il dans les veines ? »

[1] Selon toutes les règles de l'art clownesque.
[2] *Jean Baptiste Piranèse*, architecte italien (1720–1778), auteur de monuments célèbres.
[3] La touffe de cheveux que les clowns portent sur le front.

Tout le peuple criait: « Bravo ! »
Mais lui, par un effort nouveau,
Semblait raidir sa jambe nue,
Et, sans que l'on sût avec qui,
Cet émule de la Saqui [1]   5
Parlait bas en langue inconnue.

C'était avec son cher tremplin.
Il lui disait: « Théâtre, plein
D'inspiration fantastique,
Tremplin qui tressailles d'émoi   10
Quand je prends un élan, fais-moi
Bondir plus haut, planche élastique !

« Frêle machine aux reins puissants,
Fais-moi bondir, moi qui me sens
Plus agile que les panthères,   15
Si haut que je ne puisse voir
Avec leur cruel habit noir
Ces épiciers et ces notaires ! [2]

« Par quelque prodige pompeux,
Fais-moi monter, si tu le peux,   20
Jusqu'à ces sommets où, sans règles,
Embrouillant les cheveux vermeils
Des planètes et des soleils,
Se croisent la foudre et les aigles.

« Jusqu'à ces éthers pleins de bruit,   25
Où, mêlant dans l'affreuse nuit
Leurs haleines exténuées,

---

[1] Probablement une acrobate de cirque célèbre à l'époque.

[2] *Épiciers*, *notaires*, les deux professions qu'on cite généralement comme typiques de gens qui vivent, comme dirait Molière, « enfoncés dans la matière » (parce qu'ils gagnent facilement et souvent beaucoup d'argent, les premiers en vendant des choses dont les hommes ont toujours besoin, les seconds en spéculant sur l'esprit de chicane qui caractérise l'humanité).

Les autans [1] ivres de courroux
Dorment, échevelés et fous,
Sur les seins pâles des nuées.

5   « Plus haut encor, jusqu'au ciel pur !
Jusqu'à ce lapis [2] dont l'azur
Couvre notre prison mouvante !
Jusqu'à ces rouges Orients
Où marchent des dieux flamboyants,
Fous de colère et d'épouvante.

10 « Plus loin ! plus haut ! [3] je vois encor
Des boursiers à lunettes d'or,
Des critiques, des demoiselles
Et des réalistes en feu.
Plus haut ! plus loin ! de l'air ! du bleu !
15 Des ailes ! des ailes ! des ailes ! »

Enfin de son vil échafaud,
Le clown sauta si haut, si haut,
Qu'il creva le plafond de toiles
Au son du cor et du tambour,
20 Et, le cœur dévoré d'amour,
Alla rouler dans les étoiles.

(*Odes funambulesques*)

Salve !

Banville n'a, cependant, pas résisté toujours à certains spectacles trahissant les côtés révoltants de la nature humaine. Dans
ce poème — souvent cité — il salue comme symbolisant les bas penchants des hommes ce cochon qu'on conduit à l'abattoir. Comme
le cochon, les hommes se vautrent dans les plaisirs sordides — ô

---

[1] Vents impétueux (soufflant du sud ou du sud-est).

[2] *Lapis* ou *lapis-lazuli*, pierre d'azur profond, ici simplement
bleu.

[3] C'est à dire: plus haut encore que l'azur d'où je perçois encore de
ces boursiers [*banquiers*] que je méprise pour leur matérialisme.

cochon monstrueux, goulu, pareil à l'homme — et se croient grands
comme le monstrueux empereur Néron.   Quand ils vont à la mort,
ils sont encore, comme le cochon allant à l'abattoir, éclairés par le
glorieux soleil levant — comme s'ils allaient à une fête de roi.

Un chariot t'emporte, à l'heure où l'aube naît.
Cochon vorace en qui l'homme se reconnaît,
Cochon rose, à travers Paris qui vient d'éclore
Sous les premiers rayons frissonnants de l'aurore,
Splendide orfèvrerie où brille un cabochon[1];   5
Pauvre être que baisait la lumière, Cochon,
Tu vas, mal secouru par ton pauvre génie,
Mourir sous le couteau comme une Iphigénie.[2]
Et quand tu tomberas sous le coup meurtrier,
On mettra sur ta tête un noir laurier.[3]   10
Hier pourtant, ignorant encore la peine dure,
Tu te vautrais dans les délices de l'ordure,
Heureux, sordide, en proie à tes vils appétits,
Auprès de ta femelle et de tous tes petits.
O Cochon monstrueux, goulu, pareil à l'homme,   15
Tu semblais dans ta fange un empereur de Rome;
Alors taché de rose, éblouissant, vermeil,
On eût dit que sous les caresses du soleil
Tu marchais dans les ors fous[4] des apothéoses,
Et qu'il pleuvait sur toi de la flamme et des roses.   20

(*Dans la fournaise*, 1887)

[1] Nom donné à une pierre précieuse qu'on n'a fait que polir, sans
la tailler.
[2] La fille d'Agamemnon qui devait être sacrifiée sur l'autel afin
d'obtenir des dieux irrités contre les Grecs un vent favorable pour
continuer le voyage vers Troie.
[3] L'origine de cette coutume, de mettre du laurier sur la tête
du cochon égorgé, est inconnue de l'éditeur.
[4] Ors trompeurs, ou enivrants.

A Adolphe Gaiffe [1]

Banville dit — dans son recueil des *Odelettes* qu'un des buts qu'il se propose dans sa poésie, c'est « d'éveiller dans notre esprit, et créer même, cette chose surnaturelle et divine, *le rire* ».

Jeune homme sans mélancolie,
Blond comme un soleil d'Italie,
Garde bien ta belle folie.

C'est la sagesse ! Aimer le vin,
5   La Beauté, le printemps divin,
Cela suffit. Le reste est vain.

Souris, même au destin sévère !
Et quand revient la primevère,
Jettes-en les fleurs dans ton verre.

10   Au corps sous la tombe enfermé
Que reste-t-il ? D'avoir aimé
Pendant deux ou trois mois de mai.

« Cherchez les effets et les causes »,
Nous disent les rêveurs moroses.
15   Des mots ! des mots ! cueillons les roses.

(*Odelettes*)

Chanson à boire

Allons en vendanges,
Les raisins sont bons !
(*Chanson.*)

De ce vieux vin que je révère
Cherchez un flacon dans ce coin.
Çà, qu'on le débouche avec soin,
Et qu'on emplisse mon grand verre.

20   Chantons Io Pæan ! [2]

---

[1] Ami de Banville.
[2] *Io Pæan !* Le Pæan était à l'origine un hymne en l'honneur d'Apollon, le dieu des arts. *Io Pæan* est devenu ensuite le refrain de

Le Léthé [1] des soucis moroses
Sous son beau cristal est enclos,
Et dans son cœur je veux à flots
Boire du soleil et des roses.

La treille a ployé tout le long des murs,   5
Allez, Vendangeurs, les raisins sont mûrs !

Jusqu'en la moindre gouttelette,
La fraîche haleine de ce vin
Exhale un parfum plus divin
Qu'une touffe de violette,   10
    Chantons Io Pæan !

Et, dessus la lèvre endormie
Des pâles et tristes songeurs,
Met de plus ardentes rougeurs
Que n'en a le sein de ma mie. [2]   15

La treille a ployé tout le long des murs,
Allez, vendangeurs, les raisins sont mûrs !

A mes yeux, en nappes fleuries
Dansantes sous le ciel en feu,
L'air se teint de rose et de bleu   20
Comme au théâtre des féeries;
    Chantons Io Pæan !

Je vois un cortège fantasque, [3]
Suivi de cors et de hautbois,
Tourbillonner, et joindre aux voix   25
La flûte et les tambours de basque ! [4]

---

chants de guerre ou de fête; c'était aussi le cri des bacchantes, femmes
qui célébraient en dansant le culte de Bacchus, dieu du vin.

[1] Mot grec, *oubli* (c'était le nom du fleuve des Enfers dont l'eau
faisait oublier aux morts leur existence antérieure).

[2] Mon amie (m'amie).

[3] Cortège des vendanges, célébrant la vigne dans le pays du vin.

[4] Tambourin, ainsi appelé car il est particulièrement employé au
pays des Basques, sur les deux versants des Pyrénées.

La treille a ployé tout le long des murs,
Allez, vendangeurs, les raisins sont mûrs !

C'est Galatée,[1] ou Vénus même
Qui, dans l'éclat du flot profond,
5   Se joue et me sourit au fond
De mon grand verre de Bohème.[2]

Chantons Io Pæan !...

Et, comme un ballet magnifique,
Je vois, dans le flacon vermeil,
10   Couleur de lune et de soleil,
Des rythmes danser en musique !

La treille a ployé tout le long des murs,
Allez, vendangeurs, les raisins sont mûrs !

(*Les stalactites*)

Amours d'Élise

Banville a su chanter d'une façon exquise, et sans sentimentalité romantique aucune, la poésie de l'amour, comme en témoigne le groupe de poèmes intitulé *Amours d'Élise, feuilles détachées.* Un humble poète y chante son amour pour une très grande dame. En voici quelques strophes:

Tout vous adore, ô mon Élise,
15   Et quand vous priez à l'église,
Votre figure idéalise
Jusqu'à la maison du bon Dieu.
Votre corps charmant qui se ploie
Est comme un cantique de joie,
20   Et, frémissant d'amour, envoie
Son parfum de femme au saint lieu.

[1] Nom d'une des bergères qui figurent dans les églogues de Virgile; elle est gracieuse et coquette.

[2] Les verreries de Bohème sont célèbres; mais il faut y voir aussi l'idée que le verre vient du pays de la Bohème dans le sens de vie libre et romanesque. (Cf. Murger, *Scènes de la Vie de Bohème* qui disent la vie insouciante des étudiants de Paris avec les « grisettes » du Quartier latin, 1851.)

Votre missel [1] a sur ses pages
Bien des gracieuses images,
Bien des ornements d'or, ouvrages
D'un grand mosaïste [2] inconnu;
Et fier de vous faire une chaîne,   5
Votre chapelet noir qui traîne
Redit son madrigal d'ébène
Aux blancheurs de votre bras nu.

Comme un troupeau leste et vorace,
On voit s'élancer sur la trace   10
De vos chevaux de noble race
Mille amants, le cœur aux abois [3];
Derrière vous marche la foule,
Mugissante comme la houle,
Et dont le chuchotement roule   15
À travers les détours du bois.

Vous avez de tremblantes gazes,
Des diamants et des topazes
À replonger dans leurs extases
Les Aladins [4] expatriés,   20
Et des cercles de blonds Clitandres [5]
Dont le cœur brûlant sous les cendres
Vous redit en fadaises tendres
Des souffrances dont vous riez.

Vous avez de blondes servantes   25
Aux larges prunelles ardentes,

[1] Livre qui contient les prières de la messe pour tous les jours de l'année.

[2] Artiste en mosaïque. Les missels sont souvent enluminés et reliés de façon somptueuse pour les princes et les fortunés du monde.

[3] *At bay;* être aux abois = être dans une situation désespérée, comme un cerf entouré par une meute de chiens qui aboient [*bark*].

[4] Allusion au fameux Aladin des *Mille et une Nuits* dont la lampe enchantée réalisait tous les rêves de richesse et de fortune. « Expatriés » de l'Arabie.

[5] Les jeunes premiers des comédies de Molière.

Aux chevelures débordantes
Pour essuyer vos blanches mains;
Vous portez les bonheurs en gerbe,
Et sous votre talon superbe
5   Mille fleurs s'éveillent dans l'herbe
Afin d'embaumer vos chemins.

Moi, je suis un jeune poëte
Dont la rêverie inquiète
N'a jamais connu d'autre fête
10   Que l'azur et le lys en fleur.
Je n'ai pour trésor que ma plume
Et ce cœur broyé, qui s'allume,
Comme le fer rouge à l'enclume,
Sous le lourd marteau du malheur. ₀ ₀ ₀

15   Et pourtant vous, type suprême,
Vous m'avez dit tout haut: Je t'aime ! ₀ ₀ ₀

Et le doute railleur m'assiège
Lorsque, pris dans un divin piège,
Mon cou plus pâle que la neige
20   Est par vos bras blancs enlacé.
J'ai peur que le riant mensonge
Du lac d'azur où je me plonge
Ne soit l'illusion d'un songe
Qui tenaille mon front glacé ₀ ₀ ₀

25   O vous que la lumière adore,
De quel astre et de quelle aurore
Venez-vous, radieuse encore ?
Je ne sais; en vain, ce trompeur,
L'espoir, me caresse et me blâme;
30   Je ne sais quel souffle en votre âme
Alluma cette mer de flamme,
O jeune déesse, et j'ai peur.

                                    (*Les cariatides*)

Loys

Ce petit poème est une réminiscence des « chansons de toile » du Moyen-âge, quand les châtelaines attendaient l'époux parti depuis de longs mois pour la croisade — et trompaient cette attente en tissant de la toile et en chantant des romances.

Mon Loys, j'ai sous vos prunelles,
Oublié, dans mon cœur troublé,
Mon époux qui s'en est allé
Pour combattre les infidèles.
Quand nous le croirons loin encor,   5
Il sera là, Dieu nous pardonne ! —
Mon beau page, quel bruit résonne?
Est-ce lui qui sonne du cor?

J'ai lu dans un ancien poëme
Qu'une autre Yolande autrefois   10
Près de son page Hector de Foix[1]
Oublia son époux de même.
Elle gardait comme un trésor
Ces extases que l'amour donne. —
Mon beau page, quel bruit résonne?   15
Est-ce lui qui sonne du cor?

Cette Yolande était duchesse,
Mille vassaux étaient son bien,
Et son bel ami n'avait rien
Que ses cheveux blonds pour richesse.   20
Pour cet enfant aux cheveux d'or
La dame eût vendu sa couronne. —
Mon beau page, quel bruit résonne?
Est-ce lui qui sonne du cor?

Ces amants qu'un doux rêve assemble,   25
Ont souvent passé plus d'un jour

[1] Ces deux noms représentent-ils en effet deux héros d'une vieille histoire d'amour, ou le poète les a-t-il tirés de son imagination ? L'éditeur ne le sait pas.

À se dire des chants d'amour,
Ou bien à regarder ensemble
Les oiseaux prendre leur essor
Vers l'azur qui tremble et frissonne. —
5 *Mon beau page, quel bruit résonne?*
Est-ce lui qui sonne du cor?

Ou bien ils passaient leurs journées
À revoir, d'auréoles ceints
Les bonnes Vierges et les Saints
10 Dans les Bibles enluminées.
L'Amour dit son *Confiteor* [1]
Sans écouter l'heure qui sonne. —
Mon beau page, quel bruit résonne?
Est-ce lui qui sonne du cor?

15 Comme leurs lèvres en délire
Un soir longuement s'assemblaient,
En des baisers qui ressemblaient
Aux frémissements d'une lyre,
On entendit au corridor
20 Les pas de l'époux en personne. —
Mon beau page, quel bruit résonne?
Est-ce lui qui sonne du cor?

Sais-tu quel sort on nous destine?
Le malheureux page exilé,
25 Plein d'un regret inconsolé,
Alla mourir en Palestine.
Toujours pleurant son cher Hector,
La dame au couvent mourut nonne. —
Mon beau page, quel bruit résonne?
30 *Est-ce lui qui sonne du cor?*

(*Les cariatides*)

[1] Latin, *Je confesse.* Ici, prière commençant par ce mot et qu'on récite surtout avant de se confesser.

La chanson de ma mie [1]

L'eau dans les grands lacs bleus
      Endormie,
Est le miroir des cieux:
Mais j'aime mieux les yeux
      De ma mie.   5

Pour que l'ombre parfois
      Nous sourie,
Un oiseau chante au bois:
Mais j'aime mieux la voix
      De ma mie.   10

La rosée à la fleur
      Défleurie
Rend sa vive couleur:
Mais j'aime mieux un pleur
      De ma mie.   15

Le temps vient tout briser,
      On l'oublie:
Moi pour le mépriser,
Je ne veux qu'un baiser
      De ma mie.   20

La rose sur le lin [2]
      Meurt flétrie;
J'aime mieux pour coussin
Les lèvres et le sein
      De ma mie.   25

On change tour à tour
      De folie;

[1] En vieux-français on disait *m'amie*, comme *l'amie;* aujourd'hui on trouve encore gracieux ce *m'amie* qui continue à être employé souvent en poésie.

[2] L'enveloppe de toile d'un coussin [*cushion cover*].

Moi jusqu'au dernier jour,
Je m'en tiens à l'amour
De ma mie.

(*Les stalactites*)

*   *   *

Banville s'inspire beaucoup de la littérature grecque qui était
alors à la mode (on l'a vu déjà à propos de Renan et de Gautier, et on
le verra encore à propos de Leconte de Lisle) et son recueil *Les exilés*
(1867) rappelle assez les *Chansons des rues et des bois*, de Victor Hugo,
qui sont à peu près de la même époque (1865): les « exilés » sont les
divinités grecques chassées par l'art chrétien.   Mais il importe davantage de rappeler que Banville, plus qu'aucun autre poète parnassien,
a fait revivre les formes de la poésie lyrique française d'avant l'avènement de Malherbe et Boileau.   Il a voulu montrer de quels charmes
on s'était privé en les abandonnant.   Et d'ailleurs il veut y voir une
renaissance du lyrisme grec lui-même.   Il écrit dans la Préface à son
recueil des *Odelettes* (1857): « L'Odelette, c'est une phrase d'ode-
épître, une manière de propos familier, relevé et discipliné par les
cadences d'un rythme précis et bref »: il la montre, « née en Grèce,
aux premiers temps, pendant les heures perdues de la muse » avec
Anacréon, Théocrite, puis Horace, puis renaissant après l'ère des
invasions barbares; en France, c'est Charles d'Orléans qui a « pré-
ludé sur la lyre aux cordes d'argent », puis, au XVIᵉ siècle, ce furent
Belleau, Baïf et Desportes.   Il a un recueil de petits poèmes qu'il
intitule *Les caprices, en dizains, à la manière de Clément Marot;* un
autre qu'il intitule *Améthystes, nouvelles odelettes amoureuses composées
sur le rythme de Ronsard.*[1]

Il a ressuscité le « madrigal » précieux des XVIᵉ et XVIIᵉ siècles.

---

[1] On sait combien les poètes anglais du XIXᵉ siècle — Rossetti,
Henley, Andrew Lang, Austin Dobson, Swinburne, Stevenson, etc. —
ont goûté aussi ces vieux rythmes français auxquels ils ont été initiés
par Walter Besant, *Early French Poets* (1868).   V. aussi *The Modern
Book of French Verses in English, translated by Chaucer, Fr. Thompson,
Swinburne, Arthur Symons, Rt. Bridges, John Payne and others*
(Boni, Liveright, N. Y., 1920);   Helen Louise Cohen, *Lyric Forms
from France.   Their History and their Use* (Harcourt, Brace, N. Y.,
1922).

Madrigal à Clymène

Quoi donc ! vous voir et vous aimer
Est un crime à vos yeux, Clymène,
Et rien ne saurait désarmer
Cette rigueur plus qu'inhumaine !
Puisque la mort de tout regret   5
Et de tout souci nous délivre,
J'accepte de bon cœur l'arrêt
Qui m'ordonne de ne plus vivre.

Il a ressuscité particulièrement le triolet dans ses *Odes funambu-lesques*. Le triolet est le poème à forme fixe le plus aisé à saisir, mais non pas à composer. Il est écrit sur ce modèle : ABaA abAB. En voici un du XVIIe siècle :

A   Le premier jour du mois de mai
B   Fut le plus heureux de ma vie :   10
a   Le beau dessein que je formai,
A   Le premier jour du mois de mai.

a   Je vous vis et je vous aimai !
b   Si ce dessein vous plut Sylvie,
A   Le premier jour du mois de mai   15
B   Fut le plus heureux de ma vie !

On en a cité un exemple à propos de Daudet, *Les prunes*; v. ci-dessus, p. 226.

Neraut, Tassin et Grédelu

Dans son Introduction aux *Odes funambulesques* — qui est en même temps un commentaire sur le Triolet, Banville écrit :
« Comme dit Nisus, *Me, me adsum qui feci !* [1] — C'est moi qui ai

___

[1] Virgile, *Énéide*, Chant IX; vers 427. Les Rutules ont attaqué le camp d'Énée qui s'est absenté chez Didon. Nisus et Euryale partent à la recherche de leur chef; mais ils sont entourés par l'ennemi. Dans le combat, ils sont séparés; Nisus qui s'est avancé, revient en arrière pour chercher son ami; il le voit entouré d'ennemis; il les supplie de porter sur lui leurs coups en poussant ce cri, réclamant la responsa-bilité de l'entreprise: « Me voici, me voici; c'est moi qui ai agi ! »

ressuscité le vieux Triolet, petit poëme bondissant et souriant, qui est tantôt madrigal et tantôt épigramme, et mon idée a eu tant de succès que le genre est redevenu populaire; on a fait des triolets aussi nombreux que les étoiles du ciel ○ ○ ○

« C'étaient de fort honnêtes comédiens, qui jouaient des rôles secondaires à la Porte Saint-Martin [un des théâtres de Paris]. Mais comme la liste des acteurs énumérés sur l'affiche se terminait tous les jours invariablement par leurs trois noms, toujours placés dans cet ordre, cette phrase vraiment musicale et naturellement si bien scandée: *Néraut, Tassin et Grédelu*, charma un beau jour les Parisiens; on la récita, on la déclama, on la chanta; par extension, elle finit par exprimer le théâtre et les comédiens en général, y compris, Frédérick, Talma, Roscius[1] et le vendangeur Thespis![2]   Et, comme le Triolet venait de renaître, on improvisa et j'improvisai moi-même, par jeu, des triolets dont *Néraut, Tassin et Grédelu* étaient le texte et le prétexte, et qui s'envolaient avec la fumée des cigarettes. »

> *A* Néraut, Tassin et Grédelu
> *B* Maintiennent l'art fougueux et chaste;
> *a* Je préfère à *Tancrède* lu[3]
> *A* Néraut, Tassin et Grédelu.
>
> *a* Comme Quimper,[4] Honolulu
> *b* Célèbre ces Talmas sans faste.
> *A* Néraut, Tassin et Grédelu
> *B* Maintiennent l'art fougueux et chaste.

5

Banville a encore ressuscité le « rondeau » médiéval — tout entier sur deux rimes — d'une façon charmante:

Mais Euryale meurt; Nisus veut mourir avec lui, et il tombe percé de flèches sur le cadavre de son ami.

[1] *Frédérick Lemaître* (1800–1876), célèbre acteur du théâtre romantique; *Talma* (1763–1826), acteur fameux et grand favori de Napoléon qui le fit jouer, lors de la célébration du Traité d'Erfurt (1808) en Allemagne, devant « un parterre de rois ».   Talma réagit contre l'emphase classique sur la scène. *Roscius*, acteur romain du premier siècle avant J.-C., ami de Cicéron.

[2] *Thespis* appelé « le créateur de la tragédie grecque » dont l'origine remonte aux Fêtes de Bacchus, dieu des vendanges.

[3] *Tancrède*, tragédie très classique et assez monotone de Voltaire (1760) dont le sujet est tiré du *Roland furieux* d'Arioste (XVIe siècle).

[4] Ville de la Bretagne.

Le jour

A	Tout est ravi quand vient le Jour
B	Dans les cieux flamboyants d'aurore.
b	Sur la terre en fleur qu'il décore
a	La joie immense est de retour.

a	Les feuillages au pur contour	5
b	Ont un bruissement sonore [1];	
A	Tout est ravi quand vient le Jour	
B	Dans les cieux flamboyants d'aurore.	

a	La chaumière comme la tour	
b	Dans la lumière se colore,	10
b	L'eau murmure, la fleur adore,	
a	Les oiseaux chantent, fous d'amour	
A	Tout est ravi quand vient le Jour.	

La nuit

A	Nous bénissons la douce Nuit	
B	Dont le frais baiser nous délivre.	15
b	Sous ses voiles on se sent vivre	
a	Sans inquiétude et sans bruit.	

a	Le souci dévorant s'enfuit,	
b	Le parfum de l'air nous enivre;	
A	Nous bénissons la douce Nuit	20
B	Dont le frais baiser nous délivre.	

a	Pâle songeur qu'un Dieu poursuit,	
b	Repose-toi, ferme ton livre.	
b	Dans les cieux blancs comme du givre	
a	Un flot d'astres frissonne et luit.	25
A	Nous bénissons la douce Nuit.	

(Rondels)

[1] Il faut lire *bru-is-se-ment*, quatre syllabes pour faire le total de huit.

Il a surtout ressuscité la « Ballade », la vieille ballade française, à forme fixe, — en regard de la ballade anglaise qu'en France cultiva aussi Victor Hugo dans ses années romantiques. (V. vol. I, p. 186 ss.)

La *Ballade des pendus* a été composée pour être incorporée dans une petite comédie charmante, *Gringoire*. Gringoire était un poète miséreux du XVIe siècle, à peu près comme Villon au XVe et dont on sait peu de chose d'ailleurs. Victor Hugo l'avait mêlé au peuple dans son roman de *Notre-Dame de Paris*. Banville en tire parti de la même manière: le poète chante les souffrances du peuple terrorisé sous le règne du cruel Louis XI. Un jour il est amené devant le roi qu'il ne connaît pas, et comme on lui demande de réciter un de ses poèmes, il dit cette terrible *Ballade des Pendus:* la forêt avoisinante était remplie de cadavres, de gens pendus par ordre du roi; c'était comme des fruits des arbres dans l'épais feuillage, et le poète saisit cette image pour sa ballade dont le refrain terriblement accusateur est: « *C'est le verger du roi Louis.* » Le roi finit par lui accorder la vie sauve s'il réussit, lui, le poète famélique et en haillons, à gagner, en une heure, l'amour de la filleule même du roi. Cette gageure cruelle, il la gagne cependant en parlant à la jeune fille des misères du pauvre peuple. Et il lui récite une seconde ballade avec le refrain « *Aux pauvres gens tout est peine et misère!* »

Ballade des pendus

I

 a Sur ses larges bras étendus,
 b La forêt où s'éveille Flore,[1]
 a A des chapelets de pendus
 b Que le matin caresse et dore.
5 *b* Ce bois sombre, où le chêne arbore
 c Des grappes de fruits inouïs
 b Même chez le Turc et le More [2]
 C C'est le verger du roi Louis.

[1] Déesse romaine des fleurs et des jardins.

[2] *Inouïs* — à cause de leur cruauté, une cruauté qui serait inconnue même chez le Turc et le More. On dit en français « traiter de Turc à More », c'est-à-dire cruellement comme un Turc traite un More.

II

a	Tous ces pauvres gens morfondus,
b	Roulant des pensers qu'on ignore
a	Dans les tourbillons éperdus
b	Voltigent, palpitants encore.
b	Le soleil levant les dévore.
c	Regardez-les, cieux éblouis,
b	Danser dans les feux de l'aurore,
C	*C'est le verger du roi Louis.*

5

III

a	Ces pendus, du diable entendus,
b	Appellent des pendus encore.
a	Tandis qu'aux cieux, d'azur tendus,
b	Où semble luire un météore,
b	La rosée en l'air s'évapore,
c	Un essaim d'oiseaux réjouis
b	Par-dessus leur tête picore.
C	*C'est le verger du roi Louis.*

10

15

Envoi

b	Prince, il est un bois que décore
c	Un tas de pendus enfouis
b	Dans le doux feuillage sonore.
C	*C'est le verger du roi Louis.*

20

* * *

Voici, pour terminer, quelques strophes que Banville composa à l'occasion de la mort de son grand ami Théophile Gautier:

Théophile Gautier

(†1872)

o o o

Fier meurtrier de la nuit noire,
Vainqueur du silence étouffant,

Ton génie entre dans la gloire,
Libre, superbe et triomphant. ₀ ₀ ₀

Artiste, créateur sans tache,
Sage et patient ouvrier,
5 Souriante, la Muse attache
Sur ton front le divin laurier. ₀ ₀ ₀

La Beauté ! c'est le seul poëme
Que tu chantas sous le ciel bleu,
Grand porteur de lyre, et toi-même
10 Tu fus sage et beau comme un dieu. ₀ ₀ ₀

Toi, qui, dans ta candeur sincère,
Souriais, ignorant du mal,
Et qui remplissais ton grand verre
Avec le vin de l'Idéal !

15 Reprends-les, ce divin sourire
Et ce verre où ta lèvre but,
Car voici l'heure de te dire,
Maître, non: Adieu, mais: Salut ! ₀ ₀ ₀

Amant du beau, du vrai, du juste,
20 Entre parmi les dieux de l'art,
Et viens prendre ta place auguste
Entre Rabelais et Ronsard !

(*Les stalactites*)

Des poètes dont la résignation est sombre et olympienne

CHAPITRE XII

LECONTE DE LISLE

1818–1894

Consulter: F. Calmettes, *Leconte de Lisle et ses amis* (Paris, Motterox, 1902); E. Estève, *Leconte de Lisle, l'homme et l'œuvre* (Boivin, 1923); P. Flottes, *Le poète Leconte de Lisle: documents inédits* (Perrin, 1929); J. Vianey, *Les ‹ Poèmes Barbares ›* (Coll. ‹ Grands évén. litt. › Malfère, 1933).

Charles-Marie Leconte de Lisle est né à Saint-Paul, Île Bourbon ou de la Réunion. Il séjourna alternativement en France — où il fit des études de droit — et dans son île natale. À 27 ans il se fixa définitivement à Paris. Loin d'être « parnassien » dès le début, il avait eu d'abord des dispositions religieuses; puis il échangea ces idées pour celles d'utopie socialiste alors en honneur en France. Il faillit même accepter la direction d'un journal fourriériste; il collabora en tous cas au principal de ces journaux, *La Phalange*. Quand la révolution de 1848 éclata, il crut que la politique allait réaliser le royaume de Dieu sur la terre. Il se brouilla avec sa famille quand il approuva le décret d'affranchissement des noirs voté par le gouvernement provisoire — décret qui ruinait les Leconte de Lisle, grands propriétaires d'esclaves. Lui-même se trouvait ainsi sans ressources. Peu après, l'enthousiasme juvénile fit place chez lui à une grande réserve qui dissimulait un grand désenchantement. Tout ce qui sentait l'émotion et la passion fut banni de son œuvre. Il avait dans un recueil de *Poèmes et poésies* (1855) offert un très beau tribut au Christ souffrant; en 1860, il retira cette pièce; c'était trop de sentiment; sentiment noble, sublime — c'était toujours du sentiment. Ses velléités égalitaires et socialistes passèrent si bien qu'il songea même à donner à son nom une tournure aristocratique.[1]

Une fois que Leconte de Lisle se fut définitivement consacré à la

---

[1] Sa famille, d'origine bretonne, du nom de Leconte, s'était scindée autrefois en deux branches, l'une restant en France, l'autre allant s'établir à l'Île de la Réunion (alors *isle*); pour se distinguer de l'autre, cette dernière s'appelait Leconte de l'isle.

poésie, il n'eut, à la vérité, plus d'histoire.   Il eut à lutter longtemps
contre la faim, mais il finit par avoir son modeste intérieur, 8 Boulevard des Invalides.   (Il avait accepté, en 1864, une pension impériale
que certains lui reprochaient.)   Le samedi soir, les poètes parnassiens
se réunissaient chez lui, comme autrefois chez Victor Hugo, à la Place
des Vosges, les poètes romantiques.   Il revint, à la fin de sa vie, à des
sentiments moins amers dans sa conception du monde, entre autres
se montra plus indulgent vis-à-vis du christianisme; il fut inhumé
selon les rites de l'Église.

Il y a eu comme chez d'autres hommes célèbres, d'assez mesquins
côtés chez le grand poète; la popularité persistante de Victor Hugo,
par exemple, lui portait ombrage; celles aussi de Banville, de Baudelaire et de Sully-Prudhomme.

Il entra à l'Académie en 1887, occupant le fauteuil de Victor Hugo.

*

Leconte de Lisle a considérablement modifié la disposition de ses
recueils de poésie au cours de sa carrière.   Voici ceux qu'il faut retenir:
Poèmes antiques (1852), *Poèmes barbares* (1862), *Poèmes tragiques*
(1884), *Derniers poèmes* (1895).

Quand il arrive à la poésie, il est déjà complètement désabusé des
illusions romantiques; il est fataliste.   Il a eu comme Musset et
comme Vigny une profonde déception en amour; il a été trompé
comme eux (il l'a laissé voir dans certains poèmes, *Les damnés*, *La
vipère*); mais il a abhorré les cris de désespoir de Musset dans *La
nuit d'Octobre:* « Honte à toi qui la première — m'as appris la trahison . . . » (V. vol. I, p. 429), et la colère de Vigny dans *La colère de
Samson* (vol. I, p. 363).   S'il s'indigne, c'est contre ce désespoir et
contre cette colère.

Voici le poème qui a été considéré comme le manifeste en vers des
Parnassiens en ce qui concerne leur attitude philosophique, alors que
L'Art de Gautier passait pour le manifeste parnassien au point de vue
de la forme artistique.

Les montreurs [1]

Tel qu'un morne animal, meurtri, plein de poussière,
La chaîne au cou, hurlant au chaud soleil d'été,
Promène qui voudra son cœur ensanglanté
Sur ton pavé cynique, ô plèbe carnassière ! [2]

[1] *Showmen* [les Romantiques].
[2] *Blood-thirsty rabble* [carnassier — qui se nourrit de chair san-
glante].

Pour mettre un feu stérile en ton œil hébété,
Pour mendier ton rire ou ta pitié grossière,
Déchire qui voudra la robe de lumière
De la pudeur divine et de la volupté.

Dans mon orgueil muet, dans ma tombe sans gloire,   5
Dussé-je m'engloutir pour l'éternité noire,
Je ne te vendrai pas mon ivresse ou mon mal,

Je ne livrerai pas ma vie à tes huées,[1]
Je ne danserai pas sur ton tréteau banal[2]
Avec tes histrions et tes prostituées.   10

(*Poèmes barbares*)

*

La philosophie de Leconte de Lisle est toute négative.
Non seulement tout ce qui arrive dans la vie est fatal, et l'homme
essaierait en vain de lutter contre son destin; mais cette fatalité est
désespérante: le bonheur, « l'éternel désir », que l'homme naturellement voudrait poursuivre, est trompeur; l'homme est leurré
par « l'éternelle illusion » (*La Maya*); dès lors, la seule chose désirable est l'anéantissement, l'anéantissement total du *moi* dans la
mort, le « retour à la pâte universelle » comme disait Théophile
Gautier — mais pour toujours et sans réincarnation.
C'est bien l'esprit fataliste de la philosophie positiviste, celui de
Taine en particulier. Au moment, cependant, où Leconte de Lisle
travaillait ses premiers recueils, ce ne sont pas encore les sciences
proprement dites, les sciences naturelles, qui ont agi le plus fortement
sur les imaginations [*L'Origine des espèces*, de Darwin, ne parut qu'en
1859, trad. fr. 1862] mais certaines études objectives des philosophies
et de l'histoire des religions étaient fort avancées déjà et conduisaient
aux mêmes résultats. Partout on parlait des travaux des Thalès
Bernard, des A. Maury, des Max Muller [Les *Essais de mythologie
comparée* étaient de 1859]; les idées critiques destructrices contenues
dans la *Vie de Jésus* du théologien allemand Strauss (1835) — qui
devaient être reprises par Renan dans ses *Origines du Christianisme*,
— faisaient leur chemin, si bien qu'on pouvait parler d'une génération
de « païens enragés ». Ce qui répondait le mieux à l'état d'esprit
particulier de Leconte de Lisle, c'était cette philosophie d'un pan-

---

[1] *Hootings.*
[2] *Vulgar showplace* [tréteau — *open-air platform*].

théisme profondément mystique et pessimiste de l'Inde que les ouvrages du grand savant Eugène Burnouf avaient mis à la mode, entre autres l'*Introduction à l'histoire du Bouddhisme* (1845). On voulut se familiariser avec les mystères des livres sacrés de l'Orient, le *Mahabharata*, le *Ramayana*, le *Baghavat Purana*, le *Rig Véda*, ... Plusieurs des poèmes les plus célèbres de Leconte de Lisle sont comme un écho, ou mieux constituent une vulgarisation de la philosophie orientale; avec assez de liberté, il y rattache ses aspirations personnelles.[1]

La Maya[2]

Maya ! Maya ! torrent des mobiles chimères,
Tu fais jaillir du cœur de l'homme universel
Les brèves voluptés et les haines amères,
Le monde obscur des sens et la splendeur du ciel;
5 Mais qu'est-ce que le cœur des hommes éphémères,
O Maya ! sinon toi, le mirage immortel ?
Les siècles écoulés, les minutes prochaines,
S'abîment dans ton ombre, en un même moment,
Avec nos cris, nos pleurs et le sang de nos veines:
10 Éclair, rêve sinistre, éternité qui ment,
La Vie antique est faite inépuisablement
Du tourbillon sans fin des apparences vaines.

(*Poèmes tragiques*)

La vision de Brahma[3]

Un des nombreux poèmes qui célèbrent, dans une grandiose vision panthéiste l'absorption du « moi » humain dans le grand tout universel.

Tandis qu'enveloppé des ténèbres premières,
Brahma cherchait en soi l'origine et la fin,[4]

---

[1] La connaissance approfondie de la philosophie orientale par le poète occidental est mise en doute surtout par Jean Dornis, *Essai sur Leconte de Lisle* (Ollendorff, 1907), et par Gladys Falshaw, *Leconte de Lisle et l'Inde* (Paris, Darthez 1923).

[2] Déesse de l'illusion dans l'antique religion des Hindous.

[3] Brahma, issu de l'Être-principe, dieu des anciens Hindous, première personne de la Trinité hindoue.

[4] Spéculait sur l'origine et le but ultime de l'univers.

La Mâyâ [1] le couvrit de son réseau divin,
Et son cœur sombre et froid se fondit en lumières.

Aux pics de Kaîlaça, [2] d'où l'eau vive et le miel
Filtrent des verts figuiers et des rouges érables,
D'où le saint Fleuve [3] verse en courbes immuables   5
Ses cascades de neige à travers l'arc-en-ciel;

Parmi les coqs guerriers, les paons aux belles queues,
L'essaim des Apsaras [4] qui bondissaient en chœur,
Et le vol des Esprits bercés dans leur langueur,
Et les riches oiseaux lissant leurs plumes bleues;   10

Sur sa couche semblable à l'écume du lait,
Il vit Celui que nul n'a vu, l'Âme des âmes,
Tel qu'un frais nymphéa [5] dans une mer de flammes
D'où l'Être en millions de formes ruisselait: . . .

Mais Brahma, dès qu'il vit l'Être-principe en face,   15
Sentit comme une force irrésistible en lui,
Et la concavité de son crâne ébloui
Reculer, se distendre, et contenir l'espace.

Les constellations jaillirent de ses yeux;
Son souffle condensa le monceau des nuées;   20
Il entendit monter les sèves déchaînées
Et croître dans son sein l'Océan furieux.

Sagesse et passions, vertus, vices des hommes,
Désirs, haines, amours, maux et félicité,
Tout rugit et chanta dans son cœur agité: 25
Il ne dit plus: Je suis ! mais il pensa: Nous sommes !

---

[1] Ici, la suprême sagesse qui fait comprendre que tout ne peut être qu'*éternelle illusion*.

[2] Pics de l'Himalaya immense.

[3] Le Gange qui parcourt une grande partie de l'Inde, adoré comme un dieu, comme le Nil l'est en Égypte.

[4] Danseurs du Paradis Hindou.

[5] Nénuphar [*Water Lily*].

Ainsi, devant le Roi des monts Kalatçalas,
Qui fait s'épanouir les mondes sur sa tige,
Brahma crut, dilaté par l'immense vertige,
Que son cerveau divin se brisait en éclats.

5 Puis, abaissant les yeux, il dit: — Maître des maîtres,
Dont la force est interne et sans borne à la fois,
Je ne puis concevoir, en sa cause et ses lois,
Le cours tumultueux des choses et des êtres. ○ ○ ○

Et voici qu'une Voix grave, paisible, immense,
10 Sans échos, remplissant les sept sphères du ciel,
La voix de l'Incréé parlant à l'Éternel,
S'éleva sans troubler l'ineffable silence.

Ce n'était point un bruit humain, un son pareil
Au retentissement de la foudre ou des vagues;
15 Mais plutôt ces rumeurs magnifiques et vagues
Qui circulent en vous, mystères du sommeil !

Or Brahma, haletant sous la Voix innommée
Qui pénétrait en lui, mais pour n'en plus sortir,
Sentit de volupté son cœur s'anéantir
20 Comme au jour la rosée en subtile fumée.

Et cette Voix disait: « Si je gonfle les mers,
Si j'agite les cœurs et les intelligences,
J'ai mis mon Énergie au sein des Apparences,[1]
Et durant mon repos j'ai songé l'Univers.

25 « Dans l'Œuf irrévélé [2] qui contient tout en germe,
Sous mon souffle idéal je l'ai longtemps couvé;
Puis vigoureux, et tel que je l'avais rêvé,
Pour éclore, il brisa du front sa coque ferme.

[1] Le monde tel que le voit Brahma n'est en vérité qu'apparences trompeuses.

[2] Symbole du principe initial d'où est sorti l'univers entier et dont l'essence est à jamais mystère.

« Dès son premier élan, rude et capricieux,
Je lui donnai pour lois ses forces naturelles;
Et, vain jouet des combats qui se livraient entre elles,
De sa propre puissance il engendra ses Dieux.

« Indra [1] roula sa foudre aux flancs des précipices;   5
La mer jusques aux cieux multiplia ses bonds;
L'homme fit ruisseler le sang des étalons
Sur la pierre cubique,[2] autel des sacrifices.

« Et moi, je m'incarnai dans les héros anciens;
J'allai, purifiant les races ascétiques;   10
Et, le cœur transpercé de mes flèches mystiques,
L'homme noir de Lanka [3] rugit dans mes liens.

« Toute chose depuis fermente, vit, s'achève;
Mais rien n'a de substance et de réalité,
Rien n'est vrai que l'unique et morne Éternité: 15
O Brahma ! toute chose est le rêve d'un rêve.

« La Mâyâ dans mon sein bouillonne en fusion,
Dans son prisme changeant je vois tout apparaître;
Car ma seule Inertie est la source de l'Être:
La matrice du monde est mon Illusion. ○ ○ ○   20

« Brahma ! tel est le rêve où ton esprit s'abîme.
N'interroge donc plus l'auguste Vérité:
Que serais-tu, sinon ma propre vanité
Et le doute secret de mon néant sublime ? »

Et sur les sommets d'or du divin Kaîlaça,   25
Où nage dans l'air pur le vol des blancs génies,
L'inexprimable Voix cessant ses harmonies,
La Vision terrible et sainte s'effaça.

                                    (*Poèmes barbares*)

----

[1] Dieu de l'atmosphère.
[2] Cube, forme géométrique parfaite dans sa régularité, et adoptée
allégoriquement pour l'autel sacré.
[3] La race esclave, fille de la pensée créatrice de Maya aussi bien
que la race des héros.

*

Un autre très long poème de Leconte de Lisle sur cette Inde mystique est *Baghavat*, disant les méditations de trois sages au bord du Gange tandis qu'autour d'eux palpite « *la vie immense* »; et un autre, *Prière védique pour les morts* (tous deux dans *Poèmes antiques*).

Dans *Çunacépa*, un des poèmes les plus connus, l'idée est présentée sous forme de récit; un ‹ richi › [noble hindou] a trois fils; le second Çunacépa, aime Çanta. Or, Maharadjah (le grand roi) a offensé les dieux; ils exigent un sacrifice humain; le roi demande un des fils du ‹ richi ›. Le père refuse l'aîné, la mère refuse le plus jeune. Çunacépa s'offre; le sacrifice est pour l'aube suivante. Çanta arrive le soir; les deux amoureux pleurent leur destin. Un vautour leur conseille d'aller consulter Viçvauntra, l'ascète, qui leur dit: Çunacépa entrera jeune encore « par la porte de lumière ». Mais Çunacépa insiste pour demander un remède car il a pitié de Çanta; Çanta aussi implore. Alors le sage dit: « Si tu veux souffrir encore, tu vivras », et il lui prescrit de répéter, une fois attaché par le brahmane pour le sacrifice, de répéter sept fois l'hymne sacré des Indras; alors ses liens tomberont et un cheval apaisera les Dêvas. Ainsi tout arrive; le conseil est suivi, et Çunacépa et Çanta goûtent *l'illusion de l'amour*.

Dies irae

Voici encore quelques strophes d'un des plus célèbres poèmes reflétant la sombre philosophie de Leconte de Lisle:

Il est un jour, une heure, où dans le chemin rude,
Courbé sous le fardeau des ans multipliés,
L'Esprit humain s'arrête, et pris de lassitude,
Se retourne pensif vers les jours oubliés.

5 La vie a fatigué son attente inféconde;
Désabusé du Dieu qui ne doit point venir,
Il sent renaître en lui la jeunesse du monde;
Il écoute ta voix, ô sacré Souvenir !₀₀₀

Il salue en passant le Christ:

Salut ! l'Humanité, dans ta tombe scellée,
10 O jeune Essénien, garde son dernier Dieu !₀₀₀

Oui ! le Mal éternel est dans sa plénitude !
L'air du siècle est mauvais aux esprits ulcérés.
Salut, Oubli du monde et de la multitude !
Reprends-nous, ô Nature entre tes bras sacrés ! ॰ ॰ ॰

Console-nous enfin des espérances vaines: 5
La route infructueuse a blessé nos pieds nus.
Du sommet des grands caps, loin des rumeurs humaines,
O vents ! emportez-nous vers les Dieux inconnus !

Mais, si rien ne répond dans l'immense étendue,
Que le stérile écho de l'éternel Désir,   10
Adieu, déserts, où l'âme ouvre une aile éperdue !
Adieu, songe sublime, impossible à saisir !

Et toi, divine Mort, où tout rentre et s'efface,
Accueille tes enfants dans ton sein étoilé;
Affranchis-nous du temps, du nombre [1] et de l'espace,   15
Et rends-nous le repos que la vie a troublé !

                              (*Poèmes antiques*)

　　L'amertune de Leconte de Lisle est surtout dirigée contre ceux qui
essaient de tromper l'humanité, lui affirmant que le bonheur existe ou
que le monde peut être sauvé.
　　Il combine les deux véhémentes accusations de Vigny et de Voltaire:
celle de Vigny [V. vol. I, *Le Mont des Oliviers* pp. 367-371] que le Christ
— le Nazaréen comme il le désigne — s'est trompé, ou a été trompé
en se croyant le fils d'un Dieu d'amour, car le monde ne pouvait être
sauvé, même par la religion de la charité, et Jésus est seulement le
dernier des dieux en qui l'humanité a essayé de croire [V. *Le Nazaréen*,
dans les *Poèmes barbares*, pp. 304-306, éd. Lemerre]; *celle de Voltaire*
surtout qui accusait l'Église de s'être servie du doux rêve du Christ
pour tromper les hommes et établir son règne d'ambitions et le faisant
souvent par des moyens si cruels.
　　Dans le morceau *L'Agonie d'un saint* [*Poèmes barbares*, pp. 318-324]
il y a une discussion formidable entre un prêtre — le saint — et
Jésus. Celui-là va rendre compte de sa vie au Juge suprême: sentant
qu'il a trahi l'évangile de la charité, il explique: le rêve du Christ

_____
　　[1] Symbole du fini, du créé, par opposition à l'infini, à l'incréé originel et indivisible, à l'éternel.

était impossible à réaliser; l'Église l'a compris et s'est servie de ce
rêve pour faire adopter un gouvernement des hommes qui était au
moins tout humain.   Le Christ répond: le rêve du moins était beau,
et l'œuvre de l'Église était une trahison: « Alléluia ! L'Église a
terrassé Satan » avait dit le prêtre.   Jésus réplique:

> — « Tu mens !   C'était l'orgueil implacable et jaloux
> De commander aux rois dans tes haillons de bure,
> Et d'écraser du pied les peuples à genoux,
> Qui faisait tressaillir ton âme altière et dure . . .
>
> « Arrière !   Va hurler dans l'abîme éternel ! » ° ° °
>
> — « Grâce, Seigneur Jésus ! — Arrière ! il est trop tard.
> — Je vois flamber l'Enfer, j'entends rire le Diable,
> Et je meurs ! » — Ce disant, convulsif et hagard,
> L'Abbé se renversa dans un rire effroyable ! [1]

Un autre poème, tout rempli d'amertume, est *Qaïn*, (le premier des
Poèmes barbares).   L'homme, victime du destin cruel, se révolte.
C'est le récit d'une vision de Thogorma, le voyant;   Qaïn, exaspéré
des accusations dont il se sait partout la victime, se lève enfin après
10,000 ans:

> Je veux parler aussi, c'est l'heure, afin que tous
> Vous sachiez, ô hurleurs stupides que vous êtes,
> Ce que dit le vengeur Qaïn au Dieu jaloux. ° ° °

Il est fils du désespoir; le malheur a présidé à sa naissance.   Après
la fuite du paradis, son père lui reprochait de vivre, sa mère ne lui
avait jamais souri; il aimait Abel.   C'est Jahve qui est cause de tout,
qui est responsable de la fatalité, qui auprès de la défense « a mis le
désir » et l'a « précipité dans le crime tendu ».   Qaïn, cependant se
vengera; il soufflera la révolte au cœur de l'homme:

> Mon souffle, ô Pétrisseur de l'antique limon,
> Un jour redressera ta victime vivace.
> Tu lui diras: « Adore ! »   Elle répondra: « Non ! » ° ° °

*   *   *

Aux heures où il ne maudira pas la fatalité qui condamne l'homme
à la misère, Leconte de Lisle se retirera lui aussi, dans la contemplation du beau en lui-même, de la beauté plastique, de la beauté sans
âme de la Grèce antique.   En traduisant magnifiquement les poètes

---

[1] V. le même sujet traité dans le style de Voltaire, *Eighteenth Century French Readings:* « La Mule du Pape », pp. 351-353.

grecs [Anacréon (1861), Hésiode (1869), *Iliade* et *Odyssée* (1866 et 1867); Eschyle, Sophocle, Euripide (1872, 1877, 1885) sans compter une adaptation de *L'Orestie* sous le titre *Les Érynnies* (1877)], il a beaucoup contribué à ce qu'on a appelé « Le rêve hellénique » au XIXᵉ siècle.[1]

Leconte de Lisle a, lui aussi, sa « Prière sur l'Acropole », comme Renan et Gautier; il l'adresse, toutefois, lui, à la statue de la Vénus de Milo, — non, d'ailleurs, à la déesse de l'humaine volupté, mais conformément à la théorie parnassienne de « l'art pour l'art, » à la Vénus, mère des dieux car elle est la déesse de la Beauté.

Vénus de Milo

Marbre sacré,[2] vêtu de force et de génie,
Déesse irrésistible au port victorieux,
Pure comme un éclair et comme une harmonie,
O Vénus, ô Beauté, blanche mère des Dieux !

Tu n'es pas Aphrodite, au bercement de l'onde,[3]   5
Sur ta conque d'azur posant un pied neigeux,

---

[1] Depuis le temps de la Guerre d'Indépendance de la Grèce, c'est à dire depuis les jours de Byron, Chateaubriand et du Victor Hugo des *Orientales* (v. vol. I, p. 199 des *Nineteenth Century French Readings*) le « rêve hellénique » n'avait cessé de hanter les esprits. Il y avait eu, en 1838, le grand poème en prose d'Edgar Quinet, *Prométhée.* Mais le nom le plus important est ici celui de Louis Ménard (1822–1901), grand ami de Leconte de Lisle, auteur d'un *Prométhée délivré* (1844). Après quelques années vouées à des travaux de chimie, Ménard s'était consacré à l'étude du grec et des religions antiques; en 1863 il publiait son *Polythéisme hellénique*, et, surtout, en 1876, ses *Rêveries d'un païen mystique.* V. H. Peyre, *Louis Ménard*, (Yale Press, 1932) et du même: *Bibliographie critique de l'hellénisme en France*, 1843–1870. On a vu plus haut la mention du recueil de vers de Banville, *Les exilés* (1866); on peut rappeler aussi bien des pièces des *Chansons des rues et des bois* de Victor Hugo (1863); enfin les spirituelles parodies de ce culte des dieux antiques de Meilhac et Halévy, p. ex. *La belle Hélène* (1863).

[2] La fameuse statue du Musée du Louvre, découverte en 1820 dans l'île de Milo, et apportée en France par le diplomate, Comte de Marcellus.

[3] Selon la légende mythologique qui fait naître Vénus de l'écume de la mer.

Tandis qu'autour de toi, vision rose et blonde,
Volent les Rires d'or avec l'essaim des Jeux. ₒ ₒ ₒ

Du bonheur impassible ô symbole adorable,
Calme comme la Mer en sa sérénité,
5 Nul sanglot n'a brisé ton sein inaltérable,
Jamais les pleurs humains n'ont terni ta beauté.

Salut ! À ton aspect le cœur se précipite.
Un flot marmoréen inonde tes pieds blancs;
Tu marches, fière et nue, et le monde palpite,
10 Et le monde est à toi, Déesse aux larges flancs !

Îles,[1] séjour des Dieux ! Hellas,[2] mère sacrée !
Oh ! que ne suis-je né dans le saint Archipel,
Aux siècles glorieux où la Terre inspirée
Voyait le Ciel descendre à son premier appel !

15 Si mon berceau, flottant sur la Thétis [3] antique,
Ne fut point caressé de son tiède cristal;
Si je n'ai point prié sous le fronton attique,
Beauté victorieuse, à ton autel natal;

Allume dans mon sein la sublime étincelle,
20 N'enferme point ma gloire au tombeau soucieux;
Et fais que ma pensée en rythme d'or ruisselle,
Comme un divin métal au moule harmonieux.

(*Poèmes antiques*)

Le réveil d'Hélios

Le poète décrit ici le lever du soleil (Hélios [4]) d'après la mythologie grecque.

Le Jeune Homme divin, nourrisson de Délos,[5]
Dans sa khlamyde d'or quitte l'azur des flots;

[1] Les îles de l'archipel grec.   [2] La Grèce.
[3] Déesse de la mer; ici, la mer elle-même.
[4] Autres noms du dieu solaire: *Apollon, Phoebus.*
[5] *Foster child of Delos* [Délos, la petite île de l'Archipel grec où naquirent Apollon (ou Hélios) et sa sœur Diane, déesse de la lune].

De leurs baisers d'argent son épaule étincelle
Et sur ses pieds légers l'onde amère ruisselle.
A l'essieu plein de force il attache soudain
La roue à jantes [1] d'or, à sept rayons d'airain.
Les moyeux [2] sont d'argent, aussi bien que le siège.　　　5
Le Dieu soumet au joug quatre étalons de neige,
Qui, rebelles au frein, mais au timon liés,
Hérissés, écumants, sur leurs jarrets ployés,
Hennissent vers les cieux, de leurs naseaux splendides.
Mais, du quadruple effort de ses rênes solides,　　　10
Le fils d'Hypériôn [3] courbe leurs cols nerveux;
Et le vent de la mer agite ses cheveux,
Et Séléné [4] pâlit, et les Heures divines
Font descendre l'Aurore aux lointaines collines.
Le Dieu s'écrie ! Il part, et dans l'ampleur du ciel　　　15
Il pousse, étincelant, le quadrige immortel.
L'air sonore s'emplit de flamme et d'harmonie;
L'Océan qui palpite, en sa plainte infinie,
Pour saluer le Dieu, murmure un chant plus doux;
Et, semblable à la vierge en face de l'époux,　　　20
La Terre, au bord brumeux des ondes apaisées,
S'éveille en rougissant sur son lit de rosées.

(*Poèmes antiques*)

Midi

Autre apothéose du soleil, et un des morceaux les plus parfaits
sortis de la plume de Leconte de Lisle.

Midi, Roi des étés, épandu sur la plaine,
Tombe en nappes d'argent des hauteurs du ciel bleu.
Tout se tait. L'air flamboie et brûle sans haleine;　　　25
La terre est assoupie en sa robe de feu.

---

[1] *Rims.*
[2] *Naves.*
[3] Titan fils du Ciel et de la Terre.
[4] Déesse de la Lune, qu'on appelle aussi Diane, Phébé, Artémis.

L'étendue est immense, et les champs n'ont pas d'ombre,
Et la source est tarie où buvaient les troupeaux;
La lointaine forêt, dont la lisière est sombre,
Dort là-bas, immobile, en un pesant repos.

5 Seuls, les grands blés mûris, tels qu'une mer dorée,
Se déroulent au loin, dédaigneux du sommeil;
Pacifiques enfants de la Terre sacrée,
Ils épuisent sans peur la coupe du Soleil.

Parfois, comme un soupir de leur âme brûlante,
10 Du sein des épis lourds qui murmurent entre eux,
Une ondulation majestueuse et lente
S'éveille, et va mourir à l'horizon poudreux.

Non loin, quelques bœufs blancs, couchés parmi les herbes,
Bavent avec lenteur sur leurs fanons épais,
15 Et suivent de leurs yeux languissants et superbes,
Le songe intérieur qu'ils n'achèvent jamais.

Homme, si, le cœur plein de joie ou d'amertume,
Tu passais vers midi dans les champs radieux,
Fuis ! la Nature est vide et le Soleil consume:
20 Rien n'est vivant ici, rien n'est triste ou joyeux.

Mais si, désabusé des larmes et du rire,
Altéré de l'oubli de ce monde agité,
Tu veux, ne sachant plus pardonner ou maudire,
Goûter une suprême et morne volupté,

25 Viens ! Le soleil te parle en paroles sublimes;
Dans sa flamme implacable absorbe-toi sans fin;
Et retourne à pas lents vers les cités infimes,[1]
Le cœur trempé sept fois dans le Néant divin.

---

[1] C'est-à-dire, inférieures, de la terre.

Nox

Voici, pour terminer, quelques strophes où l'on voit le poète communier avec la nature.

Sur la pente des monts les brises apaisées
Inclinent au sommeil les arbres onduleux;
L'oiseau silencieux s'endort dans les rosées,
Et l'étoile a doré l'écume des flots bleus.

Au contour des ravins, sur les hauteurs sauvages,   5
Une molle vapeur efface les chemins;
La lune tristement baigne les noirs feuillages;
L'oreille n'entend plus les murmures humains.

Mais sur le sable au loin chante la Mer divine,
Et des hautes forêts gémit la grande voix,   10
Et l'air sonore, aux cieux que la nuit illumine,
Porte le chant des mers et le soupir des bois.

Montez, saintes rumeurs, paroles surhumaines,
Entretien lent et doux de la Terre et du Ciel !
Montez, et demandez aux étoiles sereines   15
S'il est pour les atteindre un chemin éternel.

O mers, ô bois songeurs, voix pieuses du monde,
Vous m'avez répondu durant mes jours mauvais;
Vous avez apaisé ma tristesse inféconde,
Et dans mon cœur aussi vous chantez à jamais !   20

(*Poèmes antiques*)

* * *

Quoique sans âme, la beauté existe donc dans l'univers. En outre, la nature a ses spectacles sollicitant notre attention. L'étude de la nature était à la mode, et de tous côtés on cherchait à lui arracher ses secrets. Leconte de Lisle n'échappa pas à la contagion; il avait, du reste, eu l'occasion d'observer la nature dans son pays natal des tropiques où elle se manifeste sous des aspects particulièrement luxuriants. Il fit appel à ses souvenirs; il mérita le nom de « Grand animalier » pour ses descriptions de la vie de la jungle — précurseur de Kipling, quoique d'un style plus austère. Aux yeux de beaucoup, c'est la grande originalité de notre poète. Ainsi Baudelaire écrit: « Ce que je préfère parmi ses œuvres, c'est un filon tout nouveau qui est bien à lui et qui n'est qu'à lui ... Je veux parler des poèmes, où sans préoccupation de la religion et des formes successives de la pensée humaine, le poète a décrit la beauté telle qu'elle posait pour son œil original: les forces imposantes, écrasantes, de la nature, la majesté de l'animal dans sa course ou dans son repos ... enfin la sérénité du désert ou la magnificence de l'océan. Là, Leconte de Lisle est un maître et un grand maître. Là, la poésie triomphante n'a plus d'autre but qu'elle-même. »

Voici sa description célèbre de la troupe formidable des éléphants qui troublent le silence auguste de la brousse:

Les éléphants

Le sable rouge est comme une mer sans limite,
Et qui flambe, muette, affaissée en son lit.
Une ondulation immobile remplit
L'horizon aux vapeurs de cuivre où l'homme habite.

5 Nulle vie et nul bruit. Tous les lions repus
Dorment au fond de l'antre éloigné de cent lieues,
Et la girafe boit dans les fontaines bleues,
Là-bas, sous les dattiers des panthères connus.

Pas un oiseau ne passe en fouettant de son aile
10 L'air épais, où circule un immense soleil.
Parfois quelque boa, chauffé dans son sommeil,
Fait onduler son dos dont l'écaille étincelle.

Tel l'espace enflammé brûle sous les cieux clairs.
Mais, tandis que tout dort aux mornes solitudes,
15 Les éléphants rugueux, voyageurs lents et rudes,
Vont au pays natal à travers les déserts.

D'un point de l'horizon, comme des masses brunes,
Ils viennent, soulevant la poussière, et l'on voit,
Pour ne point dévier du chemin le plus droit,
20 Sous leur pied large et sûr crouler au loin les dunes.

Celui qui tient la tête est un vieux chef.　Son corps
Est gercé comme un tronc que le temps ronge et mine;
Sa tête est comme un roc, et l'arc de son échine
Se voûte puissamment à ses moindres efforts.

Sans ralentir jamais et sans hâter sa marche,　　　　　5
Il guide au but certain ses compagnons poudreux;
Et, creusant par derrière un sillon sablonneux,
Les pèlerins massifs suivent leur patriarche.

L'oreille en éventail, la trompe entre les dents,
Ils cheminent, l'œil clos.　Leur ventre bat et fume,　　　10
Et leur sueur dans l'air embrasé monte en brume;
Et bourdonnent autour mille insectes ardents.

Mais qu'importent la soif et la mouche vorace,
Et le soleil cuisant leur dos noir et plissé?
Ils rêvent en marchant du pays délaissé,　　　　　15
Des forêts de figuiers où s'abrita leur race.

Ils reverront le fleuve échappé des grands monts,
Où nage en mugissant l'hippopotame énorme,
Où, blanchis par la lune et projetant leur forme,
Ils descendaient pour boire en écrasant les joncs.　　　20

Aussi, pleins de courage et de lenteur, ils passent
Comme une ligne noire, au sable illimité;
Et le désert reprend son immobilité
Quand les lourds voyageurs à l'horizon s'effacent.

(Poèmes barbares)

Le jaguar

Sous le rideau lointain des escarpements sombres　　　25
La lumière, par flots écumeux, semble choir;
Et les mornes pampas où s'allongent les ombres
Frémissent vaguement à la fraîcheur du soir.

Des marais hérissés d'herbes hautes et rudes,
Des sables, des massifs d'arbres, des rochers nus,
Montent, roulent, épars, du fond des solitudes,
De sinistres soupirs au soleil inconnus.

5 La lune, qui s'allume entre des vapeurs blanches,
Sur la vase d'un fleuve aux sourds bouillonnements,
Froide et dure, à travers l'épais réseau des branches,
Fait reluire le dos rugueux des caïmans.

Les uns, le long du bord traînant leurs cuisses torses,
10 Pleins de faim, font claquer leurs mâchoires de fer;
D'autres, tels que des troncs vêtus d'âpres écorces,
Gisent, entre-bâillant la gueule aux courants d'air.

Dans l'acajou fourchu, lové [1] comme un reptile,
C'est l'heure où, l'œil mi-clos et le mufle en avant,
15 Le chasseur au beau poil [2] flaire une odeur subtile,
Un parfum de chair vive égaré dans le vent.

Ramassé sur ses reins musculeux, il dispose
Ses ongles et ses dents pour son œuvre de mort;
Il se lisse la barbe avec sa langue rose;
20 Il laboure l'écorce et l'arrache et la mord.

Tordant sa souple queue en spirale, il en fouette
Le tronc de l'acajou d'un brusque enroulement;
Puis sur sa patte roide il allonge la tête,
Et, comme pour dormir, il râle doucement.

25 Mais voici qu'il se tait, et, tel qu'un bloc de pierre,
Immobile, s'affaisse au milieu des rameaux:
Un grand bœuf des pampas entre dans la clairière,
Corne haute et deux jets de fumée aux naseaux.

---

[1] *Coiled.*
[2] Le jaguar.

Celui-ci fait trois pas. La peur le cloue en place:
Au sommet d'un tronc noir qu'il effleure en passant,
Plantés droit dans sa chair où court un froid de glace,
Flambent deux yeux zébrés [1] d'or, d'agate et de sang.

Stupide, vacillant sur ses jambes inertes,   5
Il pousse contre terre un mugissement fou;
Et le jaguar, du creux des branches entr'ouvertes,
Se détend comme un arc et le saisit au cou.

Le bœuf cède, en trouant la terre de ses cornes,
Sous le choc imprévu qui le force à plier;   10
Mais bientôt, furieux, par les plaines sans bornes
Il emporte au hasard son fauve cavalier.

Sur le sable mouvant qui s'amoncelle en dune,
De marais, de rochers, de buissons entravé,
Ils passent, aux lueurs blafardes de la lune,   15
L'un ivre, aveugle, en sang, l'autre à sa chair rivé.

Ils plongent au plus noir de l'immobile espace,
Et l'horizon recule et s'élargit toujours;
Et, d'instants en instants, leur rumeur qui s'efface
Dans la nuit et la mort enfonce ses bruits sourds.   20

                            (*Poèmes barbares*)

Sacra fames

Sacra fames — Faim sacrée ! un des plus fameux morceaux du
poète qui ne peut s'empêcher toujours de mêler quelque peu sa sombre
philosophie à ses descriptions: le requin [*shark*] est à la recherche de
sa proie — il est comme l'homme: aujourd'hui mangeant, demain
mangé: « *La faim sacrée est un long meurtre légitime . . . Devant ta
face, ô Mort, tous deux sont innocents.* »

L'immense Mer sommeille. Elle hausse et balance
Ses houles où le Ciel met d'éclatants îlots.
Une nuit d'or emplit d'un magique silence
La merveilleuse horreur de l'espace et des flots.

                    [1] *Streaked.*

Les deux gouffres ne font qu'un abîme sans borne
De tristesse, de paix et d'éblouissement,
Sanctuaire et tombeau, désert splendide et morne
Où des millions d'yeux regardent fixement.

5 Tels, le Ciel magnifique et les Eaux vénérables
Dorment dans la lumière et dans la majesté,
Comme si la rumeur des vivants misérables
N'avait troublé jamais leur rêve illimité.

Cependant, plein de faim dans sa peau flasque et rude,
10 Le sinistre Rôdeur [1] des steppes de la Mer
Vient, va, tourne, et, flairant au loin la solitude,
Entre-bâille d'ennui ses mâchoires de fer.

Certes, il n'a souci de l'immensité bleue,
Des Trois Rois, du Triangle ou du long Scorpion [2]
15 Qui tord dans l'infini sa flamboyante queue,
Ni de l'Ourse qui plonge au clair Septentrion.

Il ne sait que la chair qu'on broie et qu'on dépèce,
Et, toujours absorbé dans son désir sanglant,
Au fond des masses d'eau lourdes d'une ombre épaisse
20 Il laisse errer son œil terne, impassible et lent.

Tout est vide et muet. Rien qui nage ou qui flotte,
Qui soit vivant ou mort, qu'il puisse entendre ou voir.
Il reste inerte, aveugle, et son grêle pilote [3]
Se pose pour dormir sur son aileron noir.

25 Va, monstre ! tu n'es pas autre que nous ne sommes,
Plus hideux, plus féroce, ou plus désespéré.
Console-toi ! demain tu mangeras des hommes,
Demain par l'homme aussi tu seras dévoré.

---

[1] Le requin [*shark*]; rôdeur, *roamer*.
[2] Trois constellations.
[3] Poisson-pilote — qui suit les vaisseaux et conduit le requin vers sa proie.

La Faim sacrée est un long meurtre légitime
Des profondeurs de l'ombre aux cieux resplendissants,
Et l'homme et le requin, égorgeur ou victime,
Devant ta face, ô Mort, sont tous deux innocents.

(Poèmes tragiques).

Les hurleurs[1]

Le soleil dans les flots avait noyé ses flammes,   5
La ville s'endormait aux pieds des monts brumeux.
Sur de grands rocs lavés d'un nuage écumeux
La mer sombre en grondant versait ses hautes lames.

La nuit multipliait ce long gémissement.
Nul astre ne luisait dans l'immensité nue;   10
Seule, la lune pâle, en écartant la nue,
Comme une morne lampe oscillait tristement.

Monde muet, marqué d'un signe de colère,
Débris d'un globe mort au hasard dispersé,
Elle laissait tomber de son orbe glacé   15
Un reflet sépulcral sur l'océan polaire.

Sans borne, assise au Nord, sous les cieux étouffants,
L'Afrique, s'abritant d'ombre épaisse et de brume,
Affamait ses lions dans le sable qui fume,
Et couchait près des lacs ses troupeaux d'éléphants.   20

Mais sur la plage aride, aux odeurs insalubres,
Parmi des ossements de bœufs et de chevaux,
De maigres chiens, épars, allongeant leurs museaux,
Se lamentaient, poussant des hurlements lugubres.

La queue en cercle sous leurs ventres palpitants,   25
L'œil dilaté, tremblant sur leurs pattes fébriles,
Accroupis çà et là, tous hurlaient, immobiles,
Et d'un frisson rapide agités par instants.

[1] *Howling dogs.*

L'écume de la mer collait sur leurs échines
De longs poils qui laissaient les vertèbres saillir;
Et, quand les flots par bonds les venaient assaillir,
Leurs dents blanches claquaient sous leurs rouges babines.

5 Devant la lune errante aux livides clartés,
Quelle angoisse inconnue, au bord des noires ondes,
Faisait pleurer une âme en vos formes immondes?
Pourquoi gémissiez-vous, spectres épouvantés?

Je ne sais; mais, ô chiens qui hurliez sur les plages,
10 Après tant de soleils qui ne reviendront plus,[1]
J'entends toujours, du fond de mon passé confus,
Le cri désespéré de vos douleurs sauvages!

(*Poèmes barbares*)

* * *

Parfois le Leconte de Lisle exotique n'a pas été sombre, — quoique
ce fût l'exception. Les vers suivants se rapportent à un souvenir de
jeunesse dans son île natale (Cf. Souriau, *livre cité*, pp. 149–150). Il
décrit une jeune fille des tropiques transportée à la ville dans un
manchy [litière] par deux esclaves. Elle était morte, quand le poème
fut écrit.

Le Manchy

Sous un nuage frais de claire mousseline,
Tous les dimanches au matin,
15 Tu venais à la ville en manchy de rotin,[2]
Par les rampes de la colline.

La cloche de l'église alertement tintait;
Le vent de mer berçait les cannes;
Comme une grêle d'or, aux pointes des savanes,
20 Le feu du soleil crépitait.

[1] Ce poème est un rappel des jours où le jeune Leconte de Lisle
rêvait dans les jungles de l'Afrique.
[2] *Rattan.*

Le bracelet aux poings, l'anneau sur la cheville,
   Et le mouchoir jaune aux chignons,
Deux Telingas [1] portaient, assidus compagnons,
   Ton lit aux nattes de Manille.

Ployant leur jarret maigre et nerveux, et chantant,   5
   Souples dans leurs tuniques blanches,
Le bambou sur l'épaule et les mains sur les hanches,
   Ils allaient le long de l'Étang.

Le long de la chaussée et des verangues [2] basses,
   Où les vieux créoles fumaient,   10
Par les groupes joyeux des Noirs, ils s'animaient
   Au bruit des bobres Madécasses. [3]

Dans l'air léger flottait l'odeur des tamarins;
   Sur les houles illuminées,
Au large, les oiseaux, en d'immenses traînées,   15
   Plongeaient dans les brouillards marins.

Et tandis que ton pied, sorti de la babouche,
   Pendait, rose, au bord du manchy,
À l'ombre des Bois-noirs touffus et du Letchi [4]
   Aux fruits moins pourprés que ta bouche;   20

Tandis qu'un papillon, les deux ailes en fleur,
   Teinté d'azur et d'écarlate,
Se posait par instants sur ta peau délicate
   En y laissant de sa couleur;

On voyait, au travers du rideau de batiste,   25
   Tes boucles dorer l'oreiller,
Et, sous leurs cils mi-clos, feignant de sommeiller,
   Tes beaux yeux de sombre améthyste.

---

[1] Serviteurs de la tribu des Telingas.

[2] Végétations.

[3] Instruments de musique (sortes de mandolines); madécasses, de Madagascar.

[4] Arbres qui donnent un fruit rouge.

Tu t'en venais ainsi, par ces matins si doux,
  De la montagne à la grand'messe,
Dans ta grâce naïve et ta rose jeunesse,
  Au pas rythmé de tes Hindous.

5 Maintenant, dans le sable aride de nos grèves,
  Sous les chiendents, au bruit des mers,
Tu reposes parmi les morts qui me sont chers,
  O charme de mes premiers rêves !

(Poèmes barbares)

* * *

Dans une partie importante de son œuvre, Leconte de Lisle rappelle le Victor Hugo de *La légende des siècles*. On a souvent rapproché les deux poètes pour leur manière d'évoquer magnifiquement des civilisations passées en choisissant des épisodes pittoresques et caractéristiques. Il y a, cependant, une différence fondamentale entre les deux; tandis que Victor Hugo se proposait de montrer « l'histoire de la conscience humaine en ascension vers le bien » (Berret), Leconte de Lisle au contraire semblait préoccupé avant tout de montrer que l'âme humaine était de tous les temps, dans les temps modernes comme dans les époques reculées de l'espèce humaine, affligée d'une même « barbarie » incurable, tragique . . . et poétique.

Leconte de Lisle a emprunté ses épisodes dramatiques à plusieurs civilisations; nous avons cité des poèmes relatifs à la Grèce, à l'Asie antique. Il en a emprunté quelques-uns à la Bible (*Qaïn, La Vigne de Naboth, Le Nazaréen*); à l'Espagne il a emprunté, pour un poème saisissant, un épisode du (Romancero du Cid), *La tête du Comte;* parmi les légendes du Rhin il a choisi la curieuse histoire du *Lévrier de Magnus* (*Poèmes tragiques*). La mythologie du Nord, scandinave ou celtique, a séduit Leconte de Lisle plus qu'aucun autre Parnassien.[1]

_____

[1] Il ne fut pas, pourtant, le seul, ni surtout le premier qui, à cette époque, s'intéressât à cette littérature scandinave. On trouvera des renseignements dans J. Vianey, *Les poèmes barbares*, (Malfère, 1933; pp. 37, 83 ss., 88, etc.). En 1858 avait paru une traduction des *Chants de sôl* par Bergman. M. Vianey y voit la source principale de Leconte de Lisle — qui prit d'ailleurs des libertés assez grandes dans le traitement de ces légendes.

Le cœur de Hialmar

Épisode d'une vieille légende nordique (le *Cycle d'Arngrim*, dont il ne reste que des fragments). C'est ici le chant de mort du héros Hialmar, fiancé d'Ingiberg, fille d'Ylmer roi de Danemark, à la main de qui prétendait aussi le chef Agantyr. Hialmar a vaincu les ennemis, il a tué son rival, dernier possesseur de l'épée magique *Pourfendeuse* [*Giant Killer*] forgée par les nains de la montagne; mais il a été blessé par l'épée fatale. Il sait qu'il va mourir; il lègue son cœur à sa fiancée.

Une nuit claire, un vent glacé. La neige est rouge.
Mille braves sont là qui dorment sans tombeaux,
L'épée au poing, les yeux hagards. Pas un ne bouge.
Au-dessus tourne et crie un vol de noirs corbeaux.

La lune froide verse au loin sa pâle flamme.   5
Hialmar se soulève entre les morts sanglants,
Appuyé des deux mains au tronçon de sa lame.
La pourpre du combat ruisselle de ses flancs.

— Holà ! Quelqu'un a-t-il encore un peu d'haleine,
Parmi tant de joyeux et robustes garçons   10
Qui, ce matin, riaient et chantaient à voix pleine
Comme des merles dans l'épaisseur des buissons ?

Tous sont muets. Mon casque est rompu, mon armure
Est trouée, et la hache a fait sauter ses clous.
Mes yeux saignent. J'entends un immense murmure   15
Pareil aux hurlements de la mer ou des loups.

Viens par ici, Corbeau, mon brave mangeur d'hommes !
Ouvre-moi la poitrine avec ton bec de fer.
Tu nous retrouveras demain tels que nous sommes.
Porte mon cœur tout chaud à la fille d'Ylmer.   20

Dans Upsal, où les Jarls [1] boivent la bonne bière,
Et chantent, en heurtant les cruches d'or, en chœur,

[1] Barons, chevaliers [anglais, *Earls*].

A tire-d'aile [1] vole, ô rôdeur de bruyère ! [2]
Cherche ma fiancée et porte-lui mon cœur.

Au sommet de la tour que hantent les corneilles
Tu la verras debout, blanche, aux longs cheveux noirs.
5 Deux anneaux d'argent fin lui pendent aux oreilles,
Et ses yeux sont plus clairs que l'astre des beaux soirs.

Va, sombre messager, dis-lui bien que je l'aime,
Et que voici mon cœur. Elle reconnaîtra
Qu'il est rouge et solide et non tremblant et blême;
10 Et la fille d'Ylmer, Corbeau, te sourira !

Moi, je meurs. Mon esprit coule par vingt blessures.
J'ai fait mon temps. Buvez, ô loups, mon sang vermeil.
Jeune, brave, riant, libre et sans flétrissures,
Je vais m'asseoir parmi les Dieux, dans le soleil.

Le jugement de Komor

Ici une histoire bretonne: est-ce une légende du pays ? J. Vianey
(*Sources de Leconte de Lisle*) ne saurait le dire. D'autre part, il
exprime l'opinion (dans le livre cité plus haut) qu'il y aurait dans ce
poème une réminiscence personnelle d'une trahison de femme; ainsi
ces vers seraient à mettre en parallèle avec ceux de *La colère de Samson*, inspirés à Alfred de Vigny par la trahison de Marie Dorval (V.
vol. I, p. 363).

15 La lune sous la nuit errait en mornes flammes,
Et la tour de Komor, du Jarle [3] de Kemper,
Droit et ferme, montait dans l'écume des lames.

Sous le fouet redoublé des rafales d'hiver
La tour du vieux Komor dressait sa masse haute,
20 Telle qu'un cormoran qui regarde la mer.

---

[1] *At full speed.*
[2] *Prowler of the heath* [*moors*].
[3] Baron (D'après Leconte de Lisle ce mot Jarle serait celtique
aussi bien que scandinave (Voir poème précédent).

Un grondement immense enveloppait la côte.
Sur les flots palpitaient, blêmes, de toutes parts,
Les âmes des noyés qui moururent en faute.

Et la grêle tintait contre les noirs remparts,
Et le vent secouait la herse [1] aux lourdes chaînes,   5
Et tordait les grands houx sur les talus épars.

Dans les fourrés craquaient les rameaux morts des chênes,
Tandis que par instants un maigre carnassier
Hurlait lugubrement sur les dunes prochaines.

Or, au feu d'une torche en un flambeau grossier,   10
Le Jarle, dans sa tour vieille que la mer ronge,
Marchait, les bras croisés sur sa cotte d'acier.

Muet, sourd au fracas qui roule et se prolonge,
Comprimant de ses poings la rage de son cœur,
Le Jarle s'agitait comme en un mauvais songe.   15

C'était un haut vieillard, sombre et plein de vigueur.
Sur sa joue aux poils gris, lourde, une larme vive
De l'angoisse soufferte accusait la rigueur.

Au fond, contre le mur, tel qu'une ombre pensive,
Un grand Christ. Une cloche auprès. Sur un bloc bas   20
Une épée au pommeau de fer, nue et massive.

« Ce moine, dit Komor, n'en finira-t-il pas ? »
Il ploya, ce disant, les genoux sur la dalle,
Devant le crucifix de chêne, et pria bas.

On entendit sonner le bruit d'une sandale: 25
Un homme à robe brune écarta lentement
L'épais rideau de cuir qui fermait cette salle.

« Jarle ! j'ai fait selon votre commandement,
Après celui de Dieu, dit le moine. À cette heure,
Ne souillez pas vos mains, Jarle ! soyez clément. »   30

[1] Portcullis.

« Sire moine, il suffit. Sors. Il faut qu'elle meure,
Celle qui, méprisant le saint nœud qui nous joint,
Fit entrer lâchement la honte en ma demeure.

« Mais la main d'un vil serf ne la touchera point. »
5 Et le moine sortit; et Komor, sur la cloche,
Comme d'un lourd marteau, frappa deux fois du poing.

Le tintement sinistre alla, de proche en proche,
Se perdre aux bas arceaux où les ancêtres morts
Dormaient, les bras en croix, sans peur et sans reproche.

10 Puis tout se tut. Le vent faisait rage au dehors:
Et la mer, soulevant ses lames furibondes,
Ébranlait l'escalier crevassé de ses bords.

Une femme, à pas lents, très belle, aux tresses blondes,
De blanc vêtue, aux yeux calmes, tristes et doux,
15 Entra, se détachant des ténèbres profondes.

Elle vit, sans trembler ni fléchir les genoux,
Le crucifix, le bloc,[1] le fer hors de la gaîne,
Et, muette, se tint devant le vieil époux.

Lui, plus pâle, frémit, plein d'amour et de haine,
20 L'enveloppa longtemps d'un regard sans merci,
Puis dit d'une voix sourde: — Il faut mourir, Tiphaine.

« Sire Jarle, que Dieu vous garde ! Me voici.
J'ai supplié Jésus, Notre-Dame et sainte Anne:
Désormais je suis prête. Or n'ayez nul souci. »

25 « Tiphaine, indigne enfant des braves chefs de Vanne,
Opprobre de ta race et honte de Komor,
Conjure le Sauveur, afin qu'il ne te damne;

« J'ai souffert très longtemps: je puis attendre encor. »
Le Jarle recula dans l'angle du mur sombre,
30 Et Tiphaine pria sous ses longs cheveux d'or.

---

[1] Le bloc sur lequel elle va poser sa tête pour être décapitée.

Et sur le bloc l'épée étincelait dans l'ombre,
Et la torche épandait sa sanglante clarté,
Et la nuit déroulait toujours ses bruits sans nombre.

Tiphaine s'oublia dans un rêve enchanté ...
Elle ceignit son front de roses en guirlande,   5
Comme aux jours de sa joie et de sa pureté.

Elle erra, respirant ton frais arome, ô lande !
Elle revint suspendre, ô Vierge, à ton autel,
Le voile aux fleurs d'argent et son âme en offrande.

Et voici qu'elle aima d'un amour immortel !   10
Saintes heures de foi, d'espérance céleste,
Elle vit dans son cœur se rouvrir votre ciel !

Puis un brusque nuage, une union funeste:
Le grave et vieil époux au lieu du jeune amant ...
De l'aurore divine, hélas ! rien qui lui reste !   15

Le retour de celui qu'elle aimait ardemment,
Les combats, les remords, la passion plus forte,
La chute irréparable et son enivrement ...

Jésus ! tout est fini maintenant; mais qu'importe !
Le sang du fier jeune homme a coulé sous le fer.   20
Et Komor peut frapper: Tiphaine est déjà morte.

« Femme, te repens-tu ? C'est le ciel ou l'enfer.
De ton sang résigné laveras-tu ton crime ?
Je ne veux pas tuer ton âme avec ta chair. »

« Frappe. Je l'aime encor: ta haine est légitime.   25
Certes, je l'aimerai dans mon éternité !
Dieu m'ait en sa merci ! Pour toi, prends ta victime. »

« Meurs donc dans ta traîtrise et ton impureté !
Dit Komor, avançant d'un pas grave vers elle;
Car Dieu va te juger selon son équité. »   30

Tiphaine souleva de son épaule frêle
Ses beaux cheveux dorés et posa pour mourir
Sur le funèbre bloc sa tête pâle et belle.

On eût pu voir alors flamboyer et courir
5 Avec un sifflement l'épée à large lame,
Et du col convulsif le sang tiède jaillir.

Tiphaine tomba froide, ayant rendu son âme.
Cela fait, le vieux Jarle, entre ses bras sanglants,
Prit le corps et la tête aux yeux hagards, sans flamme.

10 Il monta sur la tour, et dans les flots hurlants
Précipita d'en haut la dépouille livide
De celle qui voulut trahir ses cheveux blancs.

Morne, il la regarda tournoyer par le vide . . .
Puis la tête et le corps entrèrent à la fois
15 Dans la nuit furieuse et dans le gouffre avide.

Alors le Jarle fit un long signe de croix;
Et, comme un insensé, poussant un cri sauvage
Que le vent emporta par delà les grands bois,

Debout sur les créneaux balayés par l'orage,
20 Les bras tendus au ciel, il sauta dans la mer
Qui ne rejeta point ses os sur le rivage.

Tels finirent Tiphaine et Komor de Kemper.

(Poèmes barbares)

CHAPITRE XIII

JOSÉ-MARIA DE HEREDIA

1842–1905

Consulter: M. Ibrovac, *José-Maria de Heredia: sa vie, son œuvre*, (Paris, Presses Universitaires, 1923).

Il naquit d'un père espagnol et d'une mère française à la Fortuna-
Cafeyere, dans les montagnes qui dominent la baie de Santiago de

Cuba. Venu en France à l'âge de 8 ans, il fut élevé au collège de Saint-Vincent, à Senlis, et après un séjour d'un an à l'Université de la Havane, rentra définitivement en France où il étudia le droit et suivit les cours de l'École des Chartes (fameuse école de Paris où l'on apprend à déchiffrer les vieux documents manuscrits, et qui forme des archivistes-paléographes). Sa famille était riche, et il n'eut jamais à faire face à des difficultés matérielles dans la vie. Ses premiers vers parurent dans la *Revue de Paris*, en 1862, puis dans diverses autres revues; *Le Parnasse contemporain* publia un grand nombre de ses sonnets. Théophile Gautier fut le premier à reconnaître son talent; puis il devint le disciple et ami de Leconte de Lisle.

(Sa seconde fille qui est aussi un écrivain de grand talent a publié des romans et des vers sous le nom de Gérard d'Houville; elle a épousé le poète Henri de Régnier,[1] le plus célèbre des poètes symbolistes, de l'école qui succéda à celle des Parnassiens). En 1894, après la mort de Leconte de Lisle, Heredia a repris en quelque sorte chez lui le salon des Parnassiens; Henri de Régnier était un de ses hôtes. Il entra à l'Académie en 1894, presque aussitôt après la publication en volume de son recueil de sonnets.

Il est curieux de remarquer que les deux poètes parnassiens les plus soucieux de paraître « impassibles » dans leurs vers, sont nés tous les deux dans des pays tropicaux, Leconte de Lisle et Heredia. C'est même le cas du troisième, Dierx, né à l'Île Bourbon comme Leconte de Lisle (v. plus bas).

Il y a deux traits caractéristiques qui se retrouvent partout dans la poésie de Heredia: l'extrême précision et l'impersonnalité.

1. **L'extrême précision:** Personne, pas même « l'impeccable Gautier », n'a poussé plus loin le travail de l'art des vers, n'a ciselé plus parfaitement ses strophes: il a vraiment créé, au point de vue de la forme, le *monumentum aere perennius* d'Horace. Et en même temps, Paul Bourget voit en lui le poète parnassien qui a le mieux fait comprendre l'étroite alliance qu'il pouvait y avoir entre la science — dont la qualité première est l'exactitude — et la poésie (Bourget, *Essais de psychologie contemporaine*, II, pp. 122–125). Son petit volume de sonnets, *Les trophées*, est un écrin de perles comme *Émaux et camées*, — avec cette différence que le contenu n'est pas si ailé, car, au point de vue de la philosophie, Heredia est un disciple de Leconte de Lisle

2. **L'impersonnalité:** De ce point de vue Heredia est le plus parnassien des Parnassiens. « L'art parnassien s'est incarné en J. M. de Heredia » écrit M. Souriau (*Livre cité*, p. 190). Et F. Brunetière:

---

[1] L'aînée épousa Maurice de Maindron, l'auteur de *Saint-Cendre;* la troisième Pierre Louys, l'auteur d'*Aphrodite.*

« Moins profonde, ou moins intense, cette philosophie est voisine de celle de M. Leconte de Lisle. Dans ces beaux vers colorés et sonores, on croit entendre (*le fracas des empires qui tombent les uns sur les* (*autres*). On y retrouve toute l'amertume du néant de l'activité de l'homme, puisque enfin, de tant d'efforts, de tant de milliers d'êtres, voilà tout ce qui reste, quelques trophées qu'on pourrait suspendre au mur de cette salle . . . c'est encore et toujours le pessimisme qui reparaît . . . » (*Évolution de la poésie lyrique*, pp. 205–6)

Il faut placer ici le sonnet placé, intentionnellement, en tête du recueil de trophées:

L'Oubli

En présence d'un paysage de l'antique Italie, le poète déplore l'indifférence de « l'Homme » au souvenir, aux croyances, aux monuments du passé. Seule la nature — la Terre, la Mer — semble regretter le temps des « Sirènes », symboles des rêves poétiques.

Le temple est en ruine au haut du promontoire.
Et la Mort a mêlé, dans ce fauve [1] terrain,
Les Déesses de marbre et les Héros d'airain
Dont l'herbe solitaire ensevelit la gloire.

5 Seul, parfois, un bouvier menant ses buffles **boire**,
De sa conque où soupire un antique refrain
Emplissant le ciel calme et l'horizon marin,
Sur l'azur infini dresse sa forme noire.

La Terre maternelle et douce aux anciens Dieux,
10 Fait à chaque printemps, vainement éloquente,
Au chapiteau brisé verdir une autre acanthe;

Mais l'Homme indifférent au rêve des aïeux
Écoute sans frémir, du fond des nuits sereines,
La Mer qui se lamente en pleurant les Sirènes.[2]

---

[1] *Fawn colored.*

[2] Voici la traduction anglaise du célèbre sonnet, par Frank Sewall (publiée en 1900 par Small, Maynard, and Company, Boston):

> *On jutting cape the ruined temple stands,*
> *And Death has strewn upon the tawny ground*
> *Heroes of bronze and marble Goddesses*

La même note de nostalgie revient assez souvent dans *Les trophées;*
ainsi dans *Mer montante*, paysage des rochers sauvages de la Bretagne:

> Et j'ai laissé courir le flot de ma pensée,
> Rêves, espoirs, regrets de force dépensée,
> Sans qu'il en reste rien qu'un souvenir amer. ◦ ◦ ◦

Ou Michel-Ange: le vieux sculpteur « hanté d'un tragique tourment »,
et qui entend pleurer en lui

> La patrie et l'Amour, la gloire et leurs défaites;
> Il songeait que tout meurt et que le rêve ment. ◦ ◦ ◦

La renommée de Heredia repose principalement sur ce petit volume
Les trophées de 119 sonnets.   Ils disent les quelques moments qui, au
cours de l'histoire de l'humanité, sont dignes d'être commémorès.
Cette idée rappelle celle de Victor Hugo dans *La légende des siècles.*
Tandis que Victor Hugo a évoqué le passé dans des poèmes souvent
assez longs, et qu'il appelle les « petites épopées » Heredia tente de
ramasser ces points culminants de l'histoire dans l'espace des quatorze vers d'un sonnet.   C'est en ce sens qu'on a pu dire qu'il avait
créé en quelque sorte un genre nouveau en littérature.   Ses sonnets
sont construits sur le modèle *abba abba ccd ede*, ou *abba abba ccd eed.*

QUELQUES MOMENTS HISTORIQUES DANS LE
PASSÉ DE L'HUMANITÉ

LE MONDE ROMAIN

La Trebbia

L'heure où la puissance de Rome a manqué de chanceler.   C'est le
matin de la grande bataille, sur les bords de la Trebbia, affluent du

> *Whose fame the solitary herb enshrouds.*
> *Only at times a herdsman, where he leads*
> *His buffaloes to drink and from his conch*
> *Sends forth an ancient tune o'er the wide main,*
> *Lifts his black form against the boundless sky,*
> *Earth, to the ancient Gods a mother kind,*
> *Each spring makes bloom, all vainly eloquent,*
> *A new acanthus round the capital.*
> *But man, for dreams ancestral caring naught,*
> *Hears without shudder in the silent nights*
> *The sea that mourns in tears her Sirens lost.*

Pô (218 avant J.-C.), où le général carthaginois Hannibal va battre
l'armée romaine.

L'aube d'un jour sinistre a blanchi les hauteurs.
Le camp s'éveille.   En bas roule et gronde le fleuve
Où l'escadron léger des Numides [1] s'abreuve.
Partout sonne l'appel clair des buccinateurs.[2]

5 Car malgré Scipion,[3] les augures menteurs,
La Trebbia débordée, et qu'il vente et qu'il pleuve,
Sempronius Consul, fier de sa gloire neuve,
A fait lever la hache et marcher les licteurs.[4]

Rougissant le ciel noir de flamboîments lugubres,
10 A l'horizon, brûlaient les villages Insubres;[5]
On entendait au loin barrir [6] un éléphant.

Et là-bas, sous le pont, adossé contre une arche,
Hannibal écoutait, pensif et triomphant,
Le piétinement sourd des légions en marche.

Après Cannes

Hannibal a infligé aux Romains, à Cannes, en Apulie, au sud-est
de l'Italie (216 avant J.-C.) la plus grande défaite de leur histoire.   Il
va sans doute marcher sur Rome.   La ville est en alarme, terrifiée
d'ailleurs par divers présages.   Sonnet inspiré par Tite-Live, XXI,
52, et XXII, 44 ss.

----

[1] Tribu africaine.

[2] Ceux qui sonnent le buccin, trompette en usage chez les Romains.

[3] *Scipion*, appelé « le temporisateur », le général romain qui sagement aurait voulu retarder l'heure d'un combat, mais dont Sempronius, nouvellement élevé à la dignité de consul, décida d'ignorer les
conseils.

[4] Douze officiers, portant une hache entourée de verges, précédaient
le consul quand celui-ci se mettait en marche.

[5] Tribu de la Gaule cisalpine et qui s'était ralliée au parti d'Hannibal.

[6] Pousser le cri des éléphants — ces éléphants qui vont écraser les
fameuses légions romaines s'avançant d'un « sourd piétinement ».

Un des consuls tué, l'autre fuit vers Linterne [1]
Ou Venuse.[2]   L'Aufide [3] a débordé, trop plein
De morts et d'armes.   La foudre au Capitolin [4]
Tombe, le bronze sue [5] et le ciel rouge est terne.

En vain le Grand Pontife a fait un lectisterne [6]   5
Et consulté deux fois l'oracle sibyllin;
D'un long sanglot l'aïeul, la veuve, l'orphelin
Emplissent Rome en deuil que la terreur consterne.

Et chaque soir la foule allait aux aqueducs,[7]
Plèbe, esclaves, enfants, femmes, vieillards caducs   10
Et tout ce que vomit Subure [8] et l'ergastule[9];

Tous anxieux de voir surgir, au dos vermeil
Des monts Sabins où luit l'œil sanglant du soleil,
Le chef borgne [10] monté sur l'éléphant Gétule.[11]

Plus tard, c'est encore l'Empire romain dont la destinée est changée, cette fois par l'amour. Marc-Antoine a vengé la mort de Jules César; avec le jeune Octave (Auguste) et Lépide, il a formé le deuxième Triumvirat et s'est attribué les provinces d'Orient. Bientôt, follement subjugué par les charmes de Cléopâtre, reine d'Égypte, il veut opposer Alexandrie à Rome comme capitale de l'Orient. Il sera vaincu par Octave et se suicidera.

[1] En Campanie.

[2] En Apulie, où l'armée en défaite trouva un refuge (lieu de naissance du poète Horace).

[3] (Aujourd'hui Ofanto), un cours d'eau, tributaire de la mer Adriatique.

[4] Le Capitole, ou Mont capitolin.

[5] Virgile (*Géorgiques I*) fait allusion à ce phénomène des statues recouvertes d'humidité (sueur) où les Romains voyaient un présage d'événements funestes.

[6] Repas offert aux statues des dieux pour qu'ils sauvent la patrie.

[7] En dehors de la ville — pour surveiller la route, craignant l'arrivée d'une armée ennemie.

[8] Bas quartier de Rome, populacier.

[9] Les quartiers des esclaves, à côté des maisons des maîtres.

[10] Hannibal, par suite d'une maladie contractée dans le voisinage des marais Pontins, en Italie, avait perdu un œil.

[11] Adjectif de Gétulie, province d'Afrique.

Voici un des trois sonnets consacrés par Heredia à Cléopâtre:

Antoine et Cléopâtre

Tous deux ils regardaient, de la haute terrasse,
L'Égypte s'endormir sous un ciel étouffant
Et le Fleuve,[1] à travers le Delta noir qu'il fend,
Vers Bubaste ou Saïs [2] rouler son onde grasse.

5 Et le Romain sentait sous la lourde cuirasse,
Soldat captif berçant le sommeil d'un enfant,
Ployer et défaillir sur son cœur triomphant
Le corps voluptueux que son étreinte embrasse.

Tournant sa tête pâle entre ses cheveux bruns
10 Vers celui qu'enivraient d'invincibles parfums,
Elle tendit sa bouche et ses prunelles claires;

Et sur elle courbé, l'ardent Imperator [3]
Vit dans ses larges yeux étoilés de points d'or
Toute une mer immense où fuyaient des galères.[4]

LA NAISSANCE DU CHRISTIANISME

Le huchier de Nazareth [5]

Dans ce délicieux tableau d'intérieur, on voit l'enfant Jésus travailler avec ardeur sous les yeux de sa mère, la Vierge Marie, et du charpentier Joseph, son père putatif (*reputed*).

15 Le bon maître huchier, pour finir un dressoir,
Courbé sur l'établi [6] depuis l'aurore, ahane,[7]

[1] Le Nil.
[2] Villes sur les bras du Nil.
[3] *Imperator* = Commandant: nom donné aux généraux romains.
[4] Ce vers décrit une vision de la bataille navale d'Actium (31 avant J.-C.) où la fuite de Cléopâtre et de ses vaisseaux allait assurer la victoire d'Octave sur Antoine.
[5] *Huchier* = Menuisier, (De huche, *cabinet*. *Cabinet-maker*)
[6] *Cabinet-maker's bench.*
[7] Onomatopée: travailler en soufflant à cause de l'effort [*pants*].

Maniant tour à tour le rabot, le bédane
Et la râpe [1] grinçante ou le dur polissoir.

Aussi, non sans plaisir, a-t-il vu, vers le soir,
S'allonger jusqu'au seuil l'ombre du grand platane
Où madame la Vierge et sa mère sainte Anne   5
Et Monseigneur Jésus près de lui vont s'asseoir.

L'air est brûlant et pas une feuille ne bouge;
Et saint Joseph, très las, a laissé choir la gouge [2]
En s'essuyant le front au coin du tablier;

Mais l'Apprenti divin qu'une gloire enveloppe   10
Fait toujours, dans le fond obscur de l'atelier,
Voler les copeaux [3] d'or au fil de sa varlope.[4]

LA RENAISSANCE

L'époque de la Renaissance a aussi ses trophées. Ainsi les expéditions des explorateurs et navigateurs dans le nouvel hémisphère; les
exploits des *conquistadores*.

Les conquérants

Un des sonnets les plus célèbres par sa magnificence. Le poète
montre, en des vers épiques, les chercheurs d'aventures que Colomb
emmena à la découverte d'un monde nouveau.

Comme un vol de gerfauts [5] hors du charnier natal,
Fatigués de porter leurs misères hautaines,
De Palos, de Moguer,[6] routiers et capitaines   15
Partaient, ivres d'un rêve héroïque et brutal.

[1] Rabot, *plane;* bédane, *mortise-chisel;* râpe, *grating rasp.*
[2] *Groove-chisel.*
[3] *Shavings.*
[4] *Long plane.*
[5] *Flight of gerfalcons* [gerfauts, oiseaux de proie de grande taille.]
[6] Palos et Moguer, deux localités voisines en Andalousie. Palos
est le port d'où s'est embarqué Colomb pour ses deux premiers
voyages de découverte de l'Amérique.

Ils allaient conquérir le fabuleux métal
Que Cipango [1] mûrit dans ses mines lointaines,
Et les vents alizés [2] inclinaient leurs antennes
Aux bords mystérieux du monde Occidental.

5 Chaque soir, espérant des lendemains épiques,
L'azur phosphorescent de la mer des Tropiques
Enchantait leur sommeil d'un mirage doré;

Ou penchés à l'avant des blanches caravelles, [3]
Ils regardaient monter en un ciel ignoré
10 Du fond de l'Océan des étoiles nouvelles. [4]

Le tombeau du conquérant

Dans un autre sonnet célèbre il s'agit spécialement de Hernando
de Soto (1499–1542) conquérant de la Floride, et qui, marchant à la
conquête du Pérou, mourut de la fièvre sur la rive du Meschacébé
(Mississipi). Pour cacher sa mort aux Indiens, on jeta son cadavre
dans les eaux du Grand Fleuve. [5]

A l'ombre de la voûte en fleur des catalpas
Et des tulipiers noirs qu'étoile un blanc pétale,
Il ne repose point dans la terre fatale [6];
La Floride conquise a manqué [7] sous ses pas.

[1] Le Japon — Colomb croyait devoir arriver au Japon, ne se
doutant pas qu'il y avait un continent sur la route occidentale.
[2] *Trade-winds* [Vents des mers des Tropiques qui soufflent
régulièrement de l'est à l'ouest].
[3] Nom donné aux vaisseaux espagnols, italiens, et portugais.
[4] C'est à dire des étoiles qu'on ne voit pas dans le ciel d'Europe,
mais que l'on voit dans l'hémisphère austral.
[5] Heredia a d'ailleurs encore consacré tout un long poème à ce
sujet: *Les conquérants de l'or;* il est composé en l'honneur de François
Pizarro, le hardi explorateur du Pérou et fut publié dans la *Parnasse
contemporain* de 1869 où il remplit toute une livraison (il est reproduit
généralement à la suite des *Trophées*). Un des aïeux de Heredia
avait été compagnon d'armes de Pizarro.
[6] Le Pérou — qu'il voulait conquérir.
[7] *Failed him.*

Un vil tombeau messied à de pareils trépas.
Linceul du Conquérant de l'Inde Occidentale,
Tout le Meschacébé par-dessus lui s'étale.
Le Peau-Rouge et l'ours gris ne le troubleront pas.

Il dort au lit profond creusé par les eaux vierges.   5
Qu'importe un monument funéraire, des cierges,
Le psaume et la chapelle ardente et l'ex-voto ? [1]

Puisque le vent du Nord, parmi les cyprières,[2]
Pleure et chante à jamais d'éternelles prières
Sur le Grand Fleuve où gît Hernando de Soto.   10

A la même époque, un « trophée » d'un autre genre: La Renaissance salue la gloire du grand poète Ronsard et de la poésie de l'amour.

Sur le ‹ Livre des amours › de Pierre Ronsard

La poésie confère l'immortalité.   Les femmes qu'a chantées Ronsard — Marie Dupin, la jeune paysanne, et les deux grandes dames, Hélène de Surgères et Cassandre Salviati, — seraient oubliées si le poète ne leur avait, dans ses vers, donné une autre vie.   Ronsard l'avait exprimé avec particulièrement de bonheur dans son fameux sonnet *À Hélène*.   Voir aussi Lamartine *À Elvire* (dans *Les méditations*).

Jadis plus d'un amant, aux jardins de Bourgueil,[3]
A gravé plus d'un nom dans l'écorce qu'il ouvre;
Et plus d'un cœur, sous l'or des hauts plafonds du Louvre,
A l'éclair d'un sourire a tressailli d'orgueil.

Qu'importe ?   Rien n'a dit leur ivresse ou leur deuil;   15
Ils gisent tout entiers entre quatre ais de rouvre [4]

[1] *Votive offering.*
[2] *Cypress-groves.*
[3] Village près de Chinon, (Indre-et-Loire) où demeurait Marie Dupin, celle qui inspira le Livre II des *Amours* de Ronsard.
   Les « jardins de Bourgueil » ne doit pas être pris dans un sens trop littéral.
[4] Quatre planches de chêne [rouvre, espèce de chêne très dur — du latin *robur*].

Et nul n'a disputé, sous l'herbe qui les couvre.
Leur inerte poussière à l'oubli du cercueil.

Tout meurt. Marie, Hélène et toi, fière Cassandre,
Vos beaux corps ne seraient qu'une insensible cendre,
5 — Les roses et les lys n'ont pas de lendemain —

Si Ronsard, sur la Seine ou sur la blonde [1] Loire,
N'eût tressé pour vos fronts, d'une immortelle main,
Aux myrtes [2] de l'Amour le laurier de la Gloire.

Vitrail

Un sonnet qui dit le néant, malgré tout, de ces belles choses, la chevalerie et l'amour courtois.

Cette verrière [3] a vu dames et hauts barons
10 Étincelants d'azur, d'or, de flamme et de nacre,
Incliner, sous la dextre auguste qui consacre,[4]
L'orgueil de leurs cimiers [5] et de leurs chaperons [6];

Lorsqu'ils allaient, au bruit du cor ou des clairons,
Ayant le glaive au poing, le gerfaut [7] ou le sacre,[8]
15 Vers la plaine ou le bois, Byzance ou Saint-Jean d'Acre,[9]
Partir pour la croisade ou le vol des hérons.

Aujourd'hui, les seigneurs auprès des châtelaines,
Avec le lévrier [10] à leurs longues poulaines,[11]
S'allongent aux carreaux de marbre blanc et noir;

[1] L'eau de la Loire n'est pas verte comme celle de la Seine, mais plutôt sablonneuse.

[2] Chez les Romains la fleur consacrée à Vénus, tandis que le laurier couronne la gloire du poète.

[3] Vitrail [*stained glass window*].

[4] La droite du Juge suprême.

[5] *Crest (of helmet)*.

[6] *Head pieces; hoods.*

[7] Faucon.

[8] Faucon aussi mais d'une plus grande envergure d'ailes.

[9] *Byzance*, Constantinople; *St.-Jean d'Acre*, port de la Palestine où débarquaient les croisés.

[10] *Greyhound.*

[11] *Curved shoes (Polish fashion).*

Ils gisent là sans voix, sans geste et sans ouïe,
Et de leurs yeux de pierre ils regardent sans voir
La rose du vitrail toujours épanouie.

* * *

Quand il n'évoque pas des événements précis du passé, le poète
sait suggérer les aspects variés des diverses civilisations:

L'ÉGYPTE

La vision de Khèm

Paysage de la vieille Égypte à l'heure brûlante de midi. C'est le
premier sonnet d'un tryptique où se déroule, sous forme de vision
prophétique, la destinée des plaines du Nil et des déserts d'Afrique:
vision de Khèm (le Cham de la Bible) deuxième fils de Noé, ancêtre
supposé des Chamites, d'où serait sortie la race nègre d'Afrique.

I

Midi. L'air brûle et sous la terrible lumière
Le vieux fleuve [1] alangui roule des flots de plomb;   5
Du zénith aveuglant le jour tombe d'aplomb
Et l'implacable Phré [2] couvre l'Égypte entière.

Les grands sphinx qui jamais n'ont baissé la paupière,
Allongés sur leur flanc que baigne un sable blond,
Poursuivent d'un regard mystérieux et long   10
L'élan démesuré des aiguilles de pierre.[3]

Seul, tachant d'un point noir le ciel blanc et serein,
Au loin, tourne sans fin le vol des gypaètes [4];
La flamme immense endort les hommes et les bêtes.

Le sol ardent pétille, et l'Anubis d'airain [5]   15
Immobile au milieu de cette chaude joie
Silencieusement vers le soleil aboie. ○ ○ ○

[1] Le Nil.   [2] Dieu du Soleil.
[3] Les obélisques.   [4] Vautours barbus.
[5] Dieu de la vieille Égypte, corps humain, tête de cheval ou de
chien.

LE JAPON

Le samouraï

Scène de l'ancien Japon héroïque. Un très grand seigneur (samouraï) en grand uniforme, revient de la guerre et sourit à la vue de la jeune femme qui l'attend.

C'était un homme à deux sabres.[1]

D'un doigt distrait frôlant la sonore bîva,[2]
A travers les bambous tressés en fine latte,[3]
Elle a vu, par la plage éblouissante et plate,
S'avancer le vainqueur que son amour rêva.

5 C'est lui. Sabres au flanc, l'éventail haut, il va.
La cordelière rouge et le gland écarlate [4]
Coupent l'armure sombre, et, sur l'épaule, éclate
Le blason de Hizen [5] ou de Tokungawa.[5]

Ce Beau guerrier vêtu de lames et de plaques,[6]
10 Sous le bronze, la soie et les brillantes laques,
Semble un crustacé noir, gigantesque et vermeil.

Il l'a vue. Il sourit dans la barbe du masque,[7]
Et son pas plus hâtif fait reluire au soleil
Les deux antennes d'or qui tremblent à son casque.

---

[1] Porter deux sabres était le privilège de l'ancienne caste des « samouraï » : un long sabre, pour la bataille; un sabre court (un poignard) employé pour trancher la tête de l'ennemi vaincu, et, parfois, pour se suicider en cas de défaite. (Pour la meilleure compréhension de tout ce poème, on lira avec fruit l'article « Japan » dans l'*Encyclopedia Britannica.*

[2] Guitare japonaise.

[3] *Woven into a delicate lattice.*

[4] Cordelière, *girdle;* gland, *tassel.*

[5] Deux familles qu'ont contribué à la grandeur du Japon dans l'histoire.

[6] Lames, *blades;* plaques, *plates.*

[7] Un masque de fer attaché au casque, et qui, non seulement protégeait, mais devait terrifier l'ennemi par son aspect menaçant.

L'AMÉRIQUE TROPICALE

Fleurs de feu

Le poète célèbre l'éclosion soudaine de la merveilleuse plante d'aloès qui, dit-on, ne fleurit qu'une fois tous les cent ans et seulement pour un jour [*century plant*].

Bien des siècles depuis les siècles du Chaos,
La flamme par torrents jaillit de ce cratère,
Et le panache igné du volcan solitaire
Flamba plus haut encor que les Chimborazos.[1]

Nul bruit n'éveille plus la cime sans échos.   5
Où la cendre pleuvait l'oiseau se désaltère;
Le sol est immobile et le sang de la Terre,
La lave, en se figeant, lui laissa le repos.

Pourtant, suprême effort de l'antique incendie,
A l'orle [2] de la gueule à jamais refroidie,   10
Éclatant à travers les rocs pulvérisés,

Comme un coup de tonnerre au milieu du silence,
Dans le poudroîment d'or du pollen qu'elle lance,
S'épanouit la fleur des cactus embrasés.

*   *   *

Parfois Heredia s'abandonne à la simple contemplation du beau éternel. C'est là qu'il rappelle surtout Gautier qui disait dans son poème *L'Art:* « Tout passe; l'art robuste seul a l'éternité ». On entend distinctement dans ce sonnet l'écho de Gautier disant à l'artiste:

> Emprunte à Syracuse
> Son bronze où fermement
>   S'accuse
> Le trait fier et charmant

(Cité plus haut, page 297)

---

[1] Volcans éteints dans la majestueuse chaîne des Andes.
[2] Mot poétique; bord, lisière (cf. « ourlet » en couture).

L'ITALIE

Médaille antique

L'Etna [1] mûrit toujours la pourpre et l'or du vin
Dont l'Érigone [2] antique enivra Théocrite [3];
Mais celles dont la grâce en ses vers fut écrite,
Le poète aujourd'hui les chercherait en vain.

5 Perdant la pureté de son profil divin,
Tour à tour Aréthuse [4] esclave et favorite
A mêlé dans sa veine où le sang grec s'irrite
La fureur sarrasine à l'orgueil angevin.

Le temps passe. Tout meurt. Le marbre même s'use.
10 Agrigente [5] n'est plus qu'une ombre, et Syracuse [6]
Dort sous le bleu linceul de son ciel indulgent;

Et seul le dur métal que l'amour fit docile
Garde encore en sa fleur, aux médailles d'argent,
L'immortelle beauté des vierges de Sicile.

Et le poète chante le triomphe de l'art du sculpteur dans *Le coureur*,
de l'art du potier dans *Le vase*, de celui de l'homme des champs dans
Le laboureur.

*

La beauté se trouve d'ailleurs dans la nature elle-même, et l'art n'a
souvent qu'à lui demander ses inspirations.

---

[1] Volcan de Sicile.

[2] Amante de Bacchus, dieu du vin.

[3] Poète grec, célèbre pour ses idylles (IIIᵉ siècle avant J.-C.)

[4] Nymphe que Diane changea en fontaine pour la délivrer des
poursuites du fleuve Alphée. Ici Aréthuse symbolise toute femme de
cette belle race grecque. La Sicile faisait partie de la Grande Grèce,
c'est à dire était peuplée de Grecs d'origine, s'étant mêlés à une
population qu'on disait descendue en partie des Sarrasins qui avaient
autrefois envahi l'Europe; enfin, pendant de longues années, les
ducs d'Anjou (adjectif: angevin) avaient régné sur la Sicile.

[5] Ville de la Grande Grèce, patrie du philosophe Empédocle.

[6] Autre ville de Sicile ou de la Grande Grèce, patrie du physicien
Archimède et du poète Théocrite (IIIᵉ siècle avant J.-C.).

Le tepidarium

Ce sonnet est la traduction en vers d'un superbe tableau du musée du Louvre, peint par Théodore Chassériau (1819–1856), où l'on voit des femmes élégantes du temps de la Rome impériale, prendre dans le tepidarium [piscine] des bains de vapeur.

La myrrhe a parfumé leurs membres assouplis;
Elles rêvent, goûtant la tiédeur de décembre,
Et le brasier de bronze illuminant la chambre
Jette la flamme et l'ombre à leurs beaux fronts pâlis.

Aux coussins de byssus,[1] dans la pourpre des lits,   5
Sans bruit, parfois un corps de marbre rose ou d'ambre
Ou se soulève à peine ou s'allonge ou se cambre [2];
Le lin voluptueux dessine de longs plis.

Sentant à sa chair nue errer l'ardente effluve,
Une femme d'Asie,[3] au milieu de l'étuve,   10
Tord ses bras énervés en un ennui serein;

Et le pâle troupeau des filles d'Ausonie [4]
S'enivre de la riche et sauvage harmonie
Des noirs cheveux roulant sur un torse d'airain.

Le bain

Ce sonnet fait contraste avec le précédent. Ici rien d'élégant, de féminin, de civilisé: homme, bête et décor, tout est sauvage, d'une mâle et primitive vigueur. C'est le bain du coursier fougueux.

L'homme et la bête, tels que le beau monstre antique,[5]   15
Sont entrés dans la mer, et nus, libres, sans frein,

---

[1] Un tissu considéré comme particulièrement précieux dans l'antiquité.

[2] *Bends backward.*

[3] Femme d'Orient, au teint basané et à la lourde chevelure noire.

[4] Partie de l'ancienne Italie, où les femmes paraissent pâles à côté de celles de l'Asie — pâles et moins voluptueuses.

[5] Le centaure, l'homme-cheval de la fable.

Parmi la brume d'or de l'âcre pulvérin,[1]
Sur le ciel embrasé font un groupe athlétique.

Et l'étalon [2] sauvage et le dompteur rustique,
Humant à pleins poumons l'odeur du sel marin,
5 Se plaisent à laisser sur la chair et le crin
Frémir le flot glacé de la rude Atlantique.

La houle s'enfle, court, se dresse comme un mur
Et déferle.[3] Lui crie. Il hennit, et sa queue
En jets éblouissants fait rejaillir l'eau bleue,

10 Et, les cheveux épars, s'effarant dans l'azur,
Ils opposent, cabrés, leur poitrail noir qui fume,
Au fouet échevelé [4] de la fumante écume.

*

De descendance espagnole, il était naturel que Heredia prît un intérêt très vif à la légende du Cid. Il s'inspire du *Romancero*. Ici cependant, il n'a pas eu recours au sonnet mais au tercet. Il divise le sujet en trois poèmes: ⟨ Le serrement de main ⟩: Don Diego, insulté par le Comte et ne pouvant se venger lui-même, fait venir ses quatre fils et leur serre la main: les trois premiers crient de douleur; le quatrième seul, Ruy Diaz, (le Rodrigue de Corneille) se révolte; Don Diego lui confie son épée. ⟨ La revanche de Diego Laynez ⟩: Le repas du soir; Rodrigue ne revient pas et on n'ose manger avant que le maître, plongé dans de sombres pensées, ne commande de le faire. Tout à coup Rodrigue entre avec la tête du Comte; Don Diego assouvit sa rage en la souffletant. ⟨ Le triomphe du Cid ⟩: Rodrigue revient vainqueur des Mores; le roi va à sa rencontre, quand Chimène se jette à ses pieds pour demander vengeance.

Certes Bivar [Rodrigue] m'est cher; c'est l'espoir, le soutien
De Castille; et pourtant j'accorde ta requête;
Il mourra, si tu veux, ô Chimène, il est tien.

---

[1] *Acrid spray.*
[2] *Stallion.*
[3] *Crumbles away.*
[4] *Mad lashing.*

La revanche de Diego Laynez

Leconte de Lisle avait traité le sujet; on pourra comparer les poèmes composés sur le même rythme, — tercets, et un vers final. Le poème de Leconte de Lisle a 57 vers, celui de Hérédia, 49.

Ce soir, seul au haut bout, car il n'a pas d'égaux,
Diego Laynez, plus pâle aux lueurs de la cire,
S'est assis pour souper avec ses hidalgos.[1]

Ses fils, ses trois aînés, sont là; mais le vieux sire
En son cœur angoissé songe au plus jeune. Hélas !   5
Il n'est point revenu. Le Comte a dû l'occire.

Le vin rit dans l'argent des brocs; le coutelas
Dégainé, l'écuyer,[2] ayant troussé sa manche,
Laisse échauffer le vin et refroidir les plats.

Car le maître et seigneur n'a pas dit: « Que l'on tranche ! » 10
Depuis que dans sa chaise il est venu s'asseoir,
Deux longs ruisseaux de pleurs mouillent sa barbe blanche.

Et le grave écuyer se tient près du dressoir,
Devant la table vide et la foule béante,
Et nul, fils ou vassal, ne soupera ce soir.   15

Comme pour ne pas voir le spectre qui le hante,
Laynez ferme les yeux et baisse encor le front;
Mais il voit son fils mort et sa honte vivante.

Il a perdu l'honneur, il a gardé l'affront;
Et ses aïeux, de race irréprochable et forte,   20
Au jour du Jugement le lui reprocheront.

L'outrage l'accompagne et le mépris l'escorte.
De tout l'orgueil antique il ne lui reste rien.
Hélas ! hélas ! Son fils est mort, sa gloire est morte !

[1] Gens d'armes; ici, *vassaux.*
[2] *Squire.* Ici, *majordome.*

— « Seigneur, ouvre les yeux.   C'est moi.   Regarde bien.
Cette table sans viande a trop piètre figure;
Aujourd'hui j'ai chassé sans valet et sans chien;

« J'ai forcé ce ragot[1]; je t'en offre la hure ! »[2]
5 Ruy dit, et tend le chef livide et hérissé
Qu'il tient empoigné par l'horrible chevelure.

Diego Laynez d'un bond sur ses pieds s'est dressé:
— « Est-ce toi, Comte infâme ?   Est-ce toi, tête exsangue,[3]
Avec ce rire fixe et cet œil convulsé ?

10 « Oui, c'est bien toi !   Tes dents mordent encor ta langue;
Pour la dernière fois l'insolente a raillé,
Et le glaive a tranché le fil de sa harangue ! »

Sous le col, d'un seul coup par Tizona[4] taillé,
D'épais et noirs caillots[5] pendent à chaque fibre;
15 Le Vieux frotte sa joue avec le sang caillé.

D'une voix éclatante et dont la salle vibre,
Il s'écrie: — « O Rodrigue, ô mon fils, cher vainqueur,
L'affront me fit esclave et ton bras me fait libre !

« Et toi, visage affreux qui réjouis mon cœur,
20 Ma main va donc, au gré de ma haine indomptable,
Satisfaire sur toi ma gloire et ma rancœur ! »

Et souffletant alors la tête épouvantable:
— « Vous avez vu, vous tous, il m'a rendu raison !
Ruy, sieds-toi sur mon siège au haut bout de la table

25 Car qui porte un tel chef est Chef de ma maison.[6] »

---

[1] Gibier avec sens péjoratif: pauvre gibier.
[2] *Head of a boar.*
[3] *Bloodless and ghastly.*
[4] Nom de l'épée de Rodrigue.
[5] *Clots.*
[6] *The bearer of such a head is the head of my house.*

En 1894, Heredia publia une traduction en 4 volumes de *La véridique histoire de la conquête de la Nouvelle Espagne*, par le Capitaine Diaz del Castillo; puis la traduction d'un roman de cape et d'épée [*swashbuckling novel*,] *La nonne alferez*. Cette terrible nonne laisse loin derrière elle les exploits purement imaginaires de *Mademoiselle de Maupin*. Mise au couvent très jeune, elle ne peut s'y accommoder et s'échappe au nez de la mère abbesse. Elle se déguise en homme, va à Vittoria où un Docteur en Théologie, la prenant pour un étudiant, la reçoit. La nonne lui vole de l'argent et part pour Valladolid; elle y devint page d'un secrétaire du roi. Puis, prise encore d'ennui, elle s'embarque pour le Nouveau Monde. Là, un certain personnage nommé Reyes s'étant avisé de la houspiller [*bully*] et de lui chercher querelle, elle fait aiguiser son couteau en dents de scie et balafre le visage du maroufle [*cad*] d'une estafilade à dix coutures [*ten stitch gash*]. Sur quoi, le corregidor [capitaine de la police] se fâche et la met au pain et à l'eau dans un cul de basse fosse [*subterranean dungeon*]... Elle rompt ses chaînes et s'empresse de gagner le pays. A Truxillo, elle tue, d'une forte estacade [coup d'épée], un hobereau [*country squire*] malchanceux. La police la poursuit; elle file à Lima. Là elle finit par s'engager dans une compagnie d'armes que le capitaine Gonzales Rodriguez menait au Chili. Elle fait mainte action d'éclat, prend un drapeau à l'ennemi, est alors faite alferez [capitaine de gens d'armes]. Elle a une querelle avec deux soldats et les laisse morts sur le carreau. En voulant secourir un ami elle tue, sans le savoir, son propre frère... Cette vie de soldat continue. Mais, enfin lasse, elle revient à l'Église. L'évêque de Guamangua reçoit sa confession générale qui dure deux jours, et il la confie aux Clarisses de son diocèse. Elle ne peut y tenir, reprend après quelques mois l'habit masculin et militaire jusqu'au jour où arrive son tour de tomber dans la loterie des armes. (Résumé emprunté en grande partie à G. Deschamps, *Vie et livres*, III, pp. 18–21.) [1]

---

[1] V. sur l'original espagnol, F. DeHaan, *Novela Picaresca* (Baltimore, Johns Hopkins Press, (1903; pp. 39–40).

CHAPITRE XIV

LÉON DIERX

1838–1912

Consulter: E. Noulet, *Léon Dierx*, (Paris, Presses Universitaires, 1925).

Il y a un nom qui ne peut guère être séparé de ceux de Leconte de Lisle et de Heredia, c'est celui de Léon Dierx.

Né à l'Île Bourbon, comme Leconte de Lisle, il vint à Paris faire ses études, resta trois ans à l'École des Arts et Manufactures (grande école d'État pour former des ingénieurs), retourna quelque temps dans l'île natale, enfin revint définitivement à Paris. Il se joignit au groupe des poètes parnassiens, et se lia beaucoup avec Leconte de Lisle qu'il imita visiblement dans ses vers. Pour gagner sa vie, tout en se livrant à sa passion pour la poésie, il accepta une modeste position au Ministère de l'Instruction publique, position qu'il occupa jusqu'en 1909. Il mourut en 1912.

En 1898, il avait été élu « Prince des Poètes » — titre purement honorifique conféré par une sorte de tribunal des poètes et qui consacre une réputation bien établie; ce titre ne comporte rien d'officiel, ni aucune rémunération comme c'est le cas du « poète lauréat » en Angleterre.

Léon Dierx a publié *Poèmes et Poésies* (1864), *Lèvres closes* (1867), et *Poésies complètes* (1894–96). Une pièce de théâtre, *La rencontre*, scène dramatique, composée en 1874, fut jouée sans grand succès en 1879.

Sa philosophie est exactement celle de Leconte de Lisle, et ses vers sont travaillés dans le même esprit et avec la même conscience. Le plus connu de beaucoup de ses poèmes est intitulé *Lazare*. On peut dire que c'est un « classique » de la littérature française, à peu près comme le sonnet de DuBellay: *Heureux qui comme Ulysse . . .*, ou comme le Sonnet d'Arvers, *Le secret*. Il s'agit de la résurrection de Lazare par Jésus: Lazare en des vers harmonieux et solennels se plaint du miracle, reprochant au thaumaturge d'avoir troublé son éternel sommeil. Traînant son linceul, il s'en va, seul, à travers la nuit, désespéré de revivre.[1]

---

[1] Malgré l'atmosphère plutôt agnostique de la littérature de cette époque, la Bible a fourni bien des sujets d'inspiration aux poètes, le *Qaïn* de Leconte de Lisle, *La femme adultère* de Catulle Mendès (voir plus bas), *Le reniement de Saint Pierre* de Baudelaire (voir plus

Lazare

On lit dans *L'Évangile selon Saint Jean*, Chapitre XI:

« Jésus leur dit: ‹ Lazare, notre ami, dort, mais je m'en vais ‹ l'éveiller. › Ses disciples lui dirent. ‹ Seigneur s'il dort, il sera ‹ guéri. › Or, Jésus avait dit cela de la mort de Lazare ... Jésus étant arrivé [à Béthanie] trouva qu'il y avait déjà quatre jours que Lazare était dans le sépulcre. Béthanie était à environ quinze stades de Jérusalem ... Quand Marthe ouït dire que Jésus venait, elle alla au-devant de lui ... Et Marthe dit à Jésus: ‹ Seigneur si tu eusses ‹ été ici, mon frère ne serait pas mort; mais je sais que maintenant ‹ même, tout ce que tu demanderas à Dieu, Dieu te l'accordera. › Jésus lui dit: ‹ Ton frère ressuscitera › ... Alors Jésus, frémissant en lui-même vint au sépulcre; c'était une grotte, et on avait mis une pierre dessus. Jésus dit: ‹ Ôtez la pierre. › Marthe, la sœur du mort lui dit: ‹ Seigneur, il sent déjà mauvais, car il est là depuis ‹ quatre jours. › Jésus lui répondit: ‹ Ne t'ai-je pas dit que si tu ‹ crois tu verras la gloire de Dieu ? › Ils ôtèrent donc la pierre du lieu où le mort était couché. Et, Jésus élevant les yeux au ciel, dit: ‹ Mon Père, je te rends grâce de ce que tu m'as exaucé. Je savais ‹ bien que tu m'exauces toujours, mais je dis ceci à cause de ce peuple ‹ qui est autour de moi, afin qu'il croie que tu m'as envoyé. › Quand il eut dit cela, il cria à haute voix: ‹ Lazare, sors de là ! › Et le mort sortit, ayant les mains et les pieds liés de bandes, et le visage enveloppé d'un linge. Jésus leur dit: ‹ Déliez-le et le laissez aller. › Plusieurs donc des Juifs qui étaient venus voir Marthe et Marie, et qui avaient vu ce que Jésus avait fait crurent en lui. »

(À Leconte de Lisle)

Et Lazare à la voix de Jésus s'éveilla.
Livide, il se dressa d'un bond dans les ténèbres;
Il sortit, trébuchant dans les liens funèbres,[1]
Puis tout droit devant lui, grave et seul s'en alla.

Seul et grave, il marcha depuis lors dans la ville,   5
Comme y cherchant quelqu'un qu'il ne retrouvait pas,

---

bas); sans compter le poème de Victor Hugo sur Lazare, *La première rencontre du Christ avec le tombeau* (*Légende des siècles*) sujet encore repris par Louis Mercier, *Lazare le ressuscité*. (C. Lévy, 1924.)

[1] On attachait les morts avec des bandelettes, un peu à la manière des momies d'Égypte.

Et se heurtant partout à chacun de ses pas
Aux choses de la vie, au grouillement servile.[1]

Sous son front reluisant de la pâleur des morts
Ses yeux ne dardaient pas d'éclairs; et ses prunelles,
5 Comme au ressouvenir des splendeurs éternelles,
Semblaient ne pas pouvoir regarder au dehors.

Il allait, chancelant comme un enfant, lugubre
Comme un fou. Devant lui la foule au loin s'ouvrait.
Nul n'osant lui parler, au hasard il errait,
10 Tel qu'un homme étouffant dans un air insalubre.

Ne comprenant plus rien au vil bourdonnement
De la terre, abîmé dans son rêve indicible.
Lui-même épouvanté de son secret terrible,
Il venait et partait silencieusement.

15 Parfois il frissonnait, comme on fait dans les fièvres,
Et, tout prêt à parler, il étendait la main;
Mais le mot inconnu du dernier lendemain,
Un invisible doigt l'arrêtait sur ses lèvres.

Dans Béthanie, alors, tous, petits, forts et vieux,
20 Eurent peur de cet homme; il passait seul et grave;
Et le sang se figeait aux veines du plus brave,
Devant la vague horreur qui nageait dans ses yeux.

Ah! qui dira jamais ton surhumain supplice,
Revenant du sépulcre où tous étaient restés,
25 Qui revivais encor, traînant dans les cités
Ton linceul à tes reins serré comme un cilice!

Blafard ressuscité qu'avaient mordu les vers!
Pouvais-tu te reprendre aux soucis de ce monde,
Ô toi qui rapportais dans ta stupeur profonde
30 La science interdite à l'avide univers?

[1] Grouillement ou fourmillement [*swarming*] des gens qui ne sont
pas affranchis, comme les morts glorieux, des choses du monde.

La nuit à peine eut-elle au jour rendu sa proie,
Tu rentras dans la nuit, songeur mystérieux,[1]
Spectre inerte à travers les partis furieux,
Et ne connaissant plus leur douleur ni leur joie.

Dans cette autre existence insensible et muet,   5
Tu ne laissas chez eux qu'un souvenir sans trace.
As-tu subi deux fois le baiser qui terrasse,
Pour regagner l'azur qui vers toi refluait ?

— Oh ! que de fois, à l'heure, où l'ombre emplit l'espace,
Loin des vivants, dressant sur le fond d'or du ciel   10
Ta grande forme aux bras levés vers l'Éternel,
Appelant par son nom l'ange attardé qui passe [2];

Que de fois l'on te vit dans les gazons épais
Te mouvoir, seul et grave, autour des cimetières,
Enviant tous ces morts qui dans leur lit de pierres   15
Un jour s'étaient couchés pour n'en sortir jamais !

(*Les lèvres closes*)

TROISIÈME GROUPE

**Des poètes qui donnent expression à une résignation
douce, sans révolte, et trouvent dans la compassion pour la misère humaine un sentiment si élevé qu'il rachète à leurs
yeux leurs propres souffrances.**

Les deux poètes les plus célèbres de ce groupe sont Sully-
Prudhomme et François Coppée. Mais il y en a d'autres qui méritent au moins une courte mention.

---

[1] Indifférent au milieu des mesquines disputes des hommes.
[2] L'ange de la mort qui tardait à venir le rechercher.

CHAPITRE XV

CATULLE MENDÈS

1843–1909

Consulter: Un ouvrage spécial sur l'œuvre abondante et variée de C. Mendès manque. En attendant on consultera avec fruit le *Dictionnaire bibliographique et critique des principaux poètes français du XIXᵉ siècle* (1902) par Catulle Mendès lui-même, cité dans la bibliographie générale sur le Parnasse.[1]

Nous plaçons ici celui qu'on peut caractériser comme l'organisateur du mouvement du Parnasse.

Il était né à Bordeaux. Son grand-père, banquier, était aussi un grand ami des lettres et surtout des poètes latins; il appela son fils Tibulle, et son petit-fils — notre poète — fut nommé Catulle. Les déplacements de sa famille, pour affaires, eurent pour conséquence de le faire voyager dans d'autres pays, entre autres en Allemagne; c'est en 1850 qu'il arriva à Paris. Épris de littérature, il se lança aussitôt dans cette voie; à 18 ans il fonda la *Revue fantaisiste*[2] (où écrivirent Daudet, Banville, Baudelaire...) qui eut quelque succès; mais l'insertion d'une petite pièce de théâtre, très jeune et très libre, *Le roman d'une nuit*, lui valut 500 francs d'amende et un mois de prison. Il fallut tout recommencer. Mendès a raconté d'une façon un peu « fantaisiste » mais amusante ce qu'il appelle lui-même « la légende du Parnasse ». On se réunissait dans un hôtel très modeste du Quartier latin, appelé — pour la légende — l'« Hôtel du Dragon Bleu ». Presque en même temps que Leconte de Lisle ouvrait aux jeunes enthousiastes son salon (des « samedis » du Boulevard des Invalides), un jeune Mécène, Louis-Xavier Ricard,[3] offrait aux jeunes poètes, sa

---

[1] Catulle Mendès a été fort malmené par certains, non seulement comme homme (ce qui n'entre pas en considération ici), mais même comme poète pour des raisons qu'il est hors de saison d'expliquer. Même M. Souriau, dans son *Histoire du Parnasse* semble animé d'une prévention particulière, dès l'Introduction et encore dans le cours du livre. La plus grande injustice, cependant, est que Mendès a été écarté, évidemment de propos délibéré, de la luxueuse *Anthologie des poètes du XIXᵉ siècle* publiée par l'éditeur Lemerre en quatre volumes, en 1888.

[2] De là le nom de « fantaisistes » donné parfois aux premiers Parnassiens.

[3] Xavier de Ricard (1843–1862) auteur de *Les chants de l'aube*.

revue *L'Art*, et enfin l'éditeur Lemerre se chargeait du côté commercial
de l'entreprise et imprimait *Le Parnasse contemporain* (1866).[1]   On
trouvera dans le livre de Mendès, *La légende du Parnasse*, un poème
(par Gabriel Marc) qui chante gaîment en triolets:

L'Entresol du Parnasse

A   Dans ce poétique entresol
B   Hugo règne à côté d'Homère.
a   Les beaux vers émaillent le sol
A   Dans ce poétique entresol.
a   Sévère, ou chantant: mi, fa, sol
b   On y voit l'éditeur Lemerre.
A   Dans ce poétique entresol.
B   Hugo règne à côté d'Homère.

Là, sans ordre sont réunis
Tous les jeunes gens porteurs de lyre;
Chercheurs d'astres et d'infinis,
Là sans ordre sont réunis;
Enfants que la muse a bénis,
Aimant avant de savoir lire,
Là sans ordre sont réunis
Tous les jeunes porteurs de lyre.

Suivent les noms et quelques caractéristiques des principaux poètes
parnassiens.

Mendès admirait beaucoup Gautier; il fit un libretto de son *Capitaine Fracasse*.   Il épousa même sa seconde fille (connue en littérature
sous le nom de Judith Gautier, laquelle avait hérité beaucoup du
talent de son père); mais le mariage ne fut pas heureux; et ils se
séparèrent.   Le poète mourut écrasé en descendant d'un train à la
gare de Saint-Germain (1909).

La légende du Parnasse contemporain[2]

(*Extraits*)

I

Dans les pages suivantes, Mendès décrit avec humour le but que se
proposaient les Parnassiens; il accuse les poètes du temps soit d'excès

---

[1] Cependant les frais de la première série du *Parnasse contemporain* furent supportés encore par les poètes eux-mêmes.

[2] Publié en 1884 à Bruxelles, éd. Brancart.

de sentimentalité, soit au contraire d'un utilitarisme qu'il considère comme dégradant — tout cela aux dépens d'un art consciencieux, sincère et digne.

En ce temps-là « un barde » était tenu, avant toutes choses, de pleurer sans fatigue pendant au moins deux cents vers, et dispensé largement du reste d'expliquer pourquoi il pleurait. Ce qu'a mouillé de mouchoirs cette
5 génération est incalculable ! Pauvres gens, quelle tristesse était la leur ! Mais en retour, que de dames se sont évanouies délicieusement à la lecture du « Poète malade » ou des « Jeunes filles mourantes », qu'on entendait le soir dans ces salons littéraires d'aspect sépulcral où l'eau sucrée[1]
10 coulait comme les larmes ! Devant un auditoire choisi, composé de colonels en retraite, traducteurs d'Horace, de diplomates ensevelis dans d'opulentes redingotes pareilles à des linceuls, de professeurs tournant le petit vers, de philosophes éclectiques,[2] intimement liés avec Dieu, et de
15 bas-bleus quinquagénaires rêvant tout bas soit l'œillet de Clémence Isaure,[3] soit l'opprobre d'un prix de vertu,[4] un jeune homme pâle, amaigri et se boutonnant avec désespoir

[1] En France la coutume a été longtemps de mettre sur la table du conférencier ou du lecteur un verre d'eau sucrée.

[2] De l'école philosophique à la mode en ce temps. Du mot grec *ek legein*, choisir, car on choisissait dans tous les systèmes philosophiques existants ce qui en paraissait bon et on faisait de ces doctrines un nouveau système; l'éclectisme fut fortement attaqué par Taine qui lui reprochait son manque de rigueur et de logique (voir plus haut, le chapitre sur Taine). Les éclectiques affirmaient l'existence de Dieu pour des causes plus sentimentales que rationnelles.

[3] Clémence Isaure, patronne des Jeux Floraux de Toulouse. On désigne ainsi une Académie littéraire — la plus ancienne de France — qui, depuis le XIVᵉ siècle, attribue chaque année des prix de poésie sous forme de fleurs d'argent ou d'or: amarante, églantine, violette … Victor Hugo dans son jeune âge fut plusieurs fois couronné par cette Académie.

[4] Des « prix de vertu » sont attribués chaque année par l'Académie Française avec une somme que lui légua dans ce but le philanthrope Montyon (1730–1820). On peut les comparer aux prix d'héroïsme établis en Amérique par Carnegie.

comme s'il eût collectionné dans sa poitrine tous les renards
de Lacédémone,[1] s'avançait hagard, s'adossait à la cheminée, et commençait d'une voix caverneuse la lecture d'un
long poème où il était prouvé que le Ciel est une patrie et
la terre un lieu d'exil, le tout en vers de douze à quinze 5
pieds; ou bien encore, quelque vieillard chargé de crimes,
usurier peut-être à ses heures, en tout cas ayant pignon sur
rue,[2] femme et maîtresse en ville, chantait les joies de la
mansarde[3] les vingt ans, la misère heureuse, l'amour pur,
le bouquet de violettes, le travail, Babet,[4] Lisette, Fré- 10
tillon, et finalement tutoyait « le bon Dieu » et lui tapait
sur le ventre dans des couplets genre Béranger.○○○

D'ailleurs:

Nul ne s'était préoccupé d'examiner si ce qu'on venait
d'entendre était écrit dans une langue seulement décente.
Qu'importait cela, pourvu qu'on fût ému, et qu'on sentît 15
battre les viscères sous la flanelle?[5] L'essentiel en poésie
n'est-il pas de ressentir une émotion, et quel plus bel éloge
pourrait-on faire du poète, que celui-là: « Il fit pleurer les
dames de son temps ! »

Ce n'est pas tout. Il y avait encore l'école utilitaire, 20
pratique, qui méprisait la vaine harmonie des mots et ne
s'attachait qu'au « fond », la forme étant une question
secondaire. Ah certes ! respect aux esprits qui, dans la
langue des prophètes, enseignaient à l'humanité ses grands

---

[1] Allusion à la célèbre histoire.

[2] Partie supérieure et triangulaire du mur qui soutient le toit.
Parfois, dans les maisons de riches, il y a aussi des pignons sur la façade — plus petits. Avoir pignon sur rue est synonyme d'avoir une
belle maison.

[3] *Attic-room*, les joies de la pauvreté.

[4] *Babet, Lisette, Frétillon* — noms qu'on donnait en littérature aux
grisettes (amies des étudiants pauvres mais insouciantes). V. notre
vol. I chapitre *Béranger*, la chanson de *Lisette*. Le livre classique
contenant ce genre d'histoires: *Scènes de la vie de Bohème*, par Murger
(1851).

[5] Le cœur sous la camisole.

devoirs ! mais pour ceux dont nous parlons, la poésie
était d'instruire les masses en développant des vérités
usuelles, quotidiennes, banales. Résultat: les poèmes sur
la direction des ballons, la télégraphie sous-marine et le
5 percement de nouveaux canaux;... et les morceaux de
haut goût où il suffit de s'écrier: « L'âme est immortelle »
ou « Le chien est l'ami de l'homme » pour être considéré
comme un penseur.

* * *

[*À propos de l'*école utilitaire *mentionnée par Mendès.*]

Il y avait, en effet, en ces temps certains poètes qui essayaient
de chanter les triomphes de la machine, de la vapeur, de l'électricité,
de toutes les applications de la science moderne dans l'industrie.
Le recueil qui, à l'époque, fit beaucoup de bruit était celui de Maxime
Ducamp, *Les chants modernes*, avec une (Préface) sensationnelle qui
parut d'abord dans *La Revue de Paris*, 1er oct. 1854 (V. Elliot M.
Grant, *French Poetry and Modern Industry, 1830–1870*, Chap. III, ii
(Harvard Univ. Press, 1927.)

Voici à titre d'exemple quelques strophes de cette littérature:

Écoutez la Vapeur:

... Je donne la vie aux usines
Je soulève les lourds marteaux;
Mon souffle anime les machines,
Mon bras tourmente les étaux.
Les grands poids ne sont que des plumes
Que portent mes muscles d'airain,
Et seule je bats plus d'enclumes
Que les Cyclopes de Vulcain !

Et puis la Locomotive:

Aux grands membres de mastodonte,
Aux muscles de fer et d'airain,
J'enjambe coteaux et vallées.
Mes chemins ?   Ce sont des allées
Qu'avec du fer on a dallées.
On éventre pour moi les monts;
On a jeté sur les rivières
De gigantesques ponts de pierres
Où nous passons, vives et fières,
Et qui sont franchis en trois bonds !

Voici le télégraphe:

Écoutez! C'est ma sœur jumelle,
C'est ma sœur l'Electricité
Qui vole et passe d'un coup d'aile
Au travers de l'immensité.
Nageant au sein des mers profondes,
Bravant rochers, péril, écueil,
Elle galope sur les mondes
Et les traverse en un clin d'œil.

[*Ou encore:*]

Écoutez! C'est le Chloroforme
Qui dit: « j'ai tué la douleur;
Pendant que l'instrument difforme
Taille les chairs avec lenteur,
Je prends l'esprit et je l'enlève
Loin de tout contact douloureux,
Et je l'emporte comme un rêve
Dans le pays des songes bleus! »

Alfred de Vigny avait été un des premiers à s'émouvoir et à protester; mais les adeptes de la doctrine de l'art pour l'art devaient
protester bien plus fort encore, Gautier, Mendès et la plupart des
Parnassiens. Volontiers ils employaient l'ironie. Mendès dans une
pièce intitulée *La gloire des vélocipèdes* — où la selle était juchée
au-dessus d'une roue de devant très haute — récemment inventés
comme moyen mécanique de transport, y voyait au moins l'avantage
que les dames en tombaient d'une façon charmante...

Et ce qu'un sénateur terrien [1]
A payé cher, un vaurien,
Passant par là, le voit pour rien!

(*Odelettes et ballades.*)

* * *

II

Un Épisode véridique (?) de la période difficile de l'hôtel du
Dragon Bleu, dans les premiers mois de la camaraderie parnassienne,
d'après *La légende du Parnasse:*

... Une fois, l'un des jeunes hommes qui logeaient là
resta trente-six heures sans manger. Oui, un jour, puis

[1] Ici, riche, possédant des terres.

une nuit, et tout un autre jour. Vers la fin de la seconde
journée, il était fatigué, trouvant que ce n'était plus drôle.
Déjà il n'avait plus faim; et, marchant dans la rue à la
lueur des réverbères, quand il regardait les enseignes pour
5 se distraire, il les voyait doubles. Tout à coup il eut une
espèce de folle espérance. Il venait de se rappeler qu'un an
auparavant, à neuf heures du soir, en passant place de la
Bourse devant le magasin du parfumeur Piver, il avait
trouvé sur le trottoir, par hasard, une pièce d'or de dix
10 francs. Chose absurde! il eut cette pensée que, s'il
retournait ce soir-là, à la même place, il y trouve-
rait peut-être une pièce de monnaie encore. Il traversa
la ville et s'arrêta devant la boutique de parfumerie
au coin de la rue de la Bourse. Hélas! aucune pièce
15 d'or ni d'argent. Il haussa les épaules, en souriant de sa
folie; là, au coin de la rue de la Bourse, se tenait une
vieille femme, l'air d'une marchande de journaux, qui
vendait des berlingots,[1] des pains d'épice,[2] et d'autres
bonbons au rabais,[3] rangés dans des cases sous la vitre
20 d'un petit étal. Le poète considéra les sucreries, les considéra longtemps. Piètre nourriture, mais enfin nourriture. Hélas! pas un sou dans la poche. Il allait s'en
aller je ne sais où, peut-être du côté de la rivière, lorsqu'il
s'entendit appeler par son nom. Quelqu'un qu'il connais-
25 sait à peine, un jeune homme aussi, pas un poète, rencontré dans quelque hasard. « Comme vous regardez les
pains d'épice » dit le passant. Le poète répondit, avec
gravité: « C'est que je les adore. » — « Vraiment? » —
« Oui, à la folie. Il y a des jours où j'en mangerais pour
30 vingt sous. » — Vous voulez rire. Je vous parie les vingt
sous que vous n'en mangerez pas autant que vous dites. »

---

[1] Espèce de caramel, bonbon au sucre.
[2] « Sorte de gâteau fait de farine de seigle, de miel et différentes
substances aromatiques » (*Larousse*); vendu beaucoup aux foires et
dans les rues des grandes villes.
[3] *At a bargain; extremely cheap.*

— « Je tiens le pari » s'écria le parnassien avec un enthousiasme famélique, et il se précipita vers l'étal, mangea les
pains d'épice, en eût mangé pour des sommes énormes, —
ayant soin d'ailleurs de choisir les morceaux où il n'y
avait pas d'amandes, qui étaient moins bons, mais qui, au   5
même prix, étaient plus gros.   C'est ainsi qu'il ne mourut
pas de faim.

*

Le caractère fondamental du talent de Mendès est la souplesse.
Il n'est pas un genre qui résiste à son pouvoir remarquable d'assimilation.   Non seulement se distingue-t-il dans divers domaines
littéraires: poésie, roman, théâtre, histoire[1]; mais dans la poésie
elle-même, il manie avec la même aisance l'alexandrin et les petits
vers de 8, 6, 4 syllabes.   Bien plus, dans ces différentes sortes de vers,
il adopte, et imite parfois à s'y méprendre, tour à tour le genre léger et
gracieux de Gautier ou de Banville [pour le premier, v. le vol. *Séré-
nades;* pour le second, v. le vol. *La Grive des vignes*]; il y a là plusieurs
pièces rappelant le style des *Odes funambulesques: Ballade des déclamations de Napoléon Ier* (fatigué d'être mis en scène et en vers,
craignant que sa réputation n'en souffre); ou *L'Esprit de la revue*
(*Revue des Deux Mondes*); ou *Le borgne* [Buloz] *et l'aveugle* [Brune-
tière].   Ailleurs, c'est le genre grave de Leconte de Lisle (la description de la nature boréale dans le long poème *Le soleil de minuit;* la
philosophie orientale du Nirvâna, *Le conseil du Sofi,* et toute la
collection *Pagode*).   Ailleurs encore Mendès cultive le genre désabusé
et cynique de Baudelaire (*Ballade du bon accueil à la mort; La rôdeuse;
Après la fin*).   Il a même, par la pensée, anticipé la génération des
Symbolistes, (qui, comme le nom l'indique, suggèrent indirectement
les choses sans les décrire), ainsi dans une pièce, intitulée *Récapitula-
tion;* les noms y sont des symboles évoquant des amours éphémères:

---

[1] ROMANS ET CONTES (mais qui sont souvent d'une licence fâcheuse):
Crime du vieux Blas, La première maîtresse; Contes choisis.

THÉÂTRE: *Briséis, La reine Fiammette, Scarron;* le libretto du
Capitaine Fracasse.

HISTOIRE: *Les 73 journées de la Commune* (1871).   Ici rappelons
La légende du Parnasse contemporain (1884), *Le roi vierge* [Louis de
Bavière] (1881), *Richard Wagner* — dont Mendès a été un des tout
premiers admirateurs en France.

Récapitulations

Rose, Emmeline,
Margueridette,
Odette,
Alix, Aline.

5 Paule, Hippolyte,
Lucy, Lucile,
Cécile,
Daphné, Mélite.

Artémidon,
10 Myrrha, Myrrhine,
Périne,
Naïs, Eudone.

Suivent onze strophes toutes pareilles, et voici la dernière:

Zulma, Zélie,
Régine, Reine,
15 Irène ! . . .
Et j'en oublie.

(*Vaines amours*)

Il ne faut pas croire, cependant, que Mendès soit tout à fait dépourvu d'originalité. Le domaine où on le sent le plus lui-même, est celui de la poésie légère, badine, gauloise. Dès son premier recueil *Philoméla* (1864) on le devine.[1]

Lied

I

Nez au vent, cœur plein d'aise,
Berthe emplit, fraise à fraise,

[1] Dans *l'Hymnaire* des amants il a une *Odelette au baiser* qui rappelle les fameux vers de Rostand dans *Cyrano de Bergerac* (Acte III, sc. ix); elle est un peu trop libre pour prendre place ici.

Dans le bois printanier,
   Son frais panier.

Les déesses de marbre
La regardent sous l'arbre
D'un air plein de douceur,   5
   Comme une sœur,

Et dans de folles rixes
Passe l'essaim des Nixes
Et des Elfes badins
   Et des Ondins.[1]   10

II

Un Elfe dit à Berthe:
« Là-bas, sous l'ombre verte,
Il est dans les sentiers
   De beaux fraisiers ! »

Un Elfe a la moustache   15
Très fine et l'air bravache
D'un reître [2] ou d'un varlet,[3]
   Quand il lui plaît.

« Conduisez-moi, dit Berthe,
Là-bas, sous l'ombre verte,   20
Où sont dans les sentiers
   Les beaux fraisiers. »

III

Leste comme une chèvre,
Berthe courait. « Ta lèvre
Est un fraisier charmant »,   25
   Reprit l'amant.

---

[1] *Nixe, Elfe, Ondin:* Êtres du monde de la féerie [*goblin, fairy, undine*].

[2] Du mot allemand Ritter [cavalier]; *soudard,* homme volontiers entreprenant auprès des femmes.

[3] Du temps de l'ancienne chevalerie, fils de baron, page.

« Le baiser, fraise rose,
Donne à la bouche éclose,
Qui le laisse saisir,
 Un doux plaisir. »

5 — « S'il est ainsi, dit Berthe,
Laissons sous l'ombre verte
En paix dans les sentiers
 Les beaux fraisiers ! »

L'Ennemie

O toi ma vie, ô toi mes cieux,
10 Je hais ton front, je hais ta lèvre
Et tes yeux qui donnent la fièvre
Comme des lacs pernicieux.

Je maudis mon âme asservie
Dans tes profonds cheveux de jais,
15 Et, tout entière, je te hais,
O toi mes cieux, ô toi ma vie !

Mais non, je mens, tu le sais bien;
Mon être a dans toi ses racines,
Et vainement tu l'assassines
20 Et tu le damnes, il est tien.

J'aime ton front, tes yeux, ta joue,
O mon enfer, ô mon trépas,
Et tes cheveux qui ne sont pas
De ces liens que l'on dénoue.

25 Le mal m'est doux, le joug m'est cher,
Et jusqu'au jour du cimetière
Je t'adorerai tout entière,
O mon trépas, ô mon enfer !

*

On ne peut passer sous silence son recueil de *Contes épiques* (1870) où on trouve des morceaux bien dignes de la plume de Leconte de Lisle ou d'Heredia.

Tel le poème biblique *La femme adultère* qui contient ces vers — apostrophe du mari outragé qui demande de quel droit le Christ pardonne, lui, à la femme coupable:

La femme adultère (*fragment*)

° ° °

Moi seul, à qui justice était due en effet,
J'aurais pu pardonner. Mais lui, d'où vient qu'il l'ose ?
De quel droit se fait-il arbitre dans ma cause
Puisqu'il n'a pas souffert du mal que tu m'as fait ?

Est-ce lui qui t'aima, jeune et belle, de sorte   5
Qu'ayant livré la charge en or de trois chameaux,
Il posséda l'épouse avec qui plus de maux
Qu'il n'avait de deniers entrèrent par sa porte ?

A-t-il pendant quatre ans savouré le poison
De ta voix qui mentait, et béni le mensonge ?   10
A-t-il, quand vint le jour où le soupçon nous ronge,
Comme on traque le renard guetté la trahison ? ° ° °

Le consentement

Ahod fut un pasteur opulent dans la plaine.
Sa femme, un jour d'été, posant sa cruche pleine,
Se coucha sous un arbre au pays de Béthel,[1]   15
Et, s'endormant, elle eut un songe qui fut tel:

D'abord il lui sembla qu'elle sortait d'un rêve
Et qu'Ahod lui disait: « Femme, allons, qu'on se lève.
Aux marchands de Ségor, l'an dernier, j'ai vendu
Cent brebis, et le tiers du prix m'est encor dû.   20

[1] Localité de la Palestine; celle où, selon la Bible, Jéhova apparut à Abraham et à Jacob.

Mais la distance est grande et ma vieillesse est lasse.
Qui pourrais-je envoyer à Ségor en ma place ?
Rare est un messager fidèle et diligent.
Va, et réclame-leur trente sicles [1] d'argent. »
5 Elle n'objecta point le désert, l'épouvante,
Les voleurs. « Vous parlez, maître, à votre servante. »
Et quand, montrant la droite, il eut dit: « C'est par là ! »
Elle prit un manteau de laine et s'en alla.
Les sentiers étaient durs et si pointus de pierres
10 Qu'elle eut du sang aux pieds et des pleurs aux paupières;
Pourtant elle marcha tout le jour, et, le soir,
Elle marchait encor, sans entendre ni voir,
Lorsque soudain, de l'ombre, avec un cri farouche,
Quelqu'un bondit, lui mit une main sur la bouche,
15 D'un geste forcené lui vola son manteau
Et s'enfuit, lui laissant dans la gorge un couteau !
Le rêve, à ce moment, devint une horreur telle
Qu'il l'éveilla.

            L'époux se tenait devant elle.
20 « Aux marchands de Ségor, lui dit-il, j'ai vendu
Cent brebis, et le tiers du prix m'est encor dû.
Mais la distance est grande et ma vieillesse est lasse.
Qui pourrais-je envoyer à Ségor en ma place ?
Rare est un messager fidèle et diligent.
25 Va, et réclame-leur trente sicles d'argent. »

La femme dit: « le maître a parlé, je suis prête. »
Elle appela ses fils, mit ses mains sur la tête
Du fier aîné, baisa le front du plus petit,
Et, prenant son manteau de laine, elle partit.

                   (*Contes épiques*)

[1] « Poids et monnaie du pays pesant 6 grammes » (*Larousse*).

Penthésilée

Reine des Amazones

La mort du Troyen Hector tué par le Grec Achille ne mit pas fin à la guerre de Troie.   De nouveaux alliés vinrent au secours de la ville assiégée.   C'est ainsi qu'accourut Penthésilée, reine des Amazones, avec une bande de ses vierges guerrières.   Penthésilée fit périr maint brave héros grec, mais mourut enfin elle-même de la main d'Achille qui, la voyant sans vie et si belle regretta sa victoire.   Selon Mendès, Penthésilée elle-même ne mourut pas sans avoir jeté un regard d'adoration sur son vainqueur.

La reine au cœur viril a quitté les cieux froids
De la Scythie.   Avec ses sœurs vierges comme elle,
Elle gagne la plaine où la bataille mêle
Les courages sanglants et les blêmes effrois.

Qu'une autre en son logis file les lentes laines !   5
Elle, un désir la mord, indocile aux retards,
De vaincre le plus fort, le plus beau des Hellènes,
Achille !   Et son cheval bondit, les crins épars,

         Et l'emporte vers la mêlée,
         Et le cri de Penthésilée   10
S'ajoute au bruit montant des armes et des chars !

« Achille !   Achille !   Achille ! ô héros ! voici l'heure
Où ton sang coulera comme un ruisseau vermeil !
Tout plein d'un songe horrible, et fuyant le sommeil,
Ton père [1] aux cheveux gris hurle dans sa demeure !   15

« Tu fus comme un lion dans une bergerie;
Tu fus comme un vent noir dans un bois de roseaux;
Que de rois, ô guerrier ! mangés par les oiseaux
Sur un sol qui n'est pas celui de la patrie !

« Les festins te plaisaient après les chocs d'épées;   20
Tu domptais, jeune dieu ! les cœurs de vierge aussi
Quand sur tes bras charmants, noirs d'un sang épaissi,
Roulaient les boucles d'or de ton casque échappées !

[1] Pélée, un des Argonautes qui épousa Thétis, la belle Néréide qu'avait aimée Jupiter.   De Pélée et de Thétis naquit Achille.

« Mais frémis à ton tour ! Le glaive enfin se dresse
Qui percera ton sein comme un sein d'enfant nu;
Car l'amazone vient qui n'a jamais connu
    La peur ni la tendresse ! »

5 Telle, en sa course, hélas ! qui n'eut point de retour,
Par-dessus les fracas criait la vierge fière !
Elle ne savait pas qu'avant la fin du jour,
Mourante, elle mordrait la sanglante poussière,
En jetant au vainqueur beau comme une guerrière
10 Un regard moins chargé de haine que d'amour !

                        (Contes épiques)

* *
*

LA PARODIE

Peu de temps après la publication de *La légende du Parnasse* parut
un petit volume de vers parodiant l'enthousiasme des nouveaux
poètes, *Le Parnassiculet*.[1] Ce fut une consécration du triomphe des
parnassiens; ils existaient, puisqu'on se moquait d'eux.

Voici quelques échantillons de cette publication:

Mélancolie équatoriale [2]

Le midi sur les bois étend sa langueur lourde;
Et l'on n'entend plus rien, — rien que la rumeur sourde
Des baisers du soleil à l'humus Gabonnais.[3]

Rien ! — Au loin seulement, reproche horrible et triste,
15 Le cri d'un Nhsïégo qui se tord et résiste
Dans le piège de fer d'un chasseur Kroumanais.

[1] Le titre complet de cette fort amusante parodie était: *Le Parnassiculet contemporain, recueil de vers nouveaux, précédé de l'Hôtel du
Dragon Bleu, et orné d'une très étrange eau-forte* [une femme renversée
sur le sol et ficelée; sur le rebord d'une fenêtre, un chat miaule
piteusement]. Paris, Librairie centrale, J. Lemer, éditeur, 1867.

[2] Évidemment parodie de Leconte de Lisle et d'Heredia. Tous
ces noms dans le poème sont de pure invention.

[3] Terre de Gabon, colonie de l'Afrique équatoriale.

Tout dort. Le roi M'Pongo Bétani, dans sa case,
Sur le tissu très-frais d'un tapis du Caucase
Couché, songe, en mâchant un morceau de kola.

C'est un vieillard vêtu d'un ancien uniforme
De fantassin danois un peu large de forme,   5
Qu' à bord d'un négrier autrefois il vola. o o o

Madrigal sur le mode thébain [1]

Amère et farouche hétaïre, [2]
Je chanterai sur ma syrinx [3]
De buis jaune le froid délire
Que me versent tes yeux de Sphinx.   10

Tu caches le cœur noir d'un lynx [4]
Dans ton corps de souple porphyre,
Et sur ta sandale on peut lire:
Zeuxis, [5] cher à Kithéré, [6] pinx [7] ...

L'Épilogue du Parnassiculet

A   En ces vers où l'esprit se tord, [8]   15
B   Le mot bondit, la rime chante;
a   Pégase [9] cinglé, rue et mord

[1] Allusion à ces formes anciennes ou étrangères ressuscitées par
les Parnassiens, comme le triolet, la madrigal, la ballade, le pantoum
de la Malaisie.

[2] Hétaïre = Courtisane grecque.

[3] Flûte de Pan, à plusieurs tuyaux.

[4] Lynx, ou loup-cervier, de la famille des chats, doué d'une vue
perçante.

[5] Zeuxis, le fameux peintre grec du Ve siècle avant J.-C.

[6] Kithéré, pour Cythère, une maîtresse imaginaire de Zeuxis.

[7] Pinx, abréviation de Pinxit latin, peignit; c.à.d. Zeuxis a
peint cette sandale.

[8] Jeu de mots; se tordre dans un sublime effort pour produire quelque
chose de grand, mais aussi — et c'est ce que veut suggérer le poème,
se tordre de rire.

[9] Le cheval ailé de la légende, cinglé, (whipped) quand il essaye
de résister à des poètes indignes de sa haute mission.

A En ces vers où l'esprit se tord.
a Apollo pique un son discord,[1]
b Et la Muse devient bacchante;[2]
A En ces vers où l'esprit se tord,
B Le mot bondit, la rime chante.

*

Albert Glatigny, (1839–1873) fut intimément associé à Mendès aux premières années du Parnasse. Fils d'un gendarme de Bernay, en Normandie, il quitta la maison paternelle pour suivre une troupe de comédiens ambulants dont les pérégrinations l'amenèrent à Paris. (Mendès raconte leur première rencontre dans *La légende du Parnasse*). Glatigny parut trop bohème aux Parnassiens qui, ayant gagné leur cause devant le public, étaient maintenant reçus dans les salons. Glatigny mena une vie besogneuse de poète pauvre, mais fier. Il mourut du reste jeune, en 1873. C'était un virtuose de la rime. Surtout admirateur de Banville, il laissa quelques recueils dont les plus connus sont *Les vignes folles* (1860), et *Les flèches d'or* (1864). (Consulter Aaron Shaffer, « Albert Glatigny, A Study in literary Relationship », *Modern Language Notes*, March, 1926; (pp. 164–168); Jean Raymond, *Albert Glatigny (1839–1873); la vie et le poète. Les origines de l'école parnassienne*, Paris, Droz, 1936, in 8°, thèse de Paris).

CHAPITRE XVI

SULLY-PRUDHOMME

1839–1907

Consulter: — E. Estève: *Sully-Prudhomme, poète sentimental et poète philosophe.* (Paris, Boivin, 1925); E. Zyromski. *Sully-Prudhomme* (Paris, A. Colin, 1907).

Orphelin très jeune, René François Armand Prudhomme fut élevé par son oncle Sully, notaire à Paris, d'où le nom qu'il adopta: Sully-Prudhomme.   Né à Paris, il fit d'excellentes études, d'abord au Lycée Bonaparte.   Avec l'intention de l'inscrire plus tard à

---

[1] Celui que ces poètes croient être un Apollon, rend un son discordant.

[2] Encore mot à double sens: ou bien *dans une extase divine*, ou bien *dans un état d'ivresse folle*.

l'École Polytechnique, on le plaça aux grands établissements métal-
lurgiques du Creusot; il n'y resta que quelque temps; l'industrie
n'était pas son fait. Il revint à Paris, entra à la Faculté de Droit et
dans un bureau d'avoué. Mais il abandonna aussi cette voie pour se
vouer finalement avec plein succès à la carrière des lettres. Il entra
à l'Académie Française en 1881; et en 1901 il fut le premier à recevoir
le « Prix Nobel de Littérature ». Il affecta cet argent à la fondation
d'un « Prix de poésie » qui porte son nom et qui est adjugé, par la
Société des Gens de Lettres, à un écrivain à ses débuts.

De son temps, Sully-Prudhomme était un des plus acclamés
parmi ceux qu'on peut appeler « les grands Parnassiens ».

Sa carrière se divise en deux parties assez distinctes: celle où le
poète lyrique prévalut sur le poète philosophe, et celle où cet ordre est
renversé. Les plus connus de ses nombreux recueils de poésie lyrique
sont: *Stances et poèmes* (1865), *Les épreuves* (1866), *Les solitudes*
(1869), *Les destins* (1872), *Les vaines tendresses* (1875). C'est depuis
cette dernière date qu'il s'orienta plus décidément du côté de la
poésie philosophique: « La matière de ses confidences sentimentales
était sans doute épuisée; il se jeta vers l'expression de ses angoisses
intellectuelles et tenta de mettre en vers ses méditations sur la science
et la philosophie; c'était aller vers le plus haut idéal du Parnasse. »
(Martino, *vol. cité*, p. 80).

Il avait, dès 1869, traduit en vers le premier Livre du *De Naturâ
Rerum*, le poème du grand philosophe latin Lucrèce. En 1878 il
publia un long poème philosophique de sa propre inspiration, *La
justice*, et en 1888 un autre, plus long encore, *Le bonheur*. Citons
encore, en prose, en 1895, *Que sais-je? examen de conscience*.[1]

C'est surtout la partie lyrique de son œuvre qui a valu à Sully
Prudhomme sa renommée. Il est très parnassien pour la facture de
ses vers qui sont toujours extrêmement bien frappés. Quant au
contenu de ses poèmes, contrairement à Gautier, Banville, Leconte
de Lisle, Heredia, il est loin de s'exprimer toujours impersonnellement
ou par l'intermédiaire de mythes ou d'images; et, en ce sens, il est
peut-être un romantique attardé, quoique beaucoup plus discret
quand il parle des désenchantements de sa vie.

De beaucoup le plus célèbre poème de Sully-Prudhomme — et il
est bien caractéristique de sa manière — est:

Le vase brisé

Le vase où meurt cette verveine
D'un coup d'éventail fut fêlé;

---

[1] V. l'ouvrage de C. Hémon, *La philosophie de Sully-Prudhomme*
(1906) avec une « Préface » autobiographique de Sully-Prudhomme.

Le coup dut l'effleurer à peine:
Aucun bruit ne l'a révélé.

Mais la légère meurtrissure,
Mordant le cristal chaque jour,
5   D'une marche invisible et sûre
En a fait lentement le tour.

Son eau fraîche a fui goutte à goutte,
Le suc des fleurs s'est épuisé;
Personne encore ne s'en doute;
10   N'y touchez pas: il est brisé.

Souvent aussi la main qu'on aime,
Effleurant le cœur, le meurtrit;
Puis le cœur se fend de lui-même,
La fleur de son amour périt;

15   Toujours intact aux yeux du monde,
Il sent croître et pleurer tout bas
Sa blessure fine et profonde;
Il est brisé: n'y touchez pas.

(*Vie intérieure*)

Mais le poète n'est jamais satisfait et il met en tête de son recueil
de *Stances* ce quatrain « Au Lecteur »:

Quand je vous livre mon poème
Mon cœur ne le reconnaît plus:
Le meilleur demeure en moi-même,
Mes vrais vers ne seront pas lus.

(V. aussi *Je me croyais poète*, le dernier morceau du vol. I, pp.
312-14.)

La tristesse, la mélancolie, l'angoisse de la solitude se retrouvent
partout dans des poésies qui ne sont pas souvent de grande étendue.

Les yeux

Bleus ou noirs, tous aimés, tous beaux,
20   Des yeux sans nombre ont vu l'aurore;
Ils dorment au fond des tombeaux,
Et le soleil se lève encore.

Les nuits, plus douces que les jours,
Ont enchanté des yeux sans nombre;
Les étoiles brillent toujours,
Et les yeux se sont remplis d'ombre.

Oh ! qu'ils aient perdu leur regard,   5
Non, non, cela n'est pas possible !
Ils se sont tournés quelque part
Vers ce qu'on nomme l'invisible;

Et comme les astres penchants [1]
Nous quittent, mais au ciel demeurent,   10
Les prunelles ont leurs couchants,
Mais il n'est pas vrai qu'elles meurent.

Bleus ou noirs, tous aimés, tous beaux,
Ouverts à quelque immense aurore,
De l'autre côté des tombeaux   15
Les yeux qu'on ferme voient encore.

(Vie intérieure)

En deuil

C'est en deuil surtout que je l'aime:
Le noir sied à son front poli,
Et par ce front le chagrin même
     Est embelli.   20

Comme l'ombre le deuil m'attire,
Et c'est mon goût de préférer,
Pour amie, à qui sait sourire
     Qui peut pleurer.

J'aime les lèvres en prière;   25
J'aime à voir couler les trésors
D'une longue et tendre paupière
     Fidèle aux morts.

[1] *Penchants*, dans leur marche du Zénith au bord de l'horizon.

Vierge, heureux qui sort de la vie
Embaumé de tes pleurs pieux;
Mais plus heureux qui les essuie:
    Il a tes yeux !

            (*Jeunes filles*)

Corps et âmes

5   Heureuses les lèvres de chair !
Leurs baisers se peuvent répondre;
Et les poitrines pleines d'air !
Leurs soupirs se peuvent confondre.

Heureux les cœurs, les cœurs de sang !
10   Leurs battements peuvent s'entendre;
Et les bras ! ils peuvent se tendre,
Se posséder en s'enlaçant.

Heureux aussi les doigts ! ils touchent;
Les yeux ! ils voient.   Heureux les corps !
15   Ils ont la paix quand ils se couchent,
Et le néant quand ils sont morts.

Mais, oh ! bien à plaindre les âmes !
Elles ne se touchent jamais:
Elles ressemblent à des flammes
20   Ardentes sous un verre épais.

De leurs prisons mal transparentes
Ces flammes ont beau s'appeler,
Elles se sentent bien parentes,
Mais ne peuvent pas se mêler.

25   On dit qu'elles sont immortelles;
Ah ! mieux leur vaudrait vivre un jour,
Mais s'unir enfin ! . . . dussent-elles
S'éteindre en épuisant l'amour !

            (*Les solitudes*)

Prière

Ah ! si vous saviez comme on pleure
De vivre seul et sans foyer,
Quelquefois devant ma demeure
      Vous passeriez.

Si vous saviez ce que fait naître   5
Dans l'âme triste un pur regard,
Vous regarderiez ma fenêtre
      Comme au hasard.

Si vous saviez quel baume apporte
Au cœur la présence d'un cœur,   10
Vous vous assoiriez sous ma porte
      Comme une sœur.

Si vous saviez que je vous aime,
Surtout si vous saviez comment,
Vous entreriez peut-être même   15
      Tout simplement.

             (*Vaines tendresses*)

    Un poème qui mérite une place à part, est celui dans lequel Sully-Prudhomme continue le plaidoyer séculaire en faveur de l'enfance si souvent mal comprise et dont les chagrins peuvent être tout aussi tragiques que ceux des adultes, — ce plaidoyer commencé par J.-J. Rousseau, dans *Émile* (v. *Eighteenth Century French Readings*, p. 553), est continué par Victor Hugo (v. notre vol. I, chap. ‹ V. Hugo ›), et spécialement le poème qui traite exactement le même sujet que celui ci-dessous: ne pas faire de l'école une prison, *Aux Feuillantines en 1813*, p. 180).[1]

---

[1] Depuis Sully-Prudhomme bien des auteurs ont repris ce thème: par exemple Jean Aicard, *L'Âme d'un enfant* (1898) — L'histoire navrante du Petit Durand qui mourut avant de sortir de l'affreuse prison où on tua son bonheur d'enfant. Rappelons aussi *Jack*, par Alphonse Daudet, *Jacques Vingtras* par J. Vallès. V. sur la littérature de l'enfance en France: J. Calvet, *L'Enfant dans la littérature française* (2 vol. Paris, 1930); Aimé Dupuis, *Un personnage nouveau dans le roman français, l'enfant*, (Hachette, 1931). [Ce dernier ouvrage

Première solitude

On voit dans les sombres écoles
Des petits qui pleurent toujours;
Les autres font leurs cabrioles,[1]
Eux, ils restent au fond des cours.

5   Leurs blouses sont très bien tirées,
Leurs pantalons en bon état,
Leurs chaussures toujours cirées;
Ils ont l'air sage et délicat.

Les forts les appellent des filles,
10   Et les malins des innocents:
Ils sont doux, ils donnent leurs billes,[2]
Ils ne seront pas commerçants.

Les plus poltrons leur font des niches,[3]
Et les gourmands sont leurs copains[4];
15   Leurs camarades les croient riches,
Parce qu'ils se lavent les mains.

Ils frissonnent sous l'œil du maître,
Son ombre les rend malheureux.
Ces enfants n'auraient pas dû naître,
20   L'enfance est trop dure pour eux!

Oh! la leçon qui n'est pas sue,
Le devoir qui n'est pas fini!
Une réprimande reçue,
Le déshonneur d'être puni!

---

descend jusqu'à Radiguet et Proust.] Aussi, Clifford Stetson
Parker, *The Defence of the Child by French Novelists*, (G. Banta,
Menasha, Wis., 1925).

[1] *Capers.*
[2] *Marbles.*
[3] *Tricks, pranks.*
[4] *Pals.*

Tout leur est terreur et martyre;
Le jour, c'est la cloche, et, le soir,
Quand le maître enfin se retire,
C'est le désert du grand dortoir:

La lueur des lampes y tremble   5
Sur les linceuls des lits de fer;
Le sifflet des dormeurs ressemble
Au vent sur les tombes, l'hiver.

Pendant que les autres sommeillent,
Faits au coucher de la prison,   10
Ils pensent au dimanche, ils veillent
Pour se rappeler la maison;

Ils songent qu'ils dormaient naguères
Douillettement [1] ensevelis
Dans les berceaux, et que les mères   15
Les prenaient parfois dans leurs lits.

O mères, coupables absentes,
Qu'alors vous leur paraissez loin !
A ces créatures naissantes
Il manque un indicible soin;   20

On leur a donné les chemises,
Les couvertures qu'il leur faut:
D'autres que vous les leur ont mises,
Elles ne leur tiennent pas chaud.

Mais, tout ingrates que vous êtes,   25
Ils ne peuvent vous oublier,
Et cachent leurs petites têtes,
En sanglotant, sous l'oreiller.

*   (*Les solitudes*)

Mais, de plus en plus, Sully-Prudhomme est attiré par la science
et la philosophie. Dès son premier recueil des *Stances et poèmes* il
croyait entrevoir, en marge de la poésie lyrique traditionnelle, une
vraie poésie dans la certitude scientifique:

---

[1] *Softly.*

La poésie

Quand j'entends disputer les hommes
Sur Dieu qu'ils ne pénètrent point,
Je me demande où nous en sommes:
Hélas ! toujours au même point !

5 Oui, j'entends d'admirables phrases,
Des sons par la bouche ennoblis;
Mais les mots ressemblent aux vases:
Les plus beaux sont les moins remplis.

Alors, pour me sauver du doute,
10 J'ouvre un Euclide [1] avec amour;
Il propose, il prouve, et j'écoute,
Et je suis inondé de jour.

L'évidence, éclair de l'étude,
Jaillit, et me laisse enchanté !
15 Je savoure la certitude,
Mon seul vrai bonheur, ma santé !

Pareil à l'antique sorcière
Qui met, par le linéament [2]
Qu'elle a tracé dans la poussière,
20 Un monde obscur en mouvement,

Je forme un triangle: ô merveille !
Le peuple des lois endormi
S'agite avec lenteur, s'éveille
Et se déroule à l'infini.

25 Avec trois lignes sur le sable
Je connais, je ne doute plus !
Un triangle est donc préférable
Aux mots sonores que j'ai lus ?

[1] Père de la géométrie, vécut à Alexandrie, sous Ptolémée Ier (306–283 avant J.-C.).
[2] Les lignes cabalistiques.

Non ! j'ai foi dans la poésie:
Elle instruit par témérité;
Elle allume sa fantaisie
Dans tes beaux yeux, ô vérité !

Si le doigt des preuves détache [1]   5
Ton voile aux plis multipliés,
Le vent des strophes te l'arrache,
D'un seul coup, de la tête aux pieds.

Et c'est pourquoi, toute ma vie,
Si j'étais poète vraiment,   10
Je regarderais sans envie
Képler [2] toiser le firmament !

Or, à mesure que le « poète de l'âme » considère de plus près les
phénomènes du monde physique il y aperçoit davantage quelque chose
de si grand qu'il finira par réclamer pour la poésie l'honneur de devenir
le langage de la science et de la philosophie: « Les grandes découvertes
lui semblent si émouvantes qu'il ne se résout pas à les exclure du
domaine poétique, pour peu que les formules puissent en être trans-
posées dans la langue littéraire; il y a là une difficulté d'art qui
l'attire » (Préface au *Bonheur*).[3]

Observons que, tandis que Leconte de Lisle s'est inspiré plutôt
dans son positivisme poétique des recherches des philologues et des
historiens des religions orientales et des philosophies classiques,
Sully-Prudhomme s'est plutôt inspiré des découvertes dans le domaine
des sciences naturelles et exactes. Le grand ouvrage de Darwin,

---

[1] Cette strophe un peu confuse peut être paraphrasée ainsi: « Si
l'analyse scientifique révèle graduellement la vérité complexe, la poésie
par l'intuition nous fait pénétrer à la vérité d'un seul élan. »

[2] Célèbre astronome allemand (1571–1630) formula les lois qui
conduisirent à la théorie de l'attraction universelle, théorie formulée
par Newton.

[3] On a noté plus haut (pp. 402–3) des allusions à cette discussion des
poètes sur la possibilité de faire de la poésie avec la science: la plupart
des poètes depuis Vigny et Gautier jusqu'à Mendès méprisant la
poésie scientifique et industrielle, d'autres comme Maxime Du Camp
essayant de la faire valoir. V. Hugo demeure un de ceux qui n'ont
pas échoué dans les quelques tentatives qu'il a faites (v. notre vol. I,
pp. 343–46, *En plein ciel*).

Origine des espèces, ne parut en France qu'en 1862 alors que la meilleure partie de l'œuvre de Leconte de Lisle avait été publiée.

En 1875 il composait ses beaux vers *Le zénith* pour chanter l'exploit de trois hommes courageux qui tentèrent une ascension en ballon pour enrichir la science; s'étant élevés trop haut (8.600 mètres), ils furent asphyxiés; un seul put être ramené à la vie.

Le zénith

Ils montent ! le ballon, qui pour nous diminue,
Fait pour eux s'effacer les contours de la nue,
S'abîmer la campagne,[1] et l'horizon surgir
Grandissant ... comme on voit, sur une mer bien lisse,
5 Que du bout de son aile une mouette plisse,
Autour du point troublé les rides s'élargir. ○ ○ ○

Depuis que la pensée, affranchissant la brute,
A découvert l'essor dans les lois de la chute,
Et su déraciner les pieds humains du sol,
10 L'homme a hanté des airs que nul oiseau n'explore,
Mais [2] il n'avait jamais osé donner encore
Une aussi téméraire envergure à son vol ! ○ ○ ○

Ils goûtent du désert [3] l'horreur libératrice.
Mais, si vite arrachée à sa ferme nourrice,
15 La chair tressaille en eux par un instinct d'enfant;
Serrant l'osier [4] qui craque et n'osant lâcher prise,
Il semble qu'elle étreigne un lien qui se brise,
Et pressente qu'en haut plus rien ne la défend.

Plus rien ne la défend, car elle n'est pas née
20 Pour une vagabonde et large destinée:
Il lui faut une assise, une borne, un chemin,

[1] Fait que la campagne s'enfonce dans l'abîme.
[2] Ici, *indeed!*
[3] Désert des airs.
[4] Osier (*wicker*) de la nacelle du ballon.

La tiédeur des vallons, et des toits l'ombre chère;
Où la pensée aspire elle est une étrangère;
Il lui faut l'horizon tout proche de la main.

Surtout il lui [1] faut l'air ! L'air bientôt lui fait faute.
Alors s'élève entre elle et son invisible hôte,   5
Le génie aux destins de son argile uni,
L'éternelle dispute, agonie incessante:
La chair, au sol vouée, implore la descente,
L'esprit ailé lui crie un *sursum* [2] infini . . .

Maître, dit-elle assez ! mon angoisse m'accable . . .   10
— Plus haut ! lui répond-il. — Et d'un long flot de sable
L'équipage allégé se rue au ciel profond.
— O maître, quel tourment ta volonté m'inflige !
Je succombe ! — Plus haut ! — Pitié ! — Plus haut ! te
     dis-je.   15
Et le sable épanché provoque un nouveau bond.

— Grâce ! mon sang déborde et je n'ai plus d'haleine !
— Plus haut ! — Arrêtons-nous; maître, je vis à peine . . .
— Monte ! — Oh ! cruel, encor ? — Monte ! esclave. — En-
     core ? — Oui !   20
Mais épuisée enfin la chair plie et s'affaisse,
Et comme un feu sacré dont se meurt la prêtresse,
L'esprit abandonné s'abat évanoui . . . . . ₀ ₀

Un seul s'est réveillé de ce funèbre somme,
Les deux autres . . . [3] ô vous, qu'un plus digne vous nomme, 25

[1] Toujours *à la chair*, c'est à dire au corps opposé à l'esprit qui a des ailes.
[2] *Sursum, Plus haut !* (Sursum corda, Haut les cœurs ! mots prononcés par le prêtre au moment de commencer la Préface qui précède la consécration de l'hostie). L'Église traduit: *Élevez vos cœurs !*)
[3] Les trois héros de l'ascension se nommaient Crocé-Spinelli, Sivel (qui furent asphyxiés) et Tissandier (qui put être rappelé à la vie).

Qu'un plus proche de vous dise qui vous étiez !
Moi, je salue en vous le genre humain qui monte,
Indomptable vaincu des cimes qu'il affronte,
Roi d'un astre, et pourtant jaloux des cieux entiers.

5 L'espérance a volé sur vos sublimes traces,
Enfants perdus, lancés en éclaireurs [1] des races
Dans l'air supérieur, à nos songes trop cher,
Vous de qui la poitrine obstinément fidèle
Défiant l'inconnu d'un immense coup d'aile,
10 Brava jusqu'à la mort l'irrespirable éther. ○ ○ ○

*

Sully-Prudhomme célèbre les grandes inventions du génie de
l'homme.

DANS LE DOMAINE DE LA PHYSIQUE

La roue

Inventeur de la roue, inconnu demi-dieu,
Qui le premier, ployant un souple et ferme érable,[2]
Créas cette œuvre antique, œuvre à jamais durable,
Ce beau cercle qui porte un astre en son milieu !

15 Par Orphée et par toi, par la lyre et l'essieu,
L'espace aux marbres lourds n'est plus infranchissable,
Et nous voyons glisser comme l'eau sur le sable
Les pierres que leur poids rivait au même lieu.

Quand la terre frémit d'un roulement sonore,
20 L'élite des coursiers [3] dans les enfers t'honore
Au souvenir des chars qu'entraînaient leurs grands pas;

---

[1] *Scouts.*

[2] *Maple tree.*

[3] Les chevaux qui traînaient les chars de course aux jeux olym-
piques de l'antiquité grecque et romaine.

Mais que la roue aux chars d'Olympie était lente !
Regarde-la qui vibre et fuit,[1] toute brûlante
D'une rapidité que tu n'inventas pas !

(*Les épreuves*)

DANS LE DOMAINE DE LA CHIMIE

Le monde à nu

Entouré de flacons, d'étranges serpentins,[2]
De fourneaux, de matras aux encolures torses,[3]   5
Le chimiste, sondant les caprices des forces,
Leur impose avec art des rendez-vous certains.

Il règle leurs amours jusque-là clandestins,
Devine et fait agir leurs secrètes amorces,[4]
Les unit, les provoque à de brusques divorces,   10
Et guide utilement leurs aveugles destins.

Apprends-moi donc à lire au fond de tes cornues,[5]
O sage qui sais voir les forces toutes nues,
L'intérieur du monde au delà des couleurs.

De grâce, introduis-moi dans cet obscur empire: 15
C'est aux réalités sans voile que j'aspire;
Trop belle, l'apparence est féconde en douleurs.

(*Les épreuves*)

*

En réalité, cependant, la question morale, le problème du bonheur
et de la souffrance, de l'existence du mal dans le monde n'en sollicitent
pas moins son attention constante.

---

[1] Grâce aux inventions modernes dues à la connaissance des vertus
de la vapeur et de l'électricité.
[2] *Coils; test tubes.*
[3] Vases à longs cous torses.
[4] *Allurements* (affinités).
[5] *Retorts.*

Il avait premièrement abordé cette question du **problème du bonheur humain** d'un angle qui le rapprochait de la philosophie souvent associée au nom de Jean-Jacques Rousseau: la civilisation, loin de rendre les hommes plus heureux, les éloigne du bonheur; ils ont perdu leur liberté; ils sont esclaves du progrès. C'est le sujet d'un groupe de poèmes dont le plus beau est *Le joug*, (reproduit ci-après), et d'un long morceau intitulé *L'Amérique:* L'Europe a apporté au nouveau-monde la civilisation, mais avec elle tous les maux:

> *O terre de Colomb, ta fortune est vulgaire,*
> *Nous te croyions bénie et tu ne l'étais pas.*

Le joug

Quand le jeune cheval vient de quitter sa mère,
Parce qu'il a senti l'horizon l'appeler,
Qu'il entend sous ses pieds le beau son de la terre,
Et qu'on voit au soleil ses crins étinceler,
5 Dans le vent qui lui parle il agite la tête,
Et son hennissement [1] trahit sa puberté:
C'est son premier beau jour, c'est la première fête
De sa vigueur naissante et de sa liberté !
Fils indiscipliné, seul devant la nature,
10 Il éprouve un orgueil qu'il ne connaissait pas,
Et, l'œil tout ébloui de jour et de verdure,
Il ne sait où porter la fougue de ses pas.
Va-t-il dans l'Océan braver les flots superbes
Sous son poitrail blanchi sans cesse reformés,
15 Ou lutter dans la plaine avec les hautes herbes,
Se rouler et dormir dans les foins embaumés ?
Va-t-il gravir là-bas les montagnes vermeilles ? [2]
Pour sauter les ravins ployer ses forts jarrets ?
Ou, se fouettant les flancs pour chasser les abeilles,
20 Sur la bruyère en fleurs courir dans les forêts ?
Va-t-il, sur les gazons, poursuivant sa compagne,
Répandre sa jeunesse en généreux ébats ?

[1] *Neighing.*
[2] Dorées par les rayons du soleil levant.

Ou, l'ami d'un guerrier que la mort accompagne,
Respirer l'air bruyant et poudreux des combats ?
Quels seront ses plaisirs ?   Pendant qu'il délibère
Et que sur la campagne il promène les yeux,
Il sent derrière lui comme une aile légère   5
D'un toucher caressant flatter ses crins soyeux,
Puis un poignet soudain les saisir et les tordre ...
Oh ! ce n'étaient donc pas les vents ou les oiseaux ? ...
Il se tourne, il voit l'homme; il trépigne et veut mordre:
Et l'homme audacieux l'a pris par les naseaux.   10
Le quadrupède altier se rassemble et recule,
Il se cabre, il bondit, se jette par côté,
Et, secouant la main que son haleine brûle,
Au roi majestueux résiste épouvanté.
En fatigants transports il s'use et se consume.   15
Car il est contenu par un lutteur adroit
Qui de son bras nerveux tout arrosé d'écume
Oppose à sa fureur un obstiné sang-froid.
Le cheval par ses bonds lui fait fléchir le torse,
Dans le sable foulé lui fait mettre un genou;   20
Puis par le poing du maître il est courbé de force,
Et touche par moments sa croupe avec son cou.
Enfin, blanc de sueur et le sang à la bouche,
Le rebelle a compris qu'il fallait composer:
« Je t'appartiens, tyran, dit le poulain farouche;   25
Quel joug déshonorant veux-tu donc m'imposer ?
Crois-moi, je ne suis point un serviteur vulgaire:
Quand on les a sanglés, tous mes pareils sont morts;
Tu me peux librement, à la chasse, à la guerre,
Conduire par la voix sans cravache et sans mors.[1]   30
J'ai la fidélité si l'homme a la prudence,
Dans tes regards divins je lirai tes désirs;
Laisse-moi partager avec indépendance
Tes glorieux travaux et tes fougueux plaisirs;
Respecte ma beauté, car ma prunelle brille

[1] bit.

Et ma robe luisante a la couleur du blé;
Et respecte mon sang, car j'ai dans ma famille
Des coursiers d'Abydos dont Homère a parlé ! »
Mais l'homme a répondu: « Non, je me civilise,
5 Et toute la nature est soumise à ma loi;
L'injustice envers elle est à moi seul permise,
J'ai besoin d'un esclave et je m'adresse à toi. »

Jeune homme de vingt ans, voilà bien ta fortune !
Tu cherchais simplement ton naturel milieu;
10 Le pacte humain te pèse, et sa loi t'importune:
Tu voulais rester seul avec ton âme et Dieu.
Et tu disais: « La terre au bonheur me convie,
Ce bonheur est un droit, et ce droit est sacré;
Je n'ai ni demandé ni désiré la vie:
15 Il est juste, il est beau que j'en use à mon gré ! » ...
Alors, tu t'es épris des bois et des montagnes;
Les vents réjouissaient ta sauvage fierté,
Ton regard possédait les immenses campagnes,
Et ton cœur proclamait l'antique Liberté: ...
20 Mais, un jour, tu frémis; une secrète gêne
A de tous tes désirs noué l'avide essor:
On t'apprend que tout homme est l'anneau d'une chaîne,
Et que la liberté n'est qu'un bienfait de l'or; ...
Tu croyais, pour sauver ta liberté chérie,
25 Qu'il suffirait de dire à tes concitoyens:
« Je ne vous connais pas; la terre est ma patrie;
Trafiquez de vos droits, moi je garde les miens ! » ...
Le monde répondra: « Non je me civilise.
Je veux des ouvriers et surtout des soldats:
30 Le trafic enrichit et la guerre est permise;
Tu me dois ton amour, ton génie et ton bras ! »

Trois fois, dans sa carrière, Sully-Prudhomme a cru que ses méditations philosophiques sur le bonheur des hommes l'avaient conduit
à un résultat suffisamment clair pour essayer de mettre ses idées sous
forme de longs poèmes. En 1872 il publie *Les destins* où il développe

l'ancienne théorie de l'optimisme de Leibnitz: le mal n'est qu'apparence, ou plutôt, ce que nous appelons le mal est nécessaire pour
donner au bien l'occasion de se manifester. En 1878, il fait une
seconde tentative, dans un poème beaucoup plus long *La justice*,
divisé en « veilles » dont la dixième est intitulée « La fin de l'angoisse ». Pourtant la solution n'est guère différente de celle donnée
dans *Les destins*:

> Ces maux que je nommais injustes sont peut-être
> Non les caprices fous ou coupables d'un maître,
> Mais de fatals moyens, seules conditions
> D'un ordre qui nous passe et que nous oublions.

Mais la vie sociale, « la Cité », est le plus haut produit de la planète;
il faut que la conscience s'y développe en sympathie, et que les connaissances acquises par les hommes contribuent à rendre plus faciles
le commerce et la fraternité des hommes. Voici ce qu'on lit dans
l'« Épilogue »:

> J'ai cherché la Justice en rêveur; et mon but
> A la fin du voyage est plus loin qu'au début,
> Car je sens qu'il me reste à la poursuivre en homme[1] . . .

En 1888, dix ans plus tard, Sully-Prudhomme fait une troisième
tentative. Dans *Le bonheur*, on voit Faust qui s'est réveillé d'un
profond sommeil: la race humaine s'était éteinte et il rêve de tenter
de créer une nouvelle race en s'unissant avec Stella, sa bien-aimée de
la terre; mais le ciel fait entendre que ce dévouement serait inutile, le
bonheur n'existe pas pour une race créée.

Ainsi la méditation philosophique de Sully-Prudhomme aboutit
à ceci: accepter, avec une résignation toute parnassienne, une réalité
désespérante — solution qui rappelle presque celle de certains romantiques, de Lamartine dans *La chute d'un ange*, ou de Vigny dans
Éloa, ou La sœur des anges, ou encore de Victor Hugo dans le célèbre
morceau *Ce qu'on entend sur la montagne* (v. vol. I, les différents chapitres parlant de ces poètes).

---

[1] C'est la solution à laquelle était arrivé le vieux poète grec Hésiode:
« Jupiter a voulu que les poissons, les oiseaux, toutes les bêtes se
dévorassent les unes les autres; mais il a donné aux hommes la justice. »

CHAPITRE XVII

FRANÇOIS COPPÉE

1842–1908

Consulter: M. De Lescure, *François Coppée, l'homme, la vie et l'œuvre* ... Lemerre, 1889, 495 pages (c'est plus qu'un livre sur Coppée c'est toute une époque que l'auteur fait revivre); Le Meur, *La vie et l'œuvre de François Coppée*, Paris, (1932). V. aussi un article d'Anatole France, *La vie littéraire*, IIIᵉ série, pp. 289–297, un grand éloge de Coppée, à propos de *Toute une jeunesse*.

Il était fils d'un fonctionnaire au Ministère de la Guerre. Le manque de fortune de ses parents ne lui permit pas de terminer ses études; il entra à son tour au Ministère de la Guerre. Un ami le conduisit chez Catulle Mendès qui l'introduisit dans le milieu des poètes parnassiens. En 1870, il obtint un emploi de sous-bibliothécaire du Sénat au palais du Luxembourg où il demeura deux ans. Plus tard, il fut nommé archiviste du Théâtre Français. A partir de 1884 enfin, date de son élection à l'Académie, il put vivre du produit de ses livres. Il passa sa vie auprès de sa mère et de sa sœur, ne quittant Paris qu'occasionnellement pour quelques voyages.[1]

A la suite d'une grave maladie, Coppée revint aux croyances de son enfance (il raconte les circonstances de sa conversion dans la très belle (Préface) de *La bonne souffrance* (1898). Peu de temps après éclata en France la célèbre « affaire Dreyfus » (v. *Introduction historique*, pp. 508–9). Il se jeta avec conviction dans le camp « nationaliste », c'est à dire des « anti-dreyfusards ». Cette attitude lui valut quelques sévères condamnations de la part d'amis d'autrefois. Il en souffrit beaucoup comme le prouvent ces vers d'une pièce écrite à la Noël de 1899: *Prière pour la France.*

> Un vent de discorde désole
> Ce pays aux douces saisons.
>
> ... Vois tous les cœurs sont lourds de haine,
> On respire une odeur de sang,
> Et la catastrophe est prochaine.
>
> ... Rends-nous vraiment égaux et frères
> Sous un ciel pacifique et doux.

---

[1] Il eut une grande désillusion d'amour; en 1876 il avait fait la connaissance, à Genève, d'une jeune Scandinave de naissance noble ... la mère de celle-ci s'opposa à ce qu'elle considérait comme une mésalliance.

... Arrête-nous au bord du gouffre,
Pour Noël, divin nouveau-né,
Dis-nous que ce peuple qui souffre
Par toi n'est pas abandonné ○ ○ ○

Collaborateur au *Parnasse contemporain*, Coppée n'avait publié son premier volume de vers qu'en 1866, *Le reliquaire;* en 1868 un autre recueil, *Intimités*, confirma sa renommée de poète. En 1869 (14 janvier) il remporta un éclatant succès au Théâtre de l'Odéon, avec un charmant dialogue en vers *Le passant* qui fut dit par deux des plus grandes artistes du siècle, Mlle Agar (Sylvie) et Mlle Sarah Bernhardt alors à ses débuts (Zanetto). Depuis lors, il partagea son activité littéraire entre la poésie lyrique, le théâtre et le récit en prose. Parmi ses recueils de vers les plus connus, outre ceux déjà cités, il faut mentionner: *Les humbles* (1872), *Le cahier rouge* (1874), et celui d'un genre particulier à Coppée, *Contes en vers* (1881). De son théâtre il ne reste de vraiment célèbres, outre *Le passant*, que *Le Pater* (1890), — drame de la Commune dont la représentation fut défendue par la censure —, *Le luthier de Crémone*, (1876), *Severo Torelli*, (1883), et un grand drame en trois actes *Pour la couronne* (1895).

Pour la forme, Coppée est bien de l'école du Parnasse, ayant appris avec Catulle Mendès (qui lui avait fait brûler une quantité de ses vers de jeunesse) à produire un vers bien frappé et sonore.

Pour le fond, Coppée rappelle plutôt, dans ses premiers recueils, le genre intime de Sully-Prudhomme; ne donne-t-il pas le titre *Intimités* à tout un groupe de ses poèmes?

Intimités

○ ○ ○

Elle viendra ce soir; elle me l'a promis.
Tout est bien prêt. Je viens d'éloigner mes amis,
De brûler des parfums, d'allumer les bougies
Et de jeter au feu les fades élégies
Que j'ai faites alors qu'elle ne venait pas;   5
Et j'attends. Tout à l'heure elle viendra. Son pas
Retentira, léger comme un pas de gazelle,
Et déjà ce seul bruit me paiera de mon zèle.
Elle entrera, troublée et voilant sa pâleur.

Nous nous prendrons les mains, et la douce chaleur
De la chambre fera sentir bon sa toilette.

O les premiers baisers à travers la voilette !

(Intimités, II)

C'est lâche ! J'aurais dû me fâcher, j'aurais dû
5 Lui dire ce que c'est qu'un bonheur attendu
Si longtemps et qui manque, et qu'une nuit pareille
Qu'on passe, l'œil fixé sur l'horloge et l'oreille
Tendue au moindre bruit vague de l'escalier.
C'est lâche ! J'aurais dû me faire supplier,
10 Avoir à pardonner la faute qu'on avoue
Et boire en un baiser ses larmes sur sa joue.
Mais elle avait un air si tranquille et si doux
Qu'en la voyant je suis tombé sur les genoux;
Et, me cachant le front dans les plis de sa jupe,
15 J'ai savouré longtemps la douceur d'être dupe.
Je n'ai pas exigé de larmes ni d'aveux,
Car ses petites mains jouaient dans mes cheveux
Tandis que ses deux bras m'enlaçaient de leur chaîne:
D'avance j'absolvais la trahison prochaine,
20 Et, vil esclave heureux de reprendre ses fers,
J'ai demandé pardon des maux que j'ai soufferts.

(Intimités, III)

Aubade parisienne

[En vers de sept syllabes — plutôt rares.]

Pour venir t'aimer, ma chère,
Je franchis les blancs ruisseaux,
Et j'ai l'âme si légère
25 Que j'ai pitié des oiseaux.

Quel temps fait-il donc ? Il gèle,
Mais je me crois au printemps.

Entends-tu, mademoiselle ?
Tu m'as rendu mes vingt ans.

Tu m'as rendu ma jeunesse,
Ce cœur que je croyais mort,
Je veux pour toi qu'il renaisse ;　　　　　　5
Écoute, comme il bat fort !

Quelle heure est-il ? Tu déjeunes ;
Prends ce fruit et mords dedans.
C'est permis, nous sommes jeunes,
Et j'en mange sur tes dents.　　　　　　10

Parle-moi, dis-moi des choses.
Je n'écoute pas, je vois
S'agiter tes lèvres roses
Et je respire ta voix.

Je t'aime et je t'aime encore ;　　　　　　15
A tes pieds je viens m'asseoir.
Laisse-moi faire ; j'adore
Le tapis de ton boudoir !

(*Le cahier rouge*)

Ce n'est que peu à peu que Coppée trouva sa voie propre. Il ne
cessera pas de porter dans son cœur, comme les poètes contemporains, la tristesse et une mélancolie inspirée par la philosophie fataliste qui régnait alors. Ce qu'il aime à appeler son « spleen » prendra
toutefois graduellement une forme différente de celui de tous les
autres Parnassiens. C'est un enfant de Paris, c'est à dire très éveillé,
trop intelligent pour ne pas voir qu'il est assez vain d'en rester à une
philosophie de désespoir passif. Il opposera à une résignation passive
une vaillante bonne humeur. C'est un Gavroche adulte (v. notre vol.
I, pp. 292 ss.) cachant un excellent cœur sous un air gouailleur . . .
C'est sa manière d'être « impassible ». Il représente, mieux que nul
autre, au milieu de poètes plutôt confinés dans un intellectualisme
aristocratique, la tradition du chansonnier Béranger, de l'auteur des
Misérables, de George Sand « la bonne dame de Nohant », de Daudet.
On lui en fut reconnaissant ; le jour de ses funérailles, le peuple de
son quartier de Montparnasse suivit en foule son cercueil. Ajoutons

qu'il fut un des Parnassiens qui s'indignèrent le plus fort contre l'accusation d'impassibilité (v. son beau poème *À Théophile Gautier élégiaque*, (Œuvres, vol. II, p. 105).[1]

Prisonnier d'un bureau...

Fragments d'un morceau écrit en 1876, quand Coppée était encore un fonctionnaire du Ministère de la Guerre — quand déjà il se sentait « l'enfant de Paris », celui qui aime sa grande ville par-dessus tout, particulièrement le Paris du peuple.

II

° ° °

Prisonnier d'un bureau, je connais le plaisir
De goûter, tous les soirs, un moment de loisir.
Je rentre lentement chez moi, je me délasse
Aux cris des écoliers qui sortent de la classe;
5 Je traverse un jardin, où j'écoute, en marchant,
Les adieux que les nids font au soleil couchant,
Bruit pareil à celui d'une immense friture.[2]
Content comme un enfant qu'on promène en voiture,
Je regarde, j'admire, et sens avec bonheur
10 Que j'ai toujours la foi naïve du flâneur: ° ° ° [3]

III

C'est vrai, j'aime Paris d'une amitié malsaine[4];
J'ai partout le regret des vieux bords de la Seine.

[1] Il fut toujours, personnellement, d'une générosité bien au-dessus de ses moyens. Des « esprits supérieurs » ont voulu en faire un homme sans raffinement. C'est un jugement bien sévère contre celui qu'une étroite amitié unit toute sa vie au poète quintessencié par excellence, Stéphane Mallarmé (v. plus bas), au romancier raffiné Pierre Louÿs, et à bien d'autres encore du type aristocratique.

[2] Bruit que fait l'huile ou la graisse en ébullition, qui « frit » [*fries*].

[3] *Loafer*.

[4] Exagérée.

Devant la vaste mer, devant les pics neigeux,
Je rêve d'un faubourg plein d'enfance et de jeux,
D'un coteau tout pelé d'où ma Muse s'applique
A noter les tons fins d'un ciel mélancolique,
D'un bout de Bièvre,[1] avec quelques champs oubliés, 5
Où l'on tend une corde aux troncs des peupliers
Pour y faire sécher la toile et la flanelle,
Ou d'un coin pour pêcher dans l'île de Grenelle.[2] ...

XII

Champêtres et lointains quartiers, je vous préfère
Sans doute par les nuits d'été, quand l'atmosphère 10
S'emplit de l'odeur forte et tiède des jardins;
Mais j'aime aussi vos bals en plein vent,[3] d'où, soudain,
S'échappent les éclats de rire à pleine bouche,
Les polkas, le hoquet des cruchons qu'on débouche,
Les gros verres trinquant sur les tables de bois, 15
Et, parmi le chaos des rires et des voix
Et du vent fugitif dans les ramures noires,
Le grincement rythmé des lourdes balançoires.[4] ...

(*Promenades et intérieurs*)

*

[1] Rivière qui se jette dans la Seine près de la Gare d'Orléans (en souterrain) après avoir passé par quelques quartiers populaires de Paris, et avant cela coulant dans la banlieue [*suburbs*] suivant une charmante vallée où les Parisiens aiment à se rendre. (C'est cette vallée de la Bièvre dont parle Victor Hugo dans *Pauca Meae;* v. notre vol. I, pp. 251-2.)

[2] Île de Grenelle, dans un quartier populaire de Paris, au bord de la Seine. Sur le pont de Grenelle on voit une réplique de la statue de la Liberté de Bartholdi.

[3] Aux jours de fête, le peuple de Paris aime à danser dans les rues et dans la banlieue (*suburbs*), devant les cafés. Le 14 juillet, jour de la Fête nationale, on danse « en plein vent » dans tout Paris.

[4] *Swings*. Dressées pour les enfants dans les petits jardins de ces lieux de réjouissance populaire.

François Coppée est appelé souvent « le poète des humbles » — d'après le titre d'un de ses recueils —; et en effet, la partie la plus originale de son œuvre est bien celle faite de sa compassion pour les déshérités et son invitation aux heureux de ne pas les ignorer. On cite volontiers cette petite perle:

La petite marchande de fleurs

Le soleil froid donnait un ton rose au grésil,
Et le ciel de novembre avait des airs d'avril.
Nous voulions profiter de la belle gelée.
Moi chaudement vêtu, toi bien emmitouflée
5 Sous le manteau, sous la voilette et sous les gants,
Nous franchissions, parmi les couples élégants,
La porte de la blanche et joyeuse avenue,
Quand soudain jusqu'à nous une enfant presque nue
Et livide, tenant des fleurettes en main,
10 Accourut, se frayant à la hâte un chemin
Entre les beaux habits et les riches toilettes,
Nous offrir un petit bouquet de violettes.
Elle avait deviné que nous étions heureux
Sans doute, et s'était dit: « Ils seront généreux. »
15 Elle nous proposa ses fleurs d'une voix douce,
En souriant avec ce sourire qui tousse.
Et c'était monstrueux, cette enfant de sept ans
Qui mourait de l'hiver en offrant le printemps.
Ses pauvres petits doigts étaient pleins d'engelures.
20 Moi, je sentais le fin parfum de tes fourrures,
Je voyais ton cou rose et blanc sous la fanchon,[1]
Et je touchais ta main chaude dans ton manchon.
Nous fîmes notre offrande, amie, et nous passâmes;
Mais la gaîté s'était envolée, et nos âmes
25 Gardèrent jusqu'au soir un souvenir amer.

Mignonne, nous ferons l'aumône cet hiver.

(Intimités, XIII)

---

[1] « Fichu-mouchoir qu'une femme met sur la tête et noue sous le menton » (*Larousse*).

Il fait plus que de rappeler aux plus fortunés leur devoir vis-à-vis des humbles; il se plaît à exalter la résignation, le courage et parfois l'héroïsme discret de ces humbles. On le voit dans une série de petites nouvelles en vers d'un ton qui nous paraît aujourd'hui un peu sentimentaliste, mais dont la sincérité demeure impressionnante. Certaines furent célèbres de leur temps. La plupart sont trop longues pour trouver place ici: *Un fils* — un garçon intelligent qui pourrait faire une carrière, mais il soigne une mère malade, et le soir râcle un violon dans un cabaret; enfin, quand il est trop tard pour lui, la mère meurt; il est éteint; *Le petit épicier* — un modeste employé qui, à force de travail et d'honnêteté, peut racheter le commerce de son patron; il épouse une femme acariâtre; il supporte tout; il aurait tant aimé un enfant que le ciel lui refuse; il se console en donnant des bonbons de son magasin aux gosses [*kids*]; *La Sainte* — une vieille fille qui avait sacrifié sa vie à soigner un jeune frère infirme; celui-ci finit par mourir après dix ans; elle continue à vivre entre la béquille de l'enfant mort et un crucifix; *le banc* — une idylle toute gauche [*awkward*] entre une petite bonne et un petit soldat dans un parc; tous les deux sont tristes loin de leur province; l'idylle est sans lendemain, chacun reprend son chemin après ce moment de répit dans la vie; *La marchande de journaux* —; *L'homme affiche* [*sandwich-man*] — etc. Deux de ces récits en vers sont à recommander surtout: *La grève des forgerons* qui est presque un classique de l'époque, et *Le coup de tampon*.

Le coup de tampon (vol. II, pp. 3–16 des *Paroles sincères*): Un mécanicien, conducteur de locomotive sur la Ligne du Nord. Marié, il avait toujours protesté contre les injustices sociales; mais sa femme le calmait; elle mourut; seul maintenant, il allait parler dans les meetings anarchistes. Un jour il a mis son nom au bas d'un manifeste révolutionnaire; aussitôt il est révoqué. Le soir même, il va conduire son train express pour la dernière fois. Il conduit le train des riches bourgeois: il pense que s'il voulait . . . n'a-t-il pas leur vie entre les mains et la vengeance? Il part. Tout à coup, il voit venir un train à la rencontre du sien; un tamponnement va se produire; il est inévitable. Que va faire cet homme? il pourrait les laisser tous périr; il pourrait, lui, sauter du train. Mais l'instinct généreux l'emporte; il reste à son poste, et il se fait tuer, lui, pour sauver les bourgeois. Le tamponnement a lieu, en effet; le convoi est sauvé; il n'y a qu'un mort — lui !

La grève des forgerons

Un vieux forgeron, accusé de meurtre au cours d'une grève,
raconte son histoire aux membres du jury.

« Mon histoire, messieurs les juges, sera brève.
Voilà. Les forgerons s'étaient tous mis en grève.
C'était leur droit. L'hiver était très dur; enfin,
Cette fois, le faubourg ¹ était las d'avoir faim.
5 Le samedi, le soir du payement de semaine,
On me prend doucement par le bras, on m'emmène
Au cabaret; et, là, les plus vieux compagnons
— J'ai déjà refusé de vous livrer leurs noms —
Me disent: ‹ Père Jean, nous manquons de courage:
10 ‹ Qu'on augmente la paye ou sinon plus d'ouvrage !
‹ On nous exploite, et c'est notre unique moyen.
‹ Donc, nous vous choisissons, comme étant le doyen,
‹ Pour aller prévenir le patron, sans colère,
‹ Que, s'il n'augmente pas notre pauvre salaire,
15 ‹ Dès demain, tous les jours sont autant de lundis.²
‹ Père Jean, êtes-vous notre homme ? › Moi je dis:
‹ Je veux bien, puisque c'est utile aux camarades. ›
Mon président, je n'ai pas fait de barricades ³;
Je suis un vieux paisible, et me méfie un peu
20 Des habits noirs ⁴ pour qui l'on fait le coup de feu.
Mais je ne pouvais pas leur refuser, peut-être.
Je prends donc la corvée,⁵ et me rends chez le maître;
J'arrive, et je le trouve à table; on m'introduit.
Je lui dis notre gêne et tout ce qui s'ensuit:

¹ Ici les gens habitant les faubourgs [slums] par opposition aux
riches qui habitent les quartiers élégants.
² Autrefois dans beaucoup d'usines et d'ateliers on ne travaillait
pas le lundi.
³ *Barricades* que le peuple élève dans les rues en temps de révolution pour se protéger contre les troupes du gouvernement.
⁴ Les messieurs bien habillés qui en temps troublés laissent les
ouvriers mourir pour eux.
⁵ Corvée: *unpleasant job.*

Le pain trop cher, le prix des loyers. Je lui conte
Que nous n'en pouvons plus; j'établis un long compte
De son gain et du nôtre, et conclus poliment
Qu'il pourrait, sans ruine, augmenter le payement.
Il m'écouta tranquille, en cassant des noisettes,   5
Et me dit à la fin:

    ‹ Vous, père Jean, vous êtes
‹ Un honnête homme; et ceux qui vous poussent ici
‹ Savaient ce qu'ils faisaient quand ils vous ont choisi.
‹ Pour vous, j'aurai toujours une place à ma forge.   10
‹ Mais sachez que le prix qu'ils demandent m'égorge,
‹ Que je ferme demain l'atelier et que ceux
‹ Qui font les turbulents sont tous des paresseux.
‹ C'est là mon dernier mot, vous pouvez le leur dire. ›

Moi, je réponds: ‹ C'est bien, monsieur. › Je me retire,   15
Le cœur sombre, et m'en vais rapporter aux amis
Cette réponse, ainsi que je l'avais promis.
Là-dessus, grand tumulte. On parle politique.
On jure de ne pas rentrer à la boutique;
Et, dam ! [1] je jure aussi, moi, comme les anciens.   20
Oh ! plus d'un, ce soir-là, lorsque devant les siens
Il jeta sur un coin de table sa monnaie,
Ne dut pas, j'en réponds, se sentir l'âme gaie,
Ni sommeiller sa nuit tout entière en songeant
Que de longtemps peut-être on n'aurait plus d'argent,   25
Et qu'il allait falloir s'accoutumer au jeûne.
— Pour moi, le coup fut dur, car je ne suis plus jeune
Et je ne suis pas seul.— Lorsque rentré chez nous,
Je pris mes deux petits-enfants sur mes genoux,
(Mon gendre a mal tourné, ma fille est morte en   30
 couches [2])
Je regardai, pensif, ces deux petites bouches
Qui bientôt connaîtraient la faim et je rougis

   [1] Ou: *dame!, ma foi!* [*of course!*].
   [2] *In child-birth.*

D'avoir ainsi juré de rester au logis.
Mais je n'étais pas plus à plaindre que les autres;
Et, comme on sait tenir un serment chez les nôtres,
Je me promis encor de faire mon devoir.
5 Ma vieille femme alors rentra de son lavoir,
Ployant sous un paquet de linge tout humide;
Et je lui dis la chose avec un air timide.
La pauvre n'avait pas le cœur à se fâcher;
Elle resta, les yeux fixés sur le plancher,
10 Immobile longtemps, et répondit: ‹ Mon homme,
Tu sais bien que je suis une femme économe.
Je ferai ce qu'il faut; mais les temps sont bien lourds,
Et nous avons du pain au plus pour quinze jours. ›

Moi, je repris: ‹ Cela s'arrangera peut-être, ›
15 Quand je savais qu'à moins de devenir un traître
Je n'y pouvais plus rien, et que les mécontents,
Afin de maintenir la grève plus longtemps,
Sauraient bien surveiller et punir les transfuges.
Et la misère vint. — O mes juges, mes juges !
20 Vous croyez bien que, même au comble du malheur,
Je n'aurais jamais pu devenir un voleur,
Que rien que d'y songer, je serais mort de honte;
Et je ne prétends pas qu'il faille tenir compte,
Même au désespéré qui du matin au soir
25 Regarde dans les yeux son propre désespoir,
De n'avoir jamais eu de mauvaise pensée.
Pourtant, lorsque au plus fort de la saison glacée
Ma vieille honnêteté voyait — vivants défis —
Ma vaillante compagne et mes deux petits-fils
30 Grelotter tous les trois près du foyer sans flamme,
Devant ces cris d'enfants, devant ces pleurs de femme,
Devant ce groupe affreux de froid pétrifié,
Jamais — j'en jure ici par ce Crucifié [1] —

---

[1] Il y avait encore alors une image du Christ dans chaque salle de tribunal.

Jamais dans mon cerveau sombre n'est apparue
Cette action furtive et vile de la rue,
Où le cœur tremble, où l'œil guette, où la main saisit.
— Hélas ! si mon orgueil à présent s'adoucit,
Si je plie un moment devant vous, si je pleure,   5
C'est que je les revois, ceux de qui tout à l'heure
J'ai parlé, ceux pour qui j'ai fait ce que j'ai fait.

Donc on se conduisit d'abord comme on devait:
On mangea du pain sec, et l'on mit tout en gage.[1]
Je souffrais bien. Pour nous, la chambre, c'est la cage,   10
Et nous ne savons pas rester à la maison.
Voyez-vous ! j'ai tâté depuis de la prison,
Et je n'ai pas trouvé de grande différence.
Puis ne rien faire, c'est encore une souffrance.
On ne le croirait pas. Eh bien, il faut qu'on soit   15
Les bras croisés par force; alors on s'aperçoit
Qu'on aime l'atelier, et que cette atmosphère
De limaille [2] et de feu, c'est celle qu'on préfère.

Au bout de quinze jours nous étions sans un sou.
— J'avais passé ce temps à marcher comme un fou,   20
Seul, allant devant moi, tout droit, parmi la foule.
Car le bruit des cités vous endort et vous saoûle,[3]
Et, mieux que l'alcool, fait oublier la faim.
Mais, comme je rentrais, une fois, vers la fin
D'une après-midi froide et grise de novembre,   25
Je vis ma femme assise en un coin de la chambre,
Avec les deux petits serrés contre son sein;
Et je pensai: C'est moi qui suis leur assassin !
Quand la vieille me dit, douce et presque confuse:

‹ Mon pauvre homme, le Mont-de-Piété [4] refuse   30

[1] *In pawn.*
[2] *Filings.*
[3] *Intoxicates.*
[4] Mont-de-Piété: *municipal pawn shop.*

‹ Le dernier matelas, comme étant trop mauvais.
‹ Où vas-tu maintenant trouver du pain ? › — ‹ J'y vais, ›

Répondis-je; et prenant à deux mains mon courage,
Je résolus d'aller me remettre à l'ouvrage;
5 Et, quoique me doutant [1] qu'on m'y repousserait,
Je me rendis d'abord dans le vieux cabaret
Où se tenaient toujours les meneurs de la grève.
— Lorsque j'entrai, je crus, sur ma foi, faire un rêve:
On buvait là, tandis que d'autres avaient faim,
10 On buvait. — Oh ! ceux-là qui leur payaient ce vin
Et prolongeaient ainsi notre horrible martyre,
Qu'ils entendent encore un vieillard les maudire !
— Dès que vers les buveurs je me fus avancé,
Et qu'ils virent mes yeux rouges, mon front baissé,
15 Ils comprirent un peu ce que je venais faire;
Mais, malgré leur air sombre et leur accueil sévère,
Je leur parlai:

                          ‹ Je viens pour vous dire ceci:
‹ C'est que j'ai soixante ans passés, ma femme aussi,
20 ‹ Que mes deux petits-fils sont restés à ma charge,
‹ Et que dans la mansarde où nous vivons au large,
‹ — Tous nos meubles étant vendus — on est sans pain.
‹ Un lit à l'hôpital, mon corps au carabin,[2]
‹ C'est un sort pour un gueux comme moi, je suppose;
25 ‹ Mais pour ma femme et mes petits, c'est autre chose.
‹ Donc, je veux retourner tout seul sur les chantiers.
‹ Mais, avant tout, il faut que vous le permettiez
‹ Pour qu'on ne puisse pas sur moi faire d'histoires.
‹ Voyez ! j'ai les cheveux tout blancs et les mains noires,
30 ‹ Et voilà quarante ans que je suis forgeron.
‹ Laissez-moi retourner tout seul chez le patron.

---

[1] *Suspecting.*
[2] Populaire, étudiant en médecine pour qui on achète des cadavres
à disséquer.

‹ J'ai voulu mendier, je n'ai pas pu.   Mon âge
‹ Est mon excuse.   On fait un triste personnage
‹ Lorsqu'on porte à son front le sillon qu'a gravé
‹ L'effort continuel du marteau soulevé,
‹ Et qu'on veut au passant tendre une main robuste.   5
‹ Je vous prie à deux mains.   Ce n'est pas trop injuste
‹ Que ce soit le plus vieux qui cède le premier.
‹ — Laissez-moi retourner tout seul à l'atelier.
‹ Voilà tout.   Maintenant, dites si ça vous fâche. ›

Un d'entre eux fit vers moi trois pas et me dit: ‹ Lâche ! ›   10

Alors j'eus froid au cœur, et le sang m'aveugla.
Je regardai celui qui m'avait dit cela.
C'était un grand garçon, blême aux reflets des lampes,
Un malin,[1] un coureur de bals, qui, sur les tempes,
Comme une fille,[2] avait deux gros accroche-cœurs.[3]   15
Il ricanait, fixant sur moi ses yeux moqueurs:
Et les autres gardaient un si profond silence
Que j'entendais mon cœur battre avec violence.

Tout à coup j'étreignis dans mes deux mains mon front
Et m'écriai: ‹ Ma femme et mes deux fils mourront.   20
‹ Soit !   Et je n'irai pas travailler. — Mais je jure
‹ Que, toi, tu me rendras raison de cette injure,
‹ Et que nous nous battrons, tout comme des bourgeois.
‹ Mon heure ?   Sur-le-champ. — Mon arme ?   J'ai le choix;
‹ Et, parbleu ! ce sera le lourd marteau d'enclume,   25
‹ Plus léger pour nos bras que l'épée ou la plume;
‹ Et vous, les compagnons, vous serez les témoins.
‹ Or çà, faites le cercle et cherchez dans les coins
‹ Deux de ces bons frappeurs de feu couverts de rouille;
‹ Et toi, vil insulteur de vieux, allons dépouille   30
‹ Ta blouse et ta chemise, et crache dans ta main. ›

---

[1] *Sly fellow.*
[2] *Strumpet.*
[3] *Kiss curls.*

Farouche et me frayant des coudes un chemin
Parmi les ouvriers, dans un coin des murailles
Je choisis deux marteaux sur un tas de ferrailles,
Et, les ayant jugés d'un coup d'œil, je jetai
5 Le meilleur à celui qui m'avait insulté.
Il ricanait encor; mais, à toute aventure,[1]
Il prit l'arme, et gardant toujours cette posture
Défensive: ‹ Allons, vieux, ne fais pas le méchant ! ›
Mais je ne répondis au drôle qu'en marchant
10 Contre lui, le gênant de mon regard honnête,
Et faisant tournoyer au-dessus de ma tête
Mon outil de travail, mon arme de combat.
Jamais le chien couché sous le fouet qui le bat,
Dans ses yeux effarés et qui demandent grâce,
15 N'eut une expression de prière aussi basse
Que celle que je vis alors dans le regard
De ce louche [2] poltron, qui reculait, hagard,
Et qui vint s'acculer contre le mur du bouge.
Mais il était trop tard, hélas ! Un voile rouge,
20 Une brume de sang descendit entre moi
Et cet être pourtant terrassé par l'effroi,
Et d'un seul coup, d'un seul, je lui brisai le crâne.

Je sais que c'est un meurtre et que tout me condamne;
Et je ne voudrais pas vraiment qu'on chicanât [3]
25 Et qu'on prît pour un duel un simple assassinat.
Il était à mes pieds, mort, perdant sa cervelle,
Et, comme un homme à qui tout à coup se révèle
Toute l'immensité du remords de Caïn,
Je restai là, cachant mes deux yeux sous ma main.
30 Alors les compagnons de moi se rapprochèrent,
Et voulant me saisir, en tremblant me touchèrent.

---

[1] Pour tous les cas — car il ne croyait pas tout à fait sérieuse la menace du vieux.
[2] Méprisable.
[3] Ici: *quibble*.

Mais je les écartai d'un geste, sans effort,
Et leur dis: « Laissez-moi. Je me condamne à mort. »
Ils comprirent. Alors, ramassant ma casquette,
Je la leur présentai, disant, comme à la quête [1]:
« Pour la femme et pour les petiots, mes bons amis. »   5
Et cela fit dix francs, qu'un vieux leur a remis.
Puis j'allai me livrer moi-même au commissaire.
A présent, vous avez un récit très sincère
De mon crime, et pouvez ne pas faire grand cas
De ce que vous diront messieurs les avocats.   10
Je n'ai même conté le détail de la chose
Que pour bien vous prouver que, quelquefois, la cause
D'un fait vient d'un concours d'événements fatal.
Les mioches [2] aujourd'hui sont au même hôpital
Où le chagrin tua ma vaillante compagne.   15
Donc, que pour moi ce soit la prison ou le bagne,[3]
Ou même le pardon, je n'en ai plus souci;
Et si vous m'envoyez à l'échafaud, merci ! »

*

Il reste à parler d'un troisième aspect du talent poétique de François Coppée, car il a essayé aussi la grande poésie philosophique et surtout épique. Il a payé son tribut à la poésie orientale alors à la mode. Mais toujours, par le choix même des sujets, il demeure le poète qui cherche le côté humain.

Dans son recueil *Récits et élégies*, se trouve *L'Hirondelle de Bouddha:* Sa tâche accomplie, retiré du monde dans la forêt immense, le Bouddha, dans l'attente et l'espoir de la mort, demeure dans une immobilité complète.

> Il aurait dû mourir, par la faim consumé;
> Mais les petits oiseaux, dont il était aimé
> Venaient poser des fruits sur ses lèvres flétries...

[Or,]

> Dans sa main droite au ciel toujours tendue
> Dans sa main sèche et grise ainsi que du granit
> Une hirondelle vint, un jour, et fit son nid.

---

[1] *Collection* (e.g. *in church*).
[2] Populaire, les petits [*brats*].
[3] *Convict settlement.*

[Mais]
> L'extase du Bouddha ne parut point troublée
> Par cette confiante et fidèle exilée.

[L'hirondelle chaque printemps revenait trouver son nid.   Une
année, cependant, elle ne revint pas; et le sage pleura:]

> Ses yeux aux cils brûlés, aux paupières sanglantes,
> S'emplirent tout à coup de deux larmes brûlantes;
> Et celui dont l'esprit était resté béant
> Devant l'amour du vide et l'espoir du néant,
> Et qui fuyait la vie et ne voulait rien d'elle,
> Pleura comme un enfant la mort d'une hirondelle.

Enfin, Coppée a laissé quelques poèmes dans la note de *La légende
des siècles* de Victor Hugo, des *Poèmes antiques* de Leconte de Lisle,
des *Sonnets* de Heredia: tels *Le justicier*, *Le jugement de l'épée*, *Le
liseron*, *La tête de la Sultane*, *La mort du Général Walhubert;* ou de
simples drames humains et poignants: tels *Le naufragé*, *La veillée*,
La bénédiction.

La bénédiction

Épisode de la cruelle et fanatique guerre d'Espagne, 1808–1812,
quand Napoléon essaya de conquérir l'Espagne que l'Angleterre
avait soulevée contre lui.
    Ce poème a été inspiré par le tableau d'Horace Vernet (1789–
1863) *Le Siège de Saragosse* qui se trouve aujourd'hui dans la galerie de
tableaux, Public Library, New-York.   Il représente des prêtres et
des moines patriotes faisant le coup de feu et brandissant la croix
contre les assaillants.

Or, en mil huit cent neuf, nous prîmes Saragosse.[1]
J'étais sergent.   Ce fut une journée atroce.
La ville prise, on fit le siège des maisons,
Qui, bien closes, avec des airs de trahisons
5 Faisaient pleuvoir les coups de feu par leurs fenêtres.
On se disait tout bas: « C'est la faute des prêtres. »
Et, quand on en voyait s'enfuir dans le lointain,
Bien qu'on eût combattu dès le petit matin,

---

[1] *Saragosse*, au nord-est de l'Espagne;   autrefois capitale du
royaume d'Aragon.

Avec les yeux brûlés de poussière et la bouche
Amère du baiser sombre de la cartouche,[1]
On fusillait gaîment, et soudain plus dispos,
Tous ces longs manteaux noirs et tous ces grands cha-
    peaux.[2]   5
Mon bataillon suivait une ruelle étroite.
Je marchais, observant les toits à gauche, à droite,
A mon rang de sergent, avec les voltigeurs [3];
Et je voyais au ciel de subites rougeurs
Haletantes ainsi qu'une haleine de forge.   10
On entendait des cris de femmes qu'on égorge,
Au loin, dans le funèbre et sourd bourdonnement.
Il fallait enjamber des morts à tout moment.
Nos hommes se baissaient pour entrer dans les bouges,
Puis en sortaient avec leurs baïonnettes rouges,   15
Et, du sang de leurs mains, faisaient des croix au mur;
Car dans ces défilés il fallait être sûr
De ne pas oublier un ennemi derrière.
Nous allions sans tambour et sans marche guerrière.
Nos officiers étaient pensifs. Les vétérans,   20
Inquiets, se serraient les coudes dans les rangs
Et se sentaient le cœur faible d'une recrue.

Tout à coup, au détour d'une petite rue,
On nous crie en français. « A l'aide ! » En quelques
    bonds   25
Nous joignons nos amis en danger, et tombons
Au milieu d'une belle et brave compagnie
De grenadiers chassée avec ignominie
Du parvis d'un couvent seulement défendu

---

[1] Il fallait en ce temps encore mordre la cartouche avant de l'introduire dans le fusil; la poudre était ainsi exposée et l'étincelle de la pierre-à-fusil causait l'explosion.

[2] *Manteaux, chapeaux* des moines et des prêtres.

[3] Corps militaire formé de soldats généralement de petite taille, mais alertes, et formant une compagnie d'élite sur l'aile du bataillon. Ces corps n'existent plus dans l'armée moderne.

Par vingt moines, démons noirs au crâne tondu,
Qui sur la robe avaient la croix de laine blanche,[1]
Et qui, pieds nus, le bras sanglant hors de la manche,
Les assommaient à coups d'énormes crucifix.
5 Ce fut tragique: avec tous les autres je fis
Un feu de peloton qui balaya la place.
Froidement, méchamment, car la troupe était lasse,
Et tous nous nous sentions des âmes de bourreaux,
Nous tuâmes ce groupe horrible de héros.
10 Et cette action vile une fois consommée,
Lorsque se dissipa la compacte fumée,
Nous vîmes, de dessous les corps enchevêtrés,
De longs ruisseaux de sang descendre les degrés.
— Et, derrière, s'ouvrait l'église, immense et sombre.

15 Les cierges étoilaient de points d'or toute l'ombre;
L'encens y répandait son parfum de langueur;
Et, tout au fond, tourné vers l'autel, dans le chœur,
Comme s'il n'avait pas entendu la bataille,
Un prêtre en cheveux blancs et de très haute taille
20 Terminait son office avec tranquillité.

Ce mauvais souvenir si présent m'est resté
Qu'en vous le racontant je crois tout revoir presque:
Le vieux couvent avec sa façade moresque,
Les grands cadavres bruns des moines, le soleil
25 Faisant sur les pavés fumer le sang vermeil,
Et, dans l'encadrement noir de la porte basse,
Ce prêtre et cet autel brillant comme une châsse,
Et nous autres cloués au sol, presque poltrons.
Certes ! j'étais alors un vrai sac à jurons,[2]
30 Un impie; et plus d'un encore se rappelle
Qu'on me vit une fois, au sac d'une chapelle,
Pour faire le gentil et le spirituel,

[1] La croix de laine blanche: signe distinctif du costume de l'ordre.
[2] Ayant en provision, comme dans un sac, beaucoup de mots profanes.

Allumer une pipe aux cierges de l'autel.
Déjà j'étais un vieux traîneur de sabretache,[1]
Et le pli que donnait ma lèvre à ma moustache
Annonçait un blasphème et n'était pas trompeur.
Mais ce vieil homme était si blanc qu'il me fit peur. 5
« Feu ! » dit un officier.

               Nul ne bougea.   Le prêtre
Entendit, à coup sûr, mais n'en fit rien paraître,
Et nous fit face avec son grand saint sacrement;
Car sa messe en était arrivée au moment 10
Où le prêtre se tourne et bénit les fidèles.
Ses bras levés avaient une envergure d'ailes.
Et chacun recula lorsqu' avec l'ostensoir,[2]
Il décrivit la croix dans l'air et qu'on put voir
Qu'il ne tremblait pas plus que devant les dévotes. 15
Et quand sa belle voix, psalmodiant les notes,
Comme font les curés dans tous leurs *Oremus*,[3]
Dit:

     « *Benedicat vos omnipotens Deus,* » [4]
« Feu ! — répéta la voix féroce, — ou je me fâche. » 20

Alors un d'entre nous, un soldat, mais un lâche,
Abaissa son fusil et fit feu.   Le vieillard
Devint très pâle, mais sans baisser son regard
Étincelant d'un sombre et farouche courage:

     « *Pater et Filius,* » reprit-il. 25

[1] Fourreau de sabre; de l'allemand *Säbel Tasche;* allusion à des traîneurs de grands sabres qu'on faisait sonner pour inspirer la terreur aux bourgeois [*sabre rattler*].
[2] *Monstrance;* le récipient de métal précieux et garni de pierres précieuses dans lequel le prêtre expose l'hostie consacrée à l'autel (*ostendere*, latin: montrer).
[3] Prière par laquelle le prêtre engageait l'assistance à adorer avec lui (*oremus*, latin: prions).
[4] *Que vous bénisse le Dieu tout-puissant, ... le Père, le Fils ... et le Saint-Esprit.*

                                    Quelle rage
Ou quel voile de sang affolant un cerveau
Fit partir de nos rangs un coup de feu nouveau ?
Je ne sais; mais pourtant cette action fut faite.
5 Le moine, d'une main s'appuyant sur le faîte
De l'autel et tâchant de nous bénir encor,
De l'autre, souleva le lourd ostensoir d'or.
Pour la troisième fois il traça dans l'espace
Le signe du pardon, et d'une voix très basse,
10 Mais qu'on entendit bien, car tous bruits s'étaient tus,
Il dit, les yeux fermés:

                « *Et Spiritus Sanctus,* »

Puis tomba mort, ayant achevé sa prière.

L'ostensoir rebondit par trois fois sur la pierre.
15 Et, comme nous restions, même les vieux troupiers,
Sombres, l'horreur vivante au cœur et l'arme aux pieds,
Devant ce meurtre infâme et devant ce martyre:

« *Amen!* » dit un soldat en éclatant de rire.

                            (*Poèmes modernes*)
                        *

François Coppée, prosateur: Il a été considéré comme un des
plus habiles conteurs de la fin du XIXᵉ siècle, guère moins apprécié
que Maupassant, Daudet, France. C'est toujours le même Coppée
indulgent pour les faiblesses humaines et affirmant que celles-ci ne
sont en rien incompatibles avec une bonté foncière.
    La nouvelle suivante est une de ses plus célèbres, et bien carac-
téristique de sa plume.

Les vices du capitaine

I

    Peu importe le nom de la petite ville de province où le
20 capitaine Mercadier — trente-six ans de services, vingt-
deux campagnes, trois blessures, — se retira quand il fut
mis à la retraite.

Elle était pareille à toutes les petites villes qui sollicitent, sans l'obtenir, un embranchement de chemin de fer, comme si ce n'était pas l'unique distraction des indigènes d'aller tous les jours, à la même heure, sur la place de la Fontaine, voir arriver au grand galop la diligence, avec son bruit 5 joyeux de claquements de fouet et de grelots. Elle comptait trois mille habitants, que la statistique appelait ambitieusement des âmes, et tirait vanité de son titre de chef-lieu de canton. Elle possédait des remparts plantés d'arbres, une jolie rivière pour pêcher à la ligne, et une 10 église de la charmante époque du gothique flamboyant,[1] déshonorée par un affreux Chemin de Croix[2] venu tout droit du quartier Saint-Sulpice.[3] Tous les lundis, elle s'émaillait des grands parapluies bleus et rouges de son marché, et les gens de la campagne y venaient en charrettes 15 et en berlingots;[4] mais, le reste de la semaine, elle se replongeait avec délices dans le silence et dans la solitude qui la rendaient chère à sa population de petits bourgeois. Ses rues étaient pavées en têtes de chat;[5] on y apercevait, par les fenêtres des rez-de-chaussée, des tableaux en cheveux 20 et des bouquets de mariée sous un verre, et, par les demi-portes des jardins, des statuettes de Napoléon en coquillages. La principale auberge s'appelait naturellement *L'Écu de France*,[6] et le receveur de l'enregistrement rimait des acrostiches pour les dames de la société. 25

Le capitaine Mercadier avait choisi cette résidence de

[1] Avec ogives et ornements affectant la forme gracieuse de la flamme. Ce style a fleuri surtout au XVe siècle.

[2] Quatorze tableaux représentant les principales scènes de la Passion depuis la comparution devant Pilate jusqu'à la croix du supplice.

[3] Ce quartier de Paris est rempli de boutiques où l'on vend des images et objets de piété, statues de la Vierge, crucifix, missels, etc., et parfois d'un art sans raffinement.

[4] Petites voitures à une seule place.

[5] Pavés de forme arrondie pour laisser écouler l'eau.

[6] *The Coat of Arms of France.*

retraite par la raison frivole qu'il y avait autrefois vu le
jour, et que, dans sa tapageuse enfance, il y avait décroché
les enseignes et maçonné les boutons de sonnettes.[1] Pourtant il ne venait retrouver là ni parents, ni amis, ni connaissances, et les souvenirs de son jeune âge ne lui
retraçaient que des visages indignés de marchands qui lui
montraient le poing du seuil de leur boutique, un catéchisme où on le menaçait de l'enfer, une école où on lui
prédisait l'échafaud, et, enfin, son départ pour le régiment,
hâté par une malédiction paternelle.

Car ce n'était pas un saint homme que le capitaine. Son
ancienne feuille de punitions était noire de jours de salle
de police [2] infligés pour actes d'indiscipline, absences aux
appels et tapages nocturnes dans les chambrées. Bien des
fois on avait dû lui arracher ses galons de caporal et de
sergent, et il lui avait fallu tout le hasard et toute la licence
de la vie de campagne pour gagner enfin sa première épau-
lette. Dur et brave soldat, il avait passé presque toute sa
vie en Algérie,[3] s'étant engagé dans le temps où nos fan-
tassins portaient le haut képi droit, les buffleteries blanches
et la grosse giberne. Il avait eu Lamoricière [4] pour commandant; le duc de Nemours,[5] près duquel il avait reçu
sa première blessure, l'avait décoré; et quand il était
sergent-major, le père Bugeaud [6] l'appelait par son nom et
lui tirait les oreilles. Il avait été prisonnier d'Abd-el-
Kader,[7] portait les traces d'un coup de yatagan sur la
nuque, d'une balle dans l'épaule et d'une autre dans la

[1] Boucher les boutons de sonnettes de la rue avec du plâtre.

[2] *Salle de police*, prison pour légères offenses à la discipline militaire . . . ; *chambrées*, dortoirs militaires.

[3] Pays conquis et graduellement pacifié de 1830 à 1850 environ.

[4] Général (1784–1849); gouverneur d'Algérie.

[5] Général et Homme d'État (1806–1865).

[6] Bugeaud de la Piconnerie (1784–1849), maréchal de France, qui
fit beaucoup pour résoudre le problème algérien.

[7] Célèbre émir [*chef*] arabe (1807–1883) qui s'opposa énergiquement à la conquête de l'Algérie par les Français.

cuisse; et, malgré l'absinthe, les duels, des dettes de jeu et les juives aux yeux noirs en amande, il avait péniblement conquis, à la pointe de la baïonnette et du sabre, son grade de capitaine au Ier régiment de tirailleurs.

Le capitaine Mercadier — trente-six ans de services, vingt-deux campagnes, trois blessures, — venait donc d'obtenir sa pension de retraite, pas tout à fait deux mille francs qui, joints aux deux cent cinquante francs de sa croix, le mettaient dans cet état de misère honorable que l'État réserve à ses anciens serviteurs.

Son entrée dans sa ville natale fut exempte de faste. Il arriva, un matin, sur l'impériale de la diligence, mâchonnant un cigare éteint et déjà lié avec le conducteur à qui, pendant le trajet, il avait raconté le passage des Portes de Fer [1]; plein d'indulgence du reste pour les distractions de son auditeur, qui l'interrompait souvent par un blasphème ou par l'épithète de *carcan* [2] adressée à la jument de droite. Quand la voiture s'arrêta, il lança sur le trottoir sa vieille valise, maculée d'étiquettes de chemins de fer aussi nombreuses que les changements de garnison de son propriétaire; et les oisifs d'alentour furent absolument stupéfaits de voir un homme décoré — chose encore rare en province — offrir le vin blanc au cocher sur le comptoir du prochain cabaret.

Il s'installa sommairement. Dans une maison de faubourg, où mugissaient deux vaches captives et où les poules et les canards passaient et repassaient sous la porte charretière,[3] une chambre meublée était à louer. Précédé d'une maritorne,[4] le capitaine gravit un escalier à grosse rampe de bois, parfumé d'une forte odeur d'étable, et pénétra

---

[1] Col dans les montagnes d'Algérie.

[2] « Autrefois, collier de fer pour attacher un criminel au poteau d'exposition (peine supprimée en 1832). Populaire, *mauvais cheval* » (*Larousse*).

[3] Porte par où les charrettes pouvaient entrer dans la cour.

[4] Nom d'une servante d'auberge dans le roman de *Don Quichotte* — laide et malpropre.

dans une vaste pièce carrelée que tapissait un papier bizarre, représentant, imprimée en bleu sur fond blanc et répétée à l'infini, l'image de Joseph Poniatowski[1] à cheval, sautant dans l'Elster. Cette décoration monotone, mais 5 qui rappelait nos gloires militaires, séduisit sans doute le capitaine, car, sans s'inquiéter du peu de confortable des chaises de paille, des meubles de noyer et du petit lit aux rideaux jaunis, il conclut sans hésitation. Un quart d'heure lui suffit pour vider sa malle, pendre ses habits, reléguer 10 dans un coin ses bottes, et orner la muraille d'un trophée composé de trois pipes, d'un sabre et d'une paire de pistolets. Après une visite à l'épicier d'en face, chez lequel il acheta une livre de bougies et une bouteille de rhum, il revint, déposa son emplette sur la cheminée, et promena 15 autour de lui le regard d'un homme très satisfait. Puis, avec la promptitude des camps, il se rasa sans miroir, brossa sa redingote, inclina son chapeau sur l'oreille, et s'alla promener par la ville, en quête d'un café.

II

Le séjour de l'estaminet[2] était une habitude invétérée 20 chez le capitaine. Il y satisfaisait à la fois les trois vices égaux dans son cœur: le tabac, l'absinthe[3] et les cartes. Sa vie tout entière s'y était écoulée, et il aurait pu dresser de toutes les villes où il avait garnisonné un plan par cantines, marchands de tabac, cafés et cercles militaires. Il ne 25 se sentait vraiment à son aise qu'une fois assis sur le velours ras d'une banquette, devant un carré de drap vert près

---

[1] Prince polonais, qui servit comme maréchal dans l'armée de France à la bataille de Leipzig (1813); il mourut noyé dans les eaux de la rivière Elster, victime de sa bravoure. On l'a appelé le Bayard polonais (Bayard, le chef français qui se distingua dans les guerres d'Italie au XVᵉ siècle, surnommé « Le chevalier sans peur et sans reproche ».)

[2] Mot wallon qui a passé en français pour désigner un petit café où l'on fume abondamment en causant.

[3] Liqueur alcoolique aromatisée avec cette plante.

duquel s'amoncellent les chopes et les soucoupes.[1] Son
cigare ne lui semblait bon que s'il avait frotté l'allumette
sous le marbre de la table, et jamais il n'avait manqué,
après avoir attaché son sabre et son képi à la patère et
s'être installé en lâchant quelques boutons de sa tunique, 5
de pousser un profond soupir de soulagement et de s'écrier:

— Ça va mieux !

Son premier soin fut donc de rechercher l'établissement
qu'il fréquenterait, et, après avoir fait un tour de ville sans
rien trouver à sa convenance, il arrêta enfin son regard de 10
connaisseur sur le café Prosper, situé à l'angle de la place
du Marché et de la rue de la Paroisse. ○ ○ ○

Huit jours après, il était devenu un pilier [2] du café
Prosper.

On y connut bien vite ses habitudes ponctuelles, on pré- 15
vint ses désirs, et il ne tarda point à prendre ses repas avec
les patrons du lieu. Recrue précieuse pour les habitués,
gens terrassés par le terrible ennui de la province et pour
qui l'arrivée de ce nouveau venu, passé maître à tous les
jeux et racontant assez gaiement ses guerres et ses amours, 20
était une véritable bonne fortune; le capitaine fut lui-
même enchanté de rencontrer des humains encore ignorants
de son répertoire. ○ ○ ○

Faiblesse humaine ! il n'était pas fâché d'être un peu
oracle quelque part, lui dont les petits sous-lieutenants, 25
arrivant de Saint-Cyr, fuyaient naguère les trop longues
histoires. ○ ○ ○

[Ici Coppée fait un tableau des habitués de ce Café Prosper.]

En somme, le groupe vivait en bonne intelligence et se
laissait volontiers présider par le nouvel habitué, dont la

---

[1] Chope, nom donné aux grands verres dans lesquels on sert la
bière. Ces verres reposent dans des soucoupes, et à la fin de la séance
au cabaret, le nombre de soucoupes entassées les unes sur les autres
indique le nombre de « chopes » que le client doit payer.

[2] Populaire, *regular customer*.

tête martiale et la barbiche blanche étaient vraiment assez imposantes; et la petite ville, qui était déjà fière de bien des choses, pouvait l'être aussi de son capitaine en retraite.

III

Le bonheur parfait n'existe pas, et le capitaine Merca-
5 dier, qui croyait l'avoir rencontré au café Prosper, dut bientôt revenir de cette illusion.

Le fait est que le lundi, jour de marché, l'estaminet n'était pas tenable.

Dès l'aube, il était envahi par les maraîchers,[1] les fer-
10 miers, les marchands de cochons, les marchands de volailles; gens à grosse voix, à gros cous rouges, à gros fouet à la main, portant la blouse neuve et la casquette de loutre, concluant leurs affaires autour d'un litre, tapant du pied, frappant du poing, tutoyant le garçon et crevant le billard.
15 Quand le capitaine arrivait à onze heures pour absorber sa première absinthe, il trouvait tout ce monde déjà gris et commandant des déjeuners considérables. Sa place ordinaire était prise; on le servait lentement et mal. Le timbre du comptoir ne cessait de retentir; le patron et le
20 garçon, la serviette sous le bras, couraient, affolés. Bref, c'était un jour néfaste et qui bouleversait son existence.

Or, un lundi matin qu'il était resté chez lui, sûr d'avance que le café serait trop bruyant et trop encombré, un doux rayon de soleil d'automne l'engagea à descendre s'asseoir
25 sur le banc de pierre placé à côté de la porte de la maison. Il était là, assez mélancolique et fumant un cigare humide, quand il vit venir du bout de la rue — c'était une ruelle mal pavée et aboutissant à la campagne — une demi-douzaine d'oies, que chassait devant elle avec une gaule
30 une petite fille de huit ou dix ans.

Le capitaine, en arrêtant son regard distrait sur cette enfant, s'aperçut qu'elle avait une jambe de bois.

---

[1] Paysans qui se livrent à la culture des légumes qui croissent dans les endroits marécageux. (Marais = *Marshes*).

Il n'y avait rien de paternel dans le cœur de ce soudard.[1]
C'était celui d'un célibataire endurci. Lorsque jadis, dans
les rues d'Alger, les petits mendiants arabes le poursuivaient de leurs prières importunes, le capitaine les avait
souvent chassés d'un coup de cravache; et les rares fois
qu'il avait pénétré dans le ménage nomade d'un camarade
marié et père de famille, il était parti en maugréant contre
les bambins criards et malpropres qui avaient touché avec
leurs mains grasses aux dorures de son uniforme.

Mais la vue de cette infirmité particulière, qui lui rappelait le douloureux spectacle des blessures et des amputa-
tions, émut cependant le vieux soldat. Il éprouva presque
un serrement de cœur devant cette chétive créature, à
peine vêtue d'un jupon en loques et d'une mauvaise chemise, et qui courait bravement derrière ses oies, son pied
nu dans la poussière, en boitant sur son pilon [2] mal équarri.

Les volailles, reconnaissant leur domicile, entrèrent dans
la cour de la laiterie, et la petite se disposait à les suivre
quand le capitaine l'arrêta par cette question:

— Eh ! fillette, comment t'appelles-tu ?

— Pierrette, monsieur, pour vous servir, répondit-elle
en fixant sur lui ses grands yeux noirs, et en écartant de
son front sa chevelure en désordre.

— Tu es donc de la maison ? Je ne t'avais pas encore
vue.

— Oui-da, et je vous connais bien, allez ! Car je couche
sous l'escalier, et vous me réveillez, en rentrant, tous les
soirs.

— Vraiment, petiote ? Eh bien ! on marchera sur ses
pointes, à l'avenir. Et quel âge as-tu ?

— Neuf ans, monsieur, vienne la Toussaint.[3]

[1] *Soudard*, même étymologie que soldat, [qui reçoit une solde];
le terme de soudard, dont le son rappelle aussi saoul [*drunk*] est
resté pour désigner le soldat adonné à la boisson.

[2] En langage populaire, partie inférieure d'une jambe de bois.

[3] *All Saints day*. Style populaire, quand viendra la Toussaint, 1er
novembre.

— La patronne d'ici est-elle ta parente?

— Non, monsieur, je suis en service.

— On te donne?...

— La soupe et le lit sous l'escalier.

5 — Et qu'est-ce qui t'a arrangée comme cela, ma pauvre petite?

— Un coup de pied de vache, quand j'avais cinq ans.

— As-tu ton père et ta mère?

L'enfant rougit sous son hâle.

10 — Je sors des Enfants-Trouvés,[1] dit-elle d'une voix brève.

Puis, ayant gauchement salué elle rentra dans la maison en claudicant[2]; et le capitaine entendit s'éloigner, sur le pavé de la cour, le bruit sec de la petite jambe de bois.

— Nom de nom! songea-t-il en reprenant machinalement 15 le chemin du café, voilà qui n'est pas réglementaire.[3] Un soldat, du moins, on le flanque aux Invalides,[4] avec l'argent de sa médaille pour s'acheter du tabac. Un officier, on lui colle une perception,[5] et il se marie dans sa province. Mais, à cette gamine, une pareille infirmité! Voilà qui n'est pas 20 réglementaire.

Ayant constaté en ces termes l'injustice de la destinée, le capitaine vint jusqu'au seuil de son cher café; mais il y aperçut une telle cohue de blouses bleues,[6] il y entendit un tel brouhaha de gros rires et de carambolages,[7] qu'il 25 rentra chez lui, plein d'humeur.

Sa chambre — c'était peut-être la première fois qu'il y passait plusieurs heures de la journée — lui parut sordide. Les rideaux du lit avaient le ton d'une pipe culottée,[8] le

---

[1] Maison des enfants trouvés [*Foundling Home*].

[2] Populaire, boitant [*limping*].

[3] Conforme au règlement militaire.

[4] Hôpital pour les soldats invalides, fondé en 1670 par Louis XIV.

[5] Pop: sticks on him an office of collector of taxes — with acceptable salary.

[6] Vêtement de grosse toile porté par les paysans.

[7] *Caroms on the billiard tables.*

[8] Pipe noircée par l'usage. *Colored pipe.*

foyer était jonché de crachats et de bouts de cigares, et on aurait pu écrire son nom dans la poussière qui revêtait tous les meubles.

Il contempla quelque temps les murailles où le sublime lancier de Leipsig trouvait cent fois un glorieux trépas; puis, pour se désennuyer, il passa en revue sa garde-robe. Ce fut une lamentable série de poches percées, de chaussettes à jour, de chemises sans bouton.

— Il me faudrait une servante ! se dit-il.

Puis il songea à la petite boiteuse.

— Voilà. Je louerais le cabinet voisin. L'hiver vient, et la petite doit geler sous l'escalier. Elle surveillerait mes vêtements, mon linge, nettoierait le casernement. Un brosseur,[1] quoi !

Mais un nuage assombrit ce tableau confortable. Le capitaine se souvenait que l'échéance de son trimestre était encore lointaine, et que sa note prenait des proportions inquiétantes au café Prosper.

— Pas assez riche ! rêvait-il en monologuant. Et cependant on me vole là-bas, c'est positif. La pension est beaucoup trop coûteuse; et ce barbu de vétérinaire joue comme feu Bésigue.[2] Voilà huit jours que je paie sa consommation.[3] Qui sait? je ferais peut-être mieux de charger la petite de l'ordinaire.[4] La soupe au café le matin, le pot-au-feu[5] à midi et un rata[6] tous les soirs. Les vivres de campagne, enfin. Ça me connaît.

[1] On appelle ainsi le soldat attaché comme domestique à un officier — et dont une des fonctions consiste à brosser les habits de son chef.

[2] Soi-disant inventeur du jeu de cartes de ce nom qui est au jeu favori dans les cabarets.

[3] Ici: *his drink* (parce qu'il a perdu au jeu).

[4] Ce qu'on a coutume de servir pour un repas: faire faire sa cuisine par la petite.

[5] Du bœuf bouilli dans une grande quantité d'eau avec des légumes. Le menu des gens de vie très simple.

[6] « Abréviation de ratatouille; *populaire*, ragoût de pommes de terre ou de haricots » (*Larousse*). Mot employé surtout par les soldats pour désigner leur « ordinaire ».

Décidément, il était tenté. En sortant, il vit justement la maîtresse de la maison, grosse paysanne brutale, et la petite invalide, qui, toutes deux, la fourche à la main, remuaient le fumier dans la cour.

5 — Sait-elle coudre, savonner, faire la soupe? demanda-t-il brusquement.

— Qui? Pierrette? Pourquoi donc?

— Sait-elle un peu de tout cela?

— Dame! elle sort de l'hospice, où l'on apprend à se 10 servir soi-même.

— Dis-moi, fillette, ajouta le capitaine en s'adressant à l'enfant, je ne te fais pas peur! Non, n'est-ce pas? Et vous, la mère, voulez-vous me la céder? J'ai besoin d'une domestique.

15 — Si vous vous chargez de son entretien.[1]

— Alors, c'est dit. Voilà vingt francs. Qu'elle ait, ce soir, une robe et un soulier! Demain nous arrangerons le reste.

Et, après avoir donné une petite tape amicale sur la 20 joue de Pierrette, le capitaine s'éloigna, enchanté de ce qu'il venait de conclure.

— Il faudra peut-être rogner quelques bocks[2] et quelques absinthes, pensait-il, et se méfier du bésigue du vétérinaire. Mais il n'y a pas à dire, ce sera bien plus régle-25 mentaire.

IV

— Capitaine, vous êtes un lâcheur.[3]

Telle fut l'apostrophe dont les cariatides du café Prosper saluèrent désormais les entrées du capitaine, de jour en jour plus rares.

30 Car le pauvre homme n'avait pas prévu toutes les con-

---

[1] Pension [*board and lodging*].
[2] Populaire, supprimer quelques verres de bière.
[3] Populaire, *quitter*.

séquences de sa bonne action. La suppression de l'absinthe
matinale [1] avait suffi à couvrir les modestes frais de l'entretien de Pierrette; mais combien n'avait-il pas fallu
d'autres réformes pour parer aux dépenses imprévues de
son ménage de garçon![2] Pleine de reconnaissance, la
petite fille voulait la prouver par son zèle. Déjà la chambre
avait changé d'aspect. Les meubles étaient rangés et as-
tiqués, le foyer décent, le carreau verni,[3] et les araignées
ne filaient plus leurs toiles sur les Morts de Poniatowski
placées dans les coins. Quand le capitaine revenait, la
soupe au choux l'invitait par son parfum dès l'escalier, et
la vue des plats fumants sur la nappe, grossière mais
blanche, auprès d'une assiette à fleurs et d'un couvert reluisant, achevait de le mettre en appétit. Pierrette profitait alors de la bonne humeur de son maître pour avouer
quelque secrète ambition. Il fallait des chenets pour la
cheminée, où elle faisait maintenant du feu, un moule pour
les gâteaux qu'elle réussirait si bien. Et le capitaine, que
la demande de l'enfant faisait sourire et qui se sentait
doucement gagner par les voluptés du *at home*, promettait
d'y penser, et le lendemain remplaçait ses londrès [4] par des
cigares d'un sou, hésitait devant l'offre de cinq points
d'écarté,[5] ou se refusait son troisième bock ou son second
verre de chartreuse.

Certes, la lutte fut longue; elle fut cruelle. Bien des
fois, vers l'heure d'un apéritif interdit par l'économie,
quand la soif lui séchait la gorge, le capitaine dut faire un
effort héroïque pour retirer sa main déjà posée sur le bec
de cane [6] de l'estaminet; bien des fois, il erra en rêvant de

[1] Celle que l'on prend pour l'« apéritif », c'est-à-dire pour ouvrir
l'appétit (Lat. *aperire*, ouvrir).

[2] Ici, bachelor.

[3] Ici, le plancher (frotté et luisant).

[4] « Cigare havanais, d'abord fabriqué spécialement pour Londres
et l'Angleterre » (*Larousse*).

[5] jeu de carte.

[6] Poignée [*knob*] de la porte en forme de bec de cane [*duck*].

roi retourné et de quinte et quatorze.[1] Mais, presque
toujours, il rentrait courageusement chez lui; et comme il
aimait davantage Pierrette à chaque sacrifice qu'il lui
faisait, il l'embrassait mieux ces jours-là. Car il l'embras-
5 sait. Ce n'était plus sa servante. Une fois qu'elle se tenait
debout près de la table, l'appelant: *Monsieur!* et toute
respectueuse, il n'y put tenir, il lui prit les deux mains et il
lui dit avec fureur:

— Embrasse-moi d'abord, et puis assieds-toi et fais-moi
10 le plaisir de me tutoyer, mille tonnerres !

Aujourd'hui c'est fini. La rencontre d'un enfant a sauvé
cet homme d'une vieillesse ignominieuse. Il a substitué à
ses vieux vices une jeune passion; il adore ce petit être infirme qui sautille autour de lui, dans la chambre commode
15 et bien ameublée.

Déjà il a appris à lire à Pierrette, et voici que, se rappelant sa calligraphie de sergent-major,[2] il lui trace des
exemples d'écriture. Sa plus grande joie, c'est lorsque l'enfant, attentive devant son papier et faisant parfois un pâté
20 qu'elle enlève vivement avec sa langue, est parvenue à
copier toutes les lettres d'un interminable adverbe en *ment*.
Son inquiétude, c'est de songer qu'il devient vieux et qu'il
n'a rien à laisser à son adoptée.

Aussi voilà qu'il est presque avare; il thésaurise; il veut
25 se sevrer de tabac, bien que Pierrette lui bourre sa pipe et
la lui allume. Il compte épargner sur son faible revenu de
quoi acheter plus tard un petit fonds de mercerie.[3] C'est
là que, lorsqu'il sera mort, elle vivra obscure et paisible,
gardant accrochée quelque part, dans l'arrière-boutique,
30 une vieille croix d'honneur qui la fera se souvenir du capitaine.

Tous les jours, il va se promener avec elle sur le rempart.

---

[1] Aussi termes de jeux de carte.

[2] Le sous-officier chargé de la comptabilité et des écritures du bataillon.

[3] Établissement de mercerie [*haberdashery*].

Quelquefois passent par là des gens étrangers à la ville, qui jettent un regard de compassion surprise sur ce vieux soldat épargné par la guerre et sur cette pauvre enfant estropiée; et alors il se sent attendrir — oh ! délicieusement, jusqu'aux larmes, — quand un de ces passants murmure en s'éloi- 5 gnant:

— Pauvre père ! sa fille est pourtant jolie !

* * *

A côté des Parnassiens de premier plan que nous avons étudiés, il y en a un très grand nombre de second plan. Voici quelques noms, à ajouter à ceux mentionnés dans des notes (Xavier de Ricard, Louis Ménard, etc.) au sujet desquels on trouvera des renseignements dans les Histoires du Parnasse mentionnées dans notre bibliographie abrégée.

Appartenant au groupe de Sully-Prudhomme et Coppée: **Auguste Dorchain, Ratisbonne, Soulary.**

Un poète que l'on pourrait appeler un franc-tireur [*free lance*] parmi les Parnassiens: **Armand Silvestre.**

Des hommes qui n'ayant pas continué leur carrière poétique, ont, dans leurs jeunes années, écrit sous le signe du Parnasse: **André Theuriet,** le romancier, **Jules Lemaître,** le critique, **Anatole France,** le critique, historien et romancier.

Enfin, et surtout, il faut rappeler ici **Verlaine** et **Mallarmé** qui ont débuté avec les Parnassiens pour devenir ensuite les deux premiers grands poètes Symbolistes; (V. plus bas); ils seront pour le mouvement symboliste ce que Banville et Gautier, quelque peu romantiques, avaient été pour le mouvement parnassien.

Des poètes dont la résignation ne va pas sans révolte contre
la destinée, mais une révolte qui souvent prend l'aspect
d'un cynisme terrible. Un seul grand nom est à relever ici, mais qui, par son originalité, paraît
devoir survivre à celui de tous les autres
poètes parnassiens.

CHAPITRE XVIII

CHARLES BAUDELAIRE

1821–1867

Consulter: Il y a une littérature considérable sur Baudelaire; il
faut choisir: C. Asselineau [ami de B.], *Charles Baudelaire, sa vie
et son œuvre* (Lemerre 1869, 109 pages); E. et J. Crépet, *Charles
Baudelaire*, seconde éd., (Messein, 1907); A. Séché et J. Bertaut,
Charles Baudelaire (Coll: ‹ Vie anecdotique et pittoresque des grands
écrivains ›, Rasmussen, Paris, 1925); F. Porché, *La vie douloureuse de
Baudelaire* (Plon, 1926). L'ouvrage le plus érudit, peu à recommander
à de jeunes étudiants est A. Ferran, *L'Esthétique de Baudelaire*,
(Hachette, 1933, 732 pp. in 8°); Dr. R. Laforgue, *L'Echec de Baudelaire, étude psycho-analytique* (Denoël et Steel, 1931). Pour les étu-
diants, à recommander un choix des œuvres dans la collection
‹ Classiques pour tous ›, chez l'éditeur Hatier (1922).

Né à Paris, il fut orphelin de père de bonne heure; sa mère se
remaria, et avec ce nouvel époux, le colonel Aupick, Charles Baudelaire ne put jamais s'entendre. La famille passa quatre ans à Lyon
(1832–6), revint à Paris. Ses études terminées, il refusa d'entrer dans
la carrière diplomatique. Son caractère excentrique se manifestait
déjà abondamment; on essaya de le faire voyager; on l'embarqua
pour les Indes; mais le capitaine du vaisseau auquel il était confié céda
à ses prières et le débarqua à l'île de la Réunion [1]; il rentra en France.
En 1842, devenu majeur, il a droit à la fortune laissée par son père.
Il touche 75,000 francs, qu'il se met à dépenser magnifiquement.
Après deux ans il commence à avoir des difficultés d'argent; mais,
s'il est pauvre, il ne renonce pas à ses goûts d'autrefois. Sa vie sera,
comme celle de Balzac, une lutte constante avec les créanciers. Dès

---

[1] C'était avant le percement du canal de Suez; on faisait le
tour de l'Afrique.

1841 il commence à publier, dans des revues, les poèmes qui formeront le volume sur lequel repose le meilleur de sa célébrité: *Les fleurs du mal*. En 1845, il se révèle comme remarquable critique d'art. En 1857, il publie en volume *Les fleurs du mal* qui lui valent une condamnation pour offense à la morale publique (v. plus bas). Il écrivait à la même époque des articles qui parurent plus tard en volume sous le titre de *Les paradis artificiels; opium et haschisch* (1861) et de *Petits poèmes en prose*. Il avait découvert Edgar Allan Poe dont, de 1856 à 1865, il traduisit les œuvres (sa toute première traduction date de 1848).

En 1861, il pose sa candidature à l'Académie, ce qui, à cause du caractère si particulier de son œuvre, causa une véritable stupeur; enfin, sur le conseil de son ami Sainte-Beuve, il retira sa demande.[1]

En 1864, pour échapper à la vie énervante et épuisante mentalement et physiquement qu'il menait à Paris, et aussi pour échapper à ses créanciers, il alla s'établir à Bruxelles où il tomba gravement malade; il revint à Paris en 1866, amnésique et aphasique et atteint d'une horrible paralysie progressive — il y mourut en 1867.

Personne ne peut nier qu'il y ait eu un élément de morbidité chez Baudelaire. Fils d'un homme de 61 ans, il fut affligé dès sa naissance d'une sensibilité exaspérée qui fut aggravée encore par l'antipathie foncière qu'il éprouvait pour le colonel Aupick (cela paraît avoir été à peu près la situation décrite par Dickens dans *David Copperfield*, mais beaucoup plus aiguë). Cette sensibilité morbide fut une des grandes sources de son génie. Il est un frère spirituel d'Edgar Poe, et il le reconnut assez lui-même. (V. plus bas.)

Cette mentalité abnormale était accompagnée de la plus redoutable sensualité. Pour le rôle de la femme dans sa vie, ces quelques mots du livre de Séché et Bertaut suffiront:

« De la vie amoureuse de Baudelaire on pourrait faire deux parts: la première entièrement occupée par sa passion pour l'étrange et perverse Jeanne Duval, la Vénus noire; la seconde réservée à sa romanesque aventure avec cette femme délicieuse qui avait nom Mme Sabatier. Ce sont deux pôles extrêmes ! Un amateur d'antithèse dirait romantiquement de l'une, ce fut la personnification du Mal; de l'autre, elle fut la Bonté et la Beauté. L'opposition de la luxure et de l'amour ». (Chap. IV, p. 118).[2]

---

[1] Pour cet épisode curieux de sa vie, v. Séché et Bertaut, pp. 111–117 du *livre cité*.

[2] Une autre femme encore qu'il connut en Belgique, et qui fut du genre pervers, est celle dont il chanta les yeux dans une pièce des *Fleurs du mal*: « Les yeux de Berthe ».

Comme Leconte de Lisle avait eu un précurseur romantique en Vigny pour l'amertume, Baudelaire a eu son précurseur romantique en Sainte-Beuve, le poète, avec cette différence que, tandis que le cynisme de Joseph Delorme vient assez rarement à la surface, et alors même demeure plutôt discret, celui de Baudelaire ne connaît pour ainsi dire pas de bornes [1]; c'est à ce point qu'on a souvent voulu voir en lui un mystificateur. On a même publié un livre de *Baudelairiana* (c'est à dire anecdotes dont Baudelaire serait le héros) et on lui attribue les mots les plus surprenants et les plus cruels; son dandysme est pris au sérieux par les uns, tandis que d'autres ne veulent y voir qu'une affectation destinée à cacher quelque chose de profond.[2]

---

[1] Sainte Beuve, tout en refusant la dédicace des *Fleurs du Mal*, a reconnu cette parenté, et il a plus tard défendu Baudelaire contre ses ennemis.

[2] On parlait beaucoup de son Club des Haschischins, ou mangeurs de hashisch, qui se réunissait dans son appartement de l'Hôtel Pimodan (Île Saint-Louis); où, selon les uns, il aurait compromis pour toujours sa santé, et, selon les autres, n'aurait pensé avant tout qu'à se singulariser et à afficher des mœurs qui pouvaient choquer le bourgeois.

Voici une anecdote souvent citée: « Un jour son propriétaire se plaignit de ce qu'il faisait un bruit insupportable: (Je ne sais, (Monsieur, ce que vous voulez dire, répondit Baudelaire d'un air (gracieux; on ne fait chez moi que ce qui se fait chez tous les gens (comme il faut.) — (Pardon, réplique le propriétaire, nous en- (tendons remuer les meubles, frapper à terre, crier, à toutes les heures (de la journée et de la nuit.) — (Encore une fois, continue Bau- (delaire, je vous donne ma parole que rien d'extraordinaire ne s'y (passe. Je fends du bois dans mon salon, je traîne à terre ma maî- (tresse par les cheveux: cela se passe chez tout le monde, et vous (n'avez nullement le droit de vous en préoccuper) » (*Cité par Séché et Bertaut, p. 42*).

Autre anecdote: « C'était du temps où Baudelaire collaborait à la *Revue Fantaisiste* de Catulle Mendès. Un jour il arrive au bureau et raconte cette histoire: (Je me suis donné, cette nuit, un concert (tout-à-fait original. J'ai attaché par la queue devant ma fenêtre (et de façon à ce que ses griffes pussent se promener sur les vitres, un (chat, la tête en bas. Et je me suis couché. Je n'ai pas dormi, (certes. Heureusement. Non, vous ne pouvez vous imaginer quelle (singulière et pénétrante symphonie composent les miaulements (d'un chat et le bruit de ses griffes sur le verre; c'est délicieux) » (*Cité ibid., pp. 49-50*).

« Un jour, dans un restaurant, faisant en sorte d'être entendu de

*   *   *

Il y a deux opinions diamétralement opposées qui partagent la critique, celle d'**acclamation** et celle d'**imprécation**. Il faut les exposer toutes deux.

Celle d'**acclamation** — qui tend à prévaloir sur l'autre de plus en plus depuis la mort de Baudelaire, est représentée par Théophile Gautier, et on n'a pas dit mieux depuis, dans les innombrables critiques louangeuses:

Charles Baudelaire

PAR THÉOPHILE GAUTIER

« De tous les poètes éclos après la splendide irradiation de l'école romantique, M. Charles Baudelaire est assurément le plus original, et par nature et par volonté; car ce n'est pas une de ces organisations qui produisent des vers comme les orangers des oranges, d'une façon inconsciente et presque sans plus de mérite. Il a le don, mais il a aussi le travail. Il sait ce qu'il fait, il assiste en critique à son inspiration, la conseille, l'excite, la modère, la dirige et la fait aller où il veut. Habile entre les habiles, il s'est rompu dans ce gymnase intérieur où s'exercent les forts à toutes ces luttes avec la langue, la prosodie, le rythme et la rime dont il faut sortir vainqueur pour être digne du nom d'artiste, et qui sont comme le contrepoint de la poésie. Qui n'a pas pratiqué longuement ces difficiles exercices s'expose à rester un jour interdit devant la pensée, n'ayant pas de forme à lui offrir, surprise humiliante, impuissance douloureuse, désastre secret qu'oublie malaisément l'orgueil !

« Sa poésie n'a rien de naïf ni d'enfantin. Elle part d'un esprit

---

chacun, il commençait un récit à ses amis par ces mots: ‹ Après avoir assassiné mon pauvre père . . . ›) Et une autre fois il demandait très flegmatiquement à un honnête fonctionnaire: ‹ Avez-vous ‹ mangé de la cervelle de petit enfant ? ›, et comme l'autre restait interloqué, il ajouta: ‹ Cela ressemble à des cerneaux [fruit vert, ‹ pistaches], et c'est excellent › » (*Ibid.*, *54*).

On a publié après sa mort des papiers qu'il avait laissés, sous ce titre: *Mon cœur mis à nu*, et où on relève des mots comme ceux-ci: « Un dandy ne fait rien. Vous figurez-vous un dandy parlant au peuple excepté pour le bafouer ? », ou: « Le dandy doit aspirer à être sublime sans interruption. Il doit vivre et dormir devant un miroir. » Ailleurs: « Être un homme utile m'a toujours paru quelque chose de bien hideux. » (*Ibid.*, *pp. 38-39*).

très cultivé, très subtil, très bizarre, très paradoxal, et dont nous ne connaissons pas l'analogue.

« Il est dans chaque littérature des époques où la langue formée à point se prête à merveille, après les balbutiements de la barbarie, à l'expression limpide et facile des idées générales, des grands lieux communs sur Dieu, l'âme, l'humanité, la nature, l'amour, la vie, la mort, tout ce qui fait le fond même de la pensée humaine. Rien n'est usé alors, ni les sentiments, ni les mots.

« Cette période, aimable comme la jeunesse, où la vie ne s'est pas encore compliquée de rapports multiples et garde son unité primitive, passe pour l'époque de la perfection classique, et c'est elle qui date ce qu'on appelle les belles époques littéraires. On considère ces époques comme définitives et posant au génie des limites qu'il serait dangereux de franchir. Après, selon les critiques et les rhéteurs, tout n'est que décadence, mauvais goût, bizarrerie, enflure, recherche, néologisme, corruption et monstruosité. Ces idées ou plutôt ces préjugés sont tellement enracinés dans les esprits, que nous n'avons pas la prétention de les en arracher. A nos yeux, ce qu'on appelle décadence est au contraire maturité complète, la civilisation extrême, le couronnement des choses. Alors un art souple, complexe, à la fois objectif et subjectif, investigateur, curieux, puisant des nomenclatures dans tous les dictionnaires, empruntant des couleurs à toutes les palettes, des harmonies à toutes les lyres, demandant à la science ses secrets et à la critique ses analyses, aide le poète à rendre les pensées, les rêves et les postulations de son esprit. Ces pensées, il faut bien l'avouer, n'ont plus la fraîche simplicité du jeune âge. Elles sont subtiles, ténues, maniérées, persillées [interspersed] même de dépravation, entachées de gongorisme [enflure], bizarrement profondes, individuelles jusqu'à la monomanie, effrénément panthéistes, ascétiques ou luxurieuses; mais toujours, quelle que soit leur direction, elles portent un caractère de particularité, de paroxysme et d'outrance. ◦ ◦ ◦

« Cette espèce de critique qui, ne comprenant pas l'autonomie de l'art, demande au poète d'enseigner, de prouver, de moraliser, d'être utile enfin, a été singulièrement inquiétée par le livre de M. Baudelaire. Le grand mot immoral a été lâché à propos de lui, mot gros d'hypocrisie, d'ignorance et de mauvaise foi. L'auteur, pour qui la poésie est à elle-même son propre but, ne saurait être immoral, car il ne prêche aucune doctrine, n'indique aucune solution et ne conseille pas. Il dispose des éléments pour un effet quelconque. La sensation qu'il veut produire est celle du beau, qui s'obtient dans l'horreur comme dans la grâce. Il va jusqu'à s'interdire l'éloquence et la passion, parce qu'il les trouve trop humaines, trop naturelles, pas assez spiritualisées, et d'ailes trop courtes pour planer dans la sphère

sereine de l'art. L'émotion comme il l'entend doit être purement
intellectuelle, et la provoquer par ces moyens grossiers lui répugne à
l'égal d'une indélicatesse.   Aussi ces accusations l'étonnent-elles
autant que si l'on vantait l'honnêteté de la rose en tonnant contre la
scélératesse de la jusquiame.   En art, il n'y a rien de moral ni d'immoral, il y a des choses bien faites et des choses mal faites.

« On lit dans les contes de Nathaniel Hawthorne la description
d'un jardin singulier, où un botaniste toxicologue a réuni la flore des
plantes vénéneuses. Ces plantes aux feuillages bizarrement découpés,
d'un vert noir ou minéralement glauque, comme si le sulfate de cuivre
les teignait, ont une beauté sinistre et formidable. On les sent dangereuses malgré leur charme; elles ont dans leur attitude hautaine,
provocante ou perfide, la conscience d'un pouvoir immense ou d'une
séduction irrésistible. De leurs fleurs férocement bariolées et tigrées,
d'un pourpre semblable à du sang figé ou d'un blanc chlorotique,
s'exhalent des parfums âcres, pénétrants, vertigineux; dans leurs
calices empoisonnés la rosée se change en aqua-tofana [1]; et il ne
voltige autour d'elles que des cantharides cuirassées d'or vert, ou des
mouches d'un bleu d'acier dont la piqûre donne le charbon. L'eu-
phorbe, l'aconit, la jusquiame, la ciguë, la belladone y mêlent leur
froid virus aux ardents poisons des tropiques et de l'Inde; le mance-
nillier y montre ses petites pommes mortelles comme celles qui
pendaient à l'arbre de science; l'upas [2] y distille son suc laiteux plus
corrosif que l'eau-forte. Au-dessus du jardin flotte une vapeur malsaine qui étourdit les oiseaux lorsqu'ils la traversent; cependant la
fille du docteur vit impunément dans ces miasmes méphitiques; ses
poumons aspirent sans danger cet air où tout autre qu'elle et son père
boirait une mort certaine. Elle se fait des bouquets de ces fleurs, elle
en pare ses cheveux, elle en parfume son sein, elle en mordille les
pétales comme les jeunes filles font des roses. Saturée lentement de
sucs vénéneux, elle est devenue elle-même un poison vivant qui
neutralise tous les toxiques. Sa beauté, comme celle des plantes de
son jardin, a quelque chose d'inquiétant, de fatal et de morbide; ses
cheveux d'un noir bleu tranchent sinistrement sur sa peau d'une
pâleur mate et verdâtre, où éclate sa bouche qu'on dirait empourprée
à quelque baie sanglante. Un sourire fou découvre ses dents en-
châssées dans ses gencives d'un rouge sombre, et ses yeux fixes
fascinent comme ceux des serpents ○○○ Nous n'avons jamais lu
les *Fleurs du mal* de M. Ch. Baudelaire sans penser involontairement

---

[1] Eau pourrie.
[2] Poison tiré de plantes grasses et vénéneuses des tropiques et dont
les Javanais se servent pour empoisonner leurs flèches.

à ce conte de Hawthorne; elles ont ces couleurs sombres et métalliques, ces frondaisons vert-de-grisées et ces odeurs qui portent à la
tête. ○ ○ ○

« En ce siècle de tartuferie puritaine, on a si bien l'habitude de
confondre l'auteur avec son œuvre, d'appeler ivrogne celui qui parle
du vin, sanguinaire celui qui raconte un meurtre, débauché celui qui
peint la passion ou le vice, athée celui qui fait la biographie d'un
incrédule, que nous trouvons nécessaire, après ce rapprochement,
d'affirmer, avec tout le sérieux dont nous sommes capable, l'innocuité
parfaite de M. Ch. Baudelaire. Notre ami n'est pas du tout un em-
poisonneur; il fait de la poésie et non de la toxicologie, quoi qu'en ait
dit un trop spirituel académicien. ○ ○ ○ [1]

« Le poète des *Fleurs du mal* ne donne pas dans le travers du siècle
à propos de l'humanitairerie et de la progressivité.   Il ne pense pas
que l'homme soit né bon, et il ne le croit guère perfectible.   Il admet
au contraire, avec Edgar Poe, la perversité comme élément constitutif
de notre nature.   Par perversité il faut entendre cet instinct étrange
qui nous pousse, en dépit de notre raison, à des actes absurdes,
nuisibles et dangereux, sans autre motif que « cela ne se doit pas. »
A quel ressort secret faut-il attribuer l'aveu tout à fait gratuit d'une
chose honteuse et criminelle ○ ○ ○ les goûts ridicules et les dépravations
maniaques en dehors de toute excitation sensuelle qui les expliquerait
sans les justifier ?   A la perversité native qui a retenu ce que le serpent
lui chuchotait à l'oreille, aux premiers jours du monde. ○ ○ ○

« Terminons par ces mots si vrais adressés par Victor Hugo à
l'auteur des *Fleurs du mal:* « Vous dotez le ciel de l'art d'on ne sait
quel rayon macabre, vous créez un FRISSON NOUVEAU. »

Les poètes français, tome IV, août 1862 [2]

L'opinion qui formule l'**imprécation** se résume tout entière dans
un article de F. Brunetière, (*Revue des Deux Mondes*, 1 juin, 1887,
pp. 695-706, reproduite dans les *Études critiques*, vol. X) à propos
d'œuvres posthumes et de certaine correspondance, publiée par E.
Crépet.   La substance de cette protestation contre le « culte de
Baudelaire » est restée la même dans toutes les attaques subséquentes.
Elle voit en Baudelaire un « dandy absurde »: « l'une des idoles de
ce temps . . . ces espèces d'idoles orientales, monstrueuses et difformes
dont la difformité naturelle est rehaussée de couleurs étranges » . . .
« Ce n'est qu'un Satan d'hôtel garni [*lodging house*], un Belzébuth de

[1] L'éditeur ne sait de quel académicien il s'agit.
[2] Th. Gautier a écrit une *Préface* à l'édition des *Fleurs du mal*
publiée après la mort de Baudelaire — Préface qui n'est pas moins
remarquable que cet article de 1862.

table d'hôte.   Retranchez des *Fleurs du mal* une demi-douzaine de pièces [érotiques]...il ne reste que des lieux communs. »   C'est un malade intéressant parfois, « mais le prendre pour modèle, c'est échanger contre les songes d'un malade, le véritable objet de l'art; à moins que ce ne soit — comme parfois j'en ai peur — simuler l'épilepsie pour attirer l'attention des passants ».   F. Brunetière dit encore: « Ce qu'il y a de mieux dans l'édition définitive de ses œuvres, ce pourrait être, en y réfléchissant, la traduction de celles d'Edgar Poe » — donc ce qui n'est *pas* de Baudelaire...

Cette attitude n'est pas abandonnée.   On la trouve nettement reprise, en 1910, par Émile Faguet, *La Revue*, 1 sept. 1910; en 1929 par Maurice Souriau, *Histoire du Parnasse*, 1929, I, ii, pp. 26–42.

C'est embarrassant.   Peut-être Leconte de Lisle (qui n'aimait pas Baudelaire) a-t-il trouvé la manière de juxtaposer les deux attitudes quand il a dit: « C'était un bon garçon qui affectait un rictus féroce, et un écrivain né classique qui se barattait [tourmentait] la cervelle pour trouver de l'étrange » (Cité par Séché et Bertaut, p. 81).

*   *   *

Quel est le « frisson nouveau » ? ou plutôt comment l'a-t-il obtenu ? C'est en poussant l'horreur du bourgeois au paroxysme.   Mérimée, Gautier, Flaubert étaient des enfants à côté de Baudelaire qui considérait comme le déshonneur par excellence d'être apprécié des bourgeois; et en conséquence il choquait ceux-ci à dessein; mais au fond on voit qu'il ne s'agit pas de quelque chose d'absolument nouveau, et que c'est seulement, poussés à l'extrême, les gestes des premiers romantiques, et par exemple de Gautier portant le gilet rouge à la première d'*Hernani* pour formaliser les représentants du conventionnel. Pour mieux atteindre son but Baudelaire se jetait dans des rêves fous éperdus, et d'ailleurs, d'une spiritualité ardente, des rêves que lui-même ne parvenait pas à concevoir car ils étaient en dehors du rayon de l'imagination humaine.   Dans un de ses poèmes: *Les phares* [*Beacon lights*] il cite des génies de l'esprit humain, très au-dessus des mortels en général, mais encore aucun n'a-t-il réalisé le rêve parfait. De là son *Spleen*, et pour ne céder quoi que ce soit de son besoin d'absolu, il le chercherait plutôt dans le « satanisme » que dans une satisfaction partielle et humaine.   Le Christ même ne répondait pas à ce besoin insatiable, et Saint Pierre a donc bien fait de le renier (v. la pièce: *Le reniement de Saint Pierre*), et Baudelaire demande à Satan, de le délivrer du faux rêve (v. la pièce: *Litanies de Satan*). Au fond tout est négatif chez Baudelaire; ce qu'il appelle, lui, le « beau » c'est tout ce qui n'est *pas* beau pour les autres; c'est le laid, le mauvais, le dégoûtant des autres.   Il a dit dans une des « Préfaces »

des *Fleurs du mal* (qui n'a pas été publiée par lui) qu'il se donnait la
tâche difficile « d'extraire la beauté du mal ». C'est ce qui explique
son besoin, qui nous paraît morbide, de se jeter dans ce qu'on a
appelé la vie crapuleuse, les ivresses sordides, les débauches les plus
vicieuses; c'est ce qui explique, par exemple, qu'il proclame l'infériorité de la femme, dénonce sa bestialité, et qu'en même temps il
s'attache à cette bestialité; car elle est condamnée par la morale
courante et lui donne le sentiment qu'il nie cette convention détestée.
Il pense que la nature « grande en ses desseins cachés »:

> *De toi se sert, ô femme, ô reine des péchés,*
> *— De toi vil animal, — pour pétrir un génie:*
> *Ô fangeuse grandeur ! sublime ignominie !*

Baudelaire était-il catholique? On l'a affirmé. Il était surtout
catholique pour n'être pas rangé avec les Homais, (v. plus haut, chap.
Flaubert, pp. 116-8), car les Homais, dans leur épaisse intelligence,
détestent l'Église: « Qu'on ne s'y trompe pas, disent Séché et Bertaut,
tout catholique qu'il soit, il ne marche derrière aucune bannière, son
catholicisme est surtout de l'aristocratisme — si l'on peut dire ! —
Il tient à sa liberté et, même en métaphysique, garde son attitude de
Dandy: ‹ Quand je serai absolument seul, confesse-t-il, je chercherai
‹ une religion (Thibétaine ou Japonaise, car je méprise le Koran);
‹ et, au moment de la mort, j'abjurerai cette dernière religion pour
‹ bien montrer mon dégoût de la sottise universelle ... › » (*Cité
p. 163*). Mais faut-il aller aussi loin que C. Mauclair: « En parfait
catholique, il croyait à Satan et considérait le Mal comme une force
capitale de l'univers et un des grands ressorts de l'activité humaine. »?
Ou dire comme Villiers de l'Isle Adam: « c'est un catholique, mais
‹ un catholique possédé du démon › »?

Les fleurs du mal

Ce recueil de vers est pour Baudelaire ce que sont les *Émaux et
camées* pour Gautier et *Les trophées* pour Heredia — on considère
qu'il contient l'essence de l'œuvre tout entière. Baudelaire composa
dès 1841 des pièces qui devaient y trouver leur place; elles furent
rassemblées en volume en 1857; certains poèmes furent ajoutés pour
des éditions postérieures; les éditions modernes en comptent 151 —
aucun très long, une moyenne de 8 à 10 strophes.

L'auteur hésita pour son titre; il avait pensé à « Limbes, » ou
« Les Lesbiennes, » et s'arrêta finalement à un titre suggéré par un
ami, Hippolyte Babou. Immédiatement après la publication, non

pas l'art, mais la moralité du volume fut attaquée dans le journal qui était alors le grand journal de Paris, *Le Figaro:* le recueil était considéré comme « un hôpital ouvert à toutes les démences de l'esprit, à toutes les putridités du cœur », où « l'odieux coudoie l'ignoble » et où « le repoussant s'allie à l'infect ». Baudelaire fut assigné à comparaître en justice — comme le sera cinq mois plus tard Flaubert pour *Madame Bovary* (le second Empire tenait beaucoup à ce qu'on sût qu'il faisait respecter la morale) —. Le dossier de l'affaire a été perdu dans les incendies de la Commune en 1871; mais l'histoire du procès a été bien reconstituée par Louis Barthou (*Autour de Baudelaire, le procès des Fleurs du mal*, Maison du Livre, 1917) et par Crépet (*livre cité*). Le monde des lettres fut fortement ému, et la discussion suscita des défenses intéressantes (Barbey d'Aurevilly, Sainte-Beuve surtout; on trouvera ces documents dans les éditions posthumes des *Fleurs du mal*). Baudelaire lui-même, qui si souvent choquait intentionnellement l'opinion publique, fut très affecté; en tous cas on accepte généralement comme sincères ses protestations d'avoir cru faire un livre d'une spiritualité ardente.[1] Il fut condamné à 300 francs d'amende pour « offense à la morale publique et aux bonnes mœurs », et à la suppression de six pièces si des éditions subséquentes étaient imprimées. (*Lesbos, Femmes damnées, Métamorphoses du vampire, Le léthé, À celle qui est trop gaie, Les bijoux.*) La justification du jugement est donnée dans ces termes:

« Attendu que l'intention du poète, dans le but qu'il voulait atteindre et dans la route qu'il a suivie, quelque effort de style qu'il ait pu faire, quel que soit le blâme qui précède ou qui suit ses peintures, ne saurait détruire l'effet funeste des tableaux qu'il présente au lecteur et qui, dans les pièces incriminées, conduisent nécessairement à l'excitation des sens par un réalisme grossier et offensant pour la pudeur . . . »[2]

---

[1] Avec Baudelaire on ne sait jamais; voici quelques lignes d'une lettre à un ami (Ancelle) 28 fév. 1866:

« Dans ce livre atroce [*Les fleurs du mal*], j'ai mis toute ma pensée, tout mon cœur, toute ma religion [travestie], toute ma haine. Il est vrai que demain j'écrirai le contraire, que je jurerai mes grands dieux que c'est un livre d'art pur, de singerie, de jonglerie; et je mentirai comme un arracheur de dents ». (*Cité par Souriau, p. 37*).

Est-ce que Baudelaire lui-même ne saurait pas ?

[2] On a essayé depuis longtemps de faire réviser le procès. En 1929 Louis Barthou a déposé un projet de loi autorisant la révision des procès relatifs à des œuvres d'art condamnées pour « outrages aux bonnes mœurs ». Cf. Marcel Coulon, « La Révision du procès Baudelaire », *Mercure de France.* 1 mars 1934).

Pour ce reproche de sensualité Flaubert avait écrit à Baudelaire ce mot de sympathie: « Vous chantez la chair sans l'aimer, d'une façon triste, qui m'est sympathique ».

Le souci de la forme chez Baudelaire est clairement exprimé dans la dédicace des *Fleurs du mal* — au poète qui a écrit l'ode à *L'Art:* Au Poète impeccable//Au parfait Magicien ès Lettres françaises// À mon très cher et très vénéré//Maître et Ami//THÉOPHILE GAU-TIER//avec les Sentiments//de la plus profonde Humilité//Je dédie//Ces Fleurs Maladives.//C. B.

Pour le contenu, la note dominante est ce que Baudelaire appelle *L'ennui:* Plusieurs poèmes sont intitulés *Spleen.* En voici un:

Spleen

Quand le ciel bas et lourd pèse comme un couvercle
Sur l'esprit gémissant en proie aux longs ennuis,
Et que de l'horizon embrassant tout le cercle
Il nous fait un jour noir plus triste que les nuits;

5 Quand la terre est changée en un cachot humide,
Où l'Espérance, comme une chauve-souris,
S'en va battant les murs de son aile timide
Et se cognant la tête à des plafonds pourris;

Quand la pluie étalant ses immenses traînées [1]
10 D'une vaste prison imite les barreaux,
Et qu'un peuple muet d'horribles araignées
Vient tendre ses filets au fond de nos cerveaux,

Des cloches tout à coup sautent avec furie
Et lancent vers le ciel un affreux hurlement,
15 Ainsi que des esprits errants et sans patrie
Qui se mettent à geindre [2] opiniâtrément.

— Et de longs corbillards,[3] sans tambours ni musique,
Défilent lentement dans mon âme; et, l'Espoir,
Vaincu, pleure, et l'Angoisse atroce, despotique
20 Sur mon crâne incliné plante son drapeau noir.

---

[1] *Streaks.*   [2] *Whine.*   [3] *Hearse*

L'Examen de minuit

Les hommes se trompent eux-mêmes dans leurs plaisirs, et ils se mentent à eux-mêmes quand ils disent jouir. Tout ce qui semble réalité est mensonge.

La pendule, sonnant minuit,
Ironiquement nous engage
A nous rappeler quel usage
Nous fîmes du jour qui s'enfuit:
— Aujourd'hui, date fatidique,   5
Vendredi, treize, nous avons,
Malgré tout ce que nous savons,
Mené le train d'un hérétique.[1]

Nous avons blasphémé Jésus,
Des Dieux le plus incontestable !   10
Comme un parasite à la table
De quelque monstrueux Crésus,[2]
Nous avons, pour plaire à la brute,
Digne vassale des Démons,
Insulté ce que nous aimons   15
Et flatté ce qui nous rebute;

Contristé, servile bourreau,
Le faible qu'à tort on méprise;
Salué l'énorme Bêtise,
La Bêtise au front de taureau;   20
Baisé la stupide Matière
Avec grande dévotion,
Et de la putréfaction
Béni la blafarde lumière.

Enfin, nous avons, pour noyer   25
Le vertige dans le délire,
Nous, prêtre orgueilleux de la Lyre,
Dont la gloire est de déployer

[1] *Lived the life of* ...
[2] Roi de Lydie, VIᵉ siècle avant J.-C. — fabuleusement riche.

L'ivresse des choses funèbres,
Bu sans soif et mangé sans faim ! . . .
— Vite soufflons la lampe, afin
De nous cacher dans les ténèbres !

Madrigal triste

Au moins, quand le poète se vautre dans le laid, il sait qu'il ne se ment pas à lui-même, et il n'a pas besoin de se mépriser pour mensonge. Plusieurs des *Fleurs du mal* paraissent ainsi être des hymnes à la laideur et au repoussant (p. ex. Nᵒˢ 26, 30 — cette dernière « Une Charogne », la plus audacieuse). Voici le Nᵒ 90:

[Un madrigal est toujours un poème adressé galamment à une dame.]

I

5   Que m'importe que tu sois sage ?
           Sois belle ! et sois triste ! Les pleurs
           Ajoutent un charme au visage,
           Comme le fleuve au paysage;
           L'orage rajeunit les fleurs.

10   Je t'aime surtout quand la joie
           S'enfuit de ton front terrassé;
           Quand ton cœur dans l'horreur se noie;
           Quand sur ton présent se déploie
           Le nuage affreux du passé.

15   Je t'aime quand ton grand œil verse
           Une eau chaude comme le sang;
           Quand, malgré ma main qui te berce,
           Ton angoisse, trop lourde, perce
           Comme un râle d'agonisant.

20   J'aspire, volupté divine !
           Hymne profond, délicieux !
           Tous les sanglots de ta poitrine,
           Et crois que ton cœur s'illumine
           Des perles que versent tes yeux !

II

Je sais que ton cœur, qui regorge [1]
De vieux amours déracinés,
Flamboie encor comme une forge,
Et que tu couves sous ta gorge
Un peu de l'orgueil des damnés;   5

Mais tant, ma chère, que tes rêves
N'auront pas reflété l'Enfer,
Et qu'en un cauchemar sans trêves,
Songeant de poisons et de glaives,
Éprise de poudre et de fer,   10

N'ouvrant à chacun qu'avec crainte,
Déchiffrant le malheur partout,
Te convulsant quand l'heure tinte,
Tu n'auras pas senti l'étreinte
De l'irrésistible Dégoût,   15

Tu ne pourras, esclave reine
Qui ne m'aimes qu'avec effroi,
Dans l'horreur de la nuit malsaine
Me dire, l'âme de cris pleine:
« Je suis ton égale, ô mon Roi ! »   20

Le reniement de Saint Pierre

Comme Vigny (v. vol. I. pp. 367–372), et comme Leconte de Lisle
(v. plus haut, pp. 352–4) Baudelaire semble penser que Jésus-Christ
lui-même a été trompé sur sa mission, et que le monde ne pouvait
être racheté de son désespoir et de son ennui par le geste d'ardente
sympathie du Messie pour les misères humaines: Saint Pierre n'a
donc pas eu tort de le renier.

Qu'est-ce que Dieu fait donc de ce flot d'anathèmes
Qui monte tous les jours vers ses chers Séraphins ?
Comme un tyran gorgé de viandes et de vins,
Il s'endort au doux bruit de nos affreux blasphèmes.

[1] *Is teeming with.*

Les sanglots des martyrs et des suppliciés
Sont une symphonie enivrante sans doute,
Puisque, malgré le sang que leur volupté coûte,
Les Cieux ne s'en sont point encor rassasiés !

5 — Ah ! Jésus, souviens-toi du Jardin des Olives !
Dans ta simplicité tu priais à genoux
Celui qui dans son ciel riait au bruit des clous
Que d'ignobles bourreaux plantaient dans tes chairs vives,

Lorsque tu vis cracher sur ta divinité
10 La crapule [1] du corps-de-garde et des cuisines,
Et lorsque tu sentis s'enfoncer les épines
Dans ton crâne où vivait l'immense Humanité;

Quand de ton corps brisé la pesanteur horrible
Allongeait tes deux bras distendus, que ton sang
15 Et ta sueur coulaient de ton front pâlissant,
Quand tu fus devant tous posé comme une cible,

Rêvais-tu de ces jours si brillants et si beaux
Où tu vins pour remplir l'éternelle promesse,
Où tu foulais, monté sur une douce ânesse,
20 Des chemins tout jonchés de fleurs et de rameaux,

Où, le cœur tout gonflé d'espoir et de vaillance,
Tu fouettais tous ces vils marchands [2] à tour de bras,
Où tu fus maître enfin ?   Le remords n'a-t-il pas
Pénétré dans ton flanc plus avant que la lance ?

25 — Certes, je sortirai, quant à moi, satisfait
D'un monde où l'action n'est pas la sœur du rêve;
Puissé-je user du glaive et périr par le glaive !
Saint Pierre a renié Jésus . . . il a bien fait !

[1] *The rabble of the guard-house.*
[2] Les marchands chassés du Temple de Jérusalem par le Christ.
(Luc, XIX).

Baudelaire a fait aussi un poème sur Caïn — un renégat comme Saint Pierre (Nᵒ 144): « Par désespoir ne faut-il pas invoquer plutôt Satan ? » V. *Les litanies de Satan* (Nᵒ 145).

V. ce qui a été dit du catholicisme de Baudelaire, plus haut, p. 474.

Hymne à la beauté

Le poème *Hymne à la beauté* résume tout cet aspect typique de Baudelaire: ce qui constitue le « frisson nouveau » c'est la sensation d'une beauté dont on peut dire seulement ce qu'elle n'est pas; une beauté positive n'existe pour l'homme que comme une aspiration — une aspiration vers un quelque chose qui se rapproche, plutôt que du beau banal et traditionnel, du laid et de l'horrible.

Viens-tu du ciel profond ou sors-tu de l'abîme,
O Beauté ? Ton regard, infernal et divin,
Verse confusément le bienfait et le crime,
Et l'on peut pour cela te comparer au vin.

Tu contiens dans ton œil le couchant et l'aurore;   5
Tu répands des parfums comme un soir orageux;
Tes baisers sont un philtre et ta bouche une amphore
Qui font le héros lâche et l'enfant courageux.

Sors-tu du gouffre noir ou descends-tu des astres ?
Le Destin charmé suit tes jupons comme un chien;   10
Tu sèmes au hasard la joie et les désastres,
Et tu gouvernes tout et ne réponds de rien.

Tu marches sur des morts, Beauté, dont tu te moques;
De tes bijoux l'Horreur n'est pas le moins charmant,
Et le Meurtre, parmi tes plus chères breloques,[1]   15
Sur ton ventre orgueilleux danse amoureusement. ○ ○ ○

Que tu viennes du ciel ou de l'enfer, qu'importe,
O Beauté ! monstre énorme, effrayant, ingénu !
Si ton œil, ton souris, ton pied, m'ouvrent la porte
D'un Infini que j'aime et n'ai jamais connu ?   20

[1] *Trinkets; charms.*

De Satan ou de Dieu, qu'importe ?   Ange ou Sirène [1]
Qu'importe, si tu rends, — fée aux yeux de velours,
Rythme, parfum, lueur, ô mon unique reine ! —
L'univers moins hideux et les instants moins lourds ?

Les phares (*fragment*)

Dans la pièce célèbre *Les phares*, il cite des humains qui ont en partie réalisé un vrai idéal, mais aucun encore intégralement; l'un en peignant les carnavals (Watteau), un autre en évoquant les cauchemars (Goya), un autre encore en s'élevant dans les sphères de la sérénité (Rubens), etc. (No. 6, p. 95) — un poème qui rappelle *Les mages* de Victor Hugo (*Contemplations*). Voici les dernières strophes:

5 Ces malédictions, ces blasphèmes, ces plaintes,
Ces extases, ces cris, ces pleurs, ces *Te Deum*,[2]
Sont un écho redit par mille labyrinthes;
C'est pour les cœurs mortels un divin opium!

C'est un cri répété par mille sentinelles,
10 Un ordre renvoyé par mille porte-voix;
C'est un phare allumé sur mille citadelles,
Un appel de chasseurs perdus dans les grands bois !

Car c'est vraiment, Seigneur, le meilleur témoignage
Que nous puissions donner de notre dignité,
15 Que cet ardent sanglot qui roule d'âge en âge
Et vient mourir au bord de votre éternité !

Mais souffrir est un signe de supériorité, tandis que ne pas souffrir de cette sensation de l'inanité de la vie et de la sottise humaine est être obtu. Voir *Bénédiction* le premier morceau des *Fleurs du mal*:

— « Soyez béni, mon Dieu, qui donnez la souffrance
Comme un divin remède à nos impuretés, ◦ ◦ ◦ »

---

[1] Êtres fabuleux de la mythologie grecque, moitié femmes moitié poissons, qui par leur voix enchanteresse menaient les hommes à leur perte.

[2] *Te Deum laudamus* (Nous te louons, Seigneur), cantique d'action de grâce de l'Église catholique.

Deux poèmes d'une inspiration plus sereine sont *Élévation* et *La beauté*. Baudelaire a, à son tour, sa Prière sur l'Acropole:

Élévation

Au-dessus des étangs, au-dessus des vallées,
Des montagnes, des bois, des nuages, des mers,
Par-delà le soleil, par-delà les éthers,
Par-delà les confins des sphères étoilées,

Mon esprit, tu te meus avec agilité,   5
Et comme un bon nageur qui se pâme dans l'onde,
Tu sillonnes gaîment l'immensité profonde
Avec une indicible et mâle volupté.

Envole-toi bien loin de ces miasmes morbides,
Va te purifier dans l'air supérieur,   10
Et bois, comme une pure et divine liqueur,
Le feu clair qui remplit les espaces limpides.

Derrière les ennuis et les vastes chagrins
Qui chargent de leur poids l'existence brumeuse,
Heureux celui qui peut d'une aile vigoureuse   15
S'élancer vers les champs lumineux et sereins;

Celui dont les pensers, comme des alouettes,
Vers les cieux le matin prennent un libre essor,
— Qui plane sur la vie et comprend sans effort
Le langage des fleurs et des choses muettes !   20

La beauté

Je suis belle, ô mortels ! comme un rêve de pierre,
Et mon sein, où chacun s'est meurtri tour à tour,
Est fait pour inspirer au poète un amour
Éternel et muet ainsi que la matière.

Je trône dans l'azur comme un sphinx incompris;
J'unis un cœur de neige à la blancheur des cygnes;
Je hais le mouvement qui déplace les lignes,
Et jamais je ne pleure et jamais je ne ris.

5 Les poëtes devant mes grandes attitudes,
  Qu'on dirait que j'emprunte aux plus fiers monuments,
  Consumeront leurs jours en d'austères études;

  Car j'ai, pour fasciner ces dociles amants
  De purs miroirs qui font les étoiles plus belles:
10 Mes yeux, mes larges yeux aux clartés éternelles !

L'Albatros [1]

Le poème le plus admiré de Baudelaire, dans cette veine, et qu'on
peut toujours lire sans crainte d'y trouver le macabre, est celui qu'il
composa tout jeune, lors de son voyage dans les mers tropicales, en
1841. Voir pour l'histoire de ce poème, *Romanic Review*, Oct., 1938,
(pp. 262–277); art. par E. M. Schenck et M. Gilman.

Souvent, pour s'amuser, les hommes d'équipage
Prennent des albatros, vastes oiseaux des mers,
Qui suivent, indolents compagnons de voyage,
Le navire glissant sur les gouffres amers.

15 A peine les ont-ils déposés sur les planches,
   Que ces rois de l'azur, maladroits et honteux,
   Laissent piteusement leurs grandes ailes blanches
   Comme des avirons traîner à côté d'eux.

   Ce voyageur ailé, comme il est gauche et veule !
20 Lui, naguère si beau, qu'il est comique et laid !
   L'un agace son bec avec un brûle-gueule,[2]
   L'autre mime, en boitant, l'infirme qui volait !

[1] Grand palmipède des mers de l'hémisphère austral.
[2] Une pipe si courte qu'elle brûle la bouche.

Le Poète est semblable au prince des nuées
Qui hante la tempête et se rit de l'archer;
Exilé sur le sol au milieu des huées,
Ses ailes de géant l'empêchent de marcher.

* * *

Il faut encore noter quelques pièces de Baudelaire qui sont des
expressions indirectes et diverses de sa philosophie générale.

Rêve parisien

Ce morceau est expliqué ainsi par Théophile Gautier dans son
essai sur Baudelaire, en 1862:

« . . . C'est un paysage ou plutôt une perspective magique faite
avec du métal, du marbre et de l'eau, et d'où le végétal irrégulier est
banni. Tout est rigide, poli, miroitant sous un ciel sans lune, sans
soleil et sans étoiles; au milieu d'un silence d'éternité montent,
éclairés d'un feu personnel, des palais, des colonnades, des tours, des
escaliers, des châteaux d'eau d'où tombent, comme des rideaux de
cristal, des cascades pesantes. Des eaux bleues s'encadrent comme
l'acier des miroirs dans des quais ou des bassins d'or bruni, ou coulent
sous des ponts de pierres précieuses. Le rayon cristallisé enchâsse
le liquide, et les dalles de porphyre des terrasses reflètent les objets
comme des glaces. Le style de cette pièce a le brillant et l'éclat noir
de l'ébène. »

I

De ce terrible paysage,   5
Tel que jamais mortel n'en vit,
Ce matin encore l'image,
Vague et lointaine, me ravit.

Le sommeil est plein de miracles !
Par un caprice singulier,   10
J'avais banni de ces spectacles
Le végétal irrégulier,

Et, peintre fier de mon génie,
Je savourais dans mon tableau

L'enivrante monotonie
Du métal, du marbre et de l'eau.

Babel d'escaliers et d'arcades,
C'était un palais infini,
5　　Plein de bassins et de cascades
Tombant dans l'or mat ou bruni;

Et des cataractes pesantes,
Comme des rideaux de cristal,
Se suspendaient, éblouissantes,
10　　A des murailles de métal.

Non d'arbres, mais de colonnades
Les étangs dormants s'entouraient,
Où de gigantesques naïades,
Comme des femmes, se miraient.

15　　Des nappes d'eau s'épanchaient, bleues,
Entre des quais roses et verts,
Pendant des millions de lieues,
Vers les confins de l'univers;

C'étaient des pierres inouïes
20　　Et des flots magiques; c'étaient
D'immenses glaces éblouies
Par tout ce qu'elles reflétaient !

Insouciants et taciturnes,
Des Ganges,[1] dans le firmament,
25　　Versaient le trésor de leurs urnes
Dans des gouffres de diamant.

Architecte de mes féeries,
Je faisais, à ma volonté,
Sous un tunnel de pierreries
30　　Passer un océan dompté;

---

[1] *Gange*, le puissant fleuve de l'Hindoustan.

Et tout, même la couleur noire,
Semblait fourbi,[1] clair, irisé[2];
Le liquide enchâssait sa gloire
Dans le rayon cristallisé.

Nul astre d'ailleurs, nuls vestiges   5
De soleil, même au bas du ciel,
Pour illuminer ces prodiges,
Qui brillaient d'un feu personnel !

Et sur ces mouvantes merveilles
Planait (terrible nouveauté !   10
Tout pour l'œil, rien pour les oreilles !)
Un silence d'éternité.

II

En rouvrant mes yeux pleins de flamme
J'ai vu l'horreur de mon taudis,[3]
Et senti, rentrant dans mon âme,   15
La pointe des soucis maudits;

La pendule aux accents funèbres
Sonnait brutalement midi,
Et le ciel versait des ténèbres
Sur le triste monde engourdi.   20

Les chats

Les chats, aux regards fascinants de sphinx, inspirèrent à plusieurs
reprises — trois fois dans *Les fleurs du mal* — le poète au tempérament énigmatique. Voici un sonnet:

Les amoureux fervents et les savants austères
Aiment également dans leur mûre saison,

[1] *Polished.*
[2] Des couleurs de l'arc-en-ciel (Iris, déesse de l'arc-en-ciel).
[3] *Hovel.*

Les chats puissants et doux, orgueil de la maison,
Qui comme eux sont frileux et comme eux sédentaires.

Amis de la science et de la volupté,
Ils cherchent le silence et l'horreur des ténèbres;
5 L'Érèbe [1] les eût pris pour ses coursiers [2] funèbres,
S'ils pouvaient au servage incliner leur fierté.

Ils prennent en songeant les nobles attitudes
Des grands sphinx allongés au fond des solitudes,
Qui semblent s'endormir dans un rêve sans fin;

10 Leurs reins féconds sont pleins d'étincelles magiques,
Et des parcelles d'or, ainsi qu'un sable fin,
Étoilent vaguement leurs prunelles mystiques.

Correspondances

 Voici le fameux sonnet qui sera mille fois cité par les poètes de
l'école des Symbolistes, successeurs des Parnassiens (v. les 3e et 4e
vers), et dont l'idée sera reprise surtout par Arthur Rimbaud (v. plus
bas). Une idée pareille avait été entrevue par Sainte-Beuve (v. *Les
rayons jaunes* cités ci-dessus, pp. 36–38). Elle a été exploitée sans fin
par les psychologues, par exemple à propos des phénomènes d'audition colorée.
 Le 8e vers résume tout le poème:

La Nature est un temple où de vivants piliers
Laissent parfois sortir de confuses paroles;
15 L'homme y passe à travers des forêts de symboles
Qui l'observent avec des regards familiers.

Comme de longs échos qui de loin se confondent,[3]
Dans une ténébreuse et profonde unité,
Vaste comme la nuit et comme la clarté,
20 Les parfums, les couleurs et les sons se répondent.

 [1] Dieu de la nuit, fils du Chaos et de la Nuit, qui règne sur les
espaces entre la terre et l'enfer.
 [2] *Steeds.*
 [3] *Blend.*

Il est des parfums frais comme des chairs d'enfants,
Doux comme les hautbois,[1] verts comme les prairies,
— Et d'autres, corrompus, riches et triomphants,

Ayant l'expansion des choses infinies,
Comme l'ambre, le musc, le benjoin et l'encens,   5
Qui chantent les transports de l'esprit et des sens.

    (V. sur un thème analogue le N⁰ 24, *La chevelure*, le N⁰ 33, *Parfum exotique*, et le N⁰ 49, *Le flacon*.

A une dame créole

    Ce sonnet est de la jeunesse de Baudelaire — il fut composé, comme *L'Albatros*, lors de son voyage à l'île de la Réunion, en 1841.
    (Pour l'histoire du poème, v. Bertaut et Séché, pp. 33 et 34.)

Au pays parfumé que le soleil caresse,
J'ai connu sous un dais d'arbres verts et dorés
Et de palmiers, d'où pleut sur les yeux la paresse,
Une dame créole aux charmes ignorés.   10

Son teint est pâle et chaud; la brune enchanteresse
A dans le cou des airs noblement maniérés;
Grande et svelte en marchant comme une chasseresse,
Son sourire est tranquille et ses yeux assurés.

Si vous alliez, Madame, au vrai pays de gloire,   15
Sur les bords de la Seine ou de la verte Loire,
Belle digne d'orner les antiques manoirs,

Vous feriez, à l'abri des ombreuses retraites,
Germer mille sonnets dans le cœur des poètes,
Que vos grands yeux rendraient plus soumis que vos noirs. 20

                   [1] *Oboes.*

PETITS POÈMES EN PROSE

Un plaisant
[*A joker*]

C'était l'explosion [1] du nouvel an: chaos de boue et de neige, traversé de mille carrosses, étincelant de joujoux et de bonbons, grouillant de cupidités et de désespoirs, délire officiel d'une grande ville fait pour troubler le cerveau du
5 solitaire le plus fort.

Au milieu de ce tohu-bohu [2] et de ce vacarme, un âne trottait vivement, harcelé par un malotru [3] armé d'un fouet.

Comme l'âne allait tourner l'angle d'un trottoir, un beau
10 monsieur ganté, verni, cruellement cravaté et emprisonné dans des habits tout neufs, s'inclina cérémonieusement devant l'humble bête, et lui dit, en ôtant son chapeau: « Je vous la [4] souhaite bonne et heureuse ! » puis se retourna vers je ne sais quels camarades avec un air de fatuité,
15 comme pour les prier d'ajouter leur approbation à son contentement.

L'âne ne vit pas ce beau plaisant, et continua de courir avec zèle où l'appelait son devoir.

Pour moi, je fus pris subitement d'une incommensurable
20 rage contre ce magnifique imbécile, qui me parut concentrer en lui tout l'esprit de la France.

" Anywhere out of the World "
(*N'importe où hors du monde*)

Cette vie est un hôpital où chaque malade est possédé du désir de changer de lit. Celui-ci voudrait souffrir en

---

[1] *Outbreak; festivity.*
[2] *Hubbub.*
[3] *Boor.*
[4] *La* = l'année nouvelle.

face du poêle, et celui-là croit qu'il guérirait à côté de la fenêtre.

Il me semble que je serais toujours bien là où je ne suis pas, et cette question de déménagement en est une que je discute sans cesse avec mon âme. 5

« Dis-moi, mon âme, pauvre âme refroidie, que penserais-tu d'habiter Lisbonne ? Il doit y faire chaud, et tu t'y ragaillardirais comme un lézard. Cette ville est au bord de l'eau; on dit qu'elle est bâtie en marbre, et que le peuple y a une telle haine du végétal, qu'il arrache tous les arbres. 10 Voilà un paysage selon ton goût; un paysage fait avec la lumière et le minéral, et le liquide pour les réfléchir ! »

Mon âme ne répond pas.

« Puisque tu aimes tant le repos, avec le spectacle du mouvement, veux-tu venir habiter la Hollande, cette terre 15 béatifiante ? Peut-être te divertiras-tu dans cette contrée dont tu as souvent admiré l'image dans les musées. Que penserais-tu de Rotterdam, toi qui aimes les forêts de mâts, et les navires amarrés au pied des maisons ? »

Mon âme reste muette. 20

« Batavia[1] te sourirait peut-être davantage ? Nous y trouverions d'ailleurs l'esprit de l'Europe marié à la beauté tropicale. »

Pas un mot. — Mon âme serait-elle morte ?

« En es-tu donc venue à ce point d'engourdissement que 25 tu ne te plaises que dans ton mal ? S'il en est ainsi, fuyons vers les pays qui sont les analogies de la mort. — Je tiens notre affaire, pauvre âme ! Nous ferons nos malles pour Tornéa.[2] Allons plus loin encore, à l'extrême bout de la Baltique; encore plus loin de la vie, si c'est possible; in- 30 stallons-nous au pôle. Là, le soleil ne frise[3] qu'obliquement la terre, et les lentes alternatives de la lumière et de

---

[1] Ville de l'île de Java, en Océanie.

[2] Ville de la Finlande, au pied du Mont Vasana du haut duquel, à l'époque de la Saint-Jean (24 juin), on peut voir le soleil de minuit.

[3] *Brushes past.*

la nuit suppriment la variété et augmentent la monotonie,
cette moitié du néant.   Là, nous pourrons prendre de longs
bains de ténèbres, cependant que, pour nous divertir, les
aurores boréales nous enverront de temps en temps leurs
5 gerbes roses, comme des reflets d'un feu d'artifice [1] de
l'Enfer ! »

Enfin, mon âme fait explosion, et sagement elle me crie:
« N'importe où ! n'importe où ! pourvu que ce soit hors de
ce monde ! »

BAUDELAIRE ET EDGAR ALLAN POE

Grâce à ses magnifiques traductions, Baudelaire a fait de Poe
un véritable auteur classique français.   Il ne fut pas, cependant, le
premier à signaler l'écrivain américain en France.   On trouvera des
données qui paraissent sûres dans C. P. Cambiaire, *The Influence of
Edgar Allan Poe in France* (New-York, Stechert, 1925).   Selon lui
Poe fut traduit pour la première fois en français en 1845 (*Revue
britannique:* « Le Scarabée d'Or »); en 1846 *La Quotidienne* publie —
sans nom d'auteur — une contrefaçon du « Crime de la Rue Morgue ».
Quant à Baudelaire, attiré par ce génie dès 1847, il publie une première traduction de Poe en 1848 dans une revue, *La Liberté de penser:*
« Mesmeric Revelation ».   En 1852 il commence la traduction des
Histoires extraordinaires dans *La Revue de Paris* (octobre): « Le
puits et le pendule ».   En 1853 (4 février) *Paris*, un journal, publie
« Le chat noir », et, la même année, la revue *L'Artiste*, publie la
fameuse traduction du « Corbeau ».   Puis ce sont les uns après les
autres, plusieurs contes qui, réunis en volume forment en 1856, le
premier recueil français des *Histoires extraordinaires* (chez l'éditeur
Michel Lévy).

Il faut remarquer qu'en 1856, et même en 1848, le « frisson nouveau » de Baudelaire avait déjà été ressenti en France — plusieurs
des plus fameuses *Fleurs du mal* étaient composées, telle « La charogne »;   « L'Albatros » datait de 1842.   Ainsi, il faut se garder
d'exagérer l'influence de Poe sur Baudelaire; celui-ci fut pour celui-là
un frère plutôt qu'un inspirateur; comme l'ont dit plusieurs érudits:
la dette de Poe envers Baudelaire est au moins aussi grande que
celle de Baudelaire envers Poe.   A. Ferran p. ex. écrit: « Baudelaire
a certes beaucoup donné à ces méconnus [Poe, Delacroix, Wagner]

---

[1] *Fireworks.*

dont il s'est fait le champion avec une foi désintéressée ». Il a,
d'autre part, paru un petit volume avec ce titre *Influence française
dans l'œuvre d'Edgar Poe*, par Régis Messac (Paris, Librairie Picart,
1929, 136 pp.). Pour une discussion de cette question, voir Emile
Lauvrière, *Le génie morbide d'Edgar Poe* (Paris, Desclée et Brouwer,
1935, pp. 173 et ss), et les livres des Crépet.

Observer encore que Baudelaire trouva intéressant même un
poète aussi différent de Poe et de lui-même que Longfellow. Une des
Fleurs du mal (N° 85) est intitulée « Le calumet de paix » imité
de Longfellow.

Voici un fragment de lettre de Baudelaire à Théophile Thoré, son
ami, en 1864: « Vous doutez que de si étonnants parallélismes géo-
métriques puissent se présenter dans la nature. Eh bien, on m'accuse
moi, d'imiter Edgar Poe ! — Savez-vous pourquoi j'ai si patiemment
traduit Poe ? *Parce qu'il me ressemblait.* La première fois que j'ai
ouvert un livre de lui, j'ai vu, avec épouvante et ravissement, non
seulement des sujets rêvés par moi, mais des PHRASES pensées par
moi et écrites par lui vingt ans auparavant. »

Ce fut, disent MM. Crépet, les commentateurs de Baudelaire, une
véritable « possession » de celui-ci par Poe, quand l'écrivain américain
fut une fois découvert. On a trouvé parmi les papiers de Baudelaire
après sa mort ce fragment: « Je me jure à moi-même de prendre
désormais les règles suivantes pour règles éternelles de ma vie: —
Faire tous les matins une prière à Dieu, réservoir de toute force et de
toute justice; à mon père, à Mariette [sa vieille bonne] et à Poe
comme intercesseurs: les prier de me communiquer la force nécessaire
pour accomplir tous mes devoirs et obéir aux principes de la plus
stricte sobriété dont le premier est la suppression de tous les excitants
quels qu'ils soient. » (Cité par A. Barine, *Poètes et névrosés*, pp. 262–3).
(On sait d'ailleurs que Baudelaire n'a jamais pu tenir ces résolutions).

La traduction des *Histoires extraordinaires* est précédée, dans les
Œuvres de Baudelaire, d'une biographie d'Edgar Poe dont voici les
premières pages:

« *Histoires extraordinaires* » d'Edgar Poe

Préface

... Quelque maître malheureux à qui l'inexorable Fatalité
a donné une chasse acharnée, toujours plus acharnée,
jusqu'à ce que ses chants n'aient plus qu'un unique refrain,
jusqu'à ce que les chants funèbres de son Espérance aient
adopté ce mélancolique refrain: Jamais ! Jamais plus !

(Edgar Poe — *Le corbeau*)

Sur son trône d'airain le Destin, qui s'en raille,
Imbibe leur éponge avec du fiel amer,
Et la nécessité les tord dans sa tenaille.

(Théophile Gautier — *Ténèbres*)

I

« Dans ces derniers temps, un malheureux fut amené devant nos tribunaux, dont le front était illustré d'un rare et singulier tatouage: *Pas de chance!* [*No luck!*] Il portait ainsi au-dessus de ses yeux l'étiquette de sa vie, comme un
5 livre son titre, et l'interrogatoire prouve que ce bizarre écriteau était cruellement véridique. Il y a dans l'histoire littéraire, des destinées analogues, de vraies damnations, — des hommes qui portent le mot *guignon* [*ill luck*] écrit en caractères mystérieux dans les plis sinueux de leur front.
10 L'Ange aveugle de l'expiation s'est emparé d'eux et les fouette à tour de bras pour l'édification des autres. En vain leur vie montre-t-elle des talents, des vertus, de la grâce; la Société a pour eux un anathème spécial, et accuse en eux les infirmités que sa persécution leur a données. —
15 Que ne fit pas Hoffmann [1] pour désarmer la destinée, et que n'entreprit pas Balzac [2] pour conjurer la fortune? — Existe-t-il donc une Providence diabolique qui prépare le malheur dès le berceau, — qui jette avec préméditation des natures spirituelles et angéliques dans des milieux hostiles,
20 comme des martyrs dans les cirques? Y a-t-il donc des âmes *sacrées*, vouées à l'autel, condamnées à marcher à la mort et à la gloire à travers leurs propres ruines? ₒₒₒ

« Un écrivain célèbre de notre temps [3] a écrit un livre pour démontrer que le poète ne pouvait trouver une bonne
25 place ni dans une société démocratique ni dans une aristo-cratique, pas plus dans une république que dans une

---

[1] E. T. A. Hoffman (1776–1822) génial romancier et musicien allemand, auteur des *Contes fantastiques*.

[2] V. vol. I, pp. 580–1.

[3] Alfred de Vigny, *Stello* (v. vol. I, p. 400).

monarchie absolue ou tempérée. Qui donc a su lui répondre péremptoirement ? J'apporte aujourd'hui une nouvelle lègende à l'appui de sa thèse, j'ajoute un saint nouveau au martyrologe; j'ai à écrire l'histoire d'un de ces illustres malheureux, trop riche de poésie et de passion, qui est venu, 5 après tant d'autres, faire en ce bas monde le rude apprentissage du génie chez les âmes inférieures.

« Lamentable tragédie que la vie d'Edgar Poe ! Sa mort, dénouement horrible dont l'horreur est accrue par la trivialité ! — De tous les documents que j'ai lus est résultée 10 pour moi la conviction que les États-Unis ne furent pour Poe qu'une vaste prison qu'il parcourait avec l'agitation fiévreuse d'un être fait pour respirer dans un monde plus aromal,[1] — qu'une grande barbarie éclairée au gaz, — et que sa vie intérieure, spirituelle, de poète ou même d'i- 15 vrogne, n'était qu'un effort perpétuel pour échapper à l'influence de cette atmosphère antipathique. Impitoyable dictature que celle de l'opinion dans les sociétés démocratiques; n'implorez d'elle ni charité, ni indulgence, ni élasticité quelconque dans l'application de ses lois aux cas 20 multiples et complexes de la vie morale. On dirait que de l'amour impie de la liberté est née une tyrannie nouvelle, la tyrannie des bêtes, ou zoocratie, qui par son insensibilité féroce ressemble à l'idole de Jaggernaut.[2]

₀₀₀ « Ajoutez à cette vision impeccable du vrai, véritable 25 infirmité dans de certaines circonstances, une délicatesse exquise de sens qu'une note fausse torturait, une finesse de goût que tout, excepté l'exacte proportion, révoltait, un amour insatiable du Beau, qui avait pris la puissance d'une passion morbide, vous ne vous étonnerez pas que pour un 30

[1] *Arome:* Parfum naturel et pur opposé ici à l'odeur du gaz puant produit par l'homme.

[2] *Jaggernaut* ou *Djaggernat*, ville sur le Golfe de Bengale, la plus célèbre cité religieuse de l'Inde, possédant une formidable statue de la divinité. Aux fêtes religieuses, la statue est promenée dans les rues et les pèlerins se font écraser sous les roues de son char.

pareil homme la vie soit devenue un enfer, et qu'il ait mal
fini; vous admirerez qu'il ait pu *durer* aussi longtemps. »

Il faut se souvenir d'ailleurs que Baudelaire a eu, en France, à
peu près la même destinée que Poe en Amérique; la fin du poète
français à la sensibilité morbide a été aussi lamentable que celle de
son frère d'Outre-mer.

« *Le corbeau* » *d'Edgar Poe*

Voici comment Baudelaire apprécie *Le corbeau* (*Œuvres*, vol. 5,
pp. 456–61):

La genèse d'un poème

« Poème singulier entre tous. Il roule sur un mot mystérieux et profond, terrible comme l'infini, que des milliers
5 de bouches crispées ont répété depuis le commencement
des âges, et que, par une triviale habitude de désespoir,
plus d'un rêveur a écrit sur le coin de sa table pour essayer
sa plume: *Jamais plus!* De cette idée, l'immensité, fécondée par la destruction, est remplie de haut en bas, et
10 l'humanité, non abrutie, accepte volontiers l'Enfer, pour
échapper au désespoir irrémédiable contenu dans cette
parole.

« Dans le moulage de la prose appliqué à la poésie, il y a
nécessairement une affreuse imperfection; mais le mal
15 serait encore plus grand dans une singerie rimée. Le lecteur comprendra qu'il m'est impossible de lui donner une
idée exacte de la sonorité profonde et lugubre, de la puissante monotonie de ces vers, dont les rimes larges et tri-
plées sonnent comme un glas de mélancolie. C'est bien là
20 le poème de l'insomnie, du désespoir; rien n'y manque: ni
la fièvre des idées, ni la violence des couleurs, ni le raisonnement maladif, ni la terreur radoteuse, ni même cette
gaieté bizarre de la douleur qui la rend plus terrible. Écoutez chanter dans votre mémoire les strophes les plus plain-
25 tives de Lamartine, les rythmes les plus magnifiques et les

plus compliqués de Victor Hugo; mêlez-y le souvenir des
tercets les plus subtils et les plus compréhensibles de
Théophile Gautier, — de *Ténèbres*, par exemple, ce chapelet de redoutables concetti sur la mort et le néant, où la
rime triplée s'adapte si bien à la mélancolie obsédante, — 5
et vous obtiendrez peut-être une idée approximative des
talents de *Poe* en tant que versificateur; je dis en tant
que versificateur, car il est superflu, je pense, de parler de
son imagination. »

Et, voici la célèbre traduction du poème par Baudelaire:

« *Le corbeau* »

Une fois, sur le minuit lugubre, pendant que je méditais, 10
faible et fatigué, sur maint précieux et curieux volume
d'une doctrine oubliée, pendant que je donnais de la tête,
presque assoupi, soudain il se fit un tapotement, comme de
quelqu'un frappant doucement, frappant à la porte de ma
chambre. « C'est quelque visiteur, — murmurai-je, — qui 15
frappe à la porte de ma chambre; ce n'est que cela,
et rien de plus. »

Ah ! distinctement je me souviens que c'était dans le
glacial décembre, et chaque tison brodait à son tour le
plancher du reflet de son agonie. Ardemment je désirais 20
le matin; en vain m'étais-je efforcé de tirer de mes livres
un sursis à ma tristesse, ma tristesse pour ma Lénore perdue, pour la précieuse et rayonnante fille que les anges
nomment Lénore, — et qu'ici on ne nommera jamais plus.

Et le soyeux, triste et vague bruissement des rideaux 25
pourprés me pénétrait, me remplissait de terreurs fantastiques, inconnues pour moi jusqu'à ce jour; si bien qu'enfin,
pour apaiser le battement de mon cœur, je me dressai, répétant: « C'est quelque visiteur qui sollicite l'entrée à la
porte de ma chambre, quelque visiteur attardé sollicitant 30
l'entrée à la porte de ma chambre; — c'est cela même, et
rien de plus. »

Mon âme en ce moment se sentit plus forte. N'hésitant donc pas plus longtemps: « Monsieur, — dis-je, — ou madame, en vérité, j'implore votre pardon; mais le fait est que je sommeillais, et vous êtes venu frapper si doucement, 5 si faiblement vous êtes venu taper à la porte de ma chambre, qu'à peine étais-je certain de vous avoir entendu. » Et alors j'ouvris la porte toute grande: — les ténèbres, et rien de plus !

Scrutant profondément ces ténèbres, je me tins long-10 temps plein d'étonnement, de crainte, de doute, rêvant des rêves qu'aucun mortel n'a jamais osé rêver; mais le silence ne fut pas troublé, et l'immobilité ne donna aucun signe, et le seul mot proféré fut un nom chuchoté: « Lénore ! » — C'était moi qui le chuchotais, et un écho à son tour 15 murmura ce mot: « Lénore ! » Purement cela, et rien de plus.

Rentrant dans ma chambre, et sentant en moi toute mon âme incendiée, j'entendis bientôt un coup un peu plus fort que le premier. « Sûrement, — dis-je, — sûrement, il y a 20 quelque chose aux jalousies [*blinds*] de ma fenêtre; voyons donc ce que c'est, et explorons ce mystère. Laissons mon cœur se calmer un instant, et explorons ce mystère; — c'est le vent, et rien de plus. »

Je poussai alors le volet; et, avec un tumultueux batte-25 ment d'ailes, entra un majestueux corbeau digne des anciens jours. Il ne fit pas la moindre révérence, il ne s'arrêta pas, il n'hésita pas une minute; mais, avec la mine d'un lord ou d'une lady, il se percha au-dessus de la porte de ma chambre; il se percha sur un buste de Pallas juste 30 au-dessus de la porte de ma chambre; — il se percha, s'installa, et rien de plus.

Alors, cet oiseau d'ébène, par la gravité de son maintien et la sévérité de sa physionomie, induisant ma triste imagination à sourire: « Bien que ta tête, — lui dis-je, — soit 35 sans huppe et sans cimier, tu n'es certes pas un poltron, lugubre et ancien corbeau, voyageur parti des rivages de la nuit. Dis-moi quel est ton nom seigneurial aux rivages de la nuit plutonienne ! » Le corbeau dit: « Jamais plus ! »

Je fus émerveillé que ce disgracieux volatile entendît si facilement la parole, bien que sa réponse n'eût pas un bien grand sens et ne me fût pas d'un grand secours; car nous 5 devons convenir que jamais il ne fut donné à un homme vivant de voir un oiseau au-dessus de la porte de sa chambre, un oiseau ou une bête sur un buste sculpté au-dessus de la porte de sa chambre, se nommant d'un nom tel que *Jamais plus!*   10

Mais le corbeau, perché solitairement sur le buste placide, ne proféra que ce mot unique, comme si dans ce mot unique il répandait toute son âme. Il ne prononça rien de plus, il ne remua pas une plume, — jusqu'à ce que je me prisse à murmurer faiblement: « D'autres amis se sont 15 déjà envolés loin de moi; vers le matin, lui aussi, il me quittera comme mes anciennes espérances déjà envolées. » L'oiseau dit alors: « Jamais plus ! »

Tressaillant au bruit de cette réponse jetée avec tant d'à-propos: « Sans doute, — dis-je, — ce qu'il prononce 20 est tout son bagage de savoir, qu'il a pris chez quelque maître infortuné que le Malheur impitoyable a poursuivi ardemment, sans répit, jusqu'à ce que ses chansons n'eussent plus qu'un seul refrain, jusqu'à ce que le *De profundis* de son Espérance eût pris ce mélancolique refrain; 25 Jamais, jamais plus ! »

Mais, le corbeau induisant encore toute ma triste âme à sourire, je roulai tout de suite un siège à coussins en face de l'oiseau et du buste et de la porte; alors, m'enfonçant dans le velours, je m'appliquai à enchaîner les idées aux idées, 30 cherchant ce que cet augural oiseau des anciens jours, ce que ce triste, disgracieux, sinistre, maigre et augural oiseau des anciens jours voulait faire entendre en croassant son *Jamais plus!*

Je me tenais ainsi, rêvant, conjecturant, mais n'adressant 35 plus une syllabe à l'oiseau, dont les yeux ardents me brû-

laient maintenant jusqu'au fond du cœur: je cherchai à
deviner cela, et plus encore, ma tête reposant à l'aise sur le
velours du coussin que caressait la lumière de la lampe, ce
velours violet caressé par la lumière de la lampe que sa
5 tête, à *Elle*, ne pressera plus, — ah! jamais plus!

Alors il me sembla que l'air s'épaississait, parfumé par un
encensoir invisible que balançaient des séraphins dont les
pas frôlaient le tapis de la chambre. « Infortuné! —
m'écriai-je, — ton Dieu t'a donné par ses anges, il t'a en-
10 voyé du répit, du répit et du népenthès[1] dans tes ressouve-
nirs de Lénore! Bois, oh! bois ce bon népenthès, et oublie
cette Lénore perdue! » Le corbeau dit: « Jamais plus! »

— « Prophète! — dis-je, — être de malheur! oiseau ou
démon, mais toujours prophète! que tu sois un envoyé du
15 Tentateur, ou que la tempête t'ait simplement échoué,
naufragé, mais encore intrépide, sur cette terre déserte,
ensorcelée, dans ce logis par l'Horreur hanté, — dis-moi
sincèrement, je t'en supplie, existe-t-il, existe-t-il ici un
baume de Judée?[2] Dis, dis, je t'en supplie! » Le corbeau
20 dit: « Jamais plus! »

— « Prophète! — dis-je, — être de malheur! oiseau ou
démon! toujours prophète! par ce ciel tendu sur nos têtes,
par ce Dieu que tous deux nous adorons, dis à cette âme
chargée de douleur si, dans le Paradis lointain, elle pourra
25 embrasser une fille sainte que les anges nomment Lénore,
embrasser une précieuse et rayonnante fille que les anges
nomment Lénore. » Le corbeau dit: « Jamais plus! »

— « Que cette parole soit le signal de notre séparation,
oiseau ou démon! — hurlai-je en me redressant. — Rentre
30 dans la tempête, retourne au rivage de la nuit plutonienne;
ne laisse pas ici une seule plume noire comme souvenir du
mensonge que ton âme a proféré; laisse ma solitude in-
violée; quitte ce buste au-dessus de ma porte; arrache ton

---

[1] Boisson magique qui dissipe la tristesse (Homère en fait mention).
[2] Thérébentine, ou faux baume de la Mecque ou de Judée, qui,
sans causer trop de brûlure, adoucit la souffrance.

bec de mon cœur et précipite ton spectre loin de ma porte ! »
Le corbeau dit: « Jamais plus ! »

Et le corbeau, immuable, est toujours installé, toujours
installé sur le buste pâle de Pallas, juste au-dessus de la
porte de ma chambre; et ses yeux ont toute la semblance   5
des yeux d'un démon qui rêve; et la lumière de la lampe,
en ruisselant sur lui, projette son ombre sur le plancher;
et mon âme, hors du cercle de cette ombre qui gît flottante
sur le plancher, ne pourra plus s'élever, — jamais plus !

DEUXIÈME PARTIE

INTRODUCTION HISTORIQUE

Tableau historique de 1885 à 1900

Ces dates — 1885–1900 — sont plutôt littéraires qu'historiques: 1885 rappelle la mort de Victor Hugo, et presque simultanément la date des premiers manifestes de l'École symboliste considérée comme l'expression la plus caractéristique du mouvement anti-parnassien et anti-réaliste. Elles correspondent, cependant, d'une façon générale à une période historique, de même que les dates 1850–1885 avaient correspondu, *grosso modo*, à une période historique, celle du Second Empire prolongée par celle — de transition — qui va jusqu'à l'affermissement de la Troisième République.

Rappelons encore une fois, qu'alors avait prévalu une pensée positiviste s'appuyant sur les révélations sensationnelles de la science. On en avait vu la répercussion, en *philosophie* sur Taine; en *critique*, sur Sainte-Beuve; en *histoire*, sur Renan; en *littérature* enfin, sur le *roman réaliste* d'une part — qui aboutissait à l'attitude déterministe et pessimiste chez Flaubert et Zola, et à l'attitude de commisération en face des injustices sociales chez Daudet, puis, plus tard, chez le Zola de la seconde manière; et sur la *poésie parnassienne* d'autre part, — poésie de description artistique mais objective aboutissant de son côté, soit au pessimisme, chez Leconte de Lisle, Heredia, Baudelaire, soit à une pensée humanitaire, chez Sully-Prudhomme, ou Coppée par exemple.

Dans cette période-là, et une fois que la Seconde République eût été remplacée par l'Empire, les questions politiques avaient joué un rôle relativement fort modeste dans les lettres et les arts. Il n'en sera pas ainsi dans le dernier quart du XIXᵉ siècle dont on doit connaître au moins quelques évènements saillants. En remontant au moment où le grand soulèvement communiste fut réprimé, on a les étapes suivantes:

Présidence de Thiers, 1871–3: La terreur d'un retour à la Commune aurait pu rejeter la nation vers la monarchie; cela n'arriva pas cependant. Thiers — alors âgé de 75 ans — fut élu président de la République. Il n'essaya pas de gouverner par des principes trop arrêtés; il considérait chaque problème pour lui-même, il poursuivit une politique d'opportunisme. Tout d'abord, il voulut libérer le territoire de l'occupation étrangère; grâce à des emprunts et à une sage économie, il atteignit ce résultat en payant la formidable rançon de guerre dès 1873, deux ans avant le terme fixé par le Traité de Francfort ! Ce rapide relèvement devait inquiéter la Prusse. Mais la Russie et l'Angleterre calmèrent ses intentions hostiles.

Présidence de Mac-Mahon, 1873–9: Les Royalistes profitèrent de l'accalmie, intriguèrent, et firent tomber Thiers. Le général Mac-Mahon fut élu à sa place; il était favorable à la monarchie; ce fut surtout l'attitude intransigeante du Comte de Chambord, l'héritier du trône (petit-fils de Charles X) qui fit échouer cette tentative de restauration — et la République demeura. Une Constitution fut adoptée en 1875, à base de suffrage universel. Une nouvelle tentative de contre-révolution échoua en 1877; les Royalistes étaient soutenus vigoureusement par l'Église. C'est alors que retentit pour la première fois le cri: « Le Cléricalisme, c'est l'ennemi » (Gambetta). Et en 1879 l'élection présidentielle porta au pouvoir Jules Grévy.

Présidence de Grévy, 1879–86: La République était en train de réaliser d'importants progrès. Déjà on avait proclamé la liberté de la presse; on vota l'instruction obligatoire et gratuite; on créa des collèges pour les filles. En outre on exigea des instituteurs congréganistes des diplômes équivalant à ceux des instituteurs laïques — car déjà on entrevoyait la nécessité de séparer définitivement et complètement l'Église et l'État. On demandait aussi la suppression de l'ordre des Jésuites.

C'est sous cette présidence Grévy que la politique coloniale de la France allait prendre un essor merveilleux, et cela, grâce surtout à l'énergie du ministre Jules Ferry. Cinq cent mille Français s'établirent en Algérie et développèrent les grandes ressources de ce pays, en même temps qu'on cherchait à faire rentrer dans la zone civilisée les tribus du Maroc et de la Tunisie. (Le Cardinal Lavigerie apporta à cette œuvre la collaboration de l'Église — qui cependant n'était pas favorable à la République). On entreprit également des expéditions au Tonkin, comme mesures de protection pour les possessions françaises de la Cochinchine. Enfin, Madagascar, où, depuis Richelieu, existait un établissement français, fut soumis à une colonisation régulière de 1883–1885; le Général Galliéni y construisit des routes, des voies ferrées, y abolit l'esclavage, créa le port de Diego-Suarez. Au Soudan, le Général Faidherbe fit une œuvre analogue. Bref, la France était en train d'organiser le second empire colonial du monde. L'Angleterre s'en inquiéta; mais surtout cela devait éveiller la jalousie de l'Allemagne et fournir peut-être la cause lointaine de la guerre mondiale de 1914.

On verra toute une littérature exotique se rattacher à ces événements, et dont le principal initiateur sera un romancier Pierre Loti.

L'Échauffourée[1] **du Boulangisme:** Plus important encore pour la littérature fut le mouvement « boulangiste », qui, lui-même sera un prélude à ce qui est connu sous le nom d'« affaire Dreyfus ».

À mesure que la République s'affermissait, le souvenir de l'humiliation de 1870–71 reprenait de la force; il se constitua ce qu'on peut appeler le parti de la revanche (dont Paul Déroulède, le fondateur de la Ligue des Patriotes et l'auteur des *Chants du soldat*, demeure la figure la plus connue). Cette note patriotique était dangereusement facile à exploiter sur le terrain de la politique. Elle le fut par les anciens prétendants au trône dont l'activité n'avait jamais été négligeable; la République avait même cru devoir bannir les chefs des maisons royales et interdire les fonctions publiques aux membres de leurs familles. Et comme personne en France n'avait encore oublié l'ancienne alliance entre le trône et l'autel, la République pensait avoir de bonnes raisons de se méfier de l'activité du clergé; elle avait pris certaines mesures de précaution qui furent interprétées comme des provocations, et qui rapprochèrent plus étroitement les deux alliés d'autrefois. Profitant donc de cet antagonisme de l'Église envers la République et de cette vague de patriotisme, les Royalistes se présentaient comme ceux qui devaient venger la honte infligée à la France par la dynastie usurpatrice des Bonaparte.

C'est à ce moment qu'entre en scène le Général Boulanger, ministre de la guerre en 1886. C'était un brillant officier, mais surtout un ambitieux. Il s'était rendu populaire en faisant vibrer la corde patriotique. Mais, tandis que d'abord il avait approuvé les mesures prises par le gouvernement pour l'exil des chefs du parti royaliste, il crut ensuite qu'il profiterait d'une alliance avec ces familles pour jouer un rôle politique plus grand; alors il se rattacha au « parti des princes ». Et c'est ainsi que fut préparé un nouveau coup politique pareil à celui de 1873 (qui avait renversé le Président Thiers) et à celui de 1877. Cette fois encore, le gouvernement réussit à sauvegarder son prestige; après des désordres assez sérieux en 1887, dont il fut le héros, Boulanger dut prendre la fuite, et quelques mois plus tard il se suicidait en Belgique.

Présidence de Sadi Carnot, 1887–94: Il y eut un répit aux luttes politiques à l'occasion de l'Exposition universelle de 1889 (centenaire de la Révolution). La présidence avait été offerte à Sadi Carnot, par suite d'un choix de conciliation entre les candidats radicaux (Floquet ou Freycinet) et un candidat modéré, Jules Ferry.

Mais la situation s'assombrissait au point de vue de la politique européenne. L'Empereur d'Allemagne, Guillaume Ier, et son fils et successeur Frédéric III, étaient morts à quelques semaines de dis-

---

[1] *Scuffle, affray.*

tance, en 1888, et Guillaume II monta sur le trône. Déjà, sous Guillaume Ier, le chancelier Bismarck avait essayé d'entraver la politique coloniale de la France (l'affaire Schnæbelé, incident de frontière, 1887, faillit amener la guerre). Guillaume II continua. Une *triple alliance* avait été conclue entre l'Allemagne, l'Autriche et l'Italie. La France et la Russie (sous Alexandre III) répondirent par une alliance qui fut signée en 1892 après une visite de l'escadre française à Cronstadt en 1891; cette alliance devait devenir la *Triple Entente* en 1898, par suite de l'Entente cordiale entre la France et l'Angleterre en 1898.

La Triple Entente ne devait pas arrêter, cependant, le cours fatal des événements. En 1906, l'Empereur d'Allemagne fit un geste menaçant. La France exerçait un protectorat au Maroc, avec la politique de « la porte ouverte ». Au cours d'une croisière à Tanger Guillaume II fit un discours provocateur, demandant non seulement plus de sécurité pour les sujets allemands au Maroc, mais que le Maroc fût déclaré indépendant. Une conférence internationale se prononça contre l'Allemagne. Mais en 1911, nouvelle tentative d'intervention par ce qu'on appelle « le coup d'Agadir »: un vaisseau de guerre allemand fut envoyé au Maroc pour soutenir les prétentions d'une maison de commerce allemande, ce qui nécessita une nouvelle conférence internationale qui réaffirma le protectorat de la France; mais la situation était de plus en plus tendue et, en 1914, éclata la *Grande Guerre.*

Depuis Grévy, plusieurs présidents s'étaient succédé au Palais de l'Élysée (résidence du Président de la République à Paris): Sadi Carnot (1887–1894) assassiné à la fin de son mandat par un anarchiste italien; Casimir Périer, qui lui succéda, démissionna au bout d'un an; Félix Faure (1895–9) mourut au bout de quatre ans; puis ce fut Loubet (1899–1906).

L'Affaire Dreyfus: Ce fut sous le Président Loubet que se liquida l'« Affaire Dreyfus » qui durait depuis 1894, terrible secousse pour la France, infiniment plus dangereuse que le Boulangisme. La France en sortit meurtrie, mais la République plus forte. Les quelques détails suivants sont importants pour apprécier surtout l'œuvre d'écrivains comme Anatole France, Maurice Barrès, Romain Rolland.

Vers la fin de l'année 1894 (septembre), on saisit un bordereau [*memorandum*] adressé à un attaché militaire allemand et qui contenait des secrets de la défense nationale. Il n'était ni daté, ni signé. On l'attribua à un capitaine Dreyfus, d'origine alsacienne, riche, brillant, ambitieux, juif. Arrêté pour cause d'espionnage, il fut jugé à huis-clos, condamné à la détention perpétuelle; il fut solennellement dégradé, et transporté à l'Île du Diable (sur les côtes de l'Amérique du Sud). Il avait toujours protesté de son innocence. En 1896 un autre document compromettant fut découvert qui donna le nom d'un certain Esterhazy, d'origine hongroise, mais officier dans l'armée française. Le général Picquart, chef du Bureau des renseignements au Ministère de la Guerre, crut d'abord avoir affaire à un second traître; mais il remarqua ensuite que les écritures du bordereau Dreyfus et du document Esterhazy se ressemblaient. Il en fit part au ministre de la guerre (Billot). Alors, le commandant Henry, ami d'Esterhazy et employé au ministère de la guerre, fabriqua une fausse dépêche attribuée à un attaché militaire italien et destinée à son collègue allemand; cette fausse dépêche nommait *cette canaille de D.* comme leur agent. Les chefs se laissèrent persuader: demandèrent à Picquart de cesser ses recherches; et sur son refus, l'envoyèrent en Tunisie. Henry le remplaça au Bureau des renseignements. Mais ces changements de poste éveillèrent l'attention dans le public, et on commença à soupçonner une erreur judiciaire. Scheurer-Kestner (un des députés protestataires de l'Alsace à Bordeaux, en 1871) fut mis au courant de la situation par Mathieu Dreyfus, le frère du capitaine; il essaya de faire agir le ministre de la guerre, Billot, qui se déroba; le Président de la République, Félix Faure, refusa à son tour de se laisser convaincre. Alors, Mathieu Dreyfus, par une lettre au Ministre de la Guerre, en novembre 1897, dénonça Esterhazy comme le coupable et demanda une nouvelle enquête. Le mouvement révisionniste fut lent à aboutir; pour le calme du pays, on aurait voulu considérer la chose comme jugée; quand il était trop pressé par les amis de Dreyfus, le gouvernement assurait qu'on ne pouvait faire connaître les vraies preuves de la culpabilité de Dreyfus sans amener la guerre avec l'Allemagne; on fit valoir l'honneur de l'armée qui ne pouvait être incriminé. Mais ces raisons ne convainquirent pas chacun. Le pays fut bientôt divisé en deux camps aussi déterminés l'un que l'autre, les révisionnistes et les anti-révisionnistes, les Dreyfusards et les anti-Dreyfusards; on appartenait à la Société des Droits de l'Homme et du Citoyen, ou à l'Association de la Patrie Française. Il y eut une série de procès. Les plus célèbres, avant celui de la révision, furent le procès d'acquittement d'Esterhazy et le procès de l'écrivain Émile Zola, auteur d'une lettre sensationnelle *J'Accuse* qui parut dans un journal de Paris; il accusait le jury d'avoir, en 1894, condamné un innocent (v. plus haut, pp. 208 ss.). Le destinataire était le Président de la République, Félix Faure. La grande crise vint en 1898 et dura pendant des mois. Le ministre de la guerre, Cavaignac, fit une déclaration, dont la sincérité ne peut être mise en doute, que Dreyfus était coupable. Picquart fut arrêté. Mais le 13 août, un officier, chargé par Cavaignac d'examiner les dossiers, [*records*] apporta les preuves que la lettre d'Henry était un faux [*forgery*]. Henry, convoqué par le ministre, avoua. Il fut arrêté, conduit dans la forteresse du Mont-Valérien, où il se coupa la gorge avec un rasoir. Esterhazy prit la fuite. Cavaignac démissionna. L'agitation continua; en automne de la même année, on essaya un coup d'État; les royalistes qui étaient anti-Dreyfusards, voulurent s'emparer du pouvoir; Déroulède était l'instigateur.

Enfin arriva le Procès de Rennes, 1899 — procès de révision — qui fut l'occasion de scènes violentes. Deux juges se prononcèrent pour l'acquittement de Dreyfus, trois pour le maintien de la condamnation mais avec un adoucissement de la peine (seulement dix ans de détention au lieu de la détention à perpétuité). Cela équivalait à reconnaître l'erreur judiciaire; aussi, le Ministre de la guerre, Galiffet, soumit un décret de grâce, que signa aussitôt le Président de la République. Dreyfus libre consacra toutes ses forces à se réhabiliter entièrement, et, en effet, six ans plus tard, en 1904, la Chambre et le Sénat votèrent deux décrets réintégrant dans l'armée Dreyfus et Picquart. Dreyfus mourut en juillet 1936.

* * *

Quelle fut la répercussion de ces événements sur la littérature? Elle fut considérable, double et en apparence contradictoire. Venant après la cruelle défaite de 1870–71, les années de lutte et d'incertitude de la première décade de la Troisième République provoquèrent chez les uns un découragement profond; elles eurent chez les autres l'effet d'un stimulant.

Mais avant toute chose, il fallait se défaire des doctrines positivistes et naturalistes, lesquelles, par leur attitude fataliste, tuaient jusqu'à l'espoir de l'évasion par le rêve poétique ou par la fiction romanesque et paralysaient l'action.

LA CRITIQUE PHILOSOPHIQUE, LIT-
TÉRAIRE ET HISTORIQUE

CHAPITRE XIX

RÉACTION CONTRE LE POSITIVISME
ET LE NATURALISME

A. PASTEUR   B. BRUNETIÈRE   C. VOGÜÉ

Cette réaction est accompagnée, et parfois annoncée, par une série de manifestes qui sont, à proprement parler, en dehors du domaine strict de la littérature.

Dès 1878, le pape Pie IX lançait une Encyclique « contre les erreurs modernes ». En 1882, le grand savant Pasteur, ayant été élu membre de l'Académie Française, avait profité de l'occasion de son *Discours de réception* pour rappeler, avec le prestige immense qui s'attachait à son nom, les limites de la connaissance dans le domaine des sciences naturelles. En 1889 paraissait un ouvrage qui fit du bruit à l'époque, *Les idées morales du temps présent:* il marquait une réaction décidée dans le sens du spiritualisme chez un écrivain — Édouard Rod — qui avait en 1877 publié un manifeste enthousiaste pour saluer *L'Assommoir* de Zola. Mais, plus importante que tout ce qui précède, est la publication, en cette année 1889, du premier ouvrage du philosophe Henri Bergson, *Les données immédiates de la conscience;* celui-ci affirmait l'existence de tout un monde d'idées et de choses existant en dehors, sinon au-dessus, de celui que pouvaient revendiquer les recherches des hommes de science au sens ordinaire du mot. En 1895, un autre philosophe, à peine moins illustre que Bergson, Émile Boutroux publiait un livre qui portait le titre caractéristique: *La contingence des lois de la nature* — par quoi il voulait dire qu'il y a certains phénomènes qui ne sont pas soumis aux lois dites naturelles, et, par conséquent, qui doivent faire considérer ces lois comme seulement contingentes.

De la philosophie, le débat se porta bientôt sur le terrain de la littérature. Le roman naturaliste particulièrement est pris à partie. Sans compter les adversaires de la première heure, comme Barbey d'Aurevilly (1808–1889) qui appelait Zola un « artiste en fange » et un « Michel-Ange de la crotte », il y eut une série d'attaques véhémentes du critique Brunetière qui commencèrent à paraître depuis 1875 et dont on trouve la matière dans le volume *Le roman naturaliste*

(1883). L'attaque est reprise avec une nouvelle énergie en 1887 dans un article de la *Revue des Deux Mondes* (1 sept.) sur « La banqueroute du naturalisme » — c'était à propos de la publication du roman *La terre*, de Zola; puis, dans un autre article non moins célèbre dans la même revue « Après une Visite au Vatican » (1 janvier 1895), où le fougueux critique, élargissant le débat, oppose délibérément le dogme catholique aux prétentions philosophiques de la science; on peut y voir un défi à une parole du grand chimiste Marcelin Berthelot, l'ami de Renan: « Le monde est aujourd'hui sans mystères ».[1] On l'appelle généralement: l'article sur la « banqueroute de la science » (v. plus bas).

Depuis quelque temps un souffle nouveau, venu du dehors, contribuait encore à refroidir l'intérêt que le public français prenait aux œuvres de l'école des Flaubert et des Zola. Dès 1883 Brunetière lui-même avait proposé de mettre en regard du naturalisme français le réalisme d'un esprit différent qui avait prévalu en Angleterre (avec George Elliot par exemple) et en Russie, tandis que d'autres exaltaient la note réaliste qui avait triomphé chez les écrivains scandinaves (Ibsen, Björnstjerne Björnson, Strindberg, etc.). De tous ces écrivains étrangers, cependant, ceux qui semblaient avoir la préférence parce qu'ils étaient, plus que les autres, différents des réalistes français, c'étaient les Russes (Gogol, Pouchkine, Tourgueniev, Dostoïewski, Tolstoï) et l'on doit considérer comme une date importante dans le développement de la littérature française, le livre du Vicomte Eugène-Melchior de Vogüé, *Le roman russe* (1886). Tout en les faisant mieux connaître, l'auteur justifiait l'attirance qu'on sentait en France à ce moment pour ces grands écrivains qui, tout en ne reculant pas devant la peinture des aspects sombres de la vie, n'en parlaient pas, cependant, dans un esprit d'indifférence, parfois de cynisme, mais avec tant d'humaine sympathie. (On trouvera ci-après un passage de la Préface au *Roman russe*).

Entre temps, en 1885, Victor Hugo était mort — Hugo, le poète qui avait en quelque sorte confisqué l'attention du public lettré pendant la meilleure partie du XIXe siècle; et, tôt après, les premiers manifestes du mouvement « symboliste » — qui devait déplacer celui des Parnassiens et des Naturalistes — annonçaient nettement l'avènement d'un esprit tout nouveau. Les écrivains eux-mêmes, romanciers et poètes, s'exprimèrent clairement à ce sujet au cours d'une enquête fort intéressante faite par M. Jules Huret et rapportée dans une série d'articles (3 mars au 5 juillet) du journal *L'Écho de Paris*, en 1891. Les questions posées aux auteurs étaient: 1. *Le*

---

[1] Le mot se trouve dans la Préface d'un livre sur *Les origines de la chimie* (1885).

naturalisme est-il malade? est-il mort? 2. Peut-il être sauvé? 3. Par quoi sera-t-il remplacé? Presque tous ceux qui furent consultés déclarèrent le naturalisme malade, sinon mort, et l'on voyait la nouvelle école du symbolisme affirmer son existence en face de l'école « médanienne » (celle des disciples de Zola et ses amis des *Soirées de Médan*. Cf. ci-dessus, pp. 213-4).[1] La critique du temps confirmait pleinement les résultats de l'enquête de *L'Écho de Paris*. En réaction contre le dogmatisme qui avait si longtemps prévalu, elle devint « impressionniste », c'est à dire refusa de se laisser lier par des théories philosophiques ou scientifiques. Dès 1885, Jules Lemaître publiait les articles qui furent ensuite réunis sous le titre *Les contemporains* (1885-1899) 7 volumes, et *Impressions de théâtre* (1888-1898), tandis qu'Anatole France adoptait à son tour une attitude de dilettante dans ses feuilletons du *Temps*, sous le titre: *La vie littéraire* (1888-1892).[2]

A.   LOUIS PASTEUR

1822-1895

Discours de réception à l'Académie Française

(Le 27 avril 1882)

Louis Pasteur vint prendre place à l'Académie Française le 27 avril 1882; il succédait à Émile Littré surtout connu du grand public par son *Dictionnaire de la langue française*, mais qui avait été aussi le grand apôtre de la philosophie positiviste, le disciple le plus convaincu d'Auguste Comte. La coutume veut que le nouveau reçu prononce un éloge de son prédécesseur.

Pasteur commence par rendre hommage au grand caractère de Littré; il le fait avec d'autant plus de force que certains — de ceux qui croient pouvoir juger un homme d'après leur système philoso-

---

[1] Les fidèles de Zola ne se rendirent pas si facilement, cela va sans dire. L'un d'eux, Paul Alexis, envoya, dit-on, ce télégramme en réponse au questionnaire: *Naturalisme pas mort, lettre suit.*

[2] Le mouvement représenté par Pasteur, Brunetière et Vogüé ne fut pas éphémère. V. un ouvrage qui l'expose depuis ses commencements et jusque dans ses plus récents développements: Jean Calvet, *Le renouveau catholique dans la littérature contemporaine*, (Paris, Lanore, 1927). Il y est question de plusieurs auteurs qui ont place dans ce livre: Huysmans, Bourget, Barrès, Verlaine, Jammes.

phique — l'avaient calomnié: « Est-il possible, disait Pasteur, qu'un tel homme ait été méconnu jusqu'à être calomnié ? » Et il décrivait la vie de famille et de travail de Littré, si simple et si digne. Sans doute Littré avait donné son adhésion aux doctrines positivistes, mais il n'en avait tiré aucune conséquence préjudiciable à son prochain; tout au contraire le culte positiviste, selon Littré, enseignait à « subordonner la personnalité à la sociabilité », à élever l'amour de l'humanité à la hauteur d'une religion. Et il avait la tolérance de tout homme intelligent qui a conscience de la difficulté des problèmes à résoudre: « Je me suis trop rendu compte, disait un jour Littré, des souffrances et des difficultés de la vie humaine pour vouloir ôter à qui que ce soit des convictions qui le soutiennent dans les diverses épreuves. » Et un crucifix dans sa demeure témoignait assez de sa tolérance des convictions d'autrui (sa femme et sa fille suivaient les enseignements de l'Église).

En discutant, cependant, ce système positiviste, Pasteur estime qu'il aboutit à des conclusions inacceptables en politique et en sociologie: « Là où les passions humaines interviennent, le champ de l'imprévu est immense ». Et plus encore, la doctrine positiviste ne tient pas compte de la plus importante des notions « positives », celle de l'Infini: « Ne sera-t-il pas toujours dans la destinée de l'homme de se demander: *qu'y a-t-il* au delà de ce monde ? »

o o o Mais la grande et visible lacune du système [positiviste] consiste en ce que, dans la conception positive du monde, il ne tient pas compte de la plus importante des notions positives, celle de l'Infini.

5   Au delà de cette voûte étoilée, qu'y a-t-il ? De nouveaux cieux étoilés. Soit ! Et au delà ? L'esprit humain poussé par une force invincible ne cessera jamais de se demander: Qu'y a-t-il au delà ? Veut-il s'arrêter soit dans le temps, soit dans l'espace ? Comme le point où il s'arrête n'est 10 qu'une grandeur finie, plus grande seulement que toutes celles qui l'ont précédée, à peine commence-t-il à l'envisager, que revient l'implacable question et toujours, sans qu'il puisse faire taire sa curiosité. Il ne sert de rien de répondre: au delà sont des espaces, des temps ou des 15 grandeurs sans limites. Nul ne comprend ces paroles. Celui qui proclame l'existence de l'Infini, et personne ne peut y échapper, accumule dans cette affirmation plus de

surnaturel qu'il n'y en a dans tous les miracles de toutes
les religions; car la notion de l'infini a ce double caractère
de s'imposer et d'être incompréhensible. Quand cette
notion s'empare de l'entendement, il n'y a qu'à se pros-
terner. Encore, à ce moment de poignantes angoisses, il 5
faut demander grâce à sa raison: tous les ressorts de la
vie intellectuelle menacent de se détendre; on se sent près
d'être saisi par la sublime folie de Pascal.[1] Cette notion
positive et primordiale, le positivisme l'écarte gratuite-
ment, elle et toutes ses conséquences dans la vie des so- 10
ciétés.

La notion de l'Infini dans le monde, j'en vois partout
l'inévitable expression. Par elle, le surnaturel est au fond
de tous les cœurs. L'idée de Dieu est une forme de l'idée
de l'Infini. Tant que le mystère de l'Infini pèsera sur la 15
pensée humaine, des temples seront élevés au culte de
l'Infini, que le Dieu s'appelle Brahma, Allah, Jéhova ou
Jésus. Et sur la dalle de ces temples vous verrez des
hommes agenouillés, prosternés, abîmés dans la pensée de
l'Infini. La métaphysique ne fait que traduire au dedans 20
de nous la notion dominatrice de l'Infini. La conception
de l'idéal n'est-elle pas encore la faculté, reflet de l'Infini,
qui, en présence de la beauté, nous porte à imaginer une
beauté supérieure? La science et la passion de comprendre
sont-elles autre chose que l'effet de l'aiguillon du savoir 25
qui met en notre âme le mystère de l'Univers? Où sont
les vraies sources de la dignité humaine, de la liberté et de

[1] Pascal a développé dans ses *Pensées* la doctrine de la « folie de la
croix » exposée par Saint Paul au chap. I de la *Première épître aux
Corinthiens:* « Car la prédication de la croix est une folie à ceux qui
périssent, mais pour nous qui sommes sauvés, elle est la puissance de
Dieu. Car il est écrit: J'abolirai la sagesse des sages, et j'anéantirai
la science des intelligents » (v. 18, 19). V. *Seventeenth Century
French Readings*, pp. 249–264. Par exemple: « Humiliez-vous, raison
impuissante; taisez-vous, nature imbécile ... » (p. 258); ou: « Le
cœur a ses raisons que la raison ne connaît pas » (p. 263); ou encore
la page du *Pari de Pascal*, pp. 261–262.

la démocratie moderne, sinon dans la notion de l'Infini
devant laquelle tous les hommes sont égaux ? . . .

Heureux celui qui porte en soi un dieu, un idéal de la
beauté et qui lui obéit: idéal de l'art, idéal de la science,
5 idéal de la patrie, idéal des vertus de l'Évangile! Ce sont
là les sources vives des grandes pensées et des grandes
actions.   Toutes s'éclairent des reflets de l'Infini. ○ ○ ○

Ce fut Renan, l'auteur de *L'avenir de la science* (v. pp. 58–61) qui
répondit à Pasteur, dans la même séance de l'Académie, et ce fut un
des tournois oratoires les plus célèbres devant ce corps distingué.

B.   FERDINAND BRUNETIÈRE [1]

1849–1906

La banqueroute de la science

(Extrait de l'article « Après une Visite au Vatican », *Revue des
Deux Mondes*, 1 janvier 1895)

A propos de cet article, consulter G. Pellissier, « La Conversion
de Ferdinand Brunetière », reproduit dans *Études de littérature et de
morale* (Paris, Cornély, 1905), et les réponses de M. Berthelot
dans la *Revue de Paris*.

Le temps n'est pas très éloigné de nous où l'incrédulité
savante passait communément pour marque ou pour
10 preuve de supériorité d'intelligence et de force d'esprit.
On ne méconnaissait pas l'importance des « religions »
dans l'histoire, ni surtout celle de la « religion » ou du
« sentiment religieux » dans le développement de l'humanité.   C'était même le point qu'on se flattait d'avoir
15 gagné sur l'esprit du XVIIIᵉ siècle; et, tout en faisant profession d'incroyance, on ne laissait pas de reprocher aux

[1] **Consulter:** R. Curtius, *F. Brunetière*, (Strasbourg, 1914); et surtout V. Giraud, *Les maîtres de l'heure*, Vol. I. (Hachette, 1914); V.
Giraud, « L'évolution de Brunetière », *Rev. des Deux Mondes*, 15
mars, 1937

Voltaire, aux Diderot,[1] aux Condorcet,[2] la violence in-
jurieuse de leur polémique anti-chrétienne, la déloyauté
de leur argumentation, et l'étroitesse de leur philosophie.
Mais on n'en voyait pas moins, — avec Auguste Comte et
son école entière, — dans « l'état théologique »,[3] ce que
j'appellerais volontiers la phase embryonnaire de la vie de
l'intelligence, et peut-être quelques physiologistes ou quelques anthropologues en sont-ils encore aujourd'hui solidement convaincus. « Les religions, — lit-on dans un livre
récent, — sont les résidus épurés des superstitions ... La
valeur d'une civilisation est en raison inverse de la ferveur
religieuse ... Tout progrès intellectuel correspond à une
diminution du surnaturel dans le monde ... L'avenir est à
la science. »[4] Ces lignes sont datées de 1892, mais l'esprit
qui les a dictées est de vingt ou trente ans plus vieux
qu'elles.

Que s'est-il donc passé depuis lors ? quel sourd travail
s'est accompli dans les profondeurs de la pensée contemporaine ? et, à ce propos, parlerons-nous à notre tour de la
« banqueroute de la science » ? Les savants s'indignent sur
ce mot, et on en rit dans les laboratoires. Car, — disent-
ils, — où sont donc celles de leurs promesses que la physique, par exemple, ou la chimie n'aient pas tenues, et au
delà ? Nos sciences ne sont nées que d'hier, et elles ont en
moins d'un siècle transformé l'aspect de la vie. Laissons-
leur le temps de grandir ! ... Et quand enfin quelque
savant, d'esprit plus chimérique ou plus aventureux, aurait

[1] *Voltaire ... Diderot ...* V. *Eighteenth Century French Readings*,
les chapitres sur ces écrivains.
[2] A. N. Condorcet (1743-1794), victime de la Révolution et qui
écrivit, dit-on, dans la prison où il se suicida pour ne pas monter à la
guillotine, son fameux livre: *Esquisse d'un tableau historique des
progrès de l'esprit humain*, publié en 1795. V. ci-dessus, le chapitre
« Critique », de la Première Partie: note d'introduction.
[3] Auguste Comte et « l'état théologique ». V. le chapitre indiqué
dans la note précédente.
[4] A. Lefèvre, *La religion* (pp. 572-3.)

pris au nom de la science des engagements qu'elle n'a pas
souscrits, est-ce la science qu'il en faut accuser? Le bon
sens, que Descartes croyait « la chose du monde la plus
répandue »[1] est au contraire la plus rare que l'on sache,
5 plus rare que le talent, aussi rare que le génie peut-être; et
nous avouons de bonne grâce que de grands savants en ont
parfois manqué … Ainsi raisonnent ceux qui ne veulent
voir dans « la banqueroute de la science » qu'une méta-
phore retentissante; — et je ne puis pas dire qu'ils aient
10 tout à fait tort.

Mais ils n'ont pas non plus tout à fait raison, et quelque
distinction qu'ils essaient d'établir entre le bon sens des
« vrais » savants, et la fâcheuse témérité des autres, ce qui
est certain, c'est que la science a plus d'une fois promis de
15 renouveler la « face du monde ». « Je crois avoir prouvé
la possibilité, — écrivait Condorcet il y a tout juste cent
ans, — de rendre la justesse d'esprit une qualité presque
universelle, … de faire en sorte que l'état habituel de
l'homme, dans un peuple entier, soit d'être conduit par la
20 vérité … soumis dans sa conduite aux règles de la morale,
… se nourrissant de sentiments doux et purs. » Et il
ajoutait: « Tel est le point où doivent *infailliblement* le
conduire les travaux du génie *et le progrès des lumières.* »
Me dira-t-on que Condorcet n'était après tout qu'un en-
25 cyclopédiste? Et je l'entends bien ainsi. Mais Renan,
à ses débuts du moins, n'a pas dit autre chose: « La science
restera toujours la satisfaction du plus haut désir de notre
nature: la curiosité; *elle fournira toujours à l'homme le seul
moyen qu'il ait pour améliorer son sort.* » Et en un autre
30 endroit, dans ce même livre sur *L'Avenir de la science*, dont
le titre à lui seul était tout un programme: « *Organiser
scientifiquement l'humanité,* — c'est lui qui soulignait, —
tel est donc le dernier mot de la science moderne, telle est
son audacieuse, mais légitime prétention. » Voilà, je pense,

[1] V. *Seventeenth Century French Readings*, Chap. « Descartes »
pp. 294–5.

des promesses ! qui vont un peu plus loin que l'ambition du chimiste ou du physicien; et ce sont ces promesses auxquelles on prétend que la science aurait fait banqueroute.[1]

Serrons cependant la question de plus près. En fait, les sciences physiques ou naturelles nous avaient promis de supprimer « le mystère ».[2] Or, non seulement elles ne l'ont pas supprimé, mais nous voyons clairement, aujourd'hui qu'elles ne l'éclairciront jamais. Elles sont impuissantes, je ne dis pas à résoudre, mais à poser convenablement les seules questions qui importent: ce sont celles qui touchent à l'origine de l'homme, à la loi de sa conduite, et à sa destinée future. L'inconnaissable nous entoure, il nous enveloppe, il nous étreint, et nous ne pouvons tirer des lois de la physique ou des résultats de la physiologie aucun moyen d'en rien connaître. J'admire autant que personne les immortels travaux de Darwin, et quand on compare l'influence de sa doctrine à celle des découvertes de Newton, j'y souscris volontiers. Mais quoi ! Pour descendre peut-être du singe, — ou le singe et nous d'un commun ancêtre, — en sommes-nous plus avancés, et que savons-nous de la vraie question de nos origines ? « Dans l'hypothèse mosaïque de la création,[3] — dit Haeckel,[4] — deux des plus importantes propositions fondamentales de la théorie de l'évolution se montrent à nous avec une clarté et une simplicité surprenantes. » Mais, de plus, ajouterons-nous, « l'hypothèse mosaïque de la création » nous donne une

[1] *Auxquelles* = au sujet desquelles.

[2] Il s'agit encore du livre mentionné plus haut de Berthelot sur *Les origines de la chimie* (1885), où se trouve la phrase: « Le monde est aujourd'hui sans mystères ».

[3] Dans le livre de la *Genèse:* la création par époques (la Bible dit *six jours* que les savants interprètent dans le sens de périodes géologiques), et les créations allant des espèces les plus primitives aux plus complexes et jusqu'à l'homme.

[4] Un des plus audacieux défenseurs du transformisme, (1834–1919), dans son sensationnel ouvrage en allemand mais traduit en toutes les langues: *Natürliche Schöpfungsgeschichte* (1856); trad. fr. *Histoire de la création des êtres organisés* (1874).

réponse à la question de savoir *d'où nous venons?* et la
théorie de l'évolution ne nous en donnera jamais. ....
Ai-je besoin d'ajouter qu'à plus forte raison les sciences
naturelles ne décideront pas la question de savoir *où nous*
5 *allons?* Qu'est-ce que l'anatomie, qu'est-ce que la physiologie nous ont appris de notre destinée? Elles nous
avaient cependant promis de nous expliquer, ou de nous
révéler notre nature, et, de la connaissance de notre nature,
devait suivre celle de notre destinée. C'est en effet sa
10 destinée qui détermine la vraie nature d'un être. Mais,
leurs recherches et leurs découvertes — dont je ne mécon-
nais pas, au surplus, l'intérêt — n'ont abouti finalement
qu'à fortifier en nous notre attache à la vie, ce qui semble,
en vérité, le comble de la déraison chez un être qui doit
15 mourir.

Les sciences philologiques ont-elles mieux tenu leurs
promesses? Hélas! en ce moment même, je les ai là, sous
les yeux, tous ces livres, fameux naguère, où nous avons
avidement cherché la réponse à nos doutes, et, en somme,
20 qu'ont-ils établi? Dans la philosophie de la Grèce et de
Rome les hellénistes [1] s'étaient formellement engagés à nous
montrer le christianisme tout entier! Mais ils n'ont oublié
qu'un point: c'est de nous dire pourquoi, si le christianisme
était déjà tout entier dans l'hellénisme, il n'en est pas sorti.
25 Là pourtant est toute la question, et quand on retrouverait
l'un après l'autre, dans les *Pensées* de Marc-Aurèle [2] ou
dans le *Manuel* d'Épictète,[3] les « membres épars » du

---

[1] On a vu dans le chapitre des poètes parnassiens l'écho de ces
doctrines chez Gautier, Banville, Leconte de Lisle, etc. Le plus
célèbre de ces Hellénisants était Louis Ménard dont les *Rêveries d'un
païen mystique* ne furent d'ailleurs publiées qu'en 1886.

[2] Marc-Aurèle, empereur romain 161–180 après J.-C., connu pour
son recueil de *Pensées* où l'on trouve résumée en termes élevés la
morale de la secte philosophique des Stoïciens. Les *Pensées* sont
écrites en langue grecque.

[3] Epictète, d'origine phrygienne, et qui vécut au 1er siècle de l'ère
chrétienne, esclave d'un affranchi de l'empereur Néron; il a laissé

Sermon sur la montagne; quand l'inspiration stoïcienne,
essentiellement aristocratique ne serait pas, à vrai dire, le
contraire de celle de l'Évangile; il resterait encore, il
restera toujours que le *Sermon sur la montagne* a conquis
le monde, et que ni le *Manuel* ni les *Pensées* n'ont rien 5
engendré. Après comme avant les travaux de nos hellénistes, il demeure dans le christianisme quelque chose d'in-
explicable par l'hellénisme, une vertu singulière, une
puissance unique de propagation et de vie ○ ○ ○

J'arrive enfin aux sciences historiques, — si ce sont des 10
sciences, — et, comme les sciences naturelles, je ne puis
m'empêcher d'observer qu'elles nous ont appris assurément
beaucoup de choses, mais aucune de celles que nous atten-
dions de leurs progrès. ○ ○ ○

Si ce ne sont pas là des « banqueroutes » totales, ce sont 15
du moins des « faillites » partielles, et l'on conçoit assez
aisément qu'elles aient ébranlé le crédit de la science. ○ ○ ○
Le progrès qu'on avait cru faire, avec Taine, et sur ses
traces, en « soudant — selon son expression — les sciences
morales aux sciences naturelles », n'a pas été du tout un 20
progrès, mais au contraire un recul. Si nous demandions
au darwinisme des leçons de conduite, il ne nous en donnerait que d'abominables.[1] Et, sans doute, d'un darwinisme à peine assuré de la solidité de ses principes, ou
d'une physiologie rudimentaire encore, on en peut bien 25
appeler à une physiologie plus savante ou à un darwinisme
mieux entendu; mais, en attendant, il faut vivre, d'une
vie qui ne soit pas purement animale, et la science, aucune
science aujourd'hui, ne saurait nous en donner les moyens.
○ ○ ○ Mais il n'en est pas moins vrai que l'évolution se pro- 30
duit, et, déjà, nous commençons d'en discerner quelques-

---

une réputation de sagesse dont l'essence a été recueillie par un certain
Arrien dans le *Manuel d'Epictète*, un abrégé aussi de morale stoïcienne.

[1] C'est à dire la doctrine de la survivance du plus fort [*the fittest*]
appliquée à l'espèce humaine, en d'autres termes la morale du droit
du plus fort et de l'écrasement des faibles.

uns des effets.   Deux mots suffisent à les résumer: la
Science a perdu son prestige, et la Religion a reconquis
une partie du sien. ° ° °

*

F. Brunetière est aussi célèbre par sa doctrine de « l'Évolution des
Genres »: il pensait payer son tribut d'admiration aux doctrines
scientifiques de l'époque; selon lui les genres (évoluent) en littérature avec les circonstances de temps et de milieu: le XVII° siècle
est favorable à la tragédie classique, le XVIII° siècle à l'esprit philosophique de l'Encyclopédie, le XIX° siècle offre des conditions propres
à l'éclosion du grand lyrisme romantique.

C.   EUGÈNE–MELCHIOR DE VOGÜÉ
1848–1910

Le roman russe
1886

Extrait de la (Préface)

Un grand écrivain politique et un économiste, Anatole Leroy-
Beaulieu, avait déjà attiré l'attention des Français sur l'empire des
Czars.   Le vicomte de Vogüé, né à Nice en 1848,[1] veut atteindre le
même but dans le domaine de la littérature; il signale chez les Pouchkine, les Gogol, les Tourgueniev, les Dostoïewski, les Tolstoï, une
qualité qui manquait à la littérature en vogue alors en France, une
profonde sollicitude pour les souffrances humaines.[2]   Certaines
pages de l'« Avant-propos » du livre de M. de Vogüé ont produit l'effet
d'un manifeste à mettre en parallèle avec les déclarations de Pasteur
et de Brunetière.

L'auteur commence par affirmer que la littérature moderne

---

[1] Fils d'un ancien ambassadeur de France à la cour de Russie;
auteur aussi de *Les morts qui parlent* (1899), et d'un roman *Le maître
de la mer* (1903).   Il fut élu à l'Académie en 1888.   *Consulter* à son
sujet V. Giraud, *Les maîtres de l'heure* (Hachette, 1914) Vol. I, article
« Eugène-Melchior de Vogüé ».

[2] En 1885 avait paru un ouvrage sur le même sujet, mais qui
n'émut pas l'opinion comme celui du Vicomte de Vogüé: *Les grands
maîtres de la littérature russe*, par Ernest Dupuy.

devait naturellement servir l'esprit humanitaire sorti du mouvement de la Révolution; c'est à dire que l'on devait porter son attention sur les classes jusqu'alors injustement ignorées. Les premières tentatives furent, cependant, « incertaines et gauches »: « Le Romantisme, il faut bien le reconnaître aujourd'hui, était un produit bâtard; il respirait la révolte, mauvaise condition pour être tranquille et fort comme la nature. Par réaction contre le héros classique, il allait chercher de préférence ses personnages dans les bas-fonds sociaux; mais, comme à son insu, il était encore tout pénétré de l'esprit classique, les monstres qu'il inventait redevenaient des héros à-rebours: ses forçats, ses courtisanes, ses mendiants étaient plus soufflés et plus creux que les rois et les princesses du vieux temps. Le thème déclamatoire avait changé et non la déclamation. » Plus tard, le Réalisme aspira à remplacer le Romantisme; et, en effet, « il s'empara de toutes les littératures européennes; il y règne en maître à cette heure, [mais] avec des nuances diverses ». En France, il fit fausse route; il se laissa égarer par le positivisme philosophique qui tua dans son germe toute source de vie, car « *le Réalisme devient odieux dès qu'il cesse d'être charitable* ». [1] C'est l'erreur que n'avait pas commise la littérature russe, laquelle fut réaliste mais pas positiviste et fataliste — erreur, du reste, qu'elle ne pouvait guère commettre puisque la doctrine positiviste ne prit pas pied tout d'abord dans l'Europe orientale.

M. de Vogüé formule ainsi son attaque contre le réalisme français, non sans avoir plaidé certaines circonstances atténuantes pour l'égarement de celui-ci:

L'homme de ce siècle a pris en lui-même une confiance bien excusable. Par un double et magnifique effort, son intelligence a pénétré la plupart des énigmes de la nature, sa volonté l'a affranchi de la plupart des gênes sociales qui pesaient sur ses devanciers. Le mécanisme rationnel du monde lui est enfin apparu; il l'a décomposé dans ses éléments premiers et dans ses lois génératrices; et comme, du même coup, il se proclamait libre de sa personne dans

5

[1] M. de Vogüé ajoute avec raison: « Heureusement, ceux-là mêmes qui défendent cette hérésie [de ne mettre aucune intention morale en littérature] sont les premiers à la trahir quand ils ont du cœur et du talent » — comme on l'a vu pour Daudet, Zola comme romanciers, pour Sully-Prudhomme, Coppée comme poètes…et sans parler de l'auteur des *Misérables*.

ce monde soumis à sa science, l'homme s'est cru destiné à tout connaître et à tout pouvoir. Jadis le petit domaine qui tombait sous ses prises était entouré d'une zone immense, mystérieuse, où le pauvre ignorant trouvait à la 5 fois un tourment pour sa raison et un recours pour son espérance. Diminuée, reculée bien loin, cette ceinture de ténèbres semée d'étoiles sembla supprimée. On décida de n'en plus tenir compte. Dans l'explication des choses comme dans la conduite de la vie, on élimina toutes les an-10 ciennes pensées qui habitaient ce pays supérieur, c'est-à-dire tout l'ordre divin. Les vérités scientifiques les mieux acquises étaient souvent inconciliables avec l'anthropomorphisme grossier des aïeux, avec leurs idées sur la création, l'histoire, les rapports entre l'homme et la Divinité. 15 Et le sentiment religieux paraissait inséparable des interprétations temporaires qu'on identifiait avec lui. D'ailleurs, à quoi bon rechercher des causes douteuses, quand le fonctionnement de l'univers et de l'homme devenait si clair pour le physicien, pour le physiologiste? Pourquoi 20 un maître là-haut, alors qu'on n'en reconnaissait plus ici-bas? Le moindre tort de Dieu, c'était d'être inutile. De beaux esprits l'affirmèrent, et tous les médiocres en furent persuadés. Le dix-huitième siècle avait inauguré le culte de la raison: on vécut un moment dans l'ivresse de ce 25 millénium.[1]

Puis vint l'éternelle désillusion, la ruine périodique de tout ce que l'homme bâtit sur le creux de sa raison. Il dut s'avouer qu'en étendant son domaine, il avait étendu son regard, et que par delà le cercle des vérités conquises, 30 l'abîme d'ignorance reparaissait, toujours aussi vaste, aussi irritant. ○ ○ ○

[J.-J. Rousseau et Chateaubriand avaient été les hérauts de ce rappel au sentiment de la dépendance de l'homme en face de la divi-

---

[1] Les mille ans où Satan serait chassé du monde et où le Christ reviendrait pour régner sur le monde (*Livre de l'Apocalypse* [*Book of Revelation*] chap. XX, 1–5).

nité. Cent ans après, . . . le même malentendu se répéta, seulement plus profond car les savants du XIXe siècle avaient plus de raison encore d'être fiers de leurs découvertes que ceux du XVIIIe. Ainsi:]

Tout conspirait à rendre irréparable le divorce avec les traditions du passé; l'orgueil de la raison, persuadée de sa toute-puissance, aussi bien que les résistances chagrines de l'orthodoxie. [Car d'une part] L'orgueil ne s'est jamais enflé avec plus de superbe qu'à cette époque, où nous nous 5 proclamons nous-mêmes si petits et si débiles par rapport à l'énormité de l'univers. ο ο ο   [D'autre part] Les défenseurs de l'orthodoxie n'ont guère facilité l'accommodement. Ils n'ont pas toujours compris que leur doctrine était la source de tout progrès, et qu'ils détournaient cette 10 source de sa pente naturelle en luttant pied à pied contre les découvertes des sciences et les mutations de l'ordre politique. Les orthodoxies aperçoivent rarement toute la force et la souplesse du principe qu'elles gardent; soucieuses de conserver intact le dépôt qui leur a été transmis, 15 elles s'effrayent quand la vie intérieure du principe agit pour transformer le monde suivant un plan qui leur échappe. ο ο ο

Par suite de ce malentendu, où chacun avait sa part de responsabilité, on a mis longtemps à apercevoir cette vérité si simple: le monde est travaillé depuis dix-huit siècles par 20 un ferment, l'Évangile, et la dernière révolution [1] sortie de cet Évangile, en est le triomphe et l'avènement définitif. Tout ce que l'on renversait avait été sourdement miné par la vertu secrète de ce ferment. Bossuet,[2] l'un des rares qui l'ont pressenti, le savait bien: « Jésus-Christ est venu 25 « au monde pour renverser l'ordre que l'orgueil y a établi; « de là vient que sa politique est directement opposée à « celle du siècle.[3] » Tout le grand effort de notre temps a été

---

[1] La Révolution Française.

[2] L'éloquent prédicateur de la cour au siècle de Louis XIV (v. *Seventeenth Century French Readings*, Chapitre « Bossuet »).

[3] Ici: « monde considéré au point de vue de ses vanités: vivre selon le siècle » (Larousse).

prédit et commandé par ce mot: *Misereor super turbam*.[1]
Cette goutte de pitié, tombée dans la dureté du vieux
monde, a insensiblement adouci notre sang, elle a fait
l'homme moderne avec ses conceptions morales et sociales,
5 son esthétique, sa politique, son inclination d'esprit et de
cœur vers les petites choses et les petites gens. Mais cette
action constante de l'Évangile, qu'on accorde à la rigueur
dans le passé, on la nie dans le présent. ॰ ॰ ॰

Ces considérations étaient nécessaires pour déterminer
10 l'inspiration morale qui peut seule faire pardonner au
Réalisme la dureté de ses procédés. Il répond à l'une de
nos exigences, quand il étudie la vie avec une précision
rigoureuse, quand il démêle jusqu'aux plus petites racines
de nos actions dans les fatalités qui les commandent; mais
15 il trompe notre plus sûr instinct quand il ignore volontairement le mystère qui subsiste par delà les explications
rationnelles, la quantité possible de divin. ॰ ॰ ॰ Le réalisme
devient odieux dès qu'il cesse d'être charitable. ॰ ॰ ॰

Oh ! je sais bien qu'en assignant à l'art d'écrire un but
20 moral, je vais faire sourire les adeptes de la doctrine en
honneur: l'art pour l'art. J'avoue ne la comprendre pas,
du moins dans le sens où on l'entend aujourd'hui. ॰ ॰ ॰ Ces
délicats sont singuliers. Ils professent un beau mépris
pour l'auteur bourgeois qui s'inquiète d'enseigner ou de
25 consoler les hommes, et ils consentent à faire la roue
devant la foule, à cette seule fin de lui faire admirer leur
adresse; ils se vantent de n'avoir rien à lui dire au lieu de
s'en excuser. ॰ ॰ ॰

Pour résumer nos idées sur ce que devrait être le réalisme,
30 je cherche une formule générale qui exprime à la fois sa
méthode et son pouvoir de création. Je n'en trouve
qu'une; elle est bien vieille; mais je n'en sais pas une
meilleure, plus scientifique et qui serre de plus près le

---

[1] *Évangile de Saint Mathieu*, Chap. XV, verset 32: « Or Jésus,
ayant appelé ses disciples, leur dit: ‹ J'ai compassion de ce peuple. › »
(*Misereor super turbam* — dans la version de la Vulgate).

secret de toute création: *Le Seigneur Dieu forma l'homme du limon de la terre.*[1] — Voyez comme ce mot est juste et significatif, le limon ! Sans rien préjuger ni contredire dans le détail, il renferme tout ce que nous devinons des origines de la vie; il montre ces premiers tressaillements de la 5 matière humide où s'est lentement formée et perfectionnée la série des organismes. La formation par le limon, c'est tout ce que peut connaître la science expérimentale, le champ où son pouvoir de découverte est indéfini; on y peut étudier la misère de l'animal humain, tout ce qu'il y a en 10 lui de grossier, de fatal et de pourri. — Oui, mais il y a autre chose que la science expérimentale; le limon ne suffit pas à accomplir le mystère de la vie, il n'est pas tout notre *moi:* ce grain de boue que nous sommes, qui nous est et nous sera de mieux en mieux connu, nous le sentons animé 15 par un principe à jamais insaisissable pour nos instruments d'étude. Il faut compléter la formule pour nous rendre raison de la dualité de notre être; aussi le texte ajoute: — *. . . et il lui inspira un souffle de vie, et l'homme fut une âme vivante.* — Ce « souffle », puisé à la source de la vie uni- 20 verselle, c'est l'esprit, l'élément certain et impénétrable qui nous meut, qui nous enveloppe, qui déconcerte toutes nos explications, et sans lequel elles seront toujours insuffisantes. Le limon, voilà l'ordre des connaissances positives, ce qu'on tient de l'univers dans un laboratoire, de l'homme 25 dans une clinique; on y peut aller très loin — mais tant qu'on ne fait pas intervenir le « souffle », on ne crée pas une âme vivante, car la vie ne commence que là où nous cessons de comprendre.

Le créateur littéraire doit régler son opération sur ce 30 modèle. Comment le Réalisme s'y est-il conformé dans les littératures où il fait ses expériences ?

Selon M. de Vogüé, le réalisme français, entaché de positivisme,

---

[1] *Livre de la Genèse*, Chap. II, verset 7 — le reste du verset est cité quelques lignes plus bas.

devait malheureusement aboutir à *Bouvard et Pécuchet* (v. plus haut, chapitre Flaubert, p. 151).[1]

Donc, conclut-il: « Là où nous avons échoué, les Anglais et les Russes ont réussi, parce qu'ils appliquaient tout entier le précepte de la création; ils prenaient l'homme dans le limon, mais ils lui inspiraient le souffle de vie et ils formaient *des âmes vivantes.* » [2]

---

[1] *Bouvard et Pécuchet:* « Ecce homo ! Bouvard, voilà l'homme tel que l'ont fait le progrès, la science, les immortels principes, sans une grâce supérieure qui le dirige: un idiot instruit, qui tourne dans le monde des idées comme un écureuil dans sa cage. Le malheureux Flaubert s'acharne sur cet idiot; il oublie que l'infirmité morale est digne de compassion tout comme l'infirmité physique... Bouvard et Pécuchet, c'est le dernier mot, l'aboutissement nécessaire du réalisme sans foi, sans émotion, sans charité. »

[2] V. au sujet de l'enthousiasme manifesté à cette époque pour les littératures étrangères, le curieux article de Jules Lemaître: « De l'influence récente des littératures du nord » (*Revue des Deux Mondes,* 1894; vol. 126, pp. 847–873). Il prétend que l'origine de toute cette littérature humanitaire remonte au Romantisme français — ce serait donc la France qui reprendrait simplement son propre bien.

LES ROMANCIERS DE LA FIN
DU XIXe SIÈCLE

INTRODUCTION GÉNÉRALE

Le champ ici est immense. Parmi tant de romanciers de grand talent de cette fin de siècle on a choisi les six grands écrivains qui sont aussi — comme par hasard —, les représentants des six grandes tendances de l'époque.

Chez **Loti,** le représentant le plus brillant de l'exotisme dans la littérature française, on a un écho de cette politique coloniale de la France qui prit un essor si remarquable grâce à l'énergie du ministre Jules Ferry (v. l'*Introduction historique*) et qui contribua beaucoup à tourner les regards vers de grands horizons inconnus.

Huysmans marque d'une façon dramatique la réaction spirituelle contre la littérature réaliste qui avait si bruyamment triomphé. Son mysticisme religieux fut d'autant plus accentué qu'il avait commencé par pousser aux dernières limites le naturalisme dans ses premiers romans.

Anatole France, le Montaigne du XIXe siècle, fut l'apôtre de la modération qui devait naturellement se manifester après la période de fanatisme doctrinal dont étaient responsables ceux qui se plaçaient sur le terrain de la religion de la science.

Bourget, qui avait débuté comme un consciencieux continuateur des doctrines déterministes de Taine eut une expérience semblable à celle de Huysmans. Il vit, assez tôt dans sa carrière, les dangers d'une philosophie qui ne tient pas compte des aspirations profondes de l'âme humaine, et il revint à la vieille foi des ancêtres dont la sagesse lui parut prouvée par l'expérience des siècles.

En **Barrès,** Bourget avait trouvé un frère d'armes. Barrès fut longtemps un des guides les plus écoutés de la jeunesse universitaire de France; il désirait lui aussi renouer avec le passé, avec les traditions nationales enracinées dans le vieux sol de la France et qui ont fait de celle-ci un pays où a été porté très haut le flambeau d'une civilisation humanitaire.

Enfin **Romain Rolland,** l'auteur de *Jean-Christophe,* est le romancier qui a cru pouvoir prophétiser une ère nouvelle pour le monde, ère d'harmonie qui doit faire suite à la période de luttes philosophiques furieuses dont fut témoin le siècle enfanté par la Révolution.

CHAPITRE XX

PIERRE LOTI

1850–1923

Consulter: N. Serban, *Pierre Loti, sa vie et son œuvre* (Paris, Presses universitaires, 1924, 367 pages); Raymonde Lefèvre, *Le mariage de Loti* (Coll. « Grands évén. litt. ») Paris, Malfère, 1935, 151 pages). Article de J. Lemaître, « L'Exotisme de Loti, » *Les contemporains*, IIIᵉ série, pp. 98–115).

Ici se place d'abord un des écrivains les plus remarquables des dernières années du XIXᵉ siècle: il occupe une place presque unique parmi les romanciers.

Pierre Loti, de deux points de vue différents, est tout à fait de son temps.

Il écrit — comme il vient d'être rappelé — à l'époque où la France est fière du développement de son empire colonial, créé ou du moins affermi par l'énergie du ministre Jules Ferry; et il est le grand représentant de l'exotisme dans la littérature française. L'exotisme est ainsi défini par R. Lefèvre: « Une certaine manière de voir et de comprendre l'aspect physique du monde, d'en relever les particularités, d'en sentir et d'en rendre le charme, le caractère et la couleur. » (*Ouvrage cité*, p. 146).

Loti a été considéré par Renan comme un « phénomène », c'est à dire comme un isolé. C'était exact au moment où il [Loti] s'est élevé à la célébrité; mais il a eu des précurseurs dans ce domaine de l'exotisme, dont les plus illustres sont: au XVIIIᵉ siècle, Bernardin de Saint-Pierre, l'auteur de *Paul et Virginie;* au XIXᵉ siècle, d'abord Chateaubriand, l'auteur d'*Atala;* puis, un demi siècle plus tard, Fromentin, l'auteur de *Dominique* et d'*Un été dans le Sahara*. Depuis Loti, le genre de l'exotisme s'est énormément développé, soit par des disciples, soit par des écrivains tout à fait indépendants de lui, et on peut affirmer que le genre ne disparaîtra plus. Parmi les successeurs les plus connus, nommons les Frères Tharaud (auteurs de *La Fête arabe* (1912), *L'Ombre de la Croix* (1917), *Marrakech ou Les seigneurs de l'Atlas* (1920) etc.; Claude Farrère, (auteur de *Fumées d'opium* (1904), *Les civilisés* (1903)); Francis de Croisset (auteur de *La féerie Cingalaise* (1926), Abel Bonnard, Miriam Harry, Duhamel, Durtain, Paul Morand, Marc Chadourne, etc.

Mais Pierre Loti est peut-être encore plus de son temps en ce qu'il rappelle surtout dans sa philosophie certains écrivains russes alors très acclamés. Il décrit la vie humaine dans ce qu'elle a de plus désespéré. Il professe ce « pessimisme douloureux » dont parle le vicomte de Vogüé, mais « pessimisme qui cache une espérance dans ses malédictions », et qui, s'il n'est pas le « symptôme d'une résurrection morale » l'est au moins d'une « aspiration morale » profonde. Le titre d'un des ouvrages de Loti pourrait servir d'épigraphe à son œuvre tout entière : *Le livre de la pitié et de la mort.* » (1891).

Loti est un pseudonyme. De son vrai nom Julien Viaud, il a passé son enfance à Rochefort (ville à l'embouchure de la Charente, à mi-chemin entre Bordeaux et Brest). Ses ancêtres étaient Huguenots; il fut élevé lui-même dans une atmosphère protestante rigide et triste — qu'il rappelle dans son *Roman d'un enfant* (1890). Il avait un frère aîné, Gustave Viaud, médecin de marine, de 14 ans plus âgé que lui[1]; après avoir pensé, d'abord, à devenir un prédicateur protestant, il se sentit attiré lui aussi par la mer. A 20 ans, il était aspirant de marine [*midshipman*]. Depuis lors, il visita toutes les parties du monde, surtout l'Orient; une fois le nord (qui lui fournit la matière de deux livres). La plupart de ses écrits sont des récits de voyages autant que des romans. Dans les deux premiers, il met ses aventures dans la bouche d'un officier de marine anglais; dans *Azi-yadé* (1879) il raconte une aventure avec une femme turque; l'année suivante, il compose une idylle à l'« île délicieuse » de Tahiti avec Rarahu, héroïne qui paraît être plutôt un composé de différentes femmes qu'une seule personne, *Rarahu, idylle polynésienne.* C'est la femme de Tahiti qui la première l'appela Loti, nom qu'il adopta dès 1882 quand il publia *Le mariage de Loti*, et dont il fit désormais son nom d'auteur. *Le mariage de Loti* consacra sa renommée comme écrivain de premier rang.[2] Dans *Fleurs d'ennui* (1882) nous sommes

---

[1] Cf. N. Serban, *Un frère de P. Loti, Gustave Viaud* (Paris, Nouv. éd. lat., 1936, 200 pp.)

[2] On tira du roman un opéra *L'Ile du rêve, idylle polynésienne*, en trois actes, musique de Reynaldo Hahn, (Opéra comique, 1898).

Il y a quelques années un roman tahitien fit grand bruit, *Vasco* de Marc Chadourne (1930), qui marque bien l'esprit différent qui anime certains romanciers d'exotisme postérieurs à Loti; comme le dit R. Lefèvre : « Là où Loti dansait avec les filles d'honneur de Pomaré [la reine de l'île], Vasco, [le héros de Chadourne] se débat avec ses créanciers » (*Livre cité*, p. 149).

Rappelons aussi que Tahiti est la scène où Diderot plaça le récit de son *Supplément au voyage de Bougainville* qui exaltait la liberté et le bonheur des sauvages aux dépens d'une civilisation artificielle et qui rendait les hommes malheureux — thèse chère aux philosophes du XVIIIe siècle (v. l'Introduction à une récente édition de cet ouvrage par Gilbert Chinard, Johns Hopkins Press, 1935).

en Algérie; et, quelques années plus tard, en 1887, *Madame Chrysan-thème* nous transporte au Japon, pays qui exerça la même fasci-nation sur Loti que sur Lacfadio Hearn.

Il faut donner une place à part au *Roman d'un spahi* [1] (1881) et à *Mon frère Yves* (1883) où l'auteur offre une sorte de plaidoyer pour les soldats de l'armée coloniale française; dans le premier il s'agit d'un Auvergnat, dans le second d'un Breton, le « frère d'armes de Loti » dans ces pays de l'Orient lointain.

Parmi ses livres de voyage, dans la seconde partie de sa carrière, il faut noter surtout, à propos de son voyage en Palestine, *Le désert*, (1895), *Jérusalem* (1895) et *La Galilée* (1896); à propos du voyage en Chine, *Derniers jours de Pékin* (1901) où il est question de la révolte des Boxers [2]; enfin à propos de son voyage en Indochine *Le pèlerin d'Angkor* (1911).

En 1906 il avait publié un livre dans lequel il se faisait l'écho des revendications des femmes turques cherchant à se libérer du régime humiliant du sérail, *Les désenchantées, roman des harems turcs con-temporains.* [3]

Il a laissé deux romans dans le sens propre de ce terme, c'est à dire histoires d'amour: *Pêcheur d'Islande* (1886) et *Ramuntcho* (1897). Ils se passent tous les deux dans des provinces françaises qui ont résisté plus que d'autres aux entraînements de la civilisation moderne, sans doute à cause de leur situation géographique et de la vie qui leur est imposée par des conditions d'existence souvent hasardeuses, (pêcheurs de la Bretagne et contrebandiers des Pyrénées) deux provinces aussi dont les habitants lui rappellent un peu par leur état d'âme les peuples

---

[1] Spahi, mot persan, *cavalier*. Nom donné aux soldats de cavalerie au service de la France en Algérie, et qui sont en partie indigènes.

[2] À la fin du XIXe siècle se produisit en Chine un mouvement hostile aux étrangers. Indépendamment de mesures prises par le gouvernement de l'impératrice Izu Hsi, des bandes de fanatiques fu-rent organisées de gens appartenant à des sociétés secrètes et qui pra-tiquaient des rites les rendant soi-disant invulnérables. On les appe-lait « boxers », traduction littérale du titre chinois de ces bandes « les poings de la cause du droit »; leur devise était *Protégez la Chine, dé-truisez les étrangers.* En 1899, ils commencèrent à tuer les chré-tiens; les puissances européennes intervinrent en envoyant une armée composée de corps de différentes nations.

[3] Pour l'aventure curieuse qui a fourni la matière de ce roman, v. N. Serban, *Livre cité*, pp. 158–170 (Chap. IV, 19); et le livre de l'héroïne, Marc Hélys, *L'envers d'un roman, le secret des désenchantées* (Perrin, 1923).

de l'Orient, victimes plus que d'autres d'une destinée cruelle et demandant une résignation douloureusement acceptée.

Pierre Loti fut reçu à l'Académie Française en 1892; il en profita
pour jeter sa pierre au naturalisme.[1]

Madame Chrysanthème

(1887)

Une rue au Japon au coucher du soleil

Ce passage donnera une idée du talent de Pierre Loti pour faire
sentir une civilisation étrangère; c'est un excellent exemple de ce
qu'on a appelé « exotisme ». Il décrit la vie au Japon.

Il y a une heure à la fois joyeuse et mélancolique: c'est
un peu plus tard au crépuscule, quand le ciel semble un
grand voile jaune dans lequel montent des découpures des
montagnes et des hautes pagodes. C'est l'heure où, en
bas, dans le dédale des petites rues grisâtres, les lampes 5
sacrées commencent à briller, au fond des maisons toujours
ouvertes, devant les autels d'ancêtres et les Bouddhas[2]
familiers, — tandis qu'au dehors tout s'obscurcit, et que
les mille dentelures des vieux toits se dessinent en festons
noirs sur ce ciel d'or clair. À ce moment-là passe sur ce 10
Japon rieur une impression de sombre, d'étrange, d'antique,
de sauvage, de je ne sais quoi d'indicible, qui est triste.
Et la gaîté, alors, la seule gaîté qui reste, c'est cette peu-
plade d'enfants, de petits mouskos[3] et de petites mousmés,[4]

[1] « Le réalisme, et le naturalisme qui en est l'excès, je suis loin de
contester leurs droits; mais comme de grands feux de paille impure
qui s'allument, ils ont jeté une épaisse fumée par trop envahissante
... » Ces hommes, aux « talents monstrueux » parfois, sont des
« phénomènes morbides ». « L'idéal, au contraire, est éternel; il ne
peut être que voilé ou bien sommeiller momentanément — et déjà
sur la fin de notre siècle, il est certain qu'il reparaît, avec le mysticisme
son frère ». *Discours de réception à l'Académie*, (7 avril, 1892).

[2] Statues du prince Gauthama, qui devint le Bouddha (le sage) ou
Çakia-Mouni (le solitaire), adoré comme divinité.

[3] Garçonnets.   [4] Fillettes.

qui se répand comme un flot dans les rues pleines d'ombre, sortant des ateliers et des écoles. Sur la nuance foncée de toutes ces constructions de bois paraissent plus éclatantes les petites robes bleues ou rouges, drôlement bigarrées, 5 drôlement troussées, et les beaux nœuds des ceintures, et les fleurs, les pompons d'argent ou d'or piqués dans ces chignons de bébés.

Elles se poursuivent et s'amusent, en agitant leurs grandes manches pagodes, les toutes petites mousmés de 10 dix ans, de cinq ans, ou même de moins encore, ayant déjà de hautes coiffures et d'imposantes coques de cheveux comme les dames. Oh ! les amours de poupées impayables [1] qui, à cette heure crépusculaire, gambadent, en robes très longues, soufflant dans des trompettes de cristal ou 15 courant à toutes jambes pour lancer des cerfs-volants inouïs o o o

Pêcheur d'Islande (1886) [2]

Le fond du tableau est formé par la description de la vie des gars bretons qui vont en Islande pour la pêche à la morue [*codfish*] et de ceux qui attendent anxieusement leur retour. L'histoire est celle de deux créatures, toutes deux un peu différentes de leur milieu — auquel elles appartiennent cependant tout entières par beaucoup de côtés: Yann Gaos, le marin excellent, cœur généreux, mais fier, très réservé et détestant qu'on cherche à s'immiscer dans sa vie ... Par exemple quand on lui dira que Gaud Mével serait un excellent parti pour lui, c'est une raison pour Yann de s'en défendre de toute sa force; cependant, le besoin d'aimer est là, et un jour, à propos de rien pour ainsi dire, cela éclate; et il se révèle le plus doux, le plus passionné des amoureux. Ce Yann a une grande amitié pour un jeune compagnon matelot, Sylvestre Moan, fiancé de sa sœur, et qui, dernier survivant d'une famille de pêcheurs, demeure avec sa grand-mère la bonne vieille Yvonne. En face de Yann, Gaud Mével, fille d'un homme qui avait été riche; elle a vécu à la ville, et,

---

[1] Ici: amusantes.
[2] V. Louis Barthou, *Pêcheur d'Islande, étude et analyse.* (Paris, Mellottée, 1919.)

au retour, mène une existence fort isolée. Ils se rencontrent: elle comprend tout de suite qu'elle aimera cet homme, différent des autres, réservé comme elle, et, bien avant lui, elle caressera son doux secret.

La grand'mère Yvonne

La bonne vieille grand'mère Yvonne, qui ne savait pas écrire, était venue chez Gaud dont elle était la grand'tante — tout le monde est un peu parent dans ces pays — pour lui dicter une lettre destinée à Sylvestre qui était en mer avec Yann. Gaud avait bien volontiers rendu ce service; maintenant la lettre était écrite. La vaillante grand'mère savait qu'au retour de la pêche, Sylvestre devrait partir pour servir son pays; et comme il était marin, ce serait pour cinq ans, dans les pays lointains — la Cochinchine. Le reverrait-elle, après cinq ans, elle, si vieille déjà?

La bonne vieille grand'mère, pauvre et proprette, s'en alla en remerciant, dès que la lettre fut relue et l'enveloppe fermée. Elle demeurait assez loin, à l'entrée du pays de Ploubazlanec,[1] dans un hameau de la côte, encore dans cette même chaumière où elle était née, où elle avait eu ses 5 fils et ses petits-fils.

En traversant la ville, elle répondait à beaucoup de monde qui lui disait bonsoir: elle était une des anciennes du pays, débris d'une famille vaillante et estimée.

Par des miracles d'ordre et de soins, elle arrivait à pa- 10 raître à peu près bien mise [2] avec de pauvres robes raccom- modées, qui ne tenaient plus.[3] Toujours ce petit châle brun de Paimpolaise, qui était sa tenue d'habillé [4] et sur lequel retombaient depuis une soixantaine d'années les cornets de mousseline de ses grandes coiffes [5]: son propre 15 châle de mariage, jadis bleu, reteint pour les noces de son

---

[1] A deux milles au nord de Paimpol. Paimpol est un petit port de 3.000 habitants, sur la côte bretonne, à 25 milles au Nord Ouest de St. Brieuc.

[2] *Properly dressed.*

[3] Tenir, ici, *hold together.*

[4] *Sunday garb.*

[5] *Muslin hornshaped ends of her large headdress.*

fils Pierre, et depuis ce temps-là ménagé pour les dimanches, encore bien présentable.

Elle avait continué de se tenir droite dans sa marche, pas
du tout comme les vieilles; et vraiment, malgré ce menton
5 un peu trop remonté,[1] avec ces yeux si bons et ce profil si
fin, on ne pouvait s'empêcher de la trouver bien jolie.

Elle était très respectée, et cela se voyait, rien que dans
les bonsoirs que les gens lui donnaient.

En route elle passa devant chez son *galant*,[2] un vieux
10 soupirant d'autrefois, menuisier de son état; octogénaire,
qui maintenant se tenait toujours assis devant sa porte
tandis que les jeunes, ses fils, rabotaient aux établis.[3] —
Jamais il ne s'était consolé, disait-on, de ce qu'elle n'avait
voulu de lui ni en premières ni en secondes noces; mais
15 avec l'âge, cela avait tourné en une espèce de rancune
comique, moitié maligne, et il l'interpellait toujours:

— Eh bien! la belle, quand ça donc qu'il faudra aller
vous *prendre mesure?* . . .

Elle remercia, disant que non, qu'elle n'était pas encore
20 décidée à se faire faire ce costume-là. Le fait est que ce
vieux, dans sa plaisanterie un peu lourde, parlait de certain
costume en planches de sapin par lequel finissent tous les
habillements terrestres . . .

— Allons, quand vous voudrez, alors; mais ne vous
25 gênez pas,[4] la belle, vous savez . . .

Il lui avait déjà fait cette même facétie plusieurs fois.
Et aujourd'hui elle avait peine à en rire: c'est qu'elle se
sentait plus fatiguée, plus cassée par sa vie de labeur incessant, — et elle songeait à son cher petit-fils, son dernier,
30 qui, à son retour d'Islande, allait partir pour le service. —
Cinq années! . . . S'en aller en Chine peut-être, à la
guerre! . . . Serait-elle bien là, quand il reviendrait? —

---

[1] *Turned up chin.*
[2] *Her " beau ".*
[3] *Planed at the benches.*
[4] *Do not be bashful about it.*

Une angoisse la prenait à cette pensée... Non, décidément, elle n'était pas si gaie qu'elle en avait l'air, cette pauvre vieille, et voici que sa figure se contractait horriblement comme pour pleurer.

C'était donc possible cela, c'était donc vrai, qu'on allait 5 bientôt le lui enlever, ce dernier petit-fils... Hélas! mourir peut-être toute seule, sans l'avoir revu... On avait bien fait quelques démarches (des messieurs de la ville qu'elle connaissait) pour l'empêcher de partir, comme soutien d'une grand'mère presque indigente qui ne pourrait bien- 10 tôt plus travailler. ... On avait objecté sa petite pension de veuve de marin; on ne l'avait pas trouvée assez pauvre.

Quand elle fut rentrée, elle dit longuement ses prières, pour tous ses défunts, fils et petits-fils; ensuite elle pria aussi, avec une confiance ardente pour son petit Sylvestre, 15 et essaya de s'endormir, songeant au costume en planches, le cœur affreusement serré de se sentir si vieille au moment de ce départ....

L'autre, la jeune fille, était restée assise près de sa fenêtre, regardant sur le granit des murs les reflets jaunes du 20 couchant, et, dans le ciel, les hirondelles noires qui tournoyaient. Paimpol était toujours très mort, même le dimanche, par ces longues soirées de mai; des jeunes filles, qui n'avaient seulement personne pour leur faire un peu la cour, se promenaient deux par deux, trois par trois, rêvant 25 aux galants d'Islande...

« ... Le bonjour de ma part au fils Gaos... » Cela l'avait beaucoup troublée d'écrire cette phrase, et ce nom qui, à présent, ne voulait plus la quitter. ◦◦◦

Les premières rencontres de Yann et de Gaud

La première fois, ce fut à Paimpol (v. note 1, page 539) où demeurait Gaud; l'entrevue fut très rapide, dans la rue, au retour d'un Pardon [Ce sont des fêtes religieuses avec processions, en l'honneur des saints patrons d'une église ou d'une chapelle. On les appelle « pardons » parce qu'on y accorde certaines indulgences (réduction, ou exemption, des peines du Purgatoire) à ceux qui y participent et ils sont visités par un grand nombre de fidèles; le « pardon » le plus célèbre de la Bretagne est celui de Sainte Anne d'Auray, le 26 juillet.]

C'était le « pardon » de Notre Dame de Bonne Nouvelle. Elle est frappée du grand air de Yann, et elle apprend qu'il est le grand ami de Sylvestre: « A vrai dire, ce Yann n'avait pas été très galant pour elle pendant cette première présentation — au détour d'une petite rue grise toute jonchée de rameaux verts. Il s'était borné à lui ôter son chapeau d'un geste presque timide bien que très noble; puis l'ayant parcourue [*looked over*] de son même regard rapide, il avait détourné les yeux, paraissant mécontent de cette rencontre et avait hâte de passer son chemin. »

La seconde fois qu'ils s'étaient vus, c'était à des noces. Ce fils Gaos avait été désigné pour lui donner le bras. D'abord elle s'était imaginée en être contrariée: défiler dans la rue avec ce garçon, que tout le monde regarderait 5 à cause de sa haute taille, et qui du reste ne saurait probablement rien lui dire en route !... Et puis, il l'intimidait, celui-là, décidément, avec son grand air sauvage.

A l'heure dite, tout le monde étant déjà réuni pour le cortège, ce Yann n'avait point paru. Le temps passait, il 10 ne venait pas, et déjà on parlait de ne point l'attendre. Alors elle s'était aperçue que, pour lui seul, elle avait fait toilette; avec n'importe quel autre de ces jeunes hommes, la fête, le bal, seraient pour elle manqués et sans plaisir.

A la fin il était arrivé, en belle tenue lui aussi, s'excusant 15 sans embarras auprès des parents de la mariée. Voilà: de grands bancs de poissons,[1] qu'on n'attendait pas du tout, avaient été signalés d'Angleterre comme devant passer le soir, un peu au large d'Aurigny, alors tout ce qu'il y avait de bateaux dans Ploubazlanec avait appareillé [2] en 20 hâte. Un émoi dans les villages, les femmes cherchant leurs maris dans les cabarets, les poussant pour les faire courir; se démenant elles-mêmes pour hisser les voiles,

[1] *Shoals of fish.*
[2] *Put under sail.*

aider à la manœuvre, enfin un vrai *branle-bas* [1] dans le pays.

Au milieu de tout ce monde qui l'entourait, il racontait avec une extrême aisance; avec des gestes à lui, des roulements d'yeux, et un beau sourire qui découvrait ses dents brillantes. Pour exprimer mieux la précipitation des appareillages, il jetait de temps en temps au milieu de ses phrases un certain petit *hou!* prolongé, très drôle, — qui est un cri de matelot donnant une idée de vitesse et ressemblant au son flûté du vent. Lui qui parlait, avait été obligé de se chercher un remplaçant bien vite et de le faire accepter par le patron de la barque auquel il s'était loué pour la saison d'hiver. De là venait son retard, et, pour n'avoir pas voulu manquer les noces, il allait perdre toute sa part de pêche.

Ces motifs avaient été parfaitement compris par les pêcheurs qui l'écoutaient et personne n'avait songé à lui en vouloir; — on sait bien, n'est-ce pas, que, dans la vie, tout est plus ou moins dépendant des choses imprévues de la mer, plus ou moins soumis aux changements du temps et aux migrations mystérieuses des poissons. Les autres « Islandais » [2] qui étaient là regrettaient seulement de n'avoir pas été avertis assez tôt pour profiter, comme ceux de Ploubazlanec, de cette fortune qui allait passer au large.

Trop tard à présent, tant pis, il n'y avait plus qu'à offrir son bras aux filles. Les violons commençaient dehors leur musique, et gaîment on s'était mis en route.

D'abord il ne lui avait dit que de ces galanteries sans portée, comme on en conte pendant les fêtes de mariage aux jeunes filles que l'on connaît peu. Parmi ces couples de la noce, eux seuls étaient des étrangers l'un pour l'autre; ailleurs dans le cortège, ce n'étaient que cousins et cousines, fiancés et fiancées. ◦ ◦ ◦

Mais le soir, pendant qu'on dansait, la causerie étant

---

[1] *Commotion, uproar.*

[2] C'est à dire les pêcheurs qui allaient pêcher en Islande [*Iceland*].

revenue entre eux deux sur ce grand passage de poissons,
il lui avait dit brusquement, la regardant dans les yeux en
plein, cette chose inattendue:

— Il n'y a que vous dans Paimpol, — et même dans le
5 monde, — pour m'avoir fait manquer cet appareillage;
non, sûr que pour aucune autre, je ne me serais dérangé
de ma pêche, mademoiselle Gaud . . .

Étonnée d'abord que ce pêcheur osât lui parler ainsi, à
elle qui était venue à ce bal un peu comme une reine, et
10 puis charmée délicieusement, elle avait fini par répondre:

— Je vous remercie, monsieur Yann; et moi-même je
préfère être avec vous qu'avec aucun autre.

Ç'avait été tout. Mais, à partir de ce moment jusqu'à
la fin des danses, ils s'étaient mis à se parler d'une façon
15 différente, à voix plus basse et plus douce . . .

On dansait à la vielle,[1] au violon, les mêmes couples
presque toujours ensemble. Quand lui venait la reprendre,
après avoir par convenance dansé avec quelque autre, ils
échangeaient un sourire d'amis qui se retrouvent et con-
20 tinuaient leur conversation d'avant qui était très intime.
Naïvement, Yann racontait sa vie de pêcheur, ses fatigues,
ses salaires, les difficultés d'autrefois chez ses parents,
quand il avait fallu élever les quatorze petits Gaos dont il
était le frère aîné. — A présent, ils étaient tirés de la peine,
25 surtout à cause d'une épave que leur père avait rencontrée
en Manche, et dont la vente leur avait rapporté dix mille
francs, part faite à l'État [2]; cela avait permis de construire
un premier étage au-dessus de leur maison, — laquelle
était à la pointe du pays de Ploubazlanec, tout au bout des
30 terres, au hameau de Pors-Even, dominant la Manche,
avec une vue très belle.

— C'était dur, disait-il, ce métier d'Islande: partir
comme ça dès le mois de février, pour un tel pays, où il
fait si froid et si sombre, avec une mer si mauvaise . . .

---

[1] Instrument à cordes opéré par une manivelle [*crank*].
[2] *After they had paid government dues.*

... Toute leur conversation du bal, Gaud, qui se la rappelait comme chose d'hier, la repassait lentement dans sa mémoire, en regardant la nuit de mai tomber sur Paimpol. S'il n'avait pas eu des idées de mariage, pourquoi lui aurait-il appris tous ces détails d'existence, qu'elle avait écoutés un peu comme fiancée; il n'avait pourtant pas l'air d'un garçon banal aimant à communiquer ses affaires à tout le monde ...

— ... Le métier est assez bon tout de même, avait-il dit, et pour moi je n'en changerais toujours pas. Des années, c'est huit cents francs; d'autres fois douze cents, que l'on me donne au retour et que je porte à notre mère.

— Que vous portez à votre mère, monsieur Yann?

— Mais oui, toujours tout. Chez nous, les Islandais, c'est l'habitude comme ça, mademoiselle Gaud. (Il disait cela comme une chose bien due et toute naturelle.) Ainsi, moi, vous ne croiriez pas, je n'ai presque jamais d'argent. Le dimanche, c'est notre mère qui m'en donne un peu quand je viens à Paimpol. Pour tout c'est la même chose. Ainsi cette année notre père m'a fait faire ces habits neufs que je porte, sans quoi je n'aurais jamais voulu venir aux noces; oh! non, sûr, je ne serais pas venu vous donner le bras avec mes habits de l'an dernier ...

Pour elle, accoutumée à voir des Parisiens, ils n'étaient peut-être pas très élégants, ces habits neufs d'Yann, cette veste très courte, ouverte sur un gilet d'une forme un peu ancienne; mais le torse qui se moulait dessous était irréprochablement beau, et alors le danseur avait grand air tout de même.

En souriant, il la regardait bien dans les yeux, chaque fois qu'il avait dit quelque chose, pour voir ce qu'elle en pensait. Et comme son regard restait bon et honnête, tandis qu'il racontait tout cela pour qu'elle fût bien prévenue qu'il n'était pas riche!

Elle aussi lui souriait, en le regardant toujours bien en face; répondant très peu de chose, mais écoutant avec

toute son âme, toujours plus étonnée et attirée vers lui.
Quel mélange il était, de rudesse sauvage et d'enfantillage
câlin ! Sa voix grave, qui avec d'autres était brusque et
décidée, devenait, quand il lui parlait, de plus en plus
5 fraîche et caressante; pour elle seule, il savait la faire
vibrer avec une extrême douceur, comme une musique
voilée d'instruments à cordes.

Et quelle chose singulière et inattendue, ce grand garçon
avec ses allures désinvoltes, son aspect terrible, toujours
10 traité chez lui en petit enfant et trouvant cela naturel;
ayant couru le monde, toutes les aventures, tous les dangers, et conservant pour ses parents cette soumission respectueuse, absolue.

Elle le comparait avec d'autres, avec trois ou quatre fre-
15 luquets [1] de Paris, commis, écrivassiers [2] ou je ne sais quoi,
qui l'avaient poursuivie de leurs adorations, pour son argent. Et celui-ci lui semblait être ce qu'elle avait connu
de meilleur, en même temps qu'il était le plus beau.

Pour se mettre davantage à sa portée, elle avait raconté
20 que, chez elle aussi, on ne s'était pas toujours trouvé à
l'aise comme à présent; que son père avait commencé
par être pêcheur d'Islande, et gardait beaucoup d'estime
pour les Islandais; qu'elle-même se rappelait avoir couru
pieds nus, étant toute petite, — sur la grève, — après la
25 mort de sa pauvre mère . . .

. . . Oh ! cette nuit de bal, la nuit délicieuse, décisive et
unique dans sa vie, — elle était déjà presque lointaine,
puisqu'elle datait de décembre et qu'on était en mai. ⚬ ⚬ ⚬

L'Heure décisive

Et puis, les semaines passent, les mois; lui, redevenu très sauvage,
évitait toute rencontre, tandis que Gaud, sans vouloir être indiscrète,
le cherchait. Mais, il y avait comme une fatalité qui s'acharnait sur
eux, et toutes les combinaisons de Gaud manquaient les unes après les
autres, année après année.

------

[1] *Prigs.*   [2] *Salesmen, office clerks.*

Enfin survint la mort de Sylvestre, en Chine. La Cochinchine avait été annexée à la France en 1867; il y avait souvent des soulèvements [*uprisings*], un entre autres en 1882 lorsque la France envoya une expédition contre les Pavillons noirs [pirates chinois, qu'on appelait ainsi parce qu'ils arboraient un pavillon noir]. Sylvestre fut blessé dans une rencontre et mourut sur le bateau qui devait le ramener en France. La pauvre vieille Yvonne est toute désemparée. Gaud, de son côté, avait eu du malheur; son père était mort la laissant, à la surprise de tous (par suite de mauvaises spéculations) sans fortune; elle avait dû travailler, et mettre à profit ses talents de couturière; elle décida d'aller tenir le ménage de la pauvre Yvonne. Et c'est là qu'eut lieu, un jour, la rencontre qui devait décider du sort de Gaud et de Yann. Passant sur le chemin, non loin de la demeure des deux femmes, Yann avait vu un attroupement; il s'était approché: la vieille Yvonne était tombée en poursuivant des gamins qui avaient tué son chat et qui se moquaient d'elle; Gaud était accourue et aidait à la vieille à se relever et à remettre en état sa toilette. Yann eut vite fait de disperser les vauriens, puis il escorta Yvonne et Gaud jusqu'à leur maison.

Décidément il les accompagnait, — jusque chez elles sans doute.

Ils s'en allaient tous trois, comme pour l'enterrement de ce chat, et cela devenait presque un peu drôle, maintenant, de les voir ainsi passer en cortège; il y avait sur les portes 5 des bonnes gens qui souriaient. La vieille Yvonne au milieu, portant la bête; Gaud à sa droite, troublée et toujours très rose; le grand Yann à sa gauche, tête haute, et pensif.

Cependant la pauvre vieille s'était presque subitement 10 apaisée en route; d'elle-même, elle s'était recoiffée et, sans plus rien dire, elle commençait à les observer alternativement l'un et l'autre; du coin de son œil qui était redevenu clair.

Gaud ne parlait pas non plus de peur de donner à Yann 15 une occasion de prendre congé; elle eût voulu rester sur ce bon regard doux qu'elle avait reçu de lui, marcher les yeux fermés pour ne plus voir rien autre chose, marcher ainsi bien longtemps à ses côtés dans un rêve qu'elle faisait, au lieu d'arriver si vite à leur logis vide et sombre où tout allait s'évanouir.

A la porte, il y eut une de ces minutes d'indécision pendant lesquelles il semble que le cœur cesse de battre. La grand'mère entra sans se retourner; puis Gaud, hésitante, et Yann, par derrière, entra aussi . . .

Il était chez elles, pour la première fois de sa vie; sans but, probablement; qu'est-ce qu'il pouvait vouloir ? . . . En passant le seuil, il avait touché son chapeau, et puis, ses yeux ayant rencontré d'abord le portrait de Sylvestre dans sa petite couronne mortuaire en perles noires, il s'en était approché lentement comme d'une tombe.

Gaud était restée debout, appuyée des mains à leur table. Il regardait maintenant tout autour de lui, et elle le suivait dans cette sorte de revue silencieuse qu'il passait de leur pauvreté. Bien pauvre, en effet, malgré son air rangé et honnête, le logis de ces deux abandonnées qui s'étaient réunies. Peut-être, au moins, éprouverait-il pour elle un peu de bonne pitié, en la voyant redescendue à cette même misère, à ce granit fruste et à ce chaume. Il n'y avait plus de la richesse passée, que le lit blanc, le beau lit de demoiselle, et involontairement les yeux de Yann revenaient là . . .

Il ne disait rien . . . Pourquoi ne s'en allait-il pas ? . . . La vieille grand'mère, qui était encore si fine à ses moments lucides, faisait semblant de ne pas prendre garde à lui. Donc ils restaient debout l'un devant l'autre, muets et anxieux, finissant par se regarder comme pour quelque interrogation suprême.

Mais les instants passaient, et, à chaque seconde écoulée, le silence semblait entre eux se figer davantage. Et ils se regardaient toujours plus profondément, comme dans l'attente solennelle de quelque chose d'inouï qui tardait à venir.

. . . .

— Gaud, demanda-t-il à demi-voix grave, si vous voulez toujours . . .

Qu'allait-il dire?... On devinait quelque grande décision, brusque comme étaient les siennes, prise là tout à
coup, et osant à peine être formulée...

— Si vous voulez toujours... La pêche s'est bien
vendue cette année, et j'ai un peu d'argent devant moi... 5

Si elle voulait toujours!... Que lui demandait-il?
avait-elle bien entendu? Elle était anéantie devant l'immensité de ce qu'elle croyait comprendre.

Et la vieille Yvonne, de son coin là-bas, dressait l'oreille,
sentant du bonheur approcher... 10

— Nous pourrions faire notre mariage, mademoiselle
Gaud, si vous vouliez toujours...

... Et puis il attendit sa réponse, qui ne vint pas...
Qui donc pouvait l'empêcher de prononcer ce oui?... Il
s'étonnait, il avait peur, et elle s'en apercevait bien. Ap- 15
puyée des deux mains à la table, devenue toute blanche,
avec des yeux qui se voilaient, elle était sans voix, ressemblait à une mourante très jolie...

— Eh bien, Gaud, réponds donc! dit la vieille grand'-
mère qui s'était levée pour venir à eux. Voyez-vous, ça la 20
surprend, monsieur Yann; il faut l'excuser; elle va réfléchir et vous répondre tout à l'heure... Asseyez-vous,
monsieur Yann, et prenez un verre de cidre avec nous...

Mais non, elle ne pouvait pas répondre, Gaud; aucun
mot ne lui venait plus, dans son extase... C'était donc 25
vrai qu'il était bon, qu'il avait du cœur. Elle le retrouvait
là, son vrai Yann, tel qu'elle n'avait jamais cessé de le voir
en elle-même, malgré sa dureté, malgré son refus sauvage,
malgré tout. Il l'avait dédaignée longtemps, il l'acceptait
aujourd'hui, — et aujourd'hui qu'elle était pauvre; c'était 30
son idée à lui sans doute, il avait eu quelque motif qu'elle
saurait plus tard; en ce moment, elle ne songeait pas du
tout à lui en demander compte, non plus qu'à lui reprocher
son chagrin de deux années... Tout cela, d'ailleurs, était
si oublié, tout cela venait d'être emporté si loin, en une 35
seconde, par le tourbillon délicieux qui passait sur sa

vie !... Toujours muette, elle lui disait son adoration
rien qu'avec ses yeux, tout noyés, qui le regardaient à une
extrême profondeur, tandis qu'une grosse pluie de larmes
commençait à descendre le long de ses joues...

5 — Allons, Dieu vous bénisse ! mes enfants, dit la grand'-
mère. Et moi, je lui dois un grand merci, car je suis encore contente d'être devenue si vieille, pour avoir vu ça
avant de mourir.

Ils restaient toujours là, l'un devant l'autre, se tenant
10 les mains et ne trouvant pas de mots pour se parler; ne
connaissant aucune parole qui fût assez douce, aucune
phrase ayant le sens qu'il fallait, aucune qui leur semblât
digne de rompre leur délicieux silence.

— Embrassez-vous, au moins, mes enfants... Mais
15 c'est qu'ils ne se disent rien !... Ah ! mon Dieu, les drôles
de petits-enfants que j'ai là par exemple !... Allons, Gaud,
dis-lui donc quelque chose, ma fille... De mon temps à
moi, me semble qu'on s'embrassait, quand on s'était promis...

20 Yann ôta son chapeau, comme saisi tout à coup d'un
grand respect inconnu, avant de se pencher pour embrasser
Gaud, — et il lui sembla que c'était le premier vrai baiser
qu'il eût jamais donné de sa vie.

Elle aussi l'embrassa, appuyant de tout son cœur ses
25 lèvres fraîches, inhabiles aux raffinements des caresses, sur
cette joue de son fiancé que la mer avait dorée. Dans les
pierres du mur, le grillon [1] leur chantait le bonheur, il
tombait juste, cette fois, par hasard. Et le pauvre petit
portrait de Sylvestre avait un air de leur sourire, du milieu
30 de sa couronne noire. Et tout paraissait s'être subitement
vivifié et rajeuni dans la chaumière morte. Le silence
s'était rempli de musiques inouïes; même le crépuscule
pâle d'hiver, qui entrait par la lucarne, était devenu comme
une belle lueur enchantée......

---

[1] Le « grillon du foyer » dont le cri-cri porte bonheur selon la
croyance populaire. (Cf. Dickens, *The Cricket on the Hearth*.)

La catastrophe

Alors tout à coup, cela avait été une fièvre de préparatifs. Yann
ne voulait pas attendre, et comme il partait en mer une semaine plus
tard il fallut faire le mariage avant — ce fut rapide, mais si beau: Le
contrat à arranger, la maison à mettre en état, la robe de noce de
Gaud que Yann voulait superbe. Le dîner de noces se fit chez les
parents d'Yann, « à cause de ce logis de Gaud qui était bien pauvre ».

Et puis: « Ils furent mari et femme pendant six jours ».

Mais le jour des noces, la tempête avait fait rage — comme si la
mer était jalouse de Gaud qui essayait de lui prendre son Yann.
Autrefois, quand on avait essayé de pousser Yann au mariage, il
répondait: « Moi !... Un de ces jours, oui, je ferai mes noces — et,
il souriait ce Yann, toujours dédaigneux, roulant ses yeux vifs —
mais avec aucune des filles du pays; non, moi, ce sera avec la mer, et
je vous invite tous, ici tant que vous êtes, au bal que je donnerai ... »

Ce fut, alors, la séparation, douce et tragique, avec comme un
semblant de noir pressentiment du grand malheur ... En effet:

Il ne revint jamais.

Une nuit d'août, là-bas, au large de la sombre Islande,
au milieu d'un grand bruit de fureur, avaient été célébrées
ses noces avec la mer.

Avec la mer qui autrefois avait été aussi sa nourrice;   5
c'était elle qui l'avait bercé, qui l'avait fait adolescent
large et fort, — et ensuite elle l'avait repris, dans sa virilité
superbe, pour elle seule. Un profond mystère avait enveloppé ces noces monstrueuses. Tout le temps, des voiles
obscurs s'étaient agités au-dessus, des rideaux mouvants 10
et tourmentés, tendus pour cacher la fête; et la fiancée
donnait de la voix, faisait toujours son plus grand bruit
horrible pour étouffer les cris. — Lui, se souvenant de
Gaud, sa femme de chair, s'était défendu, dans une lutte
de géant, contre cette épousée de tombeau. Jusqu'au   15
moment où il s'était abandonné, les bras ouverts pour la
recevoir, avec un grand cri profond comme un taureau qui
râle, la bouche déjà emplie d'eau; les bras ouverts, étendus
et raidis pour jamais.

Et à ses noces, ils y étaient tous, ceux qu'il avait conviés 20

jadis.   Tous, excepté Sylvestre, qui, lui, s'en était allé
dormir dans des jardins enchantés, — très loin, de l'autre
côté de la Terre ...

Il ne faut pas essayer de donner des extraits des heures tragiques
que vécut Gaud en attendant vainement Yann.   Elle lui avait écrit
plusieurs fois; elle avait tout l'été travaillé pour gagner quelque argent
employé à embellir le logis « pour son retour ».   L'automne venu,
les premiers bateaux étaient rentrés, deux, puis quatre, puis tous sauf
deux; puis un encore, mais toujours pas ‹ La Léopoldine ›, celui
qui portait Yann; les jours, les semaines, le mois d'octobre tout entier
passèrent; le jour, Gaud allait sur la plage, folle de terreur et d'espoir;
la nuit elle s'enfermait: « C'était la nuit surtout qu'elle se tenait
« attentive à tous les pas qui s'approchaient: à la moindre rumeur,
« au moindre son inaccoutumé, ses tempes vibraient à force d'être
« tendues aux choses du dehors, elles étaient devenues affreusement
« douloureuses ... » — Il ne revint jamais.

*

Pour la Bretagne pittoresque, et surtout légendaire, il faut rappeler
ici le nom d'Anatole LeBraz (1859-1926): *La chanson de la Bretagne*
— des vers pour lesquels il partagea un prix de l'Académie avec Heredia; en prose, *La légende de la mer* (2 vol.), *Le pardon*, etc.

Ramuntcho (1897)

L'histoire se passe dans le pays basque [l'ancien royaume de Navarre, s'étendant sur les deux côtés des Pyrénées, et habité par de
hardis montagnards; du côté nord c'est à peu près ce qui correspond
au vieux royaume de Navarre; on y parle un idiome spécial, aux sons
agglutinants].   Les hommes y gagnent leur vie le plus souvent d'une
manière aussi aléatoire que celle des pêcheurs bretons; ils sont contrebandiers [*smugglers*], exposés aux risques de la montagne et aux coups
de fusils des douaniers [*customs officers*].   Ils ont un jeu national « la
pelote » [balle] qui rappelle un peu le jeu américain du ‹ *squash* › et
joue un rôle capital dans la vie du pays.[1]

Le héros est un jeune gars, Ramuntcho (en français Raymond),
pauvre mais magnifique jeune homme, fils de la veuve Franchita,
splendide joueur de pelote, et fort recherché pour des expéditions

---

[1] « A leur poignet droit, les joueurs attachent avec des lanières, une
étrange chose d'osier qui semble un grand ongle courbe leur allongeant
de moitié l'avant-bras: c'est avec ce gant qu'il va falloir saisir, lancer
et relancer la pelote — une petite balle de corde serrée et recouverte en
peau de mouton qui est dure comme une boule de bois. » (Chap. III).

nocturnes par un chef contrebandier, Itchoua. Il aime la charmante
Gracieuse. Celle-ci est fille d'une ancienne camarade d'enfance de
Franchita, Dolorès Detcharry qui, étant riche, ne veut pas de Ramuntcho pour gendre. Franchita espère que l'amour triomphera des
obstacles; Arrochkoa, frère de Gracieuse, et partenaire de Ramuntcho
dans les jeux de pelote, favorise les amoureux. Ramuntcho et
Gracieuse sont obligés de se voir en secret, et il semble que rien ne
puisse les séparer. Le jour arrive où Ramuntcho est obligé de partir
pour faire son service militaire, comme tous les jeunes gens de son
âge; il sera trois ans sous les drapeaux. Cette circonstance favorise
les projets de Dolorès qui, ayant trouvé un parti selon elle désirable,
veut forcer Gracieuse à l'accepter. Gracieuse oppose une volonté
absolue, et le résultat est qu'elle doit chercher refuge dans l'Église qui
enseigne et abrite les grandes résignations; elle entre au couvent.
Quand Ramuntcho revient, il est désespéré; sa pauvre mère, la seule
affection qui lui reste dans ce monde, meurt ... Alors il décide de
recourir à un coup de force; il enlèvera Gracieuse de son couvent et
partira avec elle pour l'Amérique où il a un parent. Arrochkoa se
fait son complice; mais on verra comment les deux hommes sont
intimidés par la paix auguste et mystérieuse du couvent où ils étaient
venus pour un acte de violence.

Le matin de la grand'messe de la Toussaint
à Etchezar, dans le pays basque.

Onze heures maintenant, les cloches de France et d'Espagne sonnant à toute volée et mêlant par-dessus la frontière leurs vibrations des religieuses fêtes.

Baigné, reposé et en toilette, Ramuntcho se rendait avec
sa mère à la grand'messe de la Toussaint. Par le chemin 5
jonché de feuilles rousses, ils descendaient tous deux vers
leur paroisse, sous un chaud soleil qui donnait l'illusion
de l'été.

Lui, vêtu d'une façon presque élégante et comme un
garçon de la ville, sauf le traditionnel béret basque, qu'il 10
portait de côté, en visière sur ses yeux d'enfant. Elle,
droite et fière, la tête haute, l'allure distinguée, dans une
robe d'une forme très nouvelle; l'air d'une femme du
monde, sans la mantille de drap noir qui couvrait ses cheveux et ses épaules. ∘ ∘ ∘   15

Ils se séparèrent, ainsi que l'étiquette le commande, en arrivant dans le préau de l'église, où des cyprès immenses sentaient le midi et l'orient. D'ailleurs, elle ressemblait du dehors à une mosquée, leur paroisse, avec ses grands vieux 5 murs farouches, percés tout en haut seulement de minuscules fenêtres, avec sa chaude couleur de vétusté, de poussière et de soleil.

Tandis que Franchita entrait par une des portes du rez-de-chaussée, Ramuntcho prenait un vénérable escalier de 10 pierre qui montait le long de la muraille extérieure et conduisait dans les hautes tribunes réservées aux hommes.

Le fond de l'église sombre était tout de vieux ors étincelants, avec une profusion de colonnes torses, d'entablements compliqués, de statues aux contournements excessifs et 15 aux draperies tourmentées dans le goût de la Renaissance espagnole. Et cette magnificence du tabernacle contrastait avec la simplicité des murailles latérales, tout uniment peintes à la chaux blanche. Mais un air de vieillesse extrême harmonisait ces choses, que l'on sentait habituées 20 depuis des siècles à *durer* en face les unes des autres.

Il était de bonne heure encore, et on arrivait à peine pour cette grand'messe. Accoudé au rebord de sa tribune, Ramuntcho regardait en bas les femmes entrer, toutes comme de pareils fantômes noirs, la tête et le costume dis-25 simulés sous le cachemire de deuil qu'il est d'usage de mettre pour aller aux églises. Silencieuses et recueillies, elles glissaient sur le funèbre pavage de dalles mortuaires où se lisaient encore, malgré l'effacement du temps, des inscriptions en langue euskarienne,[1] des noms de familles 30 éteintes et des dates de siècles passés.

Gracieuse, dont l'entrée préoccupait surtout Ramuntcho, tardait à venir. Mais, pour distraire un moment son esprit, un *convoi* [2] s'avança en lente théorie noire; un *convoi*,

---

[1] Basque, langue unique sans rapport apparent avec les langues connues.

[2] Procession funèbre.

c'est à dire les parents et les plus proches voisins d'un mort
de la semaine, les hommes encore drapés dans la longue
cape que l'on porte pour suivre les funérailles, les femmes
sous le manteau et le traditionnel capuchon de grand deuil.

En haut, dans les deux immenses tribunes qui se super- 5
posaient le long des côtés de la nef, les hommes venaient un
à un prendre place, graves et le chapelet à la main: fer-
miers, laboureurs, bouviers, braconniers ou contrebandiers,
tous recueillis et prêts à s'agenouiller quand sonnerait la
clochette sacrée. Chacun d'eux, avant de s'asseoir, accro- 10
chait derrière lui à un clou de la muraille sa coiffure de laine,
et peu à peu, sur le fond blanc de la chaux, s'alignaient des
rangées d'innombrables bérets basques.

En bas, les petites filles de l'école entrèrent enfin, en bon
ordre, escortées par les sœurs de Sainte-Marie-du-Rosaire. 15
Et, parmi ces nonnes embéguinées [1] de noir, Ramuntcho
reconnut Gracieuse. Elle aussi avait la tête tout de noir
enveloppée; ses cheveux blonds, qui ce soir s'ébouriffe-
raient [2] au vent du fandango, demeuraient cachés pour l'instant sous l'austère mantille des cérémonies. Gracieuse, 20
depuis deux ans, n'était plus écolière, mais n'en restait pas
moins l'amie intime des sœurs, ses maîtresses, toujours en
leur compagnie pour des chants, pour des neuvaines, [3] ou
des arrangements de fleurs blanches autour des statues de
la sainte Vierge . . . 25

Puis, les prêtres, dans leurs plus somptueux costumes,
apparurent en avant des ors magnifiques du tabernacle,
sur une estrade haute et théâtrale, et la messe commença,
célébrée dans ce village perdu avec une pompe excessive,
comme dans une grande ville. Il y avait des chœurs de 30
petits garçons, chantés à pleine voix enfantine avec un

---

[1] *Muffled up* (Béguin, coiffe à large capuchon que portent certaines
religieuses.)

[2] *Would be ruffled.*

[3] Actes de dévotion (prières, messes, etc.) auxquels on se livre
pendant une période de neuf jours.

entrain un peu sauvage. Puis, des chœurs très doux de petites filles. qu'une sœur accompagnait à l'harmonium et que guidait la voix fraîche et claire de Gracieuse. Et de temps à autre, une clameur partait, comme un bruit d'o-
5 rage, des tribunes d'en haut où les hommes se tenaient, un répons formidable animait les vieilles voûtes, les vieilles boiseries sonores qui, durant des siècles, ont vibré des mêmes chants . . . . . ○○

Franchita, mère de Ramuntcho et Dolorès,
mère de Gracieuse

Au crépuscule donc, elle s'en revenait, Franchita, de
10 conduire son fils,[1] et s'efforçait de reprendre sa figure habituelle, son air de hautaine indifférence, pour traverser le
village.

Mais, arrivée devant la maison Detcharry, elle vit Dolorès qui, près de rentrer chez elle, se retournait et se campait
15 sur sa porte pour la regarder passer. Il fallait bien quelque
chose de nouveau, quelque révélation subite, pour qu'elle
prît cette attitude de défi agressif, cette expression de provocante ironie, — et Franchita alors s'arrêta, elle aussi,
tandis que cette phrase presque involontaire jaillissait
20 entre ses dents serrées:

— Qu'est-ce qu'elle a, pour me regarder comme ça, cette
femme ? . . .

— Il ne viendra pas ce soir, l'amoureux, hein ! répondit
l'ennemie.

25 — Ah ! tu le savais donc, toi, alors, qu'il venait ici, voir
ta fille ?

En effet, elle le savait depuis le matin: Gracieuse le lui
avait dit, puisqu'il n'y avait plus aucun lendemain à mé-
nager; elle le lui avait dit de guerre lasse, après avoir inu-
30 tilement parlé de l'oncle Ignacio,[2] du nouvel avenir de

[1] Son fils qui était parti pour le service militaire. V. introduction.
[2] Un oncle émigré dans l'Amérique du Sud, qui y avait fait fortune et avait proposé à Ramuntcho de venir le rejoindre.

Raymond, de tout ce qui pouvait servir leur cause de fiancés . . .

— Ah ! tu le savais donc, toi, alors, qu'il venait ici voir ta fille ? . . .

Par un ressouvenir d'autrefois, elles reprenaient d'instinct leur tutoiement de l'école des sœurs, ces deux femmes qui depuis bientôt vingt ans ne s'étaient plus adressé une parole. Pourquoi elles se détestaient, en vérité elles l'ignoraient presque; tant de fois, cela commence ainsi, par des riens, des jalousies, des rivalités d'enfance et puis, à la longue, à force de se voir chaque jour sans se parler, à force de se jeter en passant de mauvais regards, cela fermente jusqu'à devenir l'implacable haine . . . Donc, elles étaient là l'une devant l'autre, et leurs deux voix chevrotaient [1] de rancune, d'émotion mauvaise:

— Eh ! répliqua l'autre, tu le savais avant moi, je suppose, toi, l'éhontée, qui l'envoyais chez nous ! . . . Du reste, on comprend que tu ne sois pas difficile sur les moyens, après ce que tu as fait dans les temps . . .

Et, tandis que Franchita, beaucoup plus digne par nature, restait muette, terrifiée maintenant par l'imprévu de cette dispute en pleine rue, Dolorès reprit encore:

— Non, ma fille épousant ce bâtard sans le sou, voyez-vous ça ! . . .

— Eh bien, j'ai idée que si, moi ! qu'elle l'épousera quand même ! . . . Essaie donc, tiens, de lui en proposer un de ton choix, pour voir ! . . .

Alors, comme qui dédaigne de continuer, elle reprit son chemin, entendant, par derrière, la voix et l'insulte de l'autre qui la poursuivaient. Elle tremblait de tous ses membres et chancelait à chaque pas sur ses jambes près de faiblir.

Au logis, maintenant vide, quelle morne tristesse, quand elle fut rentrée !

La réalité de cette séparation de trois ans lui apparaissait

---

[1] Tremblaient (rappelant le cri de la chèvre).

sous un aspect affreusement nouveau, comme si elle y avait
à peine été préparée; — de même, au retour du cimetière,
on sent pour la première fois, dans son intégrité affreuse,
l'absence des chers morts ₒₒₒ

Une expédition de contrebandiers basques

5   A la frontière, dans un hameau de montagne. Nuit
noire, vers une heure du matin; nuit d'hiver inondée d'une
pluie froide et torrentielle. Au pied d'une sinistre maison
qui ne jette aucune lueur dehors, Ramuntcho charge ses
épaules d'une pesante caisse de contrebande, sous la ruisse-
10 lante averse, au milieu d'une obscurité de sépulcre. La
voix d'Itchoua commande en sourdine,[1] — comme si l'on
frôlait de l'archet les dernières cordes d'une basse, — et
autour de lui, dans ces ténèbres absolues, on devine d'autres
contrebandiers pareillement chargés, prêts à partir pour
15 l'aventure.

C'est maintenant plus que jamais la vie de Ramuntcho,
ces courses-là, sa vie de presque toutes les nuits, surtout
des nuits nuageuses et sans lune où l'on n'y voit rien, où les
Pyrénées sont un immense chaos d'ombre. Amassant le
20 plus d'argent possible pour sa fuite,[2] il est de toutes les
contrebandes, aussi bien de celles qui rapportent un salaire
convenable que des autres où l'on risque la mort pour cent
sous. Et d'ordinaire, Arrochkoa l'accompagne, sans nécessité, lui, par fantaisie plutôt et par jeu. ₒₒₒ
25 Le lieu d'où ils partent cette fois pour la contrebande
habituelle se nomme Landachkoa, et il est situé en France,
à dix minutes de l'Espagne. L'auberge, solitaire et vieille,
prend, sitôt que baisse la lumière, des aspects de coupe-
gorge.[3] En ce moment même, tandis que les contreban-
30 diers en sortent par une porte détournée, elle est remplie

---

[1] *In a muffled voice.*
[2] En vue de l'enlèvement de Gracieuse.
[3] *Cut-throat place.*

de carabiniers espagnols, qui ont familièrement passé la
frontière pour venir se divertir ici, et qui boivent en chantant. Et l'hôtesse, coutumière des manèges et des cachot-
teries [1] nocturnes, est tout à l'heure venue gaîment dire en
basque aux gens d'Itchoua: 5

— Ça va bien! ils sont tous gris,[2] vous pouvez sortir!

Sortir! c'est plus aisé à conseiller qu'à faire! On est
trempé dès les premiers pas et les pieds glissent dans la
boue gluante, malgré l'aide des bâtons ferrés, sur les pentes
raides des sentiers. On ne se voit point les uns les autres; 10
on ne voit rien, ni les murs du hameau le long desquels on
passe, ni les arbres ensuite, ni les roches; on est comme des
aveugles, tâtonnant et trébuchant sous un déluge, avec
une musique de pluie aux oreilles, qui vous rend sourd.

Et Ramuntcho, qui fait ce trajet pour la première fois, 15
n'a aucune idée des passages de chèvre que l'on va prendre,
heurte çà et là son fardeau à des choses noires qui sont des
branches de hêtre, ou bien glisse des deux pieds, chancelle,
se raidit, se rattrape en piquant au hasard, de sa seule main
libre, son bâton ferré dans la terre. Ils ferment la marche, 20
Arrochkoa et Ramuntcho, suivant la bande au flair et à
l'ouïe; — et encore, les autres, qui les précèdent, font-ils,
avec leurs espadrilles,[3] à peine autant de bruit que des
loups en forêt.

En tout, quinze contrebandiers, échelonnés sur une 25
cinquantaine de mètres, dans le noir épais de la montagne,
sous l'arrosage incessant de l'averse nocturne; ils portent
des caisses pleines de bijouterie, de montres, de chaînes,
de chapelets, ou bien des ballots de soie de Lyon enveloppés
de toile cirée; tout à fait devant, chargés de marchandises 30
d'un moindre prix, marchent deux hommes qui sont les
éclaireurs, ceux qui attireront, s'il y a lieu, les coups de
fusil espagnols et qui alors prendront la fuite, en jetant

---

[1] *Deceits.*
[2] Ivres.
[3] Sandales avec des semelles de corde.

tout par terre. On ne se parle qu'à voix basse, bien entendu, malgré ce tambourinement [1] de l'ondée, qui déjà étouffe les sons ...

Celui qui précède Ramuntcho se retourne pour l'avertir:

— Voici un torrent en face de nous ... — (On l'aurait deviné d'ailleurs, ce torrent-là, à son fracas plus fort que celui de l'averse ...) — Il faut le passer!

— Ah! ... Et le passer comment? Entrer dans l'eau? ...

— Non pas, l'eau est profonde. Suis-nous bien. Il y a un tronc d'arbre par-dessus, jeté en travers!

En tâtant à l'aveuglette,[2] Ramuntcho trouve en effet ce tronc d'arbre, mouillé, glissant et rond. Le voilà debout, s'avançant sur ce pont de singe en forêt, toujours avec sa lourde charge, tandis qu'au-dessous de lui l'invisible torrent bouillonne. Et il passe, on ne sait comment, au milieu de cette intensité de noir et de ces grands bruits d'eau.

Sur l'autre rive, il faut redoubler de précautions et de silence. Finis tout à coup, les sentiers de montagne, les scabreuses descentes, les glissades, sous la nuit plus oppressante des bois. Ils sont arrivés à une sorte de plaine détrempée où les pieds enfoncent; les espadrilles, attachées par des liens aux jambes nerveuses, font entendre des petits claquements mouillés, des *floc, floc*, d'eau battue. Les yeux des contrebandiers, leurs yeux de chats, de plus en plus dilatés dans l'obscurité, perçoivent confusément qu'il y a de l'espace libre alentour, que ce n'est plus l'enfermement et la continuelle retombée des branches. Ils respirent mieux aussi et marchent d'une allure plus régulière qui les repose ...

Mais des aboiements de chiens, là-bas très loin, les immobilisent tous d'une façon soudaine, comme pétrifiés sous l'ondée. Un quart d'heure durant, ils attendent, sans parler ni bouger; sur leurs poitrines, la sueur coule, mêlée à l'eau du ciel qui entre par les cols des chemises et descend jusqu'aux ceintures.

---

[1] *Drumming.*　　　　　　[2] *Groping his way* (Comme un aveugle).

A force d'écouter, ils entendent bruire leurs propres
oreilles, battre leurs propres artères.

Et cette tension des sens est d'ailleurs, dans leur métier,
ce qu'ils aiment tous; elle leur cause une sorte de joie
presque animale; elle est un rappel des plus primitives 5
impressions humaines dans les forêts ou les jungles des
époques originelles . . . . . . ∘∘

Cependant ils se sont tus, les chiens de garde, tranquil-
lisés ou bien distraits, leur flair attentif occupé d'autre
chose. Le vaste silence est revenu, moins rassurant toute- 10
fois, prêt à se rompre peut-être, parce que là-bas des bêtes
veillent. Et, à un commandement sourd d'Itchoua, les
hommes reprennent une marche ralentie et plus hésitante,
dans la grande nuit de la plaine, un peu ployés tous, un peu
abaissés sur leurs jambes, comme par un instinct de fauve 15
aux aguets.[1]

Il paraît que voici devant eux la Nivelle; on ne la voit
pas, puisqu'on ne voit rien, mais on l'entend courir, et
maintenant de longues choses flexibles entravent les pas,
se froissent au passage des corps humains: les roseaux des 20
bords. C'est la Nivelle qui est la frontière; il va falloir la
franchir à gué, sur des séries de roches glissantes, en sautant
d'une pierre à l'autre, malgré le fardeau qui alourdit les
jarrets.

Mais, avant, on fait halte sur la rive pour se recueillir 25
et se reposer un peu. Et d'abord on se compte à voix
basse: tout le monde est là. Les caisses ont été déposées
dans l'herbe; elles y semblent des taches plus claires, à
peu près perceptibles à des yeux habitués, tandis que, sur
les ténèbres des fonds, les hommes, debout, dessinent de 30
longues marques droites, plus noires encore que le vide de
la plaine. ∘∘∘

Cependant l'immobilité se prolonge, les respirations se
calment. Et, tandis que les hommes secouent leurs bérets
ruisselants, se passent la main sur le front pour chasser les 35

_____
[1] *Wild beast on guard.*

gouttes de pluie et de sueur qui voilent les yeux, une première sensation de froid leur vient, de froid humide et profond; leurs vêtements mouillés les glacent, leurs pensées
s'affaiblissent; peu à peu, après la fatigue de cette fois et
5 celle des veilles précédentes, une sorte de torpeur les en-
gourdit, là, tout de suite, dans l'épaisse obscurité, sous l'incessante ondée d'hiver.

Ils sont, du reste, coutumiers de cela, rompus [1] au froid
et à la mouillure, rôdeurs endurcis qui vont dans les lieux
10 et aux heures où les autres hommes ne paraissent jamais,
inaccessibles aux vagues frayeurs des ténèbres, capables de
dormir sans abri n'importe où, au plus noir des nuits pluvieuses, dans les dangereux marécages ou les ravins perdus...

15 Allons! en route, maintenant, le repos a assez duré.
C'est, d'ailleurs, l'instant décisif et grave où l'on va passer
la frontière. Tous les muscles se raidissent, les oreilles se
tendent et les yeux se dilatent.

D'abord, les éclaireurs; ensuite, l'un après l'autre, les
20 porteurs de ballots, les porteurs de caisses, chargés chacun
de quarante kilos sur les épaules ou sur la tête. En glissant
çà et là parmi les cailloux ronds, en trébuchant dans l'eau,
tout le monde passe, atterrit sans chute sur l'autre rive.
Les voici sur le sol d'Espagne! Reste à franchir, sans coup
25 de feu ni mauvaises rencontres, deux cents mètres environ
pour arriver à une ferme isolée qui est le magasin de recel [2]
du chef des contrebandiers espagnols, et, une fois de plus,
le tour sera joué!

Naturellement, elle est sans lumière, obscure et sinistre,
30 cette ferme-là. Toujours sans bruit et à tâtons, on y entre
à la file; puis, sur les derniers passés, on tire les verrous
énormes de la porte. Fini! Barricadés et sauvés, tous!
Et le trésor de la Reine Régente est frustré, cette nuit
encore, d'un millier de francs!...

---

[1] *Accustomed (broken) to cold and dampness.*
[2] *Receiving store of goods in contraband.*

Alors, on allume un fagot dans la cheminée, une chandelle sur la table; on se voit, on se reconnaît, en souriant de la bonne réussite. La sécurité, la trêve de pluie sur les têtes, la flamme qui danse et réchauffe, le cidre et l'eau-de-vie qui remplissent les verres, ramènent chez ces hommes la joie bruyante, après le silence obligé. On cause gaîment, et le grand vieux chef aux cheveux blancs, qui les héberge tous à cette heure indue, annonce qu'il va doter son village d'une belle place pour le jeu de pelote, dont les devis[1] sont faits, et qui lui coûtera dix mille francs. ∘ ∘ ∘

On boit une dernière fois ensemble, tous à la ronde, choquant les verres très fort; puis, on repart, toujours dans l'épaisse nuit et sous la pluie incessante, mais cette fois par la grande route, marchant en bande et chantant. Rien dans les mains, rien dans les poches: on est à présent des gens quelconques, revenant d'une promenade toute naturelle. ∘ ∘ ∘ Et ainsi l'on rentre à Landachkoa, village de France, passant sur le pont de la Nivelle, à la barbe[2] des carabiniers d'Espagne.

Ils n'ont d'ailleurs aucune illusion, les carabiniers de veille, sur ce que sont venus faire chez eux, à une heure si noire, ces hommes si mouillés ...

La dernière entrevue[3]

Arrochkoa frappe du doigt à la porte de la paisible maison:

— Je voudrais voir ma sœur, s'il vous plaît, demande-t-il à une vieille nonne, qui entr'ouvre, étonnée ...

Avant qu'il ait fini de dire, un cri de joie s'envole du corridor obscur, et une religieuse, qu'on devine toute jeune malgré l'enveloppement de son costume dissimulateur, se précipite, lui prend les mains. Elle l'a reconnu, lui, à sa

---

[1] *Estimates.*
[2] *In the face.*
[3] Pour l'enlèvement de Gracieuse. V. introduction.

voix, — mais a-t-elle deviné l'autre qui se tient derrière et qui ne parle pas ? . . .

La supérieure est accourue aussi, et, dans l'obscurité de l'escalier, les fait monter tous au parloir du petit couvent
5 campagnard; puis elle avance les chaises de paille, et chacun s'assied, Arrochkoa près de sa sœur, Ramuntcho en face, — et ils sont l'un devant l'autre enfin, . . . et un silence, plein de battements d'artères, plein de soubresauts [1] d'âmes, plein de fièvres, descend sur eux ౦ ౦ ౦

10 Vraiment, voici que, dans ce lieu, on ne sait quelle paix presque douce, et un peu tombale aussi, enveloppe dès l'abord l'entrevue terrible; au fond des poitrines, les cœurs frappent à grands coups sourds, mais les paroles d'amour ou de violence, les paroles meurent avant de passer les
15 lèvres . . . Et cette paix, de plus en plus s'établit; il semble qu'un suaire blanc peu à peu recouvre tout ici, pour calmer et éteindre.

Rien de bien particulier pourtant dans ce parloir si humble: quatre murs absolument nus sous une couche de
20 chaux; un plafond de bois brut; un plancher où l'on glisse, tant il est ciré soigneusement; sur une console, une Vierge de plâtre, déjà indistincte, parmi toutes les blancheurs semblables de ces fonds où le crépuscule de mai achève de mourir. Et une fenêtre sans rideaux, ouverte sur les grands
25 horizons pyrénéens envahis par la nuit . . . Mais, de cette pauvreté voulue, de cette simplicité blanche, se dégage une notion d'impersonnalité définitive, de renoncement sans retour; et l'irrémédiable des choses accomplies commence de se manifester à l'esprit de Ramuntcho, tout en
30 lui apportant une sorte d'apaisement quand même, de subite et involontaire résignation.

Les deux contrebandiers, immobiles dans leurs chaises, n'apparaissent plus guère qu'en silhouette, carrures larges sur tout ce blanc des murs, et, de leurs traits perdus, à

[1] *Starts, emotions.*

peine voit-on le noir plus intense des moustaches et des yeux. Les deux religieuses, aux contours unifiés par le voile, semblent déjà deux spectres tout noirs...

— Attendez, sœur Marie-Angélique, — dit la supérieure à la jeune fille transformée qui jadis s'appelait Gracieuse, — attendez, ma sœur, que j'allume une lampe, qu'au moins vous puissiez voir sa figure, à votre frère !...

Elle sort, les laissant ensemble, et, de nouveau, le silence tombe sur cet instant rare, peut-être unique, impossible à ressaisir, où ils sont seuls...

Elle revient avec une petite lampe, qui fait briller les yeux des contrebandiers, — et, la voix gaie, l'air bon, demande en regardant Ramuntcho:

— Et celui-là ?... c'est un second frère, je parie ?...

— Oh ! non, dit Arrochkoa, d'un ton singulier, c'est mon ami seulement.

En effet, il n'est pas leur frère, ce Ramuntcho qui se tient là, farouche et muet... Et comme il ferait peur aux nonnes tranquilles, si elles savaient quel vent de tourmente l'amène !...

Le même silence retombe, lourd et inquiétant, entre ces êtres qui, semble-t-il, devraient causer simplement de choses simples; et la vieille supérieure le remarque, déjà s'en étonne... Mais les yeux vifs de Ramuntcho s'immobilisent, se voilent comme par la fascination de quelque invisible dompteur. Sous la dure enveloppe, encore un peu haletante, de sa poitrine, le calme, le calme imposé continue de pénétrer et de s'étendre. ∘∘∘

— Allons, causez, causez, mes enfants, des choses du pays, des choses d'Etchézar, — dit la supérieure à Gracieuse et à son frère. — Et tenez, nous allons vous laisser seuls, si vous voulez, ajoute-t-elle, avec un signe à Ramuntcho comme pour l'emmener.

— Oh ! non, proteste Arrochkoa, qu'il ne s'en aille pas !... Non, ce n'est pas lui... qui nous empêche...

Et la petite nonne, si embéguinée à la manière du moyen-

âge, baisse encore plus la tête pour se maintenir les yeux
cachés dans l'ombre de la coiffe austère.

La porte reste ouverte, la fenêtre reste ouverte; la
maison, les choses gardent leur air d'absolue confiance, d'ab-
5 solue sécurité, contre les violations et les sacrilèges. Maintenant deux autres sœurs, qui sont très vieilles, dressent
une petite table, mettent deux couverts, apportent pour
Arrochkoa et son ami un petit souper, un pain, un fro-
mage, des gâteaux, des raisins hâtifs de leur treille. En
10 arrangeant ces choses, elles ont une gaîté jeunette, un babil
presque enfantin — et tout cela détonne bien étrangement
à côté de ces violences ardentes qui sont ici même, mais
qui se taisent, et qui se sentent refoulées,[1] refoulées de plus
en plus au fond des âmes。。。

15 Et, malgré eux, les voici attablés, les deux contrebandiers, l'un devant l'autre, cédant aux instances et mangeant
distraitement les choses frugales, sur une nappe aussi
blanche que les murs. Leurs larges épaules, habituées aux
fardeaux, s'appuient aux dossiers des petites chaises et en
20 font craquer les boiseries frêles. Autour d'eux, vont et
viennent les sœurs, toujours avec ces bavardages discrets
et ces rires puérils, qui s'échappent, un peu étouffés, de
dessous les béguins.[2] Seule, elle demeure muette et sans
mouvement, la sœur Marie-Angélique: debout auprès de
25 son frère qui est assis, elle pose la main sur son épaule
puissante; si svelte à côté de lui, on dirait quelque sainte
d'un primitif tableau d'église. Ramuntcho sombre les
observe tous deux; il n'avait pas pu bien revoir encore le
visage de Gracieuse, tant la cornette[3] l'encadre et le dis-
30 simule sévèrement. Ils se ressemblent toujours, le frère et
la sœur; dans leurs yeux très longs, qui cependant ont pris
des expressions plus que jamais différentes, demeure
quelque chose d'inexplicablement pareil, persiste la même

---

[1] *Driven back.*
[2] *Hoods* (V. note 1, p. 555).
[3] *Headdress.*

flamme, cette flamme, qui a poussé l'un vers les aventures
et la grande vie des muscles, l'autre vers les rêves mystiques ₀ ₀ ₀

Et maintenant, pour la première fois, ils se contemplent
en face, Gracieuse et Ramuntcho; leurs prunelles se sont
rencontrées et fixées. Elle ne baisse plus la tête devant lui;
mais c'est comme d'infiniment loin qu'elle le regarde, c'est
comme de derrière d'infranchissables brumes blanches,
comme de l'autre rive de l'abîme, de l'autre côté de la mort;
très doux pourtant, son regard indique qu'elle est comme
absente, repartie pour de tranquilles et inaccessibles ailleurs ... Et c'est Raymond à la fin qui, plus dompté encore, abaisse ses yeux ardents devant les yeux vierges. ₀ ₀ ₀

Elle qui, d'abord, dans son grand trouble mortel, n'avait
pas osé parler, commence à questionner son frère. Tantôt
en basque, tantôt en français, elle s'informe de ceux qu'elle
a pour jamais abandonnés:

— Et la mère ? Toute seule à présent au logis, même la
nuit ?

— Oh ! non, dit Arrochkoa; il y a toujours la vieille Catherine qui la garde, et j'ai exigé qu'elle couche à la maison. ₀ ₀ ₀

— Oh ! nous avons beau être loin, dit la petite nonne,
j'ai quelquefois de vos nouvelles tout de même. Ainsi, le
mois dernier, des gens d'ici avaient rencontré au marché
d'Hasparren des femmes de chez nous; c'est comme cela
que j'ai appris ... bien des choses ... A Pâques, tiens,
j'avais beaucoup espéré te voir; on m'avait prévenue qu'il
y aurait une grande partie de paume à Ericalde, et que tu
y viendrais jouer; alors je m'étais dit que tu pousserais
peut-être jusqu'à moi, — et, pendant les deux jours de
fête, j'ai regardé bien souvent sur la route, par cette fe-
nêtre-là, si tu arrivais ...

Et elle montre la fenêtre, ouverte de très haut sur le noir
de la campagne sauvage, — d'où monte un immense silence, avec de temps à autre des bruissements printaniers,

de petites musiques intermittentes de grillons et de rainettes.

En l'entendant si tranquillement parler, Ramuntcho se sent confondu devant ce renoncement à tout et à tous; elle lui apparaît encore plus irrévocablement changée, lointaine... Pauvre petite nonne!... Elle s'appelait Gracieuse; à présent elle s'appelle sœur Marie-Angélique, et elle n'a plus de famille; impersonnelle ici, dans cette maisonnette aux blanches murailles, sans espérance terrestre et sans désir peut-être, — autant dire qu'elle est déjà partie pour les régions du grand oubli de la mort. Et cependant, voici qu'elle sourit, rassérénée maintenant tout à fait, et qu'elle ne semble même pas souffrir.

Arrochkoa regarde Ramuntcho, l'interroge de son œil perçant habitué à sonder les profondeurs noires, — et, dompté lui-même par toute cette paix inattendue, il comprend bien que son camarade si hardi n'ose plus, que tous les projets chancellent, que tout retombe inutile et inerte devant l'invisible mur dont sa sœur est entourée. Par moments, pressé d'en finir d'une façon ou d'une autre, pressé de briser ce charme ou bien de s'y soumettre et de fuir devant lui, il tire sa montre, dit qu'il est temps de s'en aller, à cause des camarades qui vont attendre là-bas... Les sœurs devinent bien qui sont ces camarades et pourquoi ils attendent, mais elles ne s'en émeuvent point: Basques elles-mêmes, filles et petites-filles de Basques, elles ont du sang contrebandier dans les veines et considèrent avec indulgence ces sortes de choses...

Enfin, pour la première fois, Gracieuse prononce le nom de Ramuntcho; n'osant pas, tout de même, s'adresser directement à lui, elle demande à son frère, avec un sourire bien calme:

Alors il est *avec toi*, Ramuntcho, à présent? Il est fixé au pays, vous *travaillez* ensemble?

Un silence encore, et Arrochkoa regarde Ramuntcho pour qu'il réponde.

— Non, dit celui-ci, d'une voix lente et sombre, non . . .
moi, je pars demain pour les Amériques . . .

Chaque mot de cette réponse, scandé durement, est
comme un son de trouble et de défi au milieu de cette sérénité étrange. Elle s'appuie plus fort à l'épaule de son frère,   5
la petite nonne, et Ramuntcho, conscient du coup profond
qu'il vient de porter, la regarde et l'enveloppe de ses yeux
tentateurs, repris d'audace. ○ ○ ○ Alors, pendant une indé-
cise minute, il semble que le petit couvent a tremblé; il
semble que les puissances blanches de l'air reculent, se   10
dissipent comme de tristes fumées irréelles devant ce jeune
dominateur, venu ici pour jeter l'appel triomphant de la
vie. Et le silence qui suit est le plus lourd de tous ceux qui
ont entrecoupé déjà cette sorte de drame joué à demi-mot,
joué presque sans paroles . . .   15

Enfin, la sœur Marie-Angélique parle, et parle à Ramuntcho lui-même. Vraiment on ne dirait plus que son
cœur vient de se déchirer une suprême fois à l'annonce de
ce départ. ○ ○ ○ D'une voix qui peu à peu s'affermit dans la
douceur, elle dit des choses toutes simples, comme à un   20
ami quelconque.

— Ah! oui . . . l'oncle Ignacio, n'est-ce pas ? . . . J'avais
toujours pensé que vous finiriez par aller le rejoindre là-
bas . . . Nous prierons toutes la sainte Vierge pour qu'elle
vous accompagne dans votre voyage . . .   25

Et c'est le contrebandier qui de nouveau baisse la tête,
sentant bien que tout est fini, qu'elle est perdue pour jamais, la petite compagne de son enfance; qu'on l'a ense-
velie dans un inviolable linceul . . . Les paroles d'amour et
de tentation qu'il avait pensé dire, les projets qu'il roulait   30
depuis des mois dans sa tête, tout cela lui paraît insensé,
sacrilège, inexécutables choses, bravades d'enfant . . .
Arrochkoa, qui attentivement le regarde, subit d'ailleurs
les mêmes envoûtements irrésistibles et légers; ils se com-
prennent et, l'un à l'autre, sans paroles, ils s'avouent qu'il   35
n'y a rien à faire, qu'ils n'oseront jamais . . .

Pourtant une angoisse encore humaine passe dans les yeux de la sœur Marie-Angélique quand Arrochkoa se lève pour le définitif départ: elle prie, d'une voix changée, qu'on reste un instant de plus. Et Ramuntcho tout à coup a
5 envie de se jeter à genoux devant elle; la tête contre le bas de son voile, de sangloter toutes les larmes qui l'étouffent; de lui demander grâce, de demander grâce aussi à cette supérieure qui a l'air si doux; de leur dire à toutes que cette fiancée de son enfance était son espoir, son cou-
10 rage, sa vie, et qu'il faut bien avoir un peu pitié, qu'il faut la lui rendre, parce que, sans elle, il n'y a plus rien ... Tout ce que son cœur, à lui, contient d'infiniment bon, s'exalte à présent dans un immense besoin d'implorer, dans un élan de suppliante prière et aussi de confiance en la bonté, en
15 la pitié des autres ...

Et qui sait, mon Dieu, s'il avait osé la formuler, cette grande prière de tendresse pure, qui sait tout ce qu'il aurait éveillé de bon aussi, et de tendre et d'humain chez les pauvres filles au voile noir? ... Et peut-être Gra-
20 cieuse aurait encore pu lui être rendue, sans enlèvement, sans tromperies, presque excusée par ses compagnes de cloître. Ou tout au moins, si c'était impossible, lui aurait-elle fait de longs adieux, consolants, adoucis par un baiser d'immatériel amour ...

25 Mais, non, il reste là muet sur sa chaise. Même cela, même cette prière, il ne peut pas la dire. Et c'est l'heure de s'en aller, décidément. Arrochkoa est debout, agité, l'appelant d'un signe de tête impérieux. Alors il redresse aussi sa taille fière et reprend son béret, pour le suivre. Ils
30 remercient du petit souper qu'on leur a donné et ils disent bonsoir à demi-voix comme des timides. En somme, pendant toute leur visite, ils ont été très corrects, très respectueux, presque craintifs, les deux superbes. Et, comme si l'espoir ne venait pas de se briser, comme si l'un d'eux ne
35 laissait pas derrière lui sa vie, les voilà qui descendent tranquillement l'escalier propret, entre les blanches mu-

railles, tandis que les bonnes sœurs les éclairent avec leur
petite lampe.

— Venez, sœur Marie-Angélique, propose gaîment la
supérieure, de sa grêle voix enfantine. Nous allons toutes
deux les reconduire jusqu'en bas . . . jusqu'au bout de notre 5
avenue, vous savez, au tournant du village . . .

Est-elle quelque vieille fée sûre de son pouvoir, ou bien
une simple et une inconsciente, qui joue sans s'en douter
avec le grand feu dévorateur ? . . . C'était fini ; le déchire-
ment, accompli ; l'adieu, accepté ; la lutte, étouffée, — et 10
à présent les voilà, ces deux qui s'adoraient, cheminant côte
à côte, dehors, dans la nuit tiède de printemps ! . . .

Ils marchent à petits pas, à travers cette obscurité exquise, comme par un silencieux accord pour faire plus
longtemps durer le sentier d'ombre, muets l'un et 15
l'autre. . . . Arrochkoa et la supérieure les suivent de tout
près, sur leurs talons, sans se parler non plus ; religieuses
avec leurs sandales, contrebandiers avec leurs semelles de
cordes, ils vont à travers ces ténèbres douces sans faire
plus de bruit que des fantômes, et leur petit cortège, lent et 20
étrange, descend vers la voiture dans un silence de funérailles. ○ ○ ○

Cependant, sans s'être parlé, ils arrivent, les amants, à
ce tournant de chemin où il faut se dire l'adieu éternel. La
voiture est bien là, tenue par un petit garçon ; la lanterne 25
est allumée et le cheval impatient. La supérieure s'arrête :
c'est, paraît-il, le terme dernier de la dernière promenade
qu'ils feront l'un près de l'autre en ce monde, — et elle se
sent le pouvoir, cette vieille nonne, d'en décider ainsi sans
appel. De sa même petite voix fluette, presque enjouée, 30
elle dit :

— Allons, ma sœur, faites-leur vos adieux.

Et elle dit cela avec l'assurance d'une Parque [1] dont les
décrets de mort ne sont pas discutables.

[1] Allusion aux trois déesses de l'Enfer qui tissaient [wove] les
destinées humaines.

En effet, personne ne tente de résister à son ordre impassiblement donné. Il est vaincu, le rebelle Ramuntcho, oh ! bien vaincu par les tranquilles puissances blanches; tout frissonnant encore du sourd combat qui vient de finir
5 en lui, il baisse la tête, sans volonté maintenant et presque sans pensée, comme sous l'influence de quelque maléfice endormeur ...

« Allons, ma sœur, faites-leur vos adieux, » a-t-elle dit, la vieille Parque tranquille. Puis, voyant que Gracieuse se
10 borne à prendre la main d'Arrochkoa, elle ajoute:

— Eh bien, vous n'embrassez pas votre frère ? ...

Sans doute, la petite sœur Marie-Angélique ne demandait que cela, l'embrasser de tout son cœur, de toute son âme; l'étreindre, ce frère; se serrer sur son épaule et y chercher
15 protection, à cette heure de sacrifice surhumain, où il faut laisser partir le bien-aimé sans même un mot d'amour ... Et pourtant son baiser a je ne sais quoi d'épouvanté, de tout de suite retenu: baiser de religieuse, un peu pareil à un baiser de morte ... A présent, quand le reverra-t-elle,
20 ce frère, qui cependant ne va pas quitter le pays basque, lui ? quand aura-t-elle seulement des nouvelles de la mère, de la maison, du village, par quelque passant qui s'arrêtera ici, venant d'Etchézar ? ...

A Ramuntcho, elle n'ose même pas tendre sa petite main
25 froide, qui retombe le long de sa robe, sur les grains du rosaire.

— Nous prierons, lui dit-elle encore, pour que la Sainte Vierge vous protège dans votre long voyage ...

... Et maintenant elles s'en vont: lentement elles s'en
30 retournent, comme des ombres silencieuses, vers l'humble couvent que la croix protège. Et les deux domptés, immobiles sur place, regardent s'éloigner, dans l'avenue obscure, leurs voiles plus noirs que la nuit des arbres. ₒ ₒ ₒ

Les deux hommes n'ont même pas échangé un mot sur
35 leur entreprise abandonnée, sur la cause mal définie qui a

mis pour la première fois leur courage en défaut; ils éprouvent, l'un vis-à-vis de l'autre, presque une honte de leur subite et insurmontable timidité.

Un instant leurs têtes fières étaient restées tournées vers les nonnes lentement fuyantes; à présent ils se regardent 5 à travers la nuit.

Ils vont se séparer, et probablement pour toujours: Arrochkoa remet à son ami les guides de la petite voiture que, suivant sa promesse, il lui prête: Allons, mon pauvre Ramuntcho!。。。 10

Alors Raymond, seul au monde à présent, enlève d'un coup de fouet le petit cheval montagnard, qui file avec son bruit léger de clochettes... Ce train qui doit passer à Aranotz, ce paquebot qui va partir de Bordeaux... un instinct le pousse encore à ne pas les manquer. Machinale- 15 ment il se hâte, sans plus savoir pourquoi, comme un corps sans âme qui continuerait d'obéir à une impulsion ancienne, et, très vite, lui qui pourtant est sans but et sans espérance au monde, il s'enfonce dans la campagne sauvage, dans l'épaisseur des bois, dans tout ce noir profond de la nuit de 20 mai que les nonnes, de leur haute fenêtre, voient alentour...

CHAPITRE XXI

JORIS-KARL HUYSMANS

1848–1907

Consulter: — La bibliographie est très abondante. Voici un choix: Fr. Paulhan, *J.-K. Huysmans et son œuvre*, (Nouv. Revue Fr. 1898); H. Blandin, *Huysmans, l'homme, l'écrivain, l'apologiste* (Maison du Livre, 1912); G. Coquiot, *Le vrai J.-K. Huysmans* (Paris, 1912); R. Dumesnil, *La Publication d'« En route »*, (Coll. « Grands évén. litt. »), Malfère, 1931); H. Bachelin, *J.-K. Huysmans; du naturalisme littéraire au naturalisme mystique* (Paris, 1906); J. Bricaud, *J.-K. Huysmans et le satanisme* (Dijon et Paris, 1913), et sur ce même sujet; M. J. Rudwin, un excellent article dans *Open Court*, Chicago, April 1920. Ouvrages plus généraux: E. Cailliet, *The Theme of Magic in 19th Century French Fiction* (Paris, Presses universitaires, 1932, passim); abbé Claudius Grillet, *Le diable dans la littérature* (*Litt. au XIXe siècle.* Paris, 1935). Deux critiques adverses: R. Doumic, *Les jeunes; études et portraits* (1896. Chap. « Les Décadents du Christianisme », pp. 52–84), et F. Brunetière, *Questions de critique* (1897 — où Huysmans est présenté comme un écrivain de la famille de Baudelaire.)

Pour des renseignements divers sur chaque ouvrage particulier de Huysmans, consulter l'édition des *Œuvres complètes*, préparée par L. Descaves, (le collègue de Huysmans à l'Académie Goncourt) et publiée en 25 volumes par l'éditeur Crès. Les notes sont à la fin de chaque volume.

Huysmans [prononcez le *s* final] est un écrivain particulièrement représentatif de son époque: il a passé successivement par trois étapes de la pensée entre 1850 et 1900, et dans chacune d'elles a produit des œuvres de première importance.

Il est né à Paris, le 5 février, 1848, et a été baptisé Charles-Marie-Georges. Son père était Hollandais, sa mère Française (Parisienne). Il est fort important de noter, à cause de la part que l'art joue dans son œuvre, que plusieurs de ses ancêtres paternels étaient des peintres de grand mérite. Les tableaux de l'un d'eux, Cornelius Huysmans, sont au Louvre; un de ses grands-oncles est l'auteur de bas-reliefs qui décorent l'Arc de Triomphe de la Place du Carrousel. Son père, qui était peintre aussi, mourut en 1856. L'enfant prépara son baccalauréat au Lycée Saint-Louis, et en 1866 s'inscrivit à la Faculté de Droit; mais il n'y passa que deux ans, accepta une place de clerc au Ministère de l'Intérieur pour se vouer plus tranquillement à sa vocation littéraire. Il voit la guerre de 1870 dans un corps de Gardes mobiles [corps de jeunes volontaires], il tombe malade, passe quelque temps à l'Hôpital d'Évreux (dont il se souviendra dans ses premiers écrits). Après la guerre, il reprend sa place au Ministère de l'Intérieur. En 1874, il publie *Le drageoir à épices*, son premier livre, une série d'esquisses rapides dans le genre des *Poèmes en prose* de Baudelaire, changeant son nom de Charles-Georges en celui de Joris-Karl — plus tard simplement en J.-K. Huysmans.

Il adopta, comme il a été dit, successivement trois *credos* littéraires, et il les pratiqua chaque fois sans aucune retenue, on peut presque dire avec fanatisme. Pour chacun de ces *credos* il a un porte-parole qui peut être pris comme titre de ces trois étapes. Folantin représente la période « naturaliste »; Des Esseintes représentera la période « symboliste » ou « décadente »; Durtal enfin représentera le Huysmans de la période de « retour au christianisme » — et au christianisme le plus traditionnel.

Période naturaliste (*Folantin*): Son premier roman, en 1876, publié à Bruxelles, est d'un naturalisme fougueux, *Marthe, histoire d'une fille*. Ce début lui vaut la connaissance de Zola et de ses amis; il sera invité à collaborer au volume collectif des *Soirées de Médan* (son histoire *Sac au dos* avait paru déjà en 1878 dans *L'Artiste*, une revue de Bruxelles). En 1879 ce sont *Les sœurs Vatard*, d'un naturalisme plus féroce encore si possible que Marthe (à peu près le thème de *Nana*, de *Sapho*, de *La fille Élisa*). Puis *En ménage* (1881) [1] et *À vau l'eau* [*Adrift*] (1882) où paraît le personnage de Folantin. C'est une sorte d'autobiographie — au moins psychologique — d'un homme pour lequel la vie ne signifie rien que l'ennui ou le dégoût, qui pense que « seul le pire arrive », qui se laisse passivement entraîner « à vau l'eau », au courant de l'existence. Huysmans est mûr pour une évolution de sa pensée; il constate, en fait, que le naturalisme en lui-même, l'observation pure et simple de la réalité ne mène à rien: à un « tunnel bouché ».

Période symboliste ou décadente (*Des Esseintes*). C'est la période de transition dans l'évolution de la pensée de Huysmans. Il tâtonne. Il est saisi d'un ennui mortel, car aucun des plaisirs que les hommes ont recherchés ne le satisfait.[2] Il a déjà l'idée que la religion pourrait être un port de refuge, mais il est encore trop imbu de positivisme et de naturalisme pour s'y arrêter. Alors il pense qu'une solution serait de chercher où les hommes n'ont pas songé à chercher, sauf peut-être Baudelaire, de tenter des plaisirs artificiels au lieu des plaisirs naturels, bref de chercher en concevant le monde *à rebours* [*upside down*]. Son roman s'intitulera donc *À rebours*. Il appellera son héros Des Esseintes.

À rebours [3]

(1884)

Des Esseintes [4] est élevé chez les Jésuites. Tôt après, devenu majeur, il devient maître d'une grosse fortune. Il va dans le monde,

---

[1] Là il fait son propre portrait sous le nom de Cyprien.

[2] Comme on l'a dit: « il démolit à grands coups d'ongles la bêtise humaine qu'il a observée de près ».

[3] Le premier titre était: *Seul*.

[4] Des Esseintes, c'est avant tout Huysmans, mais aussi Robert de Montesquiou, poète et dandy fameux, auteur du recueil *Les hortensias bleus*.

et ne tarde pas à se rendre compte que « le monde est, en majeure
partie, composé de sacripants et d'imbéciles »; et il éprouve pour
l'humanité un grand mépris. « Une seule passion eût pu le retenir
dans cet universel dédain qui le poignait; mais celle-là était, elle
aussi, usée »: Il avait tâté de « la bêtise innée des femmes », de la
« délirante vanité des cabotines » [actrices et chanteuses], il avait été
tôt blasé: « quoi qu'il tentât, un immense ennui l'opprimait ». C'est
Baudelaire, et même bien avant, Werther, René, Oberman qui re-
naissent. Alors Des Esseintes vend son château et acquiert une
villa abandonnée et pittoresque à Fontenay-aux-Roses, près de Paris,
dans un endroit écarté, sans voisins. Avant même son aménagement
— car il vendra tout le vieux mobilier pour meubler sa demeure
à sa façon — il commence son existence « à rebours ». Ainsi il donne
un dîner où, « pour célébrer la plus futile des mésaventures, il avait
organisé un repas de deuil »: salle à manger tendue de noir, les allées
du jardin poudrées de charbon, un orchestre dissimulé qui jouait des
marches funèbres, des assiettes bordées de noir, des vins sombres
dans des verres sombres, etc. Naturellement, Des Esseintes dormait
le jour et vivait la nuit. Sur sa cheminée il avait placé « copiées avec
d'admirables lettres de missel et de splendides enluminures, trois
pièces de Baudelaire: les sonnets portant ces titres *La mort des amants*,
L'ennemi, et, au milieu le poème en prose intitulé *Anywhere out of the
World* »,[1] puis, il s'installe. Il voulait vivre complètement isolé des
hommes, mais il voulait se donner *artificiellement* la sensation du
voyage: sa salle à manger « ressemblait à la cabine d'un navire »
avec « une petite croisée ouverte dans la boiserie, de même qu'un
hublot dans un sabord »; à côté, un aquarium était disposé de sorte
qu'il pouvait se donner le spectacle de « contempler de merveilleux
poissons mécaniques, montés comme des pièces d'horlogerie qui
passaient devant la vitre du sabord et s'accrochaient dans de fausses
herbes »; une odeur de goudron ajoutait à l'illusion de sorte qu'il
« se figurait alors être dans l'entrepont d'un brick ». Il faisait saler
l'eau de sa baignoire, et « lisait ardemment le guide Joanne [*livre
de voyage*] décrivant les beautés de la plage où l'on veut être ».

« Au reste, l'artifice paraissait à des Esseintes la marque distinctive
du génie de l'homme.

« Comme il le disait, la nature a fait son temps; elle a définitivement lassé par la dégoûtante uniformité de ses paysages et de ses
ciels, l'attentive patience des raffinés. Au fond, quelle platitude de
spécialiste confiné dans sa partie, quelle petitesse de boutiquière
tenant tel article à l'exclusion de tout autre, quel monotone magasin
de prairies et d'arbres, quelle banale agence de montagnes et de mers!

---

[1] Cité plus haut, pp. 490–92.

« Il n'est, d'ailleurs, aucune de ses inventions réputée si subtile ou si grandiose que le génie humain ne puisse créer; aucune forêt de Fontainebleau, aucun clair de lune que les décors inondés de jets électriques ne produisent; aucune cascade que l'hydraulique n'imite à s'y méprendre; aucun roc que le carton-pâte ne s'assimile; aucune fleur que de spécieux taffetas et de délicats papiers peints n'égalent !

« A n'en pas douter, cette sempiternelle radoteuse a maintenant usé la débonnaire admiration des vrais artistes, et le moment est venu où il s'agit de la remplacer, autant que faire se pourra, par l'artifice. »

Les hommes se délectaient à la lecture des écrivains dits classiques, comme Virgile, et considéraient comme décadente la littérature de Pétrone et de tout le moyen-âge, tandis qu'aux yeux de Des Esseintes, la littérature ne commence à être intéressante que depuis cette « décadence » décrivant toute une société artificielle et monstrueuse. Les siècles barbares et les siècles « corrompus » le ravissaient.

De longues pages sont consacrées à ses tableaux, et d'abord aux deux tableaux de Gustave Moreau qui alors avaient fait sensation représentant une Salomé beaucoup plus perverse encore que celle de Flaubert (on les voit aujourd'hui au Musée du peintre Moreau à Paris): le premier, Salomé dansant, le second Salomé après la danse, épouvantée par l'apparition de la tête du Baptiste entourée d'un halo de saint (Cette description, qui est en même temps une interprétation des deux tableaux est célèbre; on la trouvera au Chap. V, pp. 70–80 de l'édition Charpentier). Puis il y a d'autres peintres dont Des Esseintes avait voulu posséder les œuvres énervantes, comme Odilon Redon, l'espagnol Goya, et surtout une peinture sinistre, « une ébauche désordonnée de Théotocopuli,[1] un Christ aux teintes singulières, d'un dessin exagéré, d'une couleur féroce, d'une énergie détraquée . . . »

Les hommes détestent la douleur; des Esseintes y trouve — « à rebours » toujours — une sensation désirable, et il rappelle avec un réalisme d'une vérité écœurante l'extraction d'une mauvaise dent qui se brisa dans la gencive et fut arrachée avec une sauvagerie magnifique; il avait avec intention choisi un dentiste qui ne connût pas les natures sensitives, « un quenottier » [dentiste: quenotte = dent] du peuple, un de ces gens à poigne de fer qui, s'ils ignorent l'art bien inutile d'ailleurs de panser les caries et d'obturer les trous, savent extirper avec une rapidité sans pareille les chicots [stump — of a tooth] les plus tenaces . . . »

Au lieu d'aimer une belle femme, il en voudra une qui soit laide,

---

[1] Domingo Théotocopuli (1578–1631), le fameux peintre espagnol, connu sous le nom de El Greco (il était né en Crète).

monstrueuse, morbide, ventriloque . . . Il recherchera la société des vagabonds qui, au moins, ne lui rappellent jamais la société des gens conventionnels.

L'Orgue à bouche

Des Esseintes avait des inventions déconcertantes; ainsi cette tortue énorme qu'il se procura pour orner son plancher — comme le commun des hommes l'orne avec un tapis — après avoir fait incruster la carapace d'un gigantesque bijou de pierres précieuses; diamants, rubis, émeraudes lançant de « rutilantes flammes ».

L'une de ses inventions les plus originales fut son « orgue à bouche », dont l'idée remonte sans doute au fameux sonnet de Baudelaire *Correspondance* cité pp. 488–89 et contenant le vers:

Les parfums, les couleurs et les sons se répondent

Des Esseintes referma la croisée; ce brusque passage sans transition de la chaleur torride aux frimas du plein hiver l'avait saisi; il se recroquevilla près du feu et l'idée lui vint d'avaler un spiritueux qui le réchauffât.

5 Il s'en fut dans la salle à manger où, pratiquée dans l'une des cloisons, une armoire contenait une série de petites tonnes, rangées côte à côte, sur de minuscules chantiers [1] de bois de santal, percées de robinets d'argent au bas du ventre.

10 Il appelait cette réunion de barils à liqueurs, son *orgue à bouche*.

Une tige, pouvait rejoindre tous les robinets, les asservir à un mouvement unique, de sorte qu'une fois l'appareil en place, il suffisait de toucher un bouton dissimulé dans la 15 boiserie, pour que toutes les cannelles,[2] tournées en même temps, remplissent de liqueur les imperceptibles gobelets placés au-dessous d'elles.

L'orgue se trouvait alors ouvert. Les tiroirs étiquetés « flûte, cor, voix céleste » étaient tirés, prêts à la manœuvre. 20 Des Esseintes buvait une goutte, ici, là, se jouait des symphonies intérieures, arrivait à se procurer, dans le gosier,

---

[1] Ici: *Stand.*　　　[2] *Spigots.*

des sensations analogues à celles que la musique verse à l'oreille.

Du reste, chaque liqueur correspondait, selon lui, comme goût, au son d'un instrument.[1] Le curaçao sec, par exemple, à la clarinette dont le chant est aigrelet et velouté; le kummel au hautbois dont le timbre sonore nasille; la menthe et l'anisette, à la flûte, tout à la fois sucrée et poivrée, piaulante [2] et douce; tandis que, pour compléter l'orchestre, le kirsch sonne furieusement de la trompette; le gin et le whiskey emportent le palais avec leurs stridents éclats de pistons et de trombones, l'eau-de vie de marc [3] fulmine avec les assourdissants vacarmes des tubas, pendant que roulent les coups de tonnerre de la cymbale et de la caisse frappées à tour de bras, dans la peau de la bouche, par les rakis de Chic [4] et les mastics !

Il pensait aussi que l'assimilation pouvait s'étendre, que des quatuors d'instruments à cordes pouvaient fonctionner sous la voûte palatine,[5] avec le violon représentant la vieille eau-de-vie, fumeuse et fine, aiguë et frêle; avec l'alto simulé par le rhum plus robuste, plus ronflant, plus sourd; avec le vespétro [6] déchirant et prolongé, mélancolique et caressant comme un violoncelle; avec la contre-basse, corsée, solide et noire comme un pur et vieux bitter. On pouvait même, si l'on voulait former un quintette, adjoindre un cinquième instrument, la harpe, qu'imitait par une vraisemblable analogie, la saveur vibrante, la note argentine, détachée et grêle du cumin sec.

---

[1] La plupart de ces liqueurs et de ces instruments sont connus de chacun.

[2] *Whining.*   [3] *Brandy.*

[4] Cidre distillé sur des semences d'anis et ayant l'apparence et le goût de l'absinthe; on le boit surtout en Hongrie; il est considéré comme nocif. — Liqueurs parfumées avec la résine très odorante du mastic — très goûtées en Grèce et en Turquie.

[5] Voûte du palais [*palate*].

[6] Ou ratafia d'angélique, liqueur de table très forte, du genre genièvre (*gin*).

La similitude se prolongeait encore; des relations de tons existaient dans la musique des liqueurs; ainsi pour ne citer qu'une note, la bénédictine figure, pour ainsi dire, le ton mineur de ce ton majeur des alcools que les partitions com-
5 merciales désignent sous le signe de chartreuse verte.

Ces principes une fois admis, il était parvenu, grâce à d'érudites expériences, à se jouer sur la langue de silencieuses mélodies, de muettes marches funèbres à grand spectacle, à entendre, dans sa bouche, des solis de menthe, des
10 duos de vespétro et de rhum.

Il arrivait même à transférer dans sa mâchoire de véritables morceaux de musique, suivant le compositeur, pas à pas, rendant sa pensée, ses effets, ses nuances, par des unions ou des contrastes voisins de liqueurs, par d'approxi-
15 matifs et savants mélanges.

D'autres fois, il composait lui-même des mélodies, exécutait des pastorales avec le bénin cassis qui lui faisait roulader,[1] dans la gorge, des chants emperlés de rossignol; avec le tendre cacao-chouva [2] qui fredonnait de sirupeuses
20 bergerades,[3] telles que « les romances d'Estelle » [4] et les « Ah ! vous dirai-je, maman » du temps jadis.

La serre de Des Esseintes

Des Esseintes veut, dans sa maison, des fleurs, mais non pas des fleurs telles que les admirent les gens ordinaires; il lui faut ou bien des plantes extrêmement rares et impossibles à obtenir sans des frais énormes, ou bien des plantes populacières, humbles, dégageant une odeur fétide; enfin il va s'efforcer de produire, par des croisements, des fleurs naturelles qui imiteront les fleurs artificielles en papier — toujours *à rebours !*

[1] Faire des roulades.
[2] Une espèce de crème de menthe — ainsi appelée à cause de sa couleur foncée qui est celle du singe chouva (Amérique du Sud).
[3] Allusion aux sentimentales « Bergeries » du XVIIe siècle, p. ex. de Racan, ou de *L'Astrée* (v. *Seventeenth Century French Readings*, pp. 24–28).
[4] Pastorale de Florian (1788).

Il avait toujours raffolé des fleurs, mais cette passion qui s'était tout d'abord étendue à la fleur, sans distinction ni d'espèces ni de genres, avait fini par s'épurer, par se préciser sur une seule caste.

Depuis longtemps déjà, il méprisait la vulgaire plante 5 qui s'épanouit sur les éventaires des marchés parisiens, dans des pots mouillés, sous de vertes bannes ou sous de rougeâtres parasols.

En même temps que ses goûts littéraires, que ses préoccupations d'art, s'étaient affinés, ne s'attachant plus qu'aux 10 œuvres triées à l'étamine,[1] distillées par des cerveaux tourmentés et subtils; en même temps aussi que sa lassitude des idées répandues s'était affirmée, son affection pour les fleurs s'était dégagée de tout résidu, de toute lie, s'était clarifiée, en quelque sorte, rectifiée. 15

Il assimilait volontiers le magasin d'un horticulteur à un microcosme où étaient représentées toutes les catégories de la société: les fleurs pauvres et canailles, les fleurs de bouge, qui ne sont dans leur vrai milieu que lorsqu'elles reposent sur des rebords de mansardes, les racines tassées dans des 20 boîtes au lait et de vieilles terrines, la giroflée, par exemple; les fleurs prétentieuses, convenues, bêtes, dont la place est seulement dans des cache-pots de porcelaine peints par des jeunes filles, telles que la rose; enfin les fleurs de haute lignée telles que les orchidées, délicates et charmantes, 25 palpitantes et frileuses; les fleurs exotiques, exilées à Paris, au chaud, dans des palais de verre; les princesses du règne végétal, vivant à l'écart, n'ayant plus rien de commun avec les plantes de la rue et les flores bourgeoises.

En somme, il ne laissait pas que[2] d'éprouver un certain 30 intérêt, une certaine pitié, pour les fleurs populacières exténuées par les haleines des égouts et des plombs,[3] dans les quartiers pauvres; il exécrait, en revanche, les bouquets en

---

[1] *Sorted on the sieve.*
[2] Il ne manquait pas de . . .
[3] Ici, *sinks.*

accord avec les salons crème et or des maisons neuves; il
réservait enfin, pour l'entière joie de ses yeux, les plantes
distinguées, rares, venues de loin, entretenues avec des
soins rusés, sous de faux équateurs produits par les souffles
5 dosés des poêles.

Mais ce choix définivement posé sur la fleur de serre,
s'était lui-même modifié sous l'influence de ses idées générales, de ses opinions maintenant arrêtées sur toute chose;
autrefois, à Paris, son penchant naturel vers l'artifice l'avait
10 conduit à délaisser la véritable fleur pour son image fidèlement exécutée, grâce aux miracles des caoutchoucs et des
fils, des percalines et des taffetas, des papiers et des velours.

Il possédait ainsi une merveilleuse collection de plantes
des Tropiques, ouvrées [1] par les doigts de profonds artistes,
15 suivant la nature pas à pas, la créant à nouveau, prenant la
fleur dès sa naissance, la menant à maturité, la simulant
jusqu'à son déclin; arrivant à noter les nuances les plus
infinies, les traits les plus fugitifs de son réveil ou de son
repos; observant la tenue de ses pétales, retroussés par le
20 vent ou fripés par la pluie; jetant sur ses corolles mati-
neuses, des gouttes de rosée en gomme; la façonnant, en
pleine floraison, alors que les branches se courbent sous le
poids de la sève, ou élançant sa tige sèche, sa cupule ra-
cornie, quand les calices se dépouillent et quand les feuilles
25 tombent.

Cet art admirable l'avait longtemps séduit; mais il rêvait maintenant à la combinaison d'une autre flore.

Après les fleurs factices singeant les véritables fleurs, il
voulait des fleurs naturelles imitant des fleurs fausses. ° ° °

Cependant, depuis un certain temps, et par suite de cette vie absurde, des Esseintes était tombé dans un état de santé grave, avec
d'affreux cauchemars.   Les médecins consultés lui ordonnèrent
l'abandon de sa retraite de Fontenay-aux-Roses et le retour à Paris.
Des Esseintes accepta le verdict, mais non sans violentes protestations à l'idée de se retrouver au milieu des hommes: « Eh ! croule

---

[1] Ici: travaillées, produites.

donc, société! Meurs donc, vieux monde, s'écria des Esseintes, indigné par l'ignominie du spectacle qu'il évoquait . . .» Et sa conclusion était: « que les raisonnements du pessimisme étaient impuissants à le soulager, que l'impossible croyance en une vie future serait seule apaisante. »

Période de retour au christianisme, ou de naturalisme spiritualiste. (*Durtal*): Cette période se subdivise à son tour en deux sous-périodes: celle du *Satanisme mystique* de *Durtal*, et celle du retour au *Catholicisme médiéval*.

I. *Le Satanisme:* Huysmans devait aboutir au Christianisme — à un Christianisme qui n'était pas, pourtant, celui qu'il voyait régner autour de lui et qui s'accommodait de toutes sortes de compromis avec le monde, mais le Christianisme ascétique des tout premiers siècles. Il n'y arriva, cependant, que par un chemin détourné. Continuant à chercher un soulagement à ses angoisses morales, à son *ennui*, et ayant échoué avec sa poursuite des sensations rares en mettant le monde « à rebours », il s'adressa ailleurs.

Il faut rappeler que, justement à ce moment, on pouvait observer comme un renouveau d'intérêt pour les choses occultes; c'était une forme de réaction contre le culte de la science dont les promesses ne s'étaient pas réalisées — réaction parallèle à celle signalée plus haut chez Pasteur, Brunetière et le vicomte de Vogüé. Un des nombreux ouvrages qui eurent une grande vogue à cette époque fut celui de Jules Bois, *Satanisme et magie* (1893), et un peu plus tard, du même auteur, *Les petites religions de Paris*. (V. sur ce mouvement mystique et sataniste les ouvrages signalés dans la bibliographie.) On se tourne vers les idées médiévales d'alchimie, d'astrologie, de nécromancie, de vampirisme, de magie blanche, etc. de tout ce qu'on désigne volontiers sous le nom général de « diabolisme » ou de « satanisme » — puisque Satan est supposé être le patron de ceux qui pratiquent ces croyances. Il ne s'agit plus ici de ce « satanisme » de dilettante ou romantique, d'un satanisme pour rire, tel que celui de Théophile Gautier dans *Albertus* (v. plus haut, pp. 288 ss.), mais du vrai « satanisme » du moyen-âge, et dont le représentant le plus frappant est Gilles de Rais, connu légendairement sous le nom de Barbe-Bleue « Ce satanique — dit Huysmans — qui fut au XVe siècle, le plus artiste et le plus exquis, le plus cruel et le plus scélérat des hommes. »

En 1891, Huysmans publiait *Là-bas* — qui est autant un ouvrage de recherche historique qu'un roman. (Du reste, il parut d'abord dans le journal *L'Écho de Paris* avec ce sous-titre « Étude sur le Satanisme ».) Le héros, Durtal [naturellement Huysmans lui-même] entre en rapport avec des personnes qui, en plein XIXe siècle, pra-tiquaient, ou connaissaient des gens pratiquant, sous une forme ou sous une autre, le « satanisme ». Il y a surtout le chanoine [*canon*] Docre, le sinistre prêtre renégat qui préside aux cérémonies blasphématoires de la « messe noire ». [La « messe noire » était une profanation horrible de la messe catholique; elle était célébrée, au moyen-âge, sur le corps d'une femme nue et avec des hosties souillées d'excréments, par un prêtre renégat qui s'était voué au diable. Satan, en retour de ce culte, révélait, par exemple, les formules par lesquelles les hommes pouvaient faire de l'or — l'or étant l'instrument par excellence de la perdition des âmes. La scène de la « messe noire » — d'ailleurs fort atténuée — se trouve au Chap. XIX du roman]; il y a Madame Chantelouve, qui se livrait aux pratiques démoniaques, qui initie Durtal à ces pratiques et le fait un jour assister à une messe noire; en face de ces trois satanistes, le Docteur Johannès, adepte du « prophète » Vintras qui avait découvert le secret des envoûtements du Chanoine Docre; enfin il y a le personnage fort sympathique, Carhaix, le sonneur de cloches (« l'Accordant ») de l'Église Saint-Sulpice, [et à propos de Carhaix, de longs développements sur le rôle des cloches dans le culte chrétien, qui sont comme un commentaire détaillé du fameux chapitre sur les cloches dans *Le génie du Christianisme* de Chateaubriand: v. *Nineteenth Century French Readings* vol. I, p. 51 et ss.]. Pour les personnes du monde réel qui ont contribué à suggérer au romancier ses créations artistiques, on trouvera ce que Huysmans a trouvé bon de révéler, et ce que les érudits ont pu ajouter, dans le chapitre de *Notes* qui se trouve à la fin du volume II de l'édition Crès, pp. 239–260. (V. aussi les pages 145 et 173).

Barbe-Bleue

Le procès et la mort de Gilles de Rais

Il faut rappeler que le roman *Là-bas* est présenté sous la forme d'une relation des recherches de l'auteur — de Durtal — en vue d'une « vie de Gilles de Rais ».[1]

---

[1] On a associé les deux noms de Gilles de Rais et de Barbe-Bleue en les identifiant eux-mêmes avec un troisième personnage, héros d'une légende chrétienne, saint Gildas. On racontait qu'un roi breton, appelé Cômor, égorgeait l'une après l'autre ses femmes. Un jour il avait demandé au comte de Vannes, la main de sa fille Triphine, promettant d'ailleurs d'épargner celle-ci. Le comte accepta après avoir reçu la promesse de saint Gildas de ressusciter sa fille si elle devait subir le sort des autres épouses. En effet, après quelque temps, Cômor tranchait le col de Triphine; mais saint Gildas tint sa promesse.

Gilles de Rais naquit vers 1404, dans le château de Machecoul, sur les confins de la Bretagne et de l'Anjou. Son père étant mort quand l'enfant n'avait que onze ans et sa mère s'étant tôt remariée, il ne fut ni surveillé ni dirigé. Il hérita de bonne heure une immense fortune, et il prêta au roi Charles VII qui était très pauvre des sommes considérables; il fut en quelque sorte le chevalier servant de Jeanne d'Arc. C'est alors que, selon Huysmans, Gilles, déconcerté par la mort pitoyable de la Pucelle d'Orléans, se serait jeté dans les pratiques démoniaques: Ne semblait-il pas que, dans cette période si sombre de la Guerre de Cent ans, le monde fût le théâtre d'un formidable conflit entre deux puissances surnaturelles, celle du Bien et celle du Mal, Dieu et Satan? Et Satan n'avait-il pas été plus fort que Dieu dans le drame qui avait vu l'affreux martyre de cette sainte? Il se retira alors dans son château de Tiffanges et là, poussé d'ailleurs par des besoins d'argent, il se livra d'abord à des expériences d'alchimie, cherchant le secret de la « pierre philosophale » c. à. d. la pierre des Sages, qui devait transformer les métaux vils en or; il finit par s'assurer que décidément les magiciens avaient raison et qu'aucune découverte n'était possible sans l'aide de Satan. Une fois lancé dans cette voie, il ne devait reculer devant aucun sacrilège; le mystique qui avait cru en Jeanne d'Arc, se métamorphosa rapidement en un ardent démoniaque, il devint le plus fastueux des criminels, le plus délirant sadique; c'est par centaines qu'il vola et fit périr dans d'affreuses tortures les enfants de la région: « il dépassa l'infamie de l'homme et entra de plain-pied dans la dernière ténèbre du Mal ». Il a des heures de remords, des nuits de visions funèbres où il se voit assiégé par les fantômes de ses victimes; mais l'esprit du mal le ressaisit toujours jusqu'à l'heure où enfin l'Église et la justice laïque s'émurent. On fut obligé d'envoyer une armée pour s'emparer du forcené. Le Maréchal comparut devant la cour de Nantes (1440). Il devait répondre d'accusations telles que: « évocateur de démons, hérétique, apostat et relaps, sacrilège ... c'était l'évêque Jean de Malestroit qui avait pris l'initiative des poursuites; le Maréchal fut immédiatement frappé d'excommunication. Mais, pour la sentence de mort, l'Église remettait l'action aux tribunaux civils — car « *Ecclesia abhorret sanguine*) » [L'Église a horreur du sang].

D'abord Gilles de Rais s'exaspère devant ses juges et les couvre d'insultes; mais l'heure du repentir sonnera. Et voici le récit émouvant de l'audience où le grand coupable devait avouer publiquement ses forfaits [1]:

---

[1] Les pages du roman ayant trait à l'histoire de Gilles de Rais ont été publiées à part: *La magie du Poitou, Gilles de Rais*, par J.-K Huysmans (Ligugé, 1899, 27 pages). V. sur cette affaire: Dr. Ludovic

Ce fut ce jour-là, le jour solennel du procès. La salle où siégeait le Tribunal était comble et la multitude, refoulée dans les escaliers, serpentait jusque dans les cours, emplissait les venelles[1] avoisinantes, barrait les rues. De vingt lieues à la ronde, les paysans étaient venus pour voir le mémorable fauve[2] dont le nom seul faisait, avant sa capture, clore les portes dans les tremblantes veillées où pleuraient, tout bas, les femmes.

Le Tribunal allait se réunir au grand complet. Tous les assesseurs[3] qui, d'habitude, se suppléaient pendant les longues audiences, étaient présents.

La salle, massive, obscure, soutenue par de lourds piliers romans, se rajeunissait à mi-corps, s'effilait en ogive, élançait à des hauteurs de cathédrale les arceaux de sa voûte qui se rejoignaient, ainsi que les côtés des mitres abbatiales, en une pointe. Elle était éclairée par un jour déteint que filtraient, au travers de leurs résilles de plomb,[4] d'étroits carreaux. L'azur du plafond se fonçait et ses étoiles peintes ne scintillaient plus, à cette hauteur, que comme des têtes d'épingles en acier; dans les ténèbres des voûtes, l'hermine des armes ducales apparaissait, confuse, dans des écussons qui ressemblaient à de grands dés blancs, mouchetés[5] de points noirs.

Et soudain, des trompettes hennirent, la salle devint claire, les Évêques entraient. Ils fulguraient sous leurs mitres en drap d'or, étaient cravatés d'un collier de flammes par le collet orfrazé,[6] pavé d'escarboucles, de leurs robes.

Hernandez, *Le procès inquisitorial de Gilles de Rais*, (Paris, ‹ Bibl. des Curieux ›, 1921).

[1] Petites ruelles. [2] Bête sauvage [*wild beast*].

[3] Assistants des juges attitrés. [4] *Lead nets.*

[5] *Spotted* (comme des taches de mouches).

[6] « Orfroi, orfrois, du latin *aurum Phrygium* (à cause de la qualité des étoffes brochées d'or dites *vestes Phrygiæ*) devenu bientôt *aurum frisium, orfreis.* XIIe siècle: orfreis (vieilli), bordure brodée d'or pour vêtements, chapes, chasubles » (*Dictionnaire* Hatzfeld-Darmesteter).

En une silencieuse procession, ils s'avançaient, alourdis par leurs rigides chapes qui tombaient, en s'évasant, de leurs épaules, pareilles à des cloches d'or fendues sur le devant, et ils tenaient la crosse à laquelle pendait le manipule, une sorte de voile vert.   5

Ils flambaient, à chaque pas, ainsi que des brasiers sur lesquels on souffle, éclairaient eux-mêmes la salle, en reflétant le pâle soleil d'un pluvieux octobre qui se ranimait dans leurs joyaux et y puisait de nouvelles flammes qu'il renvoyait, en les dispersant, à l'autre bout de la salle, 10 jusqu'au peuple muet.

Atteints par le ruissellement des orfrois et des pierres, les costumes des autres juges paraissaient plus discords et plus sombres; les vêtements noirs des assesseurs et de l'Official, la robe blanche et noire de Jean Blouyn, les simarres [1] 15 en soie, les manteaux de laine rouge, les chaperons écarlates, bordés de pelleteries, de la justice séculière, semblaient défraîchis et grossiers.

Les Évêques s'assirent, au premier rang, entourèrent, immobiles, Jean de Malestroit qui, d'un siège plus haut, 20 dominait la salle.

Sous l'escorte d'hommes d'armes, Gilles entra.

Il était défait, hâve, vieilli de vingt années, en une nuit. Ses yeux brûlaient dans des paupières rissolées [2] ses joues tremblaient.   25

Sur l'injonction qui lui fut adressée, il commença le récit de ses crimes.

D'une voix sourde, obscurcie par les larmes, il raconta ses rapts d'enfants, ses hideuses tactiques, ses stimulations infernales, ses meurtres impétueux○○○; obsédé par la 30 vision de ses victimes, il décrivit leurs agonies ralenties ou hâtées, leurs appels et leurs râles; il avoua s'être vautré [3] dans les élastiques tiédeurs des intestins; il confessa qu'il

---

[1] *Robes.*
[2] Brûlées par les larmes.
[3] *Wallowed.*

avait arraché des cœurs par des plaies élargies, ouvertes, tels que des fruits mûrs.

Et d'un œil de somnambule, il regardait ses doigts qu'il secouait, comme pour en laisser égoutter le sang.

5 La salle atterrée gardait un morne silence que lacéraient soudain quelques cris brefs; et l'on emportait, en courant, des femmes évanouies, folles d'horreur.

Lui, semblait ne rien entendre, ne rien voir; il continuait à dévider l'effrayante litanie de ses crimes.

10 Puis sa voix devint plus rauque. Il arrivait aux effusions sépulcrales, au supplice de ces petits enfants qu'il cajolait afin de leur couper, dans un baiser, le cou.

Il divulgua les détails, les énuméra tous. Ce fut telle-ment formidable, tellement atroce, que, sous leurs coiffes
15 d'or, les Évêques blêmirent; ces prêtres, trempés aux feux des confessions,[1] ces juges qui, en des temps de démono-manies et de meurtres, avaient entendu les plus terrifiants des aveux; ces prélats qu'aucun forfait, ₀ ₀ ₀ qu'aucun purin [2] d'âme n'étonnaient plus, se signèrent et Jean de
20 Malestroit se dressa et voila, par pudeur, la face du Christ.

Puis, tous baissèrent le front et, sans qu'un mot eût été échangé, ils écoutèrent le Maréchal qui, la figure boule-versée, trempée de sueur, regardait le crucifix dont l'in-visible tête soulevait le voile, avec sa couronne hérissée
25 d'épines.

Gilles acheva son récit; mais alors, une détente eut lieu; jusqu'alors il était resté debout, parlant comme dans un brouillard, se racontant à lui-même, tout haut, le souvenir de ses impérissables crimes.

30 Quand ce fut terminé, les forces l'abandonnèrent. Il tomba sur les genoux et, secoué par d'affreux sanglots, il cria: « O Dieu, mon Rédempteur, je vous demande miséri-corde et pardon! » — Puis ce farouche et hautain baron, le premier de sa caste, sans doute, s'humilia. Il se tourna

---

[1] Expliqué dans les phrases suivantes.

[2] *Liquid manure.*

vers le peuple et dit, en pleurant; « Vous, les parents de ceux que j'ai si cruellement mis à mort, donnez, ah, donnez-moi le secours de vos pieuses prières ! »

Alors, en sa blanche splendeur, l'âme du Moyen Age rayonna dans cette salle.[1]   5

Jean de Malestroit quitta son siège et releva l'accusé qui frappait de son front désespéré les dalles; le juge disparut en lui, le prêtre seul resta; il embrassa le coupable qui se repentait et pleurait sa faute.

Il y eut dans l'audience un frémissement lorsque Jean de 10
Malestroit dit à Gilles, debout, la tête appuyée sur sa poitrine: « Prie, pour que la juste et épouvantable colère du Très-Haut se taise; pleure, pour que tes larmes épurent les charniers en folie de ton être. »

Et la salle entière s'agenouilla et pria pour l'assassin.   15

La seconde partie de la condamnation appartenait à la cour séculière à laquelle L'Évêque et l'Inquisiteur remirent le Maréchal, et qui prononça la peine de mort et la confiscation des biens. Vint le jour de l'exécution:

o o o Le Maréchal de Rais fut condamné à être pendu et brûlé vif. Ramené, après le jugement, dans sa geôle, il adressa une dernière supplique à l'Évêque Jean de Malestroit. Il le pria d'intercéder auprès des pères et mères des enfants qu'il avait si férocement mis à mort, pour qu'ils 20
voulussent bien l'assister dans son supplice.

Et ce peuple dont il avait et mâché[2] et craché le cœur, sanglota de pitié; il ne vit plus en ce seigneur démoniaque qu'un pauvre homme qui pleurait ses crimes et allait affronter l'effrayante colère de la Sainte Face; et, le jour de 25
l'exécution, dès neuf heures du matin, il parcourut, en une longue procession, la ville. Il chanta des psaumes dans les rues, s'engagea, par serment, dans les églises, à jeûner pen-

[1] C'est à dire, l'atmosphère religieuse splendide du Catholicisme médiéval.

[2] Chewed.

dant trois jours, afin de tenter d'assurer par ce moyen le
repos de l'âme du Maréchal. ... Puis, à onze heures,
il vint chercher Gilles de Rais à sa prison et il l'accompagna
jusqu'à la prairie de la Biesse où se dressaient, surmontés
5 de potences, de hauts bûchers.

Le Maréchal soutenait ses complices, les embrassait, les
adjurait d'avoir « grande déplaisance et contrition de leurs
méfaits » et, se frappant la poitrine, il suppliait la Vierge
de les épargner, tandis que le clergé, les paysans, le peuple,
10 psalmodiaient les sinistres et implorantes strophes de la
Prose [1] des Trépassés:

> *Nos timemus diem judicii*
> *Quia mali et nobis conscii;*
> *Sed tu, Mater summi concilii,*
15 *Para nobis locum refugii,*
> *O Maria !*
> *Tunc iratus Judex* ... [2]

II. *Le catholicisme médiéval:*

En route (1895)

Le retour au Christianisme médiéval était l'aboutissement fatal
pour une nature comme celle de Huysmans. Il le savait, et il citait,
lui-même (dans sa « Préface » à l'édition de 1903 d'*À rebours*) le
mot prophétique de l'écrivain catholique Barbey d'Aurevilly dès
1884: « Après un tel livre [*À rebours*] il ne reste plus à l'auteur qu'à
choisir entre la bouche d'un pistolet et le pied de la croix. » (Art.
publié dans *Le Constitutionnel*, 2 juillet 1884).

Le diabolisme de Durtal n'avait pas mieux réussi que le décadentisme de Des Esseintes pour soulager une âme dégoûtée du monde;
alors Huysmans fait la connaissance de l'abbé Mugnier [3] [Gévresin du

---

[1] Ici, hymne latin composé de lignes rimées mais sans mesure.

[2] *Nous craignons le jour du jugement // parce que nous sommes*
mauvais et en avons conscience; //mais toi, Mère de suprême conseil,//
prépare pour nous un lieu de refuge, //Ô Marie ! //Alors le Juge ir-
rité ...

[3] Il était 2nd vicaire de l'église Notre-Dame-des-Champs, à Paris.

nouveau roman] dans la sacristie de l'église de Saint-Thomas d'Aquin,
le 28 mai 1891; il se sent attiré par ce prêtre lequel va devenir le conseiller qui le mettra sur la voie de la conversion; il lui confie: « Je
vais publier en volume un livre satanique, plein de messes noires
[*Là-bas*]. Je veux en faire un autre qui sera *blanc*. Mais il est
nécessaire que je me blanchisse moi-même. Avez-vous du chlore
pour mon âme ? » Le 12 juillet de la même année, Durtal, c'est à
dire Huysmans, part pour le couvent de La Trappe d'Igny [Notre-
Dame-de-l'Atre dans le roman] dans la commune d'Arcis-le-Ponsard,
dans le Tardenois.[1]

En Route, comme roman, est le récit des hésitations prolongées
de Durtal avant de se résoudre à essayer le remède suggéré par l'abbé
Gévresin, de faire une retraite à Notre-Dame-de-l'Atre; puis, une
fois qu'il y est, la description des combats sans cesse renaissants dans
lesquels il voit des tentations du diable et qu'il surmonte peu à peu
avec le secours des religieux. Les chapitres II et III de la seconde
partie contiennent la partie la plus dramatique de l'œuvre, la confession et la communion de Durtal. Ils correspondent au chapitre de
la Messe noire de *Là-bas*.

C'est l'art, à vrai dire, la sincérité de l'art chrétien médiéval qui
contribue surtout à attirer Durtal au catholicisme. Comme *Là-
bas*, le roman *En Route* présente un mélange de documentation sur les
cérémonies de l'église catholique et d'analyse psychologique de la conversion de Durtal. En envoyant son livre aux religieux de la Trappe
d'Igny, l'auteur explique ainsi ce qu'il a voulu faire: Dans *Là-bas*, il
avait désiré secouer l'apathie, le scepticisme de ses contemporains
en les faisant « recroire au satanisme »; cette fois il s'agit de les
faire croire à la Sainte Vierge et au Christ. Pour cela:

« Il me fallait prendre la religion par sa cime, c'est à dire par la
Haute mystique, développer cela au point de vue de l'art, montrer

---

[1] Petit pays de l'ancienne France, compris dans le département de
l'Aisne, entre la Vesle et la Marne — pas très loin de Château-
Thierry.

Les descriptions de Huysmans sont, paraît-il, strictement fidèles.
On trouvera des renseignements complémentaires sur Igny dans
l'excellent petit volume de R. Dumesnil *La publication d'En Route*
(« Coll. Grands évén. litt. », 1931, Chap. IV et V). La Trappe d'Igny,
de l'ordre de Cîteaux, fondée par Saint Bernard, en 1127, avait
échappé aux ravages de la Grande Guerre pendant quatre ans, mais
en 1918 fut complètement détruite. Un autre monastère se dresse
aujourd'hui dans la vallée d'Igny. Voir R. Dumesnil, *La Trappe
d'Igny, retraite de J.-K. Huysmans*, et Abbé Mugnier, *J.-K. Huysmans
à la Trappe* (Le Divan, 1927).

les splendeurs de la liturgie, du plain-chant, amener, en somme, mes adversaires sur le terrain de l'art. Par contre, je devais écheniller [*rid of* — chenille = *caterpillar*] le catholicisme du côté dévotionnette et bondieusardisme, [dévotion sans sérieux et invocation du « Bon Dieu » à tout propos], de tout ce côté qui rebute l'intelligence des sceptiques. Il en était de même du clergé sur lequel je devais dire l'entière vérité si je voulais qu'on me crût lorsque je parlerais des moines . . . Faisant la part du feu des êtres qui sont dénués de gloire dans l'Église,[1] je pouvais y aller carrément, crier la nécessité des congrégations, la souveraine beauté des ordres contemplatifs, la splendeur unique des cloîtres. Tenez compte de tout cela dans la lecture de ce livre, et ne vous effrayez pas de son absolue franchise: J'y ai dit tout ce que je pensais devant Dieu ». (Cité dans Dumesnil, *livre cité*, p. 90.)

En effet, Huysmans est fort libre dans sa critique de toute manifestation religieuse qui sent l'affectation et qui manque de beauté et de dignité.[2]

Le style du Huysmans converti: — Huysmans avait violemment renié la philosophie terre à terre du Naturalisme pour se jeter vers le Mysticisme — sous diverses formes; mais il n'avait pas renié en même temps le style réaliste: tout au contraire, il cultivera — on peut même dire créera — ce qu'il nomme le style du *Naturalisme spiritualiste*.

C'est dans les premières pages de *Là-bas* qu'il s'explique là-dessus:

Il faut reconnaître que ce sont eux, les naturalistes « qui nous ont débarrassés des inhumains fantoches[3] du romantisme et qui ont extrait la littérature d'un idéalisme de ganache[4] et d'une inanition de vieille fille exaltée par le célibat ! »

« Je ne reproche au naturalisme ni ses termes de pontons,[5] ni son vocabulaire de latrines et d'hospices, car ce serait injuste et ce serait absurde; d'abord, certains sujets les hèlent, puis avec des gravats[6] d'expressions o o o l'on peut exhausser d'énormes et de puissantes œuvres; l'*Assommoir*, de Zola, le prouve; non, la question est autre, et ce que je reproche au naturalisme, ce n'est pas le lourd badigeon de son gros style, c'est l'immondice de ses idées; ce que je lui reproche,

---

[1] *Making allowance for the unworthy members of the secular clergy.*

[2] C'est en 1905, dix ans après la publication d'*En Route* que devait être votée la loi de séparation de l'Église et de l'État.

[3] *Puppets.*

[4] *Lout.*

[5] *Convict boats, galleys.*

[6] *Rubbish.*

c'est d'avoir incarné le matérialisme dans la littérature, d'avoir glorifié la démocratie de l'art !... Quand il s'est agi d'expliquer une passion quelconque, quand il a fallu sonder une plaie, déterger [1] même le plus bénin bobo de l'âme, il a tout mis sur le compte des appétits et des instincts ○ ○ ○ ». Il n'a pas même « compris que la curiosité de l'art commence là où les sens cessent de servir ». Bref; « Il faudrait garder la véracité du document, la précision du détail, la langue étoffée et nerveuse du réalisme, mais il faudrait aussi se faire puisatier [2] d'âme, et ne pas vouloir expliquer le mystère par les maladies des sens ... Il faudrait en un mot suivre la grande voie si profondément creusée par Zola, mais il serait nécessaire aussi de tracer en l'air un chemin parallèle, une autre route, d'atteindre les en-deçà et les après, de faire en un mot un NATURALISME SPIRITUALISTE; ce serait autrement fier, autrement complet, autrement fort ! »

Huysmans avait besoin d'un vocabulaire souvent particulier. V. à ce sujet H. Blandin, *J.-K. Huysmans* (Paris, Maison du Livre, 1912). Il voulait des mots « qui faisaient feu » et des phrases qui « picrataient ».[3] Blandin en cite toute une série; par exemple: *exorer* pour prier; *aurifier* pour dorer; *ardre* ou *arder* pour brûler; *déterger* pour nettoyer; *excaver* pour creuser; *ambuler* pour marcher; *se délinéer* pour se dessiner; les chrétiens sont des *christicoles*, et les saints des *célicoles*. Il dira *larmer* pour pleurer, *guigner* pour convoiter, *larronner* pour voler, *soutanier* pour prêtre; les bibliothèques sont des *cimetières à paperasses;* et une personne est *anonchalie* quand elle est étendue nonchalamment.

Le style du « naturalisme spiritualiste », d'ailleurs, il existait, prétendait-t-il, sinon en littérature, du moins certes dans la peinture et la sculpture de ceux qu'on appelle « les primitifs » dans le moyen-âge d'Italie, d'Allemagne et des Flandres. Il donne, dans ce style, une description du tableau de « la Crucifixion » peinte par Mathaeus Grünewald, et qui se trouve au Musée de Cassel, en Allemagne.[4] (On trouvera cette description dans *Là-bas*, vol. I, pp. 13–20 de l'éd. Crès.)

Dans *En route*, un merveilleux exemple de ce style se trouve dans cette page sur la mystique:

---

[1] Nettoyer.

[2] *Well-digger.*

[3] *Cracked like fireworks.*

[4] En 1905, Huysmans a repris ce sujet dans son livre *Trois primitifs;* le premier essai est intitulé « Les Grünewald du Musée de Colmar ». (Cf. aussi: Arthur Burkhard, *Mathias Gruenewald*, 1475–1525, Harvard Press, 1936 — sur l'école allemande dite de « L'Expressionnisme ».

Lydwine de Schiedam

Huysmans souligne le rôle de l'ascétisme dans la religion telle qu'il la conçoit; c'est le catholicisme intransigeant tel que pratiqué par les vrais saints; c'est à dire insistant surtout sur la nature immonde de la créature humaine, la boue de la chair, et affirmant que le chrétien doit de toutes manières braver cette nature immonde en la méprisant, la provoquer même dans ses aspects les plus rebutants.

« Lydwine était née vers la fin du quatorzième siècle, à Schiedam, en Hollande. Sa beauté était extraordinaire, mais elle tomba malade vers quinze ans et devint laide. Elle entre en convalescence, se rétablit et un jour qu'elle
5 patine avec des camarades sur les canaux glacés de la ville, elle fait une chute et se brise une côte. À partir de cet accident, elle demeure étendue sur un grabat [1] jusqu'à sa mort; les maux les plus effrayants se ruent sur elle, la gangrène court dans ses plaies et de ses chairs en putréfaction
10 naissent des vers. La terrible maladie du moyen âge, le feu sacré,[2] la consume. Son bras droit est rongé; il ne reste qu'un seul nerf qui empêche ce bras de se séparer du corps; son front se fend du haut en bas, un de ses yeux s'éteint et l'autre devient si faible qu'il ne peut supporter aucune
15 lueur.

« Sur ces entrefaites, la peste ravage la Hollande, décime la cité qu'elle habite; elle est la première atteinte; deux pustules se forment, l'une sous un bras, l'autre, dans la région du cœur. Deux pustules, c'est bien, dit-elle au
20 Seigneur, mais trois seraient mieux, en l'honneur de la Trinité Sainte; et aussitôt un troisième bouton lui crève la face.

« Pendant trente-cinq années, elle vécut dans une cave, ne prenant aucun aliment solide, priant et pleurant; si
25 transie, l'hiver, que, le matin, ses larmes formaient deux ruisseaux gelés le long de ses joues.

[1] *Pallet.*
[2] La lèpre.

« Elle s'estimait encore trop heureuse, suppliait le Seigneur de ne point l'épargner ; elle obtenait de lui d'expier par ses douleurs les péchés des autres ; et le Christ l'écoutait, venait la voir avec ses anges, la communiait de sa main, la ravissait en de célestes extases, faisait s'exhaler, de la 5 pourriture de ses plaies, de savants parfums.

« Au moment de mourir, il l'assiste et rétablit dans son intégrité son pauvre corps. Sa beauté, depuis si longtemps disparue, resplendit ; la ville s'émeut, les infirmes arrivent en foule et tous ceux qui l'approchent guérissent. 10

« Elle est la véritable patronne des malades », avait conclu l'abbé [Gévresin, parlant à Durtal] et, après un silence, il avait repris :

« Au point de vue de la haute mystique, Lydwine fut prodigieuse, car l'on peut vérifier sur elle la méthode de 15 substitution qui fut et qui est encore la glorieuse raison d'être des cloîtres.

Et comme, sans répondre, Durtal l'avait interrogé du regard, il avait poursuivi :

« Vous n'ignorez pas, monsieur, que, de tout temps, des 20 religieuses se sont offertes pour servir de victimes d'expiation au Ciel. Les vies des saints et des saintes qui convoitèrent ces sacrifices et réparèrent par des souffrances ardemment réclamées et patiemment subies les péchés des autres, abondent. Mais, il est une tâche encore plus ardue 25 et plus douloureuse que ces âmes admirables envient. Elle consiste, non plus à purger les fautes d'autrui, mais à les prévenir, à les empêcher d'être commises, en supplantant les personnes trop faibles pour en supporter le choc.

« Lisez, à cette occasion, sainte Térèse ; vous verrez 30 qu'elle obtint de prendre à sa charge les tentations d'un prêtre qui ne pouvait les endurer, sans fléchir. Cette substitution d'une âme forte, débarrassant celle qui ne l'est point de ses périls et de ses craintes, est une des grandes règles de la mystique. 35

« Tantôt, cette suppléance est purement spirituelle et

tantôt, au contraire, elle ne s'adresse qu'aux maladies du
corps; sainte Térèse se subrogeait aux âmes en peine, la
sœur Catherine Emmerick [1] succédait, elle, aux impotentes,
relayait, tout au moins, les plus malades; c'est ainsi, par
5 exemple, qu'elle put souffrir les tortures d'une femme atteinte de phtisie et d'une hydropique, pour leur permettre
de se préparer à la mort en paix.

« Eh bien ! Lydwine accaparait toutes les maladies du
corps; elle eut la concupiscence des douleurs physiques, la
10 gloutonnerie des plaies; elle fut, en quelque sorte, la mois-
sonneuse des supplices et elle fut aussi le lamentable vase où
chacun venait verser le trop-plein de ses maux. Si vous
voulez parler d'elle autrement que les pauvres hagio-
graphes [2] de notre temps, étudiez d'abord cette loi de la sub-
15 stitution, cette merveille de la charité absolue, cette victoire surhumaine de la mystique; elle sera la tige de votre
livre et, naturellement, sans efforts, tous les actes de Lydwine se grefferont sur elle.

Le roman, paru au printemps de 1895, donna lieu à des discussions
passionnées (résumées dans le livre de Dumesnil). Plusieurs parlèrent
de « cabotinisme » [*cabotin*, mauvais acteur, ou acteur qui ne pense
qu'à se faire remarquer]; d'autres admirèrent la sincérité de la
conversion de Huysmans-Durtal. L'abbé Mugnier fit, le 19 mars, une
conférence à la salle Sainte-Geneviève, où il défendit Huysmans contre
les attaques. Huysmans lui-même maintint jusqu'à la fin la sincérité
de sa conversion. Aujourd'hui que les passions se sont calmées, la
critique ne nie plus ni l'originalité ni la « beauté intense » de beaucoup
de ces pages. « La conclusion, c'est l'*abêtissez-vous* de Pascal, repris
par un artiste très moderne » (G. Deschamps, Le Temps, 10 mars
1895).[3]

---

[1] Une nonne westphalienne (1774–1824) dont les stigmates, les
révélations et les prédictions firent grand bruit à l'époque. En 1833,
Klemens Brentano, un poète allemand, publia *La passion douloureuse de notre Seigneur Jésus-Christ, selon les méditations d'Anne
Catherine Emmerick*.

[2] Auteurs qui racontent les vies des saints (*hagios*, grec: *sacré*,
saint).

[3] « — Ce qui est certain, c'est que Huysmans a causé par *En route*
plusieurs conversions ». V. Dumesnil, *livre cité*, p. 122.

On a donc rangé Huysmans dans la classe qu'on a appelée « les esprits royaux du catholicisme » en littérature: Saint Augustin, Pascal, Chateaubriand; et quelques-uns placent à côté de Huysmans, Baudelaire et Verlaine (v. plus bas).

Pour les personnages de la vie réelle dont Huysmans s'est servi et qui se cachent sous des noms d'emprunt, v. toujours Dumesnil, et les notes à la fin du vol II, de l'édition Crès. Outre l'abbé Mugnier qui rappelle Gévresin, on reconnaît Dom Augustin sous Anselme, le père Abbé; le père Etienne, l'hôte sympathique cache le Père Léon; le Père Siméon, le porcher génial, était le frère Isaac; l'oblat M. Bruno, qui tenait compagnie à Durtal au réfectoire, était un M. Rivière, etc.

Le volume parut en même temps à Paris, en français, et à New-York, en anglais — le 15 fév. 1895.

On n'appréciera les deux grands chapitres [IIe partie, Chap. II et III: Confession et Première communion] que si on a lu intégralement les chapitres qui les préparent. — De même qu'on ne comprend le chapitre de la « Messe noire » dans *Là-bas* qu'après l'initiation par l'auteur dans de nombreuses pages.

La cathédrale (1898) [1]

Huysmans va décrire avec attendrissement, dans ce livre qui fait suite à *En route*, la cathédrale de Chartres. L'abbé Gévresin s'en va demeurer dans cette ville pour y vivre près d'un ami qui vient d'être porté à l'épiscopat; il entraîne Durtal; celui-ci fait la connaissance de l'abbé Plomb qui l'initiera à l'histoire et à tous les mystères de « la plus belle cathédrale qui soit au monde »: « Elle est, cette basilique,[2] la plus magnifique expression que l'art du moyen-âge nous ait léguée. Sa façade n'a ni l'effrayante majesté de la façade ajourée de Reims, ni la lenteur ni la tristesse de Notre-Dame de Paris, ni la grâce géante d'Amiens, ni la massive solennité de Bourges; mais elle révèle une imposante simplicité, une sveltesse, un élan, qu'aucune autre cathédrale ne peut atteindre. »

Comme dans les autres romans de Huysmans, l'érudition occupe

---

[1] Il existe une édition (abrégée) *La cathédrale*, by Helen Trudgian (Nelson, 240 pp.) avec vocabulaire.

[2] Basilique, mot grec, qui signifiait à l'origine: bâtiment dans lequel les rois rendaient la justice (*Basileos* signifie roi). Dans l'ère chrétienne, c'est le nom donné à des églises en quelque sorte royales; Notre Dame est la REINE du ciel, et souvent le terme de basilique est donné aux cathédrales de Notre-Dame.

une place considérable à côté de la partie purement artistique. De nombreuses pages sont consacrées, entre autres choses, à l'explication du :

Symbolisme de la cathédrale

« Avant de voir Notre-Dame en ses parties — ne faut-il pas l'embrasser en son ensemble, se pénétrer de son sens général avant que d'en feuilleter les détails ? Tout est dans cet édifice, reprit-il — c'est l'abbé Plomb qui parle à Durtal
5 — en enveloppant d'un geste l'église, les Ecritures, la théologie, l'histoire du genre humain résumée dans ses grandes lignes ; grâce à la science du symbolisme, on a pu faire d'un monceau de pierres un macrocosme.[1]

« Oui, je le répète, tout tient dans ce vaisseau, même
10 notre vie matérielle et morale, nos vertus et nos vices. L'architecte nous prend dès la naissance d'Adam pour nous mener jusqu'à la fin des siècles. Notre-Dame de Chartres est le répertoire le plus colossal qui soit du ciel et de la terre, de Dieu et de l'homme.

15 « Toutes ses figures sont des mots ; tous ses groupes sont des phrases ; la difficulté est de les lire.

« Et cela se peut ?

« Certes ₀ ₀ ₀ Le palimpseste[2] est déchiffrable ; la clef, c'est la connaissance des symboles. »

20 Et voyant que Durtal écoutait, attentif, l'abbé vint se rasseoir et dit :

« Qu'est-ce qu'un symbole ? D'après Littré, c'est ‹ une ‹ figure ou une image employée comme signe d'une autre ‹ chose › ; nous autres, catholiques, nous précisons encore
25 cette définition en spécifiant avec Hugues de Saint-Victor,[3] que ‹ le symbole est la représentation allégorique d'un ‹ principe chrétien, sous une forme sensible ›.

[1] Tout un univers (*macro*, grand, et *cosmos*, monde).
[2] Proprement, un parchemin dont on a fait disparaître les caractères pour y écrire quelque chose de nouveau. L'art du palimpseste consiste à déchiffrer un texte ainsi caché sous un autre texte.
[3] Moine français (1096–1141) ; œuvres publiées à Venise, en 1588.

« Or, le symbole existe depuis le commencement du monde. Toutes les religions l'adoptèrent, et, dans la nôtre, il pousse avec l'arbre du Bien et du Mal dans le premier chapitre de la Genèse et il s'épanouit encore dans le dernier chapitre de l'Apocalypse ... Notre-Seigneur, lui-même 5 a presque constamment, lorsqu'il s'est adressé aux foules, usé de paraboles, c'est à dire d'un moyen d'indiquer une chose pour en désigner une autre.

« Le symbole provient donc d'une source divine. ... Saint Augustin le déclare expressément: ‹ une chose noti- 10 ‹ fiée par allégorie est certainement plus expressive, plus ‹ agréable, plus imposante que lorsqu'on l'énonce en termes ‹ techniques ›. »

L'ouvrage est rempli de remarques sur cette symbolique: Huysmans montre dans *les tours des cloches*, « l'analogie de cette perfection que cherchent à atteindre, en s'élevant, ces âmes »; et, quant aux cloches: « de même qu'une semence dans la terre des âmes, leurs notes essaimées rappellent aux chrétiens, par cette prédication aérienne, par ce rosaire égrené des sons, les prières qu'ils ont ordre de réciter, les obligations qu'il leur faut remplir; — et au besoin, elles suppléent auprès de Dieu à l'indifférence des hommes en lui témoignant au moins qu'elles ne l'oublient pas ... et leurs oraisons de bronze, compensent de leur mieux tant de suppliques humaines plus vocales peut-être que les leurs! »; l'entrée principale, *le portique d'honneur*, souvent de grande dimension, c'est « le lieu d'attente et de pardon, une figure du purgatoire; c'était l'anti-chambre du ciel dans laquelle stationnaient, avant d'être admis à pénétrer dans le sanctuaire, les pénitents et les néophytes » L'auteur entre dans de nombreux détails sur la *symbolique des couleurs* consacrée par l'Église: « À l'Eucharistie, le vert; au Baptême, le blanc; à la Confirmation, le jaune; à la Pénitence, le rouge; à l'Ordination, le violet; au Mariage, le bleu; à l'Extrême-Onction, un violet si foncé qu'il est noir ». C'est encore la *symbolique des pierres précieuses* employées dans les ornements des statues: l'émeraude, signe de l'incorruptible pureté; l'hyacinthe, attribut de la charité; le diamant, force et patience, etc. Puis il y a la *flore symbolique* des ornements des églises: la citrouille qui évoque tantôt l'idée de la fécondité, tantôt celle de l'orgueil; la ronce et l'hellébore qui symbolisent l'envie; le pavot est associé au péché de paresse; l'oranger est pour la chasteté; le lys pour la charité, etc. Vient encore la *faune symbolique* qui incorpore « Jésus dans l'agneau, à cause de son innocence; dans le bélier, parce qu'il est le chef du troupeau, voire même dans le bouc, en raison de la ressemblance que le Rédempteur consentit de la chair du péché »; ou encore dans le bœuf, la brebis, le veau, bêtes de sacrifice, d'une part, le lion, l'aigle, le dauphin, animaux rappelant la domination sur la terre et les eaux d'autre part; la *symbolique des odeurs et des parfums* répandus dans les églises en rapport avec le culte liturgique, etc.[1]

Symbolisme des nefs de la cathédrale

— Je vous expliquai, l'autre jour, [c'est toujours l'abbé Plomb qui parle] la symbolique de l'extérieur des basiliques; voulez-vous que je vous mette maintenant, en deux mots, au courant des allégories que contiennent les nefs?

5   En voyant que Durtal acceptait d'un signe, le prêtre reprit:

— Vous ne l'ignorez pas, presque toutes nos cathédrales sont cruciformes; dans la primitive Église, il est vrai, vous trouverez un certain nombre de sanctuaires bâtis en ro-

10 tonde et coiffés d'un dôme; mais la plupart n'ont pas été construits par nos pères; ce sont d'anciens temples du paganisme que les catholiques adaptèrent tant bien que mal à leur usage, ou imitèrent, en attendant que le style roman [2] fût consacré !

15 « Nous pourrions donc nous dispenser d'y chercher un sens spécial liturgique, puisque cette forme n'a pas été créée par des chrétiens; et cependant, dans son *Rational*, Durand de Mende [3] prétend que cette rondeur d'édifice signifie l'extension de l'Église par tout le cercle de l'univers;

20 d'autres ajoutent que le dôme est le diadème du Roi crucifié

---

[1] Il y a un index des sujets dans l'édition Crès *La cathédrale*, vol. II, pp. 301–304. (Éd. Plon, pp. 397–414).

[2] Le style roman en architecture prévalut du Ve au XIIe siècle; il fut remplacé par le style gothique.

[3] Durand de Mende, né dans le diocèse de Béziers, doyen de Chartres (1279), évêque de Mende (1286), mort à Rome (1296). Son *Rationale divinorum officiorum*, (publié en 1459) est le traité liturgique le plus complet du moyen-âge.

et que les petites coupoles, qui souvent l'entourent, sont les têtes énormes des clous. Mais laissons ces explications que je crois fournies après coup et occupons-nous de la croix que dessinent ici, comme dans les autres cathédrales, le transept et la nef. 5

« Notons, en passant, que, dans quelques églises, telle que l'abbatiale de Cluny,[1] l'intérieur, au lieu d'esquisser une croix latine,[2] copia, dans son plan, la croix de Lorraine,[3] en adjoignant deux petits croisillons, au-dessus des bras. Et voyez cet ensemble, murmura l'abbé, en embrassant 10 d'un geste tout le dedans de la basilique chartraine.

« Jésus est mort; son crâne est l'autel, ses bras étendus sont les deux allées du transept; ses mains percées sont les portes; ses jambes sont cette nef où nous sommes et ses pieds troués sont le porche par lequel nous venons d'entrer. 15 Regardez maintenant la déviation systématique de l'axe de cette église; elle imite l'attitude du corps affaissé sur le bois du supplice, et, dans certaines cathédrales, telles que celle de Reims, l'exiguité, l'étranglement du sanctuaire et du chœur par rapport à la nef, simule d'autant mieux le 20 chef et le cou de l'homme tombés sur l'épaule, après qu'il a rendu l'âme.

« Cette inflexion des églises, elle est presque partout, ici, à Saint-Ouen [4] et à la cathédrale de Rouen, à Saint-Jean de Poitiers, à Tours, à Reims; parfois même, mais cette ob- 25 servation serait à prouver, l'architecte substitue à la dé- pouille du Sauveur, celle du Martyr sous le vocable duquel l'église est dédiée et alors on croit discerner dans l'axe tordu de Saint-Savin,[5] par exemple, le tournant de la roue qui broya ce saint. 30

[1] L'église abbatiale de la célèbre abbaye de Cluny, en Bourgogne, fut construite en 910.

[2] Croix latine: †

[3] Croix lorraine: ‡

[4] Saint-Ouen, à Rouen.

[5] Église Saint-Savin, près Poitiers, département de la Vienne, 332 Km. au sud-ouest de Paris.

« Mais tout cela vous est évidemment connu, voici qui l'est moins.

« Nous n'avons examiné jusqu'ici que l'image du Christ, immobile, mort, dans nos nefs; je vais vous entretenir actuellement d'un cas peu commun, d'une église reproduisant non plus le contour du cadavre divin, mais bien la figure de son corps encore vivant, d'une église douée d'une apparence de motilité,[1] qui essaie de bouger avec Jésus sur la croix.

« Il paraît, en effet, acquis que certains architectes voulurent feindre, dans la structure des temples qu'ils édifièrent, les conditions d'un organisme humain, singer le mouvement de l'être qui se penche, animer, en un mot, la pierre.

« Cette tentative eut lieu à l'église abbatiale de Preuilly-sur-Claise, en Touraine. ○○○ Vous pouvez aisément reconnaître que l'attitude de ce sanctuaire est celle d'un corps qui se tend de biais, qui s'éploie tout d'un côté et s'incline.

« Et ce corps remue avec le déplacement voulu de l'axe dont la courbe commence dès la première travée,[2] va, en se développant, au travers des nefs, du chœur, de l'abside, jusqu'au chevet dans lequel elle se fond, s'appropriant ainsi l'aspect ballant d'une tête. ○○○

« La vieille église Tourangelle est donc l'effigie de Jésus crucifié, mais vivant encore.

« Pour en revenir maintenant à nos moutons, considérons les organes internes de nos temples, marquons, au passage, que la longueur d'une cathédrale promulgue la longanimité de l'Église dans les revers; sa largeur, la charité qui dilate les âmes; sa hauteur, l'espoir de la récompense future, et arrêtons-nous aux détails.

« Le chœur et le sanctuaire symbolisent le ciel, tandis que la nef est l'emblème de la terre et, comme l'on ne peut franchir le pas qui sépare ces deux mondes que par la croix,

---

[1] « Terme de physiologie.   Faculté de se mouvoir. »   (Littré.)
[2] *Bay.*

l'on avait jadis l'habitude, hélas ! perdue, de placer en haut de l'arcade grandiose qui réunit la nef au chœur, un immense crucifix; de là, le nom d'arcade triomphale attribué à la gigantesque baie qui s'ouvre devant l'autel; notons aussi qu'il existe une grille ou une balustrade limitant 5 chacune des deux zones; saint Grégoire de Nazianze[1] y voit la ligne tracée entre ces deux parties, celle de Dieu et celle de l'homme.

« Voici, d'autre part, une interprétation différente de Richard de Saint-Victor,[2] sur le sanctuaire, le chœur et la 10 nef. Ils stipulent, selon lui, le premier: les Vierges, le second, les âmes chastes et la troisième, les Époux. Quant à l'autel ou cancel, ainsi que l'intitulent les vieux liturgistes, il est le Christ même, le lieu où repose sa tête, la table de la Cène, le gibet sur lequel il versa son sang, le sépulcre qui 15 renferma son corps; et il est aussi l'Église spirituelle et ses quatre coins sont les quatre coins de l'univers qu'elle doit régir.

« Or, derrière cet autel, s'étend l'abside dont la forme est celle d'un hémicycle, dans la plupart des cathédrales. ○ ○ ○ 20

« Ce fond semi-circulaire, cette conque absidale, avec ses chapelles nimbant le chœur, est, en effet, le calque de la couronne d'épines cernant le chef du Christ. ○ ○ ○

« Il faut constamment le répéter, toute partie d'église, tout objet matériel servant au culte est la traduction d'une 25 vérité théologique. Dans l'architecture scripturale tout est souvenir, tout est écho et reflet et tout se tient. »

La construction de la cathédrale de Chartres:
Magnifique expression de la foi collective des masses

Huysmans fait (pages 75–6) l'histoire rapide de la cathédrale. L'édifice actuel est le cinquième édifié sur l'emplacement d'une grotte druidique; le premier date du temps des apôtres, et fut rasé par

---

[1] Un théologien grec, Père de l'Église, (328–389).
[2] Frère de Hugues de Saint-Victor, XIe siècle.

les païens, rebâti par un nouveau prêtre missionnaire, brûlé en partie, restauré, incendié à nouveau par les Normands, réparé; détruit complètement par Richard, duc de Normandie lors de la prise de la ville.   Un troisième sanctuaire fut construit, et consumé au XIe siècle sous l'épiscopat du célèbre saint Fulbert qui fonda une quatrième cathédrale — réduite en cendres par la foudre en 1194.   La cinquième enfin, consacrée le 17 octobre 1260, en présence de saint Louis est encore debout.   Depuis, elle fut très souvent frappée par la foudre, très exposée qu'elle est par ses hautes flèches dans la région très plate de la Beauce.   C'est à la reconstruction du XIIe et du XIIIe siècles que se rapportent ces pages.

Qui a construit ces cathédrales ?   Huysmans répond:

Était-ce une compagnie de ces imagiers, de ces confrères de l'œuvre sainte qui allaient d'un pays à l'autre, adjoints aux maçons, aux ouvriers logeurs du bon Dieu, par les moines ?   Venaient-ils de cette abbaye Bénédictine de
5 Tiron fondée près du Marché, à Chartres, par l'Abbé saint Bernard dont le nom figure parmi les bienfaiteurs de l'église dans le nécrologe [liste des morts illustres] de Notre-Dame ?   Nul ne le sait.   Humblement, anonymement, ils travaillèrent.

10 Et quelles âmes ils avaient, ces artistes !   Car nous le savons, ils ne besognaient que lorsqu'ils étaient en état de grâce.   Pour élever cette splendide basilique, la pureté fut requise, même des manœuvres.[1]

Cela serait incroyable, si des documents authentiques, si
15 des pièces certaines ne l'attestaient.

Nous possédons des missives [2] de l'époque, insérées dans les annales Bénédictines, une lettre d'un Abbé de Saint-Pierre-sur-Dive retrouvée par M. Léopold Delisle,[3] dans le manuscrit 929 du fonds français, à la Bibliothèque Na-
20 tionale — un livre latin des miracles de Notre-Dame, découvert dans la Bibliothèque du Vatican, et traduit en français par un poète du XIIIe siècle, Jehan le Marchant.

[1] *Manual laborers.*
[2] Lettres.
[3] Paléographe français, 1826–1910.

Tous racontent comment, après la ruine des incendies, fut rebâti le sanctuaire dédié à la Vierge noire.[1]

Ce qui advint alors atteignit le sublime. Ce fut une Croisade, telle que jamais on n'en vit. Il ne s'agissait plus d'arracher le Saint-Sépulcre des mains des Infidèles, de lutter sur un champ de bataille contre des armées, contre des hommes, il s'agissait de forcer Notre-Seigneur dans ses retranchements, de livrer assaut au Ciel, de le vaincre par l'amour et la pénitence; et le Ciel s'avoua battu; les Anges, en souriant, se rendirent; Dieu capitula et, dans la joie de sa défaite, il ouvrit tout grand le trésor de ses grâces pour qu'on le pillât.

Ce fut encore, sous la conduite de l'Esprit Saint, le combat contre la matière, sur des chantiers, d'un peuple voulant, coûte que coûte, sauver la Vierge sans asile, de même qu'au jour où naquit son Fils.

La crèche de Bethléem n'était plus qu'un tertre de cendres. Marie allait être réduite à vagabonder, sous le fouet des bises, dans les plaines glacées de la Beauce.[2] Le même fait se renouvellerait-il, à douze cents ans de distance, de familles sans pitié, d'auberges inhospitalières, de chambres pleines?

L'on aimait alors, en France, la Madone, comme l'on aime sa génitrice naturelle, sa véritable mère. A cette nouvelle qu'Elle erre, chassée par l'incendie, à la recherche d'un gîte, tous, bouleversés, s'éplorent, et non seulement dans le pays Chartrain, mais encore dans l'Orléanais, dans la Normandie, dans la Bretagne, dans l'Ile de France, dans le Nord. Les populations interrompent leurs travaux, quittent leurs logis pour courir à son secours, les riches apportant leur argent et leurs bijoux, tirant avec les pauvres des charrettes, convoyant du blé, de l'huile, du

---

[1] La plus ancienne statue de la Vierge à Chartres. Sa couleur noire est due probablement à sa vétusté. Il y a des Vierges noires dans d'autres sanctuaires, p. ex. à Einsiedeln, en Suisse.

[2] Ancien pays de France dont Chartres était la capitale.

vin, du bois, de la chaux, ce qui peut servir à la nourriture des ouvriers et à la bâtisse d'une église.

Ce fut une migration ininterrompue, un exode spontané de peuple. Toutes les routes étaient encombrées de
5 pèlerins, traînant, hommes, femmes, pêle-mêle, des arbres entiers, charriant des faisceaux de poutres, poussant de gémissantes carrioles de malades et d'infirmes qui constituaient la phalange sacrée, les vétérans de la souffrance, les légionnaires invincibles de la douleur, ceux qui devaient
10 aider au blocus de la Jérusalem céleste, en formant l'arrière-garde, en soutenant, avec le renfort de leurs prières, les assaillants.

Rien, ni les fondrières, ni les marécages, ni les forêts sans chemins, ni les rivières sans gués, ne purent enrayer l'im-
15 pulsion de ces foules en marche, et, un matin, par tous les points de l'horizon, elles débouchèrent en vue de Chartres.

Et l'investissement commença; tandis que les malades traçaient les premières parallèles des oraisons, les gens valides dressèrent les tentes; le camp s'étendit à des lieues à
20 la ronde; l'on alluma sur des chariots des cierges et ce fut, chaque soir, un champ d'étoiles dans la Beauce.

Ce qui demeure invraisemblable et ce qui est pourtant certifié par tous les documents de l'époque, c'est que ces hordes de vieillards et d'enfants, de femmes et d'hommes
25 se disciplinèrent en un clin d'œil; et pourtant ils appartenaient à toutes les classes de la société, car il y avait parmi eux des chevaliers et de grandes dames; mais l'amour divin fut si fort qu'il supprima les distances et abolit les castes; les seigneurs s'attelèrent avec les roturiers dans les bran-
30 cards, accomplirent pieusement leur tâche de bêtes de somme; les patriciennes aidèrent les paysannes à préparer le mortier et cuisinèrent avec elles; tous vécurent dans un abandon de préjugés unique; tous consentirent à n'être que des manœuvres, que des machines, que des reins et
35 des bras, à s'employer sans murmurer, sous les ordres des architectes sortis de leurs couvents pour mener l'œuvre.

Jamais il n'y eut organisation plus savante et plus simple; les intendants de cette armée, veillèrent à la distribution des vivres, assurèrent l'hygiène des bivacs, la santé du camp. Hommes, femmes n'étaient plus que de dociles instruments entre les mains de chefs qu'ils avaient, eux-mêmes, élus et qui obéissaient à des équipes de moines, subordonnés, à leur tour, à l'être prodigieux, à l'inconnu de génie qui, après avoir conçu le plan de la cathédrale, dirigeait les travaux d'ensemble.

Pour obtenir un tel résultat, il fallut vraiment que l'âme de ces multitudes fût admirable, car ce labeur si pénible, si humble, de gâcheur de plâtre [1] et de charretier, fut considéré par chacun, noble ou vilain, ainsi qu'un acte d'abnégation et de pénitence, et aussi comme un honneur; et personne ne fut assez téméraire pour toucher aux matériaux de la Vierge, avant de s'être réconcilié avec ses ennemis, et confessé. Ceux qui hésitèrent à réparer leurs torts, à s'approcher des sacrements, furent enlevés des traits, chassés tels que des êtres immondes, par leurs compagnons, par leur famille même.

Dès l'aube, chaque jour, la besogne indiquée par les contremaîtres s'opère. Les uns creusent les fondations, déblaient les ruines, dispersent les décombres; les autres, se transportent en masse aux carrières de Berchère-l'Évêque, à huit kilomètres de Chartres, et là, ils descellent des blocs énormes de pierre, si lourds que parfois un millier d'ouvriers ne suffisait pas pour les extraire de leurs lits et les hisser jusqu'au sommet de la colline sur laquelle devait planer la future église.

Et quand, éreintés, moulus,[2] ces troupeaux silencieux s'arrêtent, alors on entend monter les prières et le chant des psaumes; d'aucuns gémissent sur leurs péchés, implorent la compassion de Notre Dame, se frappent la poitrine, sanglotent dans les bras des prêtres qui les consolent.

---

[1] *Mason's helper.*
[2] *Crushed;* ici, épuisés de fatigue.

Le dimanche, des processions se déroulent, bannière en tête, et le hourra des cantiques souffle dans les rues de feu que tracent, au loin, les cierges; les heures canoniales [1] sont écoutées à genoux par tout un peuple, les reliques sont
5 présentées en grande pompe aux malades ...

Pendant ce temps, des béliers [2] d'oraisons, des catapultes de prières ébranlent les remparts de la Cité divine; les forces vives de l'armée se réunissent pour foncer sur le même point, pour enlever d'assaut la place.
10 Et c'est alors que, vaincu par tant d'humilité et par tant d'obéissance, écrasé par tant d'amour, Jésus se rend à merci,[3] remet ses pouvoirs à sa Mère et, de toute part, les miracles éclatent. Bientôt le clan des malades et des infirmes est debout; les aveugles voient, les hydropiques dé-
15 senflent, les perclus se promènent, les cardiaques courent.

Le récit de ces miracles qui, quotidiennement, se répètent, qui précèdent même parfois l'arrivée des pèlerins à Chartres, nous a été conservé par le manuscrit latin du Vatican.
20 Ici, ce sont les habitants de Château-Landon qui remorquent une voiture de froment. Arrivés à Chantereine, ils s'aperçoivent que leurs provisions de bouche sont épuisées et ils demandent du pain à des malheureux qui se trouvent eux-mêmes dans une extrême gêne. La Vierge
25 intercède et le pain de la misère se multiplie. Là, ce sont des gens partis du Gâtinais,[4] avec un haquet de pierres. N'en pouvant plus, ils font halte près du Puiset; et des villageois, venus à leur rencontre, les invitent à se reposer, tandis qu'eux tireront le fardier, mais ils refusent. Alors,
30 les paysans du Puiset leur offrent une pièce de vin, la transvasent dans un tonneau qu'ils juchent sur le camion. Cette fois, les pèlerins acceptent, et, se sentant moins las, ils

---

[1] Diverses parties du service liturgique.
[2] *Battering rams* (au sens figuré).
[3] *Surrenders.*
[4] Ancien pays de France, au sud-est de la Beauce.

continuent leur route. Mais ils sont rappelés pour constater que le muid vide s'est rempli de lui-même d'un délicieux vin. Tous en boivent et les malades guérissent.

D'autre part, un habitant de Corbeville-sur-Eure, qui s'employait à charger une voiture de bois de construction, 5 a trois doigts coupés par une hache et il pousse des cris affreux. Les compagnons lui conseillent de trancher complètement les doigts qui ne tiennent plus que par un fil à la chair, mais le prêtre qui les conduit à Chartres s'y oppose. On implore Marie et la blessure disparaît, la main 10 devient intacte.

Ce sont encore des Bretons égarés, la nuit, dans les plaines de la Beauce et qui sont subitement guidés par des brandons de feu; c'est la Vierge, en personne, qui, un samedi soir, après Complies,[1] descend dans son église quand 15 elle est presque terminée et l'illumine d'éblouissantes lueurs . . .

Et il y en a comme cela des pages et des pages . . . ah! l'on comprend, ruminait Durtal, pourquoi ce sanctuaire est si plein d'Elle; sa reconnaissance pour l'affection de 20 nos pères s'y sent encore. ○ ○ ○

La scène centrale, dans *La cathédrale*, est celle de la messe célébrée dans la fameuse crypte, la « chapelle de Notre-Dame-de-sous-terre » qui est le premier oratoire que Notre-Dame ait eu en France (Chap. IV.) [Huysmans a aussi tracé dans son livre le portrait de la chrétienne humble et véritable dans la personne de Mme Céleste Bavoil, la servante de l'abbé Gévresin qui est à rapprocher des portraits du porcher Siméon dans *En route* et du sonneur de cloches, Carhaix dans *Là-bas*.]

La cathédrale fut composée par Huysmans comme tribut de reconnaissance à la Vierge à laquelle il devait son salut. Ce fut après ce livre qu'il abandonna son modeste poste au Ministère de l'Intérieur.

*

Après *En route*, Huysmans garda la nostalgie de la vie religieuse, tout en demeurant à Paris et en composant *La cathédrale*. Il fit alors un séjour dans la Sarthe, à Solesmes, l'abbaye bénédictine fameuse

---

[1] Dernière partie du service des vêpres.

pour ses magnifiques chœurs de chant grégorien (1896), puis à Ligugé
quatre ans plus tard: mais cette Maison des Bénédictins ayant dû
fermer ses portes en vertu des nouveaux décrets relatifs aux congrégations religieuses, il trouve pendant quelques mois refuge dans une
annexe du couvent des Bénédictines de la Rue Monsieur, à Paris —
là où il avait vu un jour une cérémonie de prise de voile (*En route*,
Ière Partie, Chap. VIII). Il y écrivit un nouveau livre, *L'Oblat*
(1903), où il nous montre un Durtal qui s'est définitivement consacré
à la vie religieuse. [*L'oblat* est une personne qui, sans prononcer les
vœux, s'agrège à une communauté religieuse, et lui fait l'abandon de
ses biens.] *En route* (1895) forme avec *La cathédrale* (1898) et
L'Oblat (1903) une trilogie.

Huysmans avait donné avec *En route* la « doctrine mystique »
vécue par les religieux; il avait exposé dans *La cathédrale* la « symbolique religieuse » (« cette science grande du moyen-âge »); il aurait
voulu expliquer encore la « liturgie catholique » telle qu'elle s'exprime
dans le chant grégorien à l'abbaye de Solesmes. Aux dernières pages de
La cathédrale on voit Durtal prenant le chemin de Solesmes. Ce livre
cependant, ne fut point écrit.

En écrivant en 1905 *Les foules de Lourdes*, Huysmans pensait au
roman de Zola (1894). Il se déclarait incapable d'égaler son ancien
maître dans les « descriptions magistrales » des cérémonies du fameux
lieu de pèlerinage. Mais il avait un but qu'il indique ainsi: « J'ai
voulu montrer un Lourdes exact, en révéler aussi bien les vilains que
les très beaux côtés, faire justice enfin des imputations dirigées par
Zola contre les Pères de la Grotte [de Sainte Bernadette] et contre
l'authenticité des miracles ». Il espérait montrer « un endroit
répulsif et divin, un enfer corporel et un paradis des âmes ». Lui
même ne se rendit que deux fois à Lourdes; pendant son second séjour,
il fut atteint d'un zona ophthalmique qui le rendit aveugle; il guérit
à temps pour écrire son livre; il y vit un miracle. Celui qu'il décrit,
cependant, dans le roman est inventé par son art; il y peint le mal
horrible dont il mourra deux ans plus tard: un ulcère qui dévore la
face, et qui confond son nez et sa bouche « en un rouge cratère d'où
coulent des flots de lave, couleur de soufre ». Enfin son dernier livre
Trois églises fut écrit pendant les mois de sa longue agonie.

Il mourut en 1907. Il fit partie de l'Académie Goncourt dès sa
formation, en 1903.

*

Il y a eu toute une école d'écrivains qui, après Huysmans, ont
exalté le retour au Christianisme ascétique du moyen-âge. Celui
qu'on peut considérer comme son descendant le plus direct au XXᵉ

siècle, est le romancier François Mauriac, (1885–   ) l'auteur de *L'Enfant chargé de chaînes* (1913), *Le baiser au lépreux* (1922), *Les anges noirs* (1936) et d'une *Vie de Jésus* (même année).

CHAPITRE XXII

ANATOLE FRANCE

1844–1924

Consulter: Il existe une grande bibliographie qu'on trouvera dans Bédé et LeBail *Anatole France vu par la critique d'aujourd'hui* (Études fr., Belles-Lettres, 1925, pp. 54–65) et dans J. Léon, *Bibliographie d'Anatole France*, 1936, (Giraud Badin, 39 pp.). On peut relever: **A) en français:** G. Michaut, *Anatole France, Étude psychologique*, (Fontemoing, 1913); Jacques Roujon, *La vie et les opinions d'Anatole France.* (Plon, 1925); V. Giraud, *Anatole France* (Plon, 1935 — très documenté, pénétrant, mais peu sympathique — quoique cherchant l'impartialité). Comme études spéciales: J. Pouquet [fille de Mme de Caillavet, grande amie d'Anatole France.]   *Le salon de M me Caillavet* (Hachette, 1926); Ch. Braibant, *Le secret d'Anatole France* (Denoël et Steele, 1935 — qui explique comment Anatole France, le philosophe et poète est devenu, avec les années, un avocat d'idées sociales avancées, comment Ariel s'est transformé en Caliban); les deux livres de J. J. Brousson, *Anatole France en pantoufles* (Crès, 1924) et *Les Vêpres de l'Avenue Hoche* (1933) qui en est la suite, sont des attaques du caractère d'Anatole France lancées par un ancien secrétaire brouillé avec son maître. **B) en anglais:** L. P. Shanks, *Anatole France: The Mind and the Man* (New-York, 1932, 2e éd. 1932); E. P. Dargan, Anatole France: 1844–1896 (New York, 1937); et le livre de B. Cerf, *Anatole France, the degeneration of a great mind* (N. Y., Dial Press, 1926 — une attaque d'une sévérité impitoyable).

Anatole France naquit à Paris; son père avait un commerce de livres dans le quartier des libraires, au quai Voltaire, d'où on a une vue superbe: en face, sur le Palais du Louvre de l'autre côté de la Seine; et, à droite, sur les tours de Notre-Dame; derrière se dresse le Palais de l'Institut avec sa coupole, ancienne demeure du cardinal Mazarin. Anatole France a dit souvent dans ses livres combien une enfance et une jeunesse passées dans cette atmosphère de haute culture avait eu d'influence sur la formation de son esprit. Comme étudiant il ne prenait pas grand intérêt à ses cours, mais il lisait assidûment; il échoua à son examen de baccalauréat à la première épreuve, et

n'obtint ce diplôme qu'à l'âge de 21 ans — ce qui est tard en France.
Il s'intéressa pendant quelques années aux nouvelles théories scientifiques et philosophiques lancées par Darwin, Spencer et, en France
par Taine. Il n'entreprit sa carrière d'écrivain qu'assez tard; il
commença par aider son père dans le commerce des livres, fut pendant
quelque temps lecteur de manuscrits chez l'éditeur Lemerre, tra-
vailla ensuite avec Leconte de Lisle à la bibliothèque du Sénat. En
1870, il avait été enrôlé dans un régiment de la garde nationale. Il
fut reçu à l'Académie Française en 1896; et en 1921, il obtint le Prix
Nobel de littérature.

Par la date il appartient bien encore à la génération réaliste; il
fait ses premières armes avec les Parnassiens. Il a leur « impassibilité »; mais, chez lui elle est indulgente, teinte d'une pitié qui repose
sur l'impossibilité où est l'homme de connaître la vérité et dès lors
d'agir selon elle. Déjà en 1876 il écrivait « C'est une pensée peu scientifique que de croire que la science puisse un jour remplacer la religion » (Préface aux *Noces corinthiennes*). Si, sans doute, il n'a
pas encore perdu vis-à-vis des croyances traditionnelles l'attitude
hautaine des grands Parnassiens, il ne partage déjà plus l'attitude
hostile de certains d'entre eux. C'est ce qu'on a appelé son « scepticisme », lequel doit être interprété comme indiquant la transition
d'une époque à une autre: renoncement au dogmatisme scientifique
sans adhérence encore au courant spiritualiste qui commence à se
dessiner.

En effet, dès ses premiers recueils de vers, on trouve l'expression
de ce « scepticisme » sous une forme poétique, aussi poétique que
celle de n'importe quel Parnassien. Le grand romancier des années
suivantes a trop fait oublier le France poète.

L'œuvre en vers la plus connue aujourd'hui d'Anatole France
est un long poème *Les noces corinthiennes* (1876). Le sujet en
a été fourni par une Lettre de Phlégon le Thrallien, écrite au
temps des Césars, alors qu'une sorte de délire religieux animait les
esprits: le christianisme livrant ses premiers combats avec l'ardeur d'une cause nouvelle, et le paganisme luttant avec l'énergie
du désespoir pour ne pas être détrôné. Les prodiges étaient alors
d'une grande fréquence. Deux familles avaient fiancé leurs enfants;
cependant l'une de ces familles se convertit au christianisme et
consacra la jeune fille au Dieu des chrétiens — et elle mourut aspirant à vivre. Le fiancé arrive de voyage un soir, tard dans la nuit;
il ne sait rien; mais on lui a préparé le lit de parade. Lorsqu'il est
seul, la vierge entre, admirablement belle; mais elle est froide comme
la mort; il l'embrasse dans un élan de passion; il doit payer de sa
vie ce fait d'avoir embrassé une morte; les amants sont brûlés sur
un bûcher commun et leurs âmes s'envolent dans le sein des dieux

antiques. La seconde partie de la légende est un peu transformée par A. France: Daphné [la jeune fille] s'est empoisonnée; l'évêque qui avait d'abord accepté ses vœux, a fini par comprendre qu'ils ont été prononcés à contre-cœur et il arrive pour la délier de son serment; mais trop tard, le poison avait agi.

Les noces corinthiennes

(*Ière Partie, Scène V*)

Dans la scène suivante — car le poème est écrit sous forme de drame — Daphné songeant à son malheur, entend passer un chœur de jeunes gens qui chantent un épithalame [poème à la louange de nouveaux époux]... Elle va à la fontaine voisine et y jette son anneau de fiançailles.

DAPHNÉ (*seule*)

Cher Hippias, un vœu t'a pris ta fiancée !
Nous n'achèverons pas l'union commencée.
Oh ! trois fois malheureux parce que je te plus,
Ne reviens plus jamais ici, ne reviens plus.
Fermez-lui le chemin de tous nos ports, étoiles !   5
Ô souffles qui passez et gonflerez ses voiles,
Souffles mystérieux du soir, s'il est en vous
Un esprit, un génie intelligent et doux,
Sur la nef précieuse allez parler à l'homme,
Hélas ! qu'il ne faut plus que je nomme,   10
Et, s'il s'est endormi songeant à notre amour,
Pour qu'il ne sente pas d'amers regrets un jour,
Effacez doucement de ses yeux mon image.
Qu'il m'oublie ! Et qu'un soir au hasard d'un voyage,
Reçu près d'un foyer tranquille et réjoui,   15
Il y trouve une vierge et l'emmène chez lui,
Plus heureuse que moi, mais non certes plus tendre.
Ah ! s'il m'était permis ...

UN CHŒUR LOINTAIN DE JEUNES HOMMES (*chantant un épithalame*)

Hymen, Hymen aux beaux flancs !
·Hespéros [1] se lève.   20

[1] Ou Vespéros, étoile du soir, Vénus.

Viens à nous, la nuit est brève;
Hâte tes pieds blancs !

DAPHNÉ

₀ ₀ ₀ Mais il me semble entendre
Un invisible chœur et des appels lointains
5 Qui hâtent une vierge à de nouveaux destins.

LE CHŒUR (*se rapproche*)

Accours, la nuit brève est bonne
Et douce aux aveux !
Viens, portant dans tes cheveux
La verte couronne !

DAPHNÉ

10 De fleurs pour le festin leur chevelure est ceinte,
Car l'épouse a promis et la promesse est sainte.

LE CHŒUR (*plus proche encore*)

O prince aux sandales d'or,
Hymen Hyménée !
Reçois la vierge amenée
15 Qui te craint encor.

DAPHNÉ

Amis, ne venez pas; n'approchez pas, amis.
Je ne suis pas parée et, bien qu'ayant promis,
Sur mon front négligé les fleurs de marjolaine
N'exhalent pas encor leur odorante haleine.

LE CHŒUR (*suit sa route et s'éloigne*)

20 La beauté qui brille en elle
Sied à ton dessein:
Hymen, tire de son sein
La vie éternelle !

DAPHNÉ

Où s'en vont loin de moi les chansons et les pas?
25 Les amis de l'époux ne me chercheront pas !

Pourtant j'aurais porté dans la chambre choisie
Les parfums d'un amour plus doux que l'ambroisie.
Ton épouse étrangère, Hippias, crois-tu bien
Qu'elle ait un cœur plus sûr et meilleur que le mien ?
Silence de la nuit ! nuit froide et solitaire !   5
Non, je n'attends plus rien de l'homme et de la terre.

(Elle détache de son doigt l'anneau d'or)

O fontaine ! où l'on dit que dans les anciens jours
Les nymphes ont goûté d'ineffables amours,
Fontaine à mon enfance auguste et familière !
Reçois de la chrétienne une offrande dernière.   10
O source ! qu'à jamais ton sein fidèle et froid
Conserve cet anneau détaché de mon doigt,
L'anneau que je reçus dans une autre espérance.

(Elle jette son anneau dans la source)

Réjouis-toi, Dieu triste à qui plaît la souffrance !

On a reconnu le thème de l'*Atala* de Chateaubriand. Anatole
France, comme son grand prédécesseur, laisse entrevoir que les vœux
religieux arrachés contre la volonté d'une personne peuvent être
remis.

Le poète allemand Goethe avait déjà emprunté le sujet de Phlégon
le Thrallien et avait composé l'un de ses plus beaux chants *La fiancée
de Corinthe* (V. A. W. Aaron, *A. France and Goethe*, Univ. of Wisconsin
Studies, 1925, vol. 22, pp. 7–24).

Jules Lemaître appelle *Les noces corinthiennes* « un chef-d'œuvre
trop peu connu et digne d'un André Chénier » (Cité par Bédé et
Le Bail, p. 15).

Leuconoé

Un autre poème, moins long toutefois que celui des *Noces corinthiennes*, reprend le même thème: *Leuconoé*. On peut, si l'on veut, le
considérer comme la contre-partie du précédent où France avait
semblé plutôt réclamer les droits de la conception naturaliste et
païenne de la vie contre la conception mystique et chrétienne du
renoncement. On trouve de nouveau, dans ce poème, une jeune
chrétienne qui, comme Daphné, a soif des jouissances de la vie ter-

restre; mais, en face d'elle, une païenne, la courtisane Leuconoé
qui a goûté toutes les voluptés, qui a bu jusqu'au fond la coupe des
passions; et c'est elle qui soupirera après le Roi mystique des cœurs.

(Extrait)

Dans les fleurs, sur un lit de pourpre aux pieds d'ivoire,
Abandonnant le faix de son beau corps vaincu,
Leuconoé médite et voit en sa mémoire
Quel lui fut son destin et comme elle a vécu. ○ ○ ○

5 Tout s'éteint ! Elle est lasse et n'est point apaisée.
Elle n'a pas donné tout l'amour de son cœur,
Et ses regards encor, sous la chaude rosée,
Traînent une inquiétante et profonde douleur.

Solitaire, du fond de sa grande détresse,
10 Tendant au ciel son âme et ses ardentes mains,
Elle cherche, dans l'air du soir qui la caresse,
De plus tendres Esprits et des Dieux plus humains.

Elle voudrait savoir dans quelle ombre divine,
Sous quel palmier mystique, en quels bras endormi
15 Brille l'Enfant céleste et doux qu'elle devine,
Le maître souhaité, l'incomparable ami.

Ce Roi mystérieux qui console et qui pleure,
Ce second Adonis [1] et plus triste et plus pur,
Ce nouveau-né qui doit mourir quand viendra l'heure,
20 Quel lait l'abreuve encor dans la maison d'azur ?

Cherche, ô Leuconoé: va d'auberge en auberge
Voir si le Mage errant passe et n'apporte rien.
En quête de ton Dieu, visite sur la berge
Le Chaldéen obscur et le vil Syrien . . .

[C'est parmi ces pauvres déshérités que tu trouveras le divin con-
solateur, le Christ.]

---

[1] Le jeune Grec de la légende, d'une beauté surhumaine et amoureux de Vénus.

Qui donnera la grâce et la gloire aux souffrances,
Et, regardant leurs cœurs las désespérément,
Il viendra mettre en eux de longues espérances,
Avec la paix du deuil et du renoncement.

Mais toi, Leuconoé, mais vous, soyez bénies,   5
Femmes aux longs désirs, pour avoir aspiré
Du fond des jours d'orgueil, aux douceurs infinies,
De la sainte tristesse et de l'amour sacré.

Traité ici dans un ton des plus dramatiques, ce même thème reviendra encore sous la plume d'Anatole France, en prose cette fois,
et avec un accent moins sévère.   Son roman *Thaïs*, écrit en 1890,
présentera en effet, exactement le parallélisme indiqué dans *Leuconoé:*
la célèbre courtisane qui vient soupirer pour les choses spirituelles
auprès d'un anachorète; et celui-ci [Paphnuce] se sentant à son tour
tenté par cette vie même qui a fait venir à lui la pauvre pénitente.[1]

*   *   *

Et c'est comme romancier surtout qu'Anatole France est connu
aujourd'hui.   Sa manière est celle qui s'impose naturellement à un
écrivain qui marque une période de transition, c'est à dire qu'en
attendant la philosophie d'un âge nouveau, il s'exprime en sceptique
vis-à-vis des croyances qui se sont disputé le monde au moment où
il entre dans la carrière.   Anatole France est de la lignée de Montaigne, l'auteur des *Essais*, et de la lignée de Voltaire, ces deux ren-
verseurs d'idoles.   Point important cependant: à l'époque d'Anatole
France la grande vague d'humanité sortie de la Révolution — et dont
l'auteur des *Misérables* avait été l'écho le plus puissant — avait
passé sur le monde; et, si l'on agitait encore le spectre du scepticisme,
ce scepticisme était non seulement plus indulgent, mais encore laissait
percer à tous les instants la conscience des misères de la race humaine.   Dans la Préface à son premier roman, *Jocaste*, Anatole
France appelle Dickens « un des plus puissants artistes du siècle »;
et le style de France rappelle assez celui de Daudet, dépourvu toutefois de la sentimentalité du romantisme d'autrefois.

Le roman qui lui apporta la grande célébrité fut *Le crime de Sylvestre Bonnard, Membre de l'Institut* (1881).   On identifie souvent,
et non sans une apparence de raison, l'auteur lui-même avec le savant

---

[1] Le roman d'Anatole France a été mis à la scène en drame lyrique, livret de L. Gallet, musique de Massenet (1894).

rendu indulgent par ses vastes connaissances dont il sent, dans la
vie, toute l'insuffisance; sa souriante omniscience laisse revenir à la
surface une grande bonté naturelle qui lui fait commettre le « crime
de Sylvestre Bonnard ».[1]   Le grand savant décide de vendre sa
bibliothèque pour faire une dot à Jeanne, sa fille adoptive; il établit le
catalogue pour la vente, mais de temps en temps prend un volume
qu'il aime surtout et le cache dans son armoire: c'est un vol à Jeanne,
« le crime ».   Tout étudiant doit connaître ce roman.[2]

Il a été question déjà du roman de *Thaïs* (1890) où l'auteur trahit
cette souriante philosophie du tout comprendre: non seulement il
ne condamne pas la courtisane Thaïs, mais comme l'a dit un critique:
« Une des plus grandes joies d'Anatole France consiste à saisir un
saint homme [Paphnuce] et à le conduire à la damnation selon toutes
les règles de l'art »   (Roujon, *livre cité*, p. 140).

Le lys rouge (1894) est un roman psychologique tel que l'avait
mis à la mode Paul Bourget (v. chapitre suivant), comportant une
analyse plutôt cruelle des passions et des sentiments dans les hautes
sphères de la société.   L'héroïne, Thérèse Martin Bellème, s'est attiré
ce surnom de « lys rouge » à Florence où elle a son aventure amoureuse avec J. Dechantre; on rencontre, en marge du récit principal,
la silhouette pittoresque d'un poète socialiste dans lequel on croit
reconnaître Paul Verlaine (v. plus bas).

Le genre où Anatole France est demeuré surtout original est celui
qui rappelle le « roman philosophique » de Voltaire, c'est à dire où le
récit est d'importance tout à fait secondaire, et parfois existe à peine.
Le plus connu de ces romans est *La rôtisserie de la reine Pédauque*
(1893) suivi bientôt de *Les opinions de Jérôme Coignard;* l'auteur
se plaît à prendre comme porte-parole un abbé gourmand et sensuel,
le frère Jean, un vrai moine de Rabelais, mais doué d'une intelligence
pénétrante; ses propos, sous leur apparence paradoxale, stimulent
toujours la réflexion.

Un ouvrage tout à fait caractéristique d'Anatole France est son
Jardin d'Épicure (1895) qui n'est, en vérité, qu'une succession de
courts essais, très personnels, un peu à la manière de Montaigne.
(Les fragments dont il est composé avaient paru d'abord dans le
Journal de Paris, comme d'ailleurs plusieurs autres écrits de France.)

---

[1] Selon M. B., un familier d'Anatole France, celui-ci aurait eu dans
sa pensée en écrivant son roman, le médiévaliste Anatole de Mon-
taiglon, (1824–1895), professeur à l'École des Chartes, auteur du
Recueil de fabliaux.

[2] Edition Wright et Robert, Holt & Co., 1934.

Le jardin d'Épicure (1895)

Le titre du livre est expliqué par cette citation tirée de Fénelon et qui sert d'épigraphe: « Il [Épicure] acheta un beau jardin qu'il cultivait lui-même. C'est là qu'il établit son école; il menait une vie agréable et douce avec ses disciples qu'il enseignait en se promenant et en travaillant … Il était doux et affable à tout le monde … Il croyait qu'il n'y a rien de plus noble que de s'appliquer à la philosophie. »[1]

La femme et le christianisme

Le christianisme a beaucoup fait pour l'amour en en faisant un péché. Il exclut la femme du sacerdoce. Il la redoute. Il montre combien elle est dangereuse. Il répète avec l'*Ecclésiaste:* « Les bras de la femme sont semblables aux filets des chasseurs, *laqueus venatorum* ». Il nous avertit de 5 ne point mettre notre espoir en elle: « Ne vous appuyez point sur un roseau qu'agite le vent, et n'y mettez pas votre confiance, car toute chair est comme l'herbe, et sa gloire passe comme la fleur des champs. »[2] Il craint les ruses de celle qui perdit le genre humain: « Toute malice 10 est petite, comparée à la malice de la femme. *Brevis omnis malitia super malitiam mulieris.* » Mais, par la crainte qu'il en fait paraître, il la rend puissante et redoutable. ○○○

En considération de leur beauté, l'Église fit d'Aspasie, de Laïs et de Cléopâtre des démons, des dames de l'enfer. 15 Quelle gloire ! Une sainte même n'y serait pas insensible. La femme la plus modeste et la plus austère, qui ne veut ôter le repos à aucun homme, voudrait pouvoir l'ôter à tous les hommes. Son orgueil [l'orgueil de la femme]

[1] Épicure vivait du IVe au IIIe siècle avant J.-C. à Athènes; il enseignait que le plaisir est le souverain bien de l'homme, et il plaçait ce plaisir dans la culture de l'esprit et la pratique de la vertu. La postérité lui a fait, cependant, la réputation fort injuste d'un adepte de la vie des sens. Horace disait: « *Epicuri de grege porcus* » [porc du troupeau d'Épicure].

[2] Cf. Esaïe XL, 6.

s'accommode des précautions que l'Église prend contre
elle. Quand le pauvre saint Antoine lui crie: « Va-t'en,
bête ! » cet effroi la flatte. Elle est ravie d'être plus dangereuse qu'elle ne l'eût soupçonné.

5   Mais ne vous flattez point, mes sœurs; vous n'avez pas
paru en ce monde parfaites et armées. Vous fûtes humbles
à votre origine. Vos aïeules du temps du mammouth et
du grand ours ne pouvaient point sur les chasseurs des
cavernes ce que vous pouvez sur nous. Vous étiez utiles
10 alors, vous étiez nécessaires; vous n'étiez pas invincibles.
A dire vrai, dans ces vieux âges, et pour longtemps encore,
il vous manquait le charme. Alors vous ressembliez aux
hommes et les hommes ressemblaient aux bêtes. Pour
faire de vous la terrible merveille que vous êtes aujourd'hui,
15 pour devenir la cause indifférente et souveraine des sacrifices et des crimes, il vous a fallu deux choses: la civilisation qui vous donna des voiles et la religion qui nous donna
des scrupules. Depuis lors, c'est parfait: vous êtes un
secret et vous êtes un péché. On rêve de vous et l'on se
20 damne pour vous. Vous inspirez le désir et la peur; la
folie d'amour est entrée dans le monde. C'est un infaillible
instinct qui vous incline à la piété. Vous avez bien raison
d'aimer le christianisme. Il a décuplé votre puissance.
Connaissez-vous saint Jérôme ? [1] A Rome et en Asie, vous
25 lui fîtes une telle peur qu'il alla vous fuir dans un affreux
désert. Là, nourri de racines crues et si brûlé par le soleil
qu'il n'avait plus qu'une peau noire et collée aux os, il vous
retrouvait encore. Sa solitude était pleine de vos images,
plus belles encore que vous-mêmes.

30   Car c'est une vérité trop éprouvée des ascètes que les
rêves que vous donnez sont plus séduisants, s'il est possible,
que les réalités que vous pouvez offrir. Jérôme repoussait
avec une égale horreur votre souvenir et votre présence.
Mais il se livrait en vain aux jeûnes et aux prières; vous

[1] Père de l'Église latine, apologiste, au tempérament ascétique et
violent (IIIe au IVe siècle).

emplissiez d'illusions sa vie dont il vous avait chassées. Voilà la puissance de la femme sur un saint. Je doute qu'elle soit aussi grande sur un habitué du Moulin-Rouge.[1] Prenez garde qu'un peu de votre pouvoir ne s'en aille avec la foi et que vous ne perdiez quelque chose à ne plus être 5 un péché.

Science et souffrance

C'est une grande erreur de croire que les vérités scientifiques diffèrent essentiellement des vérités vulgaires. Elles n'en diffèrent que par l'étendue et la précision. Au point de vue pratique, c'est là une différence considérable. Mais il 10 ne faut pas oublier que l'observation du savant s'arrête à l'apparence et au phénomène, sans jamais pouvoir pénétrer la substance ni rien savoir de la véritable nature des choses. Un œil armé du microscope n'en est pas moins un œil humain. Il voit plus que les autres yeux, il ne voit pas autre- 15 ment. Le savant multiplie les rapports de l'homme avec la nature, mais il lui est impossible de modifier en rien le caractère essentiel de ces rapports. Il voit comment se produisent certains phénomènes qui nous échappent, mais il lui est interdit, aussi bien qu'à nous, de rechercher pour- 20 quoi ils se produisent.

Demander une morale à la science, c'est s'exposer à de cruels mécomptes. On croyait, il y a trois cents ans, que la terre était le centre de la création. Nous savons aujourd'hui qu'elle n'est qu'une goutte figée [2] du soleil. Nous 25 savons quels gaz brûlent à la surface des plus lointaines étoiles. Nous savons que l'univers, dans lequel nous sommes une poussière errante, enfante et dévore dans un perpétuel travail [3]; nous savons qu'il naît sans cesse et qu'il meurt des astres. Mais en quoi notre morale a-t-elle 30 été changée par de si prodigieuses découvertes? Les

---

[1] Salle de spectacle, dans le quartier de Montmartre, à Paris.
[2] *Solidified drop.*   [3] *Child-birth.*

mères en ont-elles mieux ou moins bien aimé leurs petits
enfants ? En sentons-nous plus ou moins la beauté des
femmes ? Le cœur en bat-il autrement dans la poitrine des
héros ? Non ! non ! que la terre soit grande ou petite, il
5 n'importe à l'homme. Elle est assez grande pourvu qu'on
y souffre, pourvu qu'on y aime. La souffrance et l'amour,
voilà les deux sources jumelles de son inépuisable beauté.
La souffrance ! quelle divine méconnue ! Nous lui devons
tout ce qu'il y a de bon en nous, tout ce qui donne du prix
10 à la vie; nous lui devons la pitié, nous lui devons le courage,
nous lui devons toutes les vertus. La terre n'est qu'un
grain de sable dans le désert infini des mondes. Mais, si
l'on ne souffre que sur la terre, elle est plus grande que tout
le reste du monde. Que dis-je ? elle est tout, et le reste
15 n'est rien. Car, ailleurs, il n'y a ni vertu ni génie. Qu'est-
ce que le génie, sinon l'art de charmer la souffrance ? C'est
sur le sentiment seul que la morale repose naturellement.
De très grands esprits ont nourri, je le sais, d'autres espérances. Renan [1] s'abandonnait volontiers en souriant
20 au rêve d'une morale scientifique. Il avait dans la science
une confiance à peu près illimitée. Il croyait qu'elle chan-
gerait le monde, parce qu'elle perce les montagnes. Je
ne crois pas, comme lui, qu'elle puisse nous diviniser. A
vrai dire, je n'en ai guère l'envie. Je ne sens pas en moi
25 l'étoffe d'un dieu, si petit qu'il soit. Ma faiblesse m'est
chère. Je tiens à mon imperfection comme à ma raison
d'être.

Rédemption de Judas

*La destinée du Judas de Kerioth nous plonge dans un
abîme d'étonnement.* Car enfin cet homme est venu pour
30 accomplir les prophéties; il fallait qu'il vendît le fils de
Dieu pour trente deniers. Et le baiser du traître est,
comme la lance et les clous vénérés, un des instruments

---

[1] V. plus haut pp. 59–62.

nécessaires de la Passion. Sans Judas, le mystère ne s'ac-
complissait point et le genre humain n'était point sauvé.
Et pourtant c'est une opinion constante parmi les théologiens que Judas est damné. Ils la fondent sur cette parole
du Christ: « Il eût mieux valu pour lui n'être pas né. » 5
Cette idée que Judas a perdu son âme en travaillant au
salut du monde a tourmenté plusieurs chrétiens mystiques
et entre autres l'abbé Œgger, premier vicaire de la cathédrale de Paris. Ce prêtre, qui avait l'âme pleine de pitié,
ne pouvait tolérer l'idée que Judas souffrait dans l'enfer les 10
tourments éternels. Il y songeait sans cesse et son trouble
croissait dans ses perpétuelles méditations.

Il en vint à penser que le rachat [1] de cette malheureuse
âme intéressait la miséricorde divine et qu'en dépit de la
parole obscure de l'Évangile et de la tradition de l'Église, 15
l'homme de Kerioth devait être sauvé. Ses doutes lui
étaient insupportables; il voulut en être éclairci. Une
nuit, comme il ne pouvait dormir, il se leva et entra par la
sacristie [2] dans l'église déserte où les lampes perpétuelles
brûlaient sous d'épaisses ténèbres. Là, s'étant prosterné 20
au pied du maître autel, il fit cette prière:

« Mon Dieu, Dieu de clémence et d'amour, s'il est vrai
que tu as reçu dans ta gloire le plus malheureux de tes
disciples, s'il est vrai, comme je l'espère et le veux croire,
que Judas Iscarioth est assis à ta droite, ordonne qu'il 25
descende vers moi et qu'il m'annonce lui-même le chef-
d'œuvre de ta miséricorde.

« Et toi qu'on maudit depuis dix-huit siècles et que je
vénère parce que tu sembles avoir pris l'enfer pour toi seul
afin de nous laisser le ciel, bouc émissaire [3] des traîtres et 30
des infâmes, ô Judas, viens m'imposer les mains pour le
sacerdoce de la miséricorde et de l'amour ! »

Après avoir fait cette prière, le prêtre prosterné sentit

[1] Rédemption.
[2] *Vestry-room.*
[3] *Scape-goat.*

deux mains se poser sur sa tête comme celles de l'évêque
le jour de l'ordination. Le lendemain, il annonçait sa vocation à l'archevêque. — « Je suis lui dit-il, prêtre de la
Miséricorde, selon l'ordre de Judas, *secundum ordinem*
5 *Judae.* »

Et dès ce jour même, M. Œgger alla prêcher par le monde
l'évangile de la pitié infinie, au nom de Judas racheté. Son
apostolat s'enfonça dans la misère et dans la folie. M.
Œgger devint swedenborgien [1] et mourut à Munich. C'est
10 le dernier et le plus doux des caïnites.[2]

Causes finales

M. Aristide, qui est grand chasseur à tir et à courre,[3] a
sauvé une nitée de chardonnerets [4] frais éclos dans un rosier,
sous sa fenêtre. Un chat grimpait dans le rosier. Il est
bon, dans l'action, de croire aux causes finales et de penser
15 que les chats sont faits pour détruire les souris ou pour
recevoir du plomb dans les côtes. M. Aristide prit son
revolver et tira sur le chat. On est content d'abord de
voir les chardonnerets sauvés et leur ennemi puni. Mais
il en est de ce coup de revolver comme de toutes les actions
20 humaines: on n'en voit plus la justice quand on y regarde
de trop près. Car, si l'on y réfléchit, ce chat, qui était un
chasseur, comme M. Aristide, pouvait bien, comme lui,
croire aux causes finales, et, dans ce cas, il ne doutait point
que les chardonnerets ne fussent pondus pour lui. C'est une
25 illusion bien naturelle. Le coup de revolver lui apprit un
peu tard qu'il se trompait sur la cause finale des petits
oiseaux qui piaillent dans les rosiers. Quel être ne se croit
pas la fin de l'univers et n'agit pas comme s'il l'était ?

---

[1] Sectateur du mystique suédois Swedenborg (1688–1772).
[2] Défenseurs de la mémoire de Caïn (v. plus haut: Baudelaire,
pp. 480–81; Leconte de Lisle, pp. 353–4).
[3] *With gun and hounds.*
[4] *Nestful of gold-finches.*

C'est la condition même de la vie. Chacun de nous pense que le monde aboutit à lui. Quand je parle de nous, je n'oublie pas les bêtes. Il n'est pas un animal qui ne se sente la fin suprême où tendait la nature. Nos voisins, comme le revolver de M. Aristide, ne manquent point de nous détromper un jour ou l'autre, nos voisins, ou seulement un chien, un cheval, un microbe, un grain de sable.

Le prieuré

Voici une discussion tout-à-fait dans la manière d'Anatole France. Il s'agit de la thèse qu'on attribue généralement à Jean-Jacques Rousseau: « Ce prophète soutenait que, pour rendre la vie innocente et même aimable, il suffit de renoncer à la pensée et à la connaissance et qu'il n'est de bonheur au monde que dans une aveugle et douce charité . . . »

Or, un disciple de Rousseau se retire du monde, convaincu que l'homme, en se civilisant, n'a fait qu'ajouter maux sur maux aux misères de la société. « Vous me rendrez cette justice, mon ami, — dit l'un des interlocuteurs dans ce dialogue, — que je ne suis pas tombé dans cette pitoyable contradiction, et que j'ai renoncé à penser et à écrire dès que j'ai reconnu que la pensée est mauvaise et l'écriture funeste. » [Allusion au célèbre Discours de Rousseau contre « les Sciences et les Arts, » Cf. *Eighteenth Century French Readings*, pp. 511–513.] Anatole France répond simplement que ceux qui sont responsables de la « civilisation » et du « progrès » n'ont jamais eu, en tous cas, de mauvaises intentions et que les malheurs sont arrivés tout à fait indépendamment de leur volonté[1]; que, d'ailleurs, il est impossible, même en se retirant du monde et vivant « à l'état de nature », de ne pas provoquer involontairement des malheurs souvent énormes; car, on ne peut jamais calculer les effets de ses actions et de ses paroles, et il est impossible de vivre sans agir ou sans parler; même en cherchant la solitude autant que cela est réalisable, même en se suicidant, on commet une action qui peut entraîner des conséquences désastreuses.

---

[1] « Christophe Colomb, qui vécut et mourut comme un saint et porta l'habit du bon saint François, n'aurait pas cherché, sans doute, le chemin des Indes s'il avait prévu que sa découverte causerait le massacre de tant de peuples rouges, à la vérité vicieux et cruels, mais sensibles à la souffrance, et qu'il apporterait dans la vieille Europe, avec l'or du Nouveau-Monde, des maladies et des crimes inconnus. »

Je trouvai mon ami Jean dans le vieux prieuré dont il habite les ruines depuis dix ans. Il me reçut avec la joie tranquille d'un ermite délivré de nos craintes et de nos espérances et me fit descendre au verger inculte où, chaque
5 matin, il fume sa pipe de terre entre ses pruniers couverts de mousse. Là, nous nous assîmes, en attendant le déjeuner, sur un banc, devant une table boiteuse, au pied d'un mur écroulé où la saponaire [1] balance les grappes rosées de ses fleurs en même temps flétries et fraîches. La
10 lumière humide du ciel tremblait aux feuilles des peupliers qui murmuraient sur le bord du chemin. Une tristesse infinie et douce passait sur nos têtes avec des nuages d'un gris pâle.

Après m'avoir demandé, par un reste de politesse, des
15 nouvelles de ma santé et de mes affaires, Jean me dit d'une voix lente, le front sourcilleux:

— Bien que je ne lise jamais, mon ignorance n'est pas si bien gardée qu'il ne me soit parvenu dans mon ermitage, que vous avez naguère contredit, à la deuxième page d'un
20 journal, un prophète assez ami des hommes pour enseigner que la science et l'intelligence sont la source et la fontaine, le puits et la citerne de tous les maux dont souffrent les hommes. Ce prophète, si j'ai de bons avis, soutenait que, pour rendre la vie innocente et même aimable, il suffit de
25 renoncer à la pensée et à la connaissance et qu'il n'est de bonheur au monde que dans une aveugle et douce charité. Sages préceptes, maximes salutaires, qu'il eut seulement le tort d'exprimer et la faiblesse de mettre en beau langage, sans s'apercevoir que combattre l'art avec art et l'esprit
30 avec esprit, c'est se condamner à ne vaincre que pour l'esprit et pour l'art. Vous me rendrez cette justice, mon ami, que je ne suis pas tombé dans cette pitoyable contradiction et que j'ai renoncé à penser et à écrire dès que j'ai reconnu que la pensée est mauvaise et l'écriture funeste. ₀₀₀ Il en
35 sera ce qu'il pourra. Je n'en prends nul souci. J'ai acheté

[1] *Soap-wort.*

pour six mille francs les restes d'un ancien prieuré, avec un bel escalier de pierre dans une tour et ce verger que je ne cultive pas. J'y passe le temps à regarder les nuages dans le ciel ou, sur l'herbe, les fusées blanches de la carotte sauvage. ○○○ 5

« Quand la nuit est belle, si je ne dors pas, je regarde les étoiles, qui me font plaisir à voir depuis que j'ai oublié leurs noms. Je ne reçois personne, je ne pense à rien. Je n'ai pris soin ni de vous attirer dans ma retraite ni de vous en écarter. 10

« Je suis heureux de vous offrir une omelette, du vin et du tabac. Mais je ne vous cache pas qu'il m'est encore plus agréable de donner à mon chien, à mes lapins et à mes pigeons le pain quotidien, qui répare leurs forces, dont ils ne se serviront pas mal à propos pour écrire des romans qui 15 troublent les cœurs ou des traités de physiologie qui empoisonnent l'existence ».

A ce moment, une belle fille, aux joues rouges, avec des yeux d'un bleu pâle, apporta des œufs et une bouteille de vin gris. Je demandai à mon ami Jean s'il haïssait les arts 20 et les lettres à l'égal des sciences.

— Non pas, me dit-il: il y a dans les arts une puérilité qui désarme la haine. Ce sont des jeux d'enfants. Les peintres, les sculpteurs barbouillent des images et font des poupées. Voilà tout ! Il n'y aurait pas grand mal à cela. 25 Il faudrait même savoir gré aux poètes de n'employer les mots qu'après les avoir dépouillés de toute signification si les malheureux qui se livrent à cet amusement ne le prenaient point au sérieux et s'ils n'y devenaient point odieusement égoïstes, irritables, jaloux, envieux, maniaques et 30 déments. Ils attachent à ces niaiseries des idées de gloire. Ce qui prouve leur délire. Car de toutes les illusions qui peuvent naître dans un cerveau malade, la gloire est bien la plus ridicule et la plus funeste. ○○○

« Mais ce qui afflige, enlaidit et déforme excessivement 35 les hommes, c'est la science, qui les met en rapport avec

des objets auxquels ils sont disproportionnés et altère les
conditions véritables de leur commerce avec la nature.
Elle les excite à comprendre, quand il est évident qu'un
animal est fait pour sentir et ne pas comprendre; elle développe le cerveau, qui est un organe inutile aux dépens
des organes utiles, que nous avons en commun avec les
bêtes; elle nous détourne de la jouissance, dont nous sentons le besoin instinctif; elle nous tourmente par d'affreuses
illusions, en nous représentant des monstres qui n'existent
que par elle; elle crée notre petitesse en mesurant les
astres, la brièveté de la vie en évaluant l'âge de la terre,
notre infirmité en nous faisant soupçonner ce que nous ne
pouvons ni voir ni atteindre, notre ignorance en nous cognant sans cesse à l'inconnaissable et notre misère en mul-
tipliant nos curiosités sans les satisfaire. » ○ ○ ○

La belle fille aux yeux clairs nous versa le café avec un
air de stupidité heureuse. Mon ami Jean me la désigna du
bout de sa pipe qu'il venait de bourrer:
— Voyez, me dit-il, cette fille qui ne mange que du lard
et du pain et qui portait, hier, au bout d'une fourche les
mottes de paille dont elle a encore des brins dans les cheveux. Elle est heureuse et, quoi qu'elle fasse, innocente.
Car c'est la science et la civilisation qui ont créé le mal
moral avec le mal physique. Je suis presque aussi heureux
qu'elle, étant presque aussi stupide. Ne pensant à rien, je
ne me tourmente plus. N'agissant pas, je ne crains pas de
mal faire. Je ne cultive pas même mon jardin, de peur
d'accomplir un acte dont je ne pourrais pas calculer les
conséquences. De la sorte, je suis parfaitement tranquille.
— A votre place, lui dis-je, je n'aurais pas cette quiétude.
Vous n'avez pas supprimé assez complètement en vous le
connaissance, la pensée et l'action pour goûter une paix
légitime. Prenez-y garde: Quoi qu'on fasse, vivre, c'est
agir. Les suites d'une découverte scientifique ou d'une
invention vous effraient parce qu'elles sont incalculables.

Mais la pensée la plus simple, l'acte le plus instinctif a
aussi des conséquences incalculables.   Vous faites bien de
l'honneur à l'intelligence, à la science et à l'industrie en
croyant qu'elles tissent seules de leurs mains le filet des
destinées.   Les forces inconscientes en forment aussi plus 5
d'une maille.   Peut-on prévoir l'effet d'un petit caillou qui
tombe d'une montagne ?   Cet effet peut être plus considérable pour le sort de l'humanité que la publication du *No-*
vum Organum [1] ou que la découverte de l'électricité.

« Ce n'était un acte ni bien original, ni bien réfléchi, ni, 10
à coup sûr, d'ordre scientifique que celui auquel Alexandre
ou Napoléon durent de naître.   Toutefois des millions de
destinées en furent traversées.   Sait-on jamais la valeur et
le véritable sens de ce que l'on fait ?   Il y a dans *Les mille*
et une nuits [2] un conte auquel je ne puis me défendre d'at- 15
tacher une signification philosophique.   C'est l'histoire de ce
marchand arabe qui, au retour d'un pèlerinage à La Mecque,
s'assied au bord d'une fontaine pour manger des dattes,
dont il jette les noyaux en l'air.   Un de ces noyaux tue le
fils invisible d'un Génie.   Le pauvre homme ne croyait pas 20
tant faire avec un noyau, et, quand on l'instruisit de son
crime, il en demeura stupide.   Il n'avait pas assez médité
sur les conséquences possibles de toute action.   Savons-
nous jamais si, quand nous levons les bras, nous ne frap-
pons pas, comme fit ce marchand, un génie de l'air ?   A 25
votre place je ne serais pas tranquille.   Qui vous dit, mon
ami, que votre repos dans ce prieuré couvert de lierre et de
saxifrages n'est pas un acte d'une importance plus grande
pour l'humanité que les découvertes de tous les savants, ou
d'un effet véritablement désastreux dans l'avenir ? » 30

— Ce n'est pas probable.

[1] Le grand ouvrage de Francis Bacon (1620) qui inaugura une ère
nouvelle dans la pensée humaine, fondant la connaissance de la
vérité sur l'instrument (*organum*) de l'expérience, par opposition à
l'*organum* antique écrit par Aristote et fondant sur la spéculation
seule cette connaissance de la vérité.

[2] *The Arabian Nights.*

— Ce n'est pas impossible. Vous menez une vie singulière. Vous tenez des propos étranges qui peuvent être recueillis et publiés. Il n'en faudrait pas plus, dans certaines circonstances, pour devenir, malgré vous, et même à
5 votre insu, le fondateur d'une religion qui serait embrassée par des millions d'hommes, qu'elle rendrait malheureux et méchants et qui massacreraient en votre nom des milliers d'autres hommes.

— Il faudrait donc mourir pour être innocent et tran-
10 quille ?

— Prenez-y garde encore: mourir, c'est accomplir un acte d'une portée incalculable.

Cette attitude de tout comprendre et de ne rien condamner *a priori* est celle d'Anatole France dans les essais de critique réunis sous le titre général *La vie littéraire* — les *Lundis* de l'auteur —, et il est avec Jules Lemaître le plus brillant représentant de ce qu'on a appelé la « critique impressionniste », c'est à dire où le critique ne juge rien selon un critère spécifique, mais selon l'impression que produit une œuvre sur son esprit: « Le plaisir esthétique est fait de l'harmonie qu'un livre a avec son lecteur »; dès lors la critique ne consiste qu'à « raconter les aventures de son âme au milieu des chefs d'œuvre ». C'était là une conception diamétralement opposée à celle de Brunetière qui prétendait *juger* une œuvre, et d'ailleurs juger d'un point de vue nettement en accord avec la morale traditionnelle. Les deux célèbres écrivains échangèrent souvent des arguments qui intéressèrent beaucoup le public d'alors.

Ajoutons qu'Anatole France, dans ces sortes de promenades critiques au milieu des livres dont il avait à parler, intercalait parfois de jolis morceaux anecdotiques. Telle l'histoire que voici.

La dame à l'éventail blanc

Conte chinois

Ce joli conte nous rappelle l'histoire de *La matrone d'Éphèse* que La Fontaine a racontée après l'avoir lue dans le *Satyricon* de Pétrone, et dont sa fable *La jeune veuve* semble être une variante. Si les personnages et la couleur locale ont changé, le sujet est le même: une veuve inconsolable, bientôt consolée par un nouvel amour.

Notre auteur dit (*La vie littéraire*, vol. III.) avoir trouvé la matière
de son récit dans les *Contes chinois* traduits et publiés en 1827 par
Abel Rémusat. C'est possible, mais on ne saurait douter que la forme
soit de lui. Car on y voit tout ce qui caractérise la *manière* d'Anatole
France: érudition, esprit, ironie, grâce, et harmonie du style.

Tchouang-Tsen, du pays de Soung, était un lettré qui
poussait la sagesse jusqu'au détachement de toutes les
choses périssables. Comme, en bon Chinois qu'il était, il
ne croyait point aux choses éternelles, il ne lui restait pour
contenter son âme que la conscience d'échapper aux com- 5
munes erreurs des hommes qui s'agitent pour acquérir
d'inutiles richesses ou de vains honneurs ... Il avait coutume de se promener en rêvant dans ces contrées où il
vivait sans savoir ni comment ni pourquoi.

Un matin qu'il errait à l'aventure sur les pentes fleuries 10
de la montagne Nam-Hoa, il se trouva au milieu d'un cimetière où les morts reposaient, selon l'usage du pays, sous
des monticules de terre battue ... — « Hélas ! se dit-il,
voici le carrefour où aboutissent tous les chemins de la vie.
Quand une fois on a pris place au séjour des morts, on ne 15
revient plus au jour. »

... Comme il promenait ainsi sa pensée à travers les
tombes, il rencontra soudain une jeune dame qui portait
des vêtements de deuil, c'est-à-dire une longue robe blanche
d'une étoffe grossière et sans coutures. Assise près d'une 20
tombe, elle agitait un éventail blanc sur la terre encore
fraîche du tertre funéraire. Curieux de connaître les motifs
d'une action si étrange, il salua la jeune dame avec politesse et lui dit:

— Oserai-je, madame, vous demander quelle personne 25
est couchée dans ce tombeau et pourquoi vous vous donnez
tant de peine pour éventer la terre qui la recouvre ? Je
suis philosophe, je recherche les causes, et voilà une cause
qui m'échappe.

La jeune dame continuait à remuer son éventail. Elle 30
rougit, baissa la tête et murmura quelques paroles que le

sage n'entendit point. Il renouvela plusieurs fois la question, mais en vain. La jeune femme ne prenait plus garde
à lui et il semblait que son âme eût passé tout entière dans
la main qui agitait l'éventail.

5   Tchouang-Tsen s'éloigna à regret. Bien qu'il connût
que tout n'est que vanité, il était, de son naturel, enclin à
rechercher les mobiles des actions humaines et particulièrement de celles des femmes: cette petite espèce de créature
lui inspirait une curiosité malveillante, mais très vive. Il
10 poursuivait lentement sa promenade en détournant la tête
pour voir l'éventail qui battait l'air comme l'aile d'un grand
papillon quand, tout à coup, une vieille femme, qu'il n'avait
point aperçue d'abord lui fit signe de la suivre. Elle l'entraîna dans l'ombre d'un tertre plus élevé que les autres et
15 lui dit:

   — Je vous ai entendu faire à ma maîtresse une question
à laquelle elle n'a pas répondu. Mais moi je satisferai votre
curiosité par un sentiment naturel d'obligeance et dans
l'espoir que vous voudrez bien me donner en retour de quoi
20 acheter aux prêtres un papier magique qui prolongera ma
vie. Tchouang-Tsen tira de sa bourse une pièce de monnaie, et la vieille parla en ces termes:

   — Cette dame que vous avez vue sur un tombeau est
madame Lu, veuve d'un lettré nommé Tao qui mourut,
25 voilà quinze jours, après une longue maladie et ce tombeau
est celui de son mari. Ils s'aimaient tous deux d'un amour
tendre. Même en expirant, il ne pouvait se résoudre à la
quitter et l'idée de la laisser au monde dans la fleur de son
âge et de sa beauté lui était tout-à-fait insupportable. Il
30 s'y résignait pourtant, car il était d'un caractère très doux
et son âme se soumettait volontiers à la nécessité. Pleurant au chevet du lit de M. Tao, qu'elle n'avait point
quitté durant sa maladie, madame Lu attestait les dieux
qu'elle ne lui survivrait point et qu'elle partagerait son
35 cercueil comme elle avait partagé sa couche.

   « Mais M. Tao lui dit: ‹ Madame, ne jurez point cela. ›

— ‹ Du moins, reprit-elle, si je dois vous survivre, si je
‹ suis condamnée par les Génies à voir encore la lumière du
‹ jour quand vous ne la verrez plus, sachez que je ne con-
‹ sentirai jamais à devenir la femme d'un autre et que je
‹ n'aurai qu'un époux comme je n'ai qu'une âme. › 5

« Mais M. Tao lui dit: ‹ Madame, ne jurez point cela. ›
— ‹ Oh ! monsieur Tao, monsieur Tao ! laissez-moi jurer du
‹ moins que de cinq ans entiers je ne me remarierai. ›

« Mais M. Tao lui dit: ‹ Madame, ne jurez point cela.
‹ Jurez seulement de garder fidèlement ma mémoire tant 10
que la terre n'aura pas séché sur mon tombeau. ›

« Madame Lu en fit un grand serment. Et le bon M.
Tao ferma les yeux pour ne les plus rouvrir. Le désespoir
de madame Lu passa tout ce qu'on peut imaginer. Ses
yeux étaient dévorés de larmes ardentes. Elle égratignait, 15
avec ses ongles, ses joues de porcelaine. Mais tout passe
et le torrent de cette douleur s'écoula.

« Trois jours après la mort de M. Tao, la tristesse de
madame Lu était devenue plus humaine. Elle apprit qu'un
jeune disciple de M. Tao désirait lui témoigner la part qu'il 20
prenait à son deuil. Elle jugea avec raison qu'elle ne pouvait se dispenser de le recevoir. Elle le reçut en soupirant.
Ce jeune homme était très élégant et d'une belle figure; il
lui parla un peu de M. Tao et beaucoup d'elle; il lui dit
qu'elle était charmante et qu'il sentait bien qu'il l'aimait; 25
elle le lui laissa dire. Il promit de revenir. En l'attendant,
madame Lu, assise auprès du tertre de son mari, où vous
l'avez vue, passe tout le jour à sécher la terre de la tombe
au souffle de son éventail. »

Quand la vieille eut terminé son récit, le sage Tchouang- 30
Tsen songea: — « La jeunesse est courte; l'aiguillon du
désir donne des ailes aux jeunes femmes et aux jeunes
hommes. Après tout, madame Lu est une honnête personne qui ne veut pas trahir son serment. »

C'est un exemple à proposer aux femmes blanches de 35
l'Europe.

* * *

Détaché comme il semblait l'être des choses de la vie réelle, Anatole France ne put s'en détacher tout à fait, et même il y prit pendant quelques années, peut-être malgré lui, un intérêt considérable. La situation politique en Europe s'assombrissait et personne ne pouvait demeurer indifférent. Il se mit donc à discuter les choses du présent dans une série de livres appelés plutôt improprement romans, sous le tire général *d'Histoire contemporaine*. Son porte-parole ici est M. Bergeret, un professeur en province, qui, plus tard sera transféré à Paris. Quand France se penche ainsi sur la réalité, sa philosophie souriante l'abandonne, et son ironie sans venin d'autrefois devient sarcasme amer par endroits: le clergé de son temps lui paraît ignorant et bigot, les hommes d'État vulgaires et cyniques, les hommes de lettres et les savants eux-mêmes trop enclins à subordonner la vérité à des fins intéressées. Telle est la matière des trois premiers volumes (parus d'abord en série dans l'*Écho de Paris*): *L'Orme du Mail* (1897), *Le Mannequin d'osier* (1897),[1] *L'Anneau d'améthyste* (1899); le dernier volume, *Monsieur Bergeret à Paris* (1901), discute la célèbre « affaire Dreyfus » au cours de laquelle il se rangea aux côtés de Zola.[2]

Toute cette Histoire contemporaine est trop remplie d'allusions locales et contemporaines pour qu'il en soit tenu compte ici.

Anatole France sortit bien découragé de ces discussions ardentes qui menacèrent d'amener une guerre civile; il se lança quelque temps dans le mouvement des universités populaires visant à réformer la société par l'éducation des masses. Il n'y trouva guère d'encouragement et se mit à désespérer des hommes; c'est dans cet état d'esprit qu'il écrivit ce qu'il regretta plus tard, deux livres bien amers, *L'Île des pingouins* (1908) — où il retrace, sous forme d'une allégorie trop transparente et avec un sarcasme déconcertant l'histoire de son pays, et *Les Dieux ont soif* (1912) — où il voit dans la Révolution Française, comme l'avait fait avant lui Taine, une formidable et terrible erreur, un peuple de braves gens égarés par des doctrines fausses, des idées irréalisables et se baignant dans le sang et le meurtre: l'homme est mené par une destinée cruelle: les dieux ont soif de sang humain. Le héros du ro-

---

[1] Mis à la scène et représenté avec grand succès en 1904, au théâtre de la Renaissance. Les aventures amoureuses de Mme Bergeret et de sa fille Juliette furent dramatisées bien plus que dans le roman; Lucien Guitry jouait Bergeret.

[2] A. France prononça une oraison funèbre dans laquelle il exaltait en Zola le défenseur de la vérité sur laquelle repose la justice et la paix.

man, Évariste Gamelin, qui était le plus doux être imaginable dans ses relations de famille et d'amis, n'est plus qu'un affreux tigre déchaîné envers les siens comme envers tous les autres une fois qu'il est aveuglé par les fausses théories des terroristes, Robespierre, Marat et Danton.[3]

*

En 1908 Anatole France publia une œuvre qui lui avait coûté de longues années de recherches, une œuvre historique, *Vie de Jeanne d'Arc* (2 vol.). Il cherche à y interpréter l'histoire de celle qui fut proclamée « sainte » par l'Église en 1920, comme pouvant être expliquée par des causes naturelles — on était alors dans cet âge de transition où le conflit entre la science et la religion était fort discuté. L'attitude sceptique d'Anatole France fut très critiquée et entre autres par la grand historien Gabriel Hanotaux qui publia en 1911 un ouvrage destiné spécialement à réfuter celui de notre auteur. Marc Twain publia sa touchante histoire de Jeanne d'Arc en 1896. (V. sur la *Pucelle d'Orléans* de Voltaire: *Eighteenth Century French Readings*, p. 353).

Ce fut la « grande guerre », qui éclatait en 1914, qui ramena Anatole France à des idées moins sombres. Il sentit profondément les souffrances de son peuple dès les premières heures de l'invasion; et, peut-être pour faire oublier ses sévérités de *L'Île des pingouins*, il chercha à s'engager volontairement dans l'armée; il avait 70 ans et son offre ne fut naturellement pas acceptée; il voulut au moins combattre par la plume et laissa comme un testament littéraire un petit volume intitulé *Sur la voie glorieuse*, destiné à célébrer ceux qui mouraient « glorieusement » pour la défense du sol natal. C'est l'Anatole France qui avait protesté violemment en 1887 contre un livre d'Abel Hermant attaquant d'une façon mesquine l'armée française, et qui, en 1887 encore, avait sévèrement critiqué Zola lorsque celui-ci avait, dans son roman *La terre* dénigré affreusement le paysan de France.

Dans ce volume *Sur la voie glorieuse*, se trouve une des pages considérées comme les plus belles sorties de la plume d'Anatole France.

---

[3] Le titre *Les Dieux ont soif* est emprunté à un discours célèbre de Camille Desmoulins, un des grands orateurs de la Révolution. « Les Dieux ont soif », s'était-il écrié au club révolutionnaire des Vieux Cordeliers, le 15 Pluviôse, An II (5 février, 1793), pour stigmatiser les sanguinaires exploits des maîtres de l'heure. Il devait payer de sa vie, peu de jours après, cette apostrophe indignée.

Sur la voie glorieuse (1915)

La petite ville de France

Du haut de la colline, nous découvrîmes une petite ville.
Peu importe son nom: c'était une ville de France paisiblement assise dans le creux d'un vallon. Elle était charmante
avec ses toits pointus, ses rues tortueuses et le clocher en
5 charpente de son élégante église. Je la contemplai dans
une sorte de ravissement. C'est que la vue à vol d'oiseau
d'une de nos villes est un spectacle aimable et touchant, où
l'âme se plaît. Des pensées humaines montent avec la
fumée des toits. Il y en a de tristes, il y en a de gaies; elles
10 se mêlent dans notre souvenir pour inspirer toutes ensemble une tristesse souriante, plus douce que la gaîté.

On songe.

Ces maisons, si petites au soleil que je puis les cacher
toutes en étendant la main, ont pourtant abrité des siècles
15 d'amour et de haine, de plaisir et de souffrance. Elles
gardent des secrets terribles et mélancoliques. Elles en
savent long sur la vie et la mort. Elles nous diraient des
choses à pleurer et à rire, si les pierres parlaient.

Mais les pierres parlent à ceux qui savent les entendre.
20 La petite ville dit aux Français qui la contemplent du
haut de la colline:

« Voyez, je suis vieille, mais je suis belle; mes enfants
pieux ont brodé sur ma robe des tours, des clochers,
des pignons dentelés et des beffrois. Je suis une bonne
25 mère; j'enseigne le travail et tous les arts de la paix, j'ex-
horte les citoyens à ce mépris du danger qui les rend invincibles. Je nourris mes enfants dans mes bras. Puis,
leur tâche faite, ils vont, les uns après les autres, dormir à
mes pieds, sous cette herbe où paissent les moutons. Ils
30 passent, mais je reste pour garder leur souvenir. Je suis
leur mémoire. C'est pourquoi ils me doivent tout, car
l'homme n'est l'homme que quand il se souvient. Mon

manteau a été déchiré et mon sein percé de guerres. J'ai reçu des blessures qu'on disait mortelles. Mais j'ai vécu parce que j'ai espéré. Apprenez de moi cette sainte espérance qui sauve la Patrie ».

* * *

Ce morceau était reproduit d'un de ses livres écrit en 1899, *Pierre Nozière*, et où Anatole France donnait un groupe de récits se rapportant à son enfance — récits poétisés par le souvenir et par l'art du conteur. Beaucoup considèrent cette partie de son œuvre comme la plus parfaite. Il y a quatre de ces volumes écrits un peu à toutes les époques de sa vie. Ce sont: *Le livre de mon ami* (1885), *Pierre Nozière* (1899), *Le petit Pierre* (1918), *La vie en fleur* (1922). On peut y ajouter *Les désirs de Jean Servien* (1882) qui met en roman une anecdote de la vie amoureuse de l'auteur à l'âge de l'adolescence et qui est un de ces essais de psychologie dont *L'Éducation sentimentale* de Flaubert est demeuré le modèle.

Le petit Pierre (1918) [1]

Alphonsine

Alphonsine Dusuel, de sept ans plus âgée que moi, était 5 maigrichonne et souffreteuse; elle avait des cheveux gras et le visage taché de son. Ou je me trompe bien, ou ce durent être, par la suite, ses torts les plus impardonnables aux yeux du monde. Je lui en connus d'autres moins graves, tels que l'hypocrisie et la méchanceté, si naturels 10 en elle qu'ils y avaient de la grâce.

Un jour que ma chère maman me promenait sur le quai, nous rencontrâmes madame Dusuel et sa fille. On s'arrêta et les deux dames firent un bout de conversation.

— Ce trésor ! Comme il est joli ! s'écria la jeune Al- 15 phonsine en m'embrassant.

Sans avoir alors autant d'intelligence qu'un chien ou un chat, j'étais comme eux un animal domestique, et comme eux, j'aimais la louange que les bêtes sauvages dédaignent. Dans un transport qui toucha les deux mères, la jeune Alphonsine me souleva de terre, me pressa sur son cœur et me couvrit de baisers en vantant ma gentillesse. Et dans le même moment, elle me piquait les mollets avec une épingle.

Et moi de me débattre, de frapper Alphonsine des poings et des pieds, de hurler, de fondre en larmes.

A cette vue, madame Dusuel laissait paraître dans ses yeux et dans son silence de la surprise et de l'indignation. Ma mère me regardait douloureusement, se demandait comment elle avait pu mettre au jour un enfant si dénaturé, et tantôt accusait le ciel de ce malheur immérité, et tantôt s'accusait de l'avoir mérité par ses fautes. Enfin, elle demeurait interdite et troublée devant le mystère de ma perversité. Je ne pouvais pourtant pas le lui expliquer si je ne savais pas parler. Le peu de mots que je parvenais à balbutier ne m'étaient d'aucun secours en cette circonstance. Planté sur mes pieds, je demeurais haletant et plein de larmes; et la jeune Alphonsine, penchée sur moi, m'essuyait les joues, me plaignait, m'excusait:

— Il est si petit ! Ne le grondez pas, madame Nozière. J'en aurais du chagrin. Je l'aime tant !

Ce ne fut pas une fois, mais vingt fois qu'Alphonsine m'embrassa avec transports en m'enfonçant une épingle dans les mollets.

Plus tard, quand je pus parler, je dénonçai cette perfidie à ma mère, et à madame Mathias qui prenait soin de moi. Mais on ne me crut pas; on me reprocha de calomnier l'innocence pour pallier mes torts.

Il y a longtemps que j'ai pardonné à la jeune Alphonsine sa perfide cruauté et même ses cheveux gras. Bien plus, je lui sais gré de m'avoir beaucoup avancé, quand j'avais deux ans, dans la connaissance de la nature humaine.

C'est dans le conteur, plus peut-être même que dans le romancier, qu'on est unanime à voir l'écrivain de talent extraordinaire chez Anatole France. On en a vu des exemples plus haut *La dame à l'éventail blanc*, et les récits évoquant son enfance. Les principaux recueils de nouvelles ou de contes sont: *L'Étui de nacre* (1892), *Le puits de Sainte Claire* (1895), *Crainquebille* (1904), *Sur la pierre blanche* (où il énonce volontiers les idées socialistes qu'il professa quelque temps, 1905), *Contes de Jacques Tournebroche* (1909), et *Les sept femmes de Barbe Bleue* (1909).

Tout étudiant doit connaître l'histoire intitulée *Crainquebille* qui contient tous les meilleurs éléments du talent d'Anatole France, mais est trop longue pour ce recueil. On trouvera pour terminer ces extraits une autre des histoires les plus célèbres de l'auteur, tirée du volume *L'Étui de nacre:*

Le jongleur de Notre Dame

Ce récit est tiré de la collection *L'étui de nacre* (*Mother-of-pearl case*), 1892. Le sujet en est emprunté à un de ces « Contes dévots » ou « Miracles » du moyen-âge où les écrivains religieux disaient la sollicitude de la Vierge Marie pour les humbles — *omnia per Mariam*. Le manuscrit a été découvert en 1873. On trouvera le conte original à peu près complet dans la grande *Histoire de la littérature française* de Petit de Julleville, Vol. I, pp. 40–42. Le conte a été mis en opéra par Massenet, sous le titre de *Le tombeur de Notre Dame*.

Le jongleur de Notre Dame [1]

I

Au temps du roi Louis,[2] il y avait en France un pauvre jongleur, natif de Compiègne, nommé Barnabé, qui allait par les villes, faisant des tours de force et d'adresse.

Les jours de foire, il étendait sur la place publique un vieux tapis tout usé, et, après avoir attiré les enfants et les badauds par des propos plaisants qu'il tenait d'un très vieux jongleur et auxquels il ne changeait jamais rien, il prenait des attitudes qui n'étaient pas naturelles et il met-

5

---

[1] Un jongleur était un acrobate ou saltimbanque [*mountebank*] qui allait de ville en ville exhiber ses tours sur les places publiques — le texte explique assez *de Notre Dame* qui signifie que le jongleur était pieux et spécialement dévoué au culte de la Vierge Marie.

[2] Louis IX ou Saint Louis, roi de 1226 à 1270.

tait une assiette d'étain en équilibre sur son nez.　La foule
le regardait d'abord avec indifférence.

Mais quand, se tenant sur les mains la tête en bas, il
jetait en l'air et rattrapait avec ses pieds six boules de
5 cuivre qui brillaient au soleil, ou quand, se renversant jusqu'à ce que sa nuque touchât ses talons, il donnait à son
corps la forme d'une roue parfaite et jonglait, dans cette
posture, avec douze couteaux, un murmure d'admiration
s'élevait dans l'assistance et les pièces de monnaie pleu-
10 vaient sur le tapis.

Pourtant, comme la plupart de ceux qui vivent de leurs
talents, Barnabé de Compiègne avait grand'peine à vivre.

Gagnant son pain à la sueur de son front, il portait plus
que sa part des misères attachées à la faute d'Adam,
15 notre père.

Encore, ne pouvait-il travailler autant qu'il aurait voulu.
Pour montrer son beau savoir, comme aux arbres pour
donner des fleurs et des fruits, il lui fallait la chaleur du
soleil et la lumière du jour.　Dans l'hiver, il n'était plus
20 qu'un arbre dépouillé de ses feuilles et quasi mort.　La terre
gelée était dure au jongleur.　Et, comme la cigale dont
parle Marie de France,[1] il souffrait du froid et de la faim
dans la mauvaise saison.　Mais, comme il avait le cœur
simple, il prenait ses maux en patience.

25 Il n'avait jamais réfléchi à l'origine des richesses, ni à
l'inégalité des conditions humaines.　Il comptait fermement que, si ce monde est mauvais, l'autre ne pourrait
manquer d'être bon, et cette espérance le soutenait.　Il
n'imitait pas les baladins larrons et mécréants, qui ont
30 vendu leur âme au diable.[2]　Il ne blasphémait jamais le

---

[1] Marie de France, femme poète du XIIIe siècle, célèbre pour ses
lais (*romances*), et pour un recueil de fables où elle racontait, avant
La Fontaine, l'histoire de la cigale et de la fourmi.

[2] Baladin, synonyme de saltimbanque.　Les jongleurs avaient
souvent une mauvaise réputation et l'Église les excommuniait.　Une
des histoires les plus populaires du moyen-âge est celle du prêtre
Théophile qui « vendit son âme au diable » — histoire qui est de-

nom de Dieu: il vivait honnêtement, et, bien qu'il n'eût
pas de femme, il ne convoitait pas celle du voisin, parce
que la femme est l'ennemie des hommes forts, comme il
apparaît par l'histoire de Samson, qui est rapportée dans
l'Écriture.[1]   5

A la vérité, il n'avait pas l'esprit tourné aux désirs char-
nels, et il lui en coûtait plus de renoncer aux brocs qu'aux
dames. Car, sans manquer à la sobriété, il aimait à boire
quand il faisait chaud. C'était un homme de bien, craignant Dieu et très dévot à la sainte Vierge.   10

Il ne manquait jamais, quand il entrait dans une église
de s'agenouiller devant l'image de la Mère de Dieu, et de
lui adresser cette prière:

« Madame, prenez soin de ma vie jusqu'à ce qu'il plaise
à Dieu que je meure, et quand je serai mort, faites-moi   15
avoir les joies du paradis. »

II

Or, un certain soir, après une journée de pluie, tandis
qu'il s'en allait, triste et courbé, portant sous son bras ses
boules et ses couteaux cachés dans son vieux tapis, et cherchant quelque grange pour s'y coucher sans souper, il vit   20
sur la route un moine qui suivait le même chemin, et le
salua honnêtement. Comme ils marchaient du même pas,
ils se mirent à échanger des propos.

— Compagnon, dit le moine, d'où vient que vous êtes
habillé tout de vert ? Ne serait-ce point pour faire le per- 25
sonnage d'un fol dans quelque mystère ?[2]

— Non point, mon Père, répondit Barnabé. Tel que
vous me voyez, je me nomme Barnabé, et je suis jongleur

---

venue plus tard celle du Docteur Faustus, de Marlowe et de
Goethe.

[1] V. le poème de Vigny, « La colère de Samson » (Vol. I, p. 363).

[2] Fol, *jester;* (*mystère*), ici dans le sens de pièce de théâtre du
moyen-âge.

de mon état. Ce serait le plus bel état du monde si on y mangeait tous les jours.

— Ami Barnabé, reprit le moine, prenez garde à ce que vous dites. Il n'y a pas de plus bel état que l'état monas-
5 tique. On y célèbre les louanges de Dieu, de la Vierge et des saints, et la vie du religieux est un perpétuel cantique au Seigneur.

Barnabé répondit:

— Mon Père, je confesse que j'ai parlé comme un igno-
10 rant. Votre état ne se peut comparer au mien et, quoi-qu'il y ait du mérite à danser en tenant au bout du nez un denier en équilibre sur un bâton, ce mérite n'approche pas du vôtre. Je voudrais bien comme vous, mon Père, chanter tous les jours l'office, et spécialement l'office de la très
15 sainte Vierge, à qui j'ai voué une dévotion particulière. Je renoncerais bien volontiers à l'art dans lequel je suis connu, de Soissons à Beauvais,[1] dans plus de six cents villes et villages, pour embrasser la vie monastique.

Le moine fut touché de la simplicité du jongleur, et,
20 comme il ne manquait pas de discernement, il reconnut en Barnabé un de ces hommes de bonne volonté de qui Notre-Seigneur a dit: « Que la paix soit avec eux sur la terre ! » C'est pourquoi il lui répondit:

— Ami Barnabé, venez avec moi, et je vous ferai entrer
25 dans le couvent dont je suis prieur. Celui qui conduisit Marie l'Égyptienne[2] dans le désert m'a mis sur votre chemin pour vous mener dans la voie du salut.

C'est ainsi que Barnabé devint moine. Dans le couvent où il fut reçu, les religieux célébraient à l'envi le culte de la
30 sainte Vierge, et chacun employait à la servir tout le savoir et toute l'habileté que Dieu lui avait donnés.

---

[1] Soissons (Île de France), Beauvais (Picardie): deux villes du nord-ouest de la France.

[2] Courtisane d'Alexandrie convertie au christianisme par un ermite du désert, histoire racontée avec beaucoup de charme par un des plus fameux poètes du moyen-âge, Rutebeuf.

Le prieur, pour sa part, composait des livres qui trai-
taient, selon les règles de la scolastique,[1] des vertus de la
Mère de Dieu.

Le Frère Maurice copiait, d'une main savante, ces traités
sur des feuilles de vélin.   5

Le Frère Alexandre y peignait de fines miniatures. On
y voyait la Reine du ciel, assise sur le trône de Salomon,
au pied duquel veillent quatre lions; autour de sa tête
nimbée voltigeaient sept colombes, qui sont les sept dons
du Saint-Esprit: dons de crainte, de piété, de science, de   10
force, de conseil, d'intelligence et de sagesse. Elle avait
pour compagnes six vierges aux cheveux d'or: l'Humilité,
la Prudence, la Retraite, le Respect, la Virginité et l'Obéissance.

A ses pieds, deux petites figures nues et toutes blanches   15
se tenaient dans une attitude suppliante. C'étaient des
âmes qui imploraient, pour leur salut et non, certes, en
vain, sa toute-puissante intercession.

Le Frère Alexandre représentait sur une autre page Ève
au regard de Marie, afin qu'on vît en même temps la faute   20
et la rédemption, la femme humiliée et la vierge exaltée.
On admirait encore dans ce livre le Puits des eaux vives,
la Fontaine, le Lis, la Lune, le Soleil et le Jardin clos dont il
est parlé dans le cantique,[2] la Porte du Ciel et la Cité de
Dieu, et c'étaient là des images de la Vierge.   25

Le Frère Marbode était semblablement un des plus
tendres enfants de Marie.

Il taillait sans cesse des images de pierre, en sorte qu'il

[1] Enseignement selon les règles de l'Église du moyen-âge.

[2] Dans le *Cantique de Salomon* ou *Cantique des Cantiques* on trouve
entre autres ces mots: « Tu es un jardin fermé, ma sœur, ma fiancée,
une source fermée, une fontaine scellée . . . une fontaine des jardins,
une source d'eaux vives des ruisseaux du Liban . . . Que mon bien-
aimé entre dans son jardin et qu'il mange de ses fruits excellents . . .
Elle est celle qui apparaît comme l'aurore, belle comme la lune, pure
comme le soleil . . . Comme un lis au milieu des épines, telle est mon
amie parmi les jeunes filles . . . » etc.

avait la barbe, les sourcils et les cheveux blancs de poussière
et que ses yeux étaient perpétuellement gonflés et lar-
moyants; mais il était plein de force et de joie dans un âge
avancé et, visiblement, la Reine du paradis protégeait la
5 vieillesse de son enfant.   Marbode la représentait assise
dans une chaire, le front ceint d'un nimbe à orbe perlé.
Et il avait soin que les plis de la robe couvrissent les pieds
de celle dont le prophète a dit: « Ma bien-aimée est comme
un jardin clos ».

10   Parfois aussi il la figurait sous les traits d'un enfant plein
de grâce, et elle semblait dire: « Seigneur, vous êtes mon
Seigneur ! ... *Dixi de ventre matris meae: Deus meus es
tu* ».   (*Psalm. 21, 11*) [1]

Il y avait aussi, dans le couvent, des poètes, qui com-
15 posaient, en latin, des proses et des hymnes en l'honneur de
la bienheureuse vierge Marie, et même il s'y trouvait un
Picard qui mettait les miracles de Notre Dame en langue
vulgaire et en vers rimés.[2]

III

Voyant un tel concours de louanges et une si belle mois-
20 son d'œuvres, Barnabé se lamentait de son ignorance et
de sa simplicité.

— Hélas, soupirait-il en se promenant seul dans le petit
jardin sans ombre du couvent, je suis bien malheureux de
ne pouvoir, comme mes frères, louer dignement la sainte
25 Mère de Dieu à laquelle j'ai voué la tendresse de mon cœur.
Hélas ! hélas ! je suis un homme rude et sans art, et je n'ai
pour votre service, madame la Vierge, ni sermons édifiants,
ni traités bien divisés selon les règles, ni fines peintures, ni
statues exactement taillées, ni vers comptés par pieds et
30 marchant en mesure.   Je n'ai rien, hélas !

[1] *Dès le sein de ma mère, je disais: Tu es mon Seigneur!*
[2] Le couvent dont il est ici question est en France; la Picardie
était au nord-ouest, une province qui n'avait pas encore été rat-
tachée au royaume de France.

Il gémissait de la sorte et s'abandonnait à la tristesse. Un soir que les moines se récréaient en conversant, il entendit l'un d'eux conter l'histoire d'un religieux qui ne savait réciter autre chose qu'*Ave Maria*.[1] Ce religieux était méprisé pour son ignorance; mais, étant mort, il lui sortit 5 de la bouche cinq roses en l'honneur des cinq lettres du nom de Marie, et sa sainteté fut ainsi manifestée.

En écoutant ce récit, Barnabé admira une fois de plus la bonté de la Vierge; mais il ne fut pas consolé par l'exemple de cette mort bienheureuse, car son cœur était plein de 10 zèle et il voulait servir la gloire de sa dame qui est aux cieux.

Il en cherchait le moyen sans pouvoir le trouver et il s'affligeait chaque jour davantage, quand un matin, s'étant réveillé tout joyeux, il courut à la chapelle et y demeura 15 seul pendant plus d'une heure. Il y retourna l'après-dîner.

Et, à compter de ce moment, il allait chaque jour dans cette chapelle, à l'heure où elle était déserte, et il y passait une grande partie du temps que les autres moines consacraient aux arts libéraux et aux arts mécaniques. Il n'é- 20 tait plus triste et il ne gémissait plus.

Une conduite si singulière éveilla la curiosité des moines.

On se demandait, dans la communauté, pourquoi le frère Barnabé faisait des retraites si fréquentes.

Le prieur, dont le devoir est de ne rien ignorer de la con- 25 duite de ses religieux, résolut d'observer Barnabé pendant ses solitudes. Un jour donc que celui-ci était renfermé, comme à son ordinaire, dans la chapelle, dom prieur vint, accompagné de deux anciens du couvent, observer, à travers les fentes de la porte, ce qui se passait à l'intérieur. 30

Ils virent Barnabé qui, devant l'autel de la sainte Vierge, la tête en bas, les pieds en l'air, jonglait avec six boules de cuivre et douze couteaux. Il faisait, en l'honneur de la sainte Mère de Dieu, les tours qui lui avaient valu le plus de louanges. Ne comprenant pas que cet homme simple 35

[1] Salutation angélique: *je vous salue Marie, mère de Dieu.*

mettait ainsi son talent et son savoir au service de la sainte Vierge, les deux anciens criaient au sacrilège.

Le prieur savait que Barnabé avait l'âme innocente; mais il le croyait tombé en démence. Ils s'apprêtaient tous
5 trois à le tirer vivement de la chapelle, quand ils virent la sainte Vierge descendre les degrés de l'autel pour venir essuyer d'un pan de son manteau bleu la sueur qui dégouttait du front de son jongleur.

Alors le prieur, se prosternant le visage contre la dalle,
10 récita ces paroles:

— Heureux les simples, car ils verront Dieu ! [1]

— *Amen!* répondirent les anciens en baisant la terre.

CHAPITRE XXIII

PAUL BOURGET

1852–1935

Consulter: A. Feuillerat, *Paul Bourget, histoire d'un esprit sous la Troisième République*, (Paris, Plon, 1937; 419 pages petit in 8º), l'ouvrage qui fait autorité absolue; il est accompagné d'un volume de bibliographie. On peut consulter aussi: V. Giraud, *Les maîtres de l'heure* (Hachette, 1911), le Chap. sur Paul Bourget; et du même: *Paul Bourget, essai de psychologie contemporaine* (1936); A. Austin, *Paul Bourget, Le disciple,* Coll. (Grands Évén. litt.) (Paris, Malfère, 1930); J. Sageret, *Les grands convertis*, (1906), le Chap. sur Bourget.

Fils d'un professeur de mathématiques qui occupa des postes dans différentes villes, Paul Bourget naquit à Amiens, fit son école primaire et son lycée à Clermont-Ferrand (en Auvergne) où son père occupait, depuis 1854, la chaire de mathématiques à l'université; enfin, son père ayant été appelé à la direction du Collège Sainte-Barbe à Paris, il étudia dans cette ville les lettres en vue de l'enseignement; mais

---

[1] La première des (Béatitudes) du *Sermon sur la montagne*, (Mathieu, V, 3.)

il sentit de très bonne heure une vocation irrésistible pour la littérature. Comme Hugo, comme Balzac, comme d'ailleurs bien d'autres, il connut la vie de l'étudiant pauvre. Dès que ses revenus le lui permirent, il devint un voyageur enthousiaste; les plus célèbres volumes rapportés de ces visites à l'étranger sont: les *Sensations d'Oxford* (1888), les *Sensations d'Italie* (1891) et les deux volumes sur l'Amérique, *Outre-mer* (1894).

Sauf au temps de ses voyages il vécut le plus souvent à Paris. Dans ses dernières années il faisait des séjours au Château de Chantilly dont il avait été nommé l'un des conservateurs par l'Académie Française. Il avait été élu à l'Académie en 1894.

Au début de sa carrière — comme bien des romanciers célèbres (Daudet, Zola, Maupassant, Anatole France) — il fit des vers. Voir surtout le recueil *Les aveux* (1882) qui est un peu dans la note de Sully-Prudhomme.

Après une longue période d'hésitation il avait fini par se rallier tout-à-fait au mouvement traditionaliste en philosophie et en politique. Mais il a été un homme de transition, comme Huysmans. Son catholicisme, cependant, diffère assez profondément de celui de Huysmans: celui-ci insistant beaucoup sur le côté artistique, Bourget plutôt sur le côté moraliste; et, comme Brunetière, Bourget trouvait dans le catholicisme une doctrine sociale et politique en même temps que morale.

Toutefois, avant d'en arriver là, Bourget avait été décidément séduit par le positivisme de Taine dont il se dit longtemps le disciple — tout en faisant de bonne heure des réserves. D'autre part il ne renia jamais complètement ce maître, même quand il finit par opposer un *credo* nettement religieux aux doctrines positivistes. Il se fit remarquer du public d'abord par ses *Essais de psychologie contemporaine* (1883), et deux ans plus tard par de *Nouveaux essais* (1885). C'est dans ce groupe d'écrits qu'il faut ranger encore un ouvrage où Bourget fit preuve parfois d'un douloureux cynisme et qui fut publié lorsqu'il eut commencé à étudier de près la psychologie de la femme dans ses romans, la *Physiologie du Mariage* (1890) qui est donnée comme une suite à son récit *Mensonges* (1888). Le livre parut d'abord en série dans *La Vie parisienne*.

Essais de psychologie contemporaine

Aux yeux de certains critiques cette partie de l'œuvre de Bourget est aussi importante au moins que celle qui se rapporte au roman. Les premiers *Essais* parurent d'abord dans *La Nouvelle Revue*, du 15 novembre 1881 au 15 décembre 1892 et traitent de Baudelaire, Renan,

Flaubert, Stendhal et Taine. Les *Nouveaux essais*, — dans la même
revue, du 15 avril 1883 au 1 octobre 1885 — portent sur Dumas fils,
le dramaturge, Tourgueniev, le romancier russe, Leconte de Lisle,
Amiel, l'auteur genevois d'un *Journal intime*, et les Frères Goncourt.
Pour quelques détails sur chacune de ces analyses, v. Feuillerat, livre
cité, pp. 78–87, et pp. 111 et s.

Le pessimisme de Baudelaire

(*Extrait*)

Bourget a parlé dans les pages précédentes de la mentalité anor-
male et souvent morbide de Baudelaire; il a fait allusion, entre autres
choses, à la « Vénus noire » dont il a été question dans un chapitre
antérieur.

C'est Lamennais[1] qui s'écria un jour: « Mon âme est
née avec une plaie ». Baudelaire aurait pu s'appliquer
cette phrase. Il était d'une race condamnée au malheur.
C'est l'écrivain peut-être au nom duquel a été accolée le
5 plus souvent l'épithète de « malsain ». Le mot est juste,
si l'on signifie par là que les passions du genre de celles que
nous venons d'indiquer trouvent malaisément des circonstances adaptées à leurs exigences. Il y a désaccord entre
l'homme et le milieu. Une crise morale en résulte et une
10 torture du cœur. Mais le terme de « malsain » est inexact,
et devient injuste s'il emporte avec lui une condamnation
du poète, absolue et sans appel. Cette sensibilité fut malheureuse, elle ne fut pas cette complaisance arbitraire et
volontaire dans la corruption que ses ennemis ont prétendu
15 y voir. Baudelaire la subit, cette sensibilité. Il ne la
choisit pas. C'est ici le lieu de redire la forte parole de
Faust[2]: « L'Enfer même a donc ses lois », en la traduisant
dans sa profonde signification gœthéenne: à savoir que les
pires révoltes contre la nature sont emprisonnées dans la
20 nature. Elles ont des causes déterminantes, une ligne d'é-

[1] Philosophe et théologien français (1782–1854), auteur des *Paroles d'un croyant*.

[2] Tragédie de Goethe, le célèbre poète allemand (1749–1932).

volution, une limite. En ce sens, chaque anomalie a sa
norme, chaque artifice sa spontanéité. Les simples ivresses
de Daphnis et de Chloé [1] dans leur vallon ne leur étaient
pas plus naturelles que n'étaient naturels à Baudelaire, ○ ○ ○
ses rêves d'amour dans le boudoir qu'il décrit, meublé avec   5
ce souci de mélancolie sensuelle:

> Les riches plafonds,
> Les miroirs profonds,
> La splendeur orientale,
> Tout y parlerait   10
> À l'âme en secret
> Sa douce langue natale . . .

Osons dire d'ailleurs que, dans l'ordre psychologique
comme dans l'ordre physiologique, la maladie est aussi
logique, aussi nécessaire, partant [2] aussi *naturelle* que la   15
santé. Elle s'en distingue parce qu'elle aboutit à la douleur et au déséquilibre aussi fatalement que la santé à l'harmonie et à la joie. Mais osons dire encore, pour ne pas
faire du bien-être l'épreuve suprême des choses de l'âme,
qu'il y a parfois plus d'idéalisme dans cette douleur que   20
dans cette joie. Sans doute les combinaisons d'idées complexes ont bien des chances de ne pas rencontrer de circonstances appropriées à leur complication. Cela prouve-t-il
que les circonstances aient toujours raison? Celui que ses
habitudes ont conduit à un rêve du bonheur fait de beau-   25
coup d'exclusions souffre de la réalité qu'il ne peut pétrir
au gré de son désir: ○ ○ ○ [Le rêve intérieur de Baudelaire]
explique du moins la tristesse du poète et son humanité
profonde. Lui-même en avait trop la conscience, puisqu'il
a intitulé toute une part de son livre: *Spleen et idéal*. Il   30
savait trop qu'une créature très civilisée a tort de demander aux choses d'être selon son cœur, rencontre d'autant

---

[1] Idylle pastorale du Grec Longus, pleine de grâce et de naïveté
(IVᵉ siècle).
[2] Ici, *dès lors*.

plus rare que le cœur est plus curieusement raffiné, et s'il
n'a pas essayé de lutter pour se guérir, c'est qu'il a vu dans
sa misère une loi des choses, irrésistible et universelle, et
devant cette évidence il a sombré dans ce que les anciens
5 appelaient déjà le *tædium vitæ*.[1]

Certes, ce *tædium vitæ*, cet ennui, pour lui donner son
nom moderne, mais en le prenant dans son sens tragique,
a toujours été le ver secret des existences comblées.　D'où
vient cependant que ce « monstre délicat[2] » n'ait jamais
10 plus énergiquement bâillé sa détresse que dans la littérature de notre siècle, où se perfectionnent tant de conditions
de la vie, si ce n'est que ce perfectionnement même, en
compliquant aussi nos âmes, nous rend inhabiles au bonheur?　Ceux qui croient au progrès n'ont pas voulu aperce-
15 voir cette terrible rançon de notre sécurité mieux assise et
de notre éducation plus complète.　Ils ont cru reconnaître
dans l'assombrissement de notre littérature un effet passager des secousses sociales de notre âge, comme si d'autres
secousses, et d'une autre intensité de bouleversement des
20 destinées privées, avaient produit ce même résultat d'incapacité de bonheur chez tous les conducteurs de la génération.　Baudelaire n'y voyait-il pas plus juste en regardant
une certaine sorte de mélancolie comme l'inévitable produit
d'un désaccord entre nos besoins de civilisés et la réalité des
25 causes extérieures?　La preuve en est que, d'un bout à
l'autre de l'Europe, la société contemporaine présente les
mêmes symptômes, nuancés suivant les races, de cette
mélancolie et de ce désaccord.　Une nausée universelle
devant les insuffisances de ce monde soulève le cœur des
30 Slaves, des Germains et des Latins.　Elle se manifeste
chez les premiers par le nihilisme,[3] chez les seconds par le

---

[1] Lassitude de la vie.

[2] Tu le connais, lecteur, ce monstre délicat. — Prologue des
Fleurs du mal (Note de Bourget).

[3] Les précurseurs de la grande révolution soviétique de 1917 appelaient leur doctrine « nihilisme ».

pessimisme, chez nous-mêmes par de solitaires et bizarres névroses. La rage meurtrière des conspirateurs de Saint-Pétersbourg, les livres de Schopenhauer, les furieux incendies de la Commune et la misanthropie acharnée des romanciers naturalistes — je choisis avec intention les 5 exemples les plus disparates — ne révèlent-ils pas un même esprit de négation de la vie qui, chaque jour, obscurcit davantage la civilisation occidentale ? Nous sommes loin, sans doute, du suicide de la planète, suprême désir des théoriciens du malheur. Mais lentement, sûrement, une 10 croyance à la banqueroute de la nature ne s'élabore-t-elle pas, qui risque de devenir la foi sinistre du XXe siècle, si un renouveau, qui ne saurait guère être qu'un élan de renaissance religieuse, ne sauve pas l'humanité trop réfléchie de la lassitude de sa propre pensée ? 15

Ce serait un chapitre de psychologie comparée aussi intéressant qu'inédit que celui qui noterait, étape par étape, la marche des différentes races européennes vers cette négation définitive de tous les efforts de tous les siècles. Il semble que du sang à demi asiatique des Slaves monte à 20 leur cerveau une vapeur de mort qui les précipite à la destruction, comme à une sorte d'orgie sacrée. Tourguéniev [1] disait à propos des nihilistes militants: « Ils ne croient à rien, mais ils ont besoin du martyre . . . » La longue série des spéculations métaphysiques sur la cause inconsciente 25 des phénomènes est nécessaire à l'Allemand pour qu'il formule, en dépit de son positivisme pratique, la désolante inanité de l'ensemble de ces phénomènes.[2] Chez les Français, et malgré la déviation extraordinaire de notre tempérament national depuis cent années, le pessimisme n'est 30 qu'une douloureuse exception, de plus en plus fréquente, il est vrai, mais toujours créée par une destinée d'exception.

[1] Romancier russe (1818–1883).

[2] Doctrines de Schopenhauer (1788–1860) auteur du *Monde comme volonté et comme représentation*, et de *Hartmann* (1842–1906) auteur de la *Philosophie de l'inconscient*.

Ce n'est que la réflexion individuelle qui amène plusieurs
d'entre nous, et malgré l'optimisme héréditaire, à la négation suprême.　Baudelaire est un des cas les plus réussis
de ce travail particulier.　Il peut être donné comme l'exem-
5 plaire achevé d'un pessimiste parisien, deux mots qui
eussent juré[1] étrangement jadis d'être accouplés.　La
critique les emploie aujourd'hui couramment.

Et d'abord, c'est un pessimiste, ce qui le distingue nettement des sceptiques tendres comme Alfred de Vigny.　Du
10 pessimiste il a le trait fatal, le coup de foudre satanique,
diraient les chrétiens: l'horreur de l'Être, et le goût, l'appétit furieux du Néant.　C'est bien, chez lui, le Nirvâna[2]
des Hindous retrouvé au fond des névroses modernes et
invoqué, par suite, avec les sursauts d'énervement d'un
15 homme dont les ancêtres ont agi, au lieu d'être contemplé
avec la sérénité hiératique[3] d'un fils du torride soleil[4]:

Morne esprit, autrefois amoureux de la lutte,
L'Espoir dont l'éperon attisait ton ardeur
Ne veut plus t'enfourcher.　Couche-toi sans pudeur,
20 Vieux cheval dont le pied à chaque obstacle bute.

Résigne-toi, mon cœur, dors ton sommeil de brute . . .

Il faut lire particulièrement, et dans leur détail, les
pièces des *Fleurs du mal* numérotées LXXVIII, LXXIX,
LXXX, et intitulées *Spleen;* l'avant-dernière strophe dans
25 la pièce numérotée LXXXX et intitulée *Madrigal triste,*[5]
et tout l'admirable morceau qui clôt le recueil: *Le voyage.*

Pour ne pas oublier la chose capitale,
Nous avons vu partout et sans l'avoir cherché,
Du haut jusques en bas de l'échelle fatale,
30 　*Le spectacle ennuyeux de l'immortel péché* . . .

[1] Ici, *jarred.*
[2] *Nirvâna*, doctrine hindoue de l'annihilation.
[3] « Qui a les formes d'une tradition religieuse » (*Larousse*).
[4] Fils de l'Inde.
[5] Ces poèmes sont cités plus haut, *Chap.*, Baudelaire.

De ces vers s'exhale, non plus la lamentation du regret qui pleure le bonheur perdu, ou du désir qui implore le bonheur lointain, mais l'amère et définitive malédiction jetée à l'existence par le vaincu qui sombre dans l'irréparable nihilisme, — au sens français du terme, cette fois,[1] — et il 5 suffit de reprendre un par un les éléments psychologiques dont nous avons reconnu l'influence sur la conception de l'amour chez le poète, pour reconstituer l'histoire de ce « goût du néant » chez le catholique révolté, devenu un libertin analyseur. 10

*

Bourget devait appliquer son talent d'analyste à un nombre considérable de « cas » psychologiques, parfois sous forme de simples esquisses, comme dans ses *Pastels*, *Dix portraits de femmes*, et *Nouveaux pastels*, *Dix portraits d'hommes*, dans ses *Études et portraits*, dans ses *Anomalies;* mais le plus souvent sous forme de romans et de nouvelles dans lesquels la tournure des événements indique généralement l'attitude de Bourget lui-même devant le problème posé; ses dénouements sont presque toujours des conclusions. Bourget est considéré comme le grand représentant du « roman psychologique » moderne. On compte souvent parmi ses plus illustres précurseurs: Madame de LaFayette, auteur de *La princesse de Clèves* (1678), Choderlos de Laclos, l'auteur des *Liaisons dangereuses* (1782), Benjamin Constant, l'auteur d'*Adolphe* (1806, publié en 1816), Fromentin, l'auteur de *Dominique* (1863), mais surtout Stendhal, l'auteur de *Le rouge et le noir* (1831) auquel il consacra un de ses *Essais de psychologie contemporaine*.[2] Il avait, cependant, même sur Stendhal, un grand avantage, celui de pouvoir profiter d'un demi-siècle au moins de recherches importantes dans le domaine des phénomènes psychologiques. Un élément tout nouveau consistait à faire intervenir la partie physiologique de l'amour dans ses récits; c'était une grande audace pour l'époque de montrer que l'amour physique joue un rôle souvent plus grand que l'élément sentimental et romanesque toujours

---

[1] C'est à dire, désespéré *sans remède*, tandis que le nihilisme russe était simplement annihilation des idéaux *présents* en vue d'autres considérés comme réalisables.

[2] On trouvera une défense du « roman psychologique » dans une Préface que Bourget publia en tête de son roman *Terre promise* (1892).

considéré jusqu'alors. Bourget profitait des analyses de Taine, de même que, plus tard, les auteurs de romans psychologiques comme Marcel Proust ou D. H. Lawrence allaient profiter des révélations du docteur viennois Freud. On peut dire que Bourget lui-même est un précurseur du Dr. Freud. (V. les pages 96–103 de Feuillerat, *livre cité*.)

Le premier roman important de Bourget fut *Cruelle énigme* (1885) qui se rattache encore nettement au Bourget des *Essais de psychologie contemporaine*. C'est une analyse très touffue et fouillée des facteurs variés qui conduisent à l'amour, et qui contient en germe tous les romans suivants; et déjà les préoccupations morales sont très évidentes. Mais c'est depuis *Crime d'amour* (1886), que l'on observe un tournant décidé dans la carrière de Bourget et que le moraliste Bourget prendra le pas sur le Bourget psychologue, quoique avec des retours occasionnels vers les tendances premières. On le verra encore mieux dans *Mensonges* (1887): Une femme est mariée depuis bien des années avec un mari qui a en elle une confiance aveugle; elle accepte, cependant, d'un amant riche l'argent nécessaire pour vivre une vie de luxe. Puis, elle rencontre un jeune poète qu'elle séduit par ses ruses de femme; un jour il voit la vérité; mais il est attaché à cette créature par la passion irrésistible; il ne peut se résoudre à la quitter; et quand elle refuse de renoncer à sa vie à elle pour vivre le rêve d'amour sentimental, il tente de se suicider; la solution du problème — par le refuge dans les bras de l'Église — est déjà indiqué.

Deux ans plus tard, Bourget publia celui de ses romans qui est demeuré le plus célèbre et qui marque une date dans l'histoire de la littérature française. Cette fois l'attitude d'opposition au positivisme est complète: *Le disciple* (1889). Quoique la philosophie en soit toute différente, l'histoire du *Disciple* rappelle beaucoup celle de *Le rouge et le noir;* elle a été comme celle de Stendhal, suggérée par un évènement réel qui avait beaucoup ému l'opinion publique.[1]

---

[1] *L'affaire Chambige:* Celui-ci, homme assez connu dans la société cultivée de Paris et dans les milieux littéraires, avait gagné l'amour d'une femme, mère de deux enfants; celle-ci avait fait promettre solennellement à Chambige de la tuer si elle cédait à ses prières. Il l'avait tuée en effet; il prétendait avoir voulu la suivre dans la tombe, mais l'accusation prétendait qu'il s'était manqué volontairement. L'homme de loi qui prépara le dossier pour la défense fut celui qui devait devenir plus tard le grand bâtonnier, Maître Henri-Robert; c'était sa première cause; son client s'en tira avec sept ans de travaux forcés commués en sept ans de réclusion simple. Chambige mourut oublié en 1909. Pour une autre affaire, « l'affaire Lebiez » qui aurait d'abord lancé Bourget dans l'étude de cas où la volonté d'une personne est subjuguée par celle d'une autre, v. le livre cité d'A.

Le disciple

Bourget en fit le roman suivant: Robert Greslou est enthousiasmé par l'enseignement d'un philosophe positiviste, M. Sixte; comme lui, il ne veut connaître que la vie du cerveau et la doctrine du déterminisme universel régnant dans le domaine de l'esprit aussi bien que dans celui de la matière; et il cède au désir criminel de tenter une expérience psychologique ayant pour sujet une jeune fille. Il avait été appelé comme précepteur dans la famille de M. de Jussat; c'est la sœur de son jeune élève qui sera sa victime; il exerce sur elle le pouvoir que lui donne la connaissance des lois qui régissent les actions des hommes. Le résultat est le suicide de la jeune fille qui a été déshonorée et la vengeance par le frère, capitaine dans l'armée. Robert Greslou avait été arrêté et accusé d'avoir empoisonné sa victime; or, le capitaine de Jussat a appris, par une confession écrite par sa sœur qu'elle s'était empoisonnée elle-même; sa conscience l'oblige à faire acquitter Greslou par le tribunal comme n'étant pas *légalement* responsable de la mort de Mlle de Jussat, mais ensuite il va abattre comme un chien, d'un coup de pistolet, celui qui est *moralement* responsable à ses yeux. Il faut ajouter que Robert Greslou est lui-même ému dans tout son être par la tragédie; dans son angoisse morale, il s'adresse à son maître, M. Sixte: celui-ci peut-il confirmer que, selon la doctrine du déterminisme universel, lui, Greslou est innocent *moralement* aussi? Greslou écrit donc toute son histoire dans la prison en attendant le jour du jugement et il envoie sa mère porter le manuscrit — qui remplit la grande partie du livre. Il est impossible à M. Sixte de ne pas poser à son tour le problème de sa responsabilité à lui. Il est plongé dans le même abîme de doute que Greslou, et que le lecteur du livre: la voix de la conscience parle plus haut que toute conviction fondée sur des doctrines philosophiques. « Je doute avec mon cœur de ce que mon esprit reconnaît comme vrai » écrira Greslou en matière de conclusion.

On trouvera dans le livre de V. Giraud (*cité*) l'effet que produisit ce roman sur la génération d'adolescents de ces années-là: « *Le disciple*, est-il dit, marque le moment précis où la génération à laquelle appartient Bourget se détache de la génération précédente. À cette génération nouvelle, le livre a donné conscience d'elle-même. Il a dressé en face l'un de l'autre Anatole France [1] et Ferdinand Brunetière [2]; à l'un selon le mot si juste de Jules Lemaître, il a (*fait sortir*

Austin, Ch. IV; mais pour tout ce qui concerne *Le disciple* voir surtout Feuillerat, *livre cité*, pp. 135–148, et passim.

[1] Deux articles dans *Le Temps*, 23 juin et 7 juillet 1889.

[2] *Revue des Deux Mondes*, 1 juillet, 1889.

(*tout le XVIII*ᵉ *siècle qu'il avait dans le sang*); chez l'autre il a
(*fait surgir le chrétien qui s'est développé depuis*). À toute une jeunesse
nourrie de Renan et de Taine, et qui mêlant le stoïcisme de l'un et
l'épicuréisme de l'autre, s'orientait, sans bien le savoir vers un dangereux dilettantisme, il a fait entendre un bienfaisant cri d'alarme;
il lui a révélé le sérieux de la pensée, le sens infiniment grave de la
vie. »

Il est certain que Bourget lui-même avait bien conscience de la
gravité du problème qu'il soulevait. L'éloquente *Lettre à un jeune
homme* qui sert de « Préface » est un véritable manifeste. En voici
de substantiels extraits:

À un jeune homme

C'est à toi que je veux dédier ce livre, jeune homme de
mon pays, à toi que je connais si bien quoique je ne sache
de toi ni ta ville natale, ni ton nom, ni tes parents, ni ta
fortune, ni tes ambitions — rien sinon que tu as plus de
5 dix-huit ans et moins de vingt-cinq, et que tu vas, cherchant dans nos volumes, à nous tes aînés, des réponses
aux questions qui te tourmentent. Et des réponses ainsi
rencontrées dans ces volumes dépend un peu de ta vie morale, un peu de ton âme; — et ta vie morale, c'est la vie
10 morale de la France même; ton âme, c'est son âme. Dans
vingt ans d'ici, toi et tes frères, vous aurez en main la
fortune de cette vieille patrie, notre mère commune. Vous
serez cette patrie elle-même. Qu'auras-tu recueilli,
qu'aurez-vous recueilli dans nos ouvrages? Pensant à
15 cela, il n'est pas d'honnête homme de lettres, si chétif
soit-il, qui ne doive trembler de responsabilité . . .

Tu trouveras dans *Le disciple* l'étude d'une de ces re-
sponsabilités-là. Puisses-tu y acquérir une preuve que
l'ami qui t'écrit ces lignes possède, à défaut d'autre mérite,
20 celui de croire profondément au sérieux de son art. —
Puisses-tu trouver dans ces lignes mêmes la preuve qu'il
pense à toi, anxieusement. Oui, il pense à toi, et cela depuis
bien longtemps, depuis les jours où tu commençais d'apprendre à lire, alors que nous autres, qui marchons aujour-

d'hui vers notre quarantième année, nous griffonnions nos
premiers vers et notre première page de prose au bruit du
canon qui grondait sur Paris.[1] Dans nos chambrées d'écoliers on n'était pas gai à cette époque. Les plus âgés d'entre
nous venaient de partir pour la guerre, et nous qui devions 5
rester au collège, du fond de nos classes à demi désertes,
nous sentions peser sur nous le grand devoir du relèvement
de la Patrie.

Nous t'évoquions souvent alors, dans cette fatale année
1871, jeune Français de maintenant, — nous tous qui 10
voulions vouer notre effort aux Lettres. Mes amis et moi,
nous répétions les beaux vers de Théodore de Banville:

> Vous en qui je salue une nouvelle aurore,
> Vous tous qui m'aimerez,
> Jeunes hommes des temps qui ne sont pas encore, 15
> Ô bataillons sacrés !

Cette aurore de demain, nous la voulions aussi rayonnante que notre aurore à nous était mélancolique et em-
brumée d'une vapeur de sang. Nous souhaitions mériter
d'être aimés par vous, nos cadets nés de la veille, en vous 20
laissant de quoi valoir mieux que nous ne valions nous-
mêmes. Nous nous disions que notre œuvre, à nous, était
de vous refaire, à vous, une France nouvelle, par notre
action privée et publique, par nos actes et par nos paroles, par notre ferveur et par notre exemple, une France 25
rachetée de la défaite, une France reconstruite dans sa vie
extérieure et dans sa vie intérieure. Tout jeunes que nous
fussions alors, nous savions, pour l'avoir appris dans nos
maîtres, — et ce fut leur meilleur enseignement, — que les
triomphes et les défaites du dehors traduisent les qualités 30
et les insuffisances du dedans. Nous savions que la résurrection de l'Allemagne, au début du siècle,[2] a été avant

---

[1] Siège de Paris, 1870–1871.
[2] Après l'ère révolutionnaire en Europe et les guerres napoléon-
niennes.

tout une *œuvre d'âme*, et nous nous rendions compte que l'Âme Française était bien la grande blessée de 1870, celle qu'il fallait aider, panser, guérir . . .

De cette génération dont je suis, et que soulevait ce
5 noble espoir de refaire la France, je ne peux pas dire qu'elle ait réussi, ni même qu'elle ait été assez uniquement préoccupée de son œuvre. Ce que je sais, c'est qu'elle a beaucoup travaillé, — oui, beaucoup. Sans trop de méthode, hélas! mais avec une application continue. ० ० ०

10 Comment vivra-t-elle par toi, c'est la question qui tourmente à l'heure actuelle ceux de ces aînés qui ont gardé, malgré tout, la foi dans le relèvement du pays . . . Lorsque tu le vois, cet Arc de triomphe, et que tu te souviens de l'épopée de la Grande Armée,[1] regrettes-tu de n'avoir pas
15 dans tes cheveux le souffle héroïque des conscrits d'alors? Quand tu te souviens de la Restauration et des luttes du Romantisme, éprouves-tu la nostalgie de n'avoir pas, comme ceux d'*Hernani*, un grand drapeau littéraire à défendre? Sens-tu, quand tu rencontres un des maîtres
20 d'aujourd'hui, un Dumas, un Taine, un Leconte de Lisle, une émotion à penser que tu as là devant toi un des dépositaires du génie de la race? ० ० ० As-tu de l'idéal, enfin, plus d'idéal que nous; de la foi, plus de foi que nous; de l'espérance, plus d'espérance que nous? — Si c'est *oui*, donne-
25 moi la main, et laisse-moi te dire: merci. — Si c'est *non?* . . .

Si c'est *non?* . . . — Il y a deux types de jeunes gens que je vois devant moi à l'heure présente, et qui sont devant toi aussi comme deux formes de tentations, également re
30 doutables et funestes. — L'un est cynique et volontiers jovial. Il a, dès vingt ans, fait le décompte [2] de la vie, et sa religion tient dans un seul mot: jouir, — qui se traduit par cet autre: réussir. Qu'il fasse de la politique ou des affaires, de la littérature ou de l'art, du sport ou de l'in-

[1] Nom donné à l'armée glorieuse de Napoléon.
[2] *Reckoning.*

dustrie; qu'il soit officier, diplomate ou avocat, il n'a que lui-même pour dieu, pour principe et pour fin. Il a emprunté à la philosophie naturelle de ce temps la grande loi de la concurrence vitale, et il l'applique à l'œuvre de sa fortune avec une ardeur de positivisme qui fait de lui un barbare civilisé, la plus dangereuse des espèces. Alphonse Daudet, qui a su merveilleusement le voir et le définir, ce jeune homme moderne, l'a baptisé *struggle-for-lifer*, — et lui-même, ce personnage s'appelle volontiers « fin de siècle ». Il n'estime que le succès, — et dans le succès que l'argent. Il est convaincu, en lisant ce que j'écris ici, — car il me lit comme il lit toutes choses, ne fût-ce que pour être « dans le train », — que je me moque du public en traçant ce portrait, et que moi-même je lui ressemble. Il est si profondément nihiliste à sa manière, que l'idéal lui paraît une comédie chez tout autre, comme il en serait, comme il en est une chez lui, quand il juge à propos, par exemple, de se grimer [1] en socialiste, de mentir au peuple pour avoir ses votes. Ce jeune homme-là, c'est un monstre, n'est-ce pas? Car c'est être un monstre que d'avoir vingt-cinq ans et, pour âme, une machine à calcul au service d'une machine à plaisir.

Je le redoute moins cependant pour toi que cet autre qui a, lui, toutes les aristocraties des nerfs, toutes celles de l'esprit, et qui est un épicurien intellectuel et raffiné, comme le premier était un épicurien brutal et scientifique. Ce nihiliste délicat, comme il est effrayant à rencontrer et comme il abonde! A vingt-cinq ans, il a fait le tour [2] de toutes les idées. Son esprit critique, précocement éveillé, a compris les résultats derniers des plus subtiles philosophies de cet âge. Ne lui parlez pas d'impiété, de matérialisme. Il sait que le mot *matière* n'a pas de sens précis, et il est d'autre part trop intelligent pour ne pas admettre que toutes les religions ont pu être légitimes à leur heure.

---

[1] *Make up, disguise.*
[2] *Examined and dismissed.*

Seulement, il n'a jamais cru, il ne croira jamais à aucune, pas plus qu'il ne croira jamais à quoi que ce soit, sinon au jeu amusé de son esprit qu'il a transformé en un outil de perversité élégante. Le bien et le mal, la beauté et la laideur, le vice et la vertu lui paraissent des objets de simple curiosité. L'âme humaine tout entière est, pour lui, un mécanisme savant et dont le démontage l'intéresse comme un objet d'expérience. Pour lui, rien n'est vrai, rien n'est faux, rien n'est moral, rien n'est immoral. ....Sa corruption est autrement profonde que celle du jouisseur barbare; elle est autrement compliquée, et le beau nom d'intellectualisme dont il la pare en dissimule la férocité froide, la sécheresse affreuse. Nous le connaissons trop bien, ce jeune homme-là; nous avons tous failli l'être, nous que les paradoxes d'un maître trop éloquent[1] ont trop charmés; nous l'avons tous été un jour, une heure; nous le sommes encore dans nos mauvais moments. Et si j'ai écrit ce livre, c'est pour te montrer, enfant de vingt ans chez qui l'âme est en train de se faire, c'est pour me montrer à moi-même ce que cet égoïsme-là peut cacher de scélératesse au fond de lui.

Ne sois ni l'un ni l'autre de ces deux jeunes hommes, jeune Français d'aujourd'hui. Ne sois ni le positiviste brutal qui abuse du monde sensuel, ni le sophiste dédaigneux et précocement gâté qui abuse du monde intellectuel et sentimental. Que ni l'orgueil de la vie, ni celui de l'intelligence ne fassent de toi un cynique et un jongleur d'idées! Dans ces temps de conscience troublée et de doctrines contradictoires, attache-toi, comme à la branche de salut, à la phrase sacrée: « Il faut juger l'arbre par ses fruits ». Il y a une réalité dont tu ne peux douter, car tu la possèdes, tu la sens, tu la vis à chaque minute: c'est ton âme. .... La science d'aujourd'hui, la sincère, la modeste, reconnaît qu'au terme de son analyse s'étend le domaine de l'Inconnaissable. Le vieux Littré, qui fut presque un

_____
[1] Renan ou Taine.

saint, a magnifiquement parlé de cet océan de mystère qui
bat notre rivage, que nous voyons devant nous, réel, et
pour lequel nous n'avons ni barque ni voile.   A ceux qui te
diront que derrière cet océan de mystère il y a le vide,
l'abîme du noir et de la mort, aie le courage de répondre: 5
« Vous ne le savez pas ». ₒ ₒ ₒ

Paris, 5 juin 1889.   P. B.

M. Sixte

Il était petit-fils d'un horloger de Nancy, et avait à 29 ans publié
un gros volume de 500 pages [inspiré de Mill, Renan et Taine]
intitulé *Psychologie de Dieu* qui eut « la fortune inattendue d'un
scandaleux retentissement », un livre « d'une analyse critique, aiguë
jusqu'à la cruauté, et d'une ardeur dans la négation exaltée jusqu'au
fanatisme». Il avait ensuite donné encore deux autres livres, *Anatomie
de la volonté* et *Théorie des passions*.   On y lisait par exemple: « Tout
acte n'est qu'une addition.   Dire qu'il est libre, c'est dire qu'il y a
dans un total plus qu'il n'y a dans les éléments additionnés.   Cela
est aussi absurde en psychologie qu'en arithmétique ».   Et ailleurs:
« Si nous connaissions vraiment la position relative de tous les phénomènes qui constituent l'univers actuel — nous pourrions, dès à
présent, calculer avec une certitude égale à celle des astronomes le
jour, l'heure, la minute où l'Angleterre par exemple évacuera les
Indes, où l'Europe aura brûlé son dernier morceau de houille, où
tel criminel encore à naître assassinera son père, où tel poème encore
à concevoir sera composé.   Tout l'avenir tient dans le présent comme
toutes les propriétés du triangle tiennent dans sa définition . . . le
fatalisme mahométan ne s'est pas exprimé avec une précision plus
absolue ».

Alors, après avoir lu le manuscrit de son disciple, vient la « crise
morale terrible » qui assaille M. Sixte:

Depuis la mort de sa mère, il n'avait pas connu d'heures
aussi dures, et du moins la souffrance infligée alors par l'irréparable séparation était demeurée toute sentimentale;
au lieu que la lecture du mémoire [1] de Robert Greslou avait   10
du coup atteint le philosophe dans le centre même de son
être, au plus profond de cette vie intellectuelle, sa seule

[1] *Memorandum, account.*

raison d'exister. Au moment où il donnait à Mariette[1] l'ordre de préparer sa valise[2] pour son départ, il était aussi pénétré d'épouvante que dans la nuit où il feuilletait ce cahier de confidences. Elle avait commencé, cette épou-
5 vante consternée, dès les premières pages de ce récit où une criminelle aberration d'âme était étudiée, comme étalée, avec un tel mélange d'orgueil et de honte, de cynisme et de candeur, d'infamie et de supériorité. A rencontrer la phrase où Robert Greslou se déclarait lié à lui
10 par un lien aussi étroit qu'imbrisable, le grand psychologue avait tressailli et il avait tressailli de même à chaque rappel nouveau de son nom dans cette singulière analyse, à chaque citation d'un de ses ouvrages qui lui prouvait le droit de cet abominable jeune homme à se dire son élève. Une fascina-
15 tion faite d'horreur et de curiosité l'avait contraint d'aller d'un trait jusqu'au bout de ce fragment de biographie dans lequel ses idées, ses chères idées, sa Science, sa chère Science, apparaissaient unies à des actes honteux. ₀ ₀ ₀ Cette impression fut d'autant plus violente qu'elle fut subite.
20 Un médecin de grand cœur éprouverait une angoisse d'un ordre analogue si, ayant établi la théorie d'un remède, il apprenait qu'un de ses internes en a essayé l'application et que toute une salle d'hôpital est à l'agonie. Avoir fait le mal le sachant et le voulant, c'est bien amer pour un
25 homme dont la conscience vaut mieux que ses actes. Mais avoir dévoué trente années à une œuvre, avoir cru cette œuvre utile, l'avoir poursuivie sincèrement, simplement, avoir repoussé comme injurieuses les accusations d'immoralité lancées par des adversaires passionnés, s'être tendu à ne
30 jamais douter de son esprit, et, tout d'un coup, à la lumière d'une révélation foudroyante, tenir une preuve indiscutable, une preuve réelle comme la vie même, que cette œuvre a empoisonné une âme, qu'elle portait en elle un principe de mort, qu'elle répand à l'heure présente ce principe dans
35 tous les coins du monde, — la cruelle secousse à recevoir,

---

[1] Sa servante.   [2] Pour son départ pour le jugement, à Riom.

et la cruelle blessure, quand la secousse ne devrait durer qu'une heure et la blessure se fermer aussitôt!○○○

Derrière les mots écrits sur le papier, il entendait cette voix un peu sourde qui lui prononçait la terrible phrase: « J'ai vécu avec votre pensée et de votre pensée, si pas- 5 sionnément, si complètement... » Et les mots de la confession, au lieu de rester de simples caractères, écrits avec l'encre froide sur l'inerte papier, s'animaient ainsi en paroles derrière lesquelles il sentait palpiter un être.○○○ Quand cette mère lui avait crié: « Vous avez corrompu 10 mon fils... » — car elle le lui avait crié, — sa sérénité de savant avait à peine été touchée.[1] Pareillement il n'avait opposé que le mépris aux accusations du vieux Jussat, répétées par le juge, et à la phrase de ce dernier sur la responsabilité morale. Comme il était sorti tranquille, in- 15 téressé même et presque allègre, du Palais de Justice! Et maintenant cette force de mépris, il ne la retrouvait plus en lui; cette sérénité, elle était vaincue, et lui, le négateur de toute liberté; lui, le fataliste qui décomposait la vertu et le vice avec la brutalité d'un chimiste étudiant un gaz[2]; 20 lui, le prophète hardi de l'universel mécanisme, et qui jusqu'alors avait toujours connu l'harmonie parfaite de son cœur et de son esprit, il souffrait d'une souffrance en contradiction avec toutes ses doctrines: — il était comme son disciple, il avait des remords, il se sentait responsable! 25

Le dernier entretien de Robert Greslou avec sa victime, et fin de la confession

Mlle de Jussat a appris la vilenie dont elle avait été la victime et comment, lorsqu'ils avaient fait le pacte de commettre un double

[1] La mère avait apporté le manuscrit de la confession et avait en effet accusé M. Sixte dans une scène dramatique; de même le juge d'instruction [*Public attorney*] avait insinué que le grand savant était responsable — mais M. Sixte avait gardé sa sérénité.

[2] Allusion très nette au mot de Taine: « La vertu et le vice... » V. vol. I, page 41.

suicide, Greslou n'avait jamais songé à le tenir pour sa part, mais considérait cette promesse comme une partie de son horrible entreprise. Elle lui annonce qu'elle tiendra le pacte, et en même temps elle lui témoigne un si profond mépris pour sa lâcheté qu'il ne pourra pas demeurer un jour de plus sous ce toit.

« Voici donc ce que je décidai. Le marquis [de Jussat, père de la jeune fille] m'avait prié de prolonger mon séjour jusqu'au 15 novembre. Nous allions être au 3. J'annonçai, au matin de ce fatal 3 novembre que je venais de rece-
5 voir de ma mère une lettre un peu inquiétante, puis dans la journée je racontai qu'une mauvaise dépêche avait encore augmenté mes inquiétudes. Je demandai donc à M. de Jussat la permission de partir pour Clermont dès le lendemain et à la première heure, ajoutant que, si je ne revenais pas,
10 l'on voulût bien faire une caisse des objets que je laissais et me les renvoyer. Je tins ce discours devant Charlotte, assuré qu'elle le traduirait par sa vraie signification: ‹ Il s'en ‹ va pour ne plus revenir. › Je comptais que la nouvelle de cette séparation définitive la remuerait, et, voulant pro-
15 fiter aussitôt de cette émotion, j'eus l'audace de lui écrire un nouveau billet, ces deux lignes seulement: ‹ Sur le ‹ point de vous quitter à jamais, j'ai le droit de vous de- ‹ mander une dernière entrevue. Je viendrai chez vous à ‹ onze heures. › Il fallait qu'elle ne pût pas me renvoyer
20 ce billet sans le lire. Je le posai donc tout ouvert sur sa table de nuit, au risque de me perdre et de la perdre si la femme de chambre y jetait les yeux. Ah ! comme mon cœur battait lorsque, à onze heures moins cinq minutes, je m'acheminai vers sa porte et que j'appuyai sur le loquet !
25 Le verrou n'était pas mis. Elle m'attendait. Je vis au premier regard que la lutte serait dure. Sa physionomie disait trop clairement qu'elle ne m'avait pas laissé venir pour me pardonner. Elle portait sa robe du soir en étoffe sombre, et jamais l'éclair de ses yeux n'avait été plus fixe,
30 plus implacablement fixe et froid.

« — ‹ Monsieur, fit-elle dès que j'eus refermé la porte et

‹ comme j'étais là immobile, j'ignore ce que vous avez l'in-
‹ tention de me dire, je l'ignore et je ne veux pas le sa-
‹ voir ... Ce n'est pas pour vous écouter que je vous ai
‹ laissé entrer. Je vous le jure, — et je sais tenir ma parole,
‹ moi, — si vous faites un pas en avant et si vous essayez 5
‹ de me parler, j'appelle et je vous fais jeter dehors comme
‹ un voleur ... ›

« En prononçant ces mots, elle avait posé son doigt sur le
bouton de la sonnette électrique placée au chevet de son
lit. Son front, sa bouche, son geste, sa voix, traduisaient 10
une telle résolution que je dus me taire. Elle continua:

« — ‹ Vous m'avez, monsieur, fait commettre trois ac-
‹ tions indignes ... La première a eu pour excuse que je ne
‹ vous ai pas cru capable d'une infamie comme celle que
‹ vous avez employée ... D'ailleurs, je saurai l'expier, 15
‹ ajouta-t-elle comme se parlant à elle-même. ‹ La se-
‹ conde? Je ne lui cherche pas d'excuse ... Et son visage
‹ s'empourpra d'un flot de honte. Il m'a été trop insup-
‹ portable de penser que vous aviez agi ainsi. J'ai voulu
‹ être sûre de ce que vous étiez. J'ai voulu vous con- 20
‹ naître ... Vous m'aviez dit que vous teniez votre jour-
‹ nal ... J'ai voulu le lire ... Je l'ai lu ... Je suis entrée
‹ chez vous quand vous n'y étiez pas. J'ai fouillé vos
‹ papiers. J'ai forcé la serrure d'un cahier ... Oui, moi,
‹ j'ai fait cela! ... J'en ai été trop punie, puisque j'ai lu 25
‹ dans ces pages ce que j'y ai lu ... La troisième ... En
‹ vous la disant j'acquitte la dette que j'ai contractée avec
‹ vous par la seconde. La troisième ... et elle hésita, sous
‹ le coup de l'indignation qui m'a saisie, j'ai écrit à mon
‹ frère. Il sait tout ›. 30

« — ‹ Ah! m'écriai-je, vous êtes perdue ... ›

« — ‹ Vous savez ce que j'ai juré, interrompit-elle, et,
‹ mettant de nouveau la main sur la sonnette: Taisez-
‹ vous ... Je ne peux plus me perdre, continua-t-elle, et
‹ personne ne fera plus rien ni pour ni contre moi. Mon 35
‹ frère saura cela aussi, et ce que j'ai résolu. La lettre lui

‹ arrivera demain matin. Je devais vous prévenir, puis-
‹ que vous tenez à votre vie. Et maintenant, allez-
‹ vous-en . . . ›

    « — ‹ Charlotte . . . implorai-je. ›

5   « — ‹ Si dans une minute vous n'êtes pas sorti, dit-elle
‹ en regardant la pendule, j'appelle. › »

*　　*　　*

« Et j'obéis ! Le lendemain, dès six heures, je quittai le
château, en proie aux plus sinistres pressentiments, essayant en vain de me persuader que cette scène ne serait
10 pas suivie d'effet, que le comte André arriverait assez tôt
pour la sauver d'une résolution désespérée, qu'elle-même,
au dernier moment, elle hésiterait; qu'un incident inconnu
surviendrait . . . que sais-je ? ∘∘∘ J'arrivai à Clermont,
dévoré d'une anxiété qui ne fut pas de longue durée,
15 puisque j'appris le suicide de Mlle de Jussat et que je fus
arrêté, coup sur coup. Dès les premiers mots du juge
d'instruction, j'ai reconstitué tous les détails de ce suicide:
Charlotte a pris dans la fiole de poison achetée par moi [1] ce
qu'elle a cru devoir suffire à sa mort. Elle a fait cela le
20 jour même où elle a lu mon journal. J'ai retrouvé en effet
la serrure du cahier forcée. Je ne m'en étais seulement
pas aperçu, tant j'avais l'âme ailleurs qu'à ces notes stériles.
Elle eut soin, pour détourner mes soupçons, de remplacer
par de l'eau la quantité de noix vomique ainsi dérobée.
25 Elle a jeté le flacon qui lui avait servi par la fenêtre, parce
qu'elle n'a pas voulu que son père ou sa mère apprissent
son suicide autrement que par son frère. Et moi qui savais
toute la vérité sur cet horrible drame, moi qui pouvais du
moins donner mon journal comme une présomption de mon
30 innocence, je l'ai détruit, ce journal, au sortir de mon premier interrogatoire; j'ai refusé de parler, de me défendre. ∘∘∘

[Maintenant] je vous ai tout dit à vous, mon vénéré

----

[1] En vue du double suicide.

maître, je vous ai ouvert le fond et l'arrière-fond de mon
être intime, et en confiant ce secret à votre honneur, je
sais trop à qui je m'adresse pour même insister sur la promesse que j'ai pris le droit d'exiger de vous à la première
feuille de ce cahier. Mais, voyez-vous, ce silence m'étouffe; 5
j'étouffe de ce poids que j'ai là toujours, toujours sur moi.
Pour tout vous dire d'un mot, et appliqué à ma sensation,
il est légitime, comme cette sensation même, j'étouffe de
remords. J'ai besoin d'être compris, consolé, aimé; qu'une
voix me plaigne et me dise des paroles qui dissipent les 10
fantômes. J'avais dressé en esprit, quand j'ai commencé
ces pages, une liste des questions que je voulais vous poser
à la fin. Je m'étais flatté que j'arriverais à vous raconter
mon histoire comme vous exposez vos problèmes de psychologie dans vos livres que j'ai tant lus, et je ne trouve 15
rien à vous dire que le mot du désespoir: ‹ *De profundis!* › [1]
Écrivez-moi, mon cher maître, dirigez-moi. Renforcez-
moi dans la doctrine qui fut, qui est encore la mienne, dans
cette conviction de l'universelle nécessité qui veut que
même nos actions les plus détestables, les plus funestes, 20
même cette froide entreprise de séduction, même ma faiblesse devant le pacte de mort, se rattachent à l'ensemble
des lois de cet immense univers. Dites-moi que je ne suis
pas un monstre, que vous serez encore là, si je sors de cette
crise suprême, à me vouloir comme disciple, comme ami. 25
Si vous étiez un médecin, et qu'un malade vînt vous montrer sa plaie, vous le panseriez par humanité. Vous êtes
un médecin aussi, un grand médecin des âmes. La mienne
est bien profondément blessée, bien saignante. Je vous en
supplie, une parole qui la soulage, une parole, une seule, et 30
vous serez à jamais béni de votre fidèle,

« Robert Greslou. »

---

[1] *De profundis clamavi.* Des profondeurs de l'abîme j'ai crié:
premiers mots d'un psaume (129) de pénitence, incorporé dans les
prières pour les morts.

Justice doit être faite

Le capitaine de Jussat est allé lui-même à la cour d'assises, au moment où Robert de Greslou — qui avait donc refusé de se défendre — allait être condamné comme juridiquement responsable de meurtre, pour proclamer l'innocence légale de l'accusé. Puis il « fait justice » du point de vue moral.

Greslou, acquitté, était allé à l'hôtel avec sa mère. Le capitaine s'y rendit à son tour:

Robert le reconnut et marcha droit sur lui.

— Vous avez à me parler, monsieur? lui demanda-t-il — Je suis à vos ordres pour telle réparation qu'il vous conviendra d'exiger de moi . . . »

5 — Non, monsieur, répondit André de Jussat, on ne se bat pas avec les hommes comme vous, on les exécute.

Il tira son revolver de sa poche, et comme l'autre, au lieu de fuir, se tenait devant lui et semblait lui dire: « Osez », il lui logea une balle dans la tête. On entendit,
10 à la fois, de l'hôtel, le bruit de la détonation, un cri d'agonie, et, quand on accourut, on trouva le comte André, debout contre le mur, qui jeta son arme, et, croisant les bras, dit simplement, en montrant le corps de l'amant de sa sœur à ses pieds:

15 — J'ai fait justice.

Et il se laissa arrêter sans résistance. ₒ ₒ ₒ

*

Durant la nuit qui suivit cette scène tragique, certes, les admirateurs de la *Psychologie de Dieu*, de la *Théorie des passions*, de l'*Anatomie de la volonté*, eussent été bien éton-
20 nés s'ils avaient pu voir ce qui se passait dans la chambre n° 3 de l'hôtel du Commerce, et lire dans la pensée de leur implacable et puissant Maître. Au pied du lit où reposait un mort, le front bandé, se tenait agenouillée la mère de Robert Greslou. Le grand négateur, assis sur une chaise,
25 regardait tour à tour cette femme prier, et ce mort qui avait été son disciple dormir du sommeil dont dormait

aussi Charlotte de Jussat; et, pour la première fois, sentant
sa pensée impuissante à le soutenir, cet analyste presque
inhumain à force de logique s'humiliait, s'inclinait, s'abî-
mait devant le mystère impénétrable de la destinée. Les
mots de la seule oraison qu'il se rappelât de sa lointaine 5
enfance: « Notre Père qui êtes aux cieux... » lui revenaient au cœur. Certes, il ne les prononçait pas. Peut-être
ne les prononcerait-il jamais. Mais s'il existe, ce Père Céleste, vers lequel grands et petits se tournent aux heures
affreuses comme vers le seul secours, n'est-ce pas la plus 10
touchante des prières que ce besoin de prier ? Et, si ce
Père Céleste n'existait pas, aurions-nous cette faim et
cette soif de lui dans ces heures-là ? — « Tu ne me chercherais pas si tu ne m'avais pas trouvé !... » [1] À cette
minute même et grâce à cette lucidité de pensée qui accom- 15
pagne les savants dans toutes les crises, Adrien Sixte se
rappela cette phrase admirable de Pascal dans son *Mystère
de Jésus*, — et quand la mère se releva, elle put le voir qui
pleurait.

Bourget pensait-il à Taine particulièrement en faisant le portrait
d'Adrien Sixte ? On l'a prétendu, et il est difficile de ne pas identifier
bien des traits du maître de Bourget lui-même, ne serait-ce que les
traits de sincérité et même de profonde sympathie qu'il lui prête. Il
est sûr aussi que les trois facteurs que cite Greslou dans sa confession,
comme l'ayant amené à son crime, rappellent les trois fameux facteurs
de Taine, *race, milieu, moment*, sous d'autres noms seulement *hérédité,
milieu d'idées, transplantation*.

* * *

Depuis ce moment, Bourget se mit à dénoncer nettement le danger
qu'il y avait à chercher à éluder les formes sociales que des siècles
de civilisation chrétienne avaient sanctionnées, la famille, une hiérarchie des classes, la race, la religion. Ses principaux romans sont: *Cœur
de femme* (1890), *Cosmopolis* (1893), *La duchesse bleue* (1898), *L'Étape*
(1902 — la classe paysanne qui veut passer trop rapidement, sans
« étape » dans les rangs de la bourgeoisie). *Un divorce* (1904 —

[1] Mot célèbre de Pascal. (V. *Seventeenth Century French Readings*,
p. 263: *Le mystère de Jésus*.)

problème qui prenait alors de la gravité),[1] *L'Emigré* (1907 — le problème de la place de l'ancienne noblesse dans la société nouvelle).[2] Bourget fait donc ce que l'on peut appeler du « roman à thèse » comme Dumas fils avait fait du théâtre à thèse et comme le faisait Eugène Brieux à la même époque. Il y avait cette différence que la thèse morale était présentée au théâtre d'un point de vue purement laïque; Bourget penchait de plus en plus vers une doctrine chrétienne et catholique.

Parmi les derniers romans de Bourget, il faut citer comme fort importants: Le *démon de midi* (1914 — les tentations qui assaillent l'homme au moment de passer le seuil de la vieillesse), *Le sens de la mort* (1915 — inspiré par les tragédies de la Grande-Guerre).

La production de Bourget ne se ralentissait jamais, sauf pendant de brèves crises de découragement. Il laisse comme une petite ency-clopédie de « cas psychologiques » toujours vigoureusement présentés, sinon sous forme de romans, alors sous celle de nouvelles (p. ex. les collections intitulées *Le saint* (1894), et, sur le tard, *La rechute* (1931). L'un des derniers récits de Bourget le ramène vers les thèmes de ses études de jeunesse, à l'époque où il était sous l'influence de Taine: *Les laborantines* (1934); il s'agit des gardes-malades et assistantes dans les hôpitaux, — une histoire à comparer à *Sœur Philomène* des Frères Goncourt.

*

Pendant quelques années Bourget avait choisi le théâtre comme *medium* pour exprimer ses idées, et il réussit. Outre les romans mis à la scène (*L'Emigré, Le divorce*), il faut citer *La barricade* (1910 — question des rapports de capital et travail) et *Le tribun* (1911 — conflits naissant dans la vie de famille comme résultat des doctrines nouvelles qui opposaient l'individu comme unité sociale à la famille).

Outre-mer (1894)

On remarque parmi les pages que Bourget écrivit en 1884 sur l'Amérique, celles sur le théâtre de cette époque (I, 50–53); celles sur la vie intense de toutes les classes de la société (108–111, 211–217); celles sur la jeune fille de cette époque — des pages qui rappellent assez celles de Henry James dans *Daisy Miller* (pp. 126–130); celles sur le jeu de balle [*football*] (II, 145–147) et sur la boxe (151–155 —

---

[1] V. p. ex. la pièce de Paul Hervieu, *Les tenailles* (1895).

[2] Rappeler, dès le XVIIIe siècle, Destouches, *Le glorieux*, et Se-daine, *Le philosophe sans le savoir*, et au XIXe siècle, Augier et Sandeau, *Le gendre de M. Poirier*.

auxquelles il faut rattacher le curieux épisode raconté pp. 155-159);
et mainte autre.

Voici quelques extraits relatifs à monseigneur Ireland, archevêque
de Saint-Paul, dont la renommée depuis longtemps s'était répandue
en Europe. On comprend que l'auteur du *Disciple* ait pris un intérêt
particulier à cette grande figure.

Monseigneur Ireland

Mon intention en visitant la ville qui porte le nom du
grand apôtre [Saint-Paul] était de rendre mes devoirs à
son archevêque, monseigneur Ireland, le plus éloquent
d'entre les prélats qui orientent aujourd'hui l'Église du
côté des problèmes sociaux. Il y a du Savonarole [1] dans ce   5
prêtre à la longue et rude figure, à qui toute assemblée est
bonne pour jeter au peuple la parole de vie, et qui disait un
jour: « C'est notre avantage, à nous autres évêques Américains, que l'on ne s'étonne jamais de nous voir dans des
réunions quelles qu'elles soient. Vous ne vous imaginez   10
pas monseigneur de Paris assistant à un banquet d'entre-
preneurs de drainage? C'est en y manquant, moi, que
j'étonnerais. Cela nous donne bien des occasions de faire
connaître le catholicisme . . . » Et sous quelle forme il le
présente, ce catholicisme, avec quelle magnifique largeur   15
d'âme, il faut avoir lu quelques-uns de ses discours pour le
comprendre, pour le sentir plutôt: « L'Église et le Siècle !
Le Siècle et l'Église ! Rapprochons-les du plus intime contact ! Leurs pouls battent à l'unisson. Le Dieu de l'humanité travaille dans le Siècle. Le Dieu de la révélation   20
travaille dans l'Église. C'est le même Dieu et le même
souffle . . . » Et encore: « Quoi ? notre Église, l'Église du
Dieu vivant, l'Église de dix mille victoires sur les païens
et sur les barbares, sur les fausses philosophies et sur les
hérésies, sur les rois défiants et les peuples déréglés, la   25

[1] Le fameux moine dominicain qui prêchait avec feu les réformes
sociales à Florence, et qui fut brûlé sur un bûcher comme hérétique
(1452-1498).

grande, la charitable, la libérale Église Catholique, cette assoiffée de vertu, cette affamée de justice, avoir peur du XIXe siècle ! Elle, avoir peur d'un siècle quelconque ? . . . »
Quelles paroles, et comment les Chrétiens de désir, dont
5 je suis et qui s'appellent légion, ne frémiraient-ils pas à les entendre passer sur le monde moderne et sur leur propre cœur ? ○ ○ ○

Quelques semaines plus tard j'étais dans le *hall* d'un des grands hôtels de la Cinquième Avenue à New-York. Au
10 bureau, des secrétaires dépouillent un courrier, parlent au porte-voix,[1] timbrent des notes. Des hommes d'affaires lisent leur correspondance, le cigare aux lèvres. D'autres se pressent autour d'une petite table sur laquelle une jeune femme aux yeux intelligents, pâle d'un long travail séden-
15 taire, frappe de ses doigts agiles les touches d'une machine à écrire. Ils attendent leur tour de lui dicter une lettre . . .
Au milieu du *hall* un homme cause, — une espèce de géant, à l'ossature puissante, un de ces athlètes aux larges épaules, à la taille robuste, aux mains et aux pieds solides, où l'on
20 dirait que la nature a mis plus de vitalité et comme employé plus d'étoffe. Il est coiffé d'un large chapeau mou en feutre noir. Mais le revers droit de sa redingote annonce qu'il appartient à l'Église, et son col violet [2] qu'il y occupe une haute place. C'est monseigneur Ireland, l'archevêque de
25 Saint-Paul, que je suis allé vainement chercher l'automne dernier dans son diocèse du Minnesota. On ne me l'aurait pas nommé que je l'eusse reconnu, tant il est la visible fi-gure de son éloquence. Sa grande face, longue, tailladée de larges traits, est éclairée par deux yeux pers,[3] presque trop
30 petits pour le puissant visage très brun de ton. Le gri-sonnement des cheveux et des sourcils, jadis très noirs, décèle les cinquante-sept ans passés du prélat. Le front a

---

[1] *Speaking tube.*
[2] Insigne de l'évêque.
[3] *Bluish.*

cette coupe un peu fuyante qui se remarquait chez Mira-
beau [1] et chez Gambetta,[2] ces deux autres grands orateurs.
La bouche est admirable de mobilité expressive. C'est
une bouche éloquente et prenante, avec des lèvres larges
qui annoncent la bonté. Il s'y creuse pourtant un pli amer. 5
Malgré sa vaillance, l'archevêque a trop lutté pour n'avoir
pas désiré quelquefois de prononcer le *Nunc dimittis* [3] du
croisé fatigué. ○ ○ ○

Quelles heures inoubliables j'ai passées ce matin-là, puis
l'après-midi, puis un autre jour encore, à l'entendre parler 10
de l'Amérique avec un patriotisme si profond, de la France
avec une sympathie si émue, de l'Europe avec une impartialité lucide et supérieure ! J'admirais, en l'écoutant, la
souplesse de cette intelligence dans laquelle il y a toute
l'excitabilité Celtique — monseigneur Ireland est, comme 15
l'indique son nom, d'une famille Irlandaise, — toute la
dialectique latine, — il a été élevé au petit séminaire de
Meximieux,[4] dans le diocèse de Belley en France, — et tout
le réalisme d'un Américain issu de race ouvrière. Son père
était un charpentier, venu d'Irlande en Minnesota à une 20
époque où la ville dont son fils est archevêque n'existait
pas. J'écoutais cette souple et vivante parole passer des
plus hauts sujets de théologie aux plus humbles détails
d'activité pratique. L'archevêque disait comment, à une
certaine époque, il avait dû, par ses conseils, diriger les 25
semailles des immigrants de son diocèse, trop nombreux et
trop ignorants pour que les concessions de terre qu'il leur
avait obtenues fussent utilement exploitées. Puis il répondait à mes questions de psychologie compliquée sur la
nature de la piété Américaine, chez qui le mysticisme se 30

[1] Le fameux orateur de la Révolution Française (1749–1791).
[2] Le grand héros patriote et orateur, organisateur de la résistance pendant la guerre de 1870–1.
[3] *Nunc dimittis:* « *Maintenant, Seigneur, laisse ton serviteur s'en
aller en paix* » — mots du vieux Siméon après qu'il eut vu le Messie.
[4] Sur la rive droite du Rhône.

traduit aussitôt en activité. Il me décrivait ses premiers séjours à Rome, sa solitude, la sorte d'étonnement effrayé dont l'entouraient les vieux cardinaux, et, revenant à ce problème social sur lequel je l'interrogeais, comme j'avais
5 interrogé monseigneur Gibbons [1]: — « Nos ouvriers ?... » me disait-il. « Non, je ne redoute rien d'eux ! D'abord ils sont bons, et même ceux qui ne sont pas bons ont du bon sens. Il y a dans l'Américain, et du haut en bas de l'échelle, beaucoup plus d'esprit conservateur que ne se l'imagine
10 l'Europe. Ce qui domine tout le monde ici, voyez-vous, les pauvres journaliers aussi bien que les millionnaires, c'est le sentiment de la loi. Non, l'ouvrier Américain n'est pas révolutionnaire. Il sent trop le prix de ce qu'il a pour rêver un ordre social absolument différent ! Mais s'il accepte
15 l'ordre qui existe, il veut s'y défendre. A-t-il si tort ? Et il procède par associations. A-t-il si tort encore ? C'est dans la race, cela. Les gens riches s'amusent bien par clubs. Pourquoi les ouvriers ne s'organiseraient-ils pas pour se protéger, en clubs pareils à ceux qui sont dans les
20 sociétés ? Un grand pas a été franchi, quand ces associations propres à chaque métier se sont elles-mêmes associées entre elles. Pourquoi non encore ? Les *Chevaliers du Travail* [2] se formèrent ainsi. A mon sens, et malgré d'inévitables excès, cela est bon. Les capitalistes commencent à
25 comprendre qu'il faut compter avec ces grandes forces collectives. Qu'arrive-t-il ? On discute, et discuter reste encore le plus sûr moyen de se comprendre. Ainsi, cette année les directeurs d'un chemin-de-fer de l'Ouest, dont je connais beaucoup le président, crurent devoir diminuer les
30 salaires. Les bénéfices de la compagnie avaient trop baissé. Voici comment les choses se passèrent. Le président entra en conférence avec les représentants des mécaniciens d'a-

---

[1] Alors archevêque de Baltimore († 1921).
[2] *Knights of Labor*, ou plus correctement *Noble Order of the Knights of Labor*, fondé en 1869 pour la protection des intérêts de la classe ouvrière, et pour stimuler l'éducation industrielle des masses.

bord. Ces pourparlers durèrent quatre jours. Nos gens demandèrent le pourquoi de la réduction. Ils examinèrent le bilan de la compagnie. Ils voulurent savoir à quel chiffre les affaires devraient remonter pour que le premier salaire fût rétabli. Ces pourparlers avec le président une fois ter- 5 minés, eux-mêmes durent avoir des conférences avec leurs camarades. Finalement, le corps des ouvriers ayant accepté la réduction, ce fut le tour des serre-freins ou *brakemen*. Il vous faudrait avoir assisté à un de ces entretiens pour mesurer à quelle profondeur ce pays-ci est égalitaire. 10 Mais voilà. L'homme d'affaires Américain est trop proche du peuple pour ne pas savoir, quand il cause avec ses ouvriers, à qui il cause et ce qu'il doit leur dire. Ce sont des gens qui ne se croient pas de deux races différentes et c'est beaucoup ... » 15

L'archevêque se tait. Il est sur le point d'aborder franchement un sujet pénible. A tous ses mots, j'ai senti frémir l'apôtre plébéien, et qui, lui-même voisin des humbles par son origine, comme ces hommes d'affaires dont il me parlait, se réjouit des progrès des travailleurs et souffre 20 de leurs erreurs. Il continue ...

[L'ouvrier américain a, cependant, deux défauts: L'intempérance, celle de l'alcool; et la prodigalité. Et voici la conclusion de l'entrevue:]

« Ah! notre avenir est vaste, dit l'archevêque, bien vaste, à la condition que nous soyons profondément, résolument Américains et démocrates. Nous avons besoin de trois choses: de bonnes mœurs, nous les avons; de 25 fidèles, l'immigration nous en apporte sans cesse; d'intelligence, nos universités et nos séminaires vont nous en donner, toujours davantage! Mais entendez bien, ce n'est pas l'intelligence d'hier qu'il nous faut, à nous comme à vous, c'est celle d'aujourd'hui, celle de demain, celle du 30 vingtième siècle ... »

Et tandis que l'archevêque semblait voir déjà de ses

yeux clairs ce lendemain triomphant pour lequel il a donné
toute sa vie, heure par heure, je me souvenais du cri qu'il
a poussé dans la cathédrale de Baltimore et dont notre
conversation n'est qu'un commentaire: « Le Christ a fait
5 du problème social la base même d'un enseignement. Car
voici la preuve qu'il a donnée de sa divinité: les aveugles
voient, les boiteux marchent, les lépreux sont purifiés et
les pauvres sont évangélisés . . . »

*　*　*

On a agité au sujet de Bourget la même question qui avait fait
l'objet de controverses relatives à Chateaubriand, Alfred de Vigny,
Mérimée, Brunetière, Taine lui-même, à savoir si l'assentiment de
l'écrivain aux doctrines chrétiennes devait être considéré comme une
conviction personnelle ou simplement comme une affaire d'ordre
social. Dans son livre *Les grands convertis* (1906) Jules Sageret soutient la thèse de la conversion réelle; tandis que, dans son *Essai sur
l'œuvre de Paul Bourget*, R. de Rivasso soutient une opinion opposée.
Bourget a cru devoir déclarer que sa sincérité était évidente pour qui
lisait l'avant-dernier chapitre d'*Un crime d'amour*, ou l'Épilogue de
Mensonges, ou encore les dernières pages du *Disciple*. Il ne peut
rester aucun doute après les témoignages apportés par Feuillerat,
tout au cours du livre cité, et surtout pp. 181–223; on trouvera aussi
la mention d'une curieuse accusation d'*hérésie protestante* lancée
contre Bourget, c. à. d. que sa foi aurait été trop individuelle et pas
assez fondée sur l'autorité de l'Église.

Bourget ne s'est pas dérobé dans la crise de l'Affaire Dreyfus; il a
pris nettement parti — en conformité avec ses autres idées — pour
l'opinion « nationaliste. »

*

Parmi les représentants du « roman psychologique » à la même
époque, on peut mentionner un écrivain suisse, Édouard Rod qui,
après avoir suivi Zola comme Bourget avait suivi Taine, devint un
romancier psychologue à tendance protestante; de sa première
manière est *La course à la mort* (1885); de la seconde manière *Le Sens
de la Vie* (1889), *La vie privée de Michel Tessier* (1893), *Le ménage du
Pasteur Naudié* (1898), etc. Pour les continuateurs de P. Bourget, il
faut rappeler surtout le nom d'Henri Bordeaux (1870–19 . .) dont
l'inspiration diffère bien peu de celle de Bourget: *La peur de Vivre*
(1902), *Les yeux qui s'ouvrent* (1908), *La robe de laine* (1910) etc. Si
l'on se place au point de vue du romancier psychologue plutôt que

moraliste, l'aboutissement de la lignée Stendhal-Bourget serait à chercher chez Marcel Prévost (1862-19 . .) avec ses *Lettres à Françoise*, *Lettres à Françoise mariée*, *Nouvelles lettres à Françoise*, et une longue série de romans; puis Marcel Proust (1871-1922) avec le fameux roman en 14 volumes *À la recherche du temps perdu* et *Le temps retrouvé* (1913-1927).

CHAPITRE XXIV

MAURICE BARRÈS

1862-1923

Consulter: V. Giraud, *Maurice Barrès* (Coll. ⟨ Les maîtres de l'heure ⟩, Hachette, 1922); *Pages choisies de Maurice Barrès*, éd. par F. Baldensperger, (Coll. ⟨ Grands écrivains de la Guerre ⟩, Larousse, 1915) Pour une étude courte et pénétrante, P. Gaultier, *Les maîtres de la pensée française*, Payot, 1921, chap. ⟨ M. Barrès ⟩.

Maurice Barrès naquit à Charmes (une petite localité de la campagne lorraine), en 1862, d'une vieille famille du pays. Ses souvenirs d'enfance se rapportent aux jours sombres de la guerre de 1870-71 dont souffrit particulièrement sa province « éternel champ de bataille » entre deux civilisations. Il fit ses premières études au collège et au lycée de Nancy dont il conserva un mauvais souvenir: « J'ai passé mon enfance au collège au milieu d'abominables imbéciles ». Il eut là comme professeur de philosophie, Auguste Burdeau (auquel il emprunta plusieurs traits pour un personnage important de roman, M. Bouteiller), qui était nourri de philosophie allemande, — de Kant surtout et de la doctrine rigide de l'impératif catégorique, de Schopenhauer aussi. En même temps, cependant, il se liait avec Stanislas de Guaita (plus tard célèbre pour son adhésion aux doctrines de l'occultisme) et qui lui révéla Théophile Gautier, Baudelaire et Flaubert. Il suivit pendant quelque temps les cours de la faculté de droit de Nancy, et à vingt et un ans il se rendit à Paris. « Il débutait dans la vie littéraire à un moment singulier [c'était en 1883]. Les vieilles formules, les vieilles écoles s'épuisaient; les nouvelles directions n'existaient pas encore. En poésie, le romantisme avait depuis longtemps achevé sa course glorieuse; le Parnasse jetait ses derniers feux; il n'était pas encore question du symbolisme. Dans le roman, le naturalisme triomphait avec insolence, mais il avait déjà reçu

plus d'une atteinte et ses jours étaient virtuellement comptés ».
De même « au point de vue politique et social, la situation ne laissait
pas d'être un peu trouble. Sans doute la France s'était matériellement
relevée du désastre de 1870 avec une promptitude qui avait à la fois
surpris et inquiété les vainqueurs ... Mais le régime politique que le
pays s'était donné n'était pas encore très solidement assis; les luttes
de partis étaient très vives ». (V. Giraud, *livre cité*, pp. 25, 26, 27.)

I

Barrès essaya de sortir du chaos; en 1884 il lança un petit journal
La Tache d'Encre — qui n'eut que quatre numéros. Renan et Taine
étaient ses maîtres, mais il les jugeait avec une grande indépendance
[v. son livre *Huit jours chez M. Renan* (1888) et une série d'articles
dans les journaux du temps sur Taine; pour Taine, voir surtout le
célèbre passage dans le roman *Les déracinés*, cité plus bas].

Dans son œuvre créatrice, Barrès commença par se révéler comme
un individualiste décidé, cultivant les écrivains chez lesquels le *moi*
s'accusait fortement: J.-J. Rousseau, Chateaubriand, Stendhal, et,
à leur manière, Taine et Renan, enfin même les philosophes allemands
avec leur subjectivisme particulier, Kant et Fichte (ce dernier, l'auteur d'une doctrine qui partait d'un *moi* transcendental). Ce fut le
point de départ d'une première série de romans groupés sous le titre
général LE CULTE DU MOI, une trilogie qui comprend: (1) *Sous l'œil
des barbares* (1888) — et par « barbares », il entend non pas les sauvages, mais bien les penseurs qui cherchent à formuler une philosophie
impersonnelle fondée sur la raison humaine; (2) *Un homme libre*
(1889) — dont le titre indique assez le sujet; (3) *Le jardin de Béré-
nice* (1891) — l'histoire d'une petite femme sotte, perverse même,
mais amorale, c. à. d. qui s'abandonne entièrement à son être instinctif, inconscient; et pour cela elle est intéressante. Cette première
période se résume dans ces mots de Barrès même: « Être soi et jouir
de soi » dans une vie qui, du reste, « n'a point de sens ».

II

Ce roman de l'instinct qui est primordial et sacré va conduire à la
seconde phase de la pensée de Barrès. Cet instinct il continuera à
l'opposer à l'intellectualisme des philosophes: « L'intelligence, quelle
petite chose à la surface de nous-mêmes ! » C'est le peuple qui importe, et le peuple c'est la vie, c'est l'action par l'instinct; tandis que
l'intelligence et la science c'est pour une infime minorité qui ne doit
pas compter.

Barrès commence lui-même une vie d'action. Dès 1889 il accepte d'être député de Nancy à la Chambre, et député du « parti ouvrier » de Nancy: Barrès le Lorrain, le compatriote de Jeanne d'Arc, va opposer le peuple au monde des parlementaires, le « nationalisme » aux politiciens de partis. En 1893 éclate un scandale politique, l'affaire du Panama,[1] Barrès en profite pour publier dans le journal *Le Figaro* un article sensationnel « Leurs Figures », attaque sanglante des hommes politiques, exploitant en France, comme du reste ailleurs, la nation à leur profit personnel.

« Très préoccupé d'assainir et de renouveler « l'énergie nationale » il ne voit pour le pays le salut que dans une sage décentralisation. A cette France congestionnée, unitaire et où 36 millions d'individus abdiquent entre les mains d'une poignée de politiciens qui les corrompent et les oppriment, il rêve de substituer une France fédéraliste où la vie communale ne serait plus un vain mot, où seraient créées un certain nombre de régions naturelles jouissant d'une large autonomie administrative, politique et sociale, et dont l'unité pacifique serait faite du libre groupement de ces forces particulières » (V. Giraud, *livre cité*, p. 49) —: donc un pays où les provinces seraient fédérées comme les états de l'Amérique ou les cantons de la Suisse.

Barrès échoue, cependant, aux élections de 1893; il cherchait la députation de Paris.

La grande force morale de la France est dans l'Église qui en a formé l'esprit au Moyen-âge, après l'écroulement de l'Empire romain et l'avènement des peuples du nord de l'Europe. Ce sera jusqu'à la fin son attitude. Il met à part la question des dogmes: « Ce n'est pas que je subisse l'influence des dogmes, mais je m'incline avec amour sous l'inévitable et chère influence » disait-il en 1906. Et ailleurs: « Je considère que la nationalité française est liée étroitement au catholicisme, qu'elle s'est formée et développée dans une atmosphère catholique et qu'en essayant de la détruire, d'arracher de la nation ce catholicisme si étroitement lié avec toutes nos manières de sentir, vous ne pouvez pas prévoir tout ce que vous arracherez ». (Cité, Giraud, p. 103)

Ici se place un nouveau cycle: LE ROMAN DE L'ÉNERGIE NATIONALE.

---

[1] Ferdinand de Lesseps avait percé l'isthme de Suez en 1869. Il avait alors entrepris de percer aussi l'isthme de Panama. Les capitaux souscrits ne furent pas suffisants et finalement ce fut la banqueroute; mais entre temps il s'était produit des scandales financiers auxquels des hommes politiques étaient mêlés. Un seul ministre avait été réellement coupable, mais ses collègues au gouvernement, par solidarité, ne l'avaient pas dénoncé à temps; les adversaires politiques en profitèrent pour faire expulser du Parlement des membres du parti opposé.

Barrès s'y fait en quelque sorte l'historien de l'état des esprits sous la troisième république. Dans le premier roman *Les déracinés* (1897) il décrit ce qu'il considère comme une sorte d'anarchie morale qui a succédé en France à la guerre de 1870-71 (v. plus bas). Dans le second *L'Appel au soldat* (1900) il fait le récit de l'échauffourée du boulangisme (v. notre *Introduction historique*]: le général Boulanger, une figure sans réelle grandeur, rappelle un peu celle de Napoléon III; mais cet épisode historique est très significatif en ce qu'il montre avec quelle impatience la nation cherchait un chef pour diriger ses destinées. Elle fut déçue. L'affaire Dreyfus [v. *Introduction historique*] devait accentuer la crise; l'homme prédestiné ne surgit pas; mais la conscience nationale se réveilla, et ce furent des écrivains comme Brunetière, le poète Déroulède et Maurice Barrès, qui formulèrent ses aspirations et préparèrent la débâcle des parlementaires alors au pouvoir. On fonda la « Ligue de la Patrie française, » et ce fut à leur doctrine que l'on donna le nom de « nationalisme »: « Nous sommes le produit d'une collectivité, écrivait Barrès: Que l'influence des ancêtres soit permanente, et les fils seront énergiques et droits. » Le troisième volume de la série *Leurs figures* (1902) est une satire terrible des chefs politiques au pouvoir. Ce titre est repris de l'article du *Figaro* cité plus haut.

III

Mais la critique ne suffisait pas; il fallait reconstruire; et cette œuvre de reconstruction est décrite dans un troisième cycle LES BASTIONS DE L'EST, titre symbolique pour indiquer que les deux provinces perdues en 1871 avaient été les forteresses qui avaient protégé la civilisation latine contre l'invasion de la civilisation germanique, et qu'il fallait les rétablir: Le premier roman est intitulé *Au service de l'Allemagne* (1905): les vainqueurs avaient donné le choix aux Français d'Alsace et de Lorraine d'adopter la nationalité allemande, ou de quitter le pays; le récit de Barrès est celui d'un jeune Alsacien Ehrmann [qui signifie ‹ homme d'honneur ›], fils d'un riche industriel et qui a considéré que son devoir était, pour ne pas laisser tomber l'usine aux mains des Allemands, de ne pas quitter le sol natal. « Après avoir fait ses études de médecine à Strasbourg, il est entré au régiment pour y accomplir ses six mois de service obligatoire *au service de l'Allemagne*. Sa première journée de caserne allemande lui est si dure qu'il songe à déserter. Mais il se ressaisit, et il mettra son point d'honneur à être un excellent soldat, à s'imposer comme tel à ses chefs et à ses camarades, à leur arracher l'estime et l'aveu de sa supériorité d'Alsacien français. Et peu à peu, à force de patience, d'empire sur soi, de souple adaptation, de dignité et de gentillesse, il sort vainqueur d'un duel qui s'est engagé entre le militarisme prussien et son âme irréductible de Français annexé. » (V. Giraud, *livre cité*, pp. 89–90). Le second roman de la série: *Colette Baudoche* (1909) est l'histoire d'une jeune fille de Metz, qui, comme le soldat Ehrmann, d'Alsace, affirme sa fidélité au sentiment national de la Lorraine (v. plus bas).

Il faut encore mentionner *La colline inspirée* (1913), le « bastion spirituel » de l'est: la colline de Vaudrémont est, pour le Lorrain qui a conscience de sa mission civilisatrice, ce que la colline de Sion est dans la Bible au peuple d'Israël. (Malheureusement l'histoire des frères Baillard, égarés par un faux prophétisme, compromet l'effet que l'auteur pensait produire.) Barrès avait pensé à écrire une histoire de Jeanne d'Arc, la Lorraine, — il avait même laissé des notes pour cet ouvrage — mais son activité politique en empêcha la composition. Une série de discours parlementaires *La grande pitié des églises de France* (1914) où il rappelle ses compatriotes au respect de la France catholique et de ses monuments évoque le souvenir de Chateaubriand, un siècle avant, dans le *Génie du Christianisme.*

IV

Pendant les années de la Grande guerre (1914–1918) Barrès joua un rôle important; à la mort de Paul Déroulède, 12 juillet, 1914, il fut élu président de la Ligue des Patriotes; et dans le journal *L'Écho de Paris*, il publia, depuis le 5 août jusqu'à la fin des hostilités, des articles d'un patriotisme intense et des plus éloquents que la formidable crise inspira; ils sont réunis en quatre volumes *L'Âme française et la guerre* (1914–1919). V. aussi *Les diverses familles spirituelles de la France* (1917), et une remarquable conférence faite à Londres pendant la guerre, *Les traits éternels de la France* (1916). Barrès assista à la rentrée triomphale des troupes françaises à Metz en 1918, et au *Te Deum* de la victoire dans la Cathédrale de Metz, avec les généraux Pétain, Castelnau et Gouraud.

Son dernier roman *Un jardin sur l'Oronte* (1922), évoque d'une façon charmante la vieille France romantique des Croisades.

Les déracinés (1897)

L'histoire de sept jeunes Lorrains, venus de différentes localités de la province au Lycée de Nancy, la capitale: *Rœmerspacher, Sturel, Saint-Phlin, Suret-Lefort, Renaudin, Racadot, Mouchefrin*. C'est en 1879, c'est à dire quand la France est encore à se relever de la défaite de 1870-1, et que la marche à suivre est encore incertaine pour la jeune

république. On leur envoie de Paris, un professeur de philosophie du
nom de Paul Bouteiller [Auguste Burdeau, un ancien élève de l'École
normale supérieure de Paris: v. plus haut]. Ce Bouteiller était un
disciple du philosophe allemand Kant. On avait dit que le véritable
vainqueur de la France en 1870 c'était « le maître d'école »; et
l'enseignement qui avait prévalu en Allemagne était celui de ce
philosophe qui prêchait l'obéissance rigide à ce principe absolu:
« Agis toujours de telle sorte que tu puisses vouloir que ton action
serve de règle universelle ». Or ce principe ne tenait aucun compte
des conditions souvent fort différentes sous lesquelles vivaient les
hommes des différents pays. Et en effet lorsque ces jeunes gens fortement impressionnés par Bouteiller quitteront leur province natale
pour aller chercher fortune à Paris, de 1882 à 1885, leurs efforts seront
vains; partant d'un dogmatisme social et moral « universel », les
exigences du monde concret ne seront pas satisfaites. Même est-ce
une erreur de parler de formule sociale et morale pour toute la France;
la France est composée de provinces dont chacune a son caractère
et sa mission propres; le pays doit être fort et sain dans toutes les
parties de son organisme varié; les hommes de l'avenir doivent servir
d'abord leur province natale et c'est par là qu'ils serviront la France
entière. C'est donc la thèse du livre de Barrès qu'on a commis une
grande erreur en « déracinant » ces sept jeunes Lorrains, pleins de
promesse, chacun à sa manière; arrachés à la terre natale, quand ils
n'ont pas péri tout à fait, ils se sont étiolés.

Ils sont arrivés à Paris les uns après les autres. Ils ont conscience
eux-mêmes de leur peu de succès; alors ils veulent tenter un grand
effort. Ils vont en groupe au tombeau de Napoléon, le 5 mai, date
de sa mort pour y prendre une leçon de volonté et d'énergie. Ils
décident de fonder un journal, *La vraie République*, avec quelques
mille francs provenant de l'héritage de l'un d'entre eux (Racadot);
Renaudin sera le rédacteur en chef. Le journal vivote, périclite;
deux des camarades, pour trouver l'argent nécessaire à l'entreprise,
assassinent une riche Orientale qui s'était intéressée à leur groupe.
L'un, Racadot, est guillotiné; l'autre, Mouchefrin, est sauvé grâce
à l'habileté de Suret-Lefort, celui du groupe qui avait fait ses études
de droit:

« Hélas ! La Lorraine a fait une grande tentative: elle a expédié
un certain nombre de ses fils, pour que de Neufchâteau, de Nomény,
de Custines, de Varennes, ils s'élevassent à un idéal supérieur. En
haussant les sept jeunes Lorrains de leur petite patrie à la France,
et même à l'humanité, on pensait les rapprocher de la Raison. Voici
déjà deux cruelles déceptions; pour Racadot et Mouchefrin, l'effort
a complètement échoué. Ceux qui avaient dirigé cette émigration
avaient-ils senti qu'ils avaient charge d'âmes ? Avaient-ils vu la

périlleuse gravité de leur acte ? À ces déracinés, ils ne surent pas offrir un bon terrain de « replantement ». Ne sachant s'ils voulaient en faire des citoyens de l'humanité, ou des Français de France, ils les tirèrent de leurs maisons séculaires, bien conditionnées, et ne s'en occupèrent pas davantage, ayant ainsi travaillé pour faire de jeunes bêtes sans tanières. De leur ordre naturel, peut-être humble, mais enfin social, ils sont passés à l'anarchie, à un désordre mortel. Mouchefrin et Racadot n'avaient pas naturellement de grandes vertus, mais il faut voir aussi qu'ils furent trahis par des chefs insuffisants du pays. Sur sept Lorrains, un double déchet déjà, c'est trop : l'opération a été mal menée. » (*Fin du chapitre XVIII.*)

Et les autres, retournés en Lorraine, pourront-ils reprendre racine ? Un peut-être ou deux : Rœmerspacher et Suret-Lefort, l'avocat habile ? ... On ne le dit pas. Mais ce n'est pas nécessaire, car l'auteur a dit ce qu'il voulait dire. L'erreur a été signalée.

Le livre est d'importance tout à fait capitale ; mais il est extrêmement touffu et les longues pages de discussion serrée seront difficilement appréciées par ceux qui ne connaissent pas en détail l'histoire de France de cette époque. Et pourtant les chapitres essentiels gardent toute leur valeur.

L'Arbre de M. Taine

Dans la première partie du livre il s'agit surtout de l'attitude des générations d'après la guerre de 1870–71 envers celles d'avant-guerre, surtout celles soumises à l'influence de Taine et de son déterminisme universel.

Voici donc quelques pages du chapitre célèbre « L'Arbre de M. Taine. » *La vraie République* avait publié un article de Rœmerspacher sur la philosophie du vieux maître :

Renaudin n'en eut pas de compliment à son journal ; ses collaborateurs déclarèrent l'article assommant [*boring*] et le prièrent de laisser là ses « littérateurs ».

Or, le surlendemain, étant à sa table de travail, Rœmerspacher entendit qu'on frappait à sa porte, — la troisième 5 à gauche, au deuxième étage de l'hôtel Cujas, — et, du fond de son unique chambre, sans bouger, il cria :

— Entrez !

Un inconnu, presque un vieillard, plutôt petit, d'aspect grave et simple, apparut, examina d'un coup d'œil cette 10 installation d'étudiant, le lit avec des vêtements épars,

l'étroite table de toilette, les livres nombreux, tout un ensemble joyeux et sympathique.

— Vous êtes bien monsieur Rœmerspacher ? dit-il. Je
suis monsieur Taine.

5 Évidemment l'illustre philosophe, intéressé par le travail
de cet écrivain ignoré, avait passé aux bureaux du journal;
et de là, cédant à sa bienveillance, à la curiosité, il était
venu jusqu'à l'hôtel garni où le jeune garçon s'enivrait de
travail.

10 Et maintenant, M. Taine est assis auprès de Rœmerspacher, il l'examine, il lui applique ces mêmes regards, cette
même intelligence, cette méthode aussi, qui ont été ses instruments pour contempler tant d'œuvres d'art, tant de
figures historiques, tant de civilisations. ◦ ◦ ◦

15 — Ma santé est un peu mauvaise, dit M. Taine, que
vieillissait déjà le diabète, dont il devait mourir dix ans
plus tard. Je suis obligé de me promener tous les jours au
moins une heure: voulez-vous m'accompagner ? nous
causerons en marchant. ◦ ◦ ◦

20 Ils étaient arrivés devant le square des Invalides; il indiquait au jeune homme un arbre assez vigoureux, un platane, exactement celui qui se trouve dans la pelouse à la
hauteur du trentième barreau de la grille compté depuis
l'esplanade. Oui, de son parapluie mal roulé de bourgeois
25 négligent, il désignait le bel être luisant de pluie, inondé de
lumière par les destins alternés d'une dernière journée
d'avril.

— Combien je l'aime, cet arbre ! Voyez le grain serré de
son tronc, ses nœuds vigoureux ! Je ne me lasse pas de
30 l'admirer et de le comprendre. Pendant les mois que je
passe à Paris, puisqu'il me faut un but de promenade, c'est
lui que j'ai adopté. Par tous les temps, chaque jour, je le
visite. Il sera l'ami et le conseiller de mes dernières années ... Il me parle de tout ce que j'ai aimé; les roches
35 pyrénéennes, les chênes d'Italie, les peintres vénitiens. Il
m'eût réconcilié avec la vie, si les hommes n'ajoutaient pas

aux dures nécessités de leur condition tant d'allégresse
dans la méchanceté.

« Sentez-vous sa biographie ? Je la distingue dans son
ensemble puissant et dans chacun de ses détails qui s'en-
gendrent. Cet arbre est l'image expressive d'une belle
existence. Il ignore l'immobilité. Sa jeune force créatrice
dès le début lui fixait sa destinée, et sans cesse elle se meut
en lui. Puis-je dire que c'est sa force propre ? Non pas,
c'est l'éternelle unité, l'éternelle énigme qui se manifeste
dans chaque forme. Ce fut d'abord sous le sol, dans la
douce humidité, dans la nuit souterraine, que le germe devint digne de la lumière. Et la lumière alors a permis que
la frêle tige se développât, se fortifiât d'états en états. Il
n'était pas besoin qu'un maître du dehors intervînt. Le
platane allègrement étageait ses membres, élançait ses
branches, disposait ses feuilles d'année en année jusqu'à sa
perfection. Voyez, qu'il est d'une santé pure ! Nulle pré-
valence de son tronc, de ses branches, de ses feuilles; il est
une fédération bruissante. Lui-même il est sa loi, et il
s'épanouit ... Quelle bonne leçon de rhétorique, et non
seulement de l'art du lettré, mais aussi quel guide pour
penser ! Lui, le bel objet, ne nous fait pas voir une symé-
trie à la française, mais la logique d'une âme vivante et ses
engendrements. Au terme d'une vie où j'ai tant aimé la
logique, il me marque ce que j'eus peut-être de systématique
et qui n'exprimait pas toujours ma décision propre, mais
une influence extérieure. En éthique surtout je le tiens
pour mon maître. Regardez-le bien. Il a eu ses empêche-
ments, lui aussi; voyez comme il était gêné par les ombres
des bâtiments: il a fui vers la droite, s'est orienté vers la
liberté, a développé fortement ses branches en éventail sur
l'avenue. Cette masse puissante de verdure obéit à une
raison secrète, à la plus sublime philosophie, qui est l'acceptation des nécessités de la vie. Sans se renier, sans s'a-
bandonner, il a tiré des conditions fournies par la réalité le
meilleur parti, le plus utile. Depuis les plus grandes

branches jusqu'aux plus petites radicelles, tout entier il a
opéré le même mouvement... Et maintenant, cet arbre
qui, chaque jour avec confiance, accroissait le trésor de ses
énergies, il va disparaître parce qu'il a atteint sa perfection.
5 L'activité de la nature, sans cesse de soutenir l'espèce, ne
veut pas en faire davantage pour cet individu. Mon beau
platane aura vécu. Sa destinée est ainsi bornée par les
mêmes lois qui, ayant assuré sa naissance, amèneront sa
mort. Il n'est pas né en un jour, il ne disparaîtra pas non
10 plus en un instant... Déjà en moi des parties se défont et
bientôt je m'évanouirai; ma génération m'accompagnera,
et puis un peu plus tard viendra votre tour et celui de vos
camarades... »

M. Taine, quand il était heureux d'une idée, d'un dé-
15 veloppement d'idées surtout, avait pour conclure un sourire
extrêmement doux qui plissait ses paupières et jouait autour des lèvres sans presque remuer les joues. Il regarda
un instant avec cette bienveillance son compagnon...

*

Dans la seconde partie du roman, deux grandes figures rempla-
ceront celle de Taine dans l'admiration des générations qui doivent
reconstruire la France. La première est celle de Napoléon, « professeur d'énergie », c'est à dire celui qui n'a pas accepté passivement
une destinée mais a forgé la sienne. La seconde est celle de Victor
Hugo considéré comme le grand poète du siècle et qui a su exprimer
les aspirations sociales et humanitaires de la France du XIXe siècle.

Napoléon: Tôt après l'entretien rappelé ci-dessus, « Rœmerspacher
ayant mené son ami *à l'arbre de Taine,* Sturel admira que ce platane poussât
poussât contre les Invalides où repose la gloire de Napoléon. Deux
éthiques contradictoires se déployaient à cette fin de journée devant
leur imagination... »: Tandis que Taine avait voulu que les conditions
de race, de milieu et de moment fussent au fond de tout sans que l'action des hommes fût autre chose qu'une illusion, voulu qu'il n'y eût au
monde que des « phases d'un devenir infini » et déterminées d'a-
vance, Napoléon, lui, avait su stimuler toutes les énergies, celles
mêmes de ses ennemis qui cherchaient à lui résister. Voici quelques
passages du chapitre « Au Tombeau de Napoléon » contant comment
les sept Lorrains, le 5 mai 1884, jour anniversaire de la mort [1821] du
grand homme, essayèrent d'aller demander la leçon d'énergie.

Au tombeau de Napoléon

Le tombeau de l'Empereur, pour des Français de vingt ans, ce n'est point le lieu de la paix, le philosophique fossé où un pauvre corps qui s'est tant agité se défait; c'est le carrefour de toutes les énergies qu'on nomme audace, volonté, appétit. Depuis cent ans, l'imagination partout 5 dispersée se concentre sur ce point. Comblez par la pensée cette crypte où du sublime est déposé; nivelez l'histoire, supprimez Napoléon: vous anéantissez l'imagination condensée du siècle. On n'entend pas ici le silence des morts, mais une rumeur héroïque; ce puits sous le dôme, c'est le 10 clairon épique où tournoie le souffle dont toute la jeunesse a le poil hérissé.

Penchés sur ce puits [1] où les architectes, qui désespéraient de lui dresser un trône suffisant, laissèrent s'enfoncer le trop lourd cadavre, les sept Lorrains, tous petits-fils des 15 soldats de la grande-armée, sentent leurs poitrines de jeunes mâles s'élargir, se gonfler amoureusement contre la balustrade de marbre, à vingt mètres de l'objet en qui ils reconnaissaient leur pareil, mais combien plus beau qu'eux-mêmes ! Ils s'enivrent de l'espoir de respirer, à travers le 20 triple cercueil, des miasmes de mort qui seraient pour eux des ferments d'immortalité. ۰۰۰ Tous les spécialistes des sciences sociales ont incarné en lui l'idée que chacun d'eux se compose de la plus haute compétence. C'est ainsi que nous connaissons le Napoléon des tacticiens, des diplo- 25 mates, des légistes, des politiques. Ce sont des aspects exacts de l'Empereur, les détails de son ensemble. Il fut également le corsaire de Byron, l'empereur des Musset, des Hugo, le libérateur selon Heine, et le parvenu de Ras-

---

[1] On sait que le monument sous lequel ont été déposés les restes de l'Empereur n'est pas élevé en hauteur; le tombeau est au contraire enfoncé dans le sol sous le grand dôme de l'Hôtel des Invalides (construit sous Louis XIV), et le visiteur le contemple d'en haut, comme dans « un puits ».

tignac,[1] l'individu de Taine.[2]　Aucun de ces grands hommes
ne s'est mépris.　Les peuples non plus ne se trompèrent
pas, — Français, Allemands, Italiens, Polonais, Russes, —
quand chacun d'eux crut Napoléon né spécialement pour
5 l'électriser: car cela est exact qu'il a tiré de leur léthargie
les nationalités.　Toutes les nationalités en Europe et,
depuis un siècle, chaque génération en France!　Aux libéraux de la Restauration, aux romantiques de 1830, aux
messianistes de 1848, aux administrateurs du second Em-
10 pire, aux internationalistes qui rêvent d'obtenir du prolé-
tariat européen l'empire de Charlemagne, — à ces Sturel,
préoccupés d'allier l'analyse à l'action, il donne la flamme.
Pour chaque génération de France, comme il fit avec sa
garde, sur la fin du jour, dans le suprême effort de Waterloo,
15 il forme lui-même les premières lignes des combattants et,
quand tout le régiment passe, il leur adresse une courte
allocution en leur montrant de l'épée les positions à enlever.

« Quoi! dira-t-on, tant de Napoléons en un seul homme!
20 ... » — Nuages, qui colorez diversement le ciel et dont
l'ensemble peut faire le ciel même, vous symbolisez
magnifiquement le sens universel qu'a pris, dans une
époque où il ferme tous les horizons, cet homme singulier.
Les nuages se plaisent à changer, et leur action se déploie
25 tantôt en une demi-sphère magnifique, tantôt en figures
innombrables.　Ce rapport constant qui s'établit entre la
terre et le ciel par les vapeurs qui s'élèvent pour retomber
en pluies bienfaisantes, je le retrouve entre l'empereur
Napoléon et l'imagination de ce siècle ... Napoléon, notre
30 ciel, par une noble impulsion, nous te créons et tu nous
crées![3] ... Dès l'abord, les regards ardents de son armée

[1] Le parvenu ou l'arriviste [*climber*] de Balzac dans son roman
Le père Goriot.

[2] L'homme qui aura réalisé dans sa plénitude son individualité
selon les trois facteurs de la *race,* du *milieu* et du *moment* (v. Chap.:
Taine).

[3] *Nous ressuscitons ton image et tu nous inspires notre action.*

lui donnèrent son masque surhumain, comme une amante
modifie selon la puissance de son sentiment celui qu'elle
caresse.   Et depuis un siècle, dans chaque désir qui soulève
un jeune homme, il y a une parcelle qui revient à Bonaparte et qui l'augmente, lui, l'Empereur.   Dans sa gloire   5
s'engloutissent des millions d'anonymes qui lui règlent sa
beauté.

Les Sturel, les Rœmerspacher, les Suret-Lefort, les Renaudin,
les Saint-Phlin, les Racadot, les Mouchefrin, à leur tour viennent
« demander à l'Empereur de l'élan, lui apportent aussi leur tribut »:
« Tous lui disaient le mot des vingt-quatre mille conscrits de la jeune
garde en 1815, dans l'héroïque dessin de Raffet: *Sire, vous pouvez
compter sur nous comme sur votre vieille garde*. Enfants qui saisissent
maladroitement leurs fusils, mais possèdent la force morale ».

Mais *comment* agir ? « Depuis leur sortie du lycée, soit quatre
années, ces jeunes Français veulent agir »; mais entre eux « il n'y a
point de coordination.   Bien au contraire, ils s'appliquent à s'annuler.
Manifestement notre pays est dissocié ».   Et, « de leur anarchie, ces
bacheliers mêmes, qui errent sur la pavé de Paris comme des Ton-
kinois dans leurs marais, sans lien social, sans règle, sans vie, sans
but, se rendent compte ».   Ils ne trouvent en effet pas « la direction »
pour leur journal, ce qui les conduit après « Un an de lutte » (Chap.
XIV) à « La mystérieuse affaire de Billancourt » (Chap. XVI) c'est
à dire à la catastrophe que l'on a vue, à l'assassinat et, pour l'un
d'eux au moins, à la guillotine.

Victor Hugo: Dans la journée du 22 mai, 1885, mourut Victor
Hugo qui avait pendant près d'un siècle donné « expression » à
l'âme de son pays.

« Au lendemain d'une mystérieuse et abondante soirée, les journaux publièrent des nouvelles plus inquiétantes de Victor Hugo:
l'illustre vieillard souffrait d'oppression et d'une grande agitation;
on le piquait à la morphine; il buvait un peu de bouillon, embrassait
ses petits-enfants, serrait la main de ses amis.

« La France avec angoisse assistait à ces apprêts de la mort magni-
fiés par une presse idolâtre.   Les poètes avaient passé plusieurs nuits
chez le marchand de vin devant la maison du grand homme.   Ils
buvaient et récitaient ses vers.   D'heure en heure, ils venaient sous
les fenêtres, d'où on leur jetait des nouvelles.   Les comités politiques,
sur tout le territoire, étudiaient des mesures de deuil. Dans la matinée,
des bruits pires circulèrent: qu'il entrait en agonie. ◦ ◦ ◦ Ce 22
mai, tout Paris attendait le journal.   Sturel, allant au Luxembourg

après son déjeuner, l'acheta. En caractères gras, à la « dernière heure », se détachait, signée des trois médecins, cette seule ligne:

« « *Situation extrêmement grave. 9 heures 20.* »

« Vendredi 22 mai 1885, la matinée de l'agonie ! Un témoin a dit: « Le râle était extrêmement douloureux à entendre; c'était « d'abord un bruit rauque qui ressemblait à celui de la mer sur les « galets, puis il s'est affaibli, puis il a cessé ». Quelqu'un s'approcha d'une pendule, en brisa le ressort: une heure vingt-sept minutes de l'après-midi.

« A la Chambre, bien qu'on ne siégeât pas, la salle des Pas-Perdus [antichambre *lobby*] et les couloirs grouillaient; députés et journalistes piétinaient en attendant des nouvelles. A une heure cinquante, on affichait cette phrase laconique, plus émouvante qu'aucun pathos travaillé: « Victor Hugo est mort à une heure et demie ». Le Palais-Bourbon [siège de la Chambre des Députés] se vida sur la maison mortuaire; les parlementaires couraient au cadavre, pour lui emprunter de l'importance. Le Conseil municipal s'y rendit en corps après avoir levé sa séance. Déjà l'on disait que le maître, l'Aïeul, le Père serait enterré aux frais de l'État, exposé sous l'Arc de Triomphe et enseveli au Panthéon... Dans tout l'univers, averti par les dépêches, les témoignages se composaient et allaient affluer. Bienfaisants, car, à les lire, c'est d'amour pour la gloire, des larmes ont monté de certains cœurs. »

[Ici se place une discussion des Lorrains. Racadot donne une conférence où il attaque la mémoire de Victor Hugo dont l'humanitarianisme était considéré comme un grand obstacle aux ambitions de ceux qui pouvaient « césariser, » s'élever au-dessus des autres hommes et appliquer la doctrine impérialiste de Nietzsche qui alors se répandait. Voici la réponse de Rœmerspacher — qui est le portevoix de Barrès:

« ... Ta nature qui nous invite à *césariser*, tout cela peut être vrai en théorie pour un monstre imaginaire, pour un homme hypothétique, qui vivrait isolé, hors de tout groupement; mais l'homme est un animal politique, une bête sociale, et ce qu'il y a de mieux à faire pour sa sauvegarde, c'est de respecter la société dont il tire tout et qui, d'ailleurs, saurait bien l'y contraindre. »]

Les funérailles nationales de Victor Hugo eurent lieu le 31 mai, et Barrès écrivit ce fameux Chap. XVIII « La vertu sociale d'un cadavre » qui a pour épigraphe ce mot de Renan: « *M. Hugo était de plus en plus pris de pitié pour les milliers d'êtres que la nature immole à ce qu'elle fait de grand* », et dont on va lire quelques pages:

La vertu sociale d'un cadavre

De grand matin, ce dimanche même, 31 mai [1885], la famille et les vingt maires de Paris avaient accompagné le long de l'avenue d'Eylau, depuis cinq jours avenue Victor Hugo, l'illustre dépouille qu'on allait installer pour vingt-quatre heures d'apothéose sous l'Arc de Triomphe. Dix 5 mille personnes attendaient. « Tête nue ! » cria-t-on quand s'éleva sous le monument l'hôte des six cent cinquante-deux généraux de l'Empire.[1]

Tout le jour ce fut le défilé de Paris dont les rangs pressés se formaient avenue Hoche, pour s'écouler par l'avenue du 10 Bois. Haussée sur un double piédestal de velours violet, une immense urne qui montait jusqu'au cintre proposait aux plus lointains regards le cercueil. Partout des écussons dans des trophées de drapeaux affichaient comme des devises glorieuses les titres de ses œuvres. Leurs noms, tou- 15 jours jeunes dans l'esprit de ce peuple parisien, habitué des théâtres ou des lectures par livraisons,[2] protestaient contre l'idée de mort. Un immense voile de crêpe, dont on avait essayé de tendre l'angle droit de l'Arc de Triomphe, parais-sait, des Champs-Elysées,[3] une vapeur, une petite chose 20 déplacée sur ce colosse triomphal. La garde du corps, con-fiée aux enfants des bataillons scolaires, était relevée toutes les demi-heures pour qu'un plus grand nombre partici-passent d'un honneur capable de leur former l'âme.

Ces enfants, ces crêpes flottants, ces nappes d'admira- 25 teurs épandues à l'infini et dont les vagues basses battaient la porte géante, tout semblait l'effort de pygmées voulant

---

[1] Les 652 généraux de la Grande armée de Napoléon et dont les noms sont gravés sur l'Arc de Triomphe.

[2] Généralement des romans à grandes aventures ou à grands senti-ments qui étaient vendus à raison de quelques chapitres par semaine pour permettre aux lecteurs pauvres de les acquérir. Ainsi furent publiés, p. ex. les romans d'Eugène Sue, de Victor Hugo, de G. Ohnet.

[3] La grande et longue avenue qui va de l'Arc de l'Étoile à la Place de la Concorde.

retenir un géant: une immense clientèle crédule qui supplie
son bon génie.

Aux premières heures de la nuit, ce dimanche, ₀₀₀ le
culte, un peu officiel jusqu'alors, gagnait les masses; Paris,
5 qui était allé dîner, revenait avec de plus grandes facultés
d'enthousiasme.   D'abord presque uniquement respec-
tueuses, courbées d'admiration devant cet homme des
sommets et des nuages, les petites gens s'attendrissaient en
pensant que c'était le dernier soir de la présence réelle. Le
10 vieillard, enlevé au mouvement de la grande ville, allait se
décomposer dans les compartiments administratifs de la
mort, au Panthéon.   Déjà le cercueil devenait invisible,
perdu là-haut, dans le sombre de la nuit.   Les nerfs frémirent.   Jusqu'alors pareil aux grandes divinisations impé-
15 riales romaines, l'hommage prit l'intensité des fêtes
funéraires d'Orient.   Dans les Champs-Elysées, dans les
avenues d'Iéna, Hoche, Friedland, de l'Alma, Marceau,
Kléber, Victor-Hugo, du Bois, de la Grande-Armée,[1] sur les
pentes de cette longue colline, toute belle ordonnance fut
20 rompue par l'émotion de ces masses campant autour d'un
cadavre.   Par la puissance de ce bouleversement moral, et
dans la liberté d'une fin de dimanche, quelque chose de
trouble émergeait du fond des consciences. Le premier soir
de la mort, après une visite au cadavre étendu sur son lit,
25 un journaliste avait écrit: « En face de cette vision funèbre,
on comprend les hallucinations, les touchants malentendus
d'où sont sorties tant de religions. Il faut un effort de la
pensée pour se replacer dans notre siècle de science et
d'analyse, pour s'avouer que celui que nous pleurons n'a
30 été qu'un homme . . . » Ainsi dès le 22 avait commencé
l'apothéose; mais de ce long office des morts la nuit du
dimanche au lundi fut l'élévation,[2] l'instant où le cadavre
présenté à la nation devient dieu.

[1] Les avenues qui aboutissent à l'arc de Triomphe et forment
(étoile).

[2] Le moment de l'élévation, lors de la célébration du sacrement de

Quelles ne sont pas les imaginations de tout un peuple surexcité par la gloire et la mort? Demain, lundi, quand ces masses porteront le dieu au Panthéon, l'aube aura dissipé ces orageuses vapeurs. Il faut l'avoir vu, le cercueil soulevé dans la nuit noire, sombre lui-même à cette 5 hauteur, tandis que les flammes vertes des lampadaires désolaient de lueurs blafardes le portique impérial et se multipliaient aux cuirasses des cavaliers porteurs de torches qui maintenaient la foule. Les flots, par remous immenses, depuis la place de la Concorde, venaient battre sur les 10 chevaux épouvantés, jusqu'à deux cents mètres du catafalque, et déliraient d'admiration d'avoir fait un dieu. Des adorateurs furent écrasés aux pieds de l'idole. On savait qu'à ce cadavre douze hommes jeunes avaient été donnés, poètes et fanatiques, pour l'honorer et le servir. Jean 15 Aicard, Paul Arène, Victor d'Auriac, Emile Blémont, Courteline, Rodolphe Darzens, Léon Dierx, Edmond Haraucourt, Jacques Madeleine, Tancrède Martel, Catulle Mendès, Armand Silvestre veillèrent dans un vent terrible qui leur apportait Quasimodo, Hernani, Ruy Blas, les 20 Burgraves, monseigneur Myriel, Fantine et le cher Gavroche [1] et des milliers de vers bruissants, et des mots surtout, des mots, des mots! car le voilà son titre, sa force, c'est d'être le maître des mots français: ₀ ₀ ₀ leur ensemble forme tout le trésor et toute l'âme de la race. A ces écri- 25 vains de sa garde, Hugo est sacré comme le bienfaiteur qui leur a donné leurs modèles, leurs rythmes, leur vocabulaire. Durant ces longues heures nocturnes, ils se définissent son rôle historique dans la littérature française. C'est son aspect légendaire qui prévaut dans les masses et qui les 30 courbe d'amour; pour elles et fort justement, il est ceci: la plus haute magistrature nationale. Elles le remercient

---

la messe, — quand le prêtre élève l'hostie ou le calice, et le moment où le pain devient vraiment le corps du Christ et le vin son sang.

[1] On sait que ce sont quelques-uns des personnages les plus marquants des romans et drames de Victor Hugo.

de l'appui magnifique qu'il a donné aux formes successives
de l'idéal français dans ce siècle. Oui, c'est le chef mystique, le voyant moderne, non pas le romantique, élégiaque
et dramaturge, que ces grandes foules assistent.

5   On a justement défini l'Arc de Triomphe en plein jour:
« une porte sur le vide ». Cette nuit-là, c'était une porte
ouverte sur le néant et sur le mystère. *« Je refuse l'oraison
de tous les cultes. Je crois en Dieu »*, disait le poète dans son
testament répandu à des millions d'exemplaires. Sur ce
10 seuil, nous le voyions faisant parmi nous son dernier acte,
son geste suprême. Il proclamait un inconnu auprès duquel
il demandait qu'on intercédât. Voilà le mystère. Il donnait une précision grandiose à cette vérité qu'on voile:
l'échec final de tous les efforts. Voilà le néant. « Eh quoi !
15 ne plus le voir, ce grand ami de Paris ! Il avait, paraît-il,
des facultés plus qu'humaines. Si celui-là meurt ainsi, que
sera-ce de moi, misérable ? . . . Que lui servent mes hommages ! J'aime mieux vivre obscur, infime, jouir de cette
fête dans l'ombre des marronniers, que me défaire sous
20 cette orgueilleuse décoration . . . »

Comme tous les cultes de la mort, ces funérailles exaltaient le sentiment de la vie. La grande idée que cette
foule se faisait de ce cadavre, et qui disposait chacun à se
trouver plus petit, charriait dans les veines une étrange
25 ardeur. C'était beau comme les quais des grands ports,
violent comme la marée trop odorante qui relève nos forces,
nous remplit de désirs. Les bancs des Champs-Elysées, les
ombres de ses bosquets furent jusqu'à l'aube une immense
débauche. Paris fit sa nuit en plein air. C'eût été le chaos,
30 si ce monde trouble n'avait eu son phare. — Une foire ?
Non, l'humanité autour d'un cercueil ! . . . Nuit du 31 mai
1885, nuit de vertiges, dissolue et pathétique, où Paris fut
enténébré des vapeurs de son amour pour une relique.
Peut-être la grande ville cherchait-elle à réparer sa perte.
35 Ces hommes, ces femmes avaient-ils quelque instinct des
hasards brûlants d'où sort le génie ? Combien de femmes

se donnèrent alors à des amants, à des étrangers, avec une
vraie furie d'être mères d'un immortel ! Les enfants de
Paris qui naquirent en février 1886, neuf mois après cette
folie dont ils reçurent le dépôt, doivent être surveillés.[1]

A midi moins le quart, vingt et un coups de canon re-   5
tentirent sur Paris. A l'Étoile, les discours commencèrent,
infectés d'esprit partisan et vaniteux et se traînant à terre,
alors qu'il eût fallu unifier la France et la soulever pour que
courageusement, en ce jour de gloire et de deuil, elle me-
surât le terrain qu'elle est en train de perdre dans les ma-   10
nœuvres générales de l'humanité. Cependant, le char des
pauvres,[2] où se croisaient sur un drap noir deux lauriers,
avec l'éclat le plus imposant s'engagea sur la pente des
Champs-Elysées. L'antithèse ne laissa aucun visage insensible; d'une extrémité à l'autre des Champs-Elysées se   15
produisit un mouvement colossal, un souffle de tempête;
derrière l'humble corbillard marchaient des jardins de
fleurs et les pouvoirs cabotinants [3] de la Nation, et puis la
Nation elle-même, orgueilleuse et naïve, touchante et ridicule, mais si sûre de servir l'idéal ! Notre fleuve français   20
coula ainsi de midi à six heures, entre les berges immenses
faites d'un peuple entassé depuis le trottoir, sur des tables,
des échelles, des échafaudages, jusqu'aux toits. Qu'un tel
phénomène d'union dans l'enthousiasme, puissant comme
les plus grandes scènes de la nature, ait été déterminé pour   25
remercier un poète-prophète, un vieil homme qui par ses
utopies exaltait les cœurs, voilà qui doit susciter les plus
ardentes espérances des amis de la France. Le son grave

[1] En février 1916 eut lieu la formidable attaque de Verdun par les
Allemands; les Français, nés en février 1886, qui la repoussèrent
avaient alors trente ans.

[2] Victor Hugo avait demandé à être porté à sa dernière demeure
dans le corbillard des pauvres. On sait qu'il y a en France trois classes
d'enterrements correspondant au degré de fortune du mort.

[3] *Cabotin*, comédien de bas étage; terme de mépris pour les in-
trigants en politique.

des marches funèbres allait dans ces masses profondes saisir
les âmes disposées et marquer leur destinée. Gavroche,[1]
perché sur les réverbères, regardait passer la dépouille de
son père indulgent et, par lui, s'élevait à une certaine no-
5 tion du respect.

Cette foule où chacun porte en soi, appropriée à sa nature, une image de Hugo, conduit sa cendre de l'Arc de
Triomphe au Panthéon.[2] Chemin sans pareil ! Qui ne
donnerait sa vie pour le parcourir cadavre ! Il va à l'os-
10 suaire des grands hommes: — au caveau national et aux
bibliothèques. — Ici, une fille légendaire sauva Paris,
écarta les Barbares: c'est un même office qu'ont à perpétuer les écoles de la Montagne; elles ont toujours à sauver
la France, en lui donnant un principe d'action. Ici la
15 jeunesse hérite de la tradition nationale et, en même temps,
s'initie à l'état de la vérité dans le monde, aux efforts actuels de tous les peuples vers plus de civilisation. C'est
ici, depuis les bégaiements du douzième siècle, que se sont
composées les formules où notre race a pris conscience et a
20 donné communication au monde des bonnes choses qui lui
sont propres.

Certains esprits sont ainsi faits que deux points les
émeuvent dans Paris: — l'Arc de Triomphe, qui maintient
notre rang devant l'étranger, qui rappelle comment nous
25 donnâmes aux peuples, distribuâmes à domicile les idées
françaises, les « franchises de l'humanité », — et cette colline Sainte-Geneviève, dont les pentes portent la Sorbonne,
les vieux collèges, les savantes ruelles des étudiants. L'Arc

[1] V. vol. I, pp. 292–297.
[2] Sur le frontispice du monument sont écrits ces mots: *Aux
grands hommes. La Patrie reconnaissante.* Il s'élève sur la Colline
Sainte-Geneviève; avait été d'abord une église consacrée à la sainte
qui par ses prières avait, selon la légende, sauvé Paris des hordes
barbares d'Attila (Ve siècle). Aujourd'hui c'est sur les pentes de la
« montagne de sainte Geneviève » que se trouvent les grandes
« écoles » de Paris, la Sorbonne, le Collège de France, l'École des
mines, etc.

de Triomphe, c'est le signe de notre juste orgueil; le Panthéon, le laboratoire de notre bienfaisance: orgueil de la France devant l'univers. Le même vent qui passe et repasse sous la voûte triomphale court aussi sans trêve le long des murs immenses du Panthéon, c'est l'âme, le souffle 5 des hauts lieux: nul n'approche le mont de l'Étoile, le mont Sainte-Geneviève qui n'en frémisse, et pour les plus dignes, ce sera le moteur d'une grande et durable activité.

De l'Étoile au Panthéon, Victor Hugo, escorté par tous, s'avance. De l'orgueil de la France il va au cœur de la 10 France. C'est le génie de notre race qui se refoule en elle-même: après qu'il s'est répandu dans le monde, il revient à son centre; il va s'ajouter à la masse qui constitue notre tradition. De l'Arc où le Poète fut l'hôte du César, nous l'accompagnons à l'Arche insubmersible où toutes les 15 sortes de mérite se transforment en pensée pour devenir un nouvel excitant de l'énergie française.

Hugo gît désormais sur l'Ararat du classicisme national. Il exhausse ce refuge. Il devient un des éléments de la montagne sainte qui nous donnerait le salut, alors même 20 que les parties basses de notre territoire ou de notre esprit seraient envahies par les Barbares. Appliquons-nous à considérer chaque jour la patrie dans les réserves de ses forces, et facilitons-lui de les déployer. Songeons que toute grandeur de la France est due à ces hommes qui sont 25 ensevelis dans sa terre. Rendons-leur un culte qui nous augmentera.

Colette Baudoche

(1909)

On a vu Barrès, le Lorrain, réclamer les droits de sa province natale vis-à-vis de Paris. Il devait naturellement se montrer plus passionné encore quand il s'agissait de la Lorraine déchirée par la politique extérieure, cette Lorraine dont une partie avait été détachée en 1871 pour être livrée à l'Allemagne victorieuse.

L'aventure de Colette Baudoche (que l'auteur donne comme

tirée de la réalité) est très simple.   Un professeur de lycée allemand, le
Dr. Asmus, arrive à Metz, capitale de la Lorraine devenue allemande,
pour y occuper un poste de professeur.   Il prend pension chez une
brave et patriote Messine [adj. de Metz], Madame Baudoche,
veuve de ressources modestes, qui a connu les heures douloureuses de
la capitulation et qui vit seule avec sa charmante fille, Colette.   Tout le
livre repose sur le contraste qui existe entre le sérieux et la gaîté fine
de la race lorraine, et la gravité et la pesanteur de la race des vainqueurs.   Le Dr. Asmus est peu à peu conquis et admet la supériorité
de ce milieu sur celui où il a été élevé lui-même.   Il faut pour apprécier
le roman se souvenir qu'il a été écrit comme une œuvre de polémique.
Barrès s'efforce d'être impartial; il reconnaît pleinement que le
Dr. Asmus est un brave et honnête homme, mais il mêle à sa description du personnage des éléments de satire accusée.   Le Dr. Asmus
décide de sacrifier sa fiancée allemande, une Prussienne de Kœnigsberg,
à Colette.   Celle-ci hésite, touchée par un amour qu'elle sent vrai et
profond, mais elle finit par ne pas accepter et par mettre ses sentiments de Lorraine patriote au-dessus de ses sentiments personnels.

Il y a vers la fin quelques jolies scènes décrivant cette idylle sans
aboutissement et discrètement contée.   La grande et émouvante
scène est la dernière, quand, dans la solennelle « fête annuelle du
souvenir » (de la défaite) célébrée dans la cathédrale, Colette comprend qu'elle veut garder son cœur pour sa race rendue malheureuse
par la conquête.

La cérémonie du souvenir

(7 septembre, 1876)

Le Dr. Asmus est revenu de ses vacances plus tôt qu'il n'avait dit;
il voulait surprendre Madame Baudoche et Colette en assistant à la
cérémonie, témoignant ainsi de la sincérité de ses sentiments.

Cette cérémonie fameuse, qui, jusqu'à cette heure, n'a
rien perdu de son prestige, assombrit et ennoblit, chaque
année, dans Metz, les approches de l'automne.   Elle a
conservé la couleur et le ton que lui avait donnés Mon-
5 seigneur Dupont des Loges, Dupont des Loges, le successeur des grands évêques debout contre les Barbares !   Il
fut, après 1870, la voix et l'honneur de Metz, son chef
spirituel, et, dans son malheur, la province rhénane [1] aime
l'avoir reçu de la Bretagne celtique.

[1] Adjectif de Rhin.

Le 7 septembre 1871, quatre mois après le traité de
Francfort [qui avait détaché la Lorraine de la France], la
ville, encore pleine de sa population française, mais pros-
ternée dans la douleur et qui paraissait morte, se leva,
d'un seul mouvement, à huit heures et demie du matin. 5
Aux appels du glas de la cathédrale, les quarante mille
Messins s'en allèrent dans leurs maisons de prière, ceux-ci
chanter à la cathédrale la messe des morts, ceux-là réciter
au temple le cantique de l'exil de Babylone,[1] et ces autres
à la synagogue leurs psaumes de deuil. Puis, tous les 10
clochers de la ville sonnant, ils se rangèrent, place d'Armes,
derrière leurs prêtres et leurs magistrats, et se rendirent,
la croix catholique en tête, au milieu de la stupeur des
Allemands, à Chambières, devant le monument que les
femmes de Metz offraient aux soldats français morts dans 15
les batailles du siège. « Ombres généreuses et chères, ne
craignez pas un désolant oubli. » Ainsi parla le maire.
L'évêque rappela que saint Paul défend de désespérer. Et
par trois fois, il entonna le *Parce domine*,[2] tandis que la
foule, à genoux, en pleurant, acclamait la France.   20
Cette foule, les départs l'ont terriblement diminuée,

---

[1] Le psaume CXXXVII de la Bible protestante (CXXXVI de la
Bible catholique) que les fidèles récitèrent au Temple protestant.
Ce sont les *Lamentations du peuple de Dieu en exil à Babylone* — les
Lorrains aussi se sentaient en exil, arrachés à leur mère-patrie:
« Sur les bords du fleuve de Babylone, nous étions assis et nous
pleurions en nous souvenant de Sion... Là nos vainqueurs nous
demandaient des chants, et nos oppresseurs de la joie: Chantez-
nous quelques-uns des cantiques de Sion ! — Comment chanterions-
nous les cantiques de l'Éternel sur une terre étrangère ?... Éternel,
souviens-toi des enfants d'Édom qui dans la journée de Jérusalem
disaient: ‹ Rasez, rasez jusqu'à ses fondements ! Fille de Babylone
‹ la maudite, Heureux qui te rend la pareille, le mal que tu nous as
‹ fait ! Heureux qui saisit tes enfants, et les écrase sur le roc ! › »
[2] Un chant latin du recueil de prières « pour les saluts » dans le
missel catholique: *Parce Domine, parce populo tuo ne in aeternum
irascâris nobis:* — Épargne, Seigneur, épargne ton peuple de peur que
tu ne sois irrité contre nous à jamais.

mais ceux qui restent savent que c'est leur devoir d'assister
à la commémoration funèbre de septembre.

Les dames Baudoche mettaient leurs vêtements de deuil
quand M. Asmus se présenta vingt-quatre heures plus tôt
5 qu'il n'était attendu.

Son allure respirait une joyeuse confiance, l'enchantement d'un ours qui va manger du miel, en même temps
qu'une réelle bonté. Il était en redingote; et il expliqua,
comme une grande délicatesse, qu'il était descendu cette
10 nuit à l'hôtel, pour leur faire la surprise de les accompagner,
ce matin, à la messe de la cathédrale. C'était dire qu'il
n'entendait gêner aucun des souvenirs de ces dames, et que,
si Colette devenait sa femme, toute la Lorraine s'incor-
porerait à leur vie de famille.

15 Sa présence gênait les deux femmes, autant que son intention les touchait. Cependant elles ne firent paraître
que leur gratitude; et tous trois, ils gagnèrent les escaliers
de la haute basilique, sur laquelle le soleil après tant de
journées de pluie, mettait la couleur des mirabelles.

20 Cinq ou six voitures débarquaient au perron de petits
châtelains, venus de la campagne, et quelques enfants traversaient la place d'Armes avec des bouquets. La cathédrale, à l'intérieur, ruisselait de clarté.

Les vitraux du chœur, bleu de roi, bleu de France et
25 vert mêlé de jaune, font face à la rose du portail qui fleurit
en réséda fané, et le transept rayonne des belles dames du
seizième siècle qu'a créées Valentin Busch. A voir la nef
légère, où la plus fine armature soutient ces portes de lumière, il semble que Metz ait voulu dresser un symbole de
30 sa loyauté . . . . . . ◦◦ L'ange lumineux qui plane sans bruit
sur cette basilique fière, délicate et sereine, s'accorde avec
les rives mosellanes.[1] L'atmosphère y est favorable à tous
les sentiments nés du sol messin. Depuis trente-huit ans,
ses cérémonies fournissent aux indigènes la seule occasion
35 de se rassembler, de sentir et de penser ensemble. Elle

---

[1] Adjectif, de Moselle, la rivière qui passe à Metz.

s'est accrue des malheurs de la cité, et son vaisseau qui
brille au-dessus de la campagne paraît, dans le désastre
lorrain, la maison de refuge du patriotisme.

Les deux femmes suivies d'Asmus vont s'asseoir au bas
de l'immense nef toute tendue de noir. Au milieu s'élève 5
et flamboie le catafalque chargé de fleurs. Quinze cents
personnes ont répondu à l'appel: des hommes de toutes
les conditions...; des femmes en grand nombre, uni-
formément vêtues de deuil; beaucoup d'enfants, pauvres
ou riches, qui bâillent mais n'oublieront pas: tout l'ex- 10
cellent, toute l'âme de Metz prête à se laisser soulever. ○ ○ ○

L'orgue est petit, les chanteurs lointains, et le groupe des
prêtres en deuil se perd dans la pénombre de l'abside.
L'évêque, d'une race étrangère, mais d'un cœur noble, est
prosterné sur son trône violet. Chacun s'incline, la messe 15
vient de commencer, et l'officiant nomme ceux pour qui l'on
va célébrer l'office. « Aujourd'hui, nous faisons mémoire
des soldats français tombés dans les batailles sous Metz. »

Cette formule consacrée est soutenue, appuyée, doublée
du vœu pressant [1] de toute l'assemblée. Véritable évoca- 20
tion ! Les morts se lèvent de leurs sillons; ils accourent
des tragiques plateaux, de Borny, Gravelotte, Saint-Privat,
Servigny, Peltre et Ladonchamp [2]... On les accueille avec
vénération. Ils ont défendu la cité et la protègent encore;
leur mémoire empêche qu'on méprise Metz. 25

La présence de ces ombres tutélaires dispose chacun à se
remémorer l'histoire de son foyer. Celui-ci songe à ses
parents, dont la vieillesse fut désolée; cet autre encore à
sa fortune diminuée. Et le chef de famille, s'adressant à
son père disparu, murmure: « Vois, nous sommes tous là, 30
et le plus jeune, que tu n'as pas connu, pense comme tu
pensais ».

[1] Vœux de retour à la France — qui furent exaucés après la Grande
Guerre de 1914-1918.
[2] Noms de lieux de combat dans la région de Metz pendant la
guerre de 1870-1871.

Ainsi chacun rêve à sa guise... Mais s'ils sont venus, ces Messins, dans la maison de l'Éternel, c'est d'instinct pour s'accoter à quelque chose qui ne meurt pas. Il leur faut une pensée qui les rassemble et les rassure. Le prêtre
5 donne lecture de l'*Epître*.[1] Admirable morceau de circonstance, car il raconte l'histoire des Macchabées, qui moururent en combattant pour leur pays et que Dieu accueillit, parce qu'ils avaient accepté le sommeil de la mort avec héroïsme.[2] C'est le texte le plus ancien et le plus précis où
10 s'affirme la doctrine de l'Église sur les morts. Une grande idée la commande, c'est qu'ils ressusciteront un jour... Honorons leurs reliques, puisqu'elles revivront; conduisons-nous de manière à leur plaire, puisqu'ils nous surveillent, et sachons qu'il dépend de nous d'abréger leurs
15 peines.[3]

Ces vieilles croyances communiquent à tout l'office des morts son caractère de tristesse douce et de mélancolie mêlée d'espérance. Une musique s'insinue dans les cœurs. Des appels incessants s'élèvent pour que des êtres chers
20 obtiennent leur sommeil. Les traits rapides et pénétrants que le moyen âge appelait les larmes des saints, et ces vieilles cantilènes, qui faisaient pleurer Jean-Jacques à Saint-Sulpice,[4] n'ont rien perdu de leur puissance pour détendre les âmes. Les regards ne peuvent se détacher des
25 lumières du cercueil. Quoi! cette douloureuse armée est

---

[1] *L'Epître* — leçon tirée de l'Écriture sainte, et surtout des ‹ épîtres › du Nouveau Testament, qui se dit ou se chante à la messe avant la lecture ou le chant de la partie appelée *Évangile*.

[2] L'histoire de sept frères de la famille des Macchabées qui subirent le martyre (148 avant J.-C.) sous Antiochus Epiphane, roi de Syrie qui persécuta les Juifs, est racontée au Livre II des Macchabées, Chap. vii. Comme le rappelle Barrès, le Livre des Macchabées est le seul livre de l'Ancien Testament (de la Bible catholique) qui mentionne la résurrection glorieuse des morts (Macchabées, Chap. xii, v. 43–46).

[3] Allusion à la doctrine catholique du Purgatoire.

[4] Jean-Jacques Rousseau, très amateur de musique, et qui, quoique protestant, aimait à entendre la musique des services catholiques; celle de l'Eglise Saint-Sulpice, à Paris, est renommée.

devenue une centaine de vives flammes sur les fleurs d'un catafalque ! « *Vita mutatur non tollitur* »,[1] chantera bientôt l'office. « Les morts ne sont plus comme nous, mais ils sont encore parmi nous. » Quel repos, quelle plénitude apaisée ! 5

Soudain, voici qu'au milieu de ces pensées consolantes, éclate le *Dies irae*.[2] Mélodie de crainte et de terreur, poème farouche, il surgit dans cet ensemble liturgique, si doux et si nuancé; il prophétise les jours de la colère à venir, mais en même temps il renouvelle les sombres se- 10 maines du siège. Son éclat aide cette messe à exprimer complètement ces âmes messines, dont les années ont pu calmer la surface, mais au fond desquelles subsiste la première horreur de la capitulation.

« Jour de colère, jour de larmes ... » Qui pourrait re- 15 tenir ces fidèles de trouver un sens multiple et leur propre image sous la buée de ces proses ? Depuis les siècles, chacun interprète les beaux accents latins. « Juge vengeur et juste, accordez-moi remise ... Délivrez-nous du lac profond où nous avons glissé; délivrez-nous de la gueule du 20 lion; que le Tartare ne nous absorbe pas; que nous ne tombions pas dans la nuit ... » Cette nuit, pour les gens de Metz, signifie une dure vie sous le joug allemand, loin des douceurs et des lumières de la France, et pour eux l'idée de résurrection se double d'un rêve de revanche. Ils en- 25 richissent de tout leur patriotisme une liturgie déjà si pleine.

Ces longues supplications, d'une beauté triste et persuasive, ces espérances, où la crainte et la douleur s'évadent parfois en tumulte, recréent au ras du sol, sous cette voûte où palpitent les ombres, l'émotion des premiers chrétiens 30 aux catacombes. ○ ○ ○

[1] *Vita mutatur ...: La vie est transformée, elle n'est pas supprimée.*

[2] *Dies irae: Jour de la colère* — ou du jugement; les premiers mots d'une des quatre « proses » du missel romain et qu'on chante à l'office des morts. Les « proses » sont des hymnes latines de vers rimés mais sans élément métrique. Quelques passages du célèbre chant sont donnés plus bas par Barrès.

Au bas de l'église, Colette à genoux, entre son Allemand et sa grand'mère, subit en pleurant toutes les puissances de cette solennité. Elle ne leur oppose aucun raisonnement. Elle repose, elle baigne dans les grandes idées qui mettent
5 en émoi tout le fond religieux de notre race. Durant un mois, elle s'est demandé: « Après trente-cinq ans, est-il excusable d'épouser un Allemand ? » Mais aujourd'hui, trêve de dialectique: elle voit bien que le temps écoulé ne fait pas une excuse et que les trente-cinq années ne sont
10 que le trop long délai depuis lequel les héros attendent une réparation. Leurs ombres l'effleurent, la surveillent. Osera-t-elle les décevoir, leur faire injure, les renier ? Cette cathédrale, ces chants, ces notables, tout ce vaste appareil ébranle la pauvre fille, mais par-dessus tout la présence des
15 trépassés. Colette reconnaît l'impossibilité de transiger avec ces morts qui sont là présents.

[Le Dr. Asmus voit Colette très émue et il sent que la réponse qu'il attend d'elle ne sera pas ce qu'il espérait. Ses craintes sont fondées; Colette, honnêtement, lui annonce sa décision.]

Colette, maintenant, perçoit avec une joyeuse allégresse qu'entre elle et M. Asmus, ce n'est pas une question personnelle, mais une question française. Elle se sent chargée
20 d'une grande dignité, soulevée vers quelque chose de plus vaste, de plus haut et de plus constant que sa modeste personne.

— Monsieur le docteur, dit la jeune fille, je ne peux pas vous épouser. Je vous estime, je vous garderai une grande
25 amitié; je vous remercie pour le bien que vous pensez de nous. Ne m'en veuillez pas.

V. Giraud écrit, p. 93 du livre cité:
« Certes cette ‹ petite Française de la lignée cornélienne › est touchante. Peut-être le serait-elle davantage, d'une part si la lutte qui s'engage dans sa conscience était moins brièvement analysée et nous était rendue plus sensible, et, d'autre part, si son sacrifice lui était, osons le dire, plus rude. Car elle n'aime pas d'amour Frédéric Asmus, lequel, en vérité, n'est pas très séduisant. »

CHAPITRE XXV

ROMAIN ROLLAND

1866-

Consulter: S. Zweig, *Romain Rolland* (trad. anglaise, Selzer, New York, 1921) est empreint d'un esprit d'admiration sans borne; mais fort bon livre. Plus judicieux: P. Seippel, *Romain Rolland, l'homme et l'œuvre* (Paris, Ollendorff, 1913); mais la date indique que les livres de guerre de Rolland ne sont pas pris en considération; la mort a empêché l'auteur de continuer son analyse. Comme étude plus brève, l'Introduction de Henry Ward Church aux éditions de *L'Aube* et d'*Antoinette* (Holt and Co., New York) est excellente.

Ce dernier des grands romanciers du XIXᵉ siècle peut être considéré comme une sorte de prophète d'un âge nouveau. De furieuses batailles de doctrines venaient de se livrer. Au Romantisme avait succédé le Réalisme qui lui-même avait été suivi d'une mêlée générale où l'on hésitait entre un franc retour vers le passé et un laisser-aller découragé — ce dernier formulé surtout dans le mouvement poétique du symbolisme décadent. Romain Rolland offre un contraste frappant avec Barrès; si celui-ci refusait de se laisser leurrer par ce qu'il considérait comme une utopie et voyait un remède aux maux présents dans un renouveau d'énergie nationale, R. Rolland, animé, lui, d'une foi ardente en l'humanité, prêche l'abaissement des barrières qui s'élèvent entre les peuples.

Romain Rolland est né en 1866, dans la petite ville de Clamecy, en Nivernais. Son père était notaire. Dès l'enfance, il se montra passionné pour la musique, que lui enseignait sa mère. Ses premières admirations furent pour Mozart et Beethoven en musique, Shakespeare en littérature. On se transporta à Paris pour donner à l'enfant une meilleure éducation. Étudiant au lycée Louis le Grand, Rolland y rencontra le poète Paul Claudel; ensemble ils s'enthousiasmèrent pour la nouvelle célébrité de Richard Wagner. Rolland n'abandonna pas pour autant son admiration pour Beethoven auquel il resta toujours particulièrement fidèle. En 1886 il entra, par concours, à la célèbre École Normale Supérieure; il y fut l'ami de Suarès et de Péguy, qui tous deux devaient fournir aussi de brillantes carrières littéraires. Ce fut le temps où il se prit d'admiration pour Tolstoï, le grand mystique humanitaire. Lorsque, peu après, Tolstoï publia son fameux ouvrage *Qu'est-ce que l'art?* (1898), — dans lequel toute doctrine d'art qui ne poursuit pas exclusivement un but huma-

nitaire était condamnée et où Beethoven, Wagner et Shakespeare
entre autres étaient vivement pris à partie, — Rolland, profondément
troublé écrivit à l'écrivain russe qui répondit par une longue lettre
où il répétait que tout art digne de ce nom doit être inspiré par l'a-
mour de l'humanité. On peut dire que Tolstoï convertit Romain Rolland; car sans aller aux extrêmes de son maître, il montra bien, lui
aussi, une âme d'apôtre. Après ses études à l'École Normale Supérieure, il fut envoyé en mission à Rome pour y travailler sur certains
documents historiques au Palais Farnèse. C'est à Rome qu'il fit la
connaissance de Malvida von Meysenburg qui avait été l'amie de
Wagner et de Nietzsche, et qui le conduisit à Bayreuth pour assister
aux festivals de Wagner.[1]

Pendant ce même séjour à Rome il conçut l'idée du grand roman
qui allait le rendre célèbre, *Jean-Christophe*. Il revint à Paris; il y
épousa la fille du linguiste Michel Bréal — mariage qui ne fut pas très
heureux et qui est mentionné ici à cause des réminiscences qu'on en
trouve dans un des volumes de *Jean-Christophe*. Il fut nommé
professeur de l'histoire de la musique à l'École Normale Supérieure
d'abord, et dès 1903 à la Sorbonne; il ne quitta ce poste qu'en 1912
pour se consacrer tout entier à sa carrière littéraire. Il fit de fréquents
voyages en Allemagne, en Suisse et en Italie.

Romain Rolland avait été profondément affecté par « l'Affaire
Dreyfus »; il s'était rangé derrière Zola avec ceux qui mettaient la
cause de la justice au-dessus des questions de partis politiques et
même de patriotisme; c'est à dire qu'il fut « dreyfusard ». Il donna
son appui à Charles Péguy, chef d'un groupe de jeunes idéalistes qui,
après la liquidation de « l'Affaire », continuèrent la campagne pour
un redressement de l'esprit national. C'est dans la petite revue de
Péguy, les *Cahiers de la Quinzaine*, qu'il publia d'abord (en séries)
sa vie de *Beethoven* (1903) et ensuite son long roman *Jean-Christophe*
(1904-1912).

La renommée ne vint pas tout de suite; mais elle vint. En 1905,
après la publication des trois premiers volumes de *Jean-Christophe*,
il obtint le « Prix de la Vie Heureuse » ou « Prix Femina »; puis, en
1913, l'Académie Française lui attribua le « Grand Prix de Littérature. »

En 1914 la guerre éclatait. Romain Rolland [2] refusa de prendre
parti et tenta même, avec un grand courage, de chercher à faire valoir
la voix de la raison pour arrêter les affreux carnages. Les articles qu'il

---

[1] Malvida von Meysenburg, *Memoires einer Idealistin* (Berlin,
1920. 2 vols.)

[2] Qui avait prévu qu'elle était inévitable. Cf. *La nouvelle journée*,
pp. 247-281.

écrivit aux premières semaines des hostilités furent publiés en volume sous le titre révélateur: *Au-dessus de la mêlée* (1915). Ses appels aux écrivains d'autres pays, en France, en Belgique et en Allemagne même, ne furent pas entendus, malgré leur éloquence et leur sincérité. « Je n'appelle pas héros ceux qui ont triomphé par la pensée ou par la force — a-t-il dit —; j'appelle héros ceux qui furent grands par le cœur. »

Au moment de la déclaration des hostilités, en août 1914, il se trouvait en Suisse. Il avait alors justement passé l'âge du service militaire, mais il voulut consacrer ses forces à atténuer dans la mesure du possible les cruautés de la guerre; il organisa, sous les auspices de la Croix Rouge à Genève, un service de communications entre les prisonniers de guerre des différentes nations et leurs familles. En 1916 il reçut le « Prix Nobel de Littérature. » Jamais, même depuis la guerre, il n'a cessé d'écrire en apôtre convaincu du pacifisme: « La nuit du monde est éclairée de lueurs divines » a-t-il dit quelque part.

Ses ouvrages se rangent sous différentes catégories:

1. Il essaya tout d'abord de prêcher son évangile de l'art sincère et humanitaire dans des drames historiques; il aspirait à fonder un « Théâtre du Peuple ». Le succès ne répondit pas à son attente, et ce ne fut que beaucoup plus tard dans sa carrière qu'il revint à son projet. On doit mentionner spécialement cependant, son « Théâtre de la Révolution » 1898–1902, *Danton, Le 14 Juillet, Les Loups* — ce dernier d'abord paru sous le titre *Morituri;* il y montre les chefs de la Révolution se déchirant entre eux, et compromettant leur bonne cause.

2. Ses biographies de génies de l'humanité — elles parurent longtemps avant que les ‹ vies romancées › fussent mises à la mode par *Ariel ou La vie de Shelley* de Maurois (1923) — sont consacrées à ceux que personnellement il admirait par-dessus tout: *Beethoven* (1903), *Michel-Ange* (1906), *Tolstoï* (1911). (Il n'a, cependant, pas donné de *Shakespeare* pour lequel aussi il professait un enthousiasme profond.) Plus tard il publia la vie de *Mahatma-Gandhi* (1924) supplémentée de traductions de livres de mystiques orientaux.

3. Il faut mettre dans une classe à part la grande œuvre où il formula son « message » au monde, *Jean-Christophe*, roman en dix volumes (1904–1912) groupés en trois parties: JEAN-CHRISTOPHE, *L'Aube, Le matin, L'Adolescent, La révolte;* JEAN-CHRISTOPHE À PARIS, *La foire sur la place, Antoinette, Dans la maison;* LA FIN DU VOYAGE, *Les amies, Le buisson ardent, La nouvelle journée.*

Jean-Christophe Krafft est un musicien, né dans une petite ville des bords du Rhin, c'est à dire de ce fleuve où se rencontrent les deux cultures latine et germanique. Selon Romain Rolland, les deux

contiennent les éléments nécessaires qui, en se combinant, formeraient
une civilisation admirable; mais toutes les deux se sont égarées.
Jean-Christophe commence par découvrir le « mensonge allemand »,
un faux sentimentalisme (dans le volume *La révolte*); puis il vient à
Paris où il pense devoir être mieux compris; mais il y rencontre la
même hostilité que Wagner, il se heurte à une frivolité malsaine et à
un sensationalisme vulgaire chez ceux qui représentent soi-disant
l'art français (dans le volume *La foire sur la place*). Il voit cependant
une espérance de salut dans les milieux modestes où les faux prophètes
n'ont pas pénétré. Il tombe malade et il est soigné par de bonnes
gens qui lui révèlent ce peuple foncièrement bon et sain dont est
sortie Jeanne d'Arc, l'humble bergère de Domrémy. *Jean-Christophe* continue donc la lutte dans laquelle, malgré son courage, il
semble parfois près d'être écrasé. Ce qui le soutiendra, ce sera d'abord
une amitié parfaite, (celle d'Olivier Jannin, que le hasard lui a fait
rencontrer), puis l'amour d'une femme qui se trouvera sur sa route
(Grazia). D'ailleurs, l'ami mourra dans une échauffourée politique
(à la suite de laquelle Jean-Christophe lui-même devra fuir en Suisse);
et la femme suivra son destin dans un monde qui l'éloignera de Jean-
Christophe. Dans le dernier volume, Jean-Christophe retrouve
l'amie perdue; elle est veuve; elle pourrait l'épouser; mais ils ont
déjà trop vécu; elle continuera du moins à le soutenir dans sa lutte
pour le triomphe d'un art épuré. Quand elle mourra, elle aussi, une
dernière joie de Jean-Christophe sera de voir réunis par le mariage le
fils d'Olivier et la fille de Grazia. Et maintenant, dans la chambre
délabrée, sur le pauvre grabat où il va s'éteindre, il a la vision d'un
millénium de l'art qu'il croit avoir contribué à hâter par son attitude
intransigeante, — car il s'était refusé à tout compromis. Au soir de
la vie seulement il était devenu plus indulgent: « Je ne mords plus;
mes dents sont usées ». Et à cette heure suprême, il s'écrie:

« O joie de se voir disparaître dans la paix souveraine du Dieu
qu'on s'est efforcé de servir toute sa vie ! . . . Seigneur, n'es-tu pas
trop mécontent de ton serviteur ? J'ai fait si peu ! Je ne pouvais
pas faire davantage . . . J'ai lutté, j'ai souffert, j'ai erré, j'ai créé.
Laisse-moi prendre haleine dans tes bras paternels. Un jour je
renaîtrai pour de nouveaux combats. »

Jean-Christophe est dédié « Aux Ames Libres de toutes les Nations,
qui Souffrent, qui Luttent, et qui Vaincront ». Et au dernier volume
Romain Rolland a encore ajouté cette *Préface* qui souligne l'œuvre
prophétique qu'il a prétendu accomplir:

Jean-Christophe

(1904–1912)

Préface

« J'ai écrit la tragédie d'une génération qui va disparaître.
Je n'ai cherché à rien dissimuler de ses vices et de ses vertus,
de sa pesante tristesse, de son orgueil chaotique, de ses efforts héroïques et de ses accablements sous l'écrasant fardeau d'une tâche surhumaine: toute une *somme* du monde, 5
une morale esthétique, une foi, une humanité à refaire.
— Voilà ce que nous fûmes.

« Hommes d'aujourd'hui, jeunes hommes, à votre tour !
Faites-vous de nos corps un marchepied, et allez de l'a-
vant.   Soyez plus grands et plus heureux que nous ! » 10
                                        Octobre, 1912.

La Grande guerre, nous l'avons vu, fut une cruelle désillusion pour
Romain Rolland.   Il ne cessa pas pourtant son œuvre d'apostolat;
il publia deux romans contre la guerre encore, *Pierre et Luce*, (1919),
et surtout *Clérembault* dont le sous-titre est *Histoire d'une conscience
libre pendant la guerre* (1920);   en 1919 il avait écrit un roman empreint d'un certain humour, *Colas Breugnon* (artisan français du
XVIIᵉ siècle); et enfin un long roman encore, *L'Âme enchantée*
(1924, ss.).

L'Aube [1]

L'Aube décrit l'éveil du génie musical de Jean-Christophe Krafft.
L'enfant prédestiné sent que tout art vrai doit s'inspirer des voix
profondes et mystérieuses de la divine nature.   Le grand fleuve —
le Rhin — qui coule tout auprès de la maison familiale chante une
grande symphonie, et les cloches répondent par leurs vibrations aux
grandes harmonies de la nature: Ces musiques bercent les rêves de
l'enfant.

---

[1] On a voulu voir derrière les personnages du roman des originaux de la vie réelle.   Jean-Christophe, ce serait Romain Rolland, le
champion décidé de l'art de l'avenir, désintéressé, humain, pur;
Olivier, ce serait le Romain Rolland de la vie intime, chez lequel
prédomine une sensibilité presque maladive, et qui a besoin de l'ami
et de la femme pour supporter les aspérités de la vie.   L'auteur n'a

Le fleuve — Les cloches

Le Fleuve . . . Les Cloches . . . Si loin qu'il se souvienne,
— dans les lointains du temps, à quelque heure de sa vie
que ce soit, — toujours leurs voix profondes et familières
chantent . . .

5   La nuit, — à demi endormi . . . Une pâle lueur blanchit
la vitre . . . Le fleuve gronde. Dans le silence, sa voix
monte toute-puissante; elle règne sur les êtres. Tantôt elle
caresse leur sommeil et semble près de s'assoupir elle-même,
au bruissement de ses flots. Tantôt elle s'irrite, elle hurle,
10 comme une bête enragée qui veut mordre. La vocifération
s'apaise: c'est maintenant un murmure d'une infinie douceur, des timbres argentins, de claires clochettes, des rires
d'enfants, de tendres voix qui chantent, une musique qui
danse. Grande voix maternelle, qui ne s'endort jamais !
15 Elle berce l'enfant, ainsi qu'elle berça pendant des siècles,
de la naissance à la mort, les générations qui furent avant
lui; elle l'entoure du manteau de ses fluides harmonies, qui
l'envelopperont encore, quand il sera couché dans le petit
cimetière qui dort au bord de l'eau et que baigne le
20 Rhin ∘ ∘ ∘

Les cloches . . . Voici l'aube ! Elles se répondent, dolentes, un peu tristes, amicales, tranquilles. Au son de
leurs voix lentes, montent des essaims de rêves, rêves du
passé, désirs, espoirs, regrets des êtres disparus, que l'en-

---

pas nié que Beethoven avait suggéré maint trait de vie et de caractère
pour Jean-Christophe; il a positivement nié d'autre part avoir pensé
à Wagner dans Hassler, le virtuose musical du premier volume.
Antoinette, la sœur dévouée qui meurt à la tâche en procurant à son
frère Olivier les moyens de se préparer à sa carrière, ne doit rien ni à
sa propre sœur, ni à Henriette la sœur de Renan à laquelle on a
longtemps voulu l'identifier. Ceci a été nettement communiqué
par R. Rolland lui-même à H. W. Church, éditeur en Amérique de
L'Aube et d'*Antoinette*. (Cf. *Antoinette*, éd. Holt and Co., pp. xxviii-
xxix.)

fant ne connut point, et que pourtant il fut, puisqu'il fut
en eux, puisqu'ils revivent en lui. Des siècles de souvenirs
vibrent dans cette musique. Tant de deuils, tant de fêtes !

Tout est musique pour un cœur musicien

Tout est musique pour un cœur musicien. Tout ce qui
vibre, et s'agite, et palpite, les jours d'été ensoleillés, les 5
nuits où le vent siffle, la lumière qui coule, le scintillement
des astres, les orages, les chants d'oiseaux, les bourdonne-
ments d'insectes, les frémissements des arbres, les voix
aimées ou détestées, les bruits familiers du foyer, de la
porte qui grince, du sang qui gonfle les artères dans le si- 10
lence de la nuit, — tout ce qui est, est musique: il ne s'agit
que de l'entendre. Toute cette musique des êtres résonnait
en Christophe. Tout ce qu'il voyait, tout ce qu'il sentait,
se muait en musique. Il était comme une ruche bourdon-
nante d'abeilles. Mais nul ne le remarquait. Lui, moins 15
que personne.

Comme tous les enfants, il chantonnait sans cesse. A
toute heure du jour, quelque chose qu'il fît: — qu'il se pro-
menât dans la rue, en sautillant sur un pied; — ou que,
vautré sur le plancher de grand-père, et la tête dans ses 20
mains, il fût plongé dans les images d'un livre; — ou
qu'assis sur sa petite chaise, dans le coin le plus obscur de la
cuisine, il rêvassât sans penser, tandis que la nuit tombait;
— toujours on entendait le murmure monotone de sa petite trompette, bouche close, et les joues gonflées, en s'é- 25
brouant [1] des lèvres. Cela durait des heures, sans qu'il s'en
lassât. Sa mère n'y faisait pas attention; puis, brusquement, elle en criait d'impatience.

Quand il était las de cet état de demi-somnolence, il était
pris d'un besoin de se remuer et de faire du bruit. Alors, 30
il inventait des musiques, qu'il chantait à tue-tête. Il en
avait fabriqué pour toutes les occasions de sa vie. Il en

[1] *Snorting.*

avait pour quand il barbotait [1] dans sa cuvette, le matin,
comme un petit canard ... Il en avait pour quand maman
apportait la soupe sur la table: — il la précédait alors, en
sonnant des fanfares. — Il se jouait à lui-même des marches
5 triomphales, pour se rendre solennellement de la salle à
manger à sa chambre à coucher ... Chacune de ces musiques était affectée rigoureusement à une occasion spéciale;
et Christophe n'aurait jamais eu l'idée de les confondre.
Tout autre s'y serait trompé; mais il y distinguait des
10 nuances d'une précision lumineuse.

Un jour que, chez grand-père, il tournait autour de la
chambre, en tapant des talons, la tête en arrière et le ventre
en avant, il tournait, tournait indéfiniment, à se rendre
malade, en exécutant une de ses compositions, — le vieux,
15 qui se faisait la barbe, s'arrêta de se raser, et, la figure toute
barbouillée de savon, il le regarda et dit:

— Qu'est-ce que tu chantes donc, gamin?

Christophe répondit qu'il ne savait pas.

— Recommence! dit Jean-Michel.

20 Christophe essaya: il ne put jamais retrouver l'air.
Fier de l'attention de grand-père, il voulut faire admirer
sa belle voix, en chantant à sa façon un grand air d'opéra;
mais ce n'était pas là ce que demandait le vieux. Jean-
Michel se tut et parut ne plus s'occuper de lui. Mais il
25 laissa la porte de sa chambre entr'ouverte, tandis que le
petit s'amusait seul dans la pièce à côté.

Quelques jours après, dans un cercle de chaises disposées
autour de lui, Christophe était en train de jouer une comédie musicale, qu'il s'était fabriquée avec les bribes de ses
30 souvenirs de théâtre; très sérieux, il exécutait sur un air
de menuet, comme il avait vu faire, des pas et des révérences qu'il adressait au portrait de Beethoven, suspendu
au-dessus de la table. En se retournant pour une pirouette,
il vit, par la porte entre-bâillée, la tête de grand-père, qui
35 le regardait. Il pensa que le vieux se moquait de lui: il eut

[1] *Splashed.*

bien honte, il s'arrêta net; et, courant à la fenêtre, il écrasa
sa figure contre les carreaux, comme s'il était absorbé dans
une contemplation du plus haut intérêt. Mais le vieux ne
dit rien: il vint vers lui, il l'embrassa; et Christophe vit
bien qu'il était content . . .   5

Une semaine plus tard, quand il avait tout oublié, grand-
père lui dit d'un air mystérieux qu'il avait quelque chose à
lui montrer. Il ouvrit son secrétaire, en tira un cahier de
musique, le mit sur le pupitre du piano, et dit à l'enfant de
jouer. Christophe, très intrigué, déchiffra tant bien que   10
mal. Le cahier était écrit à la main, de la grosse écriture
du vieux, qui s'était spécialement appliqué. Les en-têtes [1]
étaient ornés de boucles et de paraphes. — Après un moment, grand-père, qui était assis à côté de Christophe et lui
tournait les pages, lui demanda quelle était cette musique.   15
Christophe, trop absorbé par son jeu pour distinguer ce
qu'il jouait, répondit qu'il n'en savait rien.

— Fais attention. Tu ne connais pas cela ?

Oui, il croyait bien le connaître; mais il ne savait pas où
il l'avait entendu . . . Grand-père riait: 20

— Cherche.

Christophe secouait la tête:

— Je ne sais pas.

A vrai dire, des lueurs lui traversaient l'esprit; il lui
semblait que ces airs . . . Mais non ! il n'osait pas . . . Il ne   25
voulait pas reconnaître . . .

— Grand-père, je ne sais pas.

Il rougissait.

— Allons, petit sot, tu ne vois pas que ce sont tes airs ?

Il en était sûr; mais de l'entendre dire lui fit un coup au   30
cœur:

— Oh ! grand-père ! . . .

Le vieux, rayonnant, lui expliqua le cahier:

— Voilà: *Aria*. C'est ce que tu chantais mardi, quand
tu étais vautré par terre. — *Marche*. C'est ce que je t'ai   35

---

[1] *Headings.*

demandé de recommencer, l'autre semaine, et que tu n'as
jamais pu retrouver. — *Menuet*. C'est ce que tu dansais
devant mon fauteuil ... Regarde.

Sur la couverture était écrit, en gothiques admirables:

5 **Les Plaisirs du Jeune Âge: Aria, Minuetto, Walzer,
e Marcia, *op*. 1 *de* Jean-Christophe Krafft.**

Christophe fut ébloui. Voir son nom, ce beau titre, ce
gros cahier, son œuvre ! ... Il continuait de balbutier:

— Oh ! grand-père ! grand-père ! ...

10 Le vieux l'attira à lui. Christophe se jeta sur ses genoux,
et cacha sa tête dans la poitrine de Jean-Michel. Il rougissait de bonheur. Le vieux, encore plus heureux que lui,
reprit d'un ton qu'il tâchait de rendre indifférent, car il
sentait qu'il allait s'émouvoir:

15 — Naturellement, j'ai ajouté l'accompagnement, et les
harmonies dans le caractère du chant. Et puis ... — (il
toussa) — et puis, j'ai aussi ajouté un *trio* au menuet, parce
que ... parce que c'est l'habitude ... ; et puis ... enfin,
je crois qu'il ne fait pas mal.

20 Il le joua. — Christophe était très fier de collaborer avec
grand-père:

— Mais alors, grand-père, il faut que tu mettes aussi ton
nom.

— Cela n'en vaut pas la peine. Il est inutile que d'autres
25 que toi le sachent. Seulement ... — (ici, sa voix trembla)
— seulement, plus tard, quand je n'y serai plus, cela te
rappellera ton vieux grand-père, n'est-ce pas ? Tu ne l'ou-
blieras pas ?

Le pauvre vieux ne disait pas tout; il n'avait pu résister
30 au plaisir, bien innocent, d'introduire un de ses malheureux
airs dans l'œuvre de son petit-fils, qu'il pressentait devoir
lui survivre; mais son désir de participer à cette gloire
imaginaire était bien humble et bien touchant, puisqu'il
lui suffisait de transmettre, anonyme, une parcelle de sa
35 pensée, afin de ne pas mourir tout entier. — Christophe,

très touché, lui couvrait la figure de baisers. Le vieux, qui se laissait attendrir de plus en plus, lui embrassait les cheveux.

— N'est-ce pas, tu te souviendras ? Plus tard, quand tu seras devenu un bon musicien, un grand artiste, qui fera 5 honneur à sa famille, à son art, et à la patrie, quand tu seras célèbre, tu te souviendras que c'est ton vieux grand-père qui t'a le premier deviné, qui a prédit ce que tu serais ?

La lune s'était levée . . .

[Une autre fois, quelque temps après, c'était l'oncle Gottfried, brave et honnête homme, d'esprit simple, mais qui savait entendre admirablement les harmonies des bruits de la nature; il confirme à Jean-Christophe que là sont les sources vraies de la musique et non dans les compositions artificielles des hommes. Parfois déjà il avait chanté en compagnie de l'enfant. Or, un soir:]

La lune s'était levée, ronde et brillante, derrière les 10 champs. Une brume d'argent flottait au ras de terre, et sur les eaux miroitantes. Les grenouilles causaient, et l'on entendait dans les prés la flûte mélodieuse des crapauds. Le trémolo aigu des grillons semblait répondre au tremblement des étoiles. Le vent froissait doucement les branches 15 des aulnes. Des collines au-dessus du fleuve, descendait le chant fragile d'un rossignol.

— Qu'est-ce que tu as besoin de chanter ? soupira Gottfried, après un long silence. — (On ne savait s'il se parlait à lui-même, ou à Christophe.) — Est-ce qu'ils ne chantent 20 pas mieux que tout ce que tu pourras faire ?

Christophe avait bien des fois entendu tous ces bruits de la nuit. Mais jamais il ne les avait entendus ainsi. C'est vrai: qu'est-ce qu'on avait besoin de chanter ? . . . Il se sentait le cœur gonflé de tendresse et de chagrin. Il 25 aurait voulu embrasser les prés, le fleuve, le ciel, les chères étoiles. Et il était pénétré d'amour pour l'oncle Gottfried, qui lui semblait maintenant le meilleur, le plus in-

telligent, le plus beau de tous. Il pensait combien il l'avait
mal jugé; et il pensait que l'oncle était triste, parce que
Christophe le jugeait mal. Il était plein de remords. Il
éprouvait le besoin de lui crier: « Oncle, ne sois plus triste,
5 je ne serai plus méchant ! Pardonne-moi, je t'aime bien ! »
Mais il n'osait pas. — Et tout d'un coup, il se jeta dans les
bras de Gottfried; mais sa phrase ne voulait pas sortir; il
répétait seulement: « Je t'aime bien ! » et il l'embrassait
passionnément. Gottfried, surpris et ému, répétait: « Et
10 quoi ? Et quoi ? » et il l'embrassait aussi. — Puis il se leva,
lui prit la main, et dit: « Il faut rentrer ». Christophe revenait triste que l'oncle n'eût pas compris. Mais, comme
ils arrivaient à la maison, Gottfried lui dit: « D'autres
soirs, si tu veux, nous irons encore entendre la musique du
15 bon Dieu, et je te chanterai d'autres chansons ». Et
quand Christophe l'embrassa, plein de reconnaissance, en
lui disant bonsoir, il vit bien que l'oncle avait compris.

Depuis lors, ils allaient souvent se promener ensemble, le
soir; et ils marchaient sans causer, le long du fleuve, ou à
20 travers les champs. Gottfried fumait sa pipe lentement, et
Christophe lui donnait la main, un peu intimidé par
l'ombre. Ils s'asseyaient dans l'herbe; et, après quelques
instants de silence, Gottfried lui parlait des étoiles et des
nuages; il lui apprenait à distinguer les souffles de la terre
25 et de l'air et de l'eau, les chants, les cris, les bruits du petit
monde voletant, rampant, sautant ou nageant, qui grouille
dans les ténèbres, et les signes précurseurs de la pluie et du
beau temps, et les instruments innombrables de la symphonie de la nuit. Parfois Gottfried chantait des airs tristes
30 ou gais, mais toujours de la même sorte; et toujours Christophe retrouvait à l'entendre le même trouble. Jamais il
ne chantait plus d'une chanson par soir; et Christophe
avait remarqué qu'il ne chantait pas volontiers, quand on
le lui demandait; il fallait que cela vînt de lui-même, quand
35 il en avait envie. On devait souvent attendre longtemps,
sans parler; et c'était au moment où Christophe pensait:

« Voilà ! il ne chantera pas ce soir . . . », que Gottfried se décidait.

*

Les péripéties de la carrière de Jean-Christophe ont été dites dans le résumé du roman donné plus haut. Il faut ajouter qu'il y a dans les dix volumes de grandes parties qui n'ont rien à faire directement avec le « message » de Romain Rolland. C'est le cas pour bien des pages du premier volume (*L'Aube*) où l'auteur appuie sur les souffrances de l'enfant mal compris par ceux qui l'entourent, et, dans les volumes qui suivent, p. ex. dans celui de *La foire sur la place* les pages consacrées à l'histoire d'Antoinette et d'Olivier; et, dans le dernier *La nouvelle journée*, celles qui se rapportent aux épisodes sentimentaux des derniers temps de la vie de Jean Christophe.

La nouvelle journée

(Volume X)

Jean-Christophe est arrivé près de « la fin du voyage ». Il a obtenu des triomphes d'artiste, mais toujours âprement disputés, et la lutte est rude encore. Il est retourné à Paris pour la reprendre. C'est Grazia, l'amie des anciens jours, qui l'encourage.

Un jour, de passage à Paris, elle lui rend visite. Elle le trouve misérablement logé. « Elle était saisie de l'aspect de solitude et de « tristesse de l'appartement: l'antichambre étroite et obscure, le « manque absolu de confort, la pauvreté visible, lui serraient le « cœur; elle était pleine de pitié pour son vieil ami, que tant de tra- « vaux et de peines et quelque célébrité n'avaient pu affranchir de la « gêne des soucis matériels » . . .

Elle va comprendre, cependant, comment l'art peut élever cet homme bien au-dessus de ces préoccupations mesquines.

Il se leva et alla au piano

Après quelques instants, elle lui demanda:

— C'est ici — (montrant sa place) — que vous tra-vaillez?

— Non, dit-il, c'est là.

Il indiqua le renfoncement le plus obscur de la pièce, et une chaise basse qui tournait le dos à la lumière. Elle alla s'y mettre gentiment, sans un mot. Ils se turent quelques

5

minutes, et ils ne savaient que dire. Il se leva et alla au piano. Il joua, il improvisa pendant une demi-heure; il se sentait entouré de son amie, et un immense bonheur lui gonflait le cœur; les yeux fermés, il joua des choses mer-
5 veilleuses. Elle comprit alors la beauté de cette chambre, toute vêtue de divines harmonies; elle entendait, comme s'il battait en sa poitrine, ce cœur aimant et souffrant.

Quand les harmonies se furent tues, il resta, un moment encore, immobile, devant le piano; puis il se retourna, en
10 entendant la respiration de son amie qui pleurait. Elle vint à lui:

— Merci, murmura-t-elle, en lui prenant la main.

Sa bouche tremblait un peu. Elle ferma les yeux. Il fit de même. Quelques secondes, ils restèrent ainsi, la
15 main dans la main; et le temps s'arrêta . . .

LES POÈTES DE 1885 À LA FIN DU SIÈCLE

LE SYMBOLISME

Introduction

Consulter: La bibliographie est considérable [Cf. Pierre Dufay, *Bibliographie du symbolisme*, 1923]; celle donnée à la fin du livre de Dérieux (1935), cité plus bas, est à recommander. Voici l'essentiel:

A. Ouvrages de ceux qui ont pris part au mouvement ou qui l'ont observé lorsqu'il s'est développé: C. Morice, *La littérature de tout à l'heure* (Perrin, 1889); R. de Gourmont *Le livre des masques, portraits symbolistes* (Mercure, 1896; 1898); G. Kahn, *Symbolistes et décadents* (Vanier, 1902); E. Raynaud, *La mêlée symboliste, essai historique*, (3 vol. Renaissance du Livre, 1918–1922), et *En marge de la mêlée symboliste*, (Mercure, 1936) [1]; J. Huret, *Enquête sur l'évolution littéraire* (*Écho de Paris*, 3 mars au 5 juillet 1891, — en vol. chez Charpentier, 1891); A. Beaunier, *La poésie nouvelle*, (Mercure, 1902).

Les principales petites revues qui représentèrent le mouvement: *Lutèce*, (1883); *Revue indépendante*, (1884); *Le Décadent* (1886); *La Pléiade* (1886) — d'où sort en 1890 la grande revue *Le Mercure de France* qui n'a cessé de paraître depuis; *L'Ermitage*, (1890); *La Revue Blanche* (1891) [Gourmont compte 130 de ces revues de 1885–95].

B. Ouvrages écrits postérieurement au mouvement lui-même: Un gros ouvrage documentaire, A. Barré, *Le symbolisme, essai historique; Le mouvement poétique de 1885 à 1900* (Jouve, 1912). L'excellent petit livre de P. Martino, *Parnasse et symbolisme*, (Coll. Armand Colin, 1925, dernière édition, 1935); G. Bonneau, *Le symbolisme dans la poésie française contemporaine*, (Boivin, 1930, 138 pp.); H. Dérieux, *La poésie française contemporaine, 1885–1935, avec une bibliographie des ouvrages généraux, une table analytique des matières et un index des noms cités* (Mercure de France, 1935) — qui montre comment le mouvement a évolué; H. Clouard, *Le symbolisme* (de Gigord, 1938).

---

[1] Raynaud était symboliste lui-même; il appartient donc bien à ce groupe d'auteurs quoique ses livres aient été publiés plus tard.

C. **En anglais:** A. Symmons, *The Symbolist Movement in Litera-
ture*, (London Heineman, 1900); A. Schinz, *Literary Symbolism in
France*, (Publications *Modern Language Association* of America and
Canada, vol. XVIII, 1903, pp. 273–307); Amy Lowell, *Six French
Poets*, Verhaeren, Samain, Gourmont, Régnier, Jammes, Fort, (Mac-
millan, 1915); G. van Roosbroeck, *The Legend of the Décadents* (N. Y.
Publ. Institute of Fr. Studies, 1927).

D. **Citons encore:** É. Bouvier, *Initiation à la littérature d'aujour-
d'hui* (Renaissance du Livre, 1932); M. Raymond, *De Baudelaire
au surréalisme*, (Corréa, 1933); R. Taupin, *L'Influence du symbolisme français sur la poésie américaine de 1910 à 1920* (Champion,
1930); É. Cailliet, *Symbolisme et primitivisme* (Boivin, 1936).

E. Enfin on trouvera quantité de renseignements dans l'Anthologie
Poètes d'aujourd'hui, par A. van Bever et P. Léautaud, (2 vol. Mercure de France, 1900 en 3 volumes; avec 17 noms nouveaux, en 1927);
et dans le *Catalogue du cinquantenaire du symbolisme, Bibliothèque
Nationale, exposition de manuscrits autographes, estampes, peintures,
sculptures, éditions rares, portraits, objets d'art* — Introd. par E.
Jaloux (Impr. Bibl. Nat., 1936).

La réaction contre le mouvement réaliste ou naturaliste est plus
caractéristique en poésie que dans le roman (sauf chez Huysmans)
et que dans le théâtre (sauf dans les pièces de Maeterlinck). La
poésie parnassienne était empreinte de positivisme: ses descriptions
(volontiers de la nature exotique) avaient l'exactitude et la fidélité de
celles des hommes de science, sa psychologie était une analyse minutieuse des sentiments et des émotions, sa philosophie était celle du
déterminisme et du fatalisme pessimiste. La poésie symboliste
prendra le contre-pied de chacune de ces tendances.

Le mouvement symboliste en France est parallèle à des mouvements similaires dans d'autres pays: le Wagnérisme en Allemagne
(une « Revue Wagnérienne » fut publiée en France de 1885 à 1888),
le Pré-Raphaélisme en Angleterre, avec Burne-Jones et Rossetti,
Watts et William Morris; il faut rappeler en Amérique Edgar
Allan Poe dont Baudelaire avait déjà fait connaître l'œuvre en France,
et Walt Whitman, auquel Bazalgette consacra un fort volume en
1908 [*Walt Whitman, l'homme et son œuvre*, Mercure de France, 510
pages], et dont il traduisit les *Feuilles d'herbe*.

En France on associe le mouvement symboliste littéraire avec la
peinture de Puvis de Chavannes [v. ses fresques du grand amphi-
théâtre de la Sorbonne et de l'escalier monumental de la Bibliothèque
publique de Boston] et celle d'Eugène Carrière, G. Moreau, Fantin-
Latour, Redon (peintre des hallucinations), avec la sculpture de
Rodin, et avec la musique de Debussy.

Chez tous, écrivains et artistes, il s'agit de substituer la peinture de la vie contemplative à celle de la vie active, c'est à dire la rêverie à la tyrannie de la raison, la fantaisie au principe de causalité scientifique, l'imprécision à la précision.

Voici comment le plus célèbre des représentants du symbolisme, Stéphane Mallarmé, explique sa pensée (après avoir dit qu'il ne fallait pas nommer directement les objets):

« La contemplation des objets, l'image s'envolant des rêveries suscitées par eux, sont le chant: les Parnassiens, eux, prennent la chose entièrement et la montrent; par là, ils manquent de mystère; ils retirent aux esprits cette joie délicieuse de croire qu'ils créent: *nommer* un objet, c'est supprimer les trois quarts de la jouissance du poème, qui est le bonheur de deviner peu à peu; le *suggérer* voilà le rêve. C'est le parfait usage de ce mystère qui constitue le symbole; évoquer petit à petit un objet pour montrer un état d'âme, ou inversement choisir un objet et en dégager un état d'âme par une série de déchiffrements ». (Cité par Huret, *Enquête sur l'évolution littéraire*, Paris, 1891, pp. 60–61.) [1]

Verlaine a formulé l'idée du symbolisme dans son poème *L'Art poétique* cité plus loin, et qui se résume dans ce vers:

> *De la musique avant toute chose,*

c'est à dire un art où l'émotion pure, sans l'analyse, a la grande part.

Un des plus récents et des meilleurs historiens du Symbolisme, E. Raynaud, indique ainsi les « fins véritables » de ces écrivains: « Transposition [des sensations], évocation [au lieu de description], musique » (*Livre cité*, p. 43). Il s'appuie pour cela sur le sonnet des *Correspondances* de Baudelaire (cité plus haut):

> La nature est un temple où de vivants piliers
> Laissent parfois sortir de confuses paroles;
> L'homme y passe à travers des forêts de symboles
> Qui l'observent avec des regards familiers.
>
> Comme de longs échos qui de loin se confondent
> Dans une ténébreuse et profonde unité,
> Vaste comme la nuit et comme la clarté,
> Les parfums, les couleurs et les sons se répondent . . .

---

[1] Les trois questions posées aux écrivains par M. Huret en 1890 étaient: 1. Le naturalisme est-il malade ? Est-il mort ? 2. Peut-il être sauvé ? 3. Par quoi sera-t-il remplacé ? — Le public opposait les Symbolistes aux Médanistes (ceux des *Soirées de Médan*. V. Chap. « Zola »).

Citons encore, du livre qui a le plus consciencieusement creusé l'idée du Symbolisme, Charles Morice, ce passage si caractéristique: « Ta pensée, garde-toi de la jamais nettement dire. Qu'en des jeux de lumière et d'ombre, elle semble toujours se livrer et s'échappe sans cesse, — agrandissant de tels écarts l'esprit émerveillé d'un lecteur, comme il doit être, attentif et soumis — jusqu'au point final, où elle éclatera magnifiquement en se réservant, toutefois et encore, le nimbe d'une équivoque féconde afin que les esprits qui t'ont suivi soient récompensés de leurs peines par la joie troublante d'une découverte qu'ils croiraient faire, avec l'illusoire espérance d'une certitude qui ne sera jamais, et la réalité d'un doute délicieux. Ainsi, sauvegardé par cette initiale prudence d'éviter la précision, tu iras, Poète, par tes propres intuitions, restées indépendantes, plus loin dans les voies même purement rationnelles que les plus méthodiques philosophes, et la plume te deviendra talisman d'invention, de vérité. Qu'alors on te reproche d'être obscur et compliqué, réponds: que les mots sont des vêtements de la pensée et que tous les vêtements voilent; que plus une pensée est grande et plus il la faut voiler, comme une enveloppe de verre les flammes des flambeaux et des soleils, mais que le voile ne cache un peu que pour permettre de voir davantage et plus sûrement » (*La littérature de tout à l'heure*, 1889).

Tout ceci se fonde sur cette vérité que définir, c'est limiter; et plus les traits avec lesquels on désigne un objet sont nombreux et plus celui-ci est individualisé, moins il laisse de jeu à l'imagination.

*

L'attitude « symboliste » devant la vie n'était naturellement pas chose absolument nouvelle quand on l'opposa à l'attitude positiviste ou réaliste; les Symbolistes modernes eux-mêmes se sont cherché des précurseurs; par exemple William Blake, l'auteur des *Esquisses poétiques* et des *Chants de l'expérience* — lui-même grand lecteur des mystiques Bœhme (XVI–XVIIe siècle) et Swedenborg (1688–1772) (cf. *La plume*, 15 oct. 1903).

En France on cite particulièrement les noms de Gérard de Nerval (1808–1855), le romantique bizarre, un des « Névrosés » d'Arvède Barine, avec ses sonnets *Les chimères et les cydalises*, puis Baudelaire avec ses *Fleurs du mal* (1857) et Villiers de l'Isle-Adam, Parnassien en même temps que précurseur des Symbolistes qui disait « Toutes les réalités de demain, que seraient-elles en comparaison du mirage que nous [poètes] venons de vivre ? ». Victor Hugo lui-même est fort souvent considéré par les Symbolistes comme un de leurs prédécesseurs — de sorte qu'on a pu dire: « Romantisme, Parnasse, Symbolisme, c'est en réalité une même tradition poétique, un effort continu, malgré des piétinements et des retours, pour la réalisation d'une grande ambition d'art sans cesse élargie » (Martino, *Parnasse et symbolisme*, 1929, p. 4). Et Rémy de Gourmont qu'on a justement appelé le « Sainte-Beuve du Symbolisme », reprenant cette idée qu'il y avait continuité en même temps que réaction d'une école à l'autre, écrivait « Le Symbolisme ne fut pas d'abord une révolution, mais une évolution provoquée par l'infiltration de nouvelles idées philosophiques » (*Henri de Régnier*, 1908). Ces idées philosophiques sont surtout celles de Schopenhauer dont le pessimisme avait attiré les Parnassiens, mais qui séduisait encore davantage les Symbolistes par sa théorie fondamentale que le monde n'est autre chose que « ma représentation » (Le titre de son grand ouvrage est *Le monde comme volonté et comme représentation*).

*

La réaction symboliste se trahit dans l'expression littéraire de deux façons surtout; par ce qu'on appelle son « imagerie », et par l'émancipation du vers.

L'imagerie: le traitement objectif et le style direct du réalisme avaient presque complètement banni l'image; celle-ci devait revenir abondante, empruntant ses thèmes tantôt à la mythologie classique (nymphes, centaures, faunes, bacchantes, satyres) tantôt aux sujets chrétiens (vierge, saints, le Baptiste et Salomé) tantôt encore aux légendes nordiques et celtiques (les femmes-cygnes, les licornes, Merlin, Mélusine, et les héros des opéras wagnériens). Les réminiscences de la musique wagnérienne et de la peinture pré-raphaélite sont fréquentes avec leurs images tendres et sentimentales. Il y aura le poète Henri de Régnier avec son recueil *Tel qu'en songe* (1892), *Aréthuse* (1895), Vielé-Griffin avec *Les cygnes* (1887) et *La chevauchée d'Yeldis* (1893), Pierre Quillard avec sa *Lyre héroïque et dolente* (1897), André Ferdinand Herold, avec ses *Chevaleries sentimentales* (1893), Saint-Pol-Roux avec *Les reposoirs de la procession* (1893), etc.

La Versification: La fluidité dans le vers devait naturellement suivre la fluidité dans l'idée et le rêve; les Symbolistes reprirent donc les assouplissements prosodiques de Victor Hugo, — césure irrégulière, enjambements fréquents; et, en plus, ils devinrent extrêmement indulgents sur la question de l'*e* muet, — compté ou non selon le besoin du poète; ils ignorèrent la règle de l'alternance des rimes masculines et féminines; ils préférèrent parfois le vers avec nombre de syllabes impair (7, 9, 11, 13) au vers avec nombre de syllabes pair, — l'impair étant « plus vague et plus soluble dans l'air »; le vers blanc [sans rimes] et le vers libre [de longueur variable dans le même morceau] gagnèrent droit de cité, et — comme on l'a fort bien exprimé (Braunschvig) — le « rythme psychologique » fut substitué au « rythme mathématique »; on en était presque à la prose poétique de Buffon, Rousseau et Chateaubriand. On remarque, cependant, que les grands initiateurs du Symbolisme, Mallarmé, Verlaine et Rimbaud ont presque toujours été fidèles au vers régulier, et que Henri de Régnier, le plus connu de la grande génération symboliste, ne s'est pas attardé longtemps au vers blanc et au vers libre.

Une grande discussion s'est élevée pour savoir à qui revenait l'honneur d'avoir inventé le vers libre qui commença à être assez employé vers 1886 et 1887 (v. É. Dujardin, *Les premiers poètes du vers libre;* Mercure, 1922, 71 pages). Il semble que Gustave Kahn y ait autant de droit que nul autre. La définition de Dujardin: « le vers libre est le vers où on ne compte pas le nombre des syllabes. » Pour la théorie, v. R. de Souza, *Du rythme poétique* (1892); cet auteur distingue entre ‹ vers libéré ›, ‹ vers libre ›, ‹ poème en prose ›. La question semble être plutôt: qui a fait le plus usage du vers libre ? et ainsi considéré le prix revient à Walt Whitman dans ses *Feuilles d'herbe* — et en effet on a parfois fait de Whitman l'inventeur du vers libre.

Le vocabulaire: Pour la question de la langue des Symbolistes, on consultera le célèbre *Petit glossaire pour servir à l'intelligence des auteurs décadents et symbolistes* par Jacques Plowert, (Paris, Vanier, 1888, 99 pages).[1] Selon la Préface, ce petit livre a son utilité puisque « le plus considérable reproche (qu'on fait aux écrivains du temps) vise l'étrangeté des termes mis en usage ». L'auteur remarque cependant que beaucoup des mots trouvés étranges se trouvent dans le dictionnaire Larousse abrégé, et que c'est ainsi l'ignorance du lecteur et non tant l'excentricité des poètes qui est en jeu. Souvent aussi il ne s'agit que de formations par suffixes; ainsi *luisance, luisure.* Beaucoup des termes employés sont formés de mots latins ou grecs. Voici quelques exemples choisis parmi les cinq cents environ du *Glossaire:* *abscons* (caché), *acaule* (terme de botanique: sans tige, « un écrivain acaule »), *acescent* (qui commence à devenir acide), *allance* (du verbe aller), *anacampsérote* (herbe qui rallume l'amour), *angeluser* (sonner l'angelus), *aoûté* (trop mûri), *auriflu* (qui écoule de l'or « lanternes aurifues des voitures »), *bardocuculé* (la bardole était une cape ou manteau garni d'un coqueluchon), *emmi* (parmi), *errance* (du verbe errer), *dyscole* (qui a mauvais caractère), *lover* (se rouler en spirale), *lypothymie* (évanouissement), *néphélibate* (qui marche au-dessus des nuages), *pacager* (pâturer), *ululer* (analogue de hurler), etc.

Les termes « décadent » et « symboliste »: on fait parfois remonter l'emploi du premier à un sonnet de Verlaine qui contient ce vers:

> *Je suis l'Empire à la fin de la Décadence,*

---

[1] Il rappelle un peu le *Dictionnaire des Précieuses*, de Somaize, au XVIIᵉ Siècle.

faisant allusion à une civilisation de luxe extrême et de trop de raffinement pour être vigoureuse et durable. En 1882, Laforgue, l'auteur de *Complaintes* (1885) et de *L'Imitation de Notre Dame la Lune* (1886) adopta le terme décadent et décadentisme; en 1884, le même terme est évoqué fréquemment à propos de Des Esseintes dans le roman *À rebours* par Huysmans; il est en quelque sorte consacré par la publication d'un recueil qui parodiait les nouveaux poètes, *Les déliquescences, poèmes décadents, d'Adoré Floupette*, Paris, 1885 (on trouvera quelques détails fin du chap. XXVIII. Un article inspiré par ce livre facétieux, dans le journal *Le Temps* du 8 août 1885 (écrit par Paul Bourde) fit connaître le terme en dehors des petits cénacles littéraires — mais pour l'exposer à la moquerie. Les nouveaux poètes, cependant, acceptèrent le défi, et le 10 avril, 1886, parut une revue *Le Décadent* (publiée par Anatole Baju), où on lisait: « Nés du surblaséisme d'une génération schopenhaueresque, les Décadents ne sont pas une école littéraire. Leur mission n'est pas de fonder. Ils n'ont qu'à détruire, à tomber les vieilleries ... Se dissimuler l'état de décadence où nous sommes arrivés serait le comble de l'insenséisme ... » Et Verlaine approuva, et devint un pilier du *Décadent*: « J'aime, dit-il, le mot de décadence tout miroitant de pourpre et d'ors ... Ce mot suppose des pensées raffinées d'extrême civilisation, une haute culture littéraire, une âme capable d'intensives voluptés ... La décadence, c'est l'art de mourir en beauté ... »

Mais cette appellation fut reniée et celle de « symbolisme » substituée bientôt après dans un article d'une nature vraiment constructive et qu'on est convenu de considérer comme le **manifeste** de l'école; celui-ci parut dans le « Supplément » du journal *Le Figaro*, le 18 septembre 1886, sous la signature de Jean Moréas. En voici les premières lignes:

« Enfin une nouvelle doctrine vient d'éclore, doctrine depuis longtemps déjà couvée ... La dénomination de *Symbolisme* est seule capable de désigner raisonnablement la tendance actuelle de l'esprit créateur en Art ... Baudelaire doit être considéré comme le véritable précurseur du mouvement actuel. M. Stéphane Mallarmé le lotit[1] du sens du mystère et de l'ineffable. M. Paul Verlaine brisa en son honneur les cruelles entraves du vers ... » (Cité, Moréas, *Les premières armes du symbolisme, lettres et manifestes*, Vanier, 1889).

Le 1er octobre de la même année parut le premier numéro de la revue *Le Symboliste* (avec Moréas, Gustave Kahn et Paul Adam comme éditeurs).

Quelques dates importantes encore dans l'histoire du Symbolisme sont: **1889:** la publication par Charles Morice, le théoricien du

---

[1] lui conféra

groupe, de *La littérature de tout à l'heure*. **1890:** le premier numéro du *Mercure de France*,[1] 1er janvier, dirigé par Alfred Vallette, qui fut la grande revue qui conduisit à la victoire les nouveaux poètes et qui demeura depuis une des revues importantes de France. La même année, Stuart Merrill, un des adhérents du groupe, et d'origine américaine, publie à New-York *Pastels in Prose* (Harper) — traductions de 23 poètes français — révélant ainsi au public anglais l'existence de la nouvelle école. **1891:** Moréas prend l'initiative d'une scission dans le camp des poètes et fonde « L'École romane » (v. plus bas): manifeste publié dans *Le Figaro* du 14 septembre. **1896:** Rémy de Gourmont, qu'on appelle parfois le Sainte-Beuve du mouvement symboliste, publie *Le livre des masques, portraits symbolistes*, [en tête de chaque chapitre se trouvent des masques de poètes dessinés par F. Valloton]. (Gourmont est aussi l'auteur de *L'Esthétique de la langue française*, de *La culture des idées*, et de *Promenades littéraires* et *Promenades philosophiques* qui parurent dans des revues — surtout dans le *Mercure de France* — hautement estimées.) **1900:** enfin: la première édition du remarquable recueil anthologique *Poètes d'aujourd'hui*, par Van Bever et Léautaud.

CHAPITRE XXVI

STÉPHANE MALLARMÉ

1842–1898

Consulter: Sur Mallarmé on a beaucoup publié; citons seulement A. Thibaudet, *La poésie de Stéphane Mallarmé*, (Gallimard IIe éd. 1927); plus récent, H. Fabureau, *Stéphane Mallarmé*, Nouv. Revue crit., 1934); A. Royère, *Mallarmé* (1931); un essai par Henri de Régnier, dans *Figures et caractères* (pp. 115–143, 1911); enfin R. Clauzel, *Une saison en enfer* (Malfère, 1931).

Il peut être considéré comme le représentant le plus intégral du mouvement symboliste.

Né à Paris, d'une famille de fonctionnaires lettrés — comme il y en a beaucoup à Paris — il reçut sa première éducation dans des pensionnats libres et la termina au lycée de Sens (environ 125 kilomètres sud-est de Paris). De bonne heure il aspira à un nom dans

---

[1] Qui prit la succession de *La Pléiade*.

la littérature. Fuyant la carrière de fonctionnaire que sa famille rêvait pour lui, il se rendit en l'Angleterre. De retour en France, après deux ans, il enseigna l'anglais (1862–1892), pour gagner son pain, d'abord en province (Toulouse, Besançon, Avignon) puis à Paris, depuis 1871 (aux lycées Condorcet, Janson de Sailly et au collège Rollin successivement). Chose bizarre, il rédigea pendant quelque temps un journal de modes (v. *Mercure de France*, oct. 1898), tout en cultivant la poésie; il était grand ami des Parnassiens, et entre autres de Banville qui lui suggéra le sujet du poème qui devait le rendre célèbre, *L'Après-midi d'un faune* (le grand acteur Coquelin devait le réciter, mais cette affaire échoua). Il fut toute sa vie le grand ami du peintre Manet.

Il publiait ses rares poèmes dans des revues; parmi les premiers et les plus connus, citons: *Le tombeau d'Edgar Poe, Fenêtres, Hérodiade* (fragment de drame); il était alors compté comme faisant partie du groupe parnassien, ayant fourni des vers pour le premier (1866) et le second *Parnasse contemporain* (1869); mais déjà l'accent de la mélancolie profonde et de la langueur qui devaient le conduire au symbolisme était très sensible. Ce fut Huysmans qui, dans *À rebours*, tira son nom de l'obscurité; il en remercia l'auteur par une page *Prose pour Des Esseintes;* ses poèmes parurent souvent dans la *Revue indépendante*, et l'un d'eux marque le désir qu'il avait de rapprocher la poésie de la musique, *Hommage à Richard Wagner*.

C'est vers cette époque que commencèrent à se grouper autour de lui les jeunes poètes, aux fameux « mardis » du modeste appartement de la Rue de Rome, 89.

Ceux qui ont fréquenté ces « mardis » sont unanimes à dire qu'ils ont laissé dans leur esprit un souvenir inoubliable, et comment l'influence de Mallarmé s'est exercée par la parole bien plus que par son œuvre écrite.

« Nous passions là des heures inoubliables, a dit le poète Albert Mockel, — les meilleures, sans doute, que nous connaîtrons jamais . . . et celui qui nous accueillait ainsi était le type absolu du poète, le cœur qui sait aimer, le front qui sait comprendre, inférieur à nulle chose, n'en dédaignant aucune, car il discernait en chacune un secret enseignement ou une image de la beauté » (cité Dérieux, pp. 41–42. V. aussi B. Lazare, *Figures contemporaines*, Perrin, 1895).

Les plus connus de ces visiteurs furent Edouard Dujardin, René Ghil, Gustave Kahn, Jules Laforgue, Albert Mockel, Ch. Morice, H. de Régnier, Laurent Tailhade, Francis Vielé-Griffin, Paul Claudel, André Gide, Pierre Louys, Stuart Merrill, Paul Valéry . . . La dévotion de ces jeunes était extraordinaire.

Ces réunions continuèrent environ douze années; en 1894 elles se firent plus rares; Mallarmé avait pris sa retraite et vivait volontiers à la campagne, à Valvins, dans la Forêt de Fontainebleau, où il mourut le 9 sept. 1898. Il travaillait à ce moment à l'achèvement de son drame *Hérodiade.*

A la mort de Verlaine, en 1896, il avait été proclamé Prince des poètes; et à sa mort, ce fut un autre Symboliste qui lui succéda, Paul Fort (voir plus bas).

L'étudiant trouvera tout ce dont il a besoin pour connaître Mallarmé dans un choix fait par l'auteur lui-même: *Vers et prose, florilège,* avec portrait par James Whistler (Paris, Perrin, 1893).

Si Mallarmé a pu être considéré comme le chef de l'école symboliste, ce n'est pas, cependant, à cause de la versification; il avait pour le vers des Parnassiens le plus grand respect, comme en témoigne son *Toast funèbre à Théophile Gautier;* il a lui-même observé les règles du vers classique (sauf celles de la césure et de l'enjambement — comme les Parnassiens), faisant de l'alexandrin son vers préféré et réclamant des rimes bien frappées. Sa syntaxe, d'autre part, est irrégulière; les inversions et les tournures elliptiques rendent fort difficile à saisir son idée déjà brumeuse. Il avoue lui-même que la clarté est « qualité secondaire », et on cite toujours de lui ces paroles qui résument sa doctrine de la supériorité du style cryptique: « *Nommer* un objet, c'est supprimer les trois quarts de la jouissance du poème qui est faite du bonheur de deviner peu à peu; le *suggérer,* voilà le rêve . . . » (cité plus haut). Il a dit aussi:

> *Le sens trop précis rature*
> *Ta vague littérature.*

On l'a surnommé « l'orfèvre du brouillard »; et on raconte volontiers cette anecdote:

« Bernard Lazare [un des admirateurs de Mallarmé] ne pouvant un soir se rendre à une réunion chez Mallarmé, se fit rapporter l'enseignement du maître. Un plaisant s'imagina d'assembler au hasard des mots, les présentant sous la forme d'un sonnet très mallarméen d'allure qu'il remit à Bernard Lazare avec prière d'en élucider le sens ! L'exégète produisit un commentaire qui révélait dans le pastiche un monde admirable. »

A cause de cette difficulté d'entendre les poèmes de Mallarmé, nous n'en donnons que fort peu.

Le tombeau d'Edgar Poe

Mallarmé eut de bonne heure une grande admiration pour Poe; on dit qu'il alla en Angleterre dans le but de se familiariser avec la langue du poète américain; il traduisit ses poèmes, en publia une édition à Bruxelles, limitée à cent exemplaires (1884), et une édition pour le public. Mallarmé avait ajouté à son poème sur Poe cette note: « Mêlé au cérémonial, il [le poème] y fut récité en l'érection d'un monument à Poe, à Baltimore [en 1875], un bloc de basalte que l'Amérique appuya sur l'ombre légère du Poète, pour sa sécurité qu'elle ne ressortît jamais ». Professor Henning, dans ses *Representative French Lyrics* (Ginn and Co., 1935, p. 522), assure qu'il n'existe aucune preuve que ce poème fut lu en effet au « cérémonial », mais qu'il fut publié à Baltimore en 1877.

Tel qu'en Lui-même enfin l'éternité le change,
Le Poëte suscite avec un glaive nu
Son siècle épouvanté de n'avoir pas connu
Que la Mort triomphait dans cette voix étrange.

Eux, comme un vil sursaut d'hydre oyant jadis l'ange   5
Donner un sens plus pur aux mots de la tribu,
Proclamèrent très haut le sortilège bu,
Dans le flot sans honneur de quelque noir mélange.

Du sol et de la nue hostiles, ô grief !
Si notre idée avec ne sculpte un bas-relief   10
Dont la tombe de Poe éblouissante s'orne,

Calme bloc ici-bas chu d'un désastre obscur,
Que ce granit du moins montre à jamais sa borne
Aux noirs vols du Blasphème épars dans le futur.

Nous donnons ici la « traduction » proposée par Jules Lemaître, le célèbre critique impressionniste; il l'offre à la suite d'un article sur le poème, dans *Les contemporains* (Vᵉ série, Paris, 1893).

« Et maintenant voici la traduction que je vous propose:

« (Redevenu vraiment lui-même, tel qu'enfin l'éternité nous le
(montre, le poète, de l'éclair de son glaive nu, réveille et avertit son
(siècle, épouvanté de ne s'être pas aperçu que sa voix étrange était
(la grande voix de la Mort (*ou* que nul n'a dit mieux que lui les
(choses de la Mort).

« (La foule, qui d'abord avait sursauté comme une hydre en
(entendant cet ange donner un sens nouveau et plus pur aux mots
(du langage vulgaire, proclama très haut que le sortilège qu'il nous

‹ jetait, il l'avait puisé dans l'ignoble ivresse des alcools ou des ‹ absinthes.

« ‹ O crime de la terre et du ciel ! Si, avec les images qu'il nous ‹ a suggérées, nous ne pouvons sculpter un bas-relief dont se pare sa ‹ tombe éblouissante,

« ‹ Que du moins ce granit, calme bloc pareil à l'aérolithe qu'a jeté ‹ sur terre quelque désastre mystérieux, marque la borne où les ‹ blasphèmes futurs des ennemis du poète viendront briser leur vol ‹ noir. ›

« C'est fort mal traduit, et pourtant j'ai fait de mon mieux. Je ne suis pas sûr d'avoir bien compris le 4e vers, ni le 5e et le 6e, ni le 9e, ni le 12e, ni le 14e. Le rapport de ces images avec les faits ou les pensées qu'elles expriment étant (je l'espère du moins) absolument clair pour M. Stéphane Mallarmé, il s'imagine qu'il en est de même pour nous, que nous rétablissons sans peine ce lien, et que nous remontons sans hésitation des signes aux choses signifiées.

« Apparemment il croit à une sorte d'universelle harmonie préétablie en vertu de laquelle les mêmes idées abstraites doivent susciter, dans les cerveaux bien faits, les mêmes symboles. »

Hérodiade (1877)

Fragment

Hérodiade, c'est à dire la fille d'Hérodias, Salomé : L'histoire que Flaubert devait reprendre dans un de ses *Trois contes*, 1877 (v. plus haut), dont s'était déjà emparé en 1876 Gustave Moreau (1826–1898) dans deux célèbres tableaux qu'on peut voir au musée Moreau à Paris, et dont Huysmans fit une longue description dans *À rebours*. V. plus bas une *Salomé*, par Laforgue.

Le sujet est traité dans l'esprit de Baudelaire et de Huysmans, c'est à dire d'une Salomé saisie de l'écœurement de la vie, et cherchant des sensations nouvelles et morbides; l'horreur de la lumière du soleil lui fait rechercher la lumière pâle et sépulcrale de la lune. Mallarmé voulait transporter cette Salomé au théâtre; ce devait être Oscar Wilde, d'esprit baudelairien lui-même, qui réussirait cet effort en 1893.

Il ne reste du projet de Mallarmé qu'un fragment (paru dans le second *Parnasse contemporain*, 1869) qu'on considère comme appartenant au meilleur de son œuvre. On y lit ces vers:

J'aime l'horreur d'être vierge et je veux
Vivre parmi l'effroi que me font mes cheveux,

Pour, le soir, retirée en ma couche, reptile
Inviolé, sentir en la chair inutile
Le froid scintillement de ta pâle clarté,
Toi qui te meurs, toi qui brûles de chasteté,
Nuit blanche de glaçons et de neige cruelle !   5

Et ta sœur solitaire, ô ma sœur éternelle,[1]
Mon rêve montera vers toi; telle déjà
Rare limpidité d'un coeur qui le songea,
Je me crois seule en ma monotone patrie,
Et tout, autour de moi, vit dans l'idolâtrie   10
D'un miroir qui reflète en son calme dormant
Hérodiade au clair regard de diamant . . .

Comme épigraphe à ce fragment, le poète a inscrit:

O miroir ! . . .
Je m'apparus en toi comme une ombre lointaine.
Mais horreur ! des soirs, dans ta sévère fontaine   15
J'ai de mon rêve connu la nudité !

Vero novo
(Renouveau)

Voici encore la mélancolie mallarméenne qui a horreur de la vie, du printemps, du soleil.

Le printemps maladif a chassé tristement
L'hiver, saison de l'art serein, l'hiver lucide,
Et dans mon être à qui le sang morne préside
L'impuissance s'étire en un long bâillement.   20

Des crépuscules blancs tiédissent sous mon crâne
Qu'un cercle de fer serre ainsi qu'un vieux tombeau,
Et, triste, j'erre après un rêve vague et beau,
Par les champs où la sève immense se pavane.

[1] On se rappelle que dans la mythologie grecque, Diane, la déesse de la chasteté, est aussi la déesse symbolisée dans la lune des nuits.

Puis je tombe, énervé de parfums d'arbres, las,
Et, creusant de ma face une fosse à mon rêve,
Mordant la terre chaude où poussent les lilas,

J'attends en m'abîmant que mon ennui s'élève ...
5 — Cependant l'Azur rit sur la haie et l'éveil,
De tant d'oiseaux en fleur gazouillant au soleil.

Ce sonnet contient dans ses quatorze vers la substance d'un des plus
célèbres poèmes de Mallarmé, mais trop long pour être reproduit ici.
Le titre en est *L'Azur;* or, au lieu de chanter la beauté de l'azur,
Mallarmé n'y voit qu'un sujet d'effroi à conjurer. Le brillant azur
est une ironie pour l'homme dégoûté de la vie. Le poème commence
par ce vers:

> De l'éternel Azur la sereine ironie
> Accable ...

et se termine par cette strophe: L'Azur triomphe, hélas !

> Il roule par la brume, ancien, et traverse
> Ta native agonie ainsi qu'un glaive sûr:
> Où fuir dans la révolte inutile et perverse ?
> *Je suis hanté.* L'Azur ! L'Azur ! L'Azur ! L'Azur !

Dans une méditation en prose intitulée *La pipe* il évoque avec
plaisir le Londres brumeux: « ces chers brouillards qui emmitouflent
nos cervelles » (*Vers et prose* p. 167).

L'Après-midi d'un faune [1]

C'est le plus célèbre poème de Mallarmé; mais beaucoup de personnes le connaissent mieux par la musique qu'il a inspirée au compositeur Debussy, en 1894 (et par le ballet russe créé sur cette
musique par Nijinski).

Mallarmé avait publié des poèmes dans le premier et dans le second
Parnasse (1866 et 1869); il offrit pour le troisième *Parnasse*, en 1876,
L'Après-midi d'un faune — qui fut refusé à cause de l'obscurité de
son texte.

---

[1] *Faune*, divinité mythologique champêtre, souvent assimilée à
Pan, le dieu de la nature.

Le sujet lui en avait été fourni, dit-on, par son ami Banville [1]; et ce fut à Londres que l'idée se précisa devant un tableau du peintre français Boucher (1703–1770) *Pan et Syrinx:* On y voit deux nymphes, couchées nonchalamment au bord d'une source et qu'observe de loin le dieu au pied fourchu. Le tableau illustre la légende grecque: Syrinx est une belle nymphe sans cesse poursuivie par des satyres ou faunes, mais elle ne veut rien savoir d'eux. Un jour Pan lui-même l'aperçoit et la poursuit; en se sauvant elle arrive au bord d'une rivière et implore l'assistance des naïades qui la reçoivent sous les eaux; Pan, croyant la saisir, n'embrasse qu'une touffe de roseaux — mais de ces roseaux sort un son très doux, comme une complainte. Pan prend ces roseaux, les coupe en tuyaux d'inégale longueur et en fait l'instrument de musique [les pipeaux] qu'il appelle « syrinx » en mémoire de la belle nymphe.

Voici le thème général du poème de Mallarmé d'après Martino (*Livre cité*, p. 122):

« Son faune découvre les nymphes, comme dans le tableau de Boucher; il veut les aimer toutes deux . . . mais il ne sait pas si cette découverte et ce désir sont un rêve ou une réalité. Il dormait, il s'est réveillé, mal détaché encore de la nature qui l'enveloppe; à-demi dormant, il recrée la vision des nymphes apparues, ou bien il précise son rêve; et de tout cela il fait, avec ses pipeaux, une musique qui prolonge l'ivresse ou perpétue l'illusion; enfin il se rendort. Tout ce trouble, toute cette brume de rêve, ce regard d'ivresse heureuse sur la vie et l'univers, les images et les mots de Mallarmé réussissent à le faire voir, à le suggérer au moins; son poème est une symphonie d'images, de mots, de sons, quelque chose de tout-à-fait nouveau. »

Ce texte, si difficile, sera suivi d'un essai de transcription en prose, due au Professeur P.-F. Giroud, de Philadelphie. On en a essayé des traductions anglaises, p. ex. Aldous Huxley, *Anthology of World Poetry* (ed. by Van Doren. Blue Ribbon Books, N. Y. 1928. 1934, pp. 777–780) et Roger Fry, *Some Poems of Mallarmé* (N.Y. Oxford University Press, 1937).

---

[1] Banville, on le sait, était comme tous les Parnassiens, grand admirateur de la poésie grecque. Tout son recueil *Les dieux en exil* (v. plus haut) est consacré à ce sujet: avec les dieux de la mythologie grecque, c'était la poésie même qui était « en exil ». Autant que du tableau de Boucher, et plus peut-être que de Banville, Mallarmé s'est sans doute souvenu du petit poème *Pan* dans les *Poèmes antiques* de Leconte de Lisle. (Voir *Modern Language Notes*, Nov. 1937, pp. 485–7.)

LE FAUNE:

Ces nymphes, je veux les perpétuer.

                        Si clair,
Leur incarnat léger, qu'il voltige dans l'air
Assoupi de sommeils touffus.

5   Aimai-je un rêve?

Mon doute, amas de nuit ancienne, s'achève
En maint rameau subtil, qui, demeuré les vrais
Bois mêmes, prouve, hélas! que bien seul je m'offrais
Pour triomphe la faute idéale de roses.

10 Réfléchissons . . .

                  ou si les femmes dont tu gloses
Figurent un souhait de tes sens fabuleux!
Faune, l'illusion s'échappe des yeux bleus
Et froids, comme une source en pleurs, de la plus chaste:
15 Mais, l'autre tout soupirs, dis-tu qu'elle contraste
Comme brise du jour chaude dans ta toison!
Que non! par l'immobile et lasse pâmoison
Suffoquant de chaleurs le matin frais s'il lutte,
Ne murmure point d'eau que ne verse ma flûte
20 Au bosquet arrosé d'accords; et le seul vent
Hors de deux tuyaux prompt à s'exhaler avant
Qu'il disperse le son dans une pluie aride,
C'est, à l'horizon pas remué d'une ride,
Le visible et serein souffle artificiel
25 De l'inspiration, qui regagne le ciel.

O bords siciliens d'un calme marécage
Qu'à l'envi des soleils ma vanité saccage,
Tacite sous les fleurs d'étincelles, CONTEZ
« *Que je coupais ici les creux roseaux domptés*
30 *Par le talent; quand, sur l'or glauque de lointaines*

Verdures dédiant leur vigne à des fontaines,
Ondoie une blancheur animale au repos:
Et qu'au prélude lent où naissent les pipeaux,
Ce vol de cygnes, non! de naïades se sauve
Ou plonge . . . »   5

       Inerte, tout brûle dans l'heure fauve
Sans marquer par quel art ensemble détala
Trop d'hymen souhaité de qui cherche le *la* [1]:
Alors m'éveillerai-je à la ferveur première,
Droit et seul, sous un flot antique de lumière,   10
Lys! et l'un de vous tous pour l'ingénuité.

Autre que ce doux rien par leur lèvre ébruité,
Le baiser, qui tout bas des perfides assure,
Mon sein, vierge de preuve, atteste une morsure
Mystérieuse, due à quelque auguste dent;   15
Mais, bast! arcane tel élut pour confident
Le jonc vaste et jumeau dont sous l'azur on joue:
Qui, détournant à soi le trouble de la joue
Rêve, dans un solo long, que nous amusions
La beauté d'alentour par des confusions   20
Fausses entre elle-même et notre chant crédule;
Et de faire aussi haut que l'amour se module
Évanouir du songe ordinaire de dos
Ou de flanc pur suivis avec mes regards clos,
Une sonore, vaine et monotone ligne.   25

Tâche donc, instrument des fuites, ô maligne
Syrinx, de refleurir aux lacs où tu m'attends!
Moi, de ma rumeur fier, je vais parler longtemps
Des déesses; et par d'idolâtres peintures,
A leur ombre enlever encore des ceintures: 30
Ainsi, quand des raisins j'ai sucé la clarté,
Pour bannir un regret par ma feinte écarté,
Rieur, j'élève au ciel d'été la grappe vide

[1] *Tunes his instrument.*

Et, soufflant dans ses peaux lumineuses, avide
D'ivresse, jusqu'au soir je regarde au travers.

Ô nymphes, regonflons des SOUVENIRS divers.
  « Mon œil, trouant les joncs, dardait chaque encolure
5 *Immortelle, qui noie en l'onde sa brûlure*
  Avec un cri de rage au ciel de la forêt;
  Et le splendide bain de cheveux disparaît
  Dans les clartés et les frissons, ô pierreries!
  J'accours; quand, à mes pieds, s'entrejoignent (meurtries
10 *De la langueur goûtée à ce mal d'être deux)*
  Des dormeuses parmi leurs seuls bras hasardeux;
  Je les ravis, sans les désenlacer, et vole
  A ce massif, haï par l'ombrage frivole,
  De roses tarissant tout parfum au soleil,
15 *Où notre ébat au jour consumé soit pareil. »*
  Je t'adore, courroux des vierges, ô délice
  Farouche du sacré fardeau nu qui se glisse
  Pour fuir ma lèvre en feu buvant, comme un éclair
  Tressaille ! la frayeur secrète de la chair:
20 Des pieds de l'inhumaine au cœur de la timide
  Que délaisse à la fois une innocence, humide
  De larmes folles ou de moins tristes vapeurs.
  « Mon crime, c'est d'avoir, gai de vaincre ces peurs
  Traîtresses, divisé la touffe échevelée
25 *De baisers que les dieux gardaient si bien mêlée;*
  Car, à peine j'allais cacher un rire ardent
  Sous les replis heureux d'une seule (gardant
  Par un doigt simple, afin que sa candeur de plume
  Se teignît à l'émoi de sa sœur qui s'allume,
30 *La petite naïve et ne rougissant pas:)*
  Que de mes bras, défaits par de vagues trépas,
  Cette proie, à jamais ingrate se délivre
  Sans pitié du sanglot dont j'étais encor ivre. »

  Tant pis ! vers le bonheur d'autres m'entraîneront
35 Par leur tresse nouée aux cornes de mon front:

Tu sais, ma passion, que, pourpre et déjà mûre,
Chaque grenade éclate et d'abeilles murmure;
Et notre sang, épris de qui le va saisir,
Coule pour tout l'essaim éternel du désir.
A l'heure où ce bois d'or et de cendres se teinte   5
Une fête s'exalte en la feuillée éteinte.
Etna ! c'est parmi toi visité de Vénus
Sur ta lave posant ses talons ingénus,
Quand tonne un somme triste ou s'épuise la flamme.
Je tiens la reine !   10

        O sûr châtiment . . .

                    Non, mais l'âme

De paroles vacante et ce corps alourdi
Tard succombent au fier silence de midi:
Sans plus il faut dormir en l'oubli du blasphème,   15
Sur le sable altéré gisant et comme j'aime
Ouvrir ma bouche à l'astre efficace des vins !

Couple, adieu; je vais voir l'ombre que tu devins.

ESSAI DE TRANSCRIPTION EN PROSE

(P.-F. Giroud)

LE FAUNE: Ces nymphes, j'en veux perpétuer le souvenir.

Si clair était leur léger incarnat qu'il voltige encore dans l'air où dorment les feuillages touffus.

Ai-je aimé en rêve ? Je ne sais: mon doute, plein d'antiques obscurités, s'effrite en maintes ramilles légères qui, demeurées au cœur même des Bois, prouvent, hélas ! que j'étais seul à m'offrir en triomphe la faute idéale des nymphes roses.

Réfléchissons: voyons si les femmes que tu chantes ne figurent qu'un désir de tes sens fabuleux. Faune, l'illusion, comme une source en pleurs, s'échappe des yeux bleus et froids de la plus chaste; mais l'autre n'était que soupirs: diras-tu que c'était la chaude brise du jour caressant ta toison ? Oh ! non: de par l'immobile et lasse pâmoison qui suffoque de chaleurs le matin frais rebelle, ne parle pas des effluves que verse ma flûte au bosquet tout imprégné de mes accords; le seul souffle prompt à s'exhaler hors des deux tuyaux de cette flûte avant d'en disperser le son en une pluie aride, c'est, à l'horizon que ne ride aucun pli, le visible et serein souffle artificiel de l'inspiration qui remonte vers le ciel.

O bords siciliens d'un calme marécage que ma vanité saccage plus que les soleils, silencieuse parmi vos bouquets d'étincelles, CONTEZ

> « *Que je coupais ici les creux roseaux avec mon art souverain quand, sur l'or glauque de lointaines verdures destinées aux fontaines, je vis ondoyer une blancheur animale au repos; et qu'au prélude lent des accents de ma double flûte, ce vol de cygnes, non! de naïades se sauva ou plongea . . . »*

Tout est inerte, tout brûle dans l'heure ensoleillée; rien ne montre par quel art détalèrent ensemble ces visions d'hymen dont rêvait le musicien. Alors, m'éveillerai-je à la ferveur première? resterai-je droit et seul sous un flot antique de lumière, ô lis! chaste et ingénu comme l'un de vous?

Différente de ce doux rien émané de leur lèvre, le baiser, qui tout bas donne l'assurance aux perfides, mon sein, en dehors de toute preuve, porte une morsure mystérieuse due à quelque auguste dent; mais baste! ce secret prit pour confident le long et double roseau dont on joue sous l'azur, lequel, détournant à soi le trouble de la joue, rêve, dans un long solo, que nous amusions la beauté d'alentour par de fausses confusions entre elle-même et notre chant crédule; lequel rêve, avec tout l'art possible de l'amour, de faire jaillir une mélodie sonore, vaine et monotone de la vision ordinaire du dos ou du flanc pur que mes regards clos ont suivie.

Tâche donc, instrument d'évasion de la réalité, ô maligne Syrinx (ô ma flûte), de refleurir aux lacs où tu m'attends! Moi, fier de mes chants, je vais parler longtemps des déesses; et, par d'idolâtres peintures, dénouer encore quelques ceintures de ces créations de mon génie. Ainsi, quand j'ai sucé de clairs raisins pour bannir un regret que mon artifice a écarté, j'élève en riant la grappe vide au ciel d'été et, soufflant dans ses peaux lumineuses, avide d'ivresse, je regarde au travers jusqu'au soir.

O nymphes, rendons la vie à des SOUVENIRS divers:

> « *Mon œil, à travers les roseaux, dardait son regard sur chaque courbe (du cou et des épaules) immortelle qui noyait dans l'onde la brûlure du soleil avec un cri de rage au ciel de la forêt, et le splendide bain de la chevelure disparaissait dans les clartés et les frissons, quels joyaux! J'accours, et voilà qu'à mes pieds, (meurtries de la langueur qu'elles goûtent à ce mal d'être deux) gisent des dormeuses, leurs timides*

bras enlacés; je les emporte sans les désunir, et je vole à ce massif de
roses que méprise l'ombre fugace et qui perd au soleil tous ses parfums,
à ce massif où notre ébat sera pareil au jour ardent. »

Je t'adore, colère des vierges, ô délice du fardeau sacré, de la
femme nue qui veut échapper à ma lèvre en feu, laquelle boit, comme
un éclair frémissant, la frayeur secrète de sa chair: des pieds de
l'inhumaine je passe au cœur de la timide, son innocence l'abandonne,
mouillée de larmes folles ou de moins tristes vapeurs.

« Mon crime, c'est d'avoir, dans ma joie de vaincre leurs peurs dé-
cevantes, c'est d'avoir divisé la touffe échevelée de leurs baisers; les dieux
la gardaient si bien mêlée ![1] *car, à peine allais-je cacher un rire ardent*
sous les replis charmants du corps de l'une (gardant d'un seul doigt,
afin que sa blanche candeur se colorât à l'émoi de sa sœur qui s'enflam-
mait, la petite qui était naïve et ne rougissait pas!) voilà que de mes
bras vaguement détendus cette victime à jamais ingrate se délivre sans
pitié du sanglot qui m'enivrait encore. »

Tant pis ! d'autres m'entraîneront vers le bonheur en nouant
leur tresse aux cornes de mon front. Tu sais, ma passion, que,
pourpre et déjà mûre, chaque grenade éclate et se couvre d'abeilles
murmurantes; tu sais que notre sang, amoureux de qui va s'en rendre
maître, coule pour toutes les formes éternelles du désir. A l'heure où
ce bois se teinte d'or et de gris, une fête s'exalte dans le feuillage as-
sombri. Etna ! c'est ton domaine — Vénus te visite, posant sur ta
lave ses blancs talons, quand ton tonnerre s'endort tristement ou que
ta flamme s'épuise.

Je tiens la reine ! (la reine de l'amour)
O sûr châtiment . . .

Non, mais mon âme vide
de mots et mon corps alourdi succombent enfin au solennel silence de
midi: sans plus tarder il faut dormir, il faut oublier la profanation,
couché sur le sable sec, ouvrant, comme je l'aime, ma bouche au
soleil qui fait mûrir le raisin.

Couple, adieu; je vais me perdre dans l'ombre que tu es devenu.

*   *   *

Comme la tradition réaliste est perpétuée par l'*Académie Goncourt*,
la tradition symboliste est perpétuée par une *Académie Mallarmé*.
Celle-ci fut fondée au printemps de 1937, et confère un prix de
poésie annuel, en décembre de chaque année. L'initiative est due à
Édouard Dujardin qui offrit sa propriété de Val-Changis, près de
Fontainebleau comme domicile officiel. L'Académie compte 15

---

[1] Ou bien: d'avoir séparé par mes baisers leurs chevelures défaites
que les dieux gardaient si bien entremêlées !

membres. Voici les noms des onze membres fondateurs: J. Ajalbert
(de l'Académie Goncourt), Ed. Dujardin, André Fontainas, Paul
Fort, André Gide, Ferd. Herold, Maeterlinck, Ch. Mockel, Saint-
Pol Roux, Paul Valéry (de l'Académie Française), et Vielé-Griffin.

CHAPITRE XXVII

PAUL VERLAINE et ARTHUR RIMBAUD

1844–1896   1854–1891

Consulter: Verlaine: F. Porché, *Verlaine, tel qu'il fut* « *ange
et pourceau* » (Flammarion, 1933); E. Lepelletier, *Verlaine, sa vie, son
œuvre* (1907; nouv. éd. 1923); E. Delahaye, *Verlaine* (Messein,
1920); R. Clauzel, *Sagesse de Verlaine* (Coll. (Grands évén. litt.),
Malfère, 1930). Il y a du reste une fort abondante littérature sur
l'homme Verlaine, p. ex. *Les mémoires de Madame Verlaine* (1935).
On possède une édition des *Œuvres complètes*, (5 vol., 1899–1900)
et *Œuvres posthumes*, (2 vol., Messein 1911–1920). Des œuvres
particulières, voici les plus importantes: En prose: *Les poètes
maudits* (en 1884), Tristan Corbière [Auteur des *Amours jaunes*],
Arthur Rimbaud, Stéphane Mallarmé; en 1888, nouvelle édition:
trois noms ajoutés: Marceline Desbordes-Valmore [1786–1859,
dont les poésies furent publiées en 1887], Villiers de l'Isle-Adam
[Parnassien aux tendances symbolistes], et Pauvre Lélian [ana-
gramme de Paul Verlaine, et nom sous lequel il est souvent connu
depuis]; *Mes hôpitaux* (1891); *Mes prisons* (1893). Ses principaux
recueils de vers: *Poèmes saturniens* (1866); *Fêtes galantes* (1869);
La bonne chanson (1870); *Romances sans paroles* (1874); *Sagesse*
(1881); *Jadis et naguère* (1884); *Amour* et *Parallèlement* (1889).

Consulter: Rimbaud: On trouvera tout ce qu'il faut pour connaître ce qui a été retrouvé de l'œuvre de Rimbaud dans *Œuvres de
Rimbaud vers et proses*, Préface de P. Claudel (Mercure de France,
1912). On peut consulter deux études: Marcel Coulon, *La vie de Rimbaud et son œuvre* (Mercure de France, 1929) et Jean-Marie Carré, *La
vie aventureuse de Jean Arthur Rimbaud*, 1854–1891, (Plon, 1926).

Ces deux poètes partagent avec Mallarmé l'honneur d'avoir été les
initiateurs de l'école symboliste. Leur vie a été aussi mouvementée

que celle de Mallarmé fut dépourvue d'événements sensationnels; et leurs deux vies sont liées.

VERLAINE

Verlaine est né à Metz, ce qui est dû au hasard, son père y étant officier en garnison — comme V. Hugo naquit à Besançon, fils d'un officier en service dans cette ville. Trois enfants nés dans la même famille moururent avant son arrivée en ce monde; il était et demeura d'une grande laideur; on le compare volontiers en ceci à Socrate. De très bonne heure il montra des dispositions très ardentes. Il avait sept ans quand son père prit sa retraite et vint demeurer à Paris, au quartier des Batignolles; il fut de 1853 à 1862 élève interne au Lycée Bonaparte (aujourd'hui Lycée Condorcet) où il rencontra des camarades qui contribuèrent à développer en lui des goûts déjà dépravés. Il apprit à connaître là *Les fleurs du mal* de Baudelaire. Ses parents ayant subi des revers de fortune, il cessa ses études et se prépara à une carrière de fonctionnaire public; il fut employé dans les bureaux de la ville de Paris, poste qui lui laissait beaucoup de loisirs, ce qui put être avantageux pour le poète, mais déplorable pour sa conduite; il apprit à cultiver « l'heure verte », c'est à dire qu'il s'adonna à l'absinthe, la boisson couleur vert-opale, si nocive, et qu'on prenait comme apéritif.

Il se mit en rapport avec Xavier de Ricard, le Mécène des Parnassiens, et avec l'éditeur Lemerre; huit de ses poèmes furent imprimés dans le premier *Parnasse contemporain*, (1866). Cette même année, qui fut aussi celle où Coppée publia son *Reliquaire*, Verlaine fit imprimer son premier recueil *Poèmes saturniens;* ceux-ci étaient conçus dans l'esprit du Parnasse, avec cependant une note Baude-lairienne (Baudelaire appelait lui-même ses *Fleurs du mal* des poèmes « saturniens » c'est à dire provocativement païens). Mallarmé, alors professeur à Besançon, remarqua ces vers; mais ils ne rendirent pas Verlaine célèbre. Devenu grand ami de Banville, il publia en 1869 un nouveau recueil, *Les fêtes galantes;* il s'éloigne de certains Parnassiens souvent trop solennels par quelque chose de léger inspiré des tableaux de Watteau et de Boucher au XVIIIe siècle; en même temps apparaît la note de mélancolie qui lui sera particulière (« nous fûmes dupes, vous et moi »). On y trouve même les premiers symptômes en poésie — par suite de l'abus de la boisson — de troubles de l'intelligence et d'hallucinations. Dans la vie ce sont des accès d'irritabilité et de brutalité qui, aux heures tragiques des années à venir, vont le conduire à la prison. Aux heures lucides, cependant, Verlaine montre une grande horreur de sa déchéance morale, et il

compose plusieurs des morceaux qui feront le sujet de son recueil
Sagesse (publié plus tard). On lui suggère le mariage, et il épouse
en effet une fillette de 16 ans (dont il aura un fils); elle lui inspirera
son charmant recueil *La bonne chanson*. Il fait des efforts pour maî-
triser sa passion pour l'alcool; mais sa volonté n'est pas assez forte et
il ne se relèvera jamais que par moments. Il eut une conduite peu
héroïque pendant la guerre de 1870–1; grâce à un subterfuge il sut se
soustraire à son devoir; puis il se jeta dans le communisme, ce qui
le força à fuir Paris lorsque la révolution eut été réprimée.[1] C'est à
son retour à Paris, fin août, 1871, qu'il fit la rencontre d'Arthur
Rimbaud, « le satan adolescent », — rencontre si funeste pour tous
les deux. Il finit de se dévoyer complètement dans la compagnie de
ce jeune homme de 17 ans qui, ayant lu les vers de Verlaine, et s'étant
révolté contre sa famille, demanda la protection de son aîné à ce
moment sur la voie de la célébrité. Rimbaud vint à Paris et Verlaine
le recueillit. L'influence littéraire de Rimbaud sur Verlaine est
différemment interprétée; les uns la disent grande, d'autres la
diminuent; dans l'audace des images et dans l'affirmation des droits
d'une personnalité non conventionnelle en art, Rimbaud est allé plus
loin que Verlaine certainement.

En 1872, c'est la crise: après des scènes de violence inouïes avec
la femme et la mère de Verlaine qui veulent chasser Rimbaud, les
deux poètes s'en vont vivre tantôt à Londres, tantôt en Belgique,
subsistant misérablement de quelques leçons que donne Verlaine;
ils se brouillent à mort un jour pour se réconcilier le lendemain.
C'est à Bruxelles que, le 10 juillet 1873, Verlaine tire deux coups de
révolver sur Rimbaud lorsque celui-ci menace de le quitter; il est
arrêté et jugé; jeté en prison pour deux ans à Mons. Là a lieu, par
l'intermédiaire de l'aumônier de la prison, la « conversion » de Verlaine; les poèmes de repentir et d'humiliation, écrits en partie pendant
sa captivité, seront publiés en 1881 dans le recueil *Sagesse* (édité
pour la première fois par la librairie catholique Palmé). Libéré en
1875, Verlaine rejoint Rimbaud à Stuttgart, en Allemagne; l'entrevue finit par une bataille au clair de lune au bord de la rivière
Neckar; Rimbaud laisse Verlaine évanoui sur le terrain et s'enfuit —
ils ne se reverront plus. Rimbaud a 19 ans, et il abandonne pour
toujours la littérature pour s'en aller faire du commerce en Abyssinie,
et finir par mourir (10 nov. 1891) dans un hôpital de Marseille, d'une
tumeur au genou. On avait dû lui amputer la jambe.

Quant à Verlaine, il retrouvera sa mère, essaiera de reprendre sa

---

[1] On dit qu'il rendit ce service comme « communiste », d'empêcher ses correligionnaires politiques de détruire l'église de Notre
Dame.

vie de professeur, retombera dans ses désordres, essaiera d'exploiter une ferme, reviendra à Paris, vivra de la façon la plus sordide; et surtout après le décès de sa mère qui mourut de chagrin, il est à la fois l'être le plus déchu par la boisson et les femmes, et le poète dont la célébrité va en augmentant; il est proclamé « Prince des poètes » par ses admirateurs; son éditeur (Vanier) lui avance quelque argent, ainsi que des amis comme Barrès, et le comte de Montesquiou. Il succombe finalement d'une hydrathose au genou, sur son grabat dans une misérable chambre d'hôtel, (39 Rue Descartes) après avoir encore reçu la visite d'un prêtre.

On a souvent comparé sa destinée à celle de Villon, le poète du XVe siècle, qui vécut aussi une vie de vagabondage et eut des heures d'amer repentir; le tragique dualisme de l'âme déchue et de l'âme chrétienne est plus accusé chez Verlaine, comme l'a bien montré François Porché dans son livre poignant.

On voit au Jardin du Luxembourg à Paris, une statue intéressante de Verlaine, par l'artiste Niederhausern-Rodo: Verlaine « sourit à l'infini, l'air d'un faune ».

VERS DE VERLAINE

Verlaine avait d'abord donné sans réticence son adhésion aux Parnassiens. C'est lui qui avait fait le vers célèbre:

Est-elle en marbre ou non, la Vénus de Milo?

et qui disait aussi: « Nous, qui faisons des vers, émus froidement ».

Mais, tôt, et surtout grâce à la fascination exercée sur lui par Baudelaire, il évolue — et son œuvre d'inspiration symboliste compte avant tout.

POÈMES SATURNIENS (1866)

Sous l'influence baudelairienne: On se souvient que Baudelaire avait, dans les *Fleurs du Mal*, plusieurs poèmes consacrés aux chats. Voici Verlaine:

Femme et chatte

Elle jouait avec sa chatte,
Et c'était merveille de voir
La main blanche et la blanche patte
S'ébattre dans l'ombre du soir.

Elle cachait — la scélérate ! —
Sous ses mitaines de fil noir
Ses meurtriers ongles d'agate,
Coupants et clairs comme un rasoir.

5   L'autre aussi faisait la sucrée
Et rentrait sa griffe acérée,
Mais le diable n'y perdait rien . . .

Et dans le boudoir où, sonore,
Tintait son rire aérien,
10   Brillaient quatre points de phosphore.[1]

Mon rêve familier

Un des poèmes les plus connus de Verlaine.   Encore un sonnet.

Je fais souvent ce rêve étrange et pénétrant
D'une femme inconnue, et que j'aime, et qui m'aime,
Et qui n'est, chaque fois, ni tout à fait la même
Ni tout à fait une autre, et m'aime et me comprend.

15 Car elle me comprend, et mon cœur, transparent
Pour elle seule, hélas ! cesse d'être un problème;
Pour elle seule, et les moiteurs de mon front blême,
Elle seule les sait rafraîchir, en pleurant.

Est-elle brune, blonde ou rousse ? — Je l'ignore.
20 Son nom ?   Je me souviens qu'il est doux et sonore
Comme ceux des aimés que la Vie exila.

Son regard est pareil au regard des statues,
Et, pour sa voix, lointaine et calme, et grave, elle a
L'inflexion des voix chères qui se sont tues.

[1] d'une flamme d'enfer.

Chanson d'automne

Les sanglots longs
Des violons
   De l'automne
Blessent mon cœur
D'une langueur   5
   Monotone.

Tout suffoquant
Et blême, quand
   Sonne l'heure,
Je me souviens   10
Des jours anciens
   Et je pleure:

Et je m'en vais
Au vent mauvais
   Qui m'emporte   15
De çà, de là,
Pareil à la
   Feuille morte.

FÊTES GALANTES (1869)

Poèmes inspirés par les peintres gracieux du XVIIIe siècle, Watteau, Boucher, etc.

Colloque sentimental

Dans le vieux parc solitaire et glacé
Deux formes ont tout à l'heure passé.   20

Leurs yeux sont morts et leurs lèvres sont molles,
Et l'on entend à peine leurs paroles.

Dans le vieux parc solitaire et glacé
Deux spectres ont évoqué le passé.

— Te souvient-il de notre extase ancienne ?
— Pourquoi voulez-vous donc qu'il m'en souvienne ?

5 — Ton cœur bat-il toujours à mon seul nom ?
Toujours vois-tu mon âme en rêve ? — Non.

— Ah ! les beaux jours de bonheur indicible
Où nous joignions nos bouches ! — C'est possible.

— Qu'il était bleu, le ciel, et grand, l'espoir !
10 — L'espoir a fui, vaincu, vers le ciel noir.

Tels ils marchaient dans les avoines folles [1]
Et la nuit seule entendit leurs paroles.

LA BONNE CHANSON (1870)

Poèmes inspirés par les premiers beaux jours du mariage — qui
devaient être si éphémères.

La lune blanche

La lune blanche
Luit dans les bois ;
15 De chaque branche
Part une voix
Sous la ramée . . .

O bien-aimée.

L'étang reflète,
20 Profond miroir,
La silhouette

[1] *Wild oats.*

Du saule noir
Où le vent pleure ...

Rêvons, c'est l'heure.

Un vaste et tendre
Apaisement   5
Semble descendre
Du firmament
Que l'astre irise ...

C'est l'heure exquise.

ROMANCES SANS PAROLES (1874)

Il pleure dans mon cœur

[*Il pleut doucement sur la ville.*

(ARTHUR RIMBAUD)]

Il pleure [1] dans mon cœur   10
Comme il pleut sur la ville,
Quelle est cette langueur
Qui pénètre mon cœur ?

O bruit doux de la pluie
Par terre et sur les toits !   15
Pour un cœur qui s'ennuie
O le chant de la pluie !

Il pleure sans raison,
Dans ce cœur qui s'écœure. [2]
Quoi ! nulle trahison ?   20
Ce deuil est sans raison.

[1] *Tears are shed.*
[2] *Is disheartened.*

C'est bien la pire peine
De ne savoir pourquoi,
Sans amour et sans haine,
Mon cœur a tant de peine !

Sagesse (*1881*) et Amour (*1888*)

Ici le Verlaine repenti, à comparer au Villon de la *Ballade des Pendus* et de la *Ballade pour prier Notre Dame*. Voici le récit de la conversion de Verlaine telle qu'il le donne dans le volume *Mes prisons:*

« Il y avait depuis quelques jours, pendue au mur de ma cellule, au-dessous du petit crucifix de cuivre, une image lithographique assez affreuse, aussi bien, du Sacré-Cœur: une longue tête chevaline du Christ, un gros buste émacié sous de larges plis de vêtements, les mains effilées montrant le cœur

(*Qui rayonne et qui saigne*)

comme je devais l'écrire un peu plus tard dans *Sagesse*.

« Je ne sais quoi ou qui me souleva soudain, me jeta hors de mon lit sans que je pusse prendre le temps de m'habiller, et me prosterna en larmes, en sanglots, au pied du Crucifix et de cette image à côté, évocatrice de la plus étrange, mais à mes yeux la plus sublime dévotion des temps et de l'Église catholique. »

Le ciel est par-dessus le toit

Ce poème est écrit pendant que Verlaine purge sa peine dans la prison de Mons pour avoir brandi son arme contre son ami Rimbaud.

5   Le ciel est, par-dessus le toit,
          Si bleu, si calme !
       Un arbre, par-dessus le toit,
          Berce sa palme.

       La cloche, dans le ciel qu'on voit,
10   Doucement tinte.
       Un oiseau sur l'arbre qu'on voit
          Chante sa plainte.

       Mon Dieu, mon Dieu, la vie est là,
          Simple et tranquille.

Cette paisible rumeur-là
   Vient de la ville.

Qu'as-tu fait, ô toi que voilà
   Pleurant sans cesse,
Dis, qu'as-tu fait, toi que voilà,   5
   De ta jeunesse?

                (*Sagesse*)

Parabole

Voici un des meilleurs sonnets célébrant la conversion:

Soyez béni, Seigneur, qui m'avez fait chrétien
Dans ces temps de féroce ignorance et de haine;
Mais donnez-moi la force et l'audace sereine
De vous être à toujours fidèle comme un chien,   10

De vous être l'agneau destiné qui suit bien
Sa mère et ne sait faire au pâtre aucune peine,
Sentant qu'il doit sa vie encore, après sa laine,
Au maître, quand il veut utiliser ce bien,

Le poisson, pour servir au Fils de monogramme,[1]   15
L'ânon obscur qu'un jour en triomphe il monta,
Et, dans ma chair, les porcs qu'à l'abîme il jeta.

Car l'animal, meilleur que l'homme et que la femme,
En ces temps de révolte et de duplicité,
Fait son humble devoir avec simplicité.   20

                (*Amour*)

[« ... cet enfant a une musique dans l'âme, et, à certains jours, il
entend des voix que nul avant lui n'avait entendues ».

              (Jules Lemaître)]

---

[1] Le poisson — en grec 'ΙΧΘΥΣ
'ΙΧ pour *Iesus Christos*.
ΘΥ pour *Theou Yios* (de Dieu le Fils).
Σ pour *Sôter* (sauveur).

Litanies

O mon Dieu, vous m'avez blessé d'amour
Et la blessure est encore vibrante.
O mon Dieu, vous m'avez blessé d'amour.

O mon Dieu, votre crainte m'a frappé
5 Et la brûlure est encor là qui tonne.
O mon Dieu, votre crainte m'a frappé.

O mon Dieu, j'ai connu que tout est vil
Et votre gloire en moi s'est installée.
O mon Dieu, j'ai connu que tout est vil.

10 Noyez mon âme aux flots de votre Vin.
Fondez ma vie au Pain de votre table
Noyez mon âme aux flots de votre Vin.

Voici mon sang que je n'ai pas versé,[1]
Voici ma chair indigne de souffrance,
15 Voici mon sang que je n'ai pas versé.

Voici mon front qui n'a pu que rougir,
Pour l'escabeau de vos pieds adorables.
Voici mon front qui n'a pu que rougir.

Voici mes mains qui n'ont pas travaillé,
20 Pour les charbons ardents[2] et l'encens rare,
Voici mes mains qui n'ont pas travaillé.

Voici mon cœur qui n'a battu qu'en vain,
Pour palpiter aux ronces du Calvaire,
Voici mon cœur qui n'a battu qu'en vain.

25 Voici mes pieds, frivoles voyageurs,

[1] Comme l'a fait le Christ.
[2] Charbons qu'on met avec l'encens dans l'encensoir (*thurible*) pour le service de la grand'messe.

Pour accourir au cri de votre grâce,
Voici mes pieds, frivoles voyageurs.

Voici ma voix, bruit maussade et menteur,
Pour les reproches de la Pénitence,
Voici ma voix, bruit maussade et menteur. 5

Voici mes yeux, luminaires d'erreur,
Pour être éteints aux pleurs de la prière,
Voici mes yeux, luminaires d'erreur.

Hélas ! Vous,[1] Dieu d'offrande et de pardon,
Quel est le puits de mon ingratitude, 10
Hélas ! Vous, Dieu d'offrande et de pardon !

Dieu de terreur et Dieu de sainteté,
Hélas ! ce noir abîme de mon crime,
Dieu de terreur et de sainteté.

Vous, Dieu de paix, de joie et de bonheur, 15
Toutes mes peurs, toutes mes ignorances,
Vous, Dieu de paix, de joie et de bonheur,

Vous connaissez tout cela, tout cela,
Et que je suis plus pauvre que personne,
Vous connaissez tout cela, tout cela. 20

Mais ce que j'ai, mon Dieu, je vous le donne.

(Sagesse)

L'Art poétique

C'est le très fameux poème où l'on veut voir la profession de foi de l'École symboliste en matière de versification, le poème dans lequel Verlaine retire son adhésion aux doctrines parnassiennes. Il constitue une exacte contrepartie à *L'Art*, de Théophile Gautier, cité plus haut et qui réclamait une forme aux contours arrêtés, précis, un

---

[1] Le verbe de ce « Vous » et des suivants est trois strophes plus bas: *Vous connaissez . . .*

vers ciselé; Verlaine réclame le vers souple, sans césure régulière, sans embarras quant à l'enjambement, où le vers impair de 11. 9. 7 syllabes soit non seulement autorisé, mais recommandé; comme Mallarmé, Verlaine suggère la prépondérance de l'élément musical sur l'élément du syllabisme.

Il faut rappeler, cependant, qu'Ernest Raynaud, l'auteur de *La mêlée symboliste* propose une interprétation assez différente et veut que Verlaine soit demeuré « parnassien » et qu'il ait écrit son *Art poétique* seulement dans le but de faire quelques concessions aux nouveaux poètes à la suite d'une controverse avec son ami Charles Morice, l'auteur de *La littérature de tout à l'heure*. Il est vrai, comme on a pu le voir dans les pièces citées, que Verlaine n'a pas mis en pratique des licences poétiques comme l'ont fait d'autres Symbolistes, et qu'il a, dans une conférence à Bruxelles dans ses dernières années — et que cite Raynaud — récusé les libertés prosodiques de ceux qui se réclamaient de lui: le vers libre, l'abandon de la rime, etc. Il reste, en tous cas, que les Symbolistes ont voulu, eux, considérer le poème de Verlaine comme le point de départ pour leur réforme, même s'ils ont poussé l'esprit d'émancipation plus loin que le maître. Il y a aussi une difficulté à l'interprétation de Raynaud, c'est que le poème, selon Martino, aurait été écrit dès 1873; d'autres disent que ce fut dans la prison de Mons. (1873-5). Il parut, pour la première fois imprimé, dans une revue *Paris-Moderne*, 10 nov. 1882, et en volume dans *Jadis et naguère*, en 1884.

On observera que le poème est écrit en vers impairs — 9 syllabes.

> De la musique avant toute chose,
> Et pour cela préfère l'Impair,
> Plus vague et plus soluble dans l'air,
> Sans rien en lui qui pèse ou qui pose.
>
> 5   Il faut aussi que tu n'ailles point
> Choisir tes mots sans quelque méprise:
> Rien de plus cher que la chanson grise
> Où l'Indécis au Précis se joint.
>
> C'est des beaux yeux derrière des voiles,
> 10   C'est le grand jour tremblant de midi,
> C'est, par un ciel d'automne attiédi,
> Le bleu fouillis des claires étoiles !
>
> Car nous voulons la Nuance encor,

Pas la couleur, rien que la nuance !
Oh ! la nuance seule fiance [1]
Le rêve au rêve et la flûte au cor !

Fuis du plus loin la Pointe [2] assassine,
L'Esprit cruel et le Rire impur,   5
Qui font pleurer les yeux de l'Azur,
Et tout cet ail de basse cuisine !

Prends l'éloquence et tords-lui son cou !
Tu feras bien, en train d'énergie,
De rendre un peu la Rime assagie.   10
Si l'on n'y veille, elle ira jusqu'où ?

Oh ! qui dira les torts de la Rime ?
Quel enfant sourd ou quel nègre fou
Nous a forgé ce bijou d'un sou
Qui sonne creux et faux sous la lime ?   15

De la musique encore et toujours !
Que ton vers soit la chose envolée
Qu'on sent qui fuit d'une âme en allée
Vers d'autres cieux à d'autres amours !

Que ton vers soit la bonne aventure   20
Éparse au vent crispé du matin
Qui va fleurant la menthe et le thym . . .
Et tout le reste est littérature.[3]

RIMBAUD

Rimbaud était né à Charleville, en 1854, fils d'un officier de carrière et d'une mère qui se montra jusqu'à la fin d'une sévérité excessive pour l'enfant. En 1870 il déserte la maison pour venir à Paris ; on le ramène de force ; il s'enfuit une seconde fois et on le reconduit chez

---

[1] Du verbe *fiancer*, unir.
[2] Dans le sens de *pun*.
[3] Sens ironique : de l'éloquence vide, des mots.

lui; la troisième fois il est accueilli par Verlaine. Après la désastreuse liaison des deux poètes — que nous avons indiquée — il s'engage dans l'armée néerlandaise, et déserte à Java. Dès 19 ans il a complètement brisé avec le Rimbaud poète; pendant quelque temps il est contrôleur dans un cirque et ainsi parcourt l'Europe; puis il part pour l'Afrique où il fait du commerce et de l'exploration. Il contracte une maladie qui le ramène en Europe, on doit lui couper la jambe dans un hôpital de Marseille où il meurt, 10 novembre 1891.

VERS DE RIMBAUD

On a considéré Rimbaud comme un phénomène extraordinaire; on l'a appelé tantôt « Grande âme » (Verlaine) tantôt le « Satan adolescent », tantôt le « Voyant voyou » [*the illuminated rascal*] — il s'était lui-même déclaré un poète « voyant », — tantôt encore le « Shakespeare enfant » (Victor Hugo), et celui qui a voulu « marier le ciel avec l'enfer ».

Il n'a jamais su lui-même exprimer ce qui était en lui, soit que la chose fût inexprimable et, en effet, trop haute, soit qu'il en fût empêché par l'alcool et le dévergondage. Il l'a essayé cependant. C'est dans les *Illuminations* (écrites en 1872) qu'il formule sa prétention de créer une nouvelle langue poétique, son « alchimie du verbe ». On y lit ces mots:

« Avec des rythmes instinctifs, je me flattai d'inventer un verbe « poétique accessible, un jour ou l'autre, à tous les sens. Je réservais la « traduction. Ce fut d'abord une étude. J'écrivais des silences, des « nuits, je notais l'inexprimable. Je fixais des vertiges ... Je m'ha- « bituais à l'hallucination simple; je voyais très franchement une « mosquée à la place d'une usine, une école de tambours faite par des « anges, des calèches sur les routes du ciel, un salon au fond d'un lac; « les monstres, les mystères; un titre de vaudeville dressait des épou- « vantes devant moi. Puis j'expliquai mes sophismes magiques avec « l'hallucination des mots ! Je finis par trouver sacré le désordre de « mon esprit ... Je devins un opéra fabuleux ... Ma faiblesse me « menait aux confins du monde et de la Chimérie, patrie de l'ombre « et des tourbillons. Je dus voyager, distraire les enchantements sur « mon cerveau. » (Cité, Martino, pp. 133-4)

L'année suivante, en 1873, Rimbaud essaie encore de formuler l'idée d'un art tout nouveau; ce fut dans une espèce de prodigieuse autobiographie intitulée *Une saison en enfer* [l'enfer de ses pensées ?]:

« J'ai cru toutes les fêtes, tous les triomphes, tous les drames. J'ai « essayé d'inventer de nouvelles fleurs, de nouveaux astres, de nouvelles

« chairs, de nouvelles langues. J'ai cru acquérir des pouvoirs sur-
« naturels. Eh bien ! Je dois enterrer mon imagination et mes sou-
« venirs. »

Comme dans les *Illuminations*, Rimbaud voit donc l'inutilité de
son effort; il craint de devenir fou et s'enfuit de lui-même, ou au
moins de la littérature; quand on lui apporte de l'imprimerie les exemplaires de sa *Saison en enfer*, il les brûle, et sa randonnée folle à
travers le monde va suivre.

Il avait essayé de *réaliser* ses rêves en vers, et évidemment n'en
était pas satisfait. Il écrivait en 1871 (15 mai) à un ami, Paul De-
meny: « D'Ennius[1] à Theroldus, de Theroldus à Casimir Delavigne,
tout est prose rimée et avachissement et gloire d'innombrables générations idiotes ... Je dis qu'il faut être *voyant*, se faire *voyant*.
Le poète se fait *voyant* par un long, immense et déraisonné dérègle-
ment de tous les sens » (Cité, Martino, p. 130).[2]

Et en août, ayant terminé l'étrange poème qui contient le meilleur
de son génie, *Le bateau ivre*, il envoya ce poème à Verlaine qui répondit: « Venez, chère grande âme, on vous attend, on vous désire ! »
On sait la suite.

Le bateau ivre

Voici comment Martino essaie d'indiquer l'idée: « Le point de
départ a quelque contact avec la réalité: un fleuve d'Amérique, une
barque qui descend ... ; mais tout de suite, le poète se tire hors de
cette image, bonne pour des romans de Fenimore Cooper et de Mayne
Reid. Le bateau est emporté par la mer; les notions de temps et
d'espace s'abolissent peu à peu; et le visionnaire du bateau ivre voit
d'effarants spectacles, car il se plonge dans le poème de la mer, il
devient lui-même une parcelle vivante de l'énorme houle; et c'est
sous cette nouvelle forme de vie qu'il contemple les archipels sidéraux,
les éclairements du soleil sur la mer, des rivages incroyables que nul
navigateur n'a atteints, les monstres marins qu'a créés l'imagination
des siècles ... C'est un ruissellement d'images, à-demi réelles, à-demi

---

[1] Ennius (248–169 av. J.-C.), un des plus anciens poètes latins au
langage encore bien primitif; Theroldus, ou Thuroldus, l'auteur pré-
sumé de la vieille *Chanson de Roland* (XIIe siècle); Casimir Delavigne (1793–1843), poète lyrique et dramatique de l'aube de l'ère
romantique.

[2] C'est en souvenir de ce passage qu'un B. Fondane a publié un
petit ouvrage intitulé *Rimbaud, le voyou* (1933).

fantasmagoriques, comme peut les former un *voyant*, et dont il est impossible de caractériser avec des mots l'intarissable véhémence. »

On voit la parenté de ce poème avec *L'Après-midi d'un faune* de Mallarmé, c'est à dire l'envolement du *voyant* vers un monde irréel.

Le bateau ivre

Comme je descendais des Fleuves impassibles,
Je ne me sentis plus guidé par les haleurs.[1]
Des Peaux-Rouges criards les avaient pris pour cibles,
Les ayant cloués nus aux poteaux de couleurs.

5 J'étais insoucieux de tous les équipages,
Porteur de blés flamands ou de cotons anglais.
Quand avec mes haleurs ont fini ces tapages,
Les Fleuves m'ont laissé descendre où je voulais.

Dans les clapotements [2] furieux des marées,
10 Moi, l'autre hiver, plus sourd que les cerveaux d'enfants,
Je courus ! et les Péninsules démarrées [3]
N'ont pas subi tohu-bohus [4] plus triomphants.

La tempête a béni mes éveils maritimes.
Plus léger qu'un bouchon j'ai dansé sur les flots
15 Qu'on appelle rouleurs [5] éternels de victimes;
Dix nuits, sans regretter l'œil niais des falots.

Plus douce qu'aux enfants la chair des pommes sûres [6]
L'eau verte pénétra ma coque de sapin, [7]
Et des taches de vins bleus [8] et des vomissures [9]
20 Me lava, dispersant gouvernail et grappin.

[1] *Tow-men.*   [2] *Choppings.*
[3] *Unmoored.*   [4] *Hubbub.*
[5] *Tossers.*   [6] *Sour apples.*
[7] *Pine shell.*   [8] *Cheap wines.*
[9] *Ejections.*

Et, dès lors, je me suis baigné dans le poème
De la mer infusé d'astres et latescent,[1]
Dévorant les azurs verts où, flottaison blême [2]
Et ravie, un noyé pensif parfois descend o o o

Je sais les cieux crevant en éclairs [3]; et les trombes,   5
Et les ressacs,[4] et les courants; je sais le soir,
L'aube exaltée ainsi qu'un peuple de colombes;
Et j'ai vu quelquefois ce que l'homme a cru voir.

J'ai vu le soleil bas taché d'horreurs mystiques,
Illuminant de longs figements [5] violets;   10
Pareils à des acteurs de drames très antiques,
Les flots roulant au loin leurs frissons de volets.[6] o o o

J'ai heurté, savez-vous ! d'incroyables Florides
Mêlant aux fleurs des yeux de panthères, aux peaux
D'hommes des arcs-en-ciel tendus comme des brides,   15
Sous l'horizon des mers, à de glauques troupeaux. o o o

Glaciers, soleils d'argent, flots nacreux,[7] cieux de braises [8]
Echouages hideux au fond des golfes bruns
Où les serpents géants dévorés des punaises
Choient des arbres tordus avec de noirs parfums. o o o   20

Presqu'île ballottant sur mes bords les querelles
Et les fientes [9] d'oiseaux clabaudeurs [10] aux yeux blonds;
Et je voguais lorsqu'à travers mes liens frêles
Des noyés descendaient dormir à reculons . . .

Or moi, bateau perdu sous les cheveux des anses,[11]   25
Jeté par l'ouragan dans l'éther sans oiseau,

---

[1] *Mysterious.*   [2] *Ghastly floating.*
[3] *Bursting into flashes.*   [4] *Surfs.*
[5] *Coagulations.*
[6] Les ondulations de l'eau sont régulières et serrées comme les
lattes des volets en France.
[7] *Pearly.*   [8] *Burning Skies.*
[9] *Dung.*   [10] *Brawlers.*   [11] Ici: *Weeds of coves.*

Moi dont les Monitors [1] et les voiliers des Hanses [2]
N'auraient pas repêché la carcasse ivre d'eau.[3] ₒ ₒ ₒ

J'ai vu des archipels sidéraux, et des îles
Dont les cieux délirants sont ouverts au vogueur:
5 Est-ce en ces nuits sans fond que tu dors et t'exiles,
Million d'oiseaux d'or, ô future Vigueur?

Mais, vrai, j'ai trop pleuré. Les aubes sont navrantes,
Toute lune est atroce et tout soleil amer.
L'âcre amour m'a gonflé de torpeurs enivrantes.
10 Oh! que ma quille éclate! Oh! que j'aille à la
mer! ₒ ₒ ₒ

Je ne puis plus, baigné de vos langueurs, ô lames,[4]
Enlever leur sillage aux porteurs de cotons,
Ni traverser l'orgueil des drapeaux et des flammes,
15 Ni nager sous les yeux horribles des pontons!

Les voyelles

Vers la même époque, c'est à dire avant qu'il rencontrât Verlaine
— et ce point est fort important puisqu'il prouve que Rimbaud ne
doit rien à Verlaine de ses conceptions littéraires — il avait composé
cet autre poème, à peine moins célèbre que le premier, qui forme en
somme toute l'œuvre originale laissée à la postérité. C'est, d'autre
part, comme un commentaire du sonnet de Baudelaire, *Corres-*
pondance, dont la seconde strophe se termine par le vers:

Les parfums, les couleurs et les sons se répondent.

et une des premières expressions de ce que les psychologues ont
appelé le phénomène de l'audition colorée.

On a prétendu parfois qu'il ne fallait voir dans le sonnet des
voyelles qu'une fantaisie sans conséquence dans l'esprit de Rimbaud.
Il y fait allusion cependant d'une façon qui paraît sérieuse dans sa
Saison en enfer (1873):

---

[1] *American war boats.*
[2] *Baltic seaports.*
[3] *Full of water.*
[4] *Billows.*

« À moi l'histoire d'une de mes folies ... J'inventai la couleur des voyelles ! *A noir, E blanc, I rouge, U vert, O bleu.* Je réglai la forme et le mouvement de chaque consonne, et avec des rythmes instinctifs, je me flattai d'inventer un verbe poétique accessible un jour à tous les sens. Ce fut d'abord ... , » et suit le passage cité plus haut sur l'alchimie du verbe.

Si Rimbaud n'a pas lui-même pris au sérieux son sonnet, il n'en fut en tous cas pas ainsi d'autres écrivains symbolistes. Rappelons que Huysmans en tire parti dans son roman *À rebours*, en 1884. En 1886, René Ghil, qui est souvent appelé, c'est vrai, l'enfant terrible du Symbolisme, écrit ces lignes dans son *Traité du verbe*:

« Constatant les souverainetés, les Harpes sont blanches; et bleus sont les Violons mollis souvent d'une phosphorescence pour surmener les paroxysmes; en la plénitude des ovations, les Cuivres sont rouges, les Flûtes jaunes, qui modulent l'infini, s'étonnant de la lueur des lèvres; et sourdeur de la Terre et des Chairs, synthèse simplement des seuls instruments simples, les Orgues toutes noires plangorent. » [1]

Et voici ce que dit Gustave Kahn dans son livre bien connu, *Symbolistes et décadents* (1902):

« Le sonnet des voyelles ne contient pas plus une esthétique qu'il n'est une gageure, une gaminerie pour étonner le bourgeois. Rimbaud traverse une phase où, tout altéré de nouveauté poétique, il cherche dans les indications réunies sur les phénomènes d'audition colorée quelque rudiment d'une science des sonorités. Il vivait près de Charles Cros à ce moment hanté de sa photographie des couleurs et qui put l'orienter vers des recherches de ce genre. »

On trouvera des détails complémentaires sur le Sonnet des voyelles: dans le *Mercure de France*, novembre, 1904, Ernest Gaubert, « Une explication nouvelle du Sonnet des voyelles d'Arthur Rimbaud »; et dans la revue *Enseignement public*, fév. 1933, pp. 97–114, article d'André Fontaine; ou *Nouvelles litt.*, 2 sept. 1933, p. 4.

Le texte exact du sonnet fut altéré dans quelques détails par

---

[1] « Au Salon d'automne de Paris, 1923, le peintre viennois Mopp exposa un *Orchestre*, œuvre immense où ces correspondances mystérieuses sont exprimées à leur manière ... les rouges violoncelles, les jaunes tubas, la harpe d'or rompent la monotonie des habits noirs. Un mouvement intense se dégage de ce tableau. L'onde musicale parcourt et se fait sentir jusque dans les feuillets de partitions qui volent en tous sens. Tous les musiciens sont subjugués par la baguette du chef d'orchestre tendue nerveusement dans un éblouissement de lumière qui prolonge le geste. Le jury a donné à ce grand panneau la place d'honneur du Salon. » (*Semaine littéraire de Genève*, novembre, 1923)

Verlaine, qui le fit imprimer pour la première fois dans la revue
Lutèce, en 1863. On le trouve ensuite dans les *Poètes maudits* de Verlaine (1884), et dans la revue *La Plume* (1 sept. 1889). Nous donnons
le texte comme publié dans l'édition du *Mercure de France* (*Œuvres
complètes d'A. R.*, Paris, 1929). Voici trois variantes du texte d'après
un manuscript de la collection Louis Barthou (relevés dans l'édition
de *The Halcyon Press*, A. A. M. Stols, Éditeur, Maestricht, Paris,
Bruxelles, 1931):

> 4ᵉ vers: *Qui bombinent autour des puanteurs cruelles,*
> 6ᵉ vers: *Lance des glaçons fiers, rais blancs, frissons d'ombelles;*
> 11ᵉ vers: *Qu'imprima l'alchimie aux doux fronts studieux;*

A noir, E blanc, I rouge, U vert, O bleu, voyelles,
Je dirai quelque jour vos naissances latentes.
A, noir corset velu des mouches éclatantes
Qui bombillent [1] autour des puanteurs cruelles,

5 Golfes d'ombres; E, candeur des vapeurs et des tentes,
Lance des glaciers fiers,[2] rois blancs, frissons d'ombelles [3];
I, pourpres, sang craché, rire des lèvres belles
Dans la colère ou les ivresses pénitentes;

U, cycles, vibrements divins des mers virides,[4]
10 Paix des pâtis [5] semés d'animaux, paix des rides
Que l'alchimie imprime aux grands fronts studieux; [6]

O, suprême clairon plein de strideurs étranges,
Silences traversés des Mondes et des Anges:
— O l'Oméga, rayon violet de Ses Yeux ! [7]

*

Dans leur excellente Anthologie des poètes symbolistes, Ad.
Van Bever et Paul Léautaud donnent des morceaux choisis de 55
écrivains. Parmi ceux-ci, sauf les trois dont il vient d'être question,

---

[1] *Buzz.*
[2] *White sharp crest of glaciers* (?); or, if ‹ glaçons › = *icicles*
[3] *Clusters of white flowers.*
[4] Rare, poétique: = verdâtre.
[5] *Pasture grounds.*
[6] Allusion à la lueur verdâtre des laboratoires d'alchimistes.
[7] On a dit que le poète évoque ici les yeux d'une femme.

aucun n'a atteint une renommée égale par exemple à celle des grands poètes romantiques, ou même des poètes parnassiens cités dans un précédent chapitre. On trouvera certains noms dans les chapitres suivants, arrangés par groupes avec quelques morceaux caractéristiques de ces groupes.

Il faut cependant, tirer hors de pair celui qui est considéré comme le plus « représentatif », celui que l'Académie Française a choisi entre tous pour représenter dans son sein cette époque de la poésie française: « celui qui a le mieux exprimé les aspirations, les fièvres et les symboles naturels d'une génération et d'un groupe » — c'est ainsi que le présente Edmond Jaloux (de l'Académie) dans le *Catalogue de l'exposition du Cinquantenaire du Symbolisme*, 1936 — Henri de Régnier.

CHAPITRE XXVIII

HENRI DE RÉGNIER

1864–1936

Consulter: Robert Honnert, *Henri de Régnier* (Coll. ‹ Célébrités d'aujourd'hui ›, 1923).

Régnier naquit à Honfleur (près du Hâvre), mais vint de bonne heure à Paris pour son éducation (1871). Il débuta par des vers publiés dans *Lutèce* (la première revue qui eut une nuance symboliste) en 1885, puis il passa à la *Revue indépendante*, et enfin à la *Revue des Deux Mondes*. Il épousa en 1896 la fille de Heredia (elle-même poète distingué sous le nom de Gérard d'Houville). Il entra à l'Académie en 1911.

Il s'est exprimé à la fois en prose et en vers. Ses premiers recueils de récits sont nettement marqués au sceau du Symbolisme, tels: *Contes à soi-même* (1893), *Le trèfle noir* (1895), *Canne de jaspe* (1897), etc. Ses romans sont généralement postérieurs à 1900 et pas autant empreints de cet esprit (*Vacances d'un jeune homme sage*, 1903; *La pécheresse*, 1920), etc. Ses premiers recueils de vers sont: *Les lendemains* (1885), *Apaisement* (1886), *Sites* (1887); puis, la série où le symbolisme est le plus accusé: *Épisodes* (1888), *Poèmes anciens et romanesques* (1890), *Tel qu'en songe* (1892), *Aréthuse* (1895), *Les jeux rustiques et divins* (1897), etc.

POÉSIE

Exergue

Exergue: l'inscription gravée sur une médaille pour en expliquer
l'image. Ici: poème d'introduction au recueil *Tel qu'en songe,* 1892.
Noter l'élément musical de ces vers libres.

Au carrefour des routes de la forêt, un soir,
Parmi le vent, avec mon ombre, un soir,
Las de la cendre des âtres et des années,
Incertain des heures prédestinées,
5 Je vins m'asseoir.

Les routes s'en allaient vers les jours
Et j'aurais pu aller avec elles encor,
Et toujours,
Vers des terres, des eaux et des songes, toujours
10 Jusques au jour
Où, de ses mains magiques et patientes, la Mort
Aurait fermé mes yeux du sceau de sa fleur de paix et d'or.

Route des chênes hauts et de la solitude,
Ta pierre âpre est mauvaise aux lassitudes,
15 Tes cailloux durs aux pieds lassés,
Et j'y verrais saigner le sang de mon passé,
A chaque pas,
Et tes chênes hautains grondent dans le vent rude
Et je suis las.

20 Route des bouleaux clairs qui s'effeuillent et tremblent
Pâles comme la honte de tes passants pâles ₀ ₀ ₀

Route des frênes doux et des sables légers
Où le vent efface les pas et veut qu'on oublie ₀ ₀ ₀

La ville où tu conduis est bonne aux étrangers,
Et mes pas seraient doux sur le seuil de ses portes
S'ils n'étaient pas restés le long d'une autre vie
Où mes Espoirs en pleurs veillent des Ombres mortes.

Je n'irai pas vers vos chênes,   5
Ni le long de vos bouleaux et de vos frênes,
Et ni vers vos soleils, vos villes et vos eaux,
O routes !
J'entends venir les pas de mon passé qui saigne,
Les pas que j'ai crus morts, hélas ! et qui reviennent,   10
Et qui semblent me précéder en vos échos,
O routes,
Toi la facile, toi la honteuse, toi la hautaine,
Et j'écoute
Le vent, compagnon de mes courses vaines,   15
Qui marche et pleure sous les chênes.

O mon âme, le soir est triste sur hier,
O mon âme, le soir est morne sur demain,
O mon âme, le soir est grave sur toi-même !

Le seuil

(*Extraits*)

Poème du même recueil portant le titre caractéristique *Tel qu'en
songe*.

> *Penché vers ce que l'eau reflétait
> de moi-même et que je ne con-
> naissais pas.* (André Gide) [1]

Rien ne souriait dans la maison natale,   25
Grave de vieux silences accumulés,
Et jamais on n'ouvrait la porte, car les clefs

---

[1] A. Gide (1869–   ) auteur de livres marqués par une analyse
subtile et pénétrante, très sympathique aux Symbolistes — surtout au début de sa carrière. Son influence est postérieure à
1900.

On les avait perdues,
Un soir que toutes les choses s'étaient tues;
Les pas y glissaient dans les couloirs dallés
Si tristement qu'on eût dit des pas
5 Qui s'en allaient mourir tout bas
Derrière les portes des autres salles.

Les visages étaient comme voilés
De ceux qui passaient par les couloirs
Et s'asseyaient dans la chambre;
10 Les yeux semblaient ne pas voir
Et les oreilles étaient si lentes pour entendre
Et les voix si longues à répondre
Qu'on oubliait d'avoir parlé
Et qu'on ne savait plus répondre
15 Et que les pierres des bagues luisaient aux mains dans
l'ombre.

Il y avait aux murs d'ébène et de soie,
En des cadres d'écaille et d'or, des faces anciennes
De femmes lasses et d'hommes sans joie,
20 Et la fleur et l'épée aux mains patriciennes
Y survivaient encor — les mêmes — à jamais,
Dans un geste hautain ou gracieux — le même !
Et tous semblaient mal morts en leurs portraits,
Taciturnes d'avoir vécu et de survivre;
25 Celui-là avait fermé le Livre,
Morose en sa simarre [1] grave à pans d'hermine;
Un autre était debout en cuirasse d'argent
Qui se bombait sur sa poitrine,
Et les Dames en robe d'argent,
30 Moire ondée ou satin changeant,
Doyennes, châtelaines ou ménines, [2]
Etaient toutes là comme jadis, ₀ ₀ ₀

[1] Robe de magistrat.
[2] Mot espagnol, dames de la cour.

Mes songes étaient doux dans la maison natale,
Car on voyait la Mer des fenêtres du nord,
Et par celles de l'autre façade,
La forêt naître verte et se mourir en or,
L'automne, avec toutes ses feuilles, une à une;   5
Le vent triste filtrait le sable des dunes
Insensiblement sous les portes;
Il tournoyait des feuilles mortes
Autours des ifs et des cyprès noirs;
Elles retombaient une à une   10
Et l'on allait de soir en soir
Ainsi jusques où va l'année
A la rencontre de la destinée. ○ ○ ○

Les rideaux semblaient morts le long des fenêtres;
Les flambeaux brûlaient tout un soir,   15
Immobiles dans les miroirs,
Les flambeaux s'usaient jusques au bout des cires
En longues larmes patientes,
Et le silence à l'ombre n'ayant rien à dire,
Le Temps avait fermé ses ailes défaillantes.   20

Le Temps !
Les hautes clepsydres [1] minutieuses
Le comptaient goutte à goutte à leurs eaux taciturnes,
Elles alternaient, une à une,
Mélancoliques et pluvieuses,   25
Pleurant dolentes, une à une,
Goutte à goutte, l'Heure et l'Année,
Heure à heure, la Destinée. ○ ○ ○

. . . Je suis sorti . . . c'était l'aurore
Avec tout le ciel et toute la Mer,   30
Toute la Mer rose et le ciel clair
Et tout le ciel clair sur toute la forêt. ○ ○ ○

[1] Horloge à eau des Anciens.

Et j'errais le long de la Mer en ces pensées...

Je les voulais, hautes et graves, emphatiques
En un clair drapement de gloire et taciturnes
Avec des orgueils sur les lèvres, les unes,
5 Et magnifiques.
Avec des torses nus à la proue
Parmi les fleurs des mers en écumes,
Avec des torches en leurs mains spoliatrices;
Ou graves et dures
10 Et lentes, avec des palmes sous des portiques
Où des enfants jettent des pierres aux armures
Qui se bossellent et retentissent;
Et hiératiques sur des sièges de marbre
Où leur front se repose à leur geste immuable...

Quelqu'un songe d'aube et d'ombre

Fragment

15 « J'ai cru voir
Ma Tristesse debout sous les saules,
J'ai cru la voir — dit-elle tout bas —
Debout auprès du doux ruisseau de mes pensées,
Les mêmes qu'elles tout un soir
20 Qu'au cours de l'eau passaient surnageantes des roses,
Épaves du bouquet des heures blessées.
Le temps passait avec les eaux passées;
Elle pensait avec mes pensées
Si longtemps que le bois de bleuâtre fut mauve,
25 Puis plus sombre et noir. »

« J'ai cru voir ma Tristesse — dit-il — et je l'ai vue
— Dit-il plus bas —
Elle était nue,
Assise dans la grotte la plus silencieuse

De mes plus intérieures pensées;
Elle y était le songe morne des eaux glacées,
L'anxiété des stalactites anxieuses;
Le poids des rocs lourds comme le temps.
La douleur des porphyres rouges comme le sang;   5
Elle y était silencieuse,
Assise au fond de mon silence.
Et nue ainsi que s'apparaît ce qui se pense. » ○ ○ ○

                              (*Tel qu'en songe*)

Les mains belles et justes

Attestant la blancheur native des chairs mates,
Les mains, les douces mains qui n'ont jamais filé,   10
Hors des manches sortaient le blanc charme, annelé [1]
De bagues, de leurs doigts, tresseurs de longues nattes.

O Mains, vous cueillerez au bord des fleuves calmes
Les grands lis de la rive et les roseaux du bord,
Et sur le mont voisin vous choisirez encor   15
La paix des oliviers et la gloire des palmes;

O Mains, vous puiserez à la berge des fleuves
Pour laver sur les fronts l'originel méfait,
Le trésor baptismal de l'eau sainte qui fait
S'agenouiller le lin pieux des robes neuves;   20

O Mains de chair suave où la lenteur des gestes
Fait descendre le sang au bout des doigts rosés,
Vous ferez sur les fronts las où vous vous posez
Neiger le bon repos de vos fraîcheurs célestes !

Et les Poètes, ceints de pourpres écarlates   25
Où saigne avec le soir leur songe mutilé,
Vous baiseront, ô Mains, pour n'avoir pas filé
Le lin des vils labeurs et des tâches ingrates,

            [1] Orné de bagues, d'anneaux.

Car aux lèvres l'émail des carmins efficaces
Avive leur contour sinueux et fardé,
Et la bouche de la Femme n'a rien gardé
De sa fraîcheur de chair rose de sangs vivaces;

5 Et les yeux ont requis le bistre des cernures [2]
Et la joue a rougi d'un factice incarnat,
Et des feux de saphyrs qu'une main égrena
Scintillent en l'amas fauve des chevelures;

Et les doux seins, appas impérieux des lèvres,
10 Première puberté des torses ingénus,
Cachent frileusement leurs charmes advenus
Sous les joyaux trop lourds que vendent les orfèvres, ○ ○ ○

Et, seules, attestant la blancheur des chairs mates,
Les seules mains, les mains qui n'ont jamais filé,
15 Sortent mystiquement le blanc charme, annelé
De bagues de leurs doigts, tresseurs des longues nattes.

Mains douces, qui cueillez sur la berge des fleuves
Les grands lis de la rive et les roseaux du bord,
Et simples qui puisez le baptismal trésor
20 Plus limpide que tout le lin des robes neuves,

Mains justes ! arrachez le voile qui dérobe
A nos yeux le secret des purs nus triomphaux,
Dénouez la ceinture et brisez les joyaux,
Déchirez la tunique et lacérez la robe

25 Et dans le bain sacré des ondes baptismales,
Lavez les fards impurs dont se fardent les chairs,
Et que le Fleuve chaste emporte en ses flots clairs
Tout l'incarnat dissous des roseurs anormales !

(*Épisodes*)

[1] Des yeux cernés (*black circles*).

Odelette

Si j'ai parlé
De mon amour, c'est à l'eau lente
Qui m'écoute quand je me penche
Sur elle; si j'ai parlé
De mon amour, c'est au vent   5
Qui rit et chuchote entre les branches;
Si j'ai parlé de mon amour, c'est à l'oiseau
Qui passe et chante
Avec le vent;
Si j'ai parlé   10
C'est à l'écho.

Si j'ai aimé de grand amour,
Triste ou joyeux,
Ce sont tes yeux;
Si j'ai aimé de grand amour,   15
Ce fut ta bouche grave et douce,
Ce fut ta bouche;
Si j'ai aimé de grand amour,
Ce furent ta chair tiède et tes mains fraîches,
Et c'est ton ombre que je cherche.   20

(*Les jeux rustiques et divins*)

Excepté *Les mains*, les poèmes cités sont en vers libres — tout à fait symbolistes. Régnier est revenu, bien avant sa mort, à la *forme* classique.

PROSE

Hertulie ou Les messages

C'est le premier des contes du *Trèfle noir;* il a environ 40 pages. Il est tout à fait et typiquement symboliste de contenu et de forme.

Hermotime est tombé amoureux d'Hertulie, et il en fait part à un ami commun Hermas, dans une lettre qui introduit le conte:

Quand on te remettra cette lettre, je serai déjà loin; j'aurai marché toute la nuit sous les étoiles; j'aurai marché toute la nuit vers mon Destin. J'avais cru pourtant que je ne quitterais jamais nos beaux jardins, ô Hermas. Nous
5 nous promenions ensemble; c'est là où j'ai rencontré Hertulie; c'est là où tu lui apprendras mon départ. Elle accusera mon amour et si je la quitte c'est à cause de l'amour !

L'amour seul nous fait nous-mêmes; il nous rend comme nous serions, car il devient ce que nous sommes. Aussi, sa
10 façon d'avoir lieu se subordonne à notre manière d'être, et elles témoignent l'une et l'autre de leur réciproque imperfection. La stature de l'amour est à la taille [1] de notre ombre. Hélas ! la contagion de notre infirmité le discrédite; on lui attribue l'origine de ses effets; elle est ailleurs, elle
15 est en nous. L'Amour est beau. La laideur seule de nos âmes grimace sur son masque qui les représente. Son aspect se façonne à notre image et nous voyons en lui notre ressemblance intérieure. Si misérables que nous soyons, et bien qu'il participe à notre misère, son insuffisance et sa
20 difformité sont encore désirables. L'amour reste l'amour. Nous l'aimons tout contrefait qu'il soit.

Imagine alors, ô Hermas, sa beauté si, au lieu de se grimer [2] en des cœurs ténébreux, il se dénudait en des âmes radieuses. L'amour doit être l'hôte de la sagesse, mais son
25 flambeau doit éclairer, à l'intérieur de nos songes, des voûtes merveilleuses, en diamanter les grottes de toute l'anxiété des stalactites du silence; alors tout flamboiera d'une chaste fête de clarté et, à des aurores souterraines, d'entre les pierres, pousseront d'inflexibles lys. D'ordi-
30 naire, sa lampe incertaine ne hante que des tombeaux ou des antres. Les hiboux trempent leurs griffes dans l'huile funéraire; d'obscènes satyres miment, en ombres bestiales, sur les parois, l'imposture du dieu.

L'amour est l'hôte de la sagesse et je pars lui préparer sa

---

[1] *Size.*
[2] Se déguiser.

demeure. J'ai consulté le passé et le présent; tu me reproches de ne pas m'être assez consulté moi-même, d'avoir lu trop de livres et d'avoir, à la hâte, heurté à la porte des sages. La sagesse, me disais-tu, n'est pas errante; elle séjourne et fait semblant de dormir; elle ne dort pas dans un château de pierre au milieu de la forêt. Son attentive patience nous écoute en nous; elle répond à nos auscultations intérieures.

Hélas ! mon ami, je suis resté sourd à ma propre oreille; j'ai besoin qu'on parle pour entendre mon silence et j'ai dû être un passant pour aller à la rencontre de moi-même. Il y a des voies, il y a des clefs que cachent des mains mystérieuses. Ah ! j'en suis sûr, il y a des portes qu'elles ouvrent, et des semailles étrangères et hasardeuses produisent l'épi consécrateur de notre propre fécondité. Plains-moi, Hermas, de recourir à l'aide des sages pour devenir l'un d'eux; il le faut pour aimer, car la sagesse peut seule exorciser l'amour du sortilège où il s'atrophie. J'aime Hertulie, mais je refuse à notre amour le sort de se parodier. Je pars; il y a des étoiles au ciel et je pleure. Hertulie pleurera. Je reviendrai. Qu'elle aille te voir quelquefois dans ta maison silencieuse. Vous y parlerez de moi comme nous parlions ensemble de la grâce d'Hertulie. Ah ! puissé-je la revoir dans ce jardin ! C'est là où je l'ai rencontrée, c'est là où tu lui liras ma lettre. Adieu. Hermotime déjà vous salue. ⁀ ⁀ ⁀

Ainsi Hermotime donnait à Hermas « le soin d'avertir Hertulie de son départ et de lui en dire les méthodiques raisons ». Celui-ci rencontre Hertulie dans le jardin où tous les trois se promenaient souvent, il lui remet la lettre où l'on trouve ces mots:

« Hertulie, disait-il, tendre Hertulie, vous êtes trop belle pour n'avoir pas quelquefois regardé les hommes au visage. Les faces humaines sont presque toutes tristes de la figure de leur passé, et il reste de la cendre au fond de tout ce qui a tâché d'être; rien n'est qu'à travers un songe. Je ne vous parlerai pas des miens, ils eurent lieu en des désirs trop

singuliers; c'est de moi et en moi où s'est consumée leur
solitaire brûlure; ils furent le crépuscule de mes propres
ténèbres. La simplicité des vôtres leur sauvegarde au
moins l'espoir. Cependant, voici la nuit venue; il faut
5 rentrer; on a fermé les fontaines. Leur rire mort, elles
expirent, une à une, les gouttes imperceptibles de leur sur-
vie. Il y a toujours ainsi en nous, à certains moments, des
choses qui semblent se taire et se continuent par d'occultes
persévérances. Votre solitude a un écho, celui d'un pas qui
10 s'éloigne et reviendra; on revient de toutes les sagesses et
les fleurs interrompues refleuriront. » ⚬ ⚬ ⚬

Alors Hertulie attend, attend dans sa triste rêverie; de temps en
temps, elle reçoit les « messages » qui donnent leur titre au récit.

Un jour, songeant ainsi en face de sa fenêtre ouverte sur
un des derniers ciels tièdes de la saison, vers midi, elle vit,
avec surprise, une flèche, lancée du dehors, s'accrocher un
15 instant aux dentelles des rideaux, y vaciller, puis tomber
et se ficher droite dans le tapis.

Dans la rue déserte aucun pas ne s'éloignait. D'où
venait cette flèche ? sa pointe d'acier triangulaire luisait
ironiquement. Que voulait dire ce message, car Hertulie
20 comprit que c'en était un et ne douta pas qu'il ne vînt
d'Hermotime, non plus qu'ensuite ce poignard nu où sa
main tressaillit un soir en le trouvant sur la table. ⚬ ⚬ ⚬

Puis, au printemps suivant, elle trouve un jour sur sa console où
elle allait placer des fleurs « une gourde d'étain et un petit miroir » . . .
« Longtemps elle rêva devant ces attributs; la gourde était toute
bosselée comme si on l'eût apportée de très loin ». Enfin, un autre
jour encore « son pied heurta sur le tapis un objet sonore, c'était une
clef ».

Alors elle va trouver Hermas pour avoir « l'explication de ces
singulières allégories ».

C'est qu'Hermotime avait voulu se débarrasser de son *âme réaliste* pour mieux aimer la douce Hertulie; il y réussira, mais après
trop de temps, car Hertulie mourra à l'attendre. Le récit se termine
par une lettre d'Hermas à Hermotime: que celui-ci revienne et
trouve auprès de l'ami la consolation. Hermotime avait envoyé à

Hermas les mêmes objets symboliques qu'à Hertulie, et nous ob-
tenons par Hermas l'explication « de ces singulières allégories ».

Il est donc vrai que tu aies marché vers ton Destin ! Je
pressentais cette conjoncture. On tergiverse vis-à-vis de
soi-même, mais qui s'entrevoit se cherche ensuite à jamais,
et les présents que tu m'envoyas m'apprirent que tu t'étais
trouvé. Les voici, là, sur ma table, et, en les regardant, je 5
pense à toi. Je te revois tel que lors de nos rencontres dans
le vieux jardin. J'ignore tes voies, ô Hermotime ! quelles
pierres tu as fait rouler devant toi, sur tes chemins, du bout
de ta canne d'épine noire. Comment en vins-tu à la sagesse de te conformer à tes songes ? C'est à soi-même qu'on 10
s'initie. Ce fut à toi qu'il fallut que tu revinsses à travers
les vaines doctrines. Hertulie t'en enseigna davantage que
les livres des philosophes. Elle avait des yeux charmants
et savait tenir une fleur de ses belles mains; elle lui ressemblait. Nous ne devons respirer que ce que nous avons fleuri 15
et c'est à la couleur de nos yeux où se nuance la beauté des
choses. On cherche trop loin. Ton âme scrupuleuse, di-
dactique et formaliste voulut aller jusqu'au bout de son
erreur. L'amour est l'hôte de la sagesse, disais-tu, mais tu
la cherchais où ne paradait que la simagrée [1] de sa présence. 20
La douleur te montra la fausseté des doctrines; que
peuvent-elles pour nous guérir ?

J'ai compris l'envoi de la flèche messagère; faite de
plume et d'acier, elle allège en nous ce qui peut s'envoler,
elle tue ce qui doit y mourir. Le poignard nu signifiait 25
déjà ton mortel désir d'être un autre homme, et la gourde
voulait dire ta soif de te connaître au miroir emblématique
où l'on s'apparaît au delà de soi-même; mais, quand j'ai
reçu la clef fatidique, j'ai deviné qu'elle t'ouvrait l'accès de
ton Destin, et l'épi mûr, ô Hermotime ! te représente à mes 30
yeux.

Tout cela est beau. L'amour te donna l'instinct de con-

---

[1] *Pretense.*

former ton âme à la beauté du sentiment dont, avec les
maux qu'il comporte, tu concevais l'accueil qu'il mérite.
Tu voulus parer ton âme pour son triomphe et désarmer
ta victoire et, en donnant l'amour à la sagesse, donner la
5 sagesse à l'amour. Tu as vu que c'était en toi où gisait le
secret d'être un autre: l'obligatoire! notre mystérieux
dormant que n'éveillent ni les subtilités des méthodes, ni
le bruit des controverses, ni rien de ce qui n'est pas congé-
nère à son mystérieux silence.

10 Tout cela est beau, Hermotime, et j'imagine aux jardins
où nous nous promenions une part du miracle où tu t'es
transformé. Souviens-toi de l'Escalier de Narcisse; les
lieux agissent à leur insu sur nos songes, c'est là maintenant où les tiens se retrouveront le mieux autour d'eux.

15 Reviens donc, mon frère, car, au bout des allées d'eau, tu
trouveras la sépulture d'Hertulie. C'est là qu'elle repose.
Nous y reposerons aussi un jour. Où on voyait trois statues s'élèveront trois tombeaux. Le sien déjà est au milieu.
Le monument est d'un marbre rose et noir, l'endroit à
20 jamais silencieux, car j'y ai fait détruire les fontaines; à
la place on a planté des fleurs, les plus naïves et les plus
fraîches — d'autres croîtront pour nous — on dirait que
l'aurore a posé sur celles-là son pied nu. Hertulie ne fut-
elle pas l'aurore de ta vraie science, le printemps de ta sa-
25 gesse dont tu goûtes maintenant l'opulent été; tu en
connaîtras peut-être les amers automnes; c'est la saison de
mon âme et voici qu'elle vient aussi sur les vieux arbres du
jardin.

Il m'appartient maintenant, je l'ai acheté tout entier et
30 joint aux miens; ma solitude est vaste, tu vois, et nous y
pourrons au moins marcher la face nue, ayant dédaigné
l'un et l'autre les masques où se déguisent les humains,
nous qui portons à jamais le seul visage de notre Destinée.

« LA PARODIE »

La parodie n'avait pas été épargnée aux premiers Romantiques; elle le fut moins encore aux Parnassiens (v. plus haut, *Le Parnassiculet*); elle sera terrible pour le Symbolisme qui s'y prêtait davantage puisque son grand prophète Mallarmé proclamait lui-même que « la Clarté » était une « qualité secondaire ». Aux yeux du public le Symbolisme était nettement une « littérature pour les littérateurs ». Les pastiches abondèrent. Le plus curieux est contenu dans une petite publication célèbre qu'on attribue à Gabriel Vicaire (un Parnassien) et Henri Beauclair — *Les déliquescences, poèmes décadents d'Adoré Floupette, avec sa vie par Marius Tapora, Byzance, chez Lion Vanné, in 16, 1885, 78 pages* [en réalité: Paris, chez Léon Vanier].

L'introduction raconte comment Adoré Floupette vint de province à Paris pour s'initier à la nouvelle poésie; une réunion de « déliquescents » est décrite qui vise peut-être les mardis de Mallarmé à la Rue de Rome. On trouvera quelques-uns de ces poèmes en appendice au Volume II de l'Anthologie de Van Bever et Léautaud (pp. 366 ss.). En voici trois autres:

Cantique avant de se coucher

[Vise particulièrement le Symbolisme baudelairien]

La vie atroce a pris mon cœur dans son étau.
La vie aigre sonne un tocsin dans mon oreille.
La vie infâme a mis ses poux dans mon manteau.

Je suis comme un raisin plâtré sous une treille,
Comme un quine [1] égaré par l'affre du Loto,   5
Comme un pape très blanc et très doux qui sommeille.

Désespérance morne au seuil du Lys Hymen !
— Nimbé d'Encens impur, j'agonise et je fume —
O l'Induration lente du cyclamen !
O les Morsures dans l'alcôve qui s'allume !   10
O les Ostensoirs dans la Basilique ! Amen !

[1] Numéro gagnant au jeu du Loto.

Décadents

Nos pères étaient forts, et leurs rêves ardents
S'envolaient d'un coup d'aile au pays de Lumière.
Nous, dont la fleur dolente est la Rose Trémière,[1]
Nous n'avons plus de cœur, nous n'avons plus de dents !

5 Pauvres pantins avec un peu de son dedans,
Nous regardons, sans voir, la ferme et la fermière.
Nous renâclons devant la tâche coutumière,
Charlots[2] trop amusés, ultimes décadents.

Mais, ô Mort du désir ! Inappétence exquise !
10 Nous gardons le fumet d'une antique Marquise
Dont un Vase de Nuit parfume les Dessous !

Être Gâteux,[3] c'est toute une philosophie.
Nos nerfs et notre sang ne valent pas deux sous,
Notre cervelle, au vent d'été, se liquéfie !

Scherzo

[Ce poème fait clairement allusion à Verlaine adonné alternativement au culte de la funeste « boisson verte », l'absinthe, et au culte
de la Vierge.]

15   Si l'âcre désir s'en alla
      C'est que la porte était ouverte.
      Ah ! verte, verte, combien verte,
      Était mon âme en ce jour-là !

      C'était, — on eût dit — une absinthe,
20   Prise — il semblait — en un café,
      Par un mage très échauffé,
      En l'honneur de la Vierge sainte.

---

[1] *Hollyhock.*   [2] Nom fréquent de clowns.
[3] Populaire, de mentalité affaiblie. — Ce vers est souvent cité par
les détracteurs du Symbolisme.

C'était un vert glouglouteMent [1]
Dans un fossé de Normandie,
C'était (sic) les yeux verts d'Abadie [2]
Qu'on a traité si durement.

C'était la voix verte d'un orgue   5
Agonisant sur le pavé;
Un petit enfant conservé
Dans de l'eau très verte, à la Morgue.

Ah ! comme vite s'en alla
Par la porte, à peine entr'ouverte,   10
Mon âme effroyablement verte
Dans l'azur vert de ce jour-là !

Évidemment parfois les Symbolistes donnèrent, en quelque sorte, volontairement l'occasion au lecteur de les tourner en ridicule. Le plus disposé à agir de cette manière est peut-être René Ghil. Appliquant la doctrine que le poète ne doit que suggérer l'idée et réprimer toute tentation de trop dire, il fit un jour un poème intitulé *Le geste ingénu:* laissant toutes blanches deux grandes pages, il écrivit simplement au bas de la seconde cet octosyllabe:

> *Mille sanglots plangorent[3] là!*

Voici d'autre part sept lignes d'un poème écrit bien plus tard (1905), et qu'un des poètes du mouvement reconnaît lui-même incompréhensible; le titre est *Dire du Mieux;* cela commence ainsi:

> Et cendres d'elle-même qui germaient le Feu et
> des soleils s'étaient éteints: planètes que tait
> la gangue en heurt des pesanteurs. Et le tollie
> et rouge nuit qui sur sa mort se pleut emplie
> du monstre inséparé des éléments ! Et sues
> des seules mathématiques de la totale
> gravitation qui repère l'Espace . . .

> (Cité par A. Retté, « La poésie en 1905, » *Revue des Revues*, Janvier 1906, p. 87)

---

[1] Onomatopée, *gurgling.*

[2] Abadie est le nom de l'architecte de l'église du Sacré-Cœur à Paris. . . . Y a-t-il une allusion ?

[3] Mot décadent pour pleurer — ou se lamenter.

CHAPITRE XXIX

SYMBOLISTES SECONDAIRES, 1ᵉʳ GROUPE

MAETERLINCK — RODENBACH — MERRILL — LE
CARDONNEL — SAINT-POL-ROUX

Poètes belges

La Belgique a pris une très grande part au mouvement symboliste; deux noms dominent tous les autres: Maurice Maeterlinck, qui représente surtout le Symbolisme au théâtre, et Emile Verhaeren, qui doit le meilleur de sa renommée à la partie de son œuvre qui s'éloigne du mouvement, au moins du point de vue de l'idée; il faudra lui réserver une place spéciale. Le groupe des Belges comprend encore Georges Rodenbach, Albert Mockel, Charles Van Lerberghe, Max Elskamp, André Fontainas.

MAETERLINCK

Maurice Maeterlinck (1862–   ) porta le symbolisme sur la scène avec un succès considérable. Il appartient vraiment au chapitre du théâtre avant tout, mais son petit volume *Les serres chaudes*, par lequel il se fit connaître, est une des expressions lyriques les plus propres à faire sentir l'atmosphère symboliste.

Né à Gand, où il fit aussi ses études universitaires et où il était en relation avec cet autre grand poète belge, Verhaeren (voir plus bas), il se rendit en 1886 à Paris. Là, il se sentit tout de suite fortement attiré par le groupe des jeunes poètes. C'est à son retour à Gand, pendant qu'il tentait une carrière d'homme de loi, qu'il publia, en 1889, *Les serres chaudes*. Il devait retourner en France en 1898, séjournant tantôt à Paris, tantôt dans la province, — surtout sur la Riviera.

N'étant pas Français, et ayant refusé de renoncer à sa nationalié belge, Maeterlinck n'est pas entré à l'Académie. En 1911 il reçut le « prix Nobel de littérature ».

Ces deux courts poèmes sont empruntés aux *Serres chaudes:*

Heures ternes

Voici d'anciens désirs qui passent,
Encor des songes de lassés,

Encor des rêves qui se lassent;
Voilà les jours d'espoir passés !

En qui faut-il fuir aujourd'hui ?
Il n'y a plus d'étoile aucune;
Mais de la glace sur l'ennui   5
Et des linges bleus sous la lune.

Encor des sanglots pris au piège !
Voyez les malades sans feu,
Et les agneaux brouter la neige:
Ayez pitié de tout, mon Dieu !   10

Moi, j'attends un peu de réveil,
Moi, j'attends que le sommeil passe,
Moi, j'attends un peu de soleil
Sur mes mains que la lune glace.

Âme de nuit

Mon âme en est triste à la fin;   15
Elle est triste enfin d'être lasse,
Elle est lasse enfin d'être en vain.
Elle est triste et lasse à la fin,
Et j'attends vos mains sur ma face.

J'attends vos doigts purs sur ma face,   20
Pareils à des anges de glace,
J'attends qu'ils m'apportent l'anneau;
J'attends leur fraîcheur sur ma face,
Comme un trésor au fond de l'eau.

Et j'attends enfin leurs remèdes   25
Pour ne pas mourir au soleil,
Mourir sans espoir au soleil !
J'attends qu'ils lavent mes yeux tièdes
Où tant de pauvres ont sommeil !

Où tant de cygnes sur la mer,
De cygnes errant sur la mer,
Tendent en vain leur col morose;
Où le long des jardins d'hiver,
5   Des malades cueillent des roses.

J'attends vos doigts purs sur ma face,
Pareils à des anges de glace,
J'attends qu'ils mouillent mes regards,
L'herbe morte de mes regards,
10   Où tant d'agneaux las sont épars !

Maeterlinck a publié, au cours de sa carrière, outre des vers et des
pièces de théâtre — *La Princesse Maleine* (1889), *Pelléas et Mélisande*
(1892), *L'oiseau bleu* (1909), etc. —, toute une série de volumes d'essais
philosophiques; ceux-ci trahissent du premier au dernier, d'une part
le désir de pénétrer le secret éternel, et d'autre part la conviction de
plus en plus profonde que nous ne le pourrons jamais; *Trésor des
humbles* (1891), *Sagesse et destinée* (1893), *Le grand secret* (1921), *L'intelligence des fleurs* (1907) sont des titres révélateurs: « Quelle que soit
notre mission sur cette terre, quel que soit le but de nos efforts et de
nos espérances, le résultat de nos douleurs et de nos joies, nous sommes
avant tout les dépositaires aveugles de la vie. Voilà l'unique chose
absolument certaine, voilà le seul point fixe de la morale humaine »
... Maeterlinck n'a pourtant pas toujours résisté à la tentation de
pénétrer le grand mystère; il s'est demandé (*L'Hôte inconnu*, 1913)
s'il n'y avait pas de possibilité de communiquer avec l'au-delà.

RODENBACH

Georges Rodenbach (1855–1898) naquit à Tournay, dans le
Hainaut, d'une famille flamande. Il fit ses études de droit à Gand;
en 1878 il vint à Paris, retourna et s'établit en Belgique de 1885 à
1887 (à Bruxelles, où il contribua à créer *La Jeune Belgique*, revue
d'aspirations symbolistes). Après quoi il revint à Paris, tout à la
littérature. Il est surtout connu pour un roman *Bruges la morte*
(1892); son recueil de vers le plus admiré est intitulé *Du silence,
Poésies* (1888); il publia aussi *Les vies encloses* (1896), *Le miroir du
ciel natal*, (1898). On y reconnaît la nonchalance mallarméenne,
l'horreur de l'action, l'attirance du rêve; il décrit admirablement la
nostalgie qu'inspirent les vieilles cités de Flandre. Voici un poème
de Rodenbach:

Du silence

I

Ah ! vous êtes mes sœurs, les âmes qui vivez
Dans ce doux nonchaloir [1] des rêves mi-rêvés
Parmi l'isolement léthargique des villes
Qui somnolent au long des rivières débiles;
Âmes dont le silence est une piété,   5
Âmes à qui le bruit fait mal; dont l'amour n'aime
Que ce qui pouvait être et n'aura pas été;
Mystiques réfectés [2] d'hostie et de saint-chrême [3];
Solitaires de qui la jeunesse rêva
Un départ fabuleux vers quelque ville immense,   10
Dont le songe à présent sur l'eau pâle s'en va,
L'eau pâle qui s'allonge en chemin de silence ...
Et vous êtes mes sœurs, âmes des bons reclus
Et novices du ciel chez les Visitandines, [4]
Âmes comme des fleurs et comme des sourdines   15
Autour de qui vont s'enroulant les angélus
Comme autour des rouets la douceur de la laine !
Et vous aussi, mes sœurs, vous qui n'êtes en peine
Que du long chapelet bénit à dépêcher
En un doux béguinage [5] à l'ombre d'un clocher,   20
Oh ! vous, mes Sœurs — car c'est ce cher nom que l'Église
M'enseigne à vous donner, sœurs pleines de douceurs,
Dans ce halo de linge où le front s'angélise,
Oh ! vous, qui m'êtes plus que pour d'autres des sœurs
Chastes dans votre robe à plis qui se balance,   25
O vous mes sœurs en Notre Mère, le Silence !

[1] Nuance de « nonchalance » [*heedlessness, peace*].
[2] Nourris (cf. réfectoire).
[3] L'huile sainte des sacrements.
[4] Ordre de nonnes fondé en Savoie par François de Sales et Mme de Chantal.
[5] Couvent de Béguines, religieuses des Pays-Bas, qui n'ont pas prononcé de vœux (hérésie des « bégards » [*beggars*] 13⁰ siècle).

II

En province, dans la langueur, matutinale,[1]
Tinte le carillon, tinte dans la douceur
De l'aube qui regarde avec des yeux de sœur,
Tinte le carillon, — et sa musique pâle
5 S'effeuille fleur à fleur sur les toits d'alentour,
Et sur les escaliers des pignons [2] noirs s'effeuille
Comme un bouquet de sons mouillés que le vent cueille.
Musique du matin qui tombe de la tour,
Qui tombe de très loin en guirlandes fanées,
10 Qui tombe de Naguère en invisibles lis,
En pétales si lents, si froids et si pâlis
Qu'ils semblent s'effeuiller du front mort des années !

POÈTES AMÉRICAINS

Deux poètes américains se sont fait un nom enviable parmi les
Symbolistes. *Francis Vielé-Griffin* (1864–1937) né à Norfolk, Virginie, vient tout jeune en France, entre au Collège Stanislas, fréquente le salon de Mallarmé, se fait connaître par un recueil de poésies
délicates inspirées par la Touraine où il aimait à vivre. Il est tout en
faveur de l'émancipation poétique. Dans une (Préface) à un de ses
volumes, *Joies* (1888), intitulée *Le vers est libre*, il affirme que « nulle
forme fixe n'est plus considérée comme le moule nécessaire à l'expression de toute pensée poétique ». Il admirait beaucoup Walt
Whitman. Sa poésie est assez cryptique; il invoque les droits de
« l'anarchie littéraire ». Pendant un temps il s'est beaucoup intéressé à la poésie nordique — à la suite de Wagner —: *La chevauchée
d'Yeldis et autres poèmes* (1893), et deux poèmes dramatiques *Swan-
hilde*, (1898), et la *Légende ailée de Wieland, le forgeron* (1900). En
1897 il revient à la Touraine avec *Clarté de vie*. Parfois il s'intéresse
au moyen-âge et parfois aussi à la poésie grecque. Avec tout son
symbolisme, il a conservé une vitalité tout américaine.

MERRILL

Stuart Merrill, (1863–1915) naquit à Hampstead, Long-Island,
patrie de Whitman pour lequel il eut toujours beaucoup d'admiration,

[1] Adjectif de *matin*.
[2] *Gables*.

et qu'il contribua à faire connaître dans les milieux symbolistes français. Son père était venu à Paris, en 1866, comme attaché à l'Ambassade américaine; Stuart étudia au Lycée Condorcet: il revint en Amérique avec sa famille en 1884 et y demeura jusqu'en 1889; il suivit des cours à l'École de Droit de Columbia, mais surtout s'intéressa au mouvement d'émancipation sociale. À son retour définitif en France, (1891) il s'occupa beaucoup — en Wagnérien convaincu — de musique en même temps que de poésie. Il avait publié en 1887 *Les gammes* [*scales*] et en 1891 il ajouta *Les fastes*. Entre temps il avait fait connaître la poésie symboliste en Amérique en publiant chez l'éditeur Harper, *Pastels in Prose* qui sont des traductions de poètes français (Banville, Baudelaire, Mallarmé, Régnier, etc). Citons encore le recueil *Les quatre saisons* (1900). Il voyagea toujours beaucoup; il fut un peu le Mécène de ses amis symbolistes; il se maria sur le tard; attristé par la guerre de 1914–18, il mourut assez mélancolique à Versailles en 1915.

Une étude excellente de la vie et de l'œuvre de Stuart Merrill a été faite par Marjorie L. Henry: *La contribution d'un Américain au Symbolisme français, Stuart Merrill* (Paris, Champion. 1927. 290 pp. in 8º.)

Stuart Merrill peut être choisi comme un des Symbolistes qui ont le plus heureusement réalisé le rapprochement de la poésie et de la musique — rapprochement que l'on trouve chez tous, et dont René Ghil, créateur de « *l'Harmonisme* » a beaucoup parlé dans son *Traité du verbe* (1885).[1] Ce n'est pas tant du vers libre que de l'assonance et de l'allitération dont fait usage Merrill. [L'assonance est une rime imparfaite, c'est à dire repose seulement sur le son-voyelle à la fin du vers, sans consonne d'appui, p. ex. *ravie* et *vie* sont des rimes, *vie* et *bruit* sont des assonances. L'allitération consiste dans la répétition à intervalles rapprochés des mêmes lettres ou syllabes. L'exemple classique de l'allitération est le vers de Racine à la fin de la tragédie d'Andromaque, quand Oreste se voit poursuivi par les Furies vengeresses aux chevelures de serpents:

> *Pour qui sont ces serpents qui sifflent sur vos têtes ?*

le son *s* imitant le sifflement des serpents.]

On trouvera dans ce premier morceau cité de notre poète, *Nocturne* — avec, toujours, la note de rêverie des symbolistes — la prédominance des sons *u* et *l* avec d'autres associations de sons: 1ère strophe: *l* et *u*, et *m* et *o* avec assonance en *i;* 2º strophe: les *v* et les *b* s'ajoutent; 3º strophe: prédominance de *l* avec *o, u, f.*; 4º strophe:

---

[1] *Les gammes* sont dédiées à René Ghil « auquel je dois d'être poète ».

au second vers le son *z* est mis en valeur; ... le *v* revient à la 6°
strophe; etc.[1]

Nocturne

La blême lune allume en la mare qui luit,
Miroir des gloires d'or, un émoi d'incendie.
Tout dort. Seul, à mi-mort, un rossignol de nuit
Module en mal d'amour sa molle mélodie.

5 Plus ne vibrent les vents en le mystère vert
Des ramures. La lune a tu [2] leurs voix nocturnes:
Mais à travers le deuil du feuillage entr'ouvert
Pleuvent les bleus baisers des astres taciturnes.

La vieille volupté de rêver à la mort,
10 À l'entour de la mare endort l'âme des choses.
À peine la forêt parfois fait-elle effort
Sous le frisson furtif de ses métamorphoses.

Chaque feuille s'efface en des brouillards subtils.
Du zénith de l'azur ruisselle la rosée
15 Dont le cristal s'incruste en perles aux pistils
Des nénuphars flottant sur l'eau fleurdelysée.

Rien n'émane du noir ni vol, ni vent, ni voix,
Sauf lorsqu'au loin des bois, par soudaines saccades,

[1] Un autre vers habilement allitéré du même Merrill, avec les sons
l, *u* et *ou* est celui-ci:

>   Des couples amoureux s'arrêtent
>   Et hument dans l'air lourd la langueur du Léthé [oubli].

Voici une allitération frappante en *u* de Verlaine:

>   C'est à cause du clair de la lune
>   Que j'assume ce masque nocturne,
>   Et de Saturne penchant son urne
>   Et de ces lunes, l'une après l'une.

[2] Fait taire.

Un ruisseau turbulent roule sur les gravois:
L'écho s'émeut alors de l'éclat des cascades.

(Les gammes)

Les poèmes suivants n'ont pas besoin de commentaire; les allitérations sont assez évidentes:

Chanson

A l'heure du réveil des sèves
   L'amour d'un geste las,
Sème les roses et les rêves   5
Parmi les rimes et les lilas.

La brise, sœur des hirondelles,
   Déferle [1] son essor,
Et frôle de mille coups d'ailes
Les corolles d'azur et d'or.   10

Amour, pour fêter la victoire
   Les cieux se sont fleuris,
Et mai t'auréole de gloire,
O roi des Roses et des Ris.

Triolet

A La Foule des Filles mi-nues   15
B Ondule en la houle des jours;
a Midi divinise les nues,
A La foule des Filles mi-nues.
a Un hymne aux rimes inconnues
b S'essore [2] vers les hauts séjours;   20
A La foule des Filles mi-nues
B Ondule en la houle des jours.

(Les gammes)

[1] *Unfurls.*
[2] *Soars.*

Ces strophes sont inspirées des tableaux de Watteau:

> Par les nocturnes boulingrins
> Les crincrins [1] et les mandolines
> Modulent de demi-chagrins
> Sous la vapeur des mousselines.

5
> Bleus de lune au vert des massifs
> Les jets d'eau tintent dans les vasques
> Et c'est parmi les petits ifs
> Comme des rires sous des masques.

10
> En poudre et panier pompadour [2]
> Et des roses pourpres aux lèvres,
> Les marquises miment l'amour
> Avec des manières si mièvres. ○ ○ ○

(Fête dans un parc)

UN SYMBOLISTE MYSTIQUE

LE CARDONNEL

Louis Le Cardonnel (1862-1936), naquit à Valence (sud de la France), où il commença des études qu'il termina à Paris dès 1882. C'était un curieux de tout; il fut assidu aux réunions du cabaret fameux du « Chat noir » à Montmartre, et des mardis de Mallarmé à la Rue de Rome; il fréquentait les églises, mais aussi les séances des occultistes. Il vécut beaucoup en Italie (Rome, Florence, Assise); il passa au séminaire d'Issy, revint au Quartier Latin, puis chez les Bénédictins de Ligugé — on pense à Huysmans. En 1896 il avait été ordonné prêtre et desservit une paroisse près de Valence. Il n'interrompit jamais ses travaux littéraires; il est un des esprits les plus originaux du groupe symboliste. Ses poèmes furent publiés en volume seulement en 1904 (*Poèmes*); son recueil le plus connu est *Carmina sacra* (1916). Plus que d'autres, il rappelle le genre des pré-raphaélites anglais, Burne-Jones, etc. Il a consacré un très beau et long poème à la mémoire de Tennyson. En voici quelques strophes:

[1] *Fiddles.*
[2] *Hoop skirts.*

La louange d'Alfred Tennyson [1]

(*Fragment*)

O vous qui fleurissez à la chaleur de l'âme,
Fleurs de mélancolie et fleurs de piété,

Tombez sur Tennyson qui nous charma les heures,
Sur Tennyson, aux chants si limpidement beaux
Qu'à jamais leur cadence enchante nos demeures   5
Et que nos cœurs lui soient palais plus que tombeaux:
Tombez sur Tennyson, le délivré des heures !...

Le don mystérieux d'éveiller l'infini,
Nous l'avons, comme toi, de par nos aïeux celtes,
Et le songe n'est pas de nos fronts si banni   10
Que sur ton vaisseau blanc, peuplé de vierges sveltes,
Nous ne puissions te suivre au pays d'infini . . . o o o

Et nous qui souhaitons que, divinement claire,
La poésie enfin retrouve son azur,
Nous adorons surtout ta grâce légendaire,   15
O Tennyson, cor d'ivoire dans le soir pur,
O Tennyson, cloche d'argent dans l'aube claire.

                                        (*Poèmes*)

Triptyque

De neige, dans la nuit de gaze,
Et des lueurs de nimbe au front,
Une Sainte et son Ange vont,   20
Ivres d'extase, ivres d'extase.

---

[1] Le père de Tennyson était irlandais. Pour la poésie celtique en
France, v. le chapitre Renan, plus haut.

Suivant leur ombre qui s'allonge
Dans le clair de lune profond,
Deux gratteurs [1] de viole vont,
Ivres de songe, ivres de songe.

5   Et, désertant la fosse brune
Où leurs os trouvaient le temps long,
Deux titubants [2] squelettes vont
Ivres de lune, ivres de lune.

(*Poèmes*)

LE GRAND IMAGIER DES SYMBOLISTES

SAINT-POL-ROUX

Saint-Pol-Roux (1861–   ), Paul Roux de son vrai nom, naquit à Saint-Henri, tout près de Marseille, vint de bonne heure à Paris où il débuta en poésie en 1886; il faisait partie du petit cénacle *La Pléiade* qui devait se fondre dans le groupe plus important du Symbolisme. Il aima toujours la vie solitaire, au milieu de la nature; fit de longs séjours dans la Forêt des Ardennes, en Bretagne, et ailleurs. Il doit surtout sa renommée à son talent remarquable pour créer des images frappantes; on l'appelait « le magnifique ». Dans le *Livre des masques*, Rémy de Gourmont parle de lui en ces termes: « M. Saint-Pol-Roux est l'un des plus féconds et des plus étonnants inventeurs d'images et de métaphores. On en dresserait un catalogue ou un dictionnaire ».

Et il en cite toute une série; par exemple:

Sage-femme [3] de la lumière	veut dire	*coq.*
Lendemain de chenille en tenue de bal	" "	*papillon.*
Péché qui tette	" "	*enfant naturel.*
Mamelle de cristal	" "	*carafe*
Cimetière qui a des ailes	" "	*un vol de corbeaux.*
Apprivoiser la mâchoire carriée de bémols d'une tarasque moderne [4]	" "	*jouer du piano.*
Feuilles de salades vivantes	" "	*les grenouilles.*
Etc.		

---

[1] *Scratchers.*

[2] *Staggering.*

[3] *Midwife.*

[4] *To tame the jaw decayed with flats, of a modern tarasque [a legendary monstrous animal]* (la tarasque de Tarascon).

Parmi les recueils de Saint-Pol-Roux, citons seulement *L'Âme noire du prieur blanc* (1893), *Les reposoirs de la procession* (1893), et un drame assez macabre en vers *La dame à la faulx* (1899) — la « Dame », c'est la Mort.

Comme on peut le supposer d'après la liste ci-dessus, les poèmes de Saint-Pol-Roux-le-magnifique sont souvent de vraies énigmes à déchiffrer. En voici un qui est moins difficile que d'autres:

Alouettes[1]

Les coups de ciseaux gravissent l'air.

Déjà le crêpe de mystère que jetèrent les fantômes du vêpre sur la chair fraîche de la vie, déjà le crêpe de ténèbre est entamé sur la campagne et la ville.

Les coups de ciseaux gravissent l'air.   5

Ouïs-tu pas la cloche tendre du bon Dieu courtiser de son tisonnier de bruit les yeux, ces belles-de-jour,[2] les yeux blottis dessous les cendres de la nuit?

Les coups de ciseaux gravissent l'air.

Surgis donc du somme où comme morts nous sommes, ô   10
Mienne, et pavoise ta fenêtre avec les lis, la pêche et les framboises de ton être.

Les coups de ciseaux gravissent l'air.

Viens-t'en sur la colline où les moulins nolisent[3] leurs ailes de lin, viens-t'en sur la colline de laquelle on voit   15
jaillir des houilles éternelles le diamant divin[4] de la vaste alliance du ciel.

Les coups de ciseaux gravissent l'air.

Du faîte emparfumé de thym, lavande, romarin, nous assisterons, moi la caresse, toi la fleur, à la claire et sombre   20
fête des heures sur l'horloge où loge le destin, et nous re-

[1] L'alouette [*lark*], l'oiseau qui s'élance de la terre où elle a son nid, au premier rayon de soleil, et dont les coups d'aile font l'effet de coups de ciseaux dans l'air.

[2] La fleur qui ne s'épanouit qu'au jour (*convolvulus*).

[3] Fréter pour le départ [*charter*].

[4] Le diamant divin = le soleil.

garderons là-bas passer le sourire du monde avec son ombre
longue de douleur.

Les coups de ciseaux gravissent l'air.

(*La rose et les épines du chemin*).

CHAPITRE XXX

SYMBOLISTES SECONDAIRES — 2e GROUPE

POÈTES INDÉPENDANTS

MORÉAS — FORT — JAMMES — VERHAEREN — LAFORGUE

MORÉAS

Jean Moréas (1856–1910) naquit à Athènes, et vint à Paris vers sa
quinzième année pour y finir ses études; il obtint la naturalisation
française et abandonna alors son nom d'origine (Papadiamantopoulos).
Il passa par trois phases: d'abord symboliste — c'est lui qui publia,
on l'a dit plus haut, le « manifeste symboliste » dans *Le Figaro* du
18 septembre, 1886 —; il publia surtout dans cette période *Les
Syrtes*[1] *et les Cantilènes* (1883–86) et une collection de contes: *Le thé*

---

[1] *Les Syrtes* — la grande et la petite Syrte — sont deux golfes en-
combrés de bancs de sable sur les côtes de Tripoli et Tunis. Très
dangereux aux marins, souvent chantés par les poètes (Virgile,
Ovide « Syrtis inhospita »), Sénèque, « Incerta Syrtis »), c'est là que
saint Paul fit naufrage. Les poèmes de Moréas sont en vers très corrects de forme, mais très symbolistes par le ton triste:

> *Et seuls hurlent les vents moroses,*
> *Les vents des vilaines saisons . . .*

Ou:

> *J'ai trouvé jusqu'au fond des cavernes alpines*
> *L'antique ennui niché,*
> *Et j'ai meurtri mon cœur pantelant, aux épines*
> *De l'éternel péché . . .*

(*Acte des Apôtres*, 27, 17).

chez Miranda (en collaboration avec Paul Adam). La deuxième phase est celle de « *L'École romane* », qu'il fonda en faisant sécession du symbolisme et qu'il annonça dans un nouveau manifeste dans *Le Figaro*, 14 septembre 1891; c'est à cette période, où Moréas abandonne un certain nombre des libertés des symbolistes, qu'appartient le recueil *Le pèlerin passionné* (1891). Dans la troisième période, il retourna franchemant, en vrai fils de la Grèce, au vers et à l'inspiration classiques; il publia ses *Stances* (1899–1901). Il adapta une tragédie d'Euripide: *Iphigénie* qui fut représentée au Théâtre antique d'Orange, en août 1903; et une collection de *Contes de la vieille France* (1904). Il mourut à Saint-Mandé (près de Paris).

Le nom « École romane » vient de ce que Moréas voulait revenir à la poésie de la France des premiers grands poètes, ceux qui écrivaient dans la langue « romane » ou vieux français, ou au moins des grands poètes de la Renaissance, c. à. d. de ceux qui s'inspiraient aux sources de la poésie grecque ou latine. Ch. Maurras, E. Raynaud et Pierre Louys, entre autres, se rallièrent à l'École romane.

On peut consulter R. Georgin, *Jean Moréas* (Éd. Nouv. Revue litt., Paris, 1930).

Stances

Le nom de « stances » que Moréas a choisi pour ses derniers recueils, est donné à des groupes de vers, ou strophes, qui se suivent, mais dont chaque groupe a par lui-même un sens complet; en d'autres termes, il n'y a jamais enjambement d'une strophe à une autre. À l'époque classique on cite comme surtout célèbres les « stances » de Polyeucte dans la pièce de Corneille, et au temps romantique les « stances » de Musset pour célébrer la Malibran, la célèbre cantatrice. V. E. Raynaud, *Moréas et les Stances* (Coll.: ‹ Grands Évén. litt. ›, Malfère, 1929).

Ne dites pas: la vie est un joyeux festin;
Ou c'est d'un esprit sot ou c'est d'une âme basse.
Surtout ne dites point: elle est malheur sans fin;
C'est d'un mauvais courage et qui trop tôt se lasse.

Riez comme au printemps s'agitent les rameaux,   5
Pleurez comme la bise ou le flot sur la grève,
Goûtez tous les plaisirs et souffrez tous les maux;
Et dites: c'est beaucoup et c'est l'ombre d'un rêve.

*

Les morts m'écoutent seuls, j'habite les tombeaux.
Jusqu'au bout je serai l'ennemi de moi-même.
Ma gloire est aux ingrats, mon grain est aux corbeaux,
Sans récolter jamais je laboure et je sème.

5 Je ne me plaindrai pas: qu'importe l'Aquilon,
L'opprobre et le mépris, la face de l'injure !
Puisque quand je te touche, ô lyre d'Apollon,
Tu sonnes chaque fois plus savante et plus pure ?

*

Tu souffres tous les maux et tu ne fais que rire
10   De ton lâche destin;
Tu ne sais pas pourquoi tu chantes sur ta lyre
                    Du soir jusqu'au matin.

Poète, un grave auteur dira que tu t'amuses
                    Sans trop d'utilité;
15 Va, ne l'écoute point: Apollon et les Muses
                    Ont bien quelque beauté.

Laisse les uns mourir et vois les autres naître,
                    Les bons ou les méchants,
Puisque tout ici-bas ne survient que pour être
20   Un prétexte à tes chants.

*

                    Quand de la tragique vie
                    Se condense l'épaisseur,
                    L'âme se sent assouvie
                    De tendresse et de douceur.

25   Mais soudain la flamme brève
                    D'un mystérieux trésor
                    Illumine, et dans un rêve
                    La bouche sourit encor;

Et d'espérance s'égaie
Notre ancienne douleur,
Comme se pare une haie
Auprès d'une jeune fleur.

*

Par ce soir pluvieux, es-tu quelque présage,   5
    Un secret avertissement,
O feuille, qui me viens effleurer le visage
    Avec ce doux frémissement ?

L'Automne t'a flétrie et voici que tu tombes,
    Trop lourde d'une goutte d'eau;   10
Tu tombes sur mon front que courbent vers les tombes
    Les jours amassés en fardeau.

Ah ! passe avec le vent, mélancolique feuille
    Qui donnais ton ombre au jardin !
Le songe où maintenant mon âme se recueille   15
    Ouvre les portes du destin.

PAUL FORT

    Paul Fort (1872–   ), né à Reims, essaya, au commencement de sa carrière d'homme de lettres, de réaliser un théâtre symboliste, dans la salle qu'il nomma *Le Théâtre d'Art;* la musique et la récitation formaient une partie du programme aussi bien que des pièces. Depuis 1895, il produit un genre de poèmes original et qu'il appelle « Ballades ». Il a publié plus de trente volumes de *Ballades françaises:* « *Les ballades françaises* sont de petits poèmes en vers polymorphes ou en alexandrins familiers, mais qui se plient à la forme normale de la prose et qui exigent (ceci n'est point négligeable) non pas la diction du vers, mais celle de la prose rythmée. Le seul retour, parfois, de la rime ou de l'assonance distingue ce style de la prose lyrique. Il n'y a pas à s'y tromper, c'est bien un style nouveau » (Pierre Louÿs).

    En 1898, à la mort de Mallarmé, Paul Fort fut élu par ses amis symbolistes, « Prince des Poètes ».

Une « *Ballade des cloches* »

Ah ! que de joie, la flûte et la musette [1] troublent nos
cœurs de leurs accords charmants, voici venir les gars et
les fillettes, et tous les vieux au son des instruments.

Gai, gai, marions-nous, les rubans et les cornettes, gai,
5 gai, marions-nous, et ce joli couple, itou ! [2]

Que de plaisirs quand, dans l'église en fête, cloche et
clochettes les appellent tertous,[3] — trois cents clochettes
pour les yeux de la belle, un gros bourdon pour le cœur de
l'époux.

10 Gai, gai, marions-nous, les rubans et les cornettes, gai,
gai, marions-nous, et ce joli couple, itou !

La cloche enfin tient nos langues muettes. Ah ! que de
peine quand ce n'est plus pour nous . . . Pleurez, les vieux,
sur vos livres de messe. Qui sait ? bientôt la cloche sera
15 pour vous.

Gai, gai, marions-nous, les rubans et les cornettes, gai,
gai, marions-nous, et ce joli couple, itou !

Enfin c'est tout, et la cloche est muette. Allons danser
au bonheur des époux. Vive le gars et la fille et la fête !
20 Ah ! que de joie quand ce n'est pas pour nous.

Gai, gai, marions-nous, les rubans et les cornettes, gai,
gai, marions-nous, et ce joli couple, itou !

Que de plaisir, la flûte et la musette vont rajeunir les
vieux pour un moment. Voici danser les gars et les fillettes.
25 Ah ! que de joie au son des instruments !

(*Ballades françaises.*)

[1] *Bagpipe.*

[2] Vieux français et populaire: aussi.

[3] *Tertous* ou *trétous*, vieux français et populaire, plus fort que le
simple « tous ».

Une « *Ballade au hameau* »

Cette fille, elle est morte, est morte dans ses amours.
Ils l'ont portée en terre, en terre au point du jour.
Ils l'ont couchée toute seule, toute seule en ses atours.
Ils l'ont couchée toute seule, toute seule en son cercueil.
Ils sont rev'nus gaîment, gaîment avec le jour.   5
Ils ont chanté gaîment, gaîment: Chacun son tour.
« Cette fille, elle est morte, est morte dans ses amours. »
Ils sont allés aux champs, aux champs comme tous les
    jours ...

                                        (*Ballades françaises*.)

Le lien d'amour

Pourquoi renouer l'amourette? C'est-y bien la peine 10
d'aimer? Le câble est cassé, fillette. C'est-y toi qu'a
trop tiré?

C'est-y moi? C'est-y un autre? C'est-y le bon Dieu
des Chrétiens? Il est cassé; c'est la faute à personne;
on le sait bien.   15

L'amour, ça passe dans tant de cœurs; c'est une corde à
tant d'vaisseaux, et ça passe dans tant d'anneaux, à qui la
faute si ça s'use?

Y a trop d'amoureux sur terre, à tirer sur l'même péché.
C'est-y la faute à l'amour, si sa corde est si usée?   20

Pourquoi renouer l'amourette? C'est-y bien la peine
d'aimer? Le câble est cassé, fillette, et c'est toi qu'a trop
tiré.

                                        (*L'Amour marin*.)

Sur le Pont au Change

C'est ici de la prose rythmée — mais sans rime. Avec très peu
d'exceptions ce sont des groupes de six syllabes (demi-alexandrins)
pour peu qu'on ignore la règle de l'*e* muet — prononcé ou non selon
le besoin.

Sept heures vont sonner à l'horloge du Palais.[1] — L'occident, sur Paris, est comme un lac d'or plein. Dans l'est
nuageux gronde un orage incertain. L'air est chaud par
bouffées, à peine l'on respire. Et je songe à Manon et deux
5 fois je soupire. L'air est chaud par bouffées et berce
l'odeur large de ces fleurs qu'on écrase [2] ... On soupire en
voyant de frais courants violets s'étirer sous les arches du
Pont-Neuf qui poudroie sur le soleil mourant. — « Tu le
sais, toi, Manon, si je t'ai bien aimée ! » L'orage gronde
10 au loin. L'air est chaud par bouffées. ° ° °

(*Paris sentimental*)

FRANCIS JAMMES

Francis Jammes (1868–1938) naquit à Tournay, dans les Pyrénées,
d'une famille qui avait habité la Guadeloupe. Il vécut dès son enfance à Orthez (Hautes-Pyrénées) où il avait des parents et où son
père était enterré. Toute son inspiration lui vint de ces lieux où
il n'a cessé d'habiter. Après plusieurs plaquettes de vers (années
1891 et suivantes), il publia son premier grand recueil sous le titre
De l'Angelus de l'aube à l'Angelus du soir (1888–1897). On le rattache
généralement au mouvement symboliste, quoique sa note soit tout à
fait à lui: « A peine symboliste, intimiste plutôt, avec la simplicité ingénue, la foi naïve d'un enfant heureux, il a peint la nature en sa douceur, non sans une certaine sensualité au début, toujours avec fraîcheur
et sincérité, célébré la vie des champs, les petites gens, d'exquises figures
de jeunes filles, les animaux même, et chanté une croyance de plus en
plus précise et orthodoxe; fils de Virgile, d'un Virgile qui eût été du
Tiers-ordre » (*Catal. Cinquantenaire du Symbolisme.*). [Ne pas

---

[1] Le Palais de Justice, un des monuments les plus imposants de
Paris.
[2] Le marché aux fleurs se tient sur le Quai de l'Horloge — tout près
du Palais de Justice.

confondre avec le Tiers-état, la partie de la nation française qui n'appartient ni à la noblesse, ni au clergé. Le Tiers-ordre est une sorte de congrégation laïque dont les membres sont affiliés à un ordre religieux, mais qui continuent à vivre dans le monde en suivant une règle moins austère.]

Jammes a publié au XXᵉ siècle — ce qui est en dehors des limites de ce livre-ci: *Les géorgiques chrétiennes*, (1912) en sept Chants, décrivant la vie des bons paysans qui cultivent leurs champs et le faisant dans un esprit doucement chrétien. Le livre (dont le contenu rappelle assez le Chant, « Les laboureurs » dans le *Jocelyn* de Lamartine (1836) fut couronné par l'Académie française. En voici la courte Préface:

« Je confirme au seuil de cette œuvre que je suis Catholique romain, soumis très humblement à toutes les décisions de mon Pape S. S. Pie X qui parle au nom du Vrai Dieu et que je n'adhère ni de près ni de loin à aucun schisme et que ma foi ne comporte aucun sophisme, ni le sophisme moderniste ni les autres sophismes, et que, sous aucun prétexte, je ne m'écarterai du plus intransigeant et du plus aimé des dogmes: le dogme catholique romain qui est la Vérité sortie de la bouche même de N.-S. Jésus-Christ par son Église. Je réprouve à l'avance tout accaparement que voudraient faire de ce poème des idéologues, des philosophes ou des réformateurs. »

(*Orthez, 26 mars 1912.*)

Fr. Jammes a aussi publié de la prose. Tels ses romans *Clara d'Ellébeuse* (1899), *Le roman du lièvre* (1903) et quelques autres.

La salle à manger [1]

Il y a une armoire à peine luisante
qui a entendu les voix de mes grand'tantes,
qui a entendu la voix de mon grand-père,
qui a entendu la voix de mon père.
A ces souvenirs l'armoire est fidèle.
On a tort de croire qu'elle ne sait que se taire,
car je cause avec elle.

Il y a aussi un coucou en bois.

[1] Le poète Jammes omet les majuscules au commencement des vers qui ne sont pas des commencements de phrases.

Je ne sais pourquoi il n'a plus de voix.
Je ne veux pas le lui demander.
Peut-être bien qu'elle est cassée,
la voix qui était dans son ressort,
5 tout bonnement comme celle des morts.

Il y a aussi un vieux buffet
qui sent la cire, la confiture,
la viande, le pain et les poires mûres.
C'est un serviteur fidèle qui sait
10 qu'il ne doit rien nous voler.

Il est venu chez moi bien des hommes et des femmes
qui n'ont pas cru à ces petites âmes.
Et je souris que l'on me pense seul vivant
quand un visiteur me dit en entrant:
15 — comment allez-vous, monsieur Jammes?

>   (*De l'Angelus de l'aube à l'Angelus du soir.*)

Prière pour aller au paradis avec les ânes

Lorsqu'il faudra aller vers vous, ô mon Dieu, faites
que ce soit par un jour où la campagne en fête
poudroiera. Je désire, ainsi que je fis ici-bas,
choisir un chemin pour aller, comme il me plaira,
20 au Paradis, où sont en plein jour les étoiles.
Je prendrai mon bâton et sur la grande route
j'irai, et je dirai aux ânes, mes amis:
Je suis Francis Jammes et je vais au Paradis,
car il n'y a pas d'enfer au pays du Bon-Dieu.
25 Je leur dirai: Venez, doux amis du ciel bleu,
pauvres bêtes chéries qui, d'un brusque mouvement d'o-
     reille,
chassez les mouches plates, les coups et les abeilles . . .

Que je Vous apparaisse au milieu de ces bêtes
30 que j'aime tant parce qu'elles baissent la tête

doucement, et s'arrêtent en joignant leurs petits pieds
d'une façon bien douce et qui vous fait pitié.
J'arriverai suivi de leurs milliers d'oreilles,
suivi de ceux qui portèrent au flanc des corbeilles,
de ceux traînant des voitures de saltimbanques   5
ou des voitures de plumeaux et de fer-blanc,
de ceux qui ont au dos des bidons bossués,
des ânesses pleines comme des outres, aux pas cassés,
de ceux à qui l'on met de petits pantalons
à cause des plaies bleues et suintantes que font   10
les mouches entêtées qui s'y groupent en ronds.
Mon Dieu, faites qu'avec ces ânes je Vous vienne.
Faites que, dans la paix, des anges nous conduisent
vers des ruisseaux touffus où tremblent des cerises
lisses comme la chair qui rit des jeunes filles,   15
et faites que, penché dans ce séjour des âmes,
sur vos divines eaux, je sois pareil aux ânes
qui mireront leur humble et douce pauvreté
à la limpidité de l'amour éternel.

(Le deuil des primevères.)

J'aime l'âne . . .

J'aime l'âne si doux   20
marchant le long des houx.

Il prend garde aux abeilles
et bouge ses oreilles.

Et il porte des pauvres
et des sacs remplis d'orge.   25

Il va près des fossés
d'un petit pas cassé.

Mon amie le croit bête
parce qu'il est poète.

Il réfléchit toujours.
Ses yeux sont en velours.

Jeune fille au doux cœur,
tu n'as pas sa douceur:

5   car il est devant Dieu
l'âne doux du ciel bleu.

Et il reste à l'étable,
Résigné, misérable,

ayant bien fatigué
10   ses pauvres petits pieds.

Il a fait son devoir
du matin jusqu'au soir. ○ ○ ○

Il est l'âne si doux
marchant le long des houx. ○ ○ ○

VERHAEREN

Consulter: Verhaeren a sollicité la curiosité de nombreux et excellents critiques; il est difficile de faire un choix. A. Mockel, *Émile Verhaeren, poète de l'énergie* (Mercure de France, 1895; la 3ᵉ édition, 1933, demeure la meilleure étude); Stephan Zweig, *É. Verhaeren, sa vie, son œuvre,* traduit de l'allemand, (Mercure 1910, est une apothéose plus qu'une étude objective); A. de Bersancourt, *É. Verhaeren, son œuvre,* (Nouv. Revue crit. 1924, est une excellente appréciation en 82 pages); P. M. Jones, *Em. Verhaeren, A Study in the Development of his Art and Ideas* (New-York, Boni, 1926) est la meilleure étude en anglais; E. Estève, *Un grand poète de la vie moderne* (Boivin, 1928 — peut être mis sur le même niveau que Mockel); à citer encore A. Fontaine, *Verhaeren et son œuvre, d'après des documents inédits* (Mercure, 1929).

Émile Verhaeren (1855–1916) naquit à Saint-Amand, près d'Anvers, où il resta jusqu'à sa première communion, en 1866; puis il alla à Bruxelles et à Gand pour ses classes. On voulait lui faire faire du commerce (son oncle avait une huilerie à Saint-Amand); après quelque temps, il obtint d'aller étudier le droit à Louvain. Ayant obtenu son diplôme en 1881, il se fit inscrire au barreau de Bruxelles, mais la littérature l'intéressait plus que toute chose; il collabora à la

Jeune Belgique — organe de tout un groupe de futurs auteurs célèbres.
En 1885 parurent *Les Flamandes*, d'un réalisme qui choqua beaucoup,
réalisme extrême, mais qui indiquait clairement la vigueur du poète.
Il y a de Verhaeren toute une série de volumes où il dépeint son pays
et qui sont groupés dans les œuvres définitives sous le titre: *Les
Flandres* (*Les guirlandes des dunes*, *Les plaines*, *Les villes à pignons*);
c'est la Flandre tout à la fois sensuelle, mystique et brumeuse — un
chaos d'impressions puissamment rendues.   Verhaeren passa depuis
1888 par une période de crise religieuse; comme en témoignent
certains de ses poèmes, *Les soirs* (1887), *Les débâcles* (1888) et *Les
flambeaux noirs* (1890).   Il est hanté par de terribles hallucinations:

> L'inconscience gaie et le tic-tac débile
> De la tranquille mort des fous — je l'entends bien.

Il triompha cependant, en partie, selon ses vers, par une sorte de
résurrection miraculeuse de ses facultés (Dans *Les Apparus dans mes
chemins*, 1891, il parle ainsi de Saint Georges:

> Il vient en bel ambassadeur
> Du pays blanc, illuminé de marbres,
> Où, dans les parcs, au bord des mers, sur l'arbre
> De la Bonté, suavement croît la douceur . . .)

Et aussi par le mariage qui calma le malade et lui inspira un recueil
charmant: *Les heures claires* publiées en 1896.

C'est alors que naît le vrai, l'original Verhaeren — celui qu'on a
rapproché de Walt Whitman [1] — celui qui chante la victoire de
l'homme moderne sur la nature sévère.   Les recueils *Campagnes
hallucinées* (1893), *Villages illusoires* (1894) *Villes tentaculaires*
(1895), forment une sorte de trilogie où l'on voit le triste spectacle des
campagnes abandonnées par l'homme moderne d'une part, et les
villes qui, tout en enserrant les hommes comme dans des tentacules,
répandent par leurs monstrueuses mais magnifiques découvertes les
progrès de la civilisation, d'autre part.

> La plaine est morne et ses chaumes et granges
> Et ses fermes dont les pignons sont vermoulus,
> La plaine est morne et lasse et ne se défend plus,
> La plaine est morte — et la ville la mange.

> Le rêve ancien est mort et le nouveau se forge.

La victoire est célébrée dans *Les forces tumultueuses* (1902) — titre
évocateur ! — et dans *La multiple splendeur* (1906).

Il faut mentionner aussi quelques pièces de théâtre de Verhaeren.

---

[1] Mais Verhaeren a à peu près abandonné le vers libre depuis
environ 1890.

Les aubes (1898), *Philippe II* (1901) en vers et prose mêlés, et *Hélène de Sparte* (1912), — toutes trois fort originales, la dernière surtout qui montre une Hélène maudissant la destinée qui l'a condamnée à ne pouvoir approcher des hommes sans éveiller en eux la fatale passion.

Verhaeren mourut en 1916, écrasé par un train dans la gare de Rouen, victime de la guerre dont il avait flétri les horreurs dans des vers passionnés, *Les ailes rouges de la guerre* (1916), et dans des articles rassemblés dans *Parmi les cendres, La Belgique dévastée* (1916). Grand ami de l'Allemagne avant 1914, il ne cacha pas sa rancœur.

Le moulin

Le moulin tourne au fond du soir, très lentement,
Sur un ciel de tristesse et de mélancolie,
Il tourne et tourne, et sa voile, couleur de lie,
Est triste et faible et lourde et lasse, infiniment.

5 Depuis l'aube, ses bras, comme des bras de plainte,
Se sont tendus et sont tombés; et les voici
Qui retombent encor, là-bas, dans l'air noirci
Et le silence entier de la nature éteinte.

Un jour souffrant d'hiver sur les hameaux s'endort,
10 Les nuages sont las de leurs voyages sombres,
Et le long des taillis qui ramassent leurs ombres,
Les ornières s'en vont vers un horizon mort.

Sous un ourlet de sol, quelques huttes de hêtre
Très misérablement sont assises en rond;
15 Une lampe de cuivre est pendue au plafond
Et patine [1] de feu le mur et la fenêtre.

Et dans la plaine immense et le vide dormeur
Elles fixent — les très souffreteuses bicoques ! [2] —
Avec les pauvres yeux de leurs carreaux en loques,[3]
20 Le vieux moulin qui tourne et, las, qui tourne et meurt.

(Poèmes — Nouvelle série: *Les Soirs*.)

[1] *Gives an antique tint to* (*patine* = espèce de vert-de-gris qui se forme sur le bronze ancien.)
[2] *Shanties.*   [3] *Broken panes* (*loques* = *rags*).

Les horloges

[La clef du poème se trouve dans les deux derniers vers: Les horloges qui marchent — qui voient — qui parlent les heures — qui, froidement, marquent les destinées... « serrent ma peur en leur compas ».]

La nuit, dans le silence en noir de nos demeures,
Béquilles et bâtons qui se cognent, là-bas; [1]
Montant et dévalant les escaliers des heures,
Les horloges, avec leurs pas;

Emaux naïfs derrière un verre, emblèmes   5
Et fleurs d'antan, chiffres maigres et vieux;
Lunes des corridors vides et blèmes
Les horloges, avec leurs yeux;

Sons morts, notes de plomb, marteaux et limes,
Boutique en bois de mots sournois   10
Et le babil des secondes minimes,
Les horloges, avec leurs voix;

Gaînes de chêne [2] et bornes d'ombre,
Cercueils scellés dans le mur froid,
Vieux os du temps que grignote le nombre,   15
Les horloges et leur effroi;

Les horloges
Volontaires et vigilantes,
Pareilles aux vieilles servantes
Boitant de leurs sabots ou glissant sur leurs bas,   20
Les horloges que j'interroge
Serrent ma peur en leur compas.

            (Poèmes — Nouvelle série: *Les Bords de la route*.)

[1] *While crutches and walking sticks (go) bumping into each other, over there;*
[2] Les rouages des vieilles horloges étaient enfermés dans de hautes gaines qui montaient souvent jusqu'au plafond.

Vers le futur

[Ici le Verhaeren poète de la vie et de l'énergie des villes modernes.]

O race humaine aux astres d'or nouée,
As-tu senti de quel travail formidable et battant,
Soudainement, depuis cent ans,
Ta force immense est secouée ?

5 Du fond des mers, à travers terre et cieux,
Jusques à l'or errant des étoiles perdues,
De nuit en nuit et d'étendue en étendue,
Se prolonge là-haut le voyage des yeux.

Tandis qu'en bas les ans et les siècles funèbres,
10 Couchés dans les tombeaux stratifiés des temps,
Sont explorés, de continent en continent,
Et surgissent poudreux et clairs de leurs ténèbres.

L'acharnement à tout peser, à tout savoir,
Fouille la forêt drue et mouvante des êtres
15 Et malgré la broussaille où tel pas s'enchevêtre
L'homme conquiert sa loi des droits et des devoirs.

Dans le ferment, dans l'atome, dans la poussière,
La vie énorme est recherchée et apparaît.
Tout est capté dans une infinité de rets
20 Que serre ou que distend l'immortelle matière.

Héros, savant, artiste, apôtre, aventurier,
Chacun troue à son tour le mur noir des mystères
Et grâce à ces labeurs groupés ou solitaires,
L'être nouveau se sent l'univers tout entier.

25 Et c'est vous, vous les villes,
Debout
De loin en loin, là-bas, de l'un à l'autre bout
Des plaines et des domaines

Qui concentrez en vous assez d'humanité,
Assez de force rouge et de neuve clarté,
Pour enflammer de fièvre et de rage fécondes
Les cervelles patientes ou violentes
De ceux   5
Qui découvrent la règle et résument en eux,
Le monde.

L'esprit des campagnes était l'esprit de Dieu;
Il eut la peur de la recherche et des révoltes,
Il chut; et le voici qui meurt, sous les essieux   10
Et sous les chars en feu des nouvelles récoltes.

La ruine s'installe et souffle aux quatre coins
D'où s'acharnent les vents, sur la plaine finie,
Tandis que la cité lui soutire de loin
Ce qui lui reste encor d'ardeur dans l'agonie,   15

L'usine rouge éclate où seuls brillaient les champs,
La fumée à flots noirs rase les toits d'église;
L'esprit de l'homme avance et le soleil couchant
N'est plus l'hostie en or divin qui fertilise.

Renaîtront-ils, les champs, un jour, exorcisés   20
De leurs erreurs, de leurs affres, de leur folie;
Jardins pour les efforts et les labeurs lassés,
Coupes de clarté vierge et de santé remplies?

Referont-ils, avec l'ancien et bon soleil,
Avec le vent, la pluie et les bêtes serviles,   25
En des heures de sursaut libre et de réveil,
Un monde enfin sauvé de l'emprise des villes?

Ou bien deviendront-ils les derniers paradis
Purgés des dieux et affranchis de leurs présages,
Où s'en viendront rêver, à l'aube et aux midis,   30
Avant de s'endormir dans les soirs clairs, les sages?

En attendant, la vie ample se satisfait

D'être une joie humaine, effrénée et féconde;
Les droits et les devoirs ? Rêves divers que fait
Devant chaque espoir neuf, la jeunesse du monde !

(*Les villes tentaculaires*)

L'Effort

Groupes de travailleurs, fiévreux et haletants,
5 Qui vous dressez et qui passez au long des temps
Avec le rêve au front des utiles victoires,
Torses carrés et durs, gestes précis et forts,
Marches, courses, arrêts, violences, efforts,
Quelles lignes fières de vaillance et de gloire
10 Vous inscrivez tragiquement dans ma mémoire !

Je vous aime, gars des pays blonds, beaux conducteurs
De hennissants et clairs et pesants attelages,
Et vous bûcherons roux des bois pleins de senteurs,
Et toi, paysan fruste et vieux des blancs villages,
15 Qui n'aimes que les champs et leurs humbles chemins
Et qui jettes la semence d'une ample main
D'abord en l'air, droit devant toi, vers la lumière,
Pour qu'elle en vive un peu, avant de choir en terre;

Et vous aussi, marins qui partez sur la mer
20 Avec un simple chant, la nuit, sous les étoiles,
Quand se gonflent, aux vents atlantiques, les voiles
Et que vibrent les mâts et les cordages clairs;
Et vous, lourds débardeurs dont les larges épaules
Chargent ou déchargent, au long des quais vermeils,
25 Les navires qui vont et vont sous les soleils
S'assujettir les flots jusqu'aux confins des pôles;

Et vous encor, chercheurs d'hallucinants métaux,
En des plaines de gel, sur des grèves de neige,
Au fond de pays blancs où le froid vous assiège

Et brusquement vous serre en son immense étau;
Et vous encor mineurs qui cheminez sous terre,
Le corps rampant, avec la lampe entre vos dents
Jusqu'à la veine étroite où le charbon branlant
Cède sous votre effort obscur et solitaire;   5

Et vous enfin, batteurs de fer, forgeurs d'airain,
Visages d'encre et d'or trouant l'ombre et la brume,
Dos musculeux tendus ou ramassés,[1] soudain,
Autour de grands brasiers et d'énormes enclumes,
Lamineurs noirs bâtis pour un œuvre éternel   10
Qui s'étend de siècle en siècle toujours plus vaste,
Sur des villes d'effroi, de misère et de faste,
Je vous sens en mon cœur, puissants et fraternels !

O ce travail farouche, âpre, tenace, austère,
Sur les plaines, parmi les mers, au cœur des monts,   15
Serrant ses nœuds partout et rivant ses chaînons
De l'un à l'autre bout des pays de la terre !
O ces gestes hardis, dans l'ombre ou la clarté,
Ces bras toujours ardents et ces mains jamais lasses,
Ces bras, ces mains unis à travers les espaces   20
Pour imprimer quand même à l'univers dompté
La marque de l'étreinte et de la force humaines
Et recréer les monts et les mers et les plaines,
              D'après une autre volonté.

                              (*La Multiple Splendeur*)

Les pauvres

      Il est ainsi de pauvres cœurs   25
      avec, en eux, des lacs de pleurs,
      qui sont pâles, comme les pierres
      d'un cimetière.

      [1] *Huddled-up backs.*

Il est ainsi de pauvres dos
plus lourds de peine et de fardeaux
que les toits des cassines brunes,
parmi les dunes.

5   Il est ainsi de pauvres mains,
comme feuilles sur les chemins,
comme feuilles jaunes et mortes,
devant la porte.

Il est ainsi de pauvres yeux
10   humbles et bons et soucieux
et plus tristes que ceux des bêtes,
sous la tempête.

Il est ainsi de pauvres gens,
aux gestes las et indulgents,
15   sur qui s'acharne la misère
au long des plaines de la terre.

(Les visages de la vie)

LES PROSATEURS SYMBOLISTES

En général, les Symbolistes ont surtout établi leur renommée sur la poésie; mais il y en eut parmi eux qui réussirent en prose; sans compter Huysmans, nous avons nommé Henri de Régnier, Moréas, et il faudrait ajouter, Pierre Louÿs (l'auteur du roman célèbre *Aphrodite* et des *Chansons de Bilitis*), Charles Maurras, Rémy de Gourmont.

Il y eut aussi des précurseurs, dont deux surtout sont importants. Ils font penser à Huysmans auquel ils sont du reste antérieurs. Le naturalisme, avec son insistance sur le côté bestial de l'homme et la déchéance morale de la société moderne, a éveillé en eux des aspirations d'une spiritualité ardente, et, pour s'y maintenir, ils ont dû, comme Des Esseintes, se rappeler à eux-mêmes constamment l'existence de « la brute assoupie qui se réveille dès que l'homme oublie le ciel. » De là, chez eux, ce catholicisme fougueux, cet étrange mélange de descriptions des pourritures humaines et des rêves mystiques de rédemption chrétienne: L'un est *Barbey d'Aurevilly* (1808–1889), l'auteur du *Prêtre marié* (1864), et surtout d'une collection de nouvelles d'une intensité sans pareille *Les diaboliques* (1874); l'autre est *Villiers de l'Isle-Adam* (1838–1889), auteur d'abord de poèmes parnassiens, et plus tard de *Contes cruels* (1883 et 1888), et de *L'Ève future* (1886) où il évoque la figure d'Edison réussissant à créer cette chose monstreuse, un être humain sans âme mais agissant par purs mouvements réflexes comme s'il en avait une.   En 1890, il fit représenter un des drames les plus frappants que le Symbolisme ait produits, *Axel*.[1]

LAFORGUE

Jules Laforgue est né par hasard à Montevideo (Uruguay) en 1860; il vint en France de bonne heure, à Tarbes d'abord (sud de la France) puis à Paris en 1876; il fut quelque temps précepteur en Allemagne, quitta ce pays pour aller se marier en Angleterre, et revint à Paris pour y mourir de misère à 27 ans.   Il fut le premier à traduire Walt Whitman en vers libres (*Vogue*, 1886); il composa lui-même deux recueils de vers: *Complaintes* (1885) et *Imitation de Notre-Dame la Lune* (1886), poèmes plus sarcastiques que cyniques.[2]

Les moralités légendaires, le recueil de contes qui le rendit surtout célèbre, ne parurent qu'après sa mort, en 1887.   Ses œuvres semblent refléter le désespoir d'un jeune tuberculeux qui savait que sa vie serait brève et sans lui apporter la joie.   Son attitude est celle de la moquerie pour ceux qui essaient de croire au sérieux de l'existence; il s'en raille comme de solennels pédants.   Tout ce qu'on peut faire est de rire du « carnaval de la vie ».   Il dirige son attention sur ces belles histoires dont l'humanité s'est éprise et prétend qu'elles ne sont bonnes qu'à exercer notre fantaisie, à amuser notre oisiveté.[3]

Telles les histoires de Lohengrin, Hamlet, Salomé — cette dernière est une parodie fort amusante de Flaubert.   Par opposition à cette grande mise en scène historique ou à cette soi-disant mystérieuse femme fatale du poème de Mallarmé (conception reprise plus tard par Oscar Wilde), Laforgue offre une interprétation qui est de la première à la dernière ligne une caricature.   Hérode est un très

---

[1] Il a laissé aussi un roman satirique, *Tribulat Bonhomet*, (écrit vers 1875 et publié en 1887), un représentant de la sottise humaine qui rappelle un peu *Bouvart et Pécuchet* de Flaubert.

[2] V. François Ruchon, *Jules Laforgue 1860–1887; sa vie, son œuvre* (Genève, Ciano, 1924, 283 p. in 8º); F. Fénéon, *J. Laforgue* (Paris, 1894); un excellent article d'É. Henriot, *Le Temps*, 9 mars 1937.

[3] Il acceptait la doctrine du philosophe allemand pessimiste, Hartman, Auteur de *La philosophie de l'inconscient*, (1869).

vulgaire politicien qui doit faire fête à des visiteurs d'une cour étrangère car ils peuvent avoir de l'influence en hauts lieux; en même temps il est un père de famille bourgeois qui profite du festin pour exhiber devant ses hôtes les talents de sa petite Salomé. Iaokanann est un vieux philosophe à lunettes, hirsute et sale, qui apparaît les doigts tachés d'encre et qui griffonne du papier dans son puits. Salomé elle-même est une petite sotte qui, d'une part pense beaucoup à sa toilette et, d'autre part se prend au grand sérieux et croit pouvoir saisir les secrets de l'univers. Elle danse à peine quand son père l'appelle, mais elle fait un grand discours absurde, un magnifique galimatias métaphysique. (Il y a dans la *Salomé* de Laforgue aussi, sans doute, une réminiscence de la *Salammbô* de Flaubert, la prêtresse de Tanit, la divinité lunaire). Salomé prétend entrer en communication avec la lune, et c'est pour une expérience astrologique et occulte qu'elle demandera la tête du Baptiste.[1] Voici la conclusion de la « Moralité légendaire » de *Salomé;* ce sont d'abord les derniers mots du discours interminable et complètement dépourvu de sens de Salomé:

---

[1] Voici quelques dates des plus importants traitements de la légende de Salomé à l'époque qui nous occupe:

> 1869 Mallarmé, *Hérodiade.* Fragment publié dans le second *Parnasse contemporain.*
>
> 1876 Les Tableaux de Gustave Moreau.
>
> 1877 Flaubert, *Hérodias* — dans *Trois contes.*
>
> 1881 Massenet, Opéra, *Hérodiade.*
>
> 1886 Laforgue, *Salomé* — dans *Les moralités légendaires* (Parue d'abord dans *Vogue,* 11 juin au 12 juillet).
>
> 1893 Oscar Wilde, *Salomé* — écrite en français, donnée pour la première fois en 1896, par Lugné Poe, au ‹ Théâtre libre › (quand Oscar Wilde était encore en prison); traduite en anglais par Lord Alfred Douglas en 1905, et représentée à Londres au ‹ New Stage Club ›, mai 1906, et quelque temps après au ‹ Literary Theater Club ›. (Wilde a expressément dit qu'il n'avait pas écrit sa pièce pour Sarah Bernhardt.)
>
> 1905 Richard Strauss, *Salomé,* opéra d'après Wilde, à Dresden.

Il y eut plusieurs Salomé en allemand, la plus importante fut celle de Sudermann, un drame où le rôle principal est celui de Jean-Baptiste (1897).

LES MORALITÉS LÉGENDAIRES

Salomé

* * *

« Ça s'avance par stances, dans les salves [1] des valves, en luxures sans césures, en surplis aplatis qu'on abdique vers l'oblique des dérives primitives; tout s'étire hors du moi ! — (Peux pas dire que j'en sois.) »

La petite vocératrice [2] jaune à pois funèbres [3] rompit sa 5 lyre sur son genou, et reprit sa dignité.

L'assistance intoxiquée s'essuyait les tempes par contenance. Un silence d'ineffable confusion passa.

Les Princes du Nord n'osaient tirer leur montre, encore moins demander: « À quelle heure la couche-t-on ? » Il ne 10 devait guère être plus de six heures.

Le Tétrarque scrutait les dessins de ses coussins; c'était fini; la voix dure de Salomé vous le redressa vivement.

— Et maintenant, mon père, je désirerais que vous me fassiez monter chez moi, en un plat quelconque, la tête de 15 Iaokanann. C'est dit. Je monte l'attendre.

— Mais, mon enfant, tu n'y penses pas ! cet étranger ...

Mais la salle entière opina fervemment de la tiare qu'en ce jour la volonté de Salomé fût faite; et les volières conclurent en reprenant leur scintillement assourdissant.   20

Émeraude-Archetypas coulait un œil de côté vers les Princes du Nord; pas le moindre signe d'approbation ou de désapprobation. Ça ne les regardait sans doute pas.

Adjugé ! [4]

Le Tétrarque lança son Sceau à l'Administrateur de la 25 Mort.

[1] *Salutes.*

[2] Nom donné en Corse — et ailleurs par extension — aux femmes qui improvisent des chants de lamentation sur les morts.

[3] C. à. d. portant une robe parsemée de pois noirs.

[4] *Granted!*

Déjà les convives se dispersaient, causant d'autre chose,
vers le bain du soir.

IV

Accoudée au parapet de l'observatoire, Salomé, fuyeuse
de fêtes nationales, écoutait la mer familière des belles
5 nuits.

Une de ces nuits étoilées au complet ! Des éternités de
zéniths de brasiers ! Oh ! que de quoi s'égarer, par exemple, pour un express d'exil ! [1] etc.

Salomé, sœur de lait de la Voie Lactée, ne sortait guère
10 d'elle-même qu'aux étoiles.

D'après la photographie en couleur (grâce au spectre)
des étoiles dites jaunes, rouges, blanches, de seizième
grandeur, elle s'était fait tailler de précis diamants dont
elle semait sa chevelure et toute sa beauté, et sa toilette
15 des Nuits (mousseline violet-gros-deuil à pois d'or) pour
conférer sur les terrasses, en tête-à-tête, avec ses vingt-
quatre millions d'astres, comme un souverain met, ayant
à recevoir ses pairs ou satellites, les ordres de leurs régions.

Salomé tenait en disgrâce les vulgaires cabochons [2] de
20 première, de deuxième grandeur, etc. Jusqu'à la quinzième
grandeur, les astres n'étaient pas de son monde. D'ailleurs, les seules nébuleuses-matrices faisaient sa passion ;
non les nébuleuses formées, aux disques déjà planétiformes,
mais les amorphes, les perforées, les à-tentacules. — Et
25 celui d'Orion, ce pâté gazeux aux rayons maladifs, restait
toujours le fleuron benjamin [3] de sa clignotante couronne.

Ah ! chères compagnes des prairies stellaires, Salomé
n'était plus la petite Salomé ! et cette nuit allait inaugurer
une ère nouvelle de relations et d'étiquette !

[1] Un train express qui conduirait — en exil — dans les régions de
l'infini.

[2] Clou de cuivre doré ou argenté employé dans les ameublements.
Ici désignant les étoiles.

[3] *Favorite jewel.*

D'abord, exorcisée de sa virginité de tissus, elle se sentait maintenant, vis-à-vis de ces nébuleuses-matrices, fécondée tout comme elles d'évolutions giratoires.

Ensuite, ce fatal sacrifice au culte (heureuse, encore, de s'en tirer à compte si discret !) l'avait obligée, pour faire 5 disparaître l'initiateur, à l'acte (grave, on a beau dire) nommé homicide.

Enfin, pour gagner ce silence à mort de l'Initiateur, avait dû servir, encore que coupé d'eau, à ces gens contingents, l'élixir distillé dans l'angoisse de cent nuits de la trempe 10 de celle-ci.

Allons, c'était sa vie; elle était une spécialité, une petite spécialité.

Or là, sur un coussin, parmi les débris de la lyre d'ébène, la tête de Jean (comme jadis celle d'Orphée) [1] brillait, en- 15 duite de phosphore, lavée, fardée, frisée, faisant rictus [2] à ces vingt-quatre millions d'astres.

Aussitôt l'objet livré, Salomé, par acquit de conscience scientifique, avait essayé ces fameuses expériences [3] d'après décollation, dont on parle tant; elle s'y attendait, les 20 passes électriques ne tirèrent de la face que grimaces sans conséquence.

Elle avait son idée, maintenant.

Mais, dire qu'elle ne baissait plus les yeux devant Orion ! Elle se raidit à fixer la mystique nébuleuse de ses pubertés, 25 durant dix minutes. Que de nuits, que de nuits d'avenir, à qui aura le dernier mot ... !

Et ces orphéons, ces pétards,[4] là-bas, dans la ville !

---

[1] Orphée, déchiré par les Bacchantes — car il s'opposait au culte de Bacchus; sa tête et sa lyre, dit la légende, furent portées sur les eaux, à travers la mer, jusqu'à l'île de Lesbos qui devint dès lors un centre de poésie lyrique.

[2] Offrant sa grimace, narguant.

[3] Expériences pour tenter de faire revivre la tête d'un décapité.

[4] *Orphéons ... pétards*, chants de fête ... feux d'artifice [*fire-works*].

Enfin, Salomé se secoua en personne raisonnable, remontant son fichu; puis, dénicha[1] sur elle l'opale trouble et sablée d'or[2] gris d'Orion, la déposa dans la bouche de Jean, comme une hostie, baisa cette bouche miséricordieusement et hermétiquement, et scella cette bouche de son cachet corrosif (procédé instantané).

Elle attendit, une minute ! . . . rien par la nuit ne faisait signe ! . . . avec un « allons ! » mutin[3] et agacé, elle empoigna la géniale caboche[4] en ses petites mains de femme . . .

Comme elle voulait que la tête tombât en plein dans la mer sans se fracasser d'abord aux rochers des assises, elle prit quelque élan. L'épave décrivit une phosphorescente parabole suffisante. Oh ! la noble parabole ! — Mais la malheureuse petite astronome avait terriblement mal calculé son écart ![5] et, chavirant[6] par-dessus le parapet, avec un cri enfin humain ! elle alla, dégringolant de roc en roc, râler, dans une pittoresque anfractuosité que lavait le flot, loin des rumeurs de la fête nationale, lacérée à nu, ses diamants sidéraux lui entrant dans les chairs, le crâne défoncé, paralysée de vertige, en somme mise à mal, agoniser une heure durant.

Et elle n'eut, pas même, le viatique d'apercevoir la phosphorescente étoile flottante de la tête de Jean, sur la mer . . .

Quant aux lointains du ciel, ils étaient loin . . .

Ainsi connut le trépas, Salomé, du moins celle des Iles Blanches Ésotériques; moins victime des hasards illettrés que d'avoir voulu vivre dans le factice et non à la bonne franquette,[7] à l'instar de chacun de nous.

---

[1] *Picked out carefully.*
[2] Parsemée de reflets d'or.
[3] Se dit d'un enfant capricieux.
[4] Ici, populaire pour, tête [*noddle*].
[5] Distance.
[6] Ici, tombant [*capsizing*].
[7] Idiom: *candidly, without pretence.*

* * *

Les sarcasmes et les parodies ne mirent pas fin au mouvement inauguré par les Symbolistes. Il en fut qui désertèrent, comme Moréas, d'autres qui prirent le chemin du retour à la poésie traditionnelle, comme Henri de Régnier, d'autres encore choisirent des sentiers écartés comme Francis Jammes; mais il y eut un assez grand nombre de continuateurs qui pourraient tous être rangés sous le nom d'un de ces groupes issus du tronc symboliste, « Les Fantaisistes »; et il ne faut pas oublier les Futuristes dont un étranger, le poète italien Marinetti lança le manifeste dans *Le Figaro* du 20 février 1909. Le « Dadaïsme », lancé pendant les années de la guerre, remit tout en question. Mais il y eut une véritable renaissance du mouvement symboliste, inauguré surtout par deux adeptes des premiers jours et qui, après la guerre avaient atteint l'âge mûr: Paul Valéry et Paul Claudel — ce dernier entre autres qui aurait réussi (selon Dérieux, *livre cité*, p. 166) « cette synthèse Racine-Mallarmé, que l'avant-guerre avait entrevue, mais sans l'atteindre. » Et enfin, après 1920, on a employé le terme « Surréalisme » pour exprimer des aspirations qui ne sont que celles du Symbolisme poussé plus loin encore qu'aux premières heures d'enthousiasme: la vraie vie, celle qui compterait, ce ne serait pas celle de la raison, ou même de la conscience. On s'est servi pour caractériser ces tendances du mot « subconscient » qui égare; ce n'est pas dans le sens de *sous*, d'infériorité qu'il faut l'entendre, mais au contraire dans le sens de supériorité, d'une vie de l'au-delà, d'une vie profonde: non le sub-réalisme, mais le super-réalisme dont le sens n'est autre que celui contenu dans le fameux mot de Hamlet:

> *There are more things in heaven and earth, Horatio,*
> *Than are dreamed of in your philosophy.*

En ce qui concerne la forme, le Symbolisme s'est aussi prolongé, et l'idée des rapports du rythme poétique et de la musique est souvent discutée encore. Signalons le livre de Charles Maurras, *La musique intérieure* (1925), et que le débat fut remis en pleine évidence par l'abbé Henri Brémont, en 1926. V. *Henri Brémont, La poésie pure, suivi d'un débat sur la poésie* par Robert de Souza (Grasset, 1926) et Henri Brémont, *Prière et poésie*, (Grasset, 1926).

AU SEUIL DU VINGTIÈME SIÈCLE

Sans doute, parmi les poètes symbolistes, la note passive, sceptique ou même pessimiste semble encore prédominer. Et, cependant, il en est qui laissent entrevoir un esprit nouveau: ainsi Francis Jammes — frère chrétien en poésie du romancier Bourget, ou surtout Verhaeren — frère en poésie de l'auteur des romans de « l'énergie nationale », Barrès.

La question qui se posait au seuil du siècle nouveau était, en effet, celle-ci: le pendule va-t-il continuer son mouvement d'oscillation en retour du dogmatisme scientifique et fataliste des Taine et des Zola, ou de l'attitude apathique des poètes, et de celle quasi-prophétique d'un Romain Rolland, vers une ère de ferveur et de confiance? un nouvel élan romantique se produirait-il à l'aube de ce siècle? La réponse doit être affirmative, bien qu'il faille reconnaître que les croissantes complexités de la société moderne rendaient plus difficile la tâche de reconstruction, plus hésitants les rêves que ce n'était le cas lors de la première grande tourmente révolutionnaire. C'est qu'après 1789 on était certain qu'il suffisait de *vouloir* reconstruire le monde sur de nouvelles bases, plus humaines, pour *pouvoir* le faire, tandis que les tentatives successives faites au cours du XIXᵉ siècle ont révélé les difficultés de la tâche, ont laissé des doutes, ou au moins des réserver, dans les esprits des hommes du XXᵉ siècle.

Et, cependant, les espoirs semblent si bien fondés qu'on a pu parler d'un « néo-romantisme » aux premières années du XXᵉ siècle. La littérature, en effet, contribuera pour sa part à préparer la France à la glorieuse épopée de la Grande guerre. Le pays se sentait ardemment désireux de se ressaisir après la grande crise de l'affaire Dreyfus, et après les secousses sociales provoquées par la loi de séparation de l'Église et de l'État; la France héroïque n'était pas morte. Parallèle intéressant à souligner: Comme ç'avait été un grand poète, et un poète dramatique, qui avait servi de porte-voix au renouveau romantique, ce sera aussi un grand poète, et un poète dramatique qui exprimera avec le plus de bonheur ce nouveau réveil des esprits. N'a-t-on pas rappelé de toutes parts, en 1897, après le triomphe de *Cyrano de Bergerac*, par Edmond Rostand, la fameuse « bataille d'Hernani » qui assura le triomphe du romantisme? L'évocation de la Grande épopée napoléonienne dans *L'Aiglon*, en 1900, n'a-t-elle pas été comprise par la France? Enfin, l'appel de Chantecler, en 1910, qui atteste qu'une grande foi, fût-elle illusoire, est ce qui donne à l'homme sa noblesse, n'a-t-il pas été entendu?

Catulle Mendès (rapport en 1902 au Ministre de l'Instruction publique sur l'état de la poésie en France) pouvait écrire: « Le XIXᵉ siècle commence en un poète tel que Victor Hugo, s'achève par un poète tel qu'Edmond Rostand — qui recommence et continue ».